JN133297

小児看護学❷

健康障害をもつ小児の看護

本書デジタルコンテンツの利用方法

本書のデジタルコンテンツは、専用Webサイト「mee connect」上で無料でご利用いただけます。

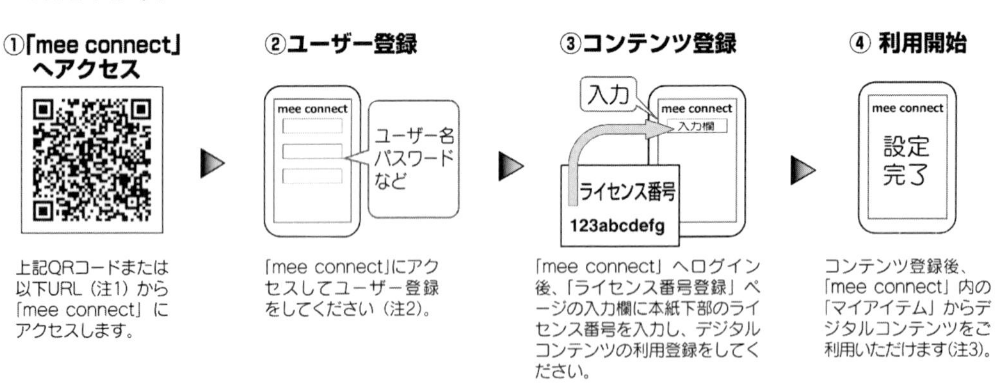

注1：https://www.medical-friend.co.jp/websystem/01.html
注2：「mee connect」のユーザー登録がお済みの方は、②の手順は不要です。
注3：デジタルコンテンツは一度コンテンツ登録をすれば、以後ライセンス番号を入力せずにご利用いただけます。

ライセンス番号　a045 0703 8icdok

※コンテンツ登録ができないなど、デジタルコンテンツに関するお困りごとがございましたら、「mee connect」内の「お問い合わせ」ページ、もしくはdigital@medical-friend.co.jpまでご連絡ください。

まえがき

今日，子どもを取り巻く環境は大きく変化している。例えば，少子高齢社会はわが国のみならず多くの国々に共通する問題であり，家族のあり様の変化や医療サービスの偏在などの原因となり，子どもの健康や生活全般に直接的・間接的に影響を及ぼしている。そのような背景を踏まえると，一人ひとりの子どもの健康・生活，そして未来を守ることは現代社会にとって喫緊の課題と言えよう。看護職は，小児へのダイレクトケアや教育的支援を行う立場にあり，その子らしい生活環境づくり，看護活動を通じた政策提言など様々なレベルで子どもの健康のために力を尽くすことができる専門職である。

本書では，子どもが「個々に力を備えた，権利を有した一人の人間」であることを小児看護に携わる看護師の共通理解として基盤に置き，そのうえで，①子どもがひとりの個性ある人間であること，②子どもは成長し発達する存在であること，③家族は子どもへの支援における看護職のパートナーであるとともに看護ケアの対象でもあること，④看護ケアは子どもと家族中心であるべきこと，⑤子どもと家族中心のケアを実践するために子どもと家族の生活のあらゆる場で多職種協働が行われる必要があること，の５つを重視している。そのうえで，あらゆる発達段階・健康状態・療養の場における子どもと家族への支援を学ぶことができるように編集した。また，本書の内容にそった動画を作成し，実際の看護の場面をより具体的なイメージをもって学べるよう工夫している。

「小児看護学①」では，対象となる様々な問題，病態の本質を正確に理解することに重点を置き，小児の成長・発達から子どもの権利まで，小児看護に求められる理論を幅広く取り上げた。また，子どもの健康問題をライフサイクルの観点から捉えることを通じて，子どもと家族中心のケアの基盤づくりを学ぶことを目指している。さらに，子どもを取り巻く社会のあり様や制度の変遷を述べることで，現代の小児看護において看護師に求められる役割を理解しやすく記載した。そのほか，成長・発達と生活行動の関連に重きを置いた第５版の方針を踏襲し，成長・発達と生活行動の関連を「生活行動マップ」としてまとめ，巻末資料とした。基礎教育の学びの場に留まらず，臨地実習などで活用していただきたい。また，前版（第６版）改訂時に動画での解説を導入したところ，多くの反響があったため，第７版改訂でも新規撮りおろしの動画を増やしている。これらのコンテンツが看護を学ぶ学生たちの学習の一助となれば幸いである。

「小児看護学②」では，様々な健康状態にある子どもとその家族への看護ケアを学ぶために，成長・発達段階や症状・経過・状況・場ごとに，子どもと家族との体験を通じた対象理解と，それに基づくアセスメント・看護ケアを展開している。さらに，移行期医療など小児看護学の新たな課題とされている問題を取り上げているほか，小児の看護に必要な看護技術や意思決定支援（インフォームドアセント，プレパレーションなど）・教育的支援についても，実践知に裏付けされた解説を意識した。また，疾患理解に基づく看護ケアの実践を念頭に，小児期によくみられる疾患の定義・特徴，検査・処置・治療の方法などをまとめた。

本書は，看護を学ぶ学生が小児看護学の理論を踏まえて具体的なケア・技術を理解し身に付けることを目指した。さらに，小児看護の専門性を追求する大学院生や臨床現場で子どもたちやその家族に日々向き合う看護師が，実践を振り返ることにより小児という存在を捉え直したり，自らが実践している看護を今一度，理論的に整理しなおしたりすることの一助となるよう心がけた。本書を手に取ったみなさんが，それぞれに気づきと学びを得て，子どもと家族中心のケアの推進者となることを心から祈念している。

末筆ではあるが，本書に執筆いただいた著者のみなさま，出版にご尽力くださったメヂカルフレンド社に心からの感謝を申し上げる。

2022年11月

小林京子・高橋孝雄

執筆者一覧

編集

小林　京子	聖路加国際大学大学院看護学研究科小児看護学教授
高橋　孝雄	慶應義塾大学名誉教授

執筆（執筆順）

小林　京子	聖路加国際大学大学院看護学研究科小児看護学教授
小西　美樹	獨協医科大学看護学部小児看護学教授
福冨　理佳	聖路加国際大学大学院看護学研究科小児看護学助教
横島　里早	筑波大学附属病院看護部
西垣　佳織	聖路加国際大学大学院看護学研究科小児看護学准教授
富岡　晶子	東京医療保健大学医療保健学部教授
新家　一輝	名古屋大学大学院医学系研究科総合保健学専攻次世代育成看護学准教授
入江　亘	東北大学大学院医学系研究科助教
小口　祐子	聖路加国際病院小児看護専門看護師
鈴木　千琴	済生会横浜市東部病院小児プライマリケア認定看護師教育課程主任教員
賀数　勝太	聖路加国際大学大学院看護学研究科小児看護学助教
平田　美佳	埼玉県立大学保健医療福祉学部看護学科准教授
手塚　園江	上智大学総合人間科学部看護学科助教
中田　諭	聖路加国際大学大学院看護学研究科急性期看護学准教授
永瀬　恭子	聖路加国際病院
佐竹留美子	聖路加国際病院
田村　敦子	自治医科大学看護学部・大学院看護学研究科准教授
黒田　光恵	自治医科大学とちぎ子ども医療センター小児看護専門看護師
青木　悠	聖路加国際大学大学院看護学研究科
井出　由美	昭和大学保健医療学部看護学科臨床看護学講師小児看護専門看護師
篠木　絵理	東京医療保健大学千葉看護学部教授
小泉　麗	昭和大学保健医療学部看護学科小児看護学講師
倉田　慶子	順天堂大学大学院医療看護学研究科准教授
佐藤　奈保	千葉大学大学院看護学研究院准教授
校條　文	東京都立小児総合医療センター看護部主任
山本　光映	聖路加国際病院小児総合医療センター小児看護専門看護師
古橋　知子	福島県立医科大学看護学部准教授，小児看護専門看護師
上原　章江	伊東市民病院小児看護専門看護師
井ノ口美香子	慶應義塾大学保健管理センター教授
小崎健次郎	慶應義塾大学医学部臨床遺伝学センター教授
飛彈麻里子	慶應義塾大学医学部小児科准教授
舩越　建	慶應義塾大学医学部皮膚科准教授
東　範行	前国立成育医療研究センター眼科診療部長・視覚科学研究室長
大石　直樹	慶應義塾大学医学部耳鼻咽喉科准教授・診療科副部長

肥沼　悟郎　　国立成育医療研究センター小児内科系専門診療部呼吸器科
山岸　敬幸　　慶應義塾大学医学部小児科教授・診療科副部長
黒田　達夫　　慶應義塾大学医学部外科学（小児）教授・診療科部長
幡谷　浩史　　東京都立小児総合医療センター総合診療科腎臓・リウマチ膠原病科部長
内川　伸一　　国立成育医療研究センター・整形外科医長
武内　俊樹　　慶應義塾大学医学部小児科専任講師
嶋田　博之　　慶應義塾大学医学部小児科専任講師・診療科医長（病棟）
嶋　晴子　　慶應義塾大学医学部小児科助教
新庄　正宜　　慶應義塾大学医学部小児科専任講師
長谷川奉延　　慶應義塾大学医学部教授・慶應義塾大学病院副病院長
森田久美子　　東京都立小児総合医療センターアレルギー科
安岡　秀剛　　藤田医科大学病院リウマチ・膠原病内科教授
鴇田　夏子　　慶應義塾大学医学部小児科助教
坂口　友理　　東京都立小児総合医療センター神経内科
福島　裕之　　東京歯科大学市川総合病院小児科教授

目次

序章 小児の健康障害の転帰と療養の場 小児京子 001

1 小児の特徴と療養の場の調整の目標 003

第3編 健康問題・障害のある小児の看護

第1章 健康問題・障害が小児と家族に与える影響と看護 小林京子 007

I 小児の病気の理解と説明 008

A 小児の病気の理解の特徴 008

B 小児の理解に関する要因 010

C 発達に応じた病気の説明 010

1 病気の説明の原則 011

2 説明前の準備 011

D インフォームドアセント 012

II 病気や診療・入院が小児に与える影響と看護 013

A 成長発達に及ぼす影響 014

B 病気や診療・入院に伴うストレスと影響要因 016

C 小児の反応とストレス対処行動 018

III 小児の病気や診療・入院がきょうだい・家族に及ぼす影響と看護支援 020

A 小児の病気や診療・入院に伴うきょうだい・家族のストレス 020

1 親への影響 020

2 親への支援 020

3 きょうだいへの影響 022

4 きょうだいへの支援 022

第2章 それぞれの発達段階に応じた看護 025

I 新生児期の看護 小西美樹 026

A 健康問題・障害をもつ新生児期の小児の特徴 026

1 身体機能の特徴 026

2 認知・情緒機能の特徴 029

3 社会機能の特徴 030

B 入院・療養生活における支援 030

1 身体機能への支援 030

2 心理・社会的支援 034

C 代表的な疾患をもつ小児への看護 036

1 後期早産 036

II 乳児期の看護 福冨理佳 037

A 健康問題・障害をもつ乳児期の小児の特徴 037

1 身体機能の特徴 037

2 認知・情緒機能の特徴 038

3 社会機能の特徴 038

B 入院・療養生活における支援 039

1 身体機能への支援 VIDEO 039

2 心理・社会的支援 042

C 代表的な疾患をもつ小児への看護 043

1 肺炎 043

2 熱性痙攣 045

III 幼児期の看護 横島里早 046

A 健康問題・障害をもつ幼児期の小児の特徴 046

1 身体機能の特徴 046

2 認知・情緒機能の特徴 046

3 社会機能の特徴 048

B 入院・療養生活における支援 048

1 身体機能への支援 VIDEO 049

2 心理・社会的支援 052

C 代表的な疾患をもつ小児への看護 054

1 川崎病 054

2 喘息 056

IV 学童期の看護 西垣佳織 058

A 健康問題・障害をもつ学童期の小児の特徴 058

1 身体機能の特徴 058

2 認知・情緒機能の特徴 058

3 社会機能の特徴 059

B 入院・療養生活における支援 060

1 身体機能への支援 060

2 心理・社会的支援 060
C 代表的な疾患をもつ小児への看護 063
1 白血病 063

V 思春期・青年期の看護 富岡晶子 067
A 健康問題・障害をもつ思春期・青年期の小児の特徴 067
1 身体機能の特徴 067
2 認知・情緒機能の特徴 067
3 社会機能の特徴 068
B 入院・療養生活における援助 068
1 身体機能への支援 068
2 心理・社会的支援 069
C 代表的な疾患をもつ小児への看護 071
1 起立性調節障害 071
2 骨折 072

第3章 小児にみられる主な症状と看護 075

I 啼泣・不機嫌 新家一輝 076

II 発熱 入江 亘 077
A 定義 077
B 分類 077
C 原因 077
D 看護 078
1 情報収集・アセスメント 078
2 看護の実際 079

III 発疹 小口祐子 080
A 定義 080
B 分類・種類 080
C 原因疾患 080
D 看護 082
1 情報収集・アセスメント 082
2 看護の実際 082

IV 悪心・嘔吐 新家一輝 083
A 定義 083
B 分類・種類 083
C 原因 084
D 看護 084
1 情報収集・アセスメント 084
2 看護の実際 085

V 下痢 小口祐子 086
A 定義 086
B 分類・種類 086
C 看護 086
1 情報収集・アセスメント 086
2 看護の実際 087

VI 便秘 鈴木千琴 088
A 定義 088
B 分類 089
C 原因疾患 090
D 看護 090
1 情報収集(観察のポイント)・アセスメント 090
2 看護の実際 091

VII 脱水 新家一輝 092
A 定義・分類・種類 092
B 原因 092
C 看護 094
1 情報収集・アセスメント 094
2 看護の実際 095

VIII 呼吸困難 賀数勝太 096
A 呼吸困難とは 096
B 小児の特徴 097
C 看護 097
1 全身状態の観察 098
2 適切な酸素療法 098
3 ポジショニング 098
4 清潔の保持 099
5 水分・栄養管理 099
6 精神的なサポート 099

Ⅸ チアノーゼ 100

A チアノーゼとは 100

B 小児の特徴 100

C 看護 101

1 全身状態の観察 101
2 安楽な体位の調整 101
3 十分な栄養摂取 102

Ⅹ 痛み 平田美佳 102

A 痛みとは 102

1 主観的・個人的体験としての痛み 102
2 多面的な体験である痛み 103
3 痛みの分類 103

B 痛みの緩和 104

1 小児の痛みの特徴 104
2 痛みの閾値という考え方 104
3 小児の痛みのアセスメント 105
4 小児と親が参加する痛み緩和ケア 105

Ⅺ 意識障害 賀数勝太 106

A 意識障害とは 106

B 小児の特徴 106

C 看護 106

1 意識レベルの観察 107
2 神経症状の観察 108
3 全身状態の観察 108
4 日常生活の援助 108

Ⅻ 痙攣 109

A 痙攣とは 109

B 小児の特徴 109

C 看護 111

1 からだの安全確保 111
2 全身状態の観察 112
3 家族への支援 112

XIII ショック 112

A ショックとは 112

B 小児の特徴 113

C 看護 113

1 全身状態の観察と初期対応 113

XIV 黄疸 手塚園江 115

A 定義 115

B 分類・種類 116

1 生理的黄疸 116
2 病的黄疸 116

C 原因疾患 117

D 看護 117

1 情報収集・アセスメント 117
2 看護の実際 118

XV 浮腫 119

A 定義 119

B 分類・種類 120

C 原因疾患 120

D 看護 120

1 情報収集・アセスメント 121
2 看護の実際 121

XVI 瘙痒感 123

A 定義 123

B 分類・種類 123

C 原因疾患 123

D 看護 123

1 情報収集・アセスメント 124
2 看護の実際 124

第4章 経過の特徴と看護の展開 127

Ⅰ 急性期にある小児と家族への看護 手塚園江 128

A 急性期にある小児と家族の体験 128

1 急性期にある小児の特徴 128
2 急性期にある小児の体験 128
3 急性期にある小児の家族の体験 129

B 急性状態が小児に与える影響 130

1 身体的影響 130
2 認知・情緒的影響 130
3 社会的影響 130

C 急性期の小児と家族の看護 131
1 アセスメントの視点 131
2 ケア計画 132
3 看護の実際 132

Ⅱ 周術期における小児と家族への看護 中田 諭 134
A 周術期にある小児と家族の体験 134
1 小児の手術の特徴 134
2 手術を要する健康障害と手術の時期 136
3 手術の種類と特徴 136
B 手術が小児に与える影響 137
1 身体的影響 137
2 認知・情緒的影響 137
3 社会的影響 137
C 周術期の小児と家族の看護 138
1 小児と家族の術前準備 138
2 小児の安全・安楽への支援 139
3 手術中・手術直後の小児と家族の支援 140
4 手術後の身体状況のアセスメントと支援 142
5 退院に向けての支援 143

Ⅲ 慢性期にある小児と家族への看護 小林京子 144
A 慢性期にある小児と家族の体験 144
B 慢性状態が小児に与える影響 146
1 身体的影響 146
2 認知・情緒的影響 147
3 社会的影響 147
C 慢性期の小児と家族の看護 147
D 移行期にある小児と家族への看護 150
1 移行期とは 150
2 移行期にある小児と家族の体験 150
E 成人期への移行過程を生きる小児と家族への看護 151
1 ケア計画 151
2 移行期のケアの課題 153

Ⅳ プライマリヘルスケアで出会う小児と家族への看護 永瀬恭子・佐竹留美子 154
A 一般外来 154
B 予防医療（乳幼児健診・予防接種） 155

Ⅴ 終末期にある小児と家族への看護 平田美佳 156
A 死の概念の発達 157
1 小児の発達段階別の死の概念 157
2 命の教育 158
B 終末期の小児と家族の体験 158
1 終末期の小児の死の理解 158
2 終末期の小児の全人的苦痛 159
3 終末期の小児をもつ家族の体験 160
C 終末期の小児と家族の看護 161
1 全人的苦痛の緩和 161
2 社会とのつながりを維持するケア 161
3 家族の絆を支えるケア 161
4 小児と親の意思決定に向けての支援 162
5 子どもを亡くした家族へのケア 162

国家試験問題 164

第4編 小児と家族に生じやすい状況と看護

第1章 臨床において起こりやすい・直面しやすい状況と看護 165

Ⅰ 検査・処置を受ける小児と家族への看護 平田美佳 166
A 対象の理解 166
1 検査・処置を受ける小児 166
2 検査・処置を受ける小児の家族 166
B アセスメントの視点 166
1 小児の理解と納得を得ること 166
2 小児中心の視点を大切にしたプレパレーション 167
C 看護の実際 167
1 検査・処置を受ける小児への看護が目指すこと 167
2 小児の安全と安楽への配慮 168
3 穿刺を伴う検査や処置における統合的なアプローチ 168
4 鎮静下で行われる検査や処置に対する注意喚起 169
5 環境の調整 169

II 痛みを表現している小児と家族への看護 169

A 対象の理解 169
1 小児の痛みの受け止め方 169
2 小児の痛みの表現方法 170
3 言葉で痛みを伝えることが困難な小児の痛みの表現 171
B アセスメントの視点 172
1 痛みの客観的評価の指標 172
2 痛みの履歴書の活用 173
C 看護の実際 174
1 痛み緩和における基本的なアプローチ 174
2 小児による自己調節型鎮痛法 177

III 活動制限が必要な小児と家族への看護 田村敦子 177

A 対象の理解 177
B アセスメントの視点 178
1 活動制限や隔離の目的・方法 178
2 活動制限や隔離の身体的・心理社会的影響 179
C 看護の実際 179
1 小児の発達に応じた日常生活への援助 179
2 家族の面会や付き添いにおける援助 181
3 小児の対処を支えるケア 182

IV 外来における小児と家族への看護 黒田光恵 182

A 対象の理解 182
B アセスメントの視点 184
C 看護の実際 185

V クリティカルな状況にある小児と家族への看護 青木 悠 187

A 対象の理解 187
1 クリティカルな状況にある小児とは 187
2 クリティカルな状況にある小児の家族とは 188
B アセスメントの視点 189
1 クリティカルな状況にある小児 189
2 クリティカルな状況にある小児の家族 190
C 看護の実際 190
1 クリティカルな状況にある小児 190
2 クリティカルな状況にある小児の家族 191

VI 救急処置が必要な小児と家族への看護 192

A 対象の理解 192
1 救急処置を必要とする小児 192
2 救急処置を必要とする小児の家族 193
B アセスメントの視点 193
1 小児の救急におけるトリアージと対応 193
2 小児の意識レベル 193
3 異物誤飲, 主な誤飲物質と処置 VIDEO 194
4 小児の熱傷の特徴・重症度および処置 195
5 溺水と処置 195
6 頭部外傷 196
7 子どもの虐待 197
8 小児の一次救命処置 VIDEO 197
C 看護の実際 198
1 生命が危険な状況にある小児と家族への援助 198

VII 出生直後から集中治療が必要な小児と家族への看護 井出由美 199

A 対象の理解 199
1 ハイリスク新生児の特徴 199
2 ハイリスク新生児の要因 199
3 ハイリスク新生児の出生に備える 200
B アセスメントの視点 201
1 発達:在胎週数と体重 201
2 出生直後のアセスメント方法 201
3 生理学的機能のアセスメント 201
C 看護の実際 201
1 集中治療における援助 201
2 親子・家族関係確立への支援 203
3 長期フォローアップ 203

VIII 先天的な健康問題のある小児と家族への看護 篠木絵理 204

A 対象の理解 204
1 先天異常の種類と特徴 204
2 小児と家族の体験 204

B アセスメントの視点 205
1 対象理解の視点 205
2 身体面 206
3 成長発達面 206
4 社会面 206
C 看護の実際 206
1 小児の発達段階に応じた援助 206
2 養育とケア技術指導に関する家族への援助 207
3 小児と家族の生活調整への支援 207
4 退院支援 208

IX 心身障害のある小児と家族への看護 小泉 麗 208
A 対象の理解 208
1 心身障害の定義と種類 208
2 重症心身障害児と家族 210
3 医療的ケアの必要な超重症児と家族 211
4 発達障害児と家族 212
B アセスメントの視点 213
1 小児と家族の障害受容 213
C 看護の実際 214
1 身体の安楽の援助 214
2 成長発達の援助 214
3 日常生活の援助 215
4 家族への援助 215

X 医療的ケアを必要としながら退院する小児と家族への看護 215
A 対象の理解 215
1 在宅療養中の小児と家族 215
B アセスメントの視点 216
C 看護の実際 218
1 入院生活から在宅への移行に向けた支援 218
2 多職種の連携と社会資源の活用 218
3 小児のセルフケア行動の促進 220

第2章 地域・在宅看護 223

I 聴覚障害のある小児と家族への看護 倉田慶子 224
A 対象の理解 224
1 聴覚障害の原因 224
2 聴覚障害の程度 224
3 障害の種類 225
4 障害の発生時期 225
5 聴覚障害がある小児の反応 225
6 聴覚障害がある小児をもつ家族の反応 226
B 対象アセスメントの視点 227
C 看護の実際 227
1 乳幼児期の小児への看護 227
2 学童期の小児への看護 227
3 聴覚障害をもつ小児の家族への看護 228
4 地域・在宅支援・学校との連携における聴覚障害をもつ小児の家族への支援 228

II 発達障害のある小児と家族への看護 佐藤奈保 229
A 対象の理解とケアに必要な知識 231
1 感覚・知覚の過敏または鈍麻 231
2 人への興味・関心の低さ, 非言語的コミュニケーションの弱さ 231
3 特定の物事や行動に対するこだわりと不安 231
4 衝動的な行動, 多動, 注意・集中のアンバランスさ 232
5 常同行動 (反復的な行動), 自己刺激 232
6 感覚・知覚情報を行動につなげる機能の弱さ 232
B 具体的な支援と看護 233
1 小児の健康状態, 成長発達, 日常生活リズムに関する支援 233
2 受診や入院をする際の支援 233
3 家族が抱える育児／養育上の問題, 家族の日常生活への支援 233

III 家庭で療養している慢性疾患のある小児と家族への看護 234
A 対象の理解 235
1 慢性疾患のある小児 235
2 慢性疾患のある小児を育てる家族 235
B ケアに必要な知識・技術と留意点 236
1 セルフケアを促す支援 236
2 保育所・幼稚園, 学校との連携 236
C 看護の実際 237
1 小児の健康状態の確認・対応 237

2 セルフケアの促進と成人期への移行支援 237
3 家族を含めた健康な生活を促す支援 238
4 災害発生に対する備え 239

Ⅳ 在宅・地域で医療的ケアを必要とする小児と家族への看護 倉田慶子 240

A 対象の理解 240
1 医療的ケア児の状態像 240
B 対象アセスメントの視点 240
1 子どもの成長・発達段階の視点によるアセスメント 240
2 家族の状況の視点によるアセスメント 241
3 疾患や障害の状態からみたアセスメント 241
4 地域や社会資源の活用状況からのアセスメント 241
C 看護の実際 242
1 多職種と連携した退院支援 242
2 地域, 社会資源との連携 243
3 家族に着目した看護 243
4 保育所, 幼稚園, 通所, 学校における医療的ケアの実際 244

第3章 特別な状況, その他起こりやすい・直面しやすい状況と看護 247

Ⅰ 心の問題を抱えている小児と家族への看護 校條 文 248

A 対象の理解 248
1 心の問題を抱えている小児の特徴 248
2 家族の特徴 250
B アセスメントの視点 251
1 アセスメントのポイント 251
2 他職種からの視点 251
C 看護の実際 252
1 社会の枠（ルール）について学ぶ機会をつくり, 子どもの自立を支える 252
2 対人関係をとおして, 自分自身を見つめる 252
3 自尊心・自己肯定感を伸ばす 252
4 家族自身が強みを認識できるようかかわる 253

Ⅱ 虐待を受けている小児と家族への看護 山本光映 254

A 対象の理解 254
1 小児への虐待の特徴 254
B アセスメントの視点 257
1 虐待のリスク要因と虐待の早期発見 257
C 看護の実際 259
1 虐待の未然防止に向けての支援 259
2 多機関・多職種の連携・協働 260

Ⅲ 災害を受けた小児と家族への看護 古橋知子 262

A 対象の理解 262
1 災害とは 262
2 災害による小児への影響とストレス 262
B ケアに必要な知識・技術と留意点 263
1 災害医療の基本原則 263
2 災害における心のケア 264
C 看護の実際 266
1 防災における援助 266
2 災害に遭遇した小児と家族への援助 266

国家試験問題 269

第5編 健康問題・障害のある小児に必要な看護技術

第1章 コミュニケーション技術 小林京子 271

Ⅰ 小児看護のコミュニケーションとは 272

Ⅱ コミュニケーション技術 273
1 接近法 273
A 言語的コミュニケーション技術 273
B 非言語的コミュニケーション技術 274

Ⅲ 小児各期にある子ども・家族へのコミュニケーション 274
1 親とのコミュニケーション 275

第2章 意思決定のための心理的支援技術 平田美佳 277

I インフォームドコンセントとインフォームドアセント 278

A インフォームドコンセントとは 278

B 小児医療におけるインフォームドコンセント 278

II プレパレーションの方法 279

A 病院受診の前 280

B 入院時のケア 280

1 小児が感じる第一印象をより良いものにする 280

2 入院の理由と入院生活について伝える 280

C 検査・処置に向けての心理的準備 281

1 小児に病気や治療について伝える 281

2 検査や処置・手術について伝える 281

D 検査や処置中のケア・入院中のケア 282

1 検査や処置中のケア VIDEO 282

2 入院中の日常的なケア 283

E 検査や処置後のケア・退院に向けてのケア 283

1 検査や処置後のケア 283

2 退院に向けてのケア 284

III 小児各期にある小児へのプレパレーション 284

A 乳児期 284

B 幼児期 285

C 学童期 VIDEO 285

D 思春期・青年期 286

E 家族へのプレパレーション 286

1 親へのケア 286

2 きょうだいへのケア 287

F プレパレーションの実践における多職種・多部署との連携 287

第3章 ヘルスアセスメントの手法 289

I ヘルスアセスメントとは 青木 悠 290

A ヘルスアセスメントとは 290

B ヘルスアセスメントの構成要素 290

1 情報収集 290

2 情報の解釈 291

3 情報の分析・統合 291

4 アセスメント結果の記録(文書化) 291

5 評価 292

C ヘルスアセスメントのポイント 292

II バイタルサインの測定 292

A 呼吸 293

1 アセスメントのポイント 293

2 アセスメントの方法 VIDEO 293

B 脈拍・心拍 294

1 アセスメントのポイント 294

2 アセスメントの方法 VIDEO 295

C 血圧 296

1 アセスメントのポイント 296

2 アセスメントの方法 VIDEO 296

D 体温 296

1 アセスメントのポイント 296

2 アセスメントの方法 VIDEO 298

E SpO_2(経皮的動脈血酸素飽和度) 299

1 アセスメントのポイント 299

2 アセスメントの方法 300

III フィジカルアセスメント 上原章江 301

1 小児を対象にしたフィジカルアセスメントの特徴 301

A フィジカルアセスメントの実施手順 302

1 アセスメントのポイント 302

2 アセスメントの方法 302

B 全身状態のアセスメント 304

1 アセスメントのポイント 304

2 アセスメントの方法 304

C 系統別のアセスメント 305

1 皮膚 305

2 頭頸部 305

3 眼 306

4 耳鼻咽喉・口腔器官 306

5 胸部・肺 308

6 循環器 308
7 消化器・腹部 309
8 腎・泌尿器 311
9 代謝・内分泌 311
10 免疫 312
11 筋・骨格 VIDEO 312
12 生殖器 313

D 神経系のアセスメント 314
1 意識状態 314
2 脳神経 316
3 運動機能 316
4 感覚機能 317
5 反射機能 317
6 自律神経 318

第4章 検査や処置の手法と看護 小口祐子 319

I 採血 320
1 アセスメント 320
2 診療に伴う技術と看護 320
3 プレパレーションと看護 321

II 採尿 322
1 アセスメント 322
2 診療に伴う技術と看護 VIDEO 322
3 プレパレーションと看護 324

III 骨髄穿刺 324
1 アセスメント 324
2 診療に伴う技術と看護 325
3 プレパレーションと看護 327

IV 腰椎穿刺・髄腔内注射 327
1 アセスメント 327
2 診療に伴う技術と看護 327
3 プレパレーションと看護 329

V 与薬（経口与薬） 329
1 アセスメント 329
2 診療に伴う技術と看護 VIDEO 331
3 プレパレーションと看護 332

VI 注射 332
1 アセスメント 332
2 診療に伴う技術と看護 332
3 プレパレーションと看護 334

VII 輸液療法 335
1 アセスメント 335
2 診療に伴う技術と看護 335
3 プレパレーションと看護 338

VIII 吸引 338
1 アセスメント 338
2 診療に伴う技術と看護 VIDEO 339
3 プレパレーションと看護 341

IX 酸素療法 VIDEO 341
1 アセスメント 343
2 診療に伴う技術と看護 343
3 プレパレーションと看護 VIDEO 344

X 経管栄養 344
1 アセスメント 345
2 診療に伴う技術と看護 VIDEO 345
3 プレパレーションと看護 346

XI 画像検査 347

第5章 指導・教育技術 小林京子 349

I 教育的支援とは 350
A 教育的支援の目的 350
B 教育的支援の理論 351
1 受容 351
2 行動変容ステージモデル（トランスセオリティカルモデル） 351
3 健康信念モデル（ヘルスビリーフモデル） 353
C 教育的支援の実際 353
1 初期（入院時・入院中）教育 353
2 退院指導 356
3 集団教育 356

国家試験問題 358

第6編 小児によくみられる疾患とその治療

第1章 小児医療・小児保健の役割と特性

井ノ口美香子 359

I 小児医療 360
A 小児医療の分野 360
B 小児医療の歴史的展望 360
C 小児医療の発展と小児慢性疾患の成人期移行 361
D 小児医療の特殊性 361
E 小児医療におけるインフォームドコンセント 361

II 小児保健 362
A 小児保健の対象と役割 362
B 乳幼児健康診査 362
C 学校保健 363
D 子育て中の親への包括支援 364
E 小児虐待増加への対策 364

第2章 染色体異常・先天異常

小崎健次郎 367

I 染色体異常・先天異常とは 368
1 先天異常の考え方 368
2 遺伝子と染色体 368
1 遺伝子 368
2 染色体 368
3 ゲノム 368
4 染色体・遺伝子異常 369
3 遺伝性疾患 369
1 メンデル遺伝病 369
2 染色体異常症 369
3 ミトコンドリア遺伝病 370
4 多因子遺伝病 370
4 遺伝カウンセリング 370
5 先天代謝異常症とマススクリーニング 371
6 形態異常 371

II 先天異常の代表的疾患 372
A メンデル遺伝病 372
1 軟骨無形成症 372
2 マルファン症候群 373
3 フェニルケトン尿症 373
B 染色体異常症 373
1 ダウン症候群(21トリソミー) 373
2 18トリソミー 373
3 13トリソミー 373
4 ターナー症候群 374
5 クラインフェルター症候群 374
C 先天性形成異常(先天奇形) 374
1 胎児アルコール症候群 374

第3章 新生児の特徴と疾患

飛彈麻里子 375

I 新生児の特徴と異常徴候 376
A 新生児の特徴 376
1 呼吸・循環の変化(胎児循環から新生児循環への変化) 376
1 胎児循環 376
2 新生児循環 376
2 栄養代謝の変化 377
3 環境の変化 377
4 新生児の分類 378
B 新生児の異常徴候 378
1 何となく元気がない(not doing well) 378
2 形態異常(奇形) 379
3 呼吸障害 379
4 チアノーゼ 379
5 哺乳障害・哺乳不良 379
6 痙攣・易刺激性 380
7 下血や吐血などの消化管出血(メレナ) 380
8 嘔吐・腹部膨満 380
9 体温の異常 380

II 新生児の主な疾患 381
1 新生児仮死 381
2 呼吸器疾患 382
1 呼吸窮迫症候群 382
2 胎便吸引症候群 384
3 新生児一過性多呼吸 384
4 無呼吸発作 386
5 先天性横隔膜ヘルニア 386
3 循環器疾患 387
1 未熟児動脈管開存症 387
2 新生児遷延性肺高血圧症 388
4 血液疾患 388

1 新生児出血性疾患（ビタミンK欠乏症） 388
2 多血症 389
3 双胎間輸血症候群 389
5 代謝疾患 390
1 低血糖 390
2 低カルシウム血症 390
6 消化器疾患 391
1 新生児壊死性腸炎 391
2 メレナ 391
7 黄疸 391
1 新生児生理的黄疸 391
2 病的黄疸 392
3 ビリルビン脳症 392
8 分娩外傷 393
1 皮膚・皮下組織の浮腫・出血 393
2 頭蓋内出血 394
3 骨折 394
4 分娩麻痺 394
9 感染症 395
1 新生児細菌感染症 395
2 新生児早期発疹性疾患 395
10 新生児ウイルス感染症 395
1 TORCH症候群 395
2 レトロウイルス感染症 396
11 合併症妊娠母体産児 397
1 糖尿病母体児 397
2 自己免疫性疾患母体産児 397

Ⅲ 超低出生体重児の特徴 398

A 一般管理 398
1 体温管理 398
2 急性期管理 399
3 感染防止，スキンケア 399
4 栄養管理 399
5 黄疸管理 399
6 母子関係 400

B 生育限界，成育限界 400

C 超低出生体重児の後障害 400
1 未熟児貧血 400
2 未熟児骨減少症 401
3 慢性肺疾患 401
4 未熟児網膜症 401
5 脳室周囲白質軟化症 402
6 脳室内出血 402

Ⅳ 成熟異常 403
1 Heavy-for-date児 403
2 Light-for-date児 403

第4章 系統臓器別疾患 405

Ⅰ 皮膚疾患 舩越 建 406

A 小児皮膚の特徴 406

B 血管腫と母斑症 406
1 ポートワイン母斑（単純性血管腫） 406
2 サーモンパッチ 406
3 苺状血管腫 407
4 蒙古斑 407
5 脂腺母斑 408
6 先天性巨大色素性母斑 408
7 扁平母斑 409
8 太田母斑 409

C 湿疹皮膚炎群 410
1 新生児痤瘡 410
2 乳児脂漏性湿疹 410
3 接触皮膚炎（かぶれ） 411
4 アトピー性皮膚炎 411

D 紅斑・紫斑・蕁麻疹 412
1 IgA血管炎（アナフィラクトイド紫斑病） 412
2 蕁麻疹 412
3 急性痒疹 413

E 薬疹・中毒疹 413
1 粘膜皮膚眼症候群 413
2 中毒性表皮壊死症（TEN）型薬疹 413

F 物理的皮膚障害 414
1 熱傷 414
2 凍瘡 415

G 伝染性皮膚疾患 415
1 細菌性皮膚疾患 415
1 癤 415
2 ブドウ球菌性熱傷様皮膚症候群 415
2 ウイルス性皮膚疾患 416
1 伝染性軟属腫 416
2 尋常性疣贅 416
3 伝染性紅斑 417
3 真菌感染症 417
1 頭部浅在性白癬 417

H 動物寄生性疾患 418
1 疥癬 418
2 シラミ症 418

I 腫瘍性疾患 419
1 悪性黒色腫 419

J そのほか 419
1 汗疹 419
2 虫刺症 420

II 眼疾患 東 範行 420

A 眼瞼疾患 421
1 睫毛内反症 421
2 眼瞼下垂 421
B 結膜疾患 422
1 流行性角結膜炎 422
2 咽頭結膜熱 422
C 涙器疾患 422
1 先天性鼻涙管閉塞 422
2 新生児涙嚢炎 423
D 水晶体疾患 423
1 白内障 423
2 緑内障 424
E 網膜疾患 425
1 網膜芽細胞腫 425
2 未熟児網膜症 425
F 眼位の異常 426
1 斜視 426
2 眼球振盪 427
G 屈折異常 427
1 近視 427
2 遠視 428
3 乱視 429
4 不同視 429
H 機能(医学)弱視 429
I 色覚異常 430
J 心因性視力障害 431
K 眼窩異常 431
1 横紋筋肉腫 431

III 耳鼻咽喉疾患 大石直樹 431

A 耳疾患 431
1 中耳炎 431
1 急性化膿性中耳炎 431
2 滲出性中耳炎 432
3 慢性中耳炎 432
4 真珠腫性中耳炎 432
2 先天性難聴 433
3 ムンプス難聴 433
4 外耳の先天異常 434
1 小耳症, 外耳道閉鎖症 434
2 先天性耳瘻孔 434
B 鼻疾患 435
1 鼻アレルギー 435
2 鼻出血 435
3 小児副鼻腔炎 436
4 後鼻孔閉鎖症 436
C 咽頭疾患 436
1 睡眠時無呼吸症候群 436
2 アデノイド増殖症, 口蓋扁桃肥大 437
3 扁桃炎, 咽頭炎 437
D 喉頭疾患 438
1 小児声帯結節 438
2 急性声門下喉頭炎, 急性喉頭蓋炎 438
3 喉頭脆弱症 439
4 気管カニューレ抜去困難症 439
E 異物 439
1 外耳道異物 439
2 鼻内異物 440
3 咽頭異物, 食道異物 440
4 気道異物 441

IV 呼吸器疾患 肥沼悟郎 441

A 気道の疾患 441
1 先天異常 441
1 先天性後鼻孔閉鎖症 441
2 喉頭軟化症(喉頭軟弱症) 442
3 気管狭窄, 気管軟化症 442
2 感染症 443
1 急性上気道炎 443
2 急性喉頭蓋炎 444
3 クループ(急性喉頭気管気管支炎) 445
4 急性気管支炎 445
5 急性細気管支炎 446
3 そのほかの気道疾患 446
1 気管異物, 気管支異物 446
2 気管支拡張症 447
B 肺の疾患 447
1 先天異常 447
1 肺嚢胞症(先天性嚢胞性肺疾患) 447
2 肺炎 448
1 急性肺炎(感染性肺炎) 448
2 嚥下性肺炎(誤嚥性肺炎) 448
C 胸膜・縦隔・横隔膜の疾患 449
1 胸膜炎, 膿胸 449

2 先天性横隔膜ヘルニア 450
3 横隔膜挙上症(横隔膜弛緩症) 450
4 横隔神経麻痺 450
5 気胸 451

D 乳幼児突然死症候群 451

V 循環器疾患 山岸敬幸 452

A 小児循環器疾患の特徴 452

B 胎児循環と新生児循環 453

C 先天性心疾患 453

1 主な症状と治療 454
1 心不全 454
2 末梢循環不全 454
3 チアノーゼ(無酸素発作) 455

2 左右短絡のある先天性心疾患の病態・血行動態 456
1 心室中隔欠損症 456
2 動脈管開存症 457
3 心房中隔欠損症 458
4 心内膜床欠損症, 房室中隔欠損症 459

3 右左短絡のある複雑先天性心疾患の病態・血行動態 459
1 ファロー四徴症 459
2 完全大血管転位症 460
3 三尖弁閉鎖症 461
4 単心室症 462
5 大動脈縮窄症(複合型), 大動脈弓離断症 462
6 総肺静脈還流異常症 463
7 総動脈幹遺残症 463
8 エプスタイン病 465

4 短絡のない先天性心疾患 465
1 大動脈狭窄症 465
2 肺動脈狭窄症 466
3 大動脈縮窄症(単純型) 466

D 主な後天性心疾患 466
1 川崎病(小児急性熱性皮膚粘膜リンパ節症候群) 466
2 リウマチ性心炎, 弁膜症 467
3 急性心筋炎 468
4 急性心膜炎 468

E 小児に特徴的な不整脈 468
1 発作性上室性頻拍 468
2 期外収縮 469
3 先天性完全房室ブロック 469
4 先天性QT延長症候群 469

F 小児心疾患の主な合併症 469
1 感染性心内膜炎 469
2 脳膿瘍 470
3 脳塞栓 470

VI 消化器疾患 黒田達夫 470

A 口腔の疾患 470
1 下顎低形成 470
2 アフタ, 口内炎 471
3 歯や歯根の異常, う歯 471
4 唇裂, 口蓋裂 471

B 食道の疾患 471
1 先天性食道閉鎖症 471
2 食道裂孔ヘルニア 473
3 食道アカラシア 473
4 胃食道逆流症 473
5 先天性食道狭窄症 473

C 胃の疾患, 十二指腸の疾患 474
1 胃十二指腸潰瘍, 胃穿孔 474
2 肥厚性幽門狭窄症 474
3 胃軸捻転症 475
4 新生児胃穿孔・胃破裂 475
5 先天性十二指腸閉鎖・狭窄症 475

D 腸の疾患 475
1 先天性腸閉鎖症 475
2 ヒルシュスプルング病 476
3 直腸肛門奇形 477
4 腸回転異常症 478
5 メッケル憩室 478
6 腸重積症 478
7 腸閉塞(イレウス) 479
8 乳児下痢症 480
9 ロタウイルス感染症 481
10 ノロウイルス感染症 481
11 乳児難治性下痢症 482
12 炎症性腸疾患 482
13 潰瘍性大腸炎 482
14 クローン病 483
15 急性虫垂炎 483
16 乳児痔瘻, 肛門周囲膿瘍, 裂肛, 痔核 483
17 慢性便秘症 484
18 過敏性腸症候群 484

E 肝・胆道の疾患 484
1 新生児肝炎 484
2 体質性黄疸 484
3 ウィルソン病 485

4 ウイルス性肝炎(A型・B型・C型) 485
5 胆道閉鎖症 485
6 先天性胆道拡張症 486
7 急性膵炎 486

F そのほかの消化器疾患 487
1 臍帯ヘルニア，腹壁破裂 487
2 鼠径ヘルニア 487
3 消化管異物 488
4 反復性腹痛，再発性臍疝痛 488
5 寄生虫疾患 488
6 腹膜炎 488
7 消化管腫瘍 489

VII 腎・泌尿器疾患 幡谷浩史 489

A 腎疾患 489
1 糸球体疾患 489
1 急性糸球体腎炎 489
2 慢性糸球体腎炎 491
3 紫斑病性腎炎 493
4 ネフローゼ症候群 494
2 急性腎障害(AKI) 495
3 慢性腎臓病(CKD) 497
4 末期腎不全 498
5 そのほかの腎疾患 499
1 溶血性尿毒症症候群 499
2 ウィルムス腫瘍(腎芽腫) 500
3 多発性嚢胞腎 500
4 ネフロン癆 500
5 体位性たんぱく尿 501

B 泌尿器疾患 501
1 尿路疾患 501
1 尿路感染症 501
2 水腎症(閉塞性尿路疾患) 502
3 膀胱尿管逆流症 503
4 尿路結石症 504
5 神経因性膀胱 504
2 生殖器・外性器疾患 505
1 停留精巣 505
2 陰嚢水腫 505
3 尿道下裂 505
4 亀頭包皮炎 505
5 陰門腟炎(外陰腟炎) 506
6 尿道上裂，膀胱外反症 506

VIII 運動器疾患 内川伸一 507

A 先天性疾患 507
1 漏斗胸・鳩胸 507
2 筋性斜頸 507
3 発育性股関節形成不全 508
4 先天性内反足 510
5 非進行性ミオパチー症候群 511
6 筋強直症候群 511

B 後天性疾患 512
1 O脚，X脚 512
2 ペルテス病 512
3 特発性脊柱側彎症 514
4 小児の骨折 514
5 骨肉腫 516

IX 神経・筋疾患 武内俊樹 517

A 発作性疾患 517
1 てんかん 517
1 点頭てんかん 519
2 全身性強直間代発作 519
3 小児欠神てんかん 519
2 熱性痙攣 519

B 慢性疾患 520
1 脳性麻痺 520
2 変性疾患 520
1 テイ-サックス病 521
2 異染性白質ジストロフィー 521
3 ウィルソン病 521
3 神経筋疾患 521
1 筋ジストロフィー 522
2 脊髄性筋萎縮症(ウェルドニッヒ-ホフマン病) 522
3 先天性ミオパチー 523
4 先天性筋強直性ジストロフィー 523
5 ミトコンドリア病 524
6 重症筋無力症 524

C 急性疾患 524
1 髄膜炎 524
2 脳炎，脳症 525
3 そのほかの疾患 525
1 急性小脳失調症 525
2 ギラン-バレー症候群 525
3 脳虚血性疾患 526

D 外科治療の適応疾患 526
1 脳腫瘍(総論) 526
2 脳腫瘍(各論：代表的な疾患) 527
1 星膠細胞腫 527
2 髄芽腫 527
3 上衣腫 527

4 頭蓋咽頭腫 527
5 胚細胞腫瘍 528
6 視神経膠腫 528
3 頭部外傷 528
1 救急時の対応 529
2 事故と虐待の判別 529
3 虐待への対応 529
4 そのほかの疾患 530
1 水頭症 530
2 二分脊椎 530
3 もやもや病 531
E 神経皮膚症候群（母斑症） 531
1 神経線維腫症Ⅰ型 531
2 結節性硬化症 532
3 スタージ－ウェーバー症候群 532
F 言語障害 532
1 言語発達遅滞 532
2 構音障害 532

X 血液疾患と腫瘍 嶋田博之・嶋 晴子 533
A 血液疾患 533
1 貧血 533
1 鉄欠乏性貧血 534
2 巨赤芽球性貧血 534
3 再生不良性貧血 535
4 溶血性貧血 535
2 出血性疾患 535
1 特発性血小板減少性紫斑病 535
2 先天性凝固異常症 536
3 後天性凝固異常症 537
3 白血球の異常（非腫瘍性） 537
1 好中球機能異常症 537
B 腫瘍（小児がん） 538
1 小児がんとは 538
1 小児がんの頻度と種類 538
2 小児がんの原因 539
3 小児がんの症状と診断 539
4 小児がんの治療 539
5 晩期合併症と長期フォローアップ 540
2 白血病 540
1 急性リンパ性白血病 540
2 急性骨髄性白血病 541
3 リンパ腫 542
1 非ホジキンリンパ腫 542
2 ホジキンリンパ腫 543
4 固形腫瘍 544
1 神経芽腫 544
2 網膜芽細胞腫 544
3 肝芽腫 545
4 腎芽腫 546
5 横紋筋肉腫 546
6 骨肉腫 547

XI 感染症 新庄正宜 548
A 細菌感染症 549
1 ワクチンで予防できる細菌感染症 549
1 結核 549
2 百日咳 549
2 溶レン菌・ブドウ球菌感染症 550
1 猩紅熱 550
2 伝染性膿痂疹 550
3 ブドウ球菌性熱傷様皮膚症候群 551
4 そのほか 551
3 消化管の細菌感染症 551
1 細菌あるいはその毒素による食中毒 551
2 腸管出血性大腸菌感染症 551
3 そのほかの腸管感染症 552
4 そのほかの細菌感染症 552
1 肺炎 552
2 敗血症・細菌性（化膿性）髄膜炎 552
B ウイルス感染症 552
1 ワクチンで予防できるウイルス感染症 552
1 麻疹 553
2 風疹 553
3 水痘 553
4 帯状疱疹 554
5 流行性耳下腺炎（おたふくかぜ） 554
6 ロタウイルス感染症 554
7 急性灰白髄炎（ポリオ） 554
8 日本脳炎 555
9 ウイルス性肝炎 555
10 インフルエンザ 555
11 新型コロナウイルス（COVID-19） 556
2 そのほかのウイルス感染症 556
1 アデノウイルス感染症 556
2 エンテロウイルス感染症 556
3 RSウイルス感染症 557
4 ノロウイルス感染症 557
5 単純ヘルペスウイルス（HSV）感染症 557
6 伝染性単核球症 558
7 突発性発疹 558
8 伝染性紅斑 558
9 先天性サイトメガロウイルス感染症 559
10 遅発性ウイルス感染症 559
11 後天性免疫不全症候群 559

12 かぜ（感冒） 559
13 無菌性髄膜炎 559
C 特殊な細菌・真菌・そのほかの感染症 560
1 リケッチア感染症，スピロヘータ感染症 560
2 真菌感染症 560
3 寄生虫感染症（原虫感染症，蠕虫感染症） 560

XII 内分泌・代謝疾患 長谷川奉延 561
A 内分泌疾患 561
1 下垂体疾患 561
1 成長ホルモン分泌不全性低身長症 561
2 中枢性尿崩症 562
3 複合型下垂体機能低下症 563
2 甲状腺疾患 563
1 先天性甲状腺機能低下症 563
2 慢性甲状腺炎（橋本病） 564
3 バセドウ病 564
3 骨・副甲状腺疾患 565
1 くる病 565
2 副甲状腺機能低下症 566
4 副腎疾患 566
1 先天性副腎皮質過形成症 566
5 性腺疾患 567
1 思春期早発症 567
2 性腺機能低下症 567
6 月経異常症 568
7 性分化疾患 568
B 代謝疾患 569
1 糖尿病 569
1 1型糖尿病 569
2 2型糖尿病 570
2 先天代謝異常症 570
1 ムコ多糖症 570
2 骨形成不全症 571
3 軟骨無形成症 571
3 そのほかの代謝疾患 572
1 高インスリン性低血糖症 572
2 肥満症 572

XIII アレルギー疾患 森田久美子 573
A アレルギー反応 573
1 アレルギーとは 573
2 アレルギーの分類 573
1 I型（即時型）アレルギー 573
B 小児の主なアレルギー疾患 574
1 気管支喘息 574
2 食物アレルギー／アナフィラキシー 577
3 アトピー性皮膚炎 578
4 薬物アレルギー 580
5 ラテックスアレルギー 580

XIV 免疫疾患・リウマチ性疾患（膠原病） 安岡秀剛 581
A 免疫疾患とは 581
B 原発性免疫不全症候群 582
1 X連鎖無ガンマグロブリン血症 582
2 重症複合型免疫不全症 582
3 分類不能型免疫不全症 583
4 慢性肉芽腫症 584
5 選択的IgA欠損症 584
6 補体欠損症 585
C リウマチ性疾患（膠原病） 586
1 若年性特発性関節炎 586
2 全身性エリテマトーデス（SLE） 588
3 多発性筋炎，皮膚筋炎 589

XV 精神疾患とメンタルヘルス 鴇田夏子 590
A 小児の心の問題と精神疾患 591
1 精神病理別分類 591
2 小児精神疾患の多軸診断 591
B 小児精神疾患の診断・治療アプローチの基本 592
1 初診時の神経学的診察と小児精神医学的診察 592
2 親子の愛着の特徴の観察 593
3 小児精神疾患の治療に求められる視点 593
C 気分障害，統合失調症 594
1 感情障害 594
1 うつ状態 594
2 躁うつ状態 594
2 統合失調症 595
D 神経症性障害，ストレス関連障害，身体表現性障害 595
1 不安障害 595
1 心的外傷後ストレス障害（PTSD） 595
2 強迫性障害（OCD） 596
3 不登校 596
2 分離不安障害 597

3 適応障害 597
4 解離性障害 597
5 身体表現性障害 598

E 生理的障害・身体的要因に関連した障害 598
1 摂食障害 598
1 神経性食欲不振症 598
2 神経性過食症 599
2 睡眠障害 599

F 小児・青年期の代表的な精神・心身医学的疾患 600
1 知的障害（精神発達遅滞） 600
2 選択性緘黙（場面緘黙） 600
3 発達性協調運動障害（運動能力障害） 600
4 コミュニケーション障害 601
5 チック障害 601
1 一過性チック障害 601
2 トゥレット症候群 601
6 排泄障害 602
7 愛着障害 602
8 性別違和（性同一性障害） 602

G 人格・行動障害 603
1 非行 603
2 パーソナリティ障害 603
1 境界性人格障害 603
3 習癖異常 603
4 虐待 603
5 薬物依存・乱用 605
6 家庭内暴力 605
7 ドメスティックバイオレンス（DV） 605

XVI 神経発達症群（神経発達障害群） 坂口友理 605

A 自閉症スペクトラム障害（自閉スペクトラム症） 606
1 概念 606
2 症状 606
3 臨床経過 606
1 幼児期 606
2 学童前期（6～9歳） 606
3 学童後期（10～12歳） 606
4 思春期（13～18歳） 607
4 併存症 607
1 注意欠如・多動症／注意欠如・多動性障害（ADHD） 607
2 睡眠障害 607
3 そのほか 607
5 治療・支援 607
1 構造化 607
2 学校の環境調整と情報共有 608
3 トークン・エコノミー法 608
4 家族の支援 608

B 注意欠如・多動症／注意欠如・多動性障害（ADHD） 608
1 概念・病因 608
2 症状・診断 609
1 症状 609
2 診断 609
3 臨床経過 609
1 乳幼児期 609
2 学童期 609
3 青年期以降 609
4 鑑別診断・併存症 610
5 治療・支援 610
1 心理社会的アプローチ 610
2 薬物療法 610

C 限局性学習症／限局性学習障害（SLD） 610
1 概念・病因 610
2 症状 611
1 読字障害 611
2 書字障害 611
3 算数障害 611
3 治療・支援 611

XVII 外傷・小児救急 福島裕之 611

A 外傷 611
1 頭部外傷 612
2 腹部外傷 613
3 骨折 613
4 熱傷 614

B 小児救急 615
1 誤飲，誤嚥 615
2 溺水 617
3 熱中症 618
4 中毒 619
1 薬物中毒 619
2 食中毒 620

国家試験問題 621
国家試験問題 解答・解説 622

索引 625

動画撮影協力：聖路加国際大学,
監修：小林京子（聖路加国際大学大学院看護学研究科小児看護学教授）

• 本文の理解を助けるための動画を収録した項目に VIDEO のアイコンを付しています。
視聴方法：本文中に上記アイコンとともに付している QR コードをタブレットやスマートフォン等の機器で読み込むと、動画を視聴することができます。

序章

小児の健康障害の転帰と療養の場

小児看護の対象となる小児の健康障害には，様々な転帰がある（図 1）。たとえば，先天性心疾患などでは姑息的な手術をしながら成長と発達を待ち根治術を行うといった特徴的な軌跡をたどることがある。また慢性疾患の小児が慢性状態が続くなかで急激な悪化が生じてエンド・オブ・ライフに至ることもある。長期的な転帰を視点の一つにもつことで，小児と家族の療養に対する支援を予測的に提供することができる。

また，小児の療養の場も様々である（表 1）。小児の療養の場では，①小児の健康問題の回復を促す環境であること，②小児が安全・安楽に過ごせる環境であること，③小児の成長・発達に即した環境であること，④その子らしい時間や生活を送れる環境であることを目指し，療養の場を小児の個別の健康障害や成長・発達，家族の状況に沿ったものへと調整することと，小児と家族の意思決定を支え，その子らしく療養できることを支援する。

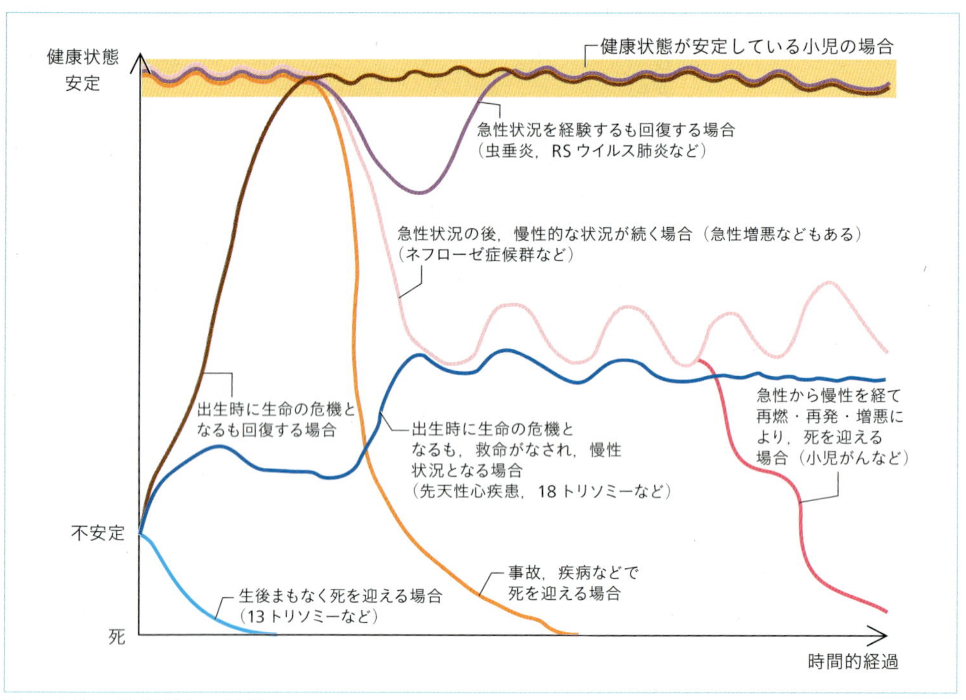

図 1　小児の健康障害の転帰

表 1　小児の療養の場

外来	小児専門病院，一般病院，地域医療支援病院，診療所など 役割：予防活動，プライマリケア，救急，専門科医療
病棟	小児病棟，小児科病棟，混合病棟，新生児集中治療室（neonatal intensive care unit：NICU），継続保育室（growing care unit：GCU），小児集中治療室（pediatric intensive care unit：PICU）など 役割：急性期治療など
施設	入所施設，通園施設，短期入所，日中一時支援，療育センター，こどもホスピス 役割：生活としての療養，療育，緩和ケアなど
在宅	それぞれの家庭（家庭において訪問看護，在宅診療などが提供される）

1. 小児の特徴と療養の場の調整の目標

小児の療養環境は，病院のこども憲章[1]にあるように小児の権利が保障される場でなければならない。

小児は「病院で多くの見知らぬ場所・見慣れぬ人・見慣れない機材に遭遇する」「検査や処置で親などの安心できる人と離れる」など，多くの不安を体験する。身体的な障害や，療養における制限，見知らぬ環境や不安はその子らしさやその子の力の発揮を阻害してしまうこともある。そのような環境によって，発達に見合った生活のなかでの意思決定の機会が阻害されると，その子の主体性や自尊感情のはぐくみに影響を与える可能性がある。小児が安全・安楽に健康回復に向けて療養できる環境を整えることが重要である。

また，小児の療養の場では様々な成長・発達段階，健康状態の小児が療養している場合が多い。そのため，それぞれの身体状態はもとより，成長発達に合った環境を整えることが重要である。環境の調整は，体格・健康や疾病などの身体状態，セルフケアの状態，認知発達の状態，コミュニケーションの状態，家族の状況の視点をもって整える。

1 安全・安楽な環境を整備する

❶物理的環境

病室の室温は，夏季 24 ～ 26℃，冬季 22 ～ 24℃，また湿度は 45 ～ 65％が適切である[2]。乳児の場合には，生体恒常性を保つ身体的機能が脆弱(ぜいじゃく)で周囲の環境が心身の機能へ与える影響が大きいため，温度や掛け物の調整を十分に行う必要がある。照明は，朝に明るくし，就寝に向かって暗くする。乳幼児では午睡がとれるように日中の照明の調節が必要になる。小児のサーカディアンリズムと発達に合った日常生活の活動を環境から整える。

ベッドや部屋の装飾，洗面所や浴室の設(しつら)えなども，小児の体格・認知発達・生活行動・危険予知能力に合わせて選択する。ベッドは，サークルベッド，学童・思春期ベッドなどがあるが，その子の体格や体動・病状などに合わせて選択する。また，ベッド上が整えられていないと，ベッド内の布団(ふとん)などに乗りサークルベッドの柵を乗り越えるなど，安全が保たれない。くわえてナースコールは乳児・幼児期では使用が難しく，常に小児の安全に目を配ることを徹底する。乳幼児期では一人になると不安に感じることが多いため，小児のそばに安心できる他者が付き添えるような環境を整える。一方，小児の療養環境では，かわいい装飾など乳幼児期の小児に合わせたものが多く，学童・思春期では違和感を覚えることもある。特に，プライベートな空間のもちにくさへの配慮を忘れず，必要時にプライバシーが保たれた場所や時間の確保に留意する。

また，見知らぬ人・物・出来事に遭遇する療養環境のなかで小児が心理的な安全基地をもてるよう，また，環境に親しみをもてるように工夫する。それぞれの人や場所がどのような役割をもっているのかを伝えることのほか，小児が好きなキャラクターで装飾したり，親しんでいるお気に入りのおもちゃなどを家から持ってきてもらったりすることなども安心感をもたらす一助となる。このほか，家族とのつながりを感じられるものを持ってきてもらうなど，家族とのつながりが得られる方法（例：電話・メール・手紙・交換日記など）を発達に合わせて検討する。

❷事故予防

療養の環境は，小児にとって日常とは異なる環境であり，身体状態や情緒もいつもとは異なる。そのため，いつもの環境・身体状態・情緒では安全にできることができなくなることもある。小児の成長発達や健康状態に合わせて環境を調整する。また，家族にも小児の安全について理解してもらうことが大切である。面会の家族にも家庭の状況とは異なることを伝え，事故予防に関する教育的支援を提供する。特に，サークルベッドは，家庭のベッドとは異なり，高さもあるなど特殊な状況となり，転落事故が多い。小児から目を離すとき，ベッドサイドから離れるときは，短時間・短距離であっても必ず柵を上げることを徹底する。

❸感染予防

小児は免疫（めんえき）機能が未熟で，乳幼児ではウイルスに対する十分な免疫を備えていない。小児期に起こりやすい感染症もあるため，病院内や病棟内の蔓延（まんえん）や，受診・入院する小児の罹患（りかん）を予防する感染予防策を講じる。外来受診時・入院時にはアンケートなどを用いて親から小児の感染歴や予防接種歴などを収集する。また，病棟内の感染予防対策を遵守する。

感染対策の基本は，①感染させないこと，②感染しても発症させない感染制御であり，適切な予防と治療を行うことが必要である。そのためには，①病原体を持ち込まない，②病原体を持ち出さない，③病原体を広げないことが重要である[3)]。また，セルフケア能力の未熟性などから小児自身の感染予防行動が自立していないため，抱っこ・おむつ交換・入浴時の介助などで看護師と小児の身体的な接触が密接になるなどがあり，看護師が感染症の媒介とならないように標準予防策（スタンダードプリコーション，表2）を含む対策をする。汗を除くすべての血液・体液・分泌物（ぶんぴつぶつ）・排泄物（はいせつぶつ）・損傷した皮膚および粘膜には感染の可能性があるものとして取り扱う。

感染経路別の予防策も重要である。結核患者などの隔離を行う必要のある患者の配置に

表2　標準予防策の10項目

❶手指衛生
❷個人防護用具の使用（手袋，ガウン，マスク，ゴーグル，フェイスシールド）
❸呼吸器衛生 / 咳エチケット
❹鋭利器具の取り扱い（労働者の安全）
❺患者に使用した医療器具の取り扱い
❻適切な患者配置
❼環境管理
❽リネンの適切な取り扱い
❾安全な注射手技
❿腰椎穿刺時の感染防止手技

留意し，標準予防策では対応しきれない感染症の予防策を標準予防策と並行して実施する。小児にとって隔離されることや，エプロン・マスク・ゴーグルを着けた大人に囲まれることは恐怖にもつながるため，隔離することになった場合は，小児と家族に十分な説明をする，マスクなどの防護具を見せて説明をするといった支援を併せて行うことが必須である。

小児の療養環境の整備や小児が使用する物品の清潔も感染予防には重要である。乳幼児はおもちゃを口に入れることがあるため，小児が使用したおもちゃはその都度，適切な洗浄や消毒を行い清潔を保つことで，伝播することを防ぐ（表3）。

❹発達と個別性に合った生活環境

入院生活は，家庭の生活とは異なるリズムのなかでの生活となる。入院時にはその子のこれまでの生活について親から情報収集をするとともに，発達段階・身体的な状態をアセスメントし，最適な生活リズムを提供できるよう環境を調整する（表4）。また，小児にとって，遊びや学習の場は重要である。小児の心身の状態に見合ったプレイルームでの活動や，プレイルームがない場合でも病室の環境を調整し，遊びや学習ができるようにすることが大切である。学習については，大部屋に入院している場合などでは時に集中できる病室以外の場を提供するなどの工夫も必要である。訪問学級・院内学校（特別支援学校，病弱教育）が病院内にあり入院の長期化が予測される際には，早期の小児・家族情報提供と必要なコーディネーションを行う。

付き添い・面会の家族にとっても安楽な環境となっているのかをアセスメントする。家族の付き添い・面会スペースや，食事の場所などが確保されているか，遠方から面会に来ている家族の場合は家族宿泊施設（ファミリーハウスなど）の紹介の必要性などを検討する。

表3 小児病棟などで特徴的な感染予防対策

感染予防対策		理由
ベッド周りの清潔・環境整備	• 適切なシーツ交換やベッド柵の消毒，ベッド内のおもちゃなどの整理・整頓を行う。	• ベッドは，小児にとって，休息のほか，食事・排泄・更衣・遊び・学習の場となるため。
おもちゃの消毒	• 共用のおもちゃは，使用後に必ず消毒をする。 • できるだけ消毒・洗浄が可能な物品を使用する。	• 小児はおもちゃを口に入れることがあり，共用のおもちゃは多くの人が触れることで汚染されてしまう可能性があるため。
面会者からの感染持ち込みへの対策	• 面会者の制限がある場合，家族に十分な説明をする。 • 家族の健康状態にも注意する。 • きょうだいと入院児とのつながりを維持する方法を家族と話し合う。	• 家族から小児へウイルスなどが感染することを防ぐため。 • 小児感染症対策として，年少のきょうだいの面会が制限される場合が多いため。

表4 発達と個性に合った生活環境

発達段階	生活環境
乳幼児	基本的生活習慣を身に付けられるよう，発達に合った起床・就寝や食事，排泄のタイミングを調整する。
学童・思春期	学習の時間・活動など，それぞれに合った休息やバランスのとれた生活リズムを保てるよう環境を整える。また，自分で調節環境をする力や，自分で健康的な生活を選択していく力を蓄えていけるよう支援する。

文献

1) こどもの病院環境＆プレイセラピーネットワークホームページ：European Association for Children in Hospital（「病院のこども憲章」注釈情報），http://www.nphc.jp/each.jp.pdf（最終アクセス日：2019/5/14）
2) 添田啓子編：根拠がわかる看護技術シリーズ 看護実践のための根拠がわかる小児看護技術，第2版，メヂカルフレンド社，2016.
3) 厚生労働省：高齢者介護施設における感染対策マニュアル，https://www.mhlw.go.jp/topics/kaigo/osirase/tp0628-1/dl/130313-01.pdf（最終アクセス日：2019/11/8）

第1章

健康問題・障害が小児と家族に与える影響と看護

この章では

- 発達段階に応じた小児の病気の理解の特徴を理解する。
- 小児に対し，発達段階に応じて病気の説明ができるようになる。
- 病気や診療・入院が小児に与える影響を学ぶ。
- 病気や診療・入院が小児の家族に及ぼす影響を学ぶ。

I 小児の病気の理解と説明

A 小児の病気の理解の特徴

すべての発達段階の小児に対して，自らの病気や自分が置かれた状況に対してできる限り安心，納得，主体性を発揮できるかかわりや説明が必要である。表 1-1 はバイベイス（Bibace）とウオルシュ（Walsh）のかぜを例にとって行われた小児の病気の理解である。小児の病気の理解は認知発達段階によるところが大きい（図 1-1）。小児の病気の理解の特徴を知り，それぞれに適したかかわりや病気の説明を行い，安心，納得，セルフケアの促進と主体性，自尊感情をはぐくむかかわりを提供する。

1 0～2歳（感覚運動段階）

ピアジェ（Piaget, J.）の感覚運動段階にあたる乳児期から2歳くらいまでの小児は，「病

表 1-1 バイベイスとウオルシュの子どもの病気の理解

ピアジェの発達理論	バイベイスとウオルシュの理解段階	内容
0～2歳 感覚運動段階		理解できない
2～7歳 前操作段階	全論理的解釈	現象論 「どうしてかぜをひくの？」「お日様のせい」「お日様はどんなふうにかぜをひかせるの？」「そうするの，はいおしまい」 「どうしてかぜをひくの？」「木のせい」 感染 「どうしてかぜをひくの？」「外で」「外でどうなったらかぜをひくの？」「そうなっているんだよ。だれかが近くにいるとかぜになる」「どうして？」「知らない，魔法だよ」
7～11歳 具体的操作段階	具体論理的解釈	悪影響 「どうしてかぜをひくの？」「帽子を被らずに外に出ると，くしゃみが始まる。頭が冷たくなるでしょ，かぜがそこにくっつく，それからそれがからだ中に回っていく」 体内化論 「そうしてかぜをひくの？」「バイキンが息の中に入っていく」「どうしたら良くなるの？」「温かいいい空気が入ると」
11歳以降 形式的操作段階	形式理論的解釈	生理学的解釈 「どうしてかぜをひくの？」「ウイルスのせいだと思う。だれかほかの人がウイルスにやられる。今度はそれがあなたの血液に入って，それでかぜを起こす」 心理生理学的解釈 「心臓発作って何？」「あなたの心臓が正常に働くことをやめるときのこと。時々その心臓は，遅すぎるとか早すぎるとかして血液を汲み出すのよ」「どうして心臓発作になるの？」「神経がひどくねじ曲げられて起こるんだよ。あんまり心配しないこと。緊張するとあなたの心臓に影響してしまうよ」

出典／ Bibace, R., Walsh, M.E. eds: Children's conceptions of health, illness, and bodily functions, Jossey-Bass, 1981, 一部改変.

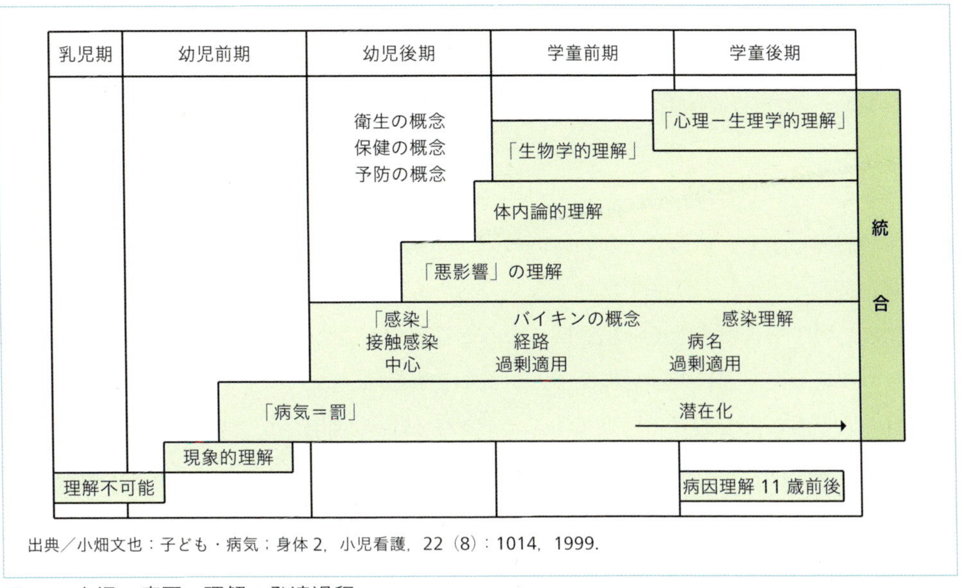

出典／小畑文也：子ども・病気：身体 2，小児看護，22（8）：1014，1999.

図 1-1 小児の病因の理解の発達過程

気」という概念，すなわち病気とは何かということは理解できないが，病気・治療・療養に伴う不安や不快の感覚をもつ。そのため，この時期の小児には「診断名」より，病気によって小児が体験する不快の感覚を予告したり，代弁をすることが不安や不快の軽減につながる。また，病気を罰ととらえることがあり，「悪いことをしたから罰として病気になった」という結びつけがされやすいので，注意する。

2　2～7歳（前操作段階）

この時期の小児は病気を表面的な現象としてとらえる。感覚運動段階に引き続き，体験するものの感覚は病気を理解するために重要であるが，自分の身近な体験の因果を自分なりに結びつけることができるため，小児の結びつけがポジティブなものになるように支援する。押さえつけて注射などの処置を実施すると，小児は押さえつけられることと注射の痛みとが結びつき，抱えられるという行為が恐怖になることもある。一つ一つの介入時の小児の体験と，理解したことに注意を払っておく。また，感染と病気とを結びつけて病気をとらえることや“バイキン”の概念ができはじめるのもこの時期である。

3　7～11歳（具体的操作段階）

次第に病気の原因と症状の理解ができるようになる。原因を理解したり，バイキンや外からの悪いものが体内に入ることで病気になるという理解をもつ。小学生のこの時期，バイキンへの関心や人から人へと伝播（でんぱ）するという考えが広がり，病気に対して短絡的に“バイキン，うつる”と考えることがあるため，病気に罹患（りかん）した子どもが自分の病気の原因を誤ってとらえたり，周囲からの誤解を受けることがないよう，非伝染性の病気に関しては，うつらない病気であることを，子ども本人，および必要時は周囲にも十分説明する。また，学童期には自分の生活体験に引きつけた病気の機序の説明やセルフケアの説明は理解が得やすいため，生活体験や具体的に想像しやすい説明をする。

4　11歳以降（形式的操作段階）

抽象的思考により，直接見えない体内の臓器の働きや病気が臓器に及ぼす影響についての理解が進む。また，バイキンだけでなく，ストレスなどの精神的なものがからだに及ぼす影響についても理解できる。思春期になると抽象化がさらに進み，病気の理解は大人に近いものになるが，独自の理解になっていることもある。大人にオープンに尋(たず)ねたり，思いを打ち明けることを避ける時期でもあるため，独自の理解が正しいものか，非現実的，悲観的，あるいは楽観的すぎるものになっていないか，コミュニケーションをとりながら確かめていくことが求められる。

B　小児の理解に関する要因

小児の理解に関する要因は，前述の認知発達段階だけでなく，それぞれの小児がもつそれまでの体験や，家族の反応などが影響する（表1-2）。

C　発達に応じた病気の説明

幼児の「病気は罰である」ととらえる傾向や，説明なく治療・処置・生活の変化が起こることは，自身が「罰を受ける悪い子である」という思いやコントロール感の喪失による

表1-2　小児の病気の理解に関する要因

認知発達	認知発達段階別の理解の特徴
これまでの体験	• 身近な人の病気の体験 • 自分の病気の体験
症状やケア	• 主観的な症状の程度・内容 • からだや見かけの変化の有無や程度 • 療養が必要な長さ • 治療やケアの程度
他者の受け止めと様子	• 親・家族の受け止めの様子，動揺の程度 • 医療者の様子 • 保育所，学校の教員，友人の受け止め • 他者からの支援の状況
周囲の環境	• 医療施設の環境 • 療養の場
教育的支援	• 保育所や学校での健康教育 • 家庭での健康教育 • 医療者からの説明や教育的支援 • インターネットや，テレビなどのメディアの情報

自尊感情の低下を招くおそれがある。そのため，小児に適切な方法·タイミングで，病気·治療・生活の変化を説明することが大切である。説明時には，これから何を体験するのかという，子ども中心の体験を説明することが重要である。幼児期では今起こること，今日起こることを伝え，学童・思春期では理解の度合いを見ながら，入院期間や将来に予測される体験といった時間軸の長い説明が必要になる。

説明をすることで，小児の不安の軽減，対処能力の促進，病気の受容，主体的な取り組みが促進されると考えられる。慢性的に続く病気では，小児自身が他者に自分の病気をどのように伝えるかというディスクロージャーのためにも医療者からの説明が必要である。自らの病気を理解することは,予防行動やヘルスプロモーション,医療者とのコミュニケーションをとる力を促進し，ヘルスリテラシーの獲得につながる。

1. 病気の説明の原則

小児が理解できる言葉で説明する。また,一度で理解することを目指すのではなく,個々人の理解度に合わせて時間をおいて繰り返し説明する。小児の治療や療養への不安を取り除き，前向きな取り組み・対処方法を知らせたり，一緒に考える。小児には明確に,「病気は悪いことをしたからなったのではない」「病気になったのはだれのせいでもない」ということを伝える。

病気やその治療，検査，処置，ケアの説明では，意義と目的，期間または所要時間，実施の方法，実施に伴う生活上の変更や制限，注意点，可能性のある（あるいは予測される）不利益，期待できる結果（利益）を説明するが，小児の発達段階に合わせて，それぞれの反応を見ながら説明する。

2. 説明前の準備

小児の発達段階と認知発達段階・言語発達・病状・小児や家族の不安や心配事をアセスメントする。

1 乳児期

説明のほとんどは親などの養育者に行う。乳児後期の子どもに治療や検査などを説明する場合は，まずは人形などの親しみやすいものを用い，様子を見ながら実際の器具に触れてもらうなどする。バイタルサイン測定などで怖がる場合は，親のバイタルサインを測定する様子を子どもに見せてから行うなど，小児が安心感をもてるようにする。

2 幼児前期

実施することについて,ごく簡単で短い言葉での声掛けを行う。小児が安心できるよう,できる限り親などの養育者が同席しているときに説明を実施する。採血の前のアルコール消毒について「冷たい感じがするね」などといった，五感で感じる体験に焦点を当てて説明する。遊びのなかで人形を使用して説明することも良い。選択可能な事柄があれば，希望を聞く（例：お薬はお水で飲みたい？　ジュースで飲みたい？）。

3　幼児後期

人形を使ったり，メディカルプレイなどを用いたプレパレーションも有効である。いろいろな意味に解釈できる言葉を用いると，誤解したり理解しにくくなるので，簡素で具体的な言葉を用いる。質問や思ったこと・感じたことを尋（たず）ねる。また，小児が選択可能な事柄があれば，希望を聞く。

4　学童期

具体的な言葉で説明する。小児自身が体験したことや，身近な物事に引きつけて説明すると理解しやすい。病態や薬の作用機序なども小児が知っていることに例えて説明すると理解できる（例：心臓はポンプみたいなものだよ。この薬が血管に入ってバイキンと戦ってくれるから点滴をするね）。検査や処置，治療がいつ，どのように実施されるのかを説明する。学校のお休みの期間やどうなったら学校に行くことができるのかや，毎日の生活など，自身の生活の変化を子ども中心の体験から説明する。それぞれの発達に合わせたパンフレット，ビデオ，写真などを作成し，説明をしたり，小児が後から自分で読めるようにするなども良い。小児が質問できるようにし，小児が選択可能なことへの意思決定を支援する。小児が実施することが必要なセルフケアの理由と方法を説明し，主体的なセルフケアを促す。

5　思春期

詳しい説明を理解することが可能である。臓器など，目に見えないものや抽象的なことも理解が可能であるが，できるだけ具体的な言葉での説明を行い，誤解や子ども独自の理解がないか常に確かめる。小児が話し合いに参加したり，意思決定で意思を表明できる機会をつくる。外見上の変化が生じる疾患，治療などを事前に説明する。思春期でも個別の発達に合わせたパンフレット，ビデオ，写真などを用いて，説明をしたり，自分でも後から読めるようにすると良い。小児がどのように説明を理解したのかの確認を，小児が気持ちや考えを表明しやすい環境やタイミングで行う。子どもに実施する必要があるセルフケアの理由と方法を説明し，主体的なセルフケアを促す。

D　インフォームドアセント

「説明を受ける権利」「真実を知る権利」「選択の権利」「自律の原則」に基づいたインフォームドコンセントは,「説明を理解する能力」「選択肢から選択する能力」「自己決定する能力」「決定に対して責任を取る能力」に未熟性がある小児では限界がある。そこで，そのような未熟性がある小児が自分に行われる行為を理解できるように十分に説明され，その選択

表1-3 インフォームドアセント

項目	内容
研究者の立場	子どもにわかる言葉で自己紹介します。
研究の目的	「研究って何をするの？」「何のために研究するの？」など理解度に合わせ説明します。
具体的内容	「研究で子ども自身に何が起こるの？」「具体的にはどうすればよいの？」など説明します。
手順や時間	研究の手順やどの位時間や回数がかかるのかなどを具体的に説明します。
予測される利益とリスク	利益や起こるかもしれないリスクについて必要時説明します。
任意性の保証	研究協力は子ども自身の正直な気持ちで決めてほしいこと，しなくても治療やケアなどに何も影響はないことを説明します。
研究協力の撤回	研究の途中で気持ちが変わったらやめることができること，その場合は教えてほしいことを説明します。
連絡方法など	研究についての疑問や質問などがある場合に，連絡ができるように問い合わせ先などの情報を提供します。

出典／日本小児看護学会：子どもを対象とする看護研究に関する倫理指針，p.6, 2015.

決定に了解することである，インフォームドアセントの考え方が導入されるようになった。インフォームドアセントの対象年齢は7～14歳の子どもとされており，インフォームドアセントを得るための「小児の発達に応じた気づき」「何が起こるのかを伝える」「小児の理解していることをアセスメントする」「小児の反応に影響を与える要因をアセスメントする」「これらのことを吟味し，最終的に小児が選択決定について了解する気持ちを引き出す」の5つの要素がある[1)]。

子どもが研究の対象者になる場合も同様で，十分なインフォームドアセントを実施する。研究におけるインフォームドアセントの内容は表1-3のことを含み，小児が研究に対する質問や自由な意思を表出できるように支援することが大切である。

Ⅱ 病気や診療・入院が小児に与える影響と看護

小児は成長発達の途上にあり，基本的生活習慣を確立していく時期である。そのため，成長発達に合わせたセルフケアの代償者が必要な場合がある。病気や診療・入院は，単なる疾病の治療の経験にとどまらず，生活や成長発達に影響を及ぼす経験となり得るため，全人的なQOLの維持・向上を図りながら，トータルなケアの視点でその子なりの自立を目指した支援をする。

そのために，小児の最適健康状態の実現・苦痛の緩和，小児が病気や治療を理解すること，治療に参加すること，病気と共にあることのノーマライゼーション，子どもらしく成長発達に合わせた生活が送れること，小児と家族がストレス緩和とコーピングできることを支援する。

A 成長発達に及ぼす影響

小児は病気や診療・入院から不安・恐怖を体験する。不安や恐怖の対象や反応は認知発達段階ごとに特徴があるため，認知発達を理解して小児のアセスメントと支援を行う。

1 乳児期（出生から1歳）

乳児は，母親などの重要他者との分離により不安反応を示す。この不安の反応はこの時期の小児の正常な反応で，愛着の形成に基づくものである。また，乳児は，大きな音や，強い光，急な動きなどの外的な事柄から驚きや不安が生じる。この時期は，基本的信頼感を築く時期で親とのかかわりが重要である。親とのスキンシップを無駄に制限したりせず，不必要な挿入物はなくすなどを行う。入院時は親子の面会が十分に行えるようにし，可能な場合は母乳を与えられるようにして，母子のスキンシップと小児がもつ吸啜(きゅうてつ)反射と経口摂取力を維持促進する。処置・検査などはできるだけ素早く正確に実施し，短時間で終える。

2 幼児前期（1～3歳）

幼児前期の小児は，親からの分離不安が強い時期である。**分離不安**とは，乳幼児が重要他者である母親などと離れることによって，泣き叫びや後追いなどの行動として現れる不安反応をいい，13か月～3歳の乳幼児に強く現れる。ボウルビィ（Bowlby, J.）による概念で，3つの段階の反応が見られるとされる[2]。親が近くにいないときの見知らぬ人とのかかわりは小児にとって恐怖となり得る。そのため，採血などの処置では必要時，親などの子どもが安心できる人と一緒に行えるようにするなど，安心できる環境を整える。入院の際では暗闇や，知らぬ場所で眠ることへの恐怖を感じることがあり，なかなか寝付けないといったことがある。小児との信頼関係を築き，できるだけそばについているなどの支援を行う。

幼児前期の小児はピアジェの感覚運動期にあたり，自分が実際に行ってみて失敗と成功を繰り返しながら原因と結果があることを知るようになる。大人がやっていることを真似たり，自分でやってみたい気持ちが強い時期でもある。そのため，診療や入院生活によって自分でやってみるという自律性が阻害がされることがストレスとなり，癇癪(かんしゃく)を起こすこともある。子どものやってみたい，知りたいなどの好奇心を大切にし，遊びの提供をする。また，運動発達や言語の発達が著しい時期であるため，よく話しかけ，感染の問題がない場合などはできるだけマスクをせず口の動きも見せ，言語発達を支援する。トイレトレーニングなど，基本的生活習慣を身に付ける時期でもあるが，治療や入院で挿入物が多い，体調が悪い，慣れない環境，治療スケジュールなどによりトイレトレーニングが中断されるなどが生じる場合，再開可能な状態になりしだい行うようにする。小児が自律的に行えることや可能な意思決定の機会を与える。

3 幼児後期（4～6歳）

この時期の小児は，痛みが恐怖となることが多い。痛みにまつわる人や物への恐怖も抱きやすいので，痛みを伴う処置のときには，できる限り痛みを体験しない工夫とともに，痛い処置などをがんばって乗り越えられたことをフィードバックし，ポジティブな体験としての意味付けを支援する。親との分離不安がある場合は，親が離れる理由を説明すると理解できる場合もあるものの，寂しい気持ちや心細さを感じる。また，登園経験の有無などでも程度は異なる。

基本的生活習慣の習得も進む時期であり，診療や療養のなかで必要になるセルフケアのうち，発達に合わせてできることを一緒に行うとよい。社会性を身に付ける時期でもあるため，可能な限り他児と遊ぶ機会をつくり，不必要な遊びの制限はしない。

4 学童期（7～12歳）

この時期の小児は親・家族にくわえて学校の友人なども重要他者になる。そのため，入院や通院，身体状況などから学校を休んだり，友達と同じ活動ができない，学業の遅れが生じるといったことが不適格感や不安，ストレスとなる。自己コントロール感を喪失する状況にも不安を感じる。そのため，不要な活動の制限は行わないこと，友人関係や学校とのつながりを維持する支援，学習の継続の支援，小児が理解できるように病気や治療の説明をする，小児に可能な意思決定をしてもらうなどが大切である。また，身体的に感じる痛みや症状に対して不安をもつため，痛みの原因やその対処を説明するとともに，小児ができる対処方法を共に考える。

物事を達成することや仲間と共同した活動のなかで自尊感情をはぐくむ。小児ができるセルフケアを自分で行うことを促進し，治療や療養生活に対処することを支援する。小児が得意なことや，好きなこと，主体的な活動が可能な範囲で最大限行えるようにする。また，家族や学校の教師が，できることできないことを適切に理解し，小児の活動やノーマライゼーションを推進できているのかを協働してアセスメントする。

5 思春期（13～18歳）

この時期の小児は仲間からはずされることへの強い不安を抱く。急激な体格の変化が生理的にも生じ，それに加えて疾患や治療のためにボディイメージの変化が起こるとストレスになったり，外見（ボディイメージ）の変化を受容できないと不登校などに結びつくこともある。時間的な認知の範囲が広がり，将来のことも考えられるようになることで，将来への不安や療養生活への苛立ちを感じることもある。アイデンティティを形成する時期で，自立に向かう時期であるにもかかわらず，病気や療養のために自己コントロール感の喪失，将来の目標を失うこと，他者に過度に依存しなければならない状況に不安を感じる。そのため，病気・治療と見通しをできるだけ説明し，小児自身が意思決定していくことを支援する。また，プライベートな場所・時間をもてるように環境調整をする。

自分でできることは自分で行えるように支援し，セルフケアの拡大を促進する。親，家族にもセルフケアの主体が親から小児自身に移行する時期であることを説明し，小児・家族・看護師・多職種で協働して小児の自律・自立を支援する。意思決定場面に可能な限り小児を参加させ，小児の望みと意見を取り入れた決定を行う。将来の進路に関する意思決定においては，特に小児自身がからだと療養と望む進路とのバランスを考え選択していけるようにする。長期的な疾患がある場合などでは，本人にとって健康的な生活習慣の選択ができるヘルスリテラシーを身に付ける必要がある。食事，運動，逸脱行動（飲酒・喫煙・薬物乱用）などに対する正しい理解を支援する。

B 病気や診療・入院に伴うストレスと影響要因

病気や診療・入院は，小児と家族に様々なストレスを生じさせる。また，ストレスの原因となるストレッサーは，病気そのものによる痛みや治療などからだけでなく，療養に伴う制限や不安などによっても生じる。さらにストレスは成長発達，個人の特性，周囲の環境や支援などによっても比較的容易に乗り越えることが可能な場合と多くの支援を必要とする場合がある。

健康障害を伴う小児の体験とストレスは図 1-2 のように，病気や診療・入院に伴う分離・別離の体験，制限の体験，疎外・孤独の体験，不快や不安の体験，不慣れや新たなことへの適応に迫られる体験がある。

1 分離・別離の体験

分離・別離の体験は病気の治療では，しばしば生じる体験である。検査や処置，入院の際の親や友人，慣れ親しんだ家や学校からの分離などすべての発達段階の小児が体験し，ストレスとなる。小児にとっての重要な関係性は，乳児期には母親，乳児後半から幼児期にかけては親，学童期では親・家族，学校の友人，思春期では仲間，憧れる大人，家族で，それぞれの関係性からの分離は小児のストレスとなる。また，長期に入院した場合では病気や入院の体験を互いに共感できる入院時の仲間との別離を体験することもある。闘病生活を共にした仲間が退院したり，時には亡くなることもある。

長期的な症状や入院を伴う疾患では，当たり前の日常生活を送ることが困難になるなど，それまでの生活と別離して新たな疾病（しっぺい）と共にある生活を築いていく必要が生じる。疾病と共にある生活を小児と家族がノーマライゼーションを図るまでは，ストレス状態が続くことがある。

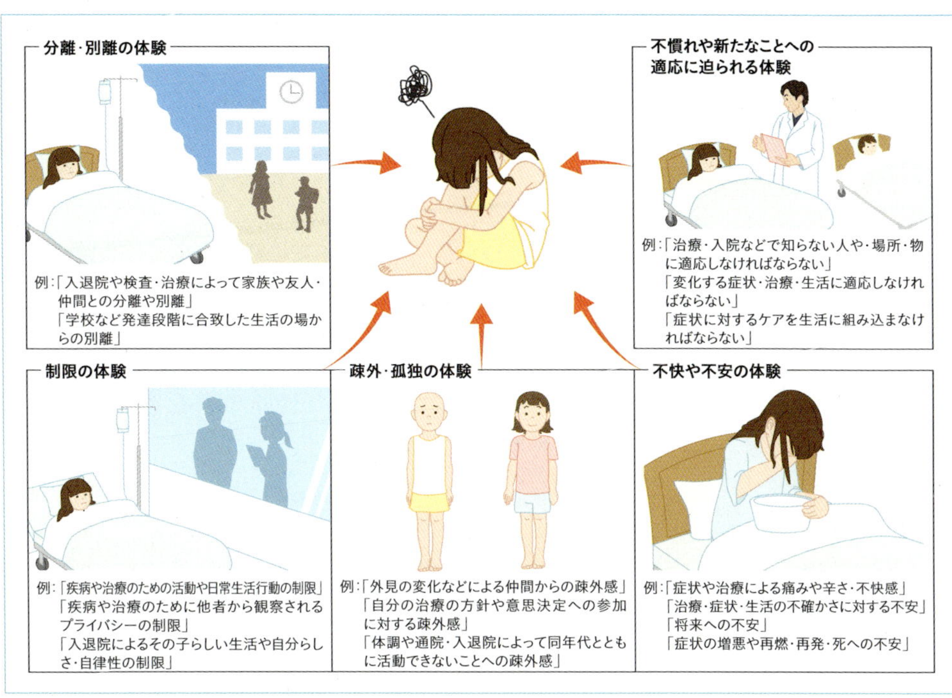

図1-2 健康障害を伴う子どもの体験とストレス

2 制限の体験

病気や療養によって小児は様々な制限を受ける。疾患そのものからの心身の機能の制限や治療のための安静保持，点滴挿入によるシーネ固定，食事制限などである。治療中は他者から状態の観察やモニタリングをされることにより，視線に晒（さら）されるなどプライバシーが制限される。このことはプライバシーを必要とする学童後期から思春期の小児ではストレスに結びつきやすい。

病気に伴う生活の場の変化は，制限となりやすい。入院施設では治療中心の生活になりやすく，たとえばテレビの時間や消灯時間が決まっているなど，入院前までの生活のリズムや楽しみが変更・制限されることで，自分らしく生活することが困難になる。小児が入院生活に適応していけるよう，不必要な生活上の制限はせず，入院生活のなかでも好きなことや得意なことを自律的に取り組めるように支援する。

3 疎外・孤独の体験

病気の症状・体調不良・通院や入院のために学校を欠席する，体育などの同世代と共に行う活動を休むことが，疎外感を生む。また，病気や入院は特別な体験で，学校の友達と共有することが難しく孤独感を感じたり，外見の変化から仲間から疎外される場合もある。

また，小児は，自分が受ける治療方針の決定や日常生活に起こる様々な意思決定を他者にゆだねなければならない状況に置かれやすい。児童の権利に関する条約や「病院のこども憲章」において子どもの参加する権利の擁護を明示しているように，看護師は小児の発達に合わせた説明を常に行い，小児が状況や選択肢を理解して，自らの望みや意見を述べ，意思決定から疎外されないように支援する。

4 不快や不安の体験

病気の症状や治療は，痛みや恐怖などのつらさや不快，不安の経験を招く。入院では安心・安楽で慣れ親しんだ家での食事・布団・おもちゃなどから離れて，慣れない場所での不安と不快を経験する。治療・症状・生活の不確かさに対する不安，学童後期以降の小児は将来への不安や症状の増悪，再燃，死の不安を感じながらも，大人に不安を打ち明けにくく，不安が増大し，ストレスになることがある。

5 不慣れや新たなことへの適応に迫られる体験

治療や，通院・入院などで知らない人・場所・物に出会い，それらに適応することが必要になる。同様に，症状や治療，療養の場も変化するため，多くの適応が必要で，症状に対するケア方法や服薬や医療的ケアを生活に組み入れていくことは，ストレスとなる。

C 小児の反応とストレス対処行動

小児には病気や療養のストレスからの不安・恐怖，死への恐怖，自立やセルフケアに対する制限，孤独感，自尊心の低下といったネガティブな反応をできるだけ軽減し，人間としての成長，適応能力を身に付ける，セルフコントロール，自我の再構築といったポジティブな反応へと支援することが求められる。

小児のストレスに対する反応には認知発達による特徴があるため（表1-4，5），それらのストレスのサインを見逃さず，支援を提供する。ストレスへの支援には，ストレスへの介入と，ストレス対処への介入がある。ストレスへの介入は環境の改善，ストレス源のできる限りの除去，予測できるストレスに対する準備によるストレスの最小化を図る。ストレス対処への介入は，小児が対処できないことを補う，小児が対処していけるように支援する，対処手段を身に付けることを支援する，活用できる資源を提供する，安心感・自分への信頼感が高まるように支援するなどがある。

ストレス対処能は，積極的に状況を変えようとする問題解決中心型対処と，状況を変化させ難いときに自分に起こる痛手を回避しようとする情動中心型対処がある。いずれの対処も大切である。発達や状況をアセスメントし，その子に合った対処を支援する（表1-6）。

表1-4 発達段階別のストレスの特徴

	乳児期	幼児期	学童期	思春期
発達課題	基本的信頼対不信	自律性対恥・積極性対罪悪感	勤勉性対劣等感	自我同一性対拡散
発達に関連したストレス	ニードや生理的欲求が満たされないこと	生活習慣の自立に伴う恥や劣等感 積極性と自制心の葛藤 きょうだいへの嫉妬	学校生活への適応 友人との仲間関係を築くこと 勤勉性と劣等感の葛藤	友人・異性関係 学業成績 親からの自立に伴うもの 自我形成に伴うもの 変容に伴うもの
健康問題に伴って生じるストレス	母子分離 身体的苦痛 身体活動の制限 環境の変化	母子分離・家族との分離 身体的苦痛 身体活動の制限 環境の変化 積極性が制限されること 再入院や，身体的苦痛への不安	身体的苦痛 活動の制限 環境変化 自己コントロール感の喪失 学校へ行けないこと 同年代の友人と同じ行動が取れないこと 外形上の変容 周囲の無理解 将来の進学などへの不安 疾患の再発・増悪・合併症・死の不安	身体的苦痛 活動の制限 病気や治療に対する恐れ プライバシーが保てないこと 自己コントロール感の喪失 学業の遅れ 仲間との関係が保てないこと 同年代の友人と同じ行動が取れないこと 外形上の変容 周囲の無理解 家族にかけている負担・経済的な不安 将来の進学・結婚・就職などへの悩み 疾患の再発・増悪・合併症・死の不安

出典／中村伸枝：慢性病児のストレス・コーピングと看護の役割，小児看護，26（8）：982-986，2003．一部改変．

表1-5 発達段階別のコーピングの特徴

乳児期	幼児期	学童期	思春期
感情を表出する 甘える 泣く・怒る 指しゃぶり	**感情を表出する** 甘える 泣く・怒る 指しゃぶり	**感情を表出する** 甘える・依存する 泣く・怒る 親しい者にあたる	**感情を表出する** 甘える・依存する 泣く・怒る 親しい者にあたる
サポートを求める 親に助けを求める	**サポートを求める** 親に助けを求める 尋ねる	**サポートを求める** 家族と過ごす・相談する 友人と過ごす・話す 学校の先生に話す	**サポートを求める** 家族と過ごす・相談する 友人と過ごす・相談する 親密な友人と過ごす・相談する 学校の先生に相談する
	自分で問題に取り組む 大人の言うことを守る がんばる	**自分で問題に取り組む** 親や先生の言うことを守る 自分でがんばろうとする	**自分で問題に取り組む** 情報収集をする 療養行動を守る 問題解決に取り組む
気晴らしをする おもちゃで遊ぶ	**気晴らしをする** 好きな遊びをする	**気晴らしをする** 好きなことをする 身体活動をする	**気晴らしをする** 好きなことをする 身体活動をする
		認知的に対処する 良い面に目を向ける 良いこと，良かったことを考える	**認知的に対処する** 良い面に目を向ける 良いこと，良かったことを考える
	逃避的に対処する 一人になる 弱い者をいじめる	**逃避的に対処する** 空想にふける 一人になる 弱い者を攻撃する 危険行動	**逃避的に対処する** 空想にふける 引きこもる 弱い者を攻撃する 飲酒・喫煙・性の逸脱行動 危険行動

出典／中村伸枝：慢性病児のストレス・コーピングと看護の役割，小児看護，26（8）：982-986，2003．一部改変．

表 1-6 小児のストレス対処の獲得への支援

到達目標	支援内容
病気・治療・処置検査に関する知識を得る	子どもの発達に合わせた説明をする 周囲の人や環境がしていることを伝える
過去の経験を生かす 今の体験を将来に生かす	体験に引きつけて話す・一緒に思い出す 現在の体験にフィードバックして成功体験にする
病気・治療・処置検査に関する対処方法を獲得する	子どもができることを伝える • どう行動できるのか（できることできないこと） • 何ができるのか（対応策）
ストレスを発散できる	遊びや学習（子どもらしい活動）の提供 • 自分を投入，操作・コントロール感 • 活動意欲を支える・感情を表出する
助けを求めることができる	気持ちや意思を確認する • 情緒的な安心を提供 • 新たな対処方法を一緒に考えるきっかけ
ストレスに向かい合わなくて済む方法の獲得	情緒的対処，回避の方法の準備・提案・実施
ストレスに気づき 対処方法を検討できる	ストレスに気づく→何に対処すべきか考える＋過去の体験・資源の活用→対処方法，ストレス発散方法を考える

III 小児の病気や診療・入院がきょうだい・家族に及ぼす影響と看護支援

A 小児の病気や診療・入院に伴うきょうだい・家族のストレス

1. 親への影響

子どもの病気や入院は家族にも影響を与える。家族は，子どもが深刻な病気と診断された場合，無力感，罪悪感，ショック，恐怖，不安，不確かさなどを感じる。一方，ウイルス感染症などで回復が見込める場合でのネガティブな反応は少ない。このように子どもの病気に対する親の反応には，親は病気と治療の状態，小児の特性，これまでの経験，親自身の特性，家族全体の特性，医療や支援の状況，社会・文化などの様々な要因があるため病気の深刻度を査定し，子どもと家族の危機やストレスの認知をアセスメントする（表1-7）。家族が子どもの病状についての説明を受けたり，医療者に質問することができると，病気の受容，不安の解消などが進み，療養上の役割などに対処していくことにつながる。

2. 親への支援

親への支援では，親の心配と不安に共感性をもちつつも，親が子どもの治療や療養，家族の維持のための役割を果たしていくための支援をする。

表1-7 子どもの病気に対する親の反応に影響する要因

病気と治療の状態	病気の種類や程度・予後，治療の強さ，治療による子どもの苦痛の度合い，治療の長さなど
小児の特性	年齢，性格，対処能力など
これまでの経験	入院歴，ほかの家族の病歴など
親自身の特性	親の性格，対処能力など
家族全体の特性	家族関係，家族の発達，家族の資源，対処能力，そのほかの家族の問題，家族の信念・宗教など
医療や支援の状況	医療提供の環境，医療者の能力，医療者への信頼の程度，利用可能な資源など
社会・文化	社会・文化，拡大家族の価値観，学校や近隣の人の反応など

1 小児の状態への不安への支援

小児の状態について情報を提供する。情報提供では小児の病気について治療とその有害作用，予測される体験と反応，予後，回復までの期間や入院期間，予測される親・きょうだいの反応を伝える必要がある。

また，親は情報を得て，病気の症状や有害作用などを理解したり，予期していたりしても，症状の変化や苦痛を生じている姿を目の当たりにする不安やストレスが強くなる。そのため，症状の緩和や苦痛の除去といった，小児に生じている実際的な問題を取り除く看護ケアは親のストレスの軽減にもつながることを意識する。急性期では特に，症状が顕著になるため，確実な症状緩和を実施するとともに，なぜ症状が起きているのか，今後の症状の経過の見通しをていねいに伝えていく。

2 家族の生活への支援

家族に生じている実際的な問題への支援も重要である。家族は1つのユニットとして機能しており，家族員の健康問題は家族全体の機能に影響する。そのため，療養とともにある家族の生活への支援も提供する。たとえば，短期的に回復が見込める病気の場合には家族内の資源を使って役割の調整をすることで乗り越えることができることもあるが，長期にわたる療養が必要になる場合には，親が離職したり，きょうだいを長期に祖父母に預けたり保育園に入園させたりといった，家族外の資源を得て療養生活と家族の生活を維持する必要が生じるかもしれない。家族構成，家事や就業の調整の必要性，きょうだいの世話，経済的な支援の必要性などを情報収集し，家族のだれかに過重な役割負担が生じていないか，家族が葛藤(かっとう)や機能不全を起こしていないか，療養に必要なケアが家族の生活に無理なく組み込まれているかをアセスメントし，必要に応じて，社会資源の紹介やソーシャルワーカーとの協働を行うことで家族の生活の維持を支援する。

3 親自身の健康状態への支援

子どもの療養で親が付き添いをしている場合，患児へのケア・きょうだいの世話・家事・仕事など役割が過重になり親への心身の負担が引き起こされないかをアセスメントする。子どもが入院し親が付き添いをしている場合，親が食事・休息・入浴などの基本的な生活行動の環境を得にくい場合がある。子どもの病状への不安から不眠となるなど，親の身体的な状態にも目を向け，声掛け・情報収集・ねぎらいなどとともに，休息の場や時間を設ける支援を提供する。入院している子どもの家族が利用できる家族の宿泊施設（ファミリーハウスなど）が病院の近くにある場合は紹介なども行う。

4 療養に必要なスキルの獲得

小児の病気が短期的であっても長期的なものであっても，親が子どもの療養に必要なスキルを身に付けることは大切である。たとえば，ウイルス感染に伴う発熱時のクーリング方法や，医療的ケアをもちながら在宅療養する小児の経管栄養の方法など，である。教育的支援を提供し，ケアの方法，その根拠，観察ポイント，異常の発見と受診や対応の必要性に対する判断ができるように支援する。また，家族への教育的支援においては親が患児の療養に必要なケアを獲得するだけでなく，ケアを行いながら家族らしい生活が営めることを支援する。家族の生活にケアが組み込まれると，その家族らしい生活が自律的に継続しやすく，家族のQOLを高めることができる。

3. きょうだいへの影響

きょうだいにも様々な思いや反応，状況が生じる。患児が入院した場合には，祖父母に預けられたり，一人で家で留守番をすることもある。きょうだいの反応は年齢などによって異なるが，表1-8に示したきょうだいの反応や，きょうだいの世話をだれが行っているのかなどを情報収集する。きょうだいも患児の家族の一員として，闘病生活当事者であるものの，面会の年齢制限のために病気のきょうだいや付き添う親に会う機会が得にくかったり，情報が伝えられなかったり，治療や療養から疎外されやすい。親が担(にな)っていた家事を担うことになったり，一人で家で留守番をしたり，患児の見守りなど，がんばりを求められることが増える一方，がんばりがなかなか認められにくい。さらに，きょうだいは，自分が病気を克服することはできないため，病気にかかわる様々な家族の変化や自分に生じた体験において受動的な立場になりやすく，コントロールすることも難しく，達成感が得にくい場合がある。

4. きょうだいへの支援

親や養育者からきょうだいの生活の状況や変化について情報収集し，必要な支援が得られているかをアセスメントする。できるだけ早期にきょうだいの発達に合わせた病気の説明をし，きょうだいが療養から疎外されないようにするとともに，状況に適応していくことを支える。説明のときには，患児についての説明だけでなく，きょうだいの生活がどのように影響を受けるのかといったきょうだい中心の体験の視点で説明し，きょうだいが思いや，不安，心配事の表出と，質問ができるようにする。入院施設は中学生以下の小児の面会を制限している施設が多いが[3)]，感染症対策などを講じて，必要時，きょうだいが面

表1-8 きょうだいの反応

• 過剰な同一視・心配　• 恥ずかしさ・困惑　• 孤立・孤独感 • 将来に関する不安　• 不満・憤り・恨み・嫉妬 • 家事やきょうだいの面倒をみることに関する負担や過度なかかわりの増強 • 完璧への圧力　• 喪失感・悲嘆　• 恐怖・恐れ　• 信仰の喪失　• 早い成長 • 生活情報の不足　• 抑うつ・摂食障害・依存症　• 友達関係・結婚相手との関係への影響 • 退行　• 頭痛などの身体症状　• 思いやりの育ち　• 自立心　• 社会性の育ち

会できる環境やシステムを整える。

きょうだいが担っている役割に対して親，医療者，学校の教師などきょうだいにかかわる周囲の人がきょうだいのがんばりを認め，ねぎらう。一方で，親ときょうだいだけの時間やきょうだいのための遊びを設けることを後押しする。その際，親が患児の世話できょうだいのための時間をもつことが困難であるときは，安心して子どもを預けることができる確実であたたかいケア提供の積み重ねで，信頼をもって家族が患児から離れることのできる時間をもてることを目指し，必要な社会資源の導入もする。

きょうだいのことに関する親への支援も重要である。親もきょうだいの生活やきょうだいが担う負担，抱く不安を心配したり，きょうだいに寂しい思いをさせていることへの申し訳なさを感じている場合が多い。そうした親の思いを傾聴するとともに，きょうだいへの説明支援，きょうだいあるいは患児の世話のための社会資源の導入，ファミリーハウスの紹介など実際的な支援の提供を行う。

文献

1） Informed consent, parental permission, and assent in pediatric practice, Committee on Bioethics, American Academy of Pediatrics, Pediatrics, 95（2）：314-317, 1995.
2） 日本小児看護学会：小児看護事典，へるす出版，2007.
3） 小林京子，法橋尚宏：入院児の家族の付き添い・面会の現状と看護師が抱く家族ケアに対する困難と課題に関する全国調査，日本小児看護学会誌，22(1)：129-134，2013.

本章の参考文献

・Bowlby, J. 著，二木武監訳，庄司順一，他訳：ボウルビイ 母と子のアタッチメント；心の安全基地，医歯薬出版，1993.
・新家一輝：小児の入院と母親の付き添いがきょうだいに及ぼす影響と支援，小児看護，32(10)：1370-1378, 2009.
・有馬靖子：病児のきょうだいの本音―自分のことは考えてはいけないという呪縛―，小児看護，32(10)：1383-1386, 2009.
・Kobayashi K, et al.：Interrelations between siblings and parents in families living with children with cancer, J Fam Nurs, 21(1)：119-148, 2015.

第2章

それぞれの発達段階に応じた看護

この章では

- 小児各期において，健康問題・障害が成長・発達に与える影響を学ぶ。
- 発達段階ごとに入院・療養生活に必要な援助を理解する。

I 新生児期の看護

A 健康問題・障害をもつ新生児期の小児の特徴

新生児期は，子宮外の環境に適応するため，からだにダイナミックな変化が起こる時期である。この時期の健康障害は，子宮外適応の過程での逸脱や早産により胎児発達が中断されたことによる小児の未熟性に起因するものが中心である。小児の病態に加えて，母体の健康状態，出生前や分娩(ぶんべん)時の情報を得てアセスメントし，その身体的影響を予測する必要がある。

1. 身体機能の特徴

1 小児のアセスメントに重要な情報

❶在胎週数

在胎37週0日から41週6日までに出生した児を**正期産児**，それ以前に出生した児を**早産児**，それ以降に出生した児を**過期産児**とよぶ。早産を引き起こす要因は多くが絨毛膜羊膜炎(じゅうもうまくようまくえん)である。子宮外で正常に発育できる週数の下限を**生育**（**成育**）**限界**といい，わが国では22週とされているが，医学の進歩のみならず，生命に関する価値観や文化・倫理を踏まえて議論を続けることが重要である。一方，過期産となる原因は不明である。出産予定日を過ぎても妊娠が継続していると胎盤の機能が低下し，胎児機能不全となり得る。羊水過少(ようすいかしょう)や羊水混濁による出生後に胎便吸引症候群を引き起こすおそれがある。

❷出生体重

2500g未満で出生した新生児を**低出生体重児**という。低出生体重児は出生数全体の10%弱で，母親となる若年世代のやせ傾向が要因の一つといわれている。なかでも1500g未満を**極**(ごく)**低出生体重児**，1000g未満を**超低出生体重児**という。極低出生体重児は出生全体の0.5%，超低出生体重児は0.3%で，2005（平成17）年以降その割合は横ばいである。医療の進歩とともにこれらの新生児が救えるようになったが，後遺症なき生存と生活の質（quality of life；QOL）向上にはまだ課題が残る。

❸体格

在胎週数に対して，身長や体重が適切かどうかは，胎児の発育環境を推し量る指標となる。低出生体重児のほとんどは子宮内での胎児発育不全である。胎児発育不全には，妊娠初期から胎児の発育が阻害されている均衡型と妊娠中期以降に胎児の発育が阻害された不均衡型がある。均衡型は頭部と体幹の発育が同じように阻害されるため，頭もからだも全体的に小さく，予後は不良である。一方，不均衡型は生命維持に重要な脳への血流が優先されており，頭部が大きく体幹がやせているという特徴があり，予後は良好である。出生時には出生体重および身長が在胎週数相応か判定し，評価することとなる。在胎週数相当の場合を **AGA**（appropriate for gestational age）**児**，体重のみが小さい場合を **LGA**（light for gestational age）**児**，体重も身長も小さい場合を **SGA**（small for gestational age）**児**，体重が重い場合を **HGA**（heavy for gestational age）**児**という。

❹成熟度

新生児が在胎週数に見合った成熟を遂げているかを評価するにはデュボヴィッツ法，早産児にはバラード法，さらに在胎週数が短い早産児に使用できるように改良されたニューバラード法を用いる。

2 子宮外適応の過程での異常

❶呼吸

子宮内では母体から胎盤を通じて胎児に酸素が供給される。そのため，換気に使われない肺には肺胞液が満たされている。肺胞液は肺の成熟に関与しており，満期近くになるとその分泌（ぶんぴつ）は減少し，分娩が始まると吸収が進む。出生後の第1の吸気で肺胞が膨らみ，次の呼気が第1啼泣（ていきゅう）となり，その後も呼吸が続き，しだいに確立されていく。生後早期における呼吸の異常は，この過程が障害されていることに起因する。出生後，呼吸障害に陥った新生児には，陥没呼吸・鼻翼呼吸・呻吟（しんぎん）・多呼吸・無呼吸といった異常がみられる。

肺胞上皮細胞（はいほうじょうひさいぼう）II型より分泌される肺サーファクタント（肺界面活性物質）は，肺胞を開いた状態に保つために機能する。在胎28週頃から産生され，34週以降さらに増加する。早産の場合，肺サーファクタントの産生と機能が不十分であり，生後の呼吸確立において肺胞が虚脱し，呼吸困難を呈する（**呼吸窮迫症候群**）。

陣痛（じんつう）発来前の予定帝王切開のように肺胞液の吸収遅延や排出が十分にできない出生では多呼吸となることがあるが，生後72時間以内に改善することが多い（**新生児一過性多呼吸**）。

胎児機能不全となった胎児は子宮内で胎便を排泄（はいせつ）する。羊水内に混ざった胎便を出生時に気管内に吸い込むことで，気道閉塞や肺サーファクタントの不活性化・サイトカイン活性化をきたす（**胎便吸引症候群**）。

❷循環

胎児の肺は呼吸に使用されておらず，胎盤を介してガス交換を行っている。肺そのものへ酸素を供給するための血液供給のみが必要であり，肺血管は収縮している。静脈管・卵円孔（らんえんこう）・動脈管は出生後，胎盤からの血流遮断と呼吸開始によって順次閉鎖に向かう。

動脈管は，胎盤からの動脈管拡張因子プロスタグランジンE_1の低下により，生後48～96時間で機能的に閉鎖し，生後1か月で解剖学的にも閉鎖する。しかし，早産児の場合には動脈管閉鎖が遅延することがあり，全身状態の悪化を招く。また，機能的閉鎖の後も，解剖学的閉鎖へ至らない時期には血流が再開通することがある（**未熟児動脈管開存症**）。

先天性心疾患は出生前診断されることも多くなってきたが，出生後に看護師の観察によって発見されることもある。心雑音の聴取は先天性心疾患を疑うが，すべての先天性心疾患で心雑音が聴取されるとは限らないので注意を要する。

動脈管依存性心疾患（肺動脈閉鎖・大動脈縮窄・完全大血管転位など）は，動脈管が開存していることで各臓器への酸素供給が保たれている。いわば，動脈管開存が命綱となっており，閉鎖が促進されることで致死的となる。

❸代謝

（1）低血糖

胎児期は胎盤をとおしてグルコースが供給されて血糖が維持されているのに対し，出生後は，新生児が自らの生理機能で血糖を維持していく必要がある。出生後，グルコースの供給が途絶えることで新生児の血糖は一時的に低下する。そうすると，インスリン分泌が抑制され，糖新生が急速に成熟する。新生児低血糖は，グルコースの消費増大・肝臓のグリコーゲンの蓄積不足・高インスリン血症を要因として引き起こされる。新生児仮死や低体温からの回復期はグルコース消費が大きくなる。早産児や胎児発育不全児は糖新生系の各機能が未熟であり，グリコーゲン貯蔵量が少ない。母体が高血糖の場合，胎児の膵臓β細胞は過形成をきたし，出生後もインスリン分泌が亢進し，新生児は低血糖となりやすい。新生児低血糖症の症状には，中枢神経障害（痙攣・無呼吸・活動性低下・易刺激性），交感神経刺激症状（頻脈・多呼吸・振戦・チアノーゼ・多汗）がみられる。

（2）黄疸

新生児は生理的多血であることにくわえ，赤血球の寿命が90日と成人より短く，ビリルビン産生が亢進しており，肝臓でのグルクロン酸抱合能の未熟性・腸肝循環の亢進*により，高ビリルビン血症となり，黄疸が必発する。この**生理的黄疸**は新生児期特有であり，人生のほかの時期にはみられない。日本人における血清ビリルビン濃度のピークは生後48～96時間後に約10mg/dLであり，これを逸脱する場合は**病的黄疸**である。24時間以内に肉眼的黄疸が出現する**早発黄疸**，生後72時間以降の総ビリルビン値が正期産児で17 mg/dL，早産児で15 mg/dL以上である**重症黄疸**，生後2週間を超えて肉眼的黄疸が続く**遷延性黄疸**は，生理的黄疸の範囲を超えており，注意が必要である。

高ビリルビン血症が重症であったり，長く続いたりすると，遊離ビリルビンが脳に沈着し，**核黄疸**（ビリルビン脳症）を引き起こすが，現在では新生児黄疸の管理が良好となり，ほとんどみられなくなった。急性ビリルビン脳症の初期段階では，嗜眠，筋緊張低下，哺乳力低下，進行すると混迷・易刺激性・筋緊張亢進・後弓反張のほか，さらなる哺乳力低下がみられる。さらには，昏睡・甲高い泣き声・著しい後弓反張・無呼吸・痙攣を起こし，死に至ることもある。重症の生存例は慢性ビリルビン脳症となり，典型例はアテトーゼ型脳性麻痺・聴覚障害・上方凝視麻痺・知的障害などを呈する。

---

* **腸肝循環の亢進**：胎児期にはビリルビンは腸管から吸収され，胎盤を介して母体へ送られるため，腸管内で脱抱合している。新生児の腸管内にはこの酵素が残っているので，腸管からのビリルビン再吸収がさかんである。そのため，出生後も腸肝循環が亢進した状態がしばらく続いている。

表 2-1 胎児期における各臓器系の発達

呼吸器系	在胎早期から呼吸様運動（ガス交換を伴わない胸郭運動）がみられる。 17～22 週頃，気道が終末気管支まで発育し，肺胞構造が出現する。 24 週までに肺胞が形成され，毛細血管が発達して，ガス交換が可能な構造となる。 28 週頃から肺サーファクタントが産生され，34 週以降に増加する。
消化器系	11～13 週に嚥下反射，24 週頃より吸啜反射がみられる。 32～34 週に吸啜の後に起こる嚥下反射が完成する。
免疫系	IgG：12 週から胎盤に移行する。32 週以降，経胎盤的に能動輸送される。生後 20 日で半減する。 IgA：胎盤に移行せず，母乳中に含まれる。 IgM：胎盤に移行せず，胎児に産生能がある。 細胞性免疫：妊娠継続のため胎児を非自己としないよう免疫抑制物質により抑制されている。
泌尿器系	9～12 週に尿の生成が開始される。36 週頃にネフロン形成が終了する。 糸球体濾過量は糸球体数と容量の増加に伴って多くなる。早産児では，生後 40 日頃に糸球体の形成が終了する。
感覚器系（眼）	12 週頃まで，網膜には血管がない。32 週頃に網膜血管が鼻側周辺に，36 週頃に網膜血管が耳側周辺に到達する。

(3) 先天代謝異常

1977（昭和 52）年に開始された**新生児マススクリーニング**は，2014（平成 26）年に全国へ**タンデムマス法**が導入され，従来のアミノ酸代謝異常に加えて，有機酸代謝異常や脂肪酸代謝異常も発見することが可能になった。生後 4～6 日頃に足底を穿刺（せんし）し，専用の濾紙（ろし）に血液を染み込ませて乾燥させた後，検査機関に送付する。実施主体は都道府県である。20 種類以上の疾患が 1 回の検査でスクリーニング可能であるが，2018（平成 30）年度時点では，見逃しが少ない 1 次対象疾患 17 種類が選定され，従来法で検査可能な 3 種類と合わせて 20 疾患が対象となっている。

3 未熟性による異常

新生児は小児や成人と比較し，臓器機能が未発達である（表 2-1）。さらに早産児の場合には，胎児期に遂げるはずであった発達の途上での出生となる。在胎週数によって，未発達の機能が異なる。

2. 認知・情緒機能の特徴

生まれたばかりの新生児は快・不快の表現がはっきりせず，泣いて興奮しているか寝ているかのどちらかである。たとえば，おむつが汚れて不快を感じているとき，泣くことで親が近づいてきておむつ交換をしてくれ，快適な状態にしてくれる。また空腹で泣いているときにも母乳を与えてくれ，満たされた状態にしてくれる。このように，親からの適切な養護を受けることと快の感覚が結びつき，基本的信頼感を獲得する。

このような母親をはじめとする養育者とのやりとりを通じて，小児の表情や注視する機能は発達する。小児が親に向けて発するサイン（cue）が明らかになることで cue がトリガーとなり，親も小児に向けて反応するようになる。このようなコミュニケーション（**親子相互作用**）のなかで情緒は育まれていく。早産児や病的新生児の cue は読み取りにくいため，親の反応が引き出されにくく，親子相互作用がスムーズに展開されない場合がある。

3. 社会機能の特徴

何らかの健康障害により治療が必要になった場合，小児は母親と離れて入院することになり，**母子分離**される。新生児期は母子が一緒に過ごすことで絆(きずな)を深める重要な時期であり，母子分離は**愛着形成**において不利な状況になる。また，母親だけでなく，父親やきょうだい，祖父母も同様に，小児とのかかわりをもちにくくなる。新しい家族の一員として小児を迎え入れることに困難が生じないよう，**家族形成**を支援する必要がある。

B 入院・療養生活における支援

新生児医療の原則は，保温・栄養・感染防止・ミニマルハンドリング・母子関係の確立である。新生児ケアにあたる医療者は，生後すぐ入院・治療が必要となる新生児と家族の健全な発達促進を援助するディベロップメンタルケアの理念を備えることが求められる。

1. 身体機能への支援

1 保温

体温調節にはエネルギーを必要とし，酸素消費が増える。体温調整能も未熟であるため，室内温度や衣類やかけ物を整え，体温が保たれるように支援する。新生児は筋肉の随意運動(ずいいうんどう)や不随意運動による熱産生ができず，肩甲間部から腋窩(えきか)の体表面部と腎臓周辺から脊柱(せきちゅう)・大動脈周辺の体深部に分布する褐色脂肪組織が主な熱産生機序となる。一方，**熱喪失**は，**輻射**(ふくしゃ)・**対流**・**伝導**・**蒸散**によって起こる（図 2-1）。これらの熱喪失経路を遮断し，低体温を防止するとともに，高体温にも注意する。

特に早産児の場合，褐色脂肪細胞が少なく熱産生量が少ないうえ，皮膚が薄く，体重当たりの体表面積が大きいため，蒸散による熱喪失が大きい。よって，温度と湿度の設定が可能な閉鎖式保育器を用いて保温に努めることが有用である。

2 栄養

哺乳(ほにゅう)には，嚥下(えんげ)と呼吸を協調させなくてはならず，その機能が完成するのは在胎 34 週以降である。哺乳が上手にできない週数の早産児の場合には経管栄養を行う。新生児にとって最も適した栄養は母乳であり，母親の希望に沿って**母乳育児支援**を行う。小児と母親が分離状態にある場合には，母乳分泌(ぶんぴつ)確立に不利な状況となるため援助が必要である。頻回の搾乳を勧めるが，用手のほかに搾乳器を用いる方法があり，疲労が少なく効果的である。早産児は呼吸と嚥下の協調運動がうまくいかず，口やからだが小さく，筋緊張が弱いために抱きにくく，母乳育児に困難を生じやすいが，根気よく支援する。

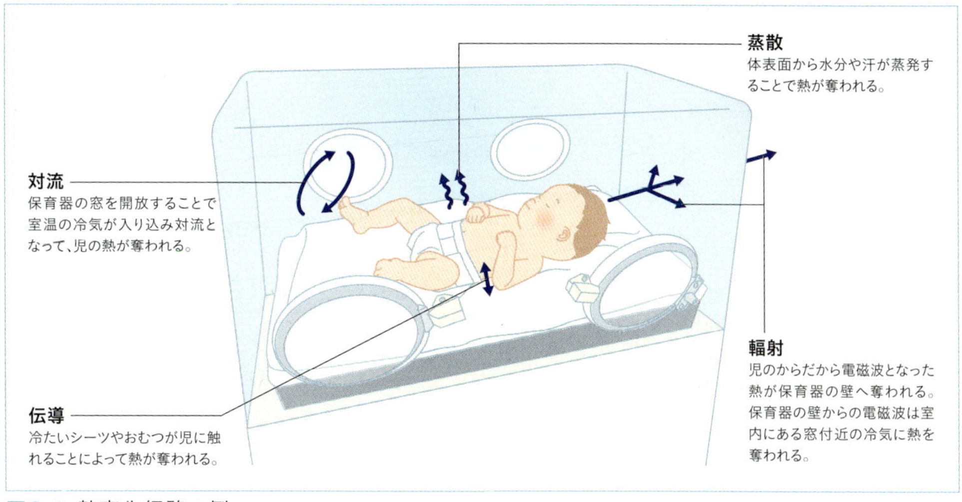

図2-1 熱喪失経路の例

新生児は，哺乳時に呑気すること，噴門部（ふんもんぶ）の括約筋（かつやくきん）が弱いことから，授乳後の排気とともによく溢乳（いつにゅう）し，その多くは生理的な範囲である。嘔吐（おうと）や血便を伴う下痢（げり）はミルクアレルギーの可能性がある。泡沫様の唾液や嘔吐は食道閉鎖症，噴水様嘔吐は幽門狭窄症（ゆうもんきょうさくしょう）にみられる症状である。母乳栄養の欠点は**ビタミンK欠乏症**を発症しやすいことである。ビタミンKは血液凝固因子の産生に必須で，欠乏症により消化管出血や頭蓋内出血（とうがいないしゅっけつ）を発症することから，新生児は全員ビタミンKを内服し，発症を予防する。

3 感染防止

胎内は無菌状態であり，新生児の免疫能（めんえきのう）は賦活化（ふかつか）されていないため，感染によって重篤な症状に陥りやすい。感染防止のために標準予防策を徹底することが何よりも重要である。適切なタイミングで手指衛生を行い，処置やケア時には個人防護具を着用する。使用物品は患者ごとに個別化し，使用後は消毒する。メチシリン耐性黄色ブドウ球菌（MRSA）は新生児感染症の主なる起因菌であり，敗血症を発症し死に至ることもあり，患者の保菌状況の把握（積極的監視培養）を必要に応じて行う。カテーテル関連血流感染を予防するための刺入部や輸液ルートの管理，人工呼吸器関連肺炎を予防するための呼吸器回路の管理，気管分泌物の吸引，加温加湿を行う。また，医療者や面会者の体調管理を行い，外部から病原菌を持ち込まないように注意する。

4 ミニマルハンドリング

ミニマルハンドリングとは，「できるだけ手をくわえない」という意味であるが，何もしないということではなく，必要最小限の介入によって小児にとって不快で強過ぎる刺激を控えるということである。早産児や病的新生児では身体的安定のための治療を優先せざるを得ない状況により，処置やケアのために医療者が小児に触れる回数が多い。一方で母親をはじめとする家族との温かな触れ合いは減りがちである。ミニマルハンドリングは，旧来からわが国の新生児医療の大原則とされてきた。さらに近年では，新生児ケアの基本理念である**ディベロップメンタルケア**と相まって，新生児の身体的予後，特に神経学的予後を改善する目的や，家族発達の促進も含めた包括的なケアの一部の要素として実践されている。

❶睡眠・覚醒パターンを考慮したケアの調整

新生児の覚醒レベルは 6 段階で表現される（図 2-2）。外界からの刺激に最もよく反応できる状態は 4 であり，ケア介入はこの段階にあるときに行うのが理想的である。深く眠っているときはケア介入を行うことで睡眠を中断し，不快な刺激となるので避ける。ひどく泣いているときはケアの受け入れが難しいので，なだめのケアを行い，落ち着かせてからにする。小児が覚醒に向かっている際に，小児が疲労しない程度にケアをまとめて行うようにするとストレスを避けられ，休息時間を長く取ることができる。

❷光・音環境

子宮内への光や音の刺激が子宮壁によって和らげられているように，外界の光・音刺激を和らげる工夫が早産児には必要である。子宮内の音は 40 ～ 60dB といわれており，母親の話し声が音源の中心であることを考えると，入院環境で生じる音がいかに本来とかけ離れているかがわかる。騒音対策として，医療機器のモニター音を消す，保育器の開閉を静かに行う，医療者の話し声や作業の音が大きくならないようにするなどがあげられる。

光刺激を抑えるには小児の保育器にカバーをかけて遮光し，部屋全体の照明を消すなどする。レム睡眠とノンレム睡眠のリズムは 32 週頃から発生するとされ，常時明るかったり暗かったりすると概日リズムの確立が難しくなるため，成長に応じて明暗周期をつくる。

❸ポジショニング（図 2-3）

早産児や病的新生児では筋緊張が弱く，重力にあらがえず，頸部の伸展・回旋，肩甲骨の挙上・後退，体幹の伸展，四肢の伸展・外転・外旋といった不良姿勢となりやすい。胎

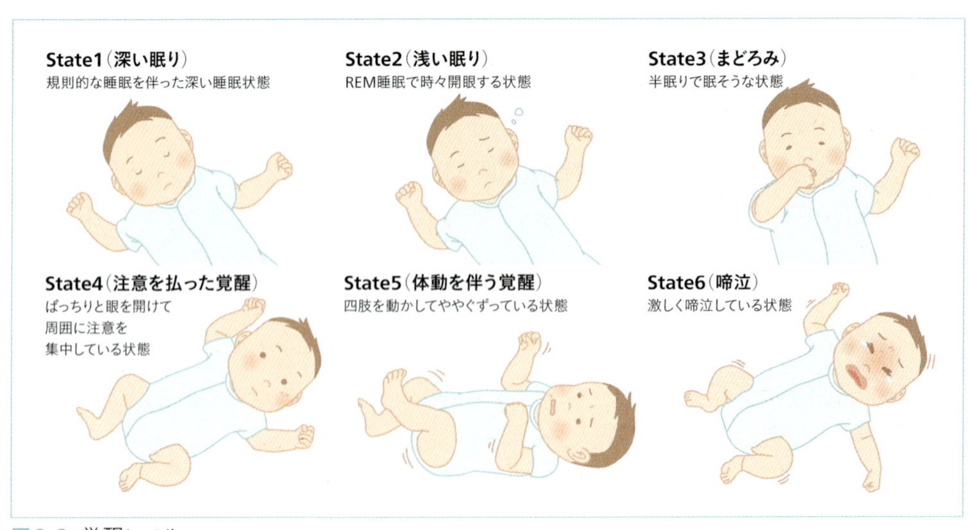

図 2-2　覚醒レベル

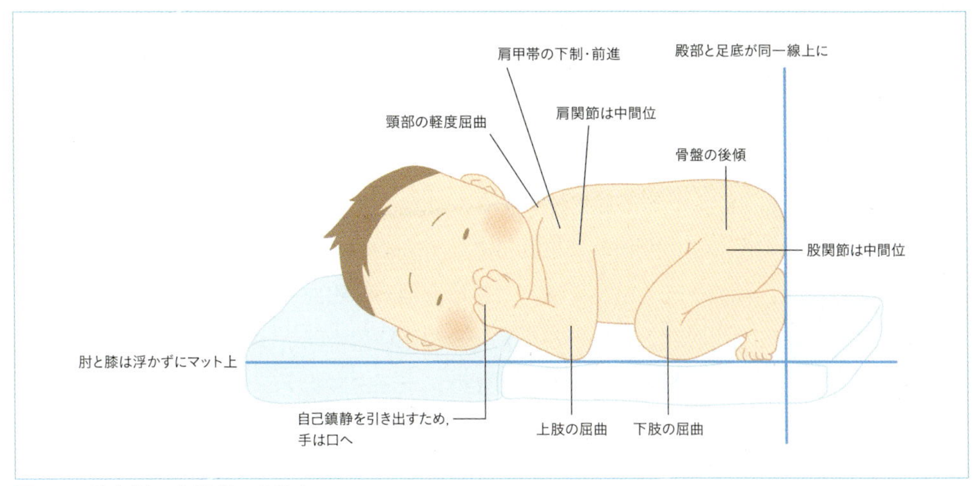

図2-3 早産児の良肢位のとり方

児と同様の生理的屈曲姿勢をとれるようにタオルやマットを使って枕を作り，整える。

5 排泄ケア

❶尿

新生児は蓄尿・排尿の機能が未発達であり，尿が膀胱にたまると反射的に排尿しており，排尿回数は多くなる。おむつ交換の回数と排尿回数が同じとは限らないので，排尿量や排尿間隔が重要な意味をもつ。出生後初回の排尿は24時間以内に起こるので，必ず確認をする。排尿量は時間当たり・体重当たりを単位として計算する。

❷便

生後24時間以内に黒色～黒緑色の**胎便**が排出される。その後，緑色～褐色の**移行便**を経て，黄色の便となっていく。よく性状を観察し，異常の早期発見に努める。胎便の排出がみられない場合，胎便関連性腸閉塞症の可能性があり，腹部膨満・胆汁性嘔吐・残乳といった随伴症状がないか観察する。白色便は**胆道閉鎖症**が疑われ，生後早期に手術することが良好な予後につながるため，母子手帳に掲載の便色カードを活用し，できるかぎり早期に発見し対処する。**直腸肛門奇形**（鎖肛），**ヒルシュスプルング**（Hirschsprung）**病**などは便の排泄が困難であるので，出生後すぐに人工肛門（ストーマ）造設が必要となる。

❸おむつ

おむつのサイズは，小児の下肢の動きを妨げず，腹部を圧迫し過ぎないものを選ぶ。低出生体重児用の小さいおむつや，腹臥位の小児の体位を変えずに交換できるようにミニマルハンドリングを意識して作られた製品もある。

新生児の皮膚は表皮・真皮ともに薄く，結合組織も弱く，バリア機能も未熟である。皮膚表面や便に含まれる細菌によって尿素が分解されてアンモニアとなり，おむつ内の環境がアルカリ性へ傾く。湿潤でバリア機能が低下している皮膚を刺激し，皮膚炎（おむつかぶれ）を起こす原因となる。近年の新生児用おむつは吸収力が良いが，こまめに交換することが皮膚炎防止となる。殿部を拭く際は，こするような刺激を与えず，汚物をつまむように取り去り，軽く叩くように清拭する。

6　清潔ケア

臍は生後10日ほどでミイラ化して脱落する。日本には，へその緒を大事に保管する風習がある。清潔ケアやおむつ交換時に取れることも多いので，誤って破棄しないように注意する。脱落後は，綿棒などで臍窩を拭って乾燥を促し，出血や悪臭・肉芽形成などがないか観察する。保育器に収容されている小児は，湿潤環境や同一体位であることから，皮膚の汚染やスキントラブルを起こしやすい。また，点滴や胃管チューブ・気管チューブなどの固定テープによるかぶれを起こすこともある。固定テープによる皮膚の発赤やかぶれ・潰瘍・循環障害などを生じていないかを観察する。心電図の電極は，小さくカットして使用すると皮膚に接する面積が小さくなり，皮膚トラブルを防止できるが，粘着力が落ち容易に剝がれてしまう。貼用を繰り返すことは刺激となるので，小さくし過ぎないように注意する。テープを剝がす際には愛護的にそっと行い，必要に応じて剝離剤を使用する。

7　医療安全

新生児は自分で名乗れず，顔や声・服装などで「その人である」という認識がしにくい。また，手足が細く，スキントラブルへの懸念からネームバンドを装着しにくく，出生後名前が決まっていなかったり，父母の入籍により姓が変更になったりするなど，患者誤認を起こしやすい。また，容態が短時間で変化しやすく指示変更が頻繁であること，緊急入院が生じやすく業務負担が急に増大すること，薬剤量が個々の患者によって異なり，その幅が大きいことによる間違い，患者の協力を得られないことなどによるチューブやルートの計画外抜管・抜去などが新生児集中治療管理室（NICU）特有のインシデントとなり得る。

2. 心理・社会的支援

1　親子関係確立

入院による母子分離の期間は最短となるようにし，面会時間はなるべく制限を設けずに柔軟に対応する。授乳や清拭・おむつ交換・シーツ交換・体温測定などのケアには親の参加を求め，面会者（visitor）ではなく，育児を担う養育者として存在できるように援助する。円滑な親子関係を確立するために，小児のcueを看護師が言語化して親に伝え，気づきを促す。小児にとって父母の声やタッチは心地よい刺激となるので，タッチケア・ホールディング・抱っこなどを支援し，親子が安心して触れ合えるようにする。

2　カンガルーケア

カンガルーケアは大きく分けて2種類あり，出生後すぐに母親が小児を肌を合わせて抱っこする早期母子接触と，入院中の早産児や病的新生児とその父母が行うカンガルーマザーケアがある。どちらのカンガルーケアも親子双方への効果が認められている。出生後すぐや入院中の小児は容態が急変するリスクがあるため，カンガルーポジション（図2-4）を順守し，医療者の目の届くなかで，安全に配慮して実施することが望ましい。

3 痛み緩和ケア

入院している新生児は侵襲的な処置を受ける頻度が高く，新生児期の痛みの経験による長期的な悪影響も知られている。新生児は自ら痛みを訴えることができないが確かに痛みを感じており，測定ツールで評価可能である。また，非薬理学的な痛み緩和法としてブランケットによる包み込み（スワドリング）や，ケア提供者の両手を使ったホールディング（ファシリティティッド・タッキング），おしゃぶりを用いた非栄養的吸啜，カンガルーケアなどが推奨されている。

4 退院支援

早産により急に出産になった家族は，小児を迎える家庭の準備が不十分であることがある。小児が入院し，容態が落ち着かない場合は，親も動転しており自宅の準備どころではない。小児の身体状況が安定し，母子や家族の愛着形成ができたことを確認し，自宅へ小児を迎える具体的な準備について支援する。

きょうだいにとっても，楽しみに待ち望んでいた弟や妹の存在が急に不確実なものとなり，発達段階によってはきょうだいが入院したことを自罰的にとらえている。また，入院している小児だけが両親の関心を引き，小児の病状に対して両親が不安な気持ちでいることできょうだいも傷ついている。きょうだいの理解度に合わせて入院している小児の状態を説明し，きょうだいの面会を検討する。祖父母は出産した母親にとっては親の立場であり，心配や配慮の思いから，小児の治療に関して積極的に意見を述べる場合がある。しか

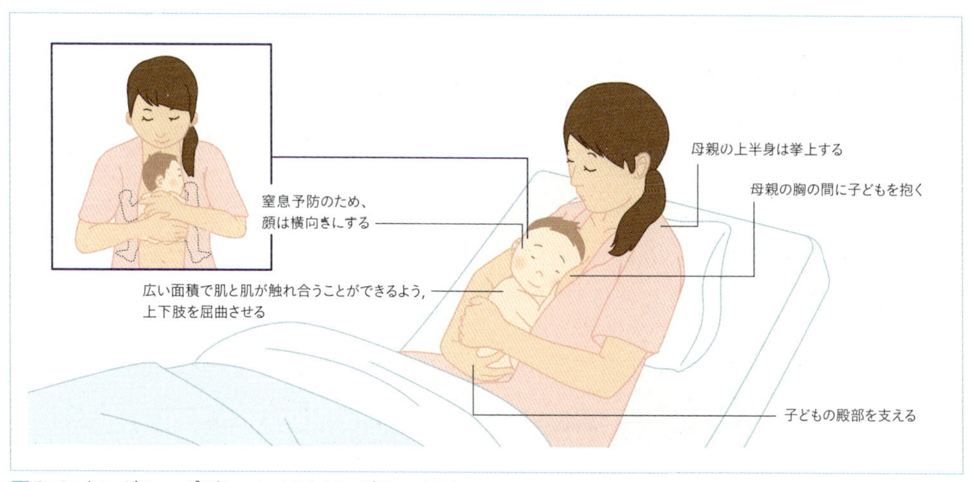

図2-4 カンガルーポジションでのカンガルーケア

し，小児の医療に関して意思決定すべきは小児の父母であり，夫婦（父母）が協力して危機的状況を乗り越えられるよう支援する必要がある。

C 代表的な疾患をもつ小児への看護

1. 後期早産

後期早産（late preterm）児は，在胎34週0日～36週6日で出生した新生児をいう（表2-2）。NICUで長期に集中治療と管理が必要な超早産児より成熟しており身体的に安定しているようにみえるが，正期産児よりも低体温・哺乳(ほにゅう)障害・低血糖・黄疸(おうだん)・呼吸障害などのリスクが高く，子宮外生活への適応と未熟性に対する慎重な看護ケアが必要である。

1 蘇生

新生児蘇生(そせい)法では，出生直後のチェックポイントとして①早産児，②弱い呼吸・啼泣(ていきゅう)，③筋緊張(きんきんちょう)低下をあげており，1つでもみられた場合には蘇生の初期処置のステップへ進む。後期早産児の場合，必ずしも低体重での出生ではなく，子宮内での胎児の健康状態が良いことも多いが，早産による出生後のリスクを念頭に置き，分娩(ぶんべん)時には新生児蘇生ができる医療者が複数立ち会う。

2 体温管理

出生直後には，羊水(ようすい)をよく拭(ふ)き取り保温に努める。ラジアントウォーマー（開放式保育器）で保温し，体温が安定したらコットへ移動する。コット移床後も体温測定をこまめに行い，低体温や高体温になっていないか確認する。体温が安定しない場合は，開放式または閉鎖式の保育器へ収容する。

3 呼吸管理

一過性多呼吸や呼吸窮迫(きゅうはく)症候群の症状が出現しないか，呼吸状態をよく観察する。呼吸

表2-2 在胎週数による区分

早産（preterm）	**超早産**（extremely preterm）	在胎22週0日から27週6日まで
	極早産（very preterm）	在胎28週0日から31週6日まで
	中期早産（moderate preterm）	在胎32週0日から33週6日まで
	後期早産（late preterm）	在胎34週0日から36週6日まで
正期産（term）	**早期正期産**（early term）	在胎37週0日から38週6日まで
	満期正期産（full term）	在胎39週0日から40週6日まで
	後期正期産（late term）	在胎41週0日から41週6日まで
過期産（postterm）		在胎42週0日以上

＊日本産科婦人科学会の用語解説による。WHOは在胎32週以上37週未満をmoderate to late pretermとしている。

中枢の未熟性から無呼吸発作を生じることもあり，呼吸心拍モニターやパルスオキシメーターでモニタリングする。呼吸状態悪化時には，持続的陽圧換気（N-DPAP）・ハイフロー・挿管・人工呼吸器などで管理し，必要に応じて酸素投与を行う。

4　栄養

なるべく早期に授乳できるよう支援する。経口哺乳時の呼吸状態に注意し，悪化するようであれば経管栄養を検討する。血糖を測定し，低血糖症状が出現していないか観察する。

5　そのほかの身体的ケア

早産児の場合，生理的体重減少率が10％以上となることも珍しくない。全身状態を併せて観察し，早期の体重復帰を目指す。黄疸も正期産児と比べて強くなりやすく，光線療法の対象となることも多い。眼の保護にアイマスクを着用し，生殖器の保護におむつを着用する。なるべく光線が当たる皮膚面が広くなるようにする。

6　家族へのケア

早産となった母親は小児の生命の危機的状況を案じ，自責の念を抱く。短期間の母子分離であっても，親となった実感が湧かないと訴える場合もある。母親の産科入院中に，身体的疲労を考慮しつつも面会を促し，母子の時間を設けるようにする。

母親が先に退院し，病院に小児を残す場合，産後の身体的疲労や交通手段がなく，面会に来られないこともある。また，新生児搬送による入院で母親と小児が異なる病院にいる場合もある。父親や祖父母などの家族の協力体制を確認し，小児の状況が母親に伝わるように配慮する。

退院を見据えて，沐浴（もくよく）・おむつ交換・母乳育児などの支援を行うが，母子分離や小児の反応性の乏しさ・扱いにくさから困難を感じる場合がある。うまくいかない要因を見きわめ，ていねいに指導を行う。

Ⅱ　乳児期の看護

A　健康問題・障害をもつ乳児期の小児の特徴

1. 身体機能の特徴

乳児期は，新生児期を経て胎外生活への適応が進んだ時期であるが，身体機能は未熟であるため，①感染症に罹患（りかん）しやすく症状が重篤化しやすい，②呼吸器症状が出現しやすい，

③2次的な脱水症状を呈しやすい，などの健康問題が生じる。

乳児が感染症に罹患しやすく症状が重篤化しやすいのは，感染防御にかかわる免疫（めんえき）グロブリンの出生後の変化に起因する。母体から胎盤を介して取り入れた免疫グロブリンG（IgG）は，出生をピークに生後6か月頃には最も低値となる。それ以後は，IgG・IgMの自己産生，そして母乳を介して取り入れたIgAにより免疫能を高めるが，その途上にあるのが乳児期である。同時に，特に保育所での生活を始める時期は，他児との接触により感染の機会が増える。そして，かぜ症候群に罹患すると容易に呼吸困難を引き起こす。これは，呼吸器系における解剖学的および生理学的な乳児の特徴に起因する。また，発熱・下痢（げり）・嘔吐（おうと），さらには水分摂取困難や食欲低下により体液の喪失に拍車がかかると容易に脱水症状を引き起こし重篤化する。

乳幼児突然死症候群（sudden infant death syndrome：**SIDS**）の予防に，うつぶせ寝や喫煙などの危険因子について親へ情報を提供し，できるかぎりそれらを取り除く支援が必要である。

2. 認知・情緒機能の特徴

乳児期の認知発達段階は感覚運動期にあたり，小児は明確な病気の概念をもたず，不快や痛み・倦怠感（けんたいかん）などを感じるにとどまっている。そして，それらの経験が記憶されるようになると，感じた不快や痛みをもたらす原因（医療者や医療物品・処置室など）に対して恐怖心や警戒心をもつこともあり，これも小児にとっての病気に対する理解といえる。

また，乳児期の心理社会的発達課題は「**基本的信頼 対 不信**」であり，その基盤となるのは主な養育者である特定の人との間に心理的な結びつきである**愛着**が形成されることである。それにより心理的な安定がもたらされ，外部との交流につながっていくが，入院することによって，小児の多くは**分離不安**を生じる。分離不安は，愛着を形成した養育者から物理的に離れることで，これまで基盤となっていた**安心感**を喪失し，精神的な強い不安が生じる（図2-5）。特に乳児期から3歳前後の幼児期までに強く表れる。

3. 社会機能の特徴

親にとっては，子どもが病気になること自体が強いストレスとなる。子どもが病気になったことに対して，もっと早く発見できなかったのか，もっとしてあげられることはなかったのかといった自責の念を抱き，親としての自信を低下させる。特に，集中治療が必要な場合などは，親が直接してあげられることが少なく感じられ，親として無力感に陥ることもある。また，親にセルフケアを依存する割合が大きい乳児期は，家族への支援が特に重要となる。入院・療養生活により親の負担感は増し，さらには，入院している小児を中心に家族の生活の変化を余儀なくされる。入院が長期にわたる場合には，親が仕事をやめることもあり，入院している小児のきょうだいの世話をするために祖父母の援助が必要なこともある。そして，きょうだいが様々な我慢をしている場合も多く，心理的な問題が生じ

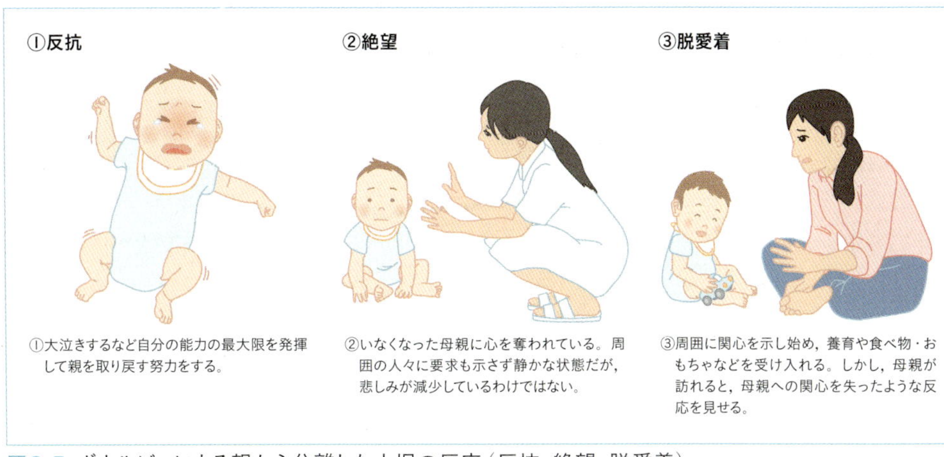

図2-5 ボウルビィによる親から分離した小児の反応（反抗・絶望・脱愛着）

ることもある。

親や家族が，療養する小児と時間を共にしながらそれぞれの役割を獲得することや，家族としての対応もまた発達の過程であることを理解しつつ，小児が病気や障害をもつことについて現実的な対応ができるようになるのには時間が必要であり，そこには段階があることを看護師が認識していることが重要である。

B 入院・療養生活における支援

1. 身体機能への支援

1 運動機能

乳児期は，粗大運動および微細運動が急激に発達する時期である。昨日までできなかったことが，できるようになることもあり，安全面への注意が必要である。特に，寝返りやつかまり立ちができるようになり，小児の行動範囲が広がることでソファやベッドから転落する危険も生じるため，ベッド柵を常に上げておくなど療養環境を整えることが大切である。また，口唇期にある乳児の周囲に危険物を置くことは避け，常に整理整頓を心がけることで誤飲を予防する。

入院中は，輸液療法など必要な治療により運動機能が抑制されることが多くある。そのなかにあっても，穿刺（せんし）部位の選定に配慮する（指しゃぶりをする側の手背を避けるなど）など，小児のストレスを最小限にし，運動機能の発達をできるかぎり阻害しないよう支援を行う。

2 食事

乳児にとって食べることは，栄養補給のためだけでなく，親子関係や発達（運動機能・社会性・言語・情緒）にも影響を及ぼすため，療養中であっても適切な支援が必要である。いずれの食事援助においても，月齢や体重に応じた必要栄養量の摂取と身体的成長を前提に，楽しい雰囲気で小児が食事を経験できるよう支援することが大切である。

❶授乳

母乳栄養で養育をするためには，入院中にもなるべくそれを継続できるように母親の付き添いや事前に搾った母乳（搾乳）を哺乳びんで授乳するなどの，家族との協力が不可欠である。また，育児用ミルクを使用している場合にも，できるかぎりふだん使用しているミルクの種類や乳首を病棟で準備するか，または家庭から持参してもらい，乳児にとって慣れ親しんだ哺乳ができるよう支援する。

乳児期の授乳方法は，月齢や離乳状況などにより様々である。入院前の家庭での小児の哺乳（種類・量・回数・間隔など）について情報を収集し，家庭に近い方法で授乳を行えるよう心がけることで，小児にとって安心感のある支援につながる。また，授乳状況とその変化を注意深く観察することで，小児の健康状態の客観的な評価にもつながる。特に，何らかの健康問題を生じている小児は哺乳力の低下を呈することがしばしばある。

口唇・口蓋裂がある小児の場合は，安全な授乳のために特別に注意が必要である。母親の乳房から直接哺乳をすることが難しい場合も多く，そのようなときは咽頭部まで届く長い乳首を使用する。口蓋裂をもつ小児の場合には，哺乳を助け，顎の正常な発育を促すためのホッツ（Hotz）床とよばれるプレートを装着することもあり，小児科だけでなく形成・口腔外科の医師や理学療法士などとの連携も不可欠である。いずれにせよ，誤嚥の予防と早期発見のために，日常的な哺乳状況を観察し，多職種へ情報を提供する役割を看護師は担う。

❷離乳食

離乳が始まっている乳児に対しては，生後6か月頃から，発達段階に応じた食事を提供し，家庭と同じような食具を使用するなど，入院中にも食べる機能や食習慣の獲得といった発達が阻害されないような配慮が必要である。ただし，健康問題に伴う身体状況によっては，一時的に離乳食の摂取が停滞・中断する可能性もある。まずは身体状況の回復を優先し，体調が回復していく過程で再開を試みる。このとき大切なのは，決して無理強いはせず，療養生活のなかであっても楽しく，ゆとりをもった離乳食援助を心がけることである。

❸経管栄養

食道閉鎖症などの疾患により，経管カテーテル（経鼻または経口・胃瘻）により栄養摂取をしている乳児には，適切なカテーテルの管理と栄養摂取を支援する必要がある。特に，乳児の認知発達や運動機能の特徴により，経鼻または経口カテーテルの自己抜去が生じることも少なくない。カテーテルの不適切な留置は，小児の嘔吐誘発・誤嚥につながるため，小児の発達に応じたカテーテル固定を工夫する。固定テープによる皮膚トラブルもしばしば生じやすい。低刺激テープの選択や優しく剝がせるリムーバーの使用など皮膚の保護にも努める。また，胃瘻の場合には，瘻孔周囲の清潔保持や適切なカテーテルの固定を心がけ，発赤・潰瘍・不良肉芽などの皮膚トラブルを予防する。

3　睡眠

乳児期は，月齢によって睡眠のリズムが異なるため，発達段階を理解し日常生活援助に生かすことが大切である。また，個人差もある。しかし，特に健康問題が生じている場合や入院によって環境が変化することにより，不快や苦痛で睡眠リズムが崩れることもある。昼夜に関係なく，症状が落ち着いたときに処置やケアをまとめて行うなどして，小児が休息時間をとれるよう支援する。それでも睡眠時間の確保が難しい場合には，その要因をアセスメントし，たとえば発熱がみられる場合には苦痛軽減のためにクーリングや解熱剤など頓服薬の使用を検討する。また，小児によっては抱っこや添い寝などにより入眠する習慣をもっている場合もあるので，それぞれの小児に応じた睡眠導入の援助が必要である。入院中の SIDS にも留意する必要がある。危険因子とされるうつぶせ寝や柔らかい寝具の利用などを避け，周囲の目が届きにくい場合はモニターを装着するなど，安全な療養環境を整える。

4　排泄

おむつによる排泄を行う乳児は，陰部・殿部の清潔を保てるように適宜おむつ交換を行う必要がある（図 2-6）。長時間，殿部に便が付着すると，アルカリ性の便による科学的刺激と拭き取る際の物理的刺激により皮膚のバリア機能が低下して炎症を起こしやすくなる。特に，健康障害を伴う小児の症状として下痢を呈していることがあるため，頻回なおむつ交換・微温湯による陰部洗浄・殿部浴など皮膚トラブルを予防する援助も大切である。

健康障害の急性状態においては，発熱・下痢・嘔吐から脱水を引き起こすことも多く，排泄状況の観察は不可欠である。排泄量（使用前のおむつの重さを排泄後のおむつの重さから差し引く）や回数と併せて，尿・便の性状などを注意深く観察する。

❶排便コントロール

乳児期は腸管運動の未熟性や栄養形態の変化などにより便秘が生じることも少なくな

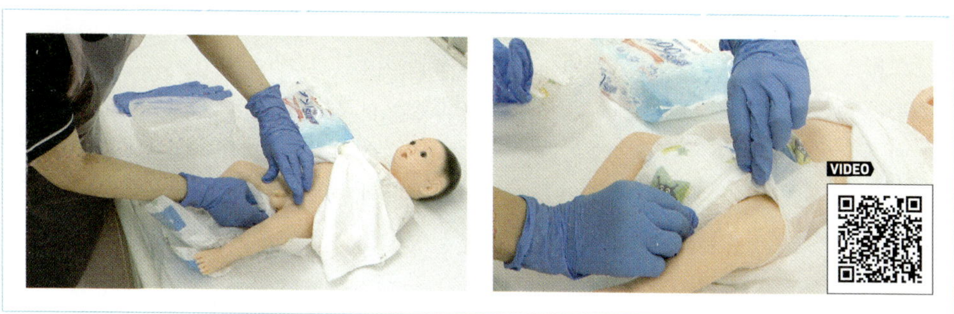

図 2-6　紙おむつの交換

い。腹部膨満や排便状況を観察することと併せて，その不快や苦痛により生じる小児の不機嫌などをアセスメントし，腹部マッサージや温湿布，または綿棒による肛門部の刺激によって便秘の解消を試みる。重症の場合は，浣腸やカテーテルによるガス抜きまたは薬物治療を要することもある。

5 清潔保持

乳児期は，新陳代謝が活発で発汗などによる皮脂汚れが生じやすいうえに，皮膚のバリア機能の未熟さにより，湿疹やかぶれなどの皮膚トラブルを呈しやすい。そのため，常にからだの清潔保持への援助を心がけることが必要である。しかし，身体症状によっては，清潔保持援助の行為自体が小児の負担となってしまうこともあるため，症状軽減後に行うなどタイミングを計り，援助方法（沐浴・全身清拭・部分清拭・陰部洗浄・殿部浴など）の選択についても十分に検討する。特に乳児は，尿路感染症のリスクも高く，その予防のためにも陰部の清潔保持は大切である。

2. 心理・社会的支援

1 心理的支援

入院・療養生活に伴う小児の分離不安に対しては，面会時間の調整や家族同室，検査や処置時の家族の参加，家族を待つ間には，ほかに目を向けられるような遊びの援助，抱っこ，脅かさない存在が寄り添う（保育士やチャイルド・ライフ・スペシャリストとの協働）など，なるべく小児が安心感を得られるようにかかわることが大切である。不安や恐怖に対しては，恐怖を生じる場所は一定にし（処置室の利用など），明るい雰囲気で，不必要な医療器具が目につかないようにする。また，治療・処置の場面では小児の気を紛らわせるものを準備し，気持ちをしずめる環境を整える（ディストラクション）。小児が恐怖を感じる場面などでは，抱っこをして優しく声を掛けたりタッチをしたり，特に家族の協力を得たりすることで，ストレスを最小限にとどめて必要な処置を行えるよう援助する必要がある。

また，入院中の乳児にとって，遊びは，病気や治療に伴う痛みや不快・行動の制限などによるストレスを紛らわせ，不慣れな病室や病棟内の環境に対する不安を和らげる効果がある。感覚運動期にある乳児の発達に適したおもちゃを選択することや，日常的に乳児の五感に働きかけるようなかかわりをもつことも看護の役割である。

安心感のある療養環境を整えることも大切である。日常生活（食事・排泄・清潔・睡眠・遊びなど）について可能なかぎり安楽に過ごせるよう支援し，小児の慣れ親しんだ持ち物を持参してもらうことや，主な療養の場であるベッド上ではできるかぎり処置を行わないことで，生活環境の変化に伴う不安に対して支援を行う。

2 社会的支援

看護師は，小児が入院したことによる親の負担感を軽減するために，その原因をアセスメントし，具体的な解決方法を家族と一緒に考えていくことが大切である。また，日常的なかかわりのなかで，親の思いを傾聴することで負担感の軽減に努めていくような支援を行う。親への支援が，小児の安全・安心な療養に好影響を与えることが多い。また，家族の生活は，病気のある小児がいることで生活の変化を要することも多く，家族間での役割分担がバランスよく働いているのかを家族から情報収集しながら，家族それぞれが調整の必要な事柄に気づけるよう援助する。必要時には専門家からの援助や社会資源を活用できるようにし，家族に過剰な負担が生じないように配慮する。

小児が入院することによるきょうだいへの影響についても，家族から情報収集を行い，きょうだいが思いを表出できる機会や親と一緒に過ごす機会，甘えられる機会をつくるなど，きょうだいが主役となる時間を家族がもてるよう支援することも大切な看護である。

C 代表的な疾患をもつ小児への看護

1. 肺炎

肺炎は，細菌やウイルスなどの病原微生物が肺に侵入し，気管支粘膜（気管支肺炎），肺実質である肺胞（肺炎），細胞壁（間質性肺炎）を障害することによって炎症が生じ，発熱や咳嗽などの急性呼吸器症状をきたし，胸部X線や胸部CTで新たに浸潤性病変が確認できるものをいう。病原微生物の種類によって，細菌性肺炎・ウイルス性肺炎・マイコプラズマ肺炎などに分類される。乳児期の肺炎は，RSウイルス・アデノウイルス・インフルエンザウイルスなどのウイルス性肺炎に引き続いて黄色ブドウ球菌・肺炎球菌・肺炎杆菌などの細菌性肺炎を合併することが多い。

数日間の上気道症状を経て，発熱・湿性咳嗽・努力呼吸などが出現する。乳児期には，急激な発熱・嘔吐・下痢・発熱時の痙攣などがみられ，また，自らの症状を言語的に訴えることが難しいが，不機嫌・活気低下・哺乳不良などで訴えが出ていることもあるため，それらを併せて観察する。咳き込みから嘔吐がみられることもしばしばある。肺炎の治療目標は，発熱と呼吸状態の正常化にある。ウイルス性肺炎の場合は対症療法，細菌性肺炎の場合は頻度や重症度に応じて抗菌薬治療が行われる。

急性期の看護は，解熱・排痰ケア・安楽な体位・酸素療法などの対症療法と並行して，その症状の程度および呼吸状態の変化の観察を注意深く行う。呼吸状態については，呼吸数・リズム・深さ・咳嗽や喘鳴の有無・努力呼吸（陥没呼吸・肩呼吸・鼻翼呼吸）の有無・チアノーゼの有無・酸素飽和度を観察しながらアセスメントを行う。また，発熱や哺乳不良に伴う脱水症状に対する輸液療法，水分出納の管理を行う。

❶解熱

発熱は，小児の体力を消耗させ，食事や睡眠・遊びなど小児の日常生活にも支障を及ぼす。発熱時は，まず熱型を観察し，全身倦怠感・悪寒・頭痛など随伴症状も併せて観察する。熱型に応じて，部屋の温度・湿度，寝具や寝衣を調整し，必要時には罨法（体温上昇期には温罨法，発熱極期には冷罨法）を行う。特に乳児期は熱性痙攣のリスクも高く，注意が必要である。

❷排痰ケア

気道の炎症性変化により生じる気道内分泌物の増加や粘膜の腫脹によって，効果的な自立による排痰が困難になり気道閉塞を呈しやすい。そこで，ネブライザーによる吸入や，状態に応じて体位排痰法（体位ドレナージ，スクイージング，バイブレーション法など）を行い，排痰を促す。部屋の加湿や水分摂取を促すことでも気道内分泌物の粘稠度を低下させて排痰を促すことができる。乳児など特に自力での排痰が困難な小児には，必要に応じて口腔または鼻腔からの吸引を要するが，小児にとって苦痛の大きい処置となるため必要性をしっかりアセスメントすることが大切である。

❸安楽な体位

呼吸困難時は，肩枕を使用して上半身を挙上したファーラー位が推奨される。乳児の場合には，泣くことで苦しさを訴えることがあるが，泣くことにより呼吸状態を悪化させることもある。小児が好む体位（例：抱っこ）を尊重し，体力の消耗を最小限にするために小児の安静を保てるような支援が必要である。

❹清潔ケア

呼吸困難や倦怠感が強い場合には，無理をせず清拭によりからだの清潔を保持する。発汗が多い場合には頻回に寝衣の交換を行う。また，おむつ着用時や下痢をしている場合には陰部洗浄や殿部浴を行い，皮膚トラブルや尿路感染症を予防するとともに小児の安楽にも配慮する。

❺酸素療法

呼吸困難が強い場合，酸素飽和度をモニタリングして，必要時には医師の指示のもと酸素療法を行う。

❻輸液療法

呼吸困難や発熱などにより，哺乳意欲や食事摂取量が低下することもある。乳児期は発熱や呼吸数増加，分泌物増加などにより容易に脱水を呈しやすいため，経口での水分摂取が困難な場合には，輸液療法により水分補給・電解質補正が行われる。輸液療法を開始する際には，プレパレーションやディストラクションをとおして，安全・安楽な治療を継続できるよう支援する。

そして，回復期には合併症の出現や 2 次感染の徴候を観察し，また，それらを予防するためにも栄養摂取や清潔保持など日常生活の支援に努めることが大切である。

2. 熱性痙攣

熱性痙攣は，主に生後6～60か月（5歳頃）の乳幼児期に起こる。通常は体温38℃以上の発熱に伴って生じる発作性疾患であり，明らかな発作の原因（髄膜炎などの中枢神経感染症・急性脳症・電解質異常や低血糖など）がみられる場合や，てんかんの既往がある場合は除外される。中枢神経の未熟性が影響していると考えられており，インフルエンザや突発性発疹が誘因となることが多く，家族歴があることも知られている。

有熱時は，全身性で左右対称性の**強直間代痙攣**（眼球を上転または一点静止し，からだを反らせて手足ががくがく震える）を生じる場合が多い。左右差があるなどの部分発作（**焦点性発作**），15分以上続く発作，24時間以内に反復する発作のいずれかに該当する場合は複雑型熱性痙攣に分類され，いずれも認められない場合には単純型熱性痙攣に分類される。特に複雑型の場合には，てんかんへの移行もあるため，その後の精密検査や特に経過観察が必要となる。5分以上発作が持続する場合には，抗痙攣薬（ジアゼパムやミダゾラムなど）を投与して痙攣重積（30分以上続く痙攣）を防ぐ。同時に，気道確保と呼吸・循環評価を行い，必要時には酸素投与や静脈確保を行う。

1 痙攣の観察

痙攣発作時は，痙攣の型・状態・持続時間・呼吸・意識状態を観察し，顔を横に向けることで嘔吐による誤嚥を予防する。また，熱型の観察を行いつつ解熱を図り，入院時はモニターの装着により，痙攣の早期発見に努める。

2 安静保持

床上安静を基本とし，部屋の照明を薄暗くする，静かな環境をつくるなど，痙攣を誘発するような必要以上の刺激を与えないようにするとともに，衣類やおむつを緩めて呼吸しやすいような安楽な環境づくりを支援する。

3 家族への支援

熱性痙攣に遭遇した家族のショックや不安に対する看護も併せて重要である。発作に気づき，受診につなげられた家族の判断と行動を認めつつ，家族の思いを傾聴し，熱性痙攣の90%以上が5～6歳までには治癒することを説明することで家族が過度な心配をしないよう配慮する。自宅での再痙攣時の対応について，発作症状を観察し，発作が5分以上続くとき，呼吸が苦しそうなとき，顔色不良のときには救急車を要請することや，顔を横に向けて嘔吐による誤嚥を予防できるよう，教育的支援を行う。また，発熱時は冷罨法（クーリング）を行って解熱に努め，医師の指示のもとで，有用とされているジアゼパムの予防投与を行えるよう家族へ支援する。

III 幼児期の看護

A 健康問題・障害をもつ幼児期の小児の特徴

成長・発達への影響は健康問題や障害が生じた時期や程度によっても様々である。小児の成長・発達には十分な栄養・運動と休息のバランスが最も重要であり，健康問題や障害はこれらの成長に必要な要素に大きく影響を与えることが考えられる。幼児期の肥満や夜型の生活による睡眠不足などは生活習慣による健康問題としてあげられ，成人後の生活習慣病の罹患リスクの要因の一つでもある。また，健康問題や障害の程度によっては，質的な身長の伸びや体重の増加不良，臓器や免疫機能の成長・発達に影響を及ぼす。身体的影響は，認知・情緒の発達にも関係しているため，包括的なアセスメントと個別性をとらえたかかわりが必要となってくる。

障害は先天性・後天性の障害や身体的・知的・精神的障害などに分けられる。また，近年増加傾向にあるといわれている発達障害は障害の種類が多岐にわたり，個別性も高く様々なタイプのものがあるとされている。障害は，それ自体が障害であると考えられることが多いが，それだけではなく周囲の認識やかかわり，生活環境なども成長・発達へ大きく影響を与えている。

1. 身体機能の特徴

幼児期では運動機能（粗大運動）が発達し，微細な手の動き（微細運動）ができるようになり，食事・排泄・運動・休息・清潔などの基本的生活習慣の獲得が進んでいく時期である。障害をもつ幼児は，その障害によりこれらの発達が進まない，遅れていると認識されることが多いが，その子なりの発達を理解し，もっている力を発揮できるようなかかわりをすることが重要である。「障害があるからできない」という認識ではなく，できていることを評価し，次のステップを考え支援していくことで成長・発達を促すことができる。

2. 認知・情緒機能の特徴

入院生活や手術，繰り返し行われる処置や検査は，小児にとって非日常の体験であり，大きな心理的混乱を与える。入院直後のみでなく，入院中は内服を嫌がり抵抗を示す拒薬，処置や治療を嫌がり暴れる，親から離れないなどの行動が特に3～5歳児で多くみられる。日常生活行動のなかでも変化がみられることがあり，排尿の失敗や指しゃぶりをする，睡眠時間が不規則になり昼夜逆転傾向になる，食事を摂ることを嫌がり食べない，遊びに対しても反応が薄く活気がない，不安が強くなる，などがみられる。さらに，入院中の心理的混乱は退院後にも何らかの影響を与えるとされており，入院時からの継続した小児と家族に対する支援が必要である。ヴァーノン（Vernon, O.T.）によると①小児と親に正確な知識を与えること，②小児または親の情緒的表現を助けること，③医療従事者と小児および親との信頼関係を築くこと，の3つが医療者の役割としてあげられている。また，このような心理的混乱の支援においては，小児と家族に対してのプレパレーション（psychological preparation）が有効であるとされている（Vernon & Thompson, 1993）。プレパレーションには様々な場面があり，手術やMRIの検査前のみでなく，入院をする，薬を飲む，包帯を巻き替える，酸素マスクをあてるなど，医療者にとっては日常的な処置や検査であっても，小児やその親には初めて経験することばかりである。医療者にとってささいなことでも行う前に立ち止まって考え，小児の発達年齢を考慮し，簡単でわかりやすい説明に置き換え，心の準備を促すことも重要な支援である。

入院環境や小児の状態により付き添い入院が困難な場合には，必然的に母子分離の状況が生じる。ボウルビィ（Bowlby, J.）によると愛着の発達段階において幼児前期の3歳頃までは積極的に母親を求め，母親を安全基地として一定の範囲内で行動できるようになるとされている。3歳以上では母親の感情や行動を観察し，相手の意図していることを理解し反応できるようになる。情緒的な不安をもつ小児を支えるためには，入院環境のなかで小児が安心を得られるような，母親に代わる安全基地が提供できる関係構築が必要である。

小児の病気の理解について，ピアジェ（Piaget, J.）は小児の発達段階を認知・思考の視点から，感覚運動期・前操作期・具体的操作期・形式的操作期の4つに区分している。生後から2歳頃までの感覚運動期は，遊びやからだの動きをとおして外界を知る時期であり，おもちゃをつかんだり，投げたりしながら自分の手がどのように動くのかを学ぶ。このほか物を落とす，新しい物をなめる，叩（たた）くなどの同じ行動を繰り返したり，人以外の物にも感情があると考えたり，積み木などを車に見立てて遊んだりなどの象徴的な行動が盛んになる。入院や健康問題が生じることによりこれらの行動が制限され，必要な探索や遊びができなくなることが予測される。この時期の小児には病気の理解は難しく，母親や養育者とのかかわりのなかで自分の置かれている状況への対応がなされていく。そのため，入院によって不安や恐怖を感じている母親や家族への支援も小児の援助につながる重要なケアであるといえる。入院直後や健康問題が生じた直後には親は混乱し，不安や恐怖心を抱いている。繰り返し病気や処置への質問や，強い言動がみられることもあるが，思いを傾聴し，病院スタッフと連携しながら不安の軽減が図れるよう，真摯な対応が求められる。

2歳以降では言語的なコミュニケーションがとれるようになることが多いが，自己中心的な考え方であり，病気や入院を自分の行動に対する罰だと受け止めることもある。また，目で見えるものに対しての理解は進んでいるため，点滴刺入部は触ってはいけないことを理解したり，包帯や絆創膏（ばんそうこう）の部分を示し「がんばったの」や「痛かった」などと意思表示をしたりすることもある。

3. 社会機能の特徴

小児の社会性は親や家族，友人，地域の人々など様々な対人関係のなかではぐくまれていく。しかし，入院の長期化や健康問題や障害によって社会活動が制限されてしまうことも考えられる。また，言語で苦痛や自分の状況を正確に伝えることが難しい幼児期では，表情や活気，いつもと何かが違うというような少しの変化に気がつき異常の早期発見に努めるべきである。そのためには小児を毎日観察し，母親や家族に，家でのいつもの小児の食事や睡眠・活動などに関する情報を収集することも重要である。急性期には困難なこともあるが，病状の落ち着きとともに，入院中の生活のリズムを整え，その子の日課などを取り入れ，少しずつ家での生活に近づけられるような環境調整を行うことで退院後の生活への影響も少なく，ストレスも軽減できる。また，入院中の小児どうしがかかわりをもてるよう，プレイルームを活用したり，病棟保育士やボランティア，看護学生などから協力を得たりすることが多い。看護師はケアや処置の時間の調整を行ったり，身体的状態をアセスメントしたりしたうえで子どもの安静度の確認を適宜行い，感染防止対策をきちんと行ったうえで小児が遊びやイベントになるべく参加できるように配慮するべきである。

また，小児の入院をとおしての親どうしのかかわりやコミュニケーションも病棟内でみられることがある。子どもが病気になった不安や，入院によって影響を受けた日常生活への対応などを親どうしで話すことは，ストレス軽減や小児の病気を受け入れる機会につながることもある。個人情報保護の観点から気を付けなければならないことも多いが，コミュニケーションをとるきっかけをつくる橋渡しとして看護師の細かな声掛けが必要となってくる。

B 入院・療養生活における支援

ほとんどの小児が入院初期には「激しい啼泣（ていきゅう）」「食事を摂らない」「入眠が困難でその後も眠りが浅い」「頻尿や失禁（しっきん）」「言動が攻撃的」「声掛けへの反応が薄い」「遊びへの関心が低くなる」「治療や検査などに拒否的になる」などの症状を示すことが多い。一方で5歳以降ではていねいな説明により入院することや治療や検査をすることを受け入れ，協力を得られることもある。しかし幼児期では病気の理解と必要な治療を関連付けることは難しく，「自分が悪いことをしたからかもしれない」などと考えてしまうことがある。これらの症状は入院から数時間〜数日で改善していくが，そのためには医療者の適切な対応が必要となってくる。医療者は小児に安心感を与えられるようにそばにいる時間をつくる，ケアや声掛けをていねいに行う，小児の興味のあるもので一緒に遊ぶなどの支援が必要である。また，つらい治療や処置の後には「がんばったね，よくできたね」と声を掛け落ち着くまでそばにいることや，点滴の保護テープやばんそうこうにイラストをかくなどの小児が喜ぶ支援も効果的である。

入院による環境の変化，たくさんの治療や検査は小児にとって大きなストレスであるが，入院生活は小児のみでなく親やそのきょうだいなど家族全体にも何らかのストレスが生じ，日常生活への影響があると考えられる。小児看護では家族の思いや不安の傾聴・生活面での困難な出来事への援助なども含めてケアを行っていく必要がある。

1. 身体機能への支援

1 食事

小児にとっての食事は「成長・発達のための栄養摂取」と「食事をするという行動を学ぶ」という重要な意味をもっている。入院中には病院食の提供が一般的で，離乳食，幼児前期・後期，学童前期・後期など，小児の場合食事の内容が細かく分かれている。入院時に親から現在の食形態と食事量・ミルクや水分摂取の状況に関して情報収集を行い，それぞれに合った食事が提供できるように工夫をする。幼児前期では咀嚼・嚥下機能が発達途中であることや，成長途中であることから，入院が長期にわたる場合には適切な時期の食事形態の変更や離乳の勧めが必要となってくる。入院中の食事は家庭での料理と味つけやメニューも異なり，疾患によっては治療のため塩分や脂肪の制限のある献立になることもある。必要に応じて栄養科との連携や栄養士への相談も行っていく。幼児後期では好き嫌いがあったり，病院食に対して拒否的であったり，特に化学療法中の場合，味覚の変化のために献立によっては食事が進まないことも多くみられる。そのような場合，病院によって規則があるが，可能な場合は小児が食べられそうなものを持参して食べてもらうこともある。小児が好むものばかりでは栄養が偏り，不健康な食生活となってしまうため，親と一緒にルールを決めることも必要である。経口からの食事摂取が進まない場合には胃管や点滴での栄養管理を行うこともある。

入院中はベッド上での生活をほとんどの時間が占めているが，食事の際にはテーブルや椅子を準備し食事をする環境を整えていく。小児の安静度やアレルギー・感染症などに配慮しながら，ベビーカーや車椅子・座位保持椅子などを利用しデイルームなどでみんなで食事が摂れるようにしてもよい。

2歳以降では自分でスプーンや箸を使って食事を摂るため，日頃使用しているスプーンや箸・コップなどの持参を依頼し，幼児前期ではこぼしても服が汚れないようにエプロンを使用する。食事介助時にはその子がどこまで自分で行えるのか把握し，発達を促すための適切な介助が行えるようにセッティングをしていく。また，食事前のトイレや手洗い・あいさつや食べ方のマナー・後かたづけなども食事介助を行う際に小児が自ら実施できるようにかかわっていくことが重要である。

2 清潔

幼児期では免疫機能が十分に発達していないため，感染予防の面でも清潔を保つことは

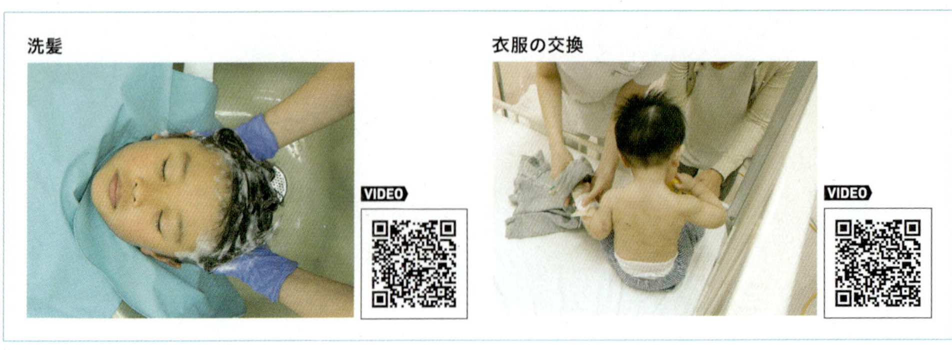

図2-7 清潔を保つ援助

重要であり，ほとんどの病院では連日行っている。身体的状態や感染症への罹患などの制限はあるが保清はなるべくシャワー浴や沐浴・入浴が望ましい。清拭を行う場合にも陰部洗浄や洗髪（図2-7）などを取り入れる。幼児前期では家とは環境の異なる場所での入浴やシャワーを嫌がり，激しい啼泣や抵抗を示すことが多々みられる。入浴を楽しんで行えるように小児の好きなキャラクターのおもちゃを使用する，親と一緒にケアを行う，毎日同じタイミング・方法で実施できるように申し送りをするなどの配慮をして，ストレスが軽減できるようなケアをスタッフで協力して提供していく。

ケアの際には皮膚の乾燥や発疹，発赤の有無など全身を観察し，必要時には軟膏を塗布する。おむつを使用している場合にはかぶれなどが生じていないかも適宜観察していく。また，点滴の保護や固定も連日交換し，テープによるかぶれやシーネなどによる圧迫がないか観察し，保清に努める。

入院中は病棟から外出する機会がほとんどなくパジャマや病衣で過ごすことが多い。幼児前期の場合には発汗が多く，食事や排泄によって汚染されることもよくあるため，家族へは数枚の着替えの準備を依頼し，必要時に着替えられるように配慮する。幼児後期の場合には，入院中はパジャマで過ごすことが多くなってしまうが，パジャマから別の衣類に着替え，夜間と日中を区別し，生活習慣や生活リズムを整えていくことも必要である。

う歯予防のための口腔ケアも重要である。入院中であっても食後には歯磨きが行えるよう声掛けを行い，仕上げ磨きや確認をしていく。口腔内に口内炎や痛みがある場合にはスワブやうがい薬を活用し適切なケアを提供していく。手洗いの習慣も整え，洗面台へ誘導し，正しい手洗いが身に付けられるように援助していく。行動制限がベッド上の場合は，おしぼりやタオルで手を拭くなどして清潔行動がとれるようにしていく。爪が伸びている場合はケアを親へ依頼したり，幼児前期では入眠中や遊びに夢中になっているタイミングで爪切りを行ったりする。

3 排泄

幼児期はトイレトレーニングの時期でもあるが，入院や病気により妨げられてしまう。病状や治療にくわえ，入院による環境の変化からのストレスなどにより，排泄が自立していた場合にも失敗することが増え，おむつを使用することもある。入院中や治療中には無理に自立やトイレでの排泄を進めずに身体的な回復を待ち，実施できるようなタイミングでトイレトレーニングの再開やおむつからパンツへの移行をしていく。また，おもらしをしてしまった場合にも，子どもが傷つかないように，そっと衣類やシーツを交換し自信を失わないように対応していくべきである。また，治療によって尿が頻回になるときには小児が納得できるよう説明し，おむつの使用を促す，トイレへの誘導を頻回に行うなどのケアが必要となってくる。

ベッド上での安静制限がある場合には尿器やポータブルトイレの使用が必要となってくる。幼児期であっても羞恥心(しゅうちしん)やプライバシー保護に配慮する。

4 運動

入院によって，また治療や安静が必要な場合にはベッド上や病室内など行動できる範囲が制限され，幼児期の運動機能の発達へ大きな影響を及ぼす。また，点滴の持続投与やドレーン・胃管の自己抜去予防のために，ミトンやシーネによる抑制をしなければならないこともある。幼児前期では動きも活発になり，行動範囲も広がる時期であるが，それらが制限されたり，身体的状態が悪く活動できなかったりする期間が続くと機能の後退も早く，入院前にはできていたことが入院中や退院後にはできなくなる場合がある。長期的な入院が予測される場合には，病状の急性期から理学療法士の導入などを考慮し，早期の継続したリハビリテーションを行う必要がある。短期的な入院の場合でも，小児の身体的状態をアセスメントし，年齢や成長・発達の状況から小児の個別性をとらえ，安静度の範囲内で行えるリハビリテーションを日常生活動作の延長として行うことも看護師のケアとして重要である。

幼児期では徐々に病気や治療についての理解は進んでいくが，安静度を守ったり，制限の理由を理解して行動範囲を自主的に守ることは難しい年齢である。そのため，行動や活動の制限に伴うストレスの緩和への支援も重要であり，小児の年齢に合ったおもちゃの提供や，保育士などの協力を得て遊びの提供を行う。また，家族の面会時間を考慮して処置やケアを行い，面会のタイミングには家族でゆっくりと過ごせる時間を確保していく。

治療に伴い，点滴の固定や必要時の抑制を行うこともあるが，年齢や理解度を考慮し必要最低限の固定に努め，保護者の面会時や観察できる者がいるときには抑制や固定をはずし，自由に手足が動かせる時間を確保していくことも必要である。

入院中にはベッドからの転落やスリッパを履いての転倒などの危険がある。ベッドは年齢や体格・小児の理解度に合わせて，幼児・学童・成人用のものを選択し，ベッド柵や安全マットの使用を心がける。また，トイレや床頭台から物を取りたいときなどにもナースコールで看護師に知らせてもらえるよう，小児の理解力に応じた説明をして安全管理を行っていく。病院内での履物もスリッパやサンダルではなく，上履きや運動靴を持参してもらうように保護者への説明も行う。

5　休息

幼児期では生活リズムが整い，午睡も１日１～２回程度になる。入院や病状により眠りが浅く，しっかりと睡眠が確保できず睡眠のリズムが崩れてしまうことがある。また，夜間入眠できなかったため，日中の午睡時間が増え，さらに夜間の入眠が困難になるというパターンが形成される場合もある。看護師は小児の睡眠状況を観察し良質な睡眠がとれているか判断し，とれていない場合には原因を考え休息がとれるように援助していく必要がある。入院中の小児で，きょうだいがいる場合には親は夜間帰宅することが多いため，入眠前には看護師や保護者が絵本を読む，そばにいてトントンする，病院の規則にもよるがお気に入りのぬいぐるみやタオルケットを持ち込むなどを許可し，できるかぎり自宅での環境に近づけられるようにすることも睡眠の援助としてあげられる。また，親が夜間までいられる場合は面会時間の延長などをして，小児が入眠するまでそばにいられるような配慮も必要である。

病状の回復期には日中の活動が得られるように運動と覚醒を促し，生活リズムが整えられるようにかかわることも重要である。幼児期には疲労感を自覚することが難しいため，運動が過度にならないよう，適度な範囲で行うことを心がける。

2. 心理・社会的支援

1　小児へのかかわり方（図2-8）

入院中の小児は親と離れて慣れない環境に置かれ，つらい検査や処置をされて心理的にとても不安定になっている。一番身近な存在となるのは看護師であり，それは親にとっても同様である。看護師も交代勤務のため連日同じ担当となることは少ないが，勤務時には入院中の小児の顔を見ることを心がけ，安心感を与えられるようなかかわりをしていく必要がある。幼児前期では言語のみのコミュニケーションでは関係性の構築は難しいため，小児の好きなキャラクターや遊び・おもちゃを用いてかかわりをもつとよい。幼児後期では自己紹介をして，小児の興味のある話をする，ゲームなどを教えてもらうなどのかかわりをとおして良い関係性の構築をしていく。大部屋の場合には同室児とのコミュニケーションを促し，人とのかかわりの場面を増やしていくことも必要である。

また，小児の質問には嘘をつかずに，小児が理解できるような言葉での説明や説得が必要となってくる。「ママどこ？　いつくるの？」などと聞かれる場面では返答に困ってしまうが，「明日の朝起きてご飯を食べたら来るよ。看護師さんと一緒に待っていようね」などと具体的な時間と行動がわかるように何度か繰り返して説明し，不安が軽減されるように気を紛らわせたり，夜間の場合は入眠誘導を行っていく。

2 環境調整

病棟には大部屋や個室があるが，感染症や病気の治療上の制限がない場合には，生活リズムを整えるためにも，同世代の小児が同室になるようにベッドコントロールをすることが望ましい。長期的な入院を必要とする小児の場合，外出する機会も少なく保育園や幼稚園・家族とのかかわりも少なくなってしまう。生活範囲の縮小により，社会への適応も難しくなることもある。治療の合間に可能な範囲での外出や外泊，病棟内では季節ごとのイベントや活動を取り入れてコミュニケーションの場を提供し，社会性を獲得する援助を行っていく。

3 退院後の通園や生活への援助

退院後には日常生活を送るための体力が低下していることが多く，通園やふだんの生活を送るにも初めのうちは体力がついていかず困難を抱き，癇癪（かんしゃく）などを起こす可能性もある。入院が長期的であった，体力が著しく低下しているなどの身体的状態の場合には，ゆっくりと日常生活へ戻れるように，無理せず一歩ずつ進んでいく必要があることを本人と家族へ説明していく。

4 遊びの提供

幼児の生活のなかでほとんどの時間を占めているのは遊びである。遊びが入院や病気によって妨げられることにより，成長・発達へも大きく影響することが考えられる。ケアや処置の援助のみでなく，一緒に遊ぶ時間の確保も看護師の役割として重要であり，短時間でも小児が自由に遊べる時間をつくり，かかわることが大切である。また，一人遊びが行える時期でもあるため，ベッド内に入れても危険ではないおもちゃを選んで一人で遊べる

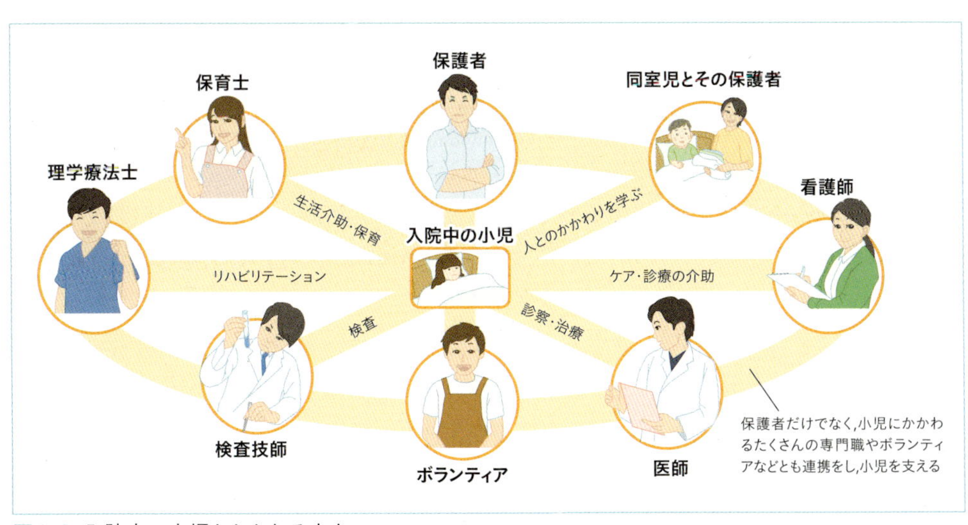

図2-8 入院中の小児とかかわる人々

ようにセッティングする。DVDやテレビも小児と鑑賞時間を約束し活用していく。現代ではスマートフォンやゲームを幼児期から使用しており，入院期間中には使用頻度が高くなることが予想される。視力の低下や活動の低下から運動不足につながることも考えられるため，親と小児の間で時間を決めて使用する。

5 処置や検査の説明

幼児後期では言語的コミュニケーションがとれるため，予定されている検査や治療について事前に小児に話しておくことで心の準備をする時間を確保していく必要がある。また親の付き添いが可能な処置や検査の場合には面会時間の調整や検査時間の調整を行い，小児の不安が軽減できるような環境を整え，恐怖心や拒否感がなるべく少なくなるよう配慮する。

プレパレーションを行う際には人形を使って点滴の固定や内服について実演したり，実際に使用する器具や医療機器を小児に触ってもらいながら説明を行ったりすると効果的である。MRIやCT検査・放射線照射では，実際に機器や手術室を見学したり，写真や模型を使用して検査の説明を行ったりしながら，小児の反応を確認していく。

C 代表的な疾患をもつ小児への看護

1. 川崎病

川崎病は主に4歳以下の乳幼児に好発する原因不明の全身性の血管炎である。

▶ **診断・症状** 表2-3の6つの主要症状のうち5つ以上の症状を伴うものを本症とし，6つの主要症状のうち，4つしか認められなくても，経過中に断層心エコー法もしくは，心血管造影法で，冠動脈瘤（いわゆる拡大を含む）が確認され，ほかの疾患が除外されれば本症とする。

❶急性期

▶ **観察ポイント** バイタルサイン・熱型・IN/OUTバランス・心音・心電図モニター波形・皮膚（蕁麻疹・発赤・膨隆疹）の観察・川崎病の症状の経過観察・機嫌・活気。

治療としてガンマグロブリン投与を行う際には有害作用がみられないかの観察を行う。

▶ **症状への看護** 急性期には高熱が数日間続き体力の消耗がみられる。発疹や発赤が全身に生じ，痛みやかゆみによる不快感により夜間の入眠が阻害されることもある。これらの症状に対しては，発熱にはクーリング，発疹・発赤には軟膏の塗布など，対症療法を行っていく。痛みが強い場合には痛み止めや解熱薬を使用し，安楽を確保する。ガンマグロブリンの投与時には有害作用の有無のみでなく，点滴刺入部の観察も頻回に行い，固定の不備や漏れがないか観察していく。

表2-3 川崎病の主要症状

❶発熱 ❷両側眼球結膜の充血 ❸口唇，口腔所見：口唇の紅潮，いちご舌，口腔咽頭粘膜のびまん性発赤 ❹発疹（BCG接種痕の発赤を含む） ❺四肢末端の変化：（急性期）手足の硬性浮腫，手掌足底または指趾先端の紅斑 （回復期）指先からの膜様落屑 ❻急性期における非化膿性頸部リンパ節腫脹
a. 6つの主要症状のうち，経過中に5症状以上を呈する場合は，川崎病と診断する。 b. 4主要症状しか認められなくても，ほかの疾患が否定され，経過中に断層心エコー法で冠動脈病変（内径のZスコア+2.5以上，または実測値で5歳未満3.0mm以上，5歳以上4.0mm以上）を呈する場合は，川崎病と診断する。 c. 3主要症状しか認められなくても，ほかの疾患が否定され，冠動脈病変を呈する場合は，不全型川崎病と診断する。 d. 主要症状が3または4症状で冠動脈病変を呈さないが，ほかの疾患が否定され，参考条項から川崎病が最も考えられる場合は，不全型川崎病と診断する。 e. 2主要症状以下の場合には，特に十分な鑑別診断を行ったうえで，不全型川崎病の可能性を検討する。

出典／日本川崎病学会，日本川崎病研究センター：川崎病診断の手引き，改訂第6版，2019.

(1) 日常生活の看護

▶ **食事**　口腔内の皮膚症状の悪化から食事摂取も困難になることがあるため，食事形態をきざみ食や軟飯へ変更し，経口摂取ができるように配慮する。

▶ **安静度**　急性期にはベッド上安静が主となるため，小児と家族へ安静の必要性について説明し協力を得る。お絵描きやブロックなどベッド上でも行える遊びを取り入れ，啼泣が少なく過ごせるように援助していく。

▶ **排泄**　トイレトレーニング中の小児もなかにはいるが，治療中は点滴による輸液が持続的に行われていることやトイレに行くまでに時間がかかってしまうこと，床上排泄の介助が必要なことなどから一時的におむつを使用することもある。病状の回復とともにトイレトレーニングが再開できるように声掛けをしていく。

▶ **清潔**　清拭と陰部洗浄を行い，全身の皮膚の観察と必要なケアを行う。発疹による瘙痒感や口唇の乾燥が現れるため，ワセリンやかゆみ止めの塗布をケア時に行っていく。

❷回復期

▶ **観察ポイント**　心血管系の障害が起こりやすいため，冠動脈瘤の出現に注意が必要である。心雑音や心拍リズムなどに注意して心音の聴取を行う。幼児の場合には言語でからだの違和感を表現できないため，不機嫌や突然の啼泣・嘔吐・胸痛・顔色不良などを観察し異常の早期発見に努める。

▶ **症状への看護**　回復期では手足の指先から膜様落屑がみられる。皮をむいてしまうことがあるため必要に応じて絆創膏などで保護する。活気が出てくるとアスピリンの内服を嫌がることも多く，服薬ゼリーを使ったり飲むタイミングを工夫したりして，小児に合った方法で確実に内服できるようにしていく。回復期には心エコーで動脈瘤の評価を何度か行うため，検査への協力が得られるよう小児と家族に説明をしていく。また幼児前期では午睡のタイミングで心エコーや心電図などの安静が必要な検査が行えるようにすることもある。

(1) 日常生活の看護

▶ **食事**　口腔内の皮膚症状も改善してくるため，常食へ変更し入院前と同量程度の食事量が摂取できているか確認する。

▶ **安静度**　解熱後4日目頃にはベッド上安静からプレイルームなどへ行けるようになる。体力は低下しているため疲労感が出ないよう適度な遊びの時間を決める。走ることや過度な運動は禁止のため小児と家族にも説明する。

▶ **排泄**　安静度の変更によりトイレに行けるようになったら，トイレトレーニングを再開する。

▶ **清潔**　感染予防・皮膚のケアのためシャワー浴または介助による入浴を行っていく。

(2) 退院後の生活

長期的なアスピリンの内服が必要となり，定期的に心エコーと心電図検査を行い，冠動脈障害のない場合は年1回程度の受診となる。外来受診の重要性を小児と家族に説明し，退院後にも小児の全身状態を観察し，発熱や発疹・胸痛や呼吸困難・活気の低下などの症状がみられた場合には外来受診をするように説明する。ガンマグロブリン投与後には，予防接種の時期について外来にて医師と相談する。また，保育園や幼稚園に行く時期についても相談していく。

2. 喘息

▶ **診断・症状**　典型的な喘息発作として，喘鳴や咳嗽，呼気延長や陥没呼吸，努力呼吸がみられる。呼吸数は増加し酸素飽和度の値も低下し，口唇のチアノーゼや起座呼吸がみられることもある。発作の判定基準に準じて治療を開始する。喘息の症状は，運動や呼吸器感染症，ハウスダストなどのアレルゲンの吸入，気候の変動などにより誘発されることもある。退院後も継続した内服や吸入薬・環境調整などの治療が必要となってくる。

▶ **観察ポイント**　バイタルサイン・酸素飽和度・呼吸状態（回数・深さ・リズム・咳嗽の有無）・肺音・呼吸様式（起座呼吸）・陥没呼吸・チアノーゼの有無・皮膚色・活気，発語の有無・胸部X線・動脈血ガス分析・血液検査値。

▶ **症状への看護**　呼吸状態の観察を行い，必要に応じて酸素マスクや経鼻カニューレにて酸素投与を行う。重症の場合にはインスピロンでの持続吸入を行う場合もあるため，体動や小児が嫌がりマスクをはずしてしまうのを避けるために，小児と家族へ説明し治療への協力を得る。また，座位やファーラー位，幼児前期では保護者に抱きかかえてもらうなど，小児が安楽な呼吸ができるように体位の調整を行う。幼児期では自力喀痰や鼻をかむなどの行為がまだ難しいこともあるが，口鼻腔からの吸引のみでなく自力喀痰ができるような援助もしていく。吸入などの処置の際には小児の好きな遊びをしたりDVDを見たりして，嫌がらずに行えるよう工夫をする。

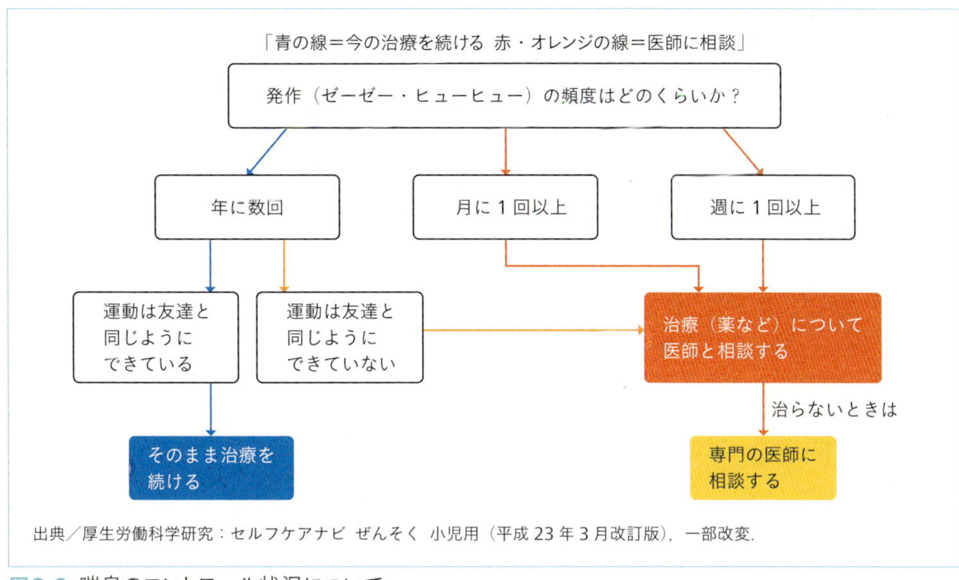

図2-9 喘息のコントロール状況について

咳嗽や呼吸困難により夜間の入眠が困難な場合があるため治療や処置の時間を調整し睡眠や安静の確保を行う。

▶ **食事** 呼吸困難が強い場合には経口摂取が困難なこともあるため，点滴による輸液管理をしていく。水分の摂取を促し徐々に経口摂取ができるように援助する。

▶ **安静度** 急性期ではベッド上安静であるが回復期には排痰目的のため感染症などがなければプレイルームなどへ行き，からだを動かす必要がある。過度な運動は発作の誘因になるため適度な運動を心がける。

▶ **清潔** ベッド上安静の場合には清拭（せいしき）・陰部洗浄を行う。その後シャワー浴などを実施していく。

(1) 小児と家族への指導

喘息の診断が初回の場合や入院を繰り返している場合には喘息指導が必要である。発作の程度・発作時の対応と受診のタイミングなどについて説明し，治療の継続の重要性や自宅での環境整備などについて小児と家族の理解が得られるよう説明していく。具体的には，家の環境はどうかを確認したり，保育園などに通っている場合は内服や吸入を行う時間帯を保育者と相談したりして，すぐに行動に移せることから始められるように援助していく。また親が喫煙者の場合にはたばこの影響についても理解が得られるよう繰り返し説明していく。喘息（ぜんそく）指導用パンフレットは厚生労働省などからも発行されているので，そのようなツールを用いて指導していくとより効果的に行える（図2-9）。

Ⅳ 学童期の看護

A 健康問題・障害をもつ学童期の小児の特徴

学童期が含まれる10～14歳は最も死亡率が低い年齢層であり，身体的には安定した時期に入る。しかし5～9歳・10～14歳ともに死因の上位は悪性新生物であり[1)]，事故・けが・慢性疾患のセルフケアの促進などとともに支援を要する。

1. 身体機能の特徴

身体的成長の著しい第2発育急進期の学童期の小児が病気や障害を経験する場合，成長への影響についての考慮が必要である。この時期に成長が阻害されることは，その後の思春期・青年期にも影響するため，継続的な看護が求められる。急性の呼吸器疾患や消化器疾患などの短期的な身体的影響にとどまる場合には，一時的な体力の消耗や体重減少など，影響は限局的であり，短期間のうちに通常の成長の状況に戻ることができる。しかし気管支喘息・1型糖尿病・ネフローゼなどの慢性疾患や学童期に発症する白血病などの身体的影響の大きい疾患では，身長や体重などの客観的なデータをもとに，疾患が成長に与える影響を常に観察する必要がある。特に学童期に発症する病気や障害によって，それまでの成長・発達で獲得していた機能が障害されることが，小児と家族の心理的負担を高める。そのため病気や障害による身体的影響を可能なかぎり最小限にする支援が重要である。

また，学童期の著しい身体的成長が病気や障害のコントロールに影響を与えることもある。具体的には，薬剤の血中濃度の調整・障害のある小児の身体状況の変化に応じたケアの再調整などが必要となる。

2. 認知・情緒機能の特徴

1 ストレス

病気や障害の症状，必要な治療や検査による身体的な苦痛や不快感，日常生活の制限，病気や障害をもつこと自体が小児にとってストレッサーとなり，様々なストレス反応が生じる。適切にコーピングをできるような支援として，学童期の小児の病気の理解を促すことが求められる。学童期の小児に，病気や障害の症状や必要な治療についての適切な説明をし，発達段階に応じた理解を進め，日々の生活のなかでの注意点・身体状況が悪化したときの対処方法・病気や障害による影響を理解して生活できるようになり，ストレスの軽減を図る。一方で，将来に対する不安や生活のなかでの好きな活動の制限などに対する心理的な負担も存在する。これらを軽減しながら，小児自身がセルフケア能力を発揮して生活できるように支援していくことが求められる。また友達との関係が重要になる学童期の小児では，同年代の小児との比較のなかで「病気や障害がある」と感じることにストレスを感じる。病気や障害があっても変わらずにできる事象を伝えること，友達と一緒に参加できる活動を最大限に保証すること，などの支援が求められる。

2 自己概念のゆらぎ

病気や障害の症状，必要な治療や検査によって生じる日常生活の制限が長期に継続し，発達段階に応じた生活を阻害すると，小児の自己肯定感・自己コントロール感を低め，将来にわたり影響を及ぼすおそれがある。そのため，これらの苦痛や制限を最小限にする身体的な支援が認知・情緒的にも奏効する。自己コントロール感を高めるためには，小児自身の選択を支援し，小児が自分の病気や障害に関連するセルフケアを行えるような支援が有効である。

3. 社会機能の特徴

1 学校との連携

学童期の小児にとって，学校に通って学習し，友達と共に日々を過ごす経験を積み重ねることは，この時期の生活の中心である。健康問題や障害に伴って入院・療養が必要となって学校から離れる時間が生じることは，社会性の獲得に影響を及ぼす。そのため，院内学級や訪問教育などの教育機関との連携により，教育を受ける機会を保証し，同じように入院している友人と過ごす時間をもつことは，小児の社会性の発達にとって非常に重要である。

病気や障害がありながら自宅で生活して学校に通う小児と家族は，日々の生活のなかでの注意点や身体状況が悪化したときの対処方法を学校とも共有することを検討する必要がある。障害がある小児の就学では，通学先の学校をどのように選択するかについて，小児の状況と意向，家族の意向に沿って検討することが必要になる。近年ノーマライゼーションの考えに基づいたインクルーシブ教育システム*が注目されており，それぞれの小児の状況に応じて最適な教育環境を検討することが肝要である。

2 セルフケアの調整

慢性疾患をもつ学童期の小児では，セルフケアの自立に向けた移行が課題となる。幼児期までは親が主体として担(にな)っていた日常生活での疾患への対応を，思春期での自立を目指し，学童期をとおして親から小児へのセルフケアの移行を支援する必要がある。親に対し

* **インクルーシブ教育システム**：人間の多様性の尊重などの強化，障害者が精神的および身体的な能力などを可能な最大限度まで発達させ，自由な社会に効果的に参加することを可能とする目的のもと，障害のある者と障害のない者が共に学ぶしくみ。障害者の権利に関する条約第24条では，障害のある者が「general education system から排除されないこと」「自己の生活する地域での初等中等教育の機会が与えられること」「個人に必要な合理的配慮が提供されること」などが必要とされている。

ては，小児のセルフケアの状況に対応した補完の必要がある内容を理解できるように支援することが大切である。発達段階や身体状況に応じて，小児と家族の意向に沿いながら，しだいに小児のセルフケア能力を高めて自立を促す看護支援が求められる。小児と家族の意向に沿わずにセルフケアの移行および自立を強いてしまうことは，小児と家族が病気や障害に対して否定的な感情をもつことにつながる。特に周囲の友達との関係が重要な学童期では，小児の意向を尊重し，小児と家族が対話する場をもちながら，双方の納得を得ることが重要となる。学童期に発症する病気や障害では，それまでに獲得していた日常生活行動のセルフケアを，再調整する必要が生じる。長期的な発達を考慮しながら，病気や障害の状況に応じた小児のセルフケアと，家族が補完する必要があるセルフケアについて，小児と家族の意向に沿いながら調整していく支援が求められる。

障害がある小児でも，親から受動的に日常生活のなかで支援を受けるという視点に限局せず，小児の障害の状況なりに協力ができている部分を親と共有して，障害の状況に応じた小児のセルフケアを促す支援が重要である。

3 社会資源の調整

小児慢性特定疾病[2] などの医療費に対する公的助成，小児の療養と家族の生活を支えるための医療・福祉サービス，患者会などの情報について，必要に応じて情報提供する支援が必要である。特に障害のある小児では，幼児期から学童期に年齢が上がることで，利用可能な医療・福祉サービスが大きく異なる場合が多い。そのため医療ソーシャルワーカー・行政機関の障害福祉担当者・保健師と連携して，小児と家族に対して必要な支援が継続して提供されるようにする。

B 入院・療養生活における支援（表2-4）

1. 身体機能への支援

入院中の小児の看護では，身体状況の安定の維持・改善とできるかぎり早期の回復を促進することが最重要である。そのためには，看護師が小児の身体状況を確実に把握して，適切な支援をタイムリーに提供することが求められる。学童期の小児は，初めて経験する症状や薬剤の影響を言語化して伝えることが困難なことが多い。そのため，小児からの主観的訴えを尊重しつつも，症状を客観的に観察し，小児の身体状況を確実に把握することが求められる。

2. 心理・社会的支援

学童期の小児が疾患や治療の適切な説明を受けて，治療の経験を積み重ねて理解をしていくことは，発達課題である勤勉性の獲得につながる。小児自身がセルフケア能力を高め

表2-4 入院が必要な学童期の小児の経験および必要な支援

入院の時期	小児の経験と思い	必要な支援
入院初期	入院生活による変化に対する動揺	• 責任をもってかかわるプライマリーナースの確保 • 小児に対する入院のオリエンテーション（必要に応じて，医師・CLSなどと連携し，入院中でも可能なことについても説明する） • できるかぎりの家族の付き添いの調整 • 入院中の日常生活行動におけるセルフケア獲得の支援 • 入院中の教育環境の整備（院内学級などの調整） • 小児が安心できる環境の調整（安心できるタオルやおもちゃの持ち込み，夜間の照度の調整など）
	疾患や障害に対する動揺	• 入院時，できるかぎり早期に小児に対して説明を行う • 気持ちを発散できる場や人の確保
入院全時期	治療・処置・検査などによる痛みや違和感などの苦痛・不快	• 身体的な安楽の調整（痛みの緩和，不快感の緩和には最善を尽くす） • 検査・処置の負担が少ない手技での提供
	治療・処置・検査などによる不安・恐怖	• 検査・処置時のプレパレーションやインフォームドアセントの提供 • 小児の参加を促す • 検査・処置時の制限を最低限にする • 必要に応じて検査・処置時の家族の付き添いを調整
	いつもと異なる入院生活による心理的負担	• 制限を最小限に設定する（学習・遊び・運動の機会の確保） • 日常生活の組み立ての支援（食事・排泄・清潔行動・遊び・学習・友達との交流など） • 治療と日常生活の調整の支援 • 気持ちを発散できる場や人の確保
	入院生活によっていつもの学校に行けないこと，友達と過ごせないことによる心理的負担	• 友達との面会の調整（ICTを用いたビデオ通話・携帯電話でのメール・電話・手紙など） • 学校の教員との連携 • 病棟での友達づくりの促進 • 院内学級での授業など教育機会の保証 • プライバシーの確保
	入院生活によって家族と過ごせないことによる心理的負担	• 必要に応じた家族の付き添いの調整 • 家族がいない間の生活の組み立ての支援 • きょうだいとの交流の保証
	入院生活による社会からの疎外感	• 季節の行事への参加の促進 • 小児の力で企画運営できるイベントなどの提供（病棟内でのレクリエーションなど） • 学習の機会の保障
	入院生活による自己コントロール感の低下，劣等感の増強	• 小児自身でできることは自分で行ってもらう • 小児が理解して生活ができるような環境を整備する（小児によるスケジュール表の作成や具体的な説明によって見通しをもってもらうなど） • 入院によって小児が獲得できた能力や経験を認知できるようなかかわり
退院前	原籍校での学校生活に戻る不安	• 小児と親の意向に沿った退院調整 • 原籍校の教員，院内学級の教員などと連携した復学支援
	自宅での生活に戻る不安	• 小児と家族の意向に沿った退院調整

て，家族が必要な支援を行って生活をしていくことができるような支援が重要となる。また小児の権利が守られるようにかかわり，発達の過程にある小児の意思表出を支援するとともに意見を代弁する役割が求められる。入院中の学童期の小児の心理･社会的援助では，医師・臨床心理士・院内学級の教員などを含めた多職種連携が重要となる。入院中から，小児と家族が元の生活に戻ることを意識して療養ができるような支援をすることで，退院後の生活への移行がスムーズになる。

1　小児のQOL (quality of life：生活の質) を高めるための看護

入院の初期には生活環境や体調の変化によって，小児が自立して行えることが減少し，自己コントロール感の低下が生じる。また病気や障害に対する不安も生じる。病気や障害により必要となる治療やケア・容姿の変化などは，自分と同年代の友達との違いを感じさせる。そのため身体的状況をできるかぎり良い状態とするための，確実に治療が受けられるような看護支援とともに，発達段階に応じた支援が重要である。特に長期にわたる療養生活が必要な小児では，入院生活や治療で生じる制限を最小限にすること，検査や治療の際に小児自身が決定権をもてるようにすることは重要である。小児自身が自分の病気の状況・入院理由・治療について理解する必要がある。小児自身が納得できることで，適切な心理的な準備につながる。

また学童後期の小児は，治療や病気によって親や医療者といった周囲の大人から配慮を受けることを，監視されているようで煩わしいと感じることもある。そのため小児自身の気持ちを尊重し，終始ベッドサイドに滞在するのではなく，必要時に適切なケアを提供しながら，小児の状況を把握するようなかかわりが求められる。

2　家族に対する看護

学童期の小児が慢性的な疾患をもち療養を要することは，家族全体に影響を与える。親は小児の入院の付き添いや面会，ほかの家族の生活の調整などで，身体的にも精神的にも疲労が蓄積する。そのため家族の日常生活が入院後に再構築され，過度な負担なく行われているかを確認することが必要である。家族に対しては，入院中をとおして適切なコミュニケーションをとることが信頼関係の構築に不可欠である。特に入院初期や小児の体調が悪化している時期には，専門職が連携して家族の状況を把握し，必要な支援を提供できるような統一した対応が求められる。

小児の入院に伴い，家族は小児に定期的に面会や付き添いをすることが必要になる。学童期の小児では，家族が長時間は付き添わない場合もあるが，入院初期や侵襲(しんしゅう)の大きい処置や検査などがあるとき，小児の体調が不安定なときなどには，親が柔軟に予定を調整する必要性が生じることが多い。その結果，交通費などの新たな出費，家族の就労継続の困難，きょうだいの世話を依頼するサービス利用が新たに必要になることなどが生じ，家族の経済的状況にも悪影響を及ぼすことがある。医療費に対する公的助成，医療・福祉サービス，患者会などの情報について，必要に応じてタイムリーに情報提供する支援が必要である。また小児との信頼関係を築きセルフケア能力を高めるとともに，小児への適切な看護を提供することで家族との信頼関係を構築し，家族が医療者に小児を安心して任せることができるようにすることが，家族へのケアの基盤となる。

3 学校との連携

長期入院が必要な場合には，原籍校の教員や友達とのつながりを保ち，スムーズに原籍校に戻れるようにすることが大切である。そのためには看護・医療での連携に加えて教員との連携が必要である。具体的な支援としては，小児自身の意思を尊重しつつ，小児と家族に原籍校の友達や教員との連携をもち続けられるような働きかけが必要である。時に，小児と家族は学習面の遅れに目がいきがちになることもある。しかし小児と家族が健康問題の状況に応じて学校に通うことの意味を再認識し，新たな学校への通い方を構築していく過程を支援する必要がある。原籍校との連携では，院内学級など，病院内での教育に携わっている教員との連携も大切である。

C 代表的な疾患をもつ小児への看護

1. 白血病

白血病の小児と家族にとって，診断が確定し入院治療が開始されるときは，身体的にも心理的にも負荷が大きい時期である。白血病という診断名から，小児も家族も重症度が高く生命を脅かすリスクのある疾患であると認識し，ショックを受ける。そのように精神的に動揺したなかで，通常，入院直後に中心静脈栄養留置術を全身麻酔下で受け，化学療法が開始される。また長期にわたる治療の過程では，小児の身体的な負担は大きい。親は，小児に治療について適切に説明し理解を促しながらも，小児に代わって意思決定をする必要がある場面が多く，精神的な負担は大きい。また，小児には病気のことを伝えたくないと考える親もいる。さらに小児の入院に伴って家族全体の生活を調整する必要が生じ，身体的にも負荷がかかる。特に白血病の小児にきょうだいがいる場合には，白血病の小児ときょうだいの世話の両立も必要になる。きょうだい自身も，身体的・心理的な負担を感じる機会は多くなる。このような小児と家族に対する看護としては，主には疾患や治療による悪影響を最小限にする支援，小児の発達を長期的な視点をもって最大限に促す支援が求められる。小児と家族がそれぞれのセルフケア能力を十分に発揮して長期入院を過ごし，その後の人生を過ごしていけるような支援が肝要である。

1 身体・機能的支援

❶入院治療の時期

入院から治療開始前までは，白血病細胞の増殖により出血・貧血・感染などの骨髄(こつずいふぜん)不全症状や，手足や腹部などの疼痛(とうつう)が生じるリスクがある。治療開始後の初回の化学療法では，身体反応の程度の予測が難しく，骨髄不全症状で小児は身体的に消耗しており，特に注意が必要である。初めて経験する白血病の症状や薬剤の影響を小児自身が言語化して伝えることができるように支援しつつ，骨髄不全症状やそのほかの症状を客観的に観察し，小児の身体状況を確実に把握することが求められる。

入院中の看護では，プロトコルに沿った治療が予定どおりに進むことが重要であるが，そのなかでも小児が発達段階に応じて生活できるような支援が求められる。具体的には，日常生活での症状コントロール，感染予防，内服の支援，生活行動の調整，検査や処置時の支援が大きな意味をもつ。化学療法の症状コントロールのためには，薬剤ごとに異なる生じやすい有害作用や生じる時期を明確に把握して，症状をできるかぎり予防しながらマネジメントすることが求められる。その際，治療の経験を積み重ねるなかで，起こりやすい症状や，有効な対処方法を小児自身が理解して行えるセルフケア能力を身に付けられるように支援することが，小児のQOLを高めるとともに，治療の遂行にとっても重要である。

化学療法の内服薬は，量や種類が多く決められた時間に内服する必要がある。また感染予防行動も，小児の生命を守るためにおろそかにできないものとなる。このように，小児のこれまでの経験とは異なる，また友達とも異なる行動を強いられることとなり，「なぜ時間どおりに内服しなければいけないのか」「なぜ必ず食事前に手を洗わないといけないのか」などの疑問が生じ，納得ができないことも多い。そのため白血病の治療において異なる意味や重要性を有する，小児が経験したことのある行動については，特に支援が必要となる。たとえば感染予防や内服の支援では，小児が守る必要のある行動をただ伝えるのではなく，発達段階に応じて行動の目的や意味を説明することが，小児の納得を得て治療を進めるためには重要である。また小児自身が選択できる内容を用意して主体性やコントロール感を高めること，入院してからの友達と共に療養に取り組めるように支援することも有効である。

そして，化学療法の時間と生活行動との調整も重要である。学童期の小児は，自宅では自立して生活できるが，自宅とは異なる環境である病院では，当初は自立して生活することが困難になる。そのため，家族に対しても，治療の方法やタイミングを理解できるようにかかわりながら，何が小児の生活行動の自立を阻害しているか，生活行動をどのように整えるかを，小児と家族と相談しながら調整する支援が求められる。

治療のなかで経験する処置や検査での苦痛をできるかぎり軽減する対応は，学童期の小児が入院を自分ががんばることができた肯定的な経験ととらえ，自己肯定感を高めていくために欠かせない。髄液注射や骨髄穿刺・中心静脈カテーテル（central venous catheter：CVC）からの日常的な採血や化学療法の投与について，チャイルド・ライフ・スペシャリスト（child life specialist：CLS）などの他職種と連携しながら小児が納得して臨めるような支援が必要である。

❷入院治療終了後の外来通院の時期

自宅で生活しながら内服での化学療法を継続し，筋力や体力が回復し，自宅での生活に小児と家族が適応できた後には，できるかぎり早期から原籍校への通学を再開する。通学を再開する前に，通学や学校での生活について小児と家族と共にていねいに確認し，過度な身体的負荷がかかる状況・感染のリスクが著しく高い状況などを把握し，原籍校と相談のうえで，環境を調整しておく必要がある。学童期の小児は，友達と同じ経験をしたいという気持ちが強いため，無理をしてでも学校での活動に参加したいと考えることがある。そのため，無理をせずにしだいに体調を整えて，そのなかで最大限に活動に参加できるように，小児と家族と相談しておくことが肝要である。

家族は，自宅での生活環境を整え，医療者がそばにいない自宅で小児がんの小児の体調管理を行い，学校との調整をする。家族の有しているセルフケア能力・家族機能・家族の意向を確認しながら，必要な支援を適切なタイミングで提供する看護が求められる。

❸長期フォローアップの時期

治療終了後は，年に1回程度の定期的なフォローアップの受診が必要になり，晩期合併症の予防と早期発見が重要な課題となる。晩期合併症の状況によっては，対症療法が必要になる。小児の年齢の経過によって，家族から小児へのセルフケアの移行が求められる。疾患や治療の長期的影響についての適切な知識を小児が有し，QOLをできるかぎり高めて生活ができるような身体管理のセルフケア能力を身に付けるための支援が求められる。

なお長期フォローアップのなかでは，再発時のリスクも念頭に置いておく必要がある。再発による身体症状の出現を早期に発見して対応ができるように，外来通院に切り替わった時期から長期フォローアップの時期をとおして，外来受診時に適切に観察をすることが必要である。小児と親の精神的な負担を考慮しながらも，外来通院に切り替わったとき，節目となる受診時には，知識の再確認が必要である。

2　心理・社会的支援

❶入院治療の時期

白血病の診断が確定し治療が開始されるまでの時期に，小児自身が自分の病気の状況・入院理由・治療について理解する必要がある。治療については，実際に経験するなかで理解を深めていくこともできるが，小児自身が入院直後に経験する事象に関しては説明を受け，小児なりに納得しておくことで，心理的な準備をすることができる。家族に対しても，この時期に適切なコミュニケーションをとることが，その後の信頼関係の構築にとって欠かせない。

その後の長期入院での治療では，治療とそれによって自分に生じる症状を小児自身が理解して，対応できるようなセルフケア能力を身に付けることが重要である。その結果，小児の自己効力感を高めることができる。家族に対しても，小児の身体的・心理的状況を理解し，家族自身の不安をコントロールしながら小児とかかわることができるような支援が求められる。CLS・院内学級の教員といった医療職以外も含めた多職種と連携し，小児のQOLを高めていく必要がある。その際，必要に応じて教育支援に関するガイドライン[3)]などを用いることもできる。

さらに，国際小児がん学会（SIOP）から「小児がん患児のきょうだいへの支援」のガイドライン[4)]も提供されているように，きょうだいに対する支援も重要である。入院中は，親は小児がんの子どもについて考えることで精一杯となり，特にきょうだいに目を向けることが難しい時期である。きょうだいが発達段階に応じた適切な生活を送れるような十分な支援が難しい場面，きょうだいの学校や習い事に親がこれまでと同様の参加・支援をすることが難しい場面が多く生じる。そのため，入院で生じるきょうだいの日常生活の変化を，親をとおして継続的に把握し，過度な負担が生じていないかを確認する必要がある。その際，身体的には負担が生じていなくとも，小児がんの小児の病状・病院や行われている治療の状況をきょうだいだけが知らされていないことは，きょうだいの孤独感を深める。そのため，きょうだいの年齢および発達段階に応じて，親ときょうだい本人の意向を尊重して相談しながら，きょうだいに対しても看護師・医師・CLSなどの専門職が連携して，必要な説明をすることも必要である。また専門職と親がきょうだいについて話し合い，課題を共有して支援する場を定期的および必要性に応じてもつことも大切である。きょうだいへの直接的支援は，感染管理やきょうだい自身が病院を受診していないことが原因で困難なことも多いが，多くの病院では，きょうだいを対象としたイベントや，きょうだいが親の面会についてきたときの楽しみとなるようなことや待機場所を提供するといった取り組みが行われており，今後のさらなる拡充が求められる。

❷入院治療終了後の外来通院の時期

入院治療が終了することで，小児と家族は安堵（あんど）して喜ぶとともに，自宅という医療者がすぐそばで見守っていない環境での生活に不安を感じる。脱毛や色素沈着などの容姿の変化・身体面で留意しなくてはならないことなど，入院前と現在での変化をどこまで学校の教員や友達に伝えるかを，小児と家族の意向に沿って，ていねいに検討する必要がある。学童期の小児では，友達と自分が異なるという経験は特に心理的な負担となる。そのため友達の理解を得て，原籍校への復学が肯定的な経験となることで自己肯定感を向上させるためには，発達段階に応じた方法，内容で，事前に友達に対しても説明をしておくことは有効である。また入院中からの原籍校の友達とのつながりの維持は，非常に重要である。

❸長期フォローアップの時期

この時期の看護は，診断時から継続して行われるものである。学童期に白血病を経験した小児も思春期，青年期と発達していく。各時期の発達段階やライフイベントに応じた支援が求められる。その際に，学童期という小児の記憶に明確に残り，勤勉性を獲得する時期に長期入院が必要であったことによる影響を考慮する必要がある。

V 思春期・青年期の看護

 健康問題・障害をもつ思春期・青年期の小児の特徴

思春期・青年期は罹患率および受診率が低く，ほかの世代に比べて病気になりにくい世代といえる。その一方で，この時期は身体的・心理的変化が大きいことに加え，小児と成人のはざまにあり特有の健康課題を有し，専門性の高い支援が必要な世代である。

1. 身体機能の特徴

思春期・青年期は身体的変化の大きい時期であり，健康障害や薬物治療は身体面に様々な影響を及ぼす。食欲不振の持続や過度の食事制限は成長障害や月経異常などを引き起こす要因となる。また，薬の有害作用による低身長や脱毛などの容姿の変化はボディイメージの変容をきたし，自己概念の形成にも影響する。長期にわたる療養生活によって体力や筋力が低下すると，これまでできていた運動が思うようにできなくなり喪失感を味わうこととなる。性的成熟に伴い，性に関する悩みを抱きやすいが，羞恥心にかかわるような症状は自分から話をしないこともあり，診断や治療の遅れにつながることがある。

思春期は身体発育の急進や第二次性徴の影響により，疾患コントロールが難しいといわれている。さらに，様々なストレスからセルフケアが適切に行われないことや，服薬拒否・受診の中断により病状の悪化をきたすこともある。

2. 認知・情緒機能の特徴

思春期は著しい身体的変化を経験しながら自我同一性の確立に向け，自立と依存のはざまで混乱や葛藤を繰り返す時期である。このような時期に健康障害を経験し，“病気である自分”に直面することは，さらなる葛藤を引き起こす。「なぜ自分が病気になったのか」「自分の将来はどうなるのか」といった大きな問いをもち，病気や治療によって思うように生活できないいら立ちや，自分の病気を受け入れられず，否認・抑圧・逃避・退行などの反応を呈しやすい。病気である自分は“他者と違う”ととらえ，疎外感を抱いたり，抑うつ的になったりすることもある。特に，容姿の変化は自尊感情の低下にもつながる。また，入院や療養生活によって活動が制限されることは，自己コントロール感を喪失する体験となる。

症状に伴う痛みや倦怠感などの身体的苦痛は，不安や恐怖を増強させる要因となる。身体的苦痛が激しいときや治療の効果が思うように得られないときは，病気が治るのか，将来の生活に影響が生じるのかなどの不安が増強し，時として死の恐怖に直面することもある。

3. 社会機能の特徴

思春期・青年期の入院や療養生活では就学や進路選択の問題が生じる。長期療養が必要となる場合，小中学生は特別支援教育による学習の継続が保障されているが，高等学校や大学は個々の学校によって対応が異なり，出席時間数が不足すると進級や卒業ができなくなることもある。学習継続が困難となると，学力の低下だけでなく，希望の進路や職業を諦めざるを得ないなど，病気によって夢が閉ざされて無気力，自暴自棄に陥ることもある。学校の長期欠席は学習上の問題だけでなく，同年代の仲間から隔絶された生活となり孤独感や焦燥感を抱きやすい。早く学校生活に戻りたいと思う一方，退院が近づき学校に戻ることが現実的になると仲間に受け入れられるかという不安を抱く。療養生活においては親に依存せざるを得ない状況となり，親子関係の密着が強化されると自立が妨げられることもある。

B 入院・療養生活における援助

1. 身体機能への支援

1 症状コントロールと苦痛の緩和

症状に伴う苦痛は日常生活に支障をきたし，不安や恐怖・社会参加の制限に伴ういら立ちや焦りなどを引き起こす。思春期・青年期では，処置や検査を避けるために症状を訴えなかったり，有害作用のつらさから服薬を拒否したりすることがある。苦痛を我慢することがないように，どのようなときにどのような対応が可能であるか，いくつかの選択肢を提示し，患者本人の希望を確認しながら対応する。自分に合った対処方法を考えられるようにするため，主体性を尊重しながらかかわることが重要である。また，羞恥心（しゅうちしん）を伴うことに抵抗を示すことがあるため，プライバシーを侵害しないよう配慮する。

2 セルフケアへの支援

思春期・青年期は健康管理の責任が親から患者本人へと移行する時期である。この時期は，論理的思考によって病気の原因や治療の影響を理解することが可能となっても，今をどう生きるかを優先してしまい，将来の健康を考えてセルフケアを継続することは容易ではない。自分の病気を受け入れられず投げやりな態度を示したり，治療の意味を見いだせずに治療を拒否したりすることもある。そのため，これまでの経過や現在の生活を一緒に振り返る機会をもち，患者が病気や治療をどのように受け止めているか，セルフケア行動をどのように感じているかを理解し，共感的にかかわることが大切である。そのうえで，本人の意向や将来の夢と関連付けて自ら目標設定することを促し，目標達成のために実行

表2-5 思春期・青年期患者のセルフケアを支える看護

❶療養生活を振り返る機会を提供する
❷病気や治療に関する認識を確認し，患者本人の意向に沿って目標を設定する
❸セルフケア行動に関する知識を提供しながら，実行可能な方法を一緒に考える
❹家族や学校，友人からのサポートが得られるようにする
❺セルフケア行動について評価し，実施できていることや努力していることを認める
❻ヘルスリテラシーが獲得できるよう支援する

可能な方法を一緒に考えることが必要となる。また，この時期は喫煙・飲酒など望ましくない生活習慣を形成しやすい。このような習慣が病気や治療に与える影響を伝え，自分の健康を守る意識を高められるように支援する。

疾患のコントロールがうまくいかないと自信をなくしたり，体調がすぐれないことを隠そうとしたりすることもある。思春期・青年期には，セルフケアが一時的に乱れることも想定されるため，実施できていることや努力していることを認め，長期的視点で自立を見守ることが大切である。子どもの健康管理がうまくいかないと親が心配のあまり過保護・過干渉となりやすい。親子の関係性を把握し，親が自立に向かう子どもを見守ることができるように支援することが重要である。

患者本人が主体的かつ継続的にセルフケアを行うためには，自分自身の健康に関心をもち，病気や治療について正しく理解することが必要である。**ヘルスリテラシー**とは，健康増進や維持に必要な情報にアクセスし，理解し，利用していく意欲・動機・能力であり，生涯を通じてQOLを維持・向上させることができるものである。ヘルスリテラシーを高めるためには，医療・健康に関する情報ニードを把握し，わかりやすい情報提供の工夫を行うこと，病状や治療についての記録を付けることなどにより，情報の利用・活用ができるよう支援することが必要である（表2-5）。

2. 心理・社会的支援

1 心理的苦痛の緩和

健康障害により入院や療養生活を必要とする思春期・青年期の患者は，体調の変化や治療に伴う苦痛，行動制限や社会生活からの隔絶など様々な心理的苦痛を体験する。また，自分はこれからどうなるのかといった漠然とした不安を抱えるが，自分の感情をうまく表現できずに一人で悩んでいることも少なくない。病気や治療に関する情報を共有することは重要であるが，一方的に説明するのではなく，知りたいことや知りたくないことは何かを把握しながら，患者本人の希望を尊重していくことが大切である。無理に気持ちを引き出すのではなく，「話したくないことは話さなくてもよいこと」「話したいことがあったらいつでも話してよいこと」「一緒に考えていきたいと思っていること」を伝え，ゆっくり落ち着いた態度でコミュニケーションを図っていくことが重要である。患者から発せられる言葉を真摯（しんし）に聞くことが重要であり，子ども扱いせず一人の人として対等に接すること

が自尊感情を高めることにつながる。

療養環境においては，プライバシーが保て，自分らしくいられる空間を確保し，10代・20代の若者としての生活を維持できるような環境を整える。また，身体的苦痛や行動制限を最小限にし，ストレスの緩和を図ることが必要である。

2 友人・仲間との交流の支援

思春期・青年期の患者が入院する環境は疾患の特性や医療機関の体制によって異なる。小児病棟は年少児が多く，成人病棟は高齢者が多くを占めるため，思春期・青年期の患者にとって入院中に同年代の仲間とかかわる機会は少ない。この時期は友人や同年代の仲間とのつながりが重要となるため，入院中であっても仲間と交流できるような柔軟な面会への配慮，同じ病気や同年代の患者と交流できる機会を提供することが大切である。

同じような立場の仲間で支え合うことをピアサポートという。同じ病気や同年代の患者どうしで情報交換をしたり，悩みを共有したりすることで，「自分は一人ではない」と勇気づけられることも多い。同じ病気の経験者が患者会を運営したりボランティアとして活動していたりすることもある。少し年上で同じ病気の経験者から話を聞くことは自分の進路を考えるうえで参考となったり，将来の夢や希望をもつきっかけになったりもする。自ら活動することが病気体験を振り返る機会となり，病気になったことで成長できた自分に気づくこともある。

3 社会生活の支援

学習は学力の維持だけでなく，将来の夢をかなえるための支えにもなる。また，学校生活に円滑に戻るためにも体調に合わせて生活リズムを整えることが大切である。患者本人が学習したいという気持ちを継続できるように，入院中であっても学習の場を確保するとともに，処置や検査，投薬時間などを可能な範囲で調整し，学習時間が確保できるよう配慮する。受験や進路選択を控えている場合は，今後の自分の将来について不安が増強しやすい。本人の希望を把握するとともに，学校関係者や教育委員会などと連携し，修得単位の取り扱いや授業形態の工夫などを十分に相談し，学習の空白によって希望の進路を選択できなくなることがないように配慮する。情報通信技術（information and communication technology：ICT）などを活用した遠隔教育を効果的に活用できるような環境整備も期待される。

卒業後は社会のなかで一人の大人としてどのように生きていくかを決断しなければならない。就労は経済的自立だけでなく，社会との接点をもつことや，自己実現を図るうえでも重要となる。健康問題により，職業選択に制限が生じる場合もあるため，ソーシャルワーカーなどの専門家と連携し，就労相談が受けられるように配慮する。将来の生き方を決断できず就労意欲に乏しい場合は，本人にとっての就労の意味を考え，目標設定や行動計画を一緒に検討し，自立に向けた支援を行うことが必要となる。

学校や職場では，周囲に自分の病気を説明するかどうかが悩みとなる。日常生活で配慮を要するか，配慮が必要な場合はだれにどのように伝えるかをあらかじめ検討し，自ら周囲のサポートを得られるようにすることも大切である。自分自身の病状や治療内容を理解し，自ら健康管理を行うことが自立した社会生活の第一歩となる。

4 意思決定の支援

思春期・青年期は意思決定能力そのものも発達途上にあり，治療や療養生活に関する意思決定には親の意向が大きく影響する。家族間または本人と家族で意見が一致しないこともしばしばみられる。看護師は患者と家族双方の思いを聞き，仲介者となって家族間の関係性を調整することが求められる。最終的には家族が子どもを一人の人として尊重し，良き相談者・支援者としての役割が発揮できるように支援することが重要である。

患者自身が自らの希望や価値観に沿って最善の選択をするためには，十分な情報共有を行い，患者本人の意向を確認し，患者にとって何が最善であるかを共に考え，自立に向けた選択ができるよう継続的に支援することが大切である。

C 代表的な疾患をもつ小児への看護

1. 起立性調節障害

起立性調節障害（orthostatic dysregulation；**OD**）は，起立に伴う循環動態の変動に対する生体の代償的調節機構の破綻（はたん）により生じたものであり，立ちくらみ・失神・動悸（どうき）・頭痛・朝起きられないなどの症状を伴う自律神経機能不全の一つである。思春期は自律神経機能がアンバランスであり，心身症・神経症・不登校のなかにODが高率で併存していることが知られている。

❶疫学

ODは近年増加傾向にあり，好発年齢は10～16歳，有病率は小学生で約5%，中学生では約10%となる。男女比は1：1.5～2で女子に多い。ODにより日常生活が著しく損なわれると学校生活やその後の社会復帰に影響するため，思春期・青年期の重要な健康課題となっている。

❷診断と治療

「小児起立性調節障害診断・治療ガイドライン」によると，ODの診断にはまずODを疑わせる身体愁訴（しんたいしゅうそ）11項目中3項目以上もしくは2項目でもODが強く疑われるときにアルゴリズムに沿って診断する（表2-6）。基礎疾患の精査により問題がなければ新起立試験を行い判定する。新起立試験は，仰臥位（ぎょうがい）10分間ののちに10分間起立させておいて収縮期血圧・拡張期血圧・心拍数および心電図を測定記録する従来の方法に起立後血圧回復時間測定を加えた方法であり，検査は午前中に実施することが望ましい。

表2-6 ODを疑わせる身体愁訴（OD身体症状項目）

❶立ちくらみ，あるいはめまいを起こしやすい
❷立っていると気持ちが悪くなる。ひどくなると倒れる
❸入浴時あるいは嫌なことを見聞きすると気持ちが悪くなる
❹少し動くと動悸あるいは息切れがする
❺朝なかなか起きられず午前中調子が悪い
❻顔色が青白い
❼食欲不振
❽臍疝痛を時々訴える
❾倦怠あるいは疲れやすい
❿頭痛
⓫乗り物に酔いやすい

出典／日本小児心身医学会編：小児起立性調節障害診断・治療ガイドライン〈小児心身医学会ガイドライン集―日常診療に活かす5つのガイドライン〉，改訂第2版，南江堂，2015，p.63.より許諾を得て転載.

症状改善のためには患者・家族への生活指導と心理的支援が必要となるが，これらで改善しない場合や症状が強くみられるときは昇圧薬などの薬物療法を併用する。

❸看護のポイント

(1)生活指導

自律神経機能の改善のためには，規則正しい生活リズムを心がけること，過剰なストレスを避けること，軽い運動を心がけることなどを日常生活で実践・継続することが必要となる。特に，午前中は体調がすぐれず，夜になると元気になり昼夜逆転する傾向があるため，眠くなくても早めに就寝するなど生活リズムを整えるよう指導する。

また，脳循環維持のために，水分摂取や塩分摂取を励行する，起立時は頭位を下げてゆっくりと起立する，起立中は足踏みや両足をクロスに交差することで下肢の血液貯留を改善させるなどの対処法を説明する。

(2)心理的支援

朝起きられずに欠席が続くと親や教師·友人から「怠けている」と思われることもある。周囲の理解が得られないことで不信感を募らせたり，できない自分に自信をなくしたりする。ODは身体疾患であり，気持ちのもちようだけで改善するものではないことを伝えるとともに，治療を続けることによって必ず治ることを保証し，前向きに取り組めるように支援する。病態生理をていねいに説明することで親や小児の不安を軽減することにもつながる。

(3)環境調整

担任や養護教諭への説明により学校からの理解を得ることが必要である。患者の訴えに共感的態度で接し，学校に行けなくても友人とのつながりを維持したり，習い事などを継続し自己肯定感や自己効力感が高められるように支援する。

2. 骨折

思春期・青年期では運動機能が向上し激しいスポーツに取り組んだり，生活範囲が拡大

することで事故・外傷による**骨折**を起こしやすい。

❶骨折の原因

中高生の外傷では骨折の頻度が高く，学校内で発生するもののほか，交通事故によるものが多い。交通事故では自転車乗車中の事故が最も多い。

スポーツなどで激しいトレーニングを繰り返すことが原因となる疲労骨折は，10代前後の若者に発症することが多い。**疲労骨折**とは，通常では骨折しないような弱い外力が同じ部位に繰り返しくわわることで小さなひびが生じ，徐々に拡大して完全な骨折となる状態である。明らかな外傷がないにもかかわらず運動時に痛みが生じ，徐々に痛みが増強するようになる。

❷治療

外傷による骨折では徒手整復や牽引療法(けんいんりょうほう)または手術による観血的整復が必要となることがある。介達(かいたつ)牽引で使用する弾性包帯などは皮膚や循環への影響を考慮し，毎日巻き直す。整復後はギプスを装着するため，長期間の活動制限を余儀なくされる。治療後は筋力低下を予防し，機能回復に向けた早期からのリハビリテーションが大切となる。疲労骨折では原因となったスポーツを中断し，安静を保つことが必要となる。

❸看護のポイント

(1) 骨折部位の安静と合併症の予防

受傷後は受傷部位の変形や浮腫(ふしゅ)，痛みの増強やしびれの有無など，小児自身が合併症のリスクを理解し，症状がみられるときは我慢せず伝えるように説明する。ギプス固定中は患部を挙上(きょじょう)し浮腫を予防することや，皮膚トラブルを予防するためのスキンケアなど，自分でできることを伝え，主体的に治療に取り組むことができるように支援する。

痛みが治まると，自分で行動しようとして無理をする傾向にあるため，転倒や打撲(だぼく)などの危険がないように安全に留意した環境を整える。骨折部の安静を保ちながら，筋力の回復や関節可動を促すためにリハビリテーションや日常生活動作を促し，運動機能の回復を支援する。

(2) 心理的支援

骨折による運動制限は長期にわたり，日常生活動作や学校での活動が思うようにできないことでストレスを抱えやすい。治療の目的や方法・期間などを説明し，今後の見通しがもてるようにすることが重要である。痛みや不快などの苦痛を最小限にするとともに，日常生活において気分転換が図れるような環境を整える。行動制限によって日常生活の介助を要する場合は羞恥心(しゅうちしん)に配慮し，プライバシーを保つ。

文献

1) 厚生労働省ホームページ：平成29（2017）年人口動態調査　表1　年齢別にみた死因順位（第5位まで）別死亡数，https://www.mhlw.go.jp/toukei/saikin/hw/jinkou/houkoku17/dl/all.pdf（最終アクセス日：2019/4/20）
2) 小児慢性特定疾病情報センターホームページ：小児慢性特定疾病の医療費助成について，https://www.shouman.jp/assist/outline（最終アクセス日：2022/4/19）
3) ガイドライン作成委員会：がんの子どもの教育支援に関するガイドライン，がんの子どもを守る会，2002.

4) Spinetta, J.J., et al.: Guidelines for assistance to siblings of children with cancer; report of the SIOP Working Committee on Psychosocical Issues in Pediatric Oncology, Med Pediatr Oncol, 33(4): 395-398, 1999.

本章の参考文献

・及川郁子監，村田惠子編：病いと共に生きる子どもの看護，メヂカルフレンド社，2005.
・真部淳，他編：看護学テキスト NiCE　病態・治療論［14］小児疾患，南江堂，2019.
・鴨下重彦，柳澤正義監：こどもの病気の地図帳，講談社，2002.
・T. B. Brazelton 編著，穐山富太郎監訳：ブラゼルトン新生児行動評価，第 3 版，医歯薬出版，1998.
・カンガルーケアワーキンググループ編：根拠と相違に基づくカンガルーケアガイドライン普及版，第 2 版，国際母子保健研究所，2010.
・日本新生児看護学会編：NICU に入院している新生児の痛みのケアガイドライン 2020 年（改訂）・実用版，https://minds.jcqhc.or.jp/docs/gl_pdf/G0001169/4/pain_care_for_newborn_hospital_admitted_to_nicu.pdf，2020.
・細野茂春監：日本版救急蘇生法ガイドライン 2015 に基づく新生児蘇生法テキスト，第 3 版，メジカルビュー社，2016.
・桑野タイ子監，本間昭子編：疾患別小児看護；基礎知識・関連図と実践事例〈シリーズ ナーシング・ロードマップ〉，中央法規出版，2011.
・Bowlby, J. 著，二木武監訳：ボウルビィ 母と子のアタッチメント 心の安全基地，医歯薬出版，1993.
・ジャン・ピアジェ著，波多野完治，滝沢武久訳：知能の心理学，みすず書房，1960.
・山田昌邦編著：病気の子どもの理解と援助；全人的な発達をめざして，慶應通信，1988.
・Vernon, D.T., Thompson, R.H.: Research on the effect of experimental interventions on children's behavior after hospitalization; a review and synthesis, J Dev Behav Pediatr, 14(1): 36-44, 1993.
・Vernon, D.T.A. 他著，長畑正道・渡部淳訳：入院児の精神衛生，医学書院，1970，p.174-175.
・日本小児アレルギー学会：小児気管支喘息治療・管理ガイドラインハンドブック 2013 ダイジェスト版，2013.
・日本小児循環器学会研究委員会研究課題「川崎病急性期治療のガイドライン」（平成 24 年改訂版），2012.
・厚生労働科学研究：セルフケアナビ ぜんそく 小児用（平成 23 年 3 月改訂版），http://www.jaanet.org/pdf/p_atshma2011.pdf（最終アクセス日：2019 年 5 月 24 日）
・文部科学省：子どもの徳育に関する懇談会「審議の概要」3．子どもの発達段階ごとの特徴と重視すべき課題（平成 21 年 7 月），http://www.mext.go.jp/b_menu/shingi/chousa/shotou/053/shiryo/attach/1286156.htm（最終アクセス日：2022 年 5 月 6 日）
・丸光惠，石田也寸志監：ココからはじめる小児がん看護，へるす出版，2009，p.19-21.
・社会福祉法人恩賜財団母子愛育会愛育研究所編：日本子ども資料年鑑 2019，KTC 中央出版，2019，p.116.

第3章 小児にみられる主な症状と看護

この章では

- 成長・発達途上にある小児の解剖・生理学的特徴と症状の特徴を理解する。
- 小児にみられる主な症状と症状のある小児への看護について学ぶ。

I 啼泣・不機嫌

子どもの表情や顔色，姿勢，態度などから，活気・機嫌を推しはかることは，子どもの心身の状態の変化に気づくきっかけとして，重要な指標・方法である。

なかでも，新生児期から乳児期・幼児期など，言語発達の過程にある子どもにとって，啼泣（ていきゅう）・不機嫌は，感じていることや欲求・訴えといった意思を表現する重要な手段である（表3-1）。乳児の主な啼泣・不機嫌の原因には，空腹や口渇，眠気，排泄，暑い・寒いといった**生理的欲求**や，甘え・不安・恐怖といった認知発達に伴う情緒的反応がある。不快な感覚が親や周りの大人との相互作用の中で快に変わる感覚を子どもが得ていくことで，生命が維持されるとともに，アタッチメントの形成から基本的信頼という発達課題が達成されていく。こうした理由に加えて，疼痛・瘙痒感（そうようかん）・悪心（おしん）など病的・身体的な原因によるもの，さらに，口・鼻腔や膀胱留置カテーテルや，安静保持のための身体拘束，行動制限といった治療や医療的ケアに伴う不快や苦痛による反応として，啼泣・不機嫌がみられる場合がある。これら，病的な原因や治療・ケアに伴う苦痛が緩和されないことは，子どもの発達課題の達成を脅かすことになる。そのため，子どもの状態の変化に気づき適切な苦痛緩和が図られる必要がある。

新生児期から徐々に啼泣することが多くなり，生後2か月頃にピークを迎え，3～5か月で減っていく。この啼泣には，原因がわからず，また1日に数時間続くものもある。この原因のわからない啼泣はcolic（コリック）（疝痛（せんつう）），もしくは夕方に泣くことが多いことから黄昏（たそがれ）泣き，夕暮れ泣きとも言われ，虐待による乳幼児頭部外傷（abusive head trauma in infants and children: AHT）の引き金にもなっている。このcolicに対する，親や周りの大人の理解，社会的認知が深まっていくことが重要である。

生後2～3か月頃では，認知・情緒的発達に伴って，一人にされると啼泣・不機嫌がみられ，6～7か月頃には，見知らぬ人などに対する不安・恐れを感じ，親など信頼する大人を求めて啼泣するようになる。

啼泣の仕方が，原因の推測や診断の手がかりになる場合がある。たとえば，新生児期には**呻吟**（しんぎん）（気道内圧を高めて肺胞の虚脱を防ぐために，呼気時に声門を狭め「うーうー」とうなる様子）がみられる呼吸窮迫（きゅうはく）症候群や，新生児期から乳児期にみられる甲高い猫のような泣き声を出す特徴がある**猫なき症候群***がある。

子どものいつも（日常）を知る人の，「いつもどおり元気」「何か様子がおかしい」といった気づきを頼りにすることは重要である。そして，看護師には，啼泣・不機嫌をはじめ，表情や体幹・四肢といった全身から発せられる言動の変化に気づくとともに，バイタルサ

* **猫なき症候群**：cri-du-chat syndrome。5p欠失症候群（5p- syndrome）として，難病指定されている症候群（指定難病199）。5番染色体短腕の部分欠失に基づく染色体異常症候群の一つ。低出生体重，成長障害，新生児期から乳児期に認める甲高い猫の泣き声の様な啼泣は高頻度に認められる特徴的所見である。

表3-1 乳児の不機嫌の主な原因

生理的原因	空腹，満腹，喉が乾いた，眠い，暑い，寒い
精神的原因	興奮，生活リズムの変調（来客，旅行），環境の変化（転居，保育園，養育者の交代），あまえ，人見知り，夜泣き，たそがれ（夕暮れ）泣き
身体的原因	皮膚疾患，髄膜炎・敗血症，骨髄炎・関節炎，急性中耳炎，その他の感染症（口内炎，感冒，扁桃炎，尿路感染症），鼻閉，腸重積，鼠径ヘルニア嵌頓，肘内症，便秘症，骨折，脱水，睾丸捻転，耳・鼻・気道異物

出典／古永陽一郎：乳児の不機嫌の主な原因，小児内科，31（増刊号）：319，1999.

インや検査値など客観的事実を統合し，それらを子どもが発する原因と，発している意味の理解に努めケアにつなげることが求められる。

II 発熱

A 定義

発熱とは，体温調節の基準値（セットポイント）の上昇によって，体温が正常時より高い状態を指す[1, 2]。定義に関する統一的な見解はないが，臨床的には38℃以上の状態を意味のある発熱ととらえる場合が多く[3, 4]，このほか平熱よりも1℃高い状態とも定義される[5]。また，感染症法においては37.5℃以上を発熱と定義している。

小児は体温調節中枢が未発達であるため，体温調節の基準値の上昇による体温上昇（すなわち発熱）ではなく，環境温度の上昇や激しい運動によって熱放散と熱産生のバランスが崩れることで体温が上昇する場合があり，これをうつ熱と呼ぶ。

体温の測定には様々な部位が用いられるが，日本では腋窩（えきか）温を標準とすることが多い。日常生活では，より短時間で測定可能な鼓膜体温計や非接触型の体温計が普及しているが，これらは腋窩温に比べ測定誤差が大きく，特に環境による体温への影響が大きい乳幼児では不正確な値となりやすい。

B 分類

37.0℃以上38.0℃未満を微熱，39.0℃以上を高熱と呼ぶ[6]。体温には個人差があるため，平常時の体温（平熱）と比較した数値を評価する必要がある。

C 原因

細菌やウイルスなどによる感染症は，小児の発熱として主要な原因である（表3-2）。発

表3-2 小児にみられる発熱を伴う感染症の例

分類	感染症の例
発疹性疾患	麻疹，風疹，水痘，手足口病，突発性発疹
消化器疾患	食中毒，下痢原性大腸菌感染症，嘔吐下痢症（ロタウイルス，ノロウイルス等），虫垂炎
呼吸器感染症	流行性耳下腺炎，上気道炎，気管支炎，肺炎，インフルエンザ，ヘルパンギーナ，マイコプラズマ感染症
血液・リンパ節系疾患	EB ウイルス感染症，サイトメガロウイルス感染症
神経系疾患	脳炎，髄膜炎
そのほか	尿路感染症，中耳炎，川崎病，術後の創感染

熱は自己の代謝を亢進させ，病原体の増殖を抑えることから，生体防衛反応としての役割をもっている。このほか，悪性腫瘍や若年性関節リウマチのような膠原病（こうげんびょう）といった病態因子のほか，手術侵襲や全身麻酔，薬剤性因子によっても発熱が生じる。

D 看護

1. 情報収集・アセスメント

発熱は代謝を亢進させ，酸素消費量の増加やそれに伴う頻脈・多呼吸をもたらし，結果として体力の消耗や脱水を招く。特に予備能力が未熟で体温調節中枢の働きが不十分な小児はこれらのリスクが高く，注意が必要である。

一方で発熱の程度のみが重症度の指標とはならないため，発熱の状況や随伴症状，全身状態の観察，血液・画像検査結果等から多角的に原因や影響，リスクを予測する必要がある（表3-3）。小児の場合，症状の訴えを言葉にしたり，細かなニュアンスを伝える力が発達途上にあるため，本人と家族双方からの情報の把握と，視診，聴診，触診などからの客観的な観察が有用である。

さらに基礎情報の把握も重要である。自己免疫能が低く，全身状態の悪化に気づきにくい生後3か月未満の場合，敗血症や細菌性髄膜炎といった重篤（じゅうとく）な感染症のリスクを考慮して入院治療・精査する場合も多い。また生後6か月から5歳ごろの小児の5%の高頻度で中枢神経感染によらない発熱性疾患に伴う発作（熱性痙攣）を生じることがあり（本編 - 第2

表3-3 発熱のアセスメントに役立つ情報

基礎情報	• 年齢（特に3か月未満） • 体重 • 平熱 • 基礎疾患の有無 • 熱性痙攣の既往 • バイタルサイン（脈拍，呼吸） • 予防接種歴
発熱の状況	• 発熱の出現時期，程度，経過 • 同居家族の発熱 • 薬剤の使用状況 • 学校や保育所等地域での流行感染症の発生状況，接触歴
随伴症状	• 発疹 • 下痢や嘔吐 • 咳嗽や鼻汁 • 痙攣 • 意識障害 • 呼吸困難 • 疼痛 • リンパ節の腫脹
全身状態	• 活気や機嫌 • 食欲や哺乳力 • 脱水症状 • 皮膚の色やチアノーゼ
そのほか	• 採血結果（白血球数，CRP 等） • 感染症の検査結果

章-Ⅱ-C-2「熱性痙攣」参照），こうした既往歴の把握，投与量を検討するうえでの体重の把握も欠かせない。

2. 看護の実際

1 環境の調整

体温上昇時には末梢冷感やシバリングがみられることがあり，悪寒を伴うため，このような状況においては四肢の保温や掛け物，衣類による調整を行う。代謝亢進による発汗から清潔にも配慮すべきであるが，更衣や清潔ケアはエネルギーの消耗やそれ自体が不快をもたらす可能性があることに留意が必要である。また，冷罨法は発熱上昇時においては悪寒を増悪させる場合があるため，本人の安楽につながるかどうかのアセスメントと観察が必要となる。休息できる環境の調整も大切である。

2 水分管理

発熱は発汗による体内の水分喪失をもたらす一方で，食欲不振や体力の消耗によって水分摂取機会の減少をもたらすため，水分摂取量や尿量（回数），皮膚状態等から脱水状態を観察し，十分な水分摂取を促す。嘔吐や下痢を伴うなどして経口からの水分摂取が難しい場合には医師の指示のもとに輸液投与を行う。

3 解熱剤の検討とその子にあった投与経路の選択

発熱により活気がない，機嫌が悪い，あるいは安楽が阻害されている場合，医師の指示に基づき解熱薬の投与を検討する。したがって，高熱のため使用するといった安易な使用を避ける。使用の際には発熱の経過や小児の1日の生活リズムから適切なタイミングを図る。また，あらかじめ小児や家族から投与経路（坐薬，粉薬，水薬等）の希望を確認しておく。有害作用を見据えて投与間隔が定められているため，経過が長期の場合には次回投与のタイミングも含め検討する。小児での第一選択薬はアセトアミノフェン，第二選択薬はイブプロフェンである[7]（表3-4）。NSAIDsの一種であるアスピリンは，インフルエンザ，水痘に対する使用によりライ症候群を引き起こす可能性があるため，現在は川崎病などの特殊な状況の場合を除き，15歳以下の小児には基本的に使用しない。

4 家族ケア

家族は小児の体温をできるだけ早期に下げたいと考え，冷罨法のタイミングや解熱薬の使用について医療者と異なる理解をしていることがある。また，原因のわからない発熱や高熱の継続で家族の不安が強いことがある。そのため，医療者はケアの意図を家族と共有するため，ていねいに説明する。また，発熱時においても小児にとって遊びは生活の中心的な役割をもつが，緊急入院などでそのニーズに家族が十分応えることが難しくなる。体

表 3-4　小児でよく用いられる解熱薬

薬剤名	アセトアミノフェン	NSAIDs (Non-Steroidal Anti-Inflammatory Drugs：非ステロイド性抗炎症薬)
一般名	アセトアミノフェン	イブプロフェン
機序・特徴	有害作用が少なく安全性に優れ，乳児にも使用できる。解熱作用のほか鎮痛作用もある。	抗炎症作用をもつ。アセトアミノフェンよりも鎮痛効果は強いが，胃腸障害や腎障害，肝障害など注意すべき有害作用が多い。
剤形	水薬，錠剤，散剤，坐薬	水薬，錠剤，カプセル
効果時間	4～6 時間	6～8 時間
投与量	10～15mg/kg/回。 ただし 2 歳未満は 7.5mg/kg/回。 1 日総量 60mg/kg を限度とする	5mg/kg/回。 耳痛や頭痛など疼痛が強い場合に検討されることが多い

力の消耗を抑えながら可能な遊びを家族と相談しながら，工夫する。

Ⅲ 発疹

A 定義

発疹（ほっしん）とは皮膚に現れる肉眼的変化の総称である。小児期は発疹の現れる疾患が多く，皮膚自体の病変，食物や薬物のアレルギー，麻疹などの感染症など原因は多岐にわたる。

B 分類・種類

発疹は，**急性発疹**と**慢性発疹**，**全身性発疹**と**局所性発疹**，**感染性発疹**と**非感染性発疹**，**原発疹**（皮膚に現れる最初の病変）と**続発性発疹**（原発疹の経過中に生じる 2 次性病変）などに分類することができる（表 3-5）。発疹には，隔離が必要な**伝染性発疹性疾患**（**麻疹**，**水痘など**）があるため注意を要する。

C 原因疾患

小児の発疹は，発熱，呼吸器症状，消化器症状，疼痛などの随伴症状も出現していることが多い。発疹の出現時期，性質，範囲のほかに，全身観察をすることで緊急性や感染の有無を判別する（表 3-6）。

表3-5 発疹の分類

分類			概要	主な原因疾患
原発疹	斑	紅斑	限局性の赤い平らな斑で，真皮浅層の炎症性血管拡張に基づく。	感染症，食物アレルギー，薬疹
		白斑	皮膚面に平坦で，皮膚が白くなる斑。	尋常性白斑，結節性硬化症
		色素斑	通常の皮膚色とは異なる色の変化を伴う斑。	黒子，カフェオーレ斑，蒙古斑，太田母斑
		紫斑	真皮内あるいは皮下脂肪組織への出血による皮膚症状。直径5mm程度のものは点状出血という。	ITP（特発性血小板減少性紫斑病），DIC（播種性血管内凝固症候群），打撲（虐待）
	丘疹		皮膚面より隆起した限局性で5mm以下のもの。	接触性皮膚炎，虫刺症
	結節		皮膚面より隆起した3cm未満の丘疹より大きなもの。3cm以上のものは腫瘍という。	
	膨疹		浮腫により一過性に皮膚が限局性，境界明瞭に隆起したもの。かゆみを伴う。	食物アレルギー，中毒疹
	水疱		皮膚の表皮内，表皮下，角層下などに液体が貯留したもの。	水痘，帯状疱疹，手足口病，熱傷
	膿疱		水疱の内容物が膿性のもの。黄色から黄白色である。	伝染性膿痂疹

分類		概要
続発性発疹	びらん	表皮の皮膚・粘膜の欠損で発赤を伴う。瘢痕を残さない。
	潰瘍	びらんより深く，真皮，皮下組織にまで達する皮膚・粘膜の欠損。治療後に瘢痕を残す。
	亀裂	表皮の深層，真皮，皮下組織まで達する細く深い裂け目。
	痂皮	漿液・血液・膿液が凝固したもの。
	表皮剥離	外傷で表皮が欠損したもの。
	瘢痕	潰瘍・創傷治癒後に皮膚組織を修復した結合織性肉芽腫と，これを覆う表皮により形成されたもの。

表3-6 発疹性疾患の分類

熱の有無	分類	
有熱	ウイルス性感染症	麻疹，風疹，突発性発疹，伝染性紅斑，水痘，帯状疱疹，手足口病，ヘルパンギーナなど
	細菌感染症	溶連菌感染症，ブドウ球菌性熱傷様皮膚症候群（SSSS），マイコプラズマ感染症など
	免疫性疾患	川崎病，SLEなど
	悪性腫瘍	白血病など

熱の有無	分類
無熱	アレルギー性疾患
	湿疹
	薬物アレルギー
	蕁麻疹
	血小板減少性紫斑病
	虫刺症
	伝染性軟属腫
	伝染性膿痂疹（とびひ）

D 看護

1. 情報収集・アセスメント

1 問診

問診では，①発疹の出現時期と継続時間，②出現場所と経過，③随伴症状（発熱，呼吸器症状，消化器症状，疼痛，出血など），④発熱と発疹のタイミング・熱型，⑤過去の感染症の罹患歴，予防接種歴，⑥周囲の感染症の有無，⑦アレルギーの有無，⑧薬物や食物の摂取状況，⑨生活環境（動物の有無，旅行歴）を確認する。

2 身体所見

全身状態（循環動態，上気道閉塞の有無，意識の状態，活気や機嫌）のほか，バイタルサイン，発疹の性質（色・大きさ・数・分布）を観察し，緊急性や感染の有無などを判断する。

2. 看護の実際

1 感染予防

発疹の原因が感染症であると判断される，もしくは疑われる場合には速やかに隔離を開始する。集団生活をしている小児の場合は，学校保健安全法第 19 条で出席停止基準が定められているため，出席する際の留意点の説明を行う（表 3-7）。

2 スキンケア

発疹が生じている皮膚は，瘙痒感が生じたり脆弱になっている場合も多い。こすること

表 3-7 学校，幼稚園，認定こども園，保育所において予防すべき感染症

疾患名	潜伏期間	感染経路	登校（園）基準
麻疹	8～12 日	空気感染，飛沫感染，接触感染	解熱後 3 日経過した後
風疹	16～18 日	飛沫感染，接触感染，母子感染	発疹の消失後
水痘	14～16 日	空気感染，飛沫感染，接触感染，母子感染	すべての発疹が痂皮化した後
溶連菌感染症	2～5 日	飛沫感染	適切な抗菌薬による治療開始後 24 時間以降
手足口病	3～6 日	経口感染，飛沫感染	症状が回復した後
伝染性紅斑（りんご病）	4～14 日	飛沫感染，母子感染	症状が回復した後
伝染性膿痂疹（とびひ）	2～10 日	接触感染	制限はない
突発性発疹	9～10 日	接触感染	症状が回復した後

出典／日本小児科学会予防接種・感染症対策委員会：学校，幼稚園，認定こども園，保育所で予防すべき感染症の解説，抜粋表（2021 年 6 月改訂版），p.44-45．一部抜粋．

が刺激になる場合も多いため，泡立てた石けんで優しく洗い，押し拭きをするようにする。衣服は，通気性・吸湿性に優れた，肌触りの良い，締め付けの少ないゆったりしたものを選択する。また，皮膚の損傷を防ぐため，爪は短く，滑らかに整えるようにする。

3 小児と家族への説明

発疹は，小児自身の目に触れることが多いため苦痛や恐怖を抱く場合も多い。小児の不安な気持ちに寄り添いながら，発疹や苦痛に感じている症状を取り除くために共にがんばろうという姿勢を示し，ケアや診察を行っていく。

また，感染性の発疹（水痘など）の場合は他児への感染を広げないよう，家族にケア方法や，観察のしかたについての教育的支援を行う。

IV 悪心・嘔吐

 定義

悪心とは，胃内容物を吐き出したくなるような，咽頭や心窩部，腹部に感じるむかむかとした不快感をいう。嘔気，吐き気とも言われる。

嘔吐とは，胃の内容物が食道から口へ押し上げられ排出される現象である。延髄にある嘔吐中枢の刺激興奮が，脊髄神経，横隔神経，迷走神経などの遠心路に伝播し，食道下部括約筋が弛緩し，幽門から噴門に向かって強い逆蠕動が起こる。さらに，横隔膜と腹筋の強い収縮により胃部が圧迫され，胃内容物が口腔から吐き出される。

 分類・種類

嘔吐中枢への刺激伝達により，**中枢性嘔吐**と**末梢性嘔吐**（**反射性嘔吐**）に分類される。

▶**中枢性嘔吐**

・視覚・聴覚などから視神経，嗅神経を経て脳神経を介する刺激
・心理的要因などによる辺縁系を介する刺激
・頭蓋内圧亢進や頭部外傷などによる中枢神経への直接刺激
・薬物などによる第四脳室に存在する化学受容体引金帯（chemoreceptor trigger zone: CTZ）を介する刺激

▶**末梢性嘔吐（反射性嘔吐）**

・消化管や腹腔内臓器などから迷走神経を介する刺激

C 原因

原因は，消化器疾患，中枢性疾患，内分泌・代謝性疾患，アレルギー疾患や心因性など多岐に渡る。また,発達上の特徴から各発達段階に特徴的な原因がある（表 3-8）[8]。新生児・乳児期は，噴門や中枢神経機能の発達途上であることや胃の形態が筒状で容量も小さいことなどから，容易に嘔吐しやすい。また，幼児期以降は，中枢神経系や消化管機能の未熟性から刺激に対する末梢性嘔吐や，不安・恐怖や緊張などよる心因性嘔吐が見られやすい。さらに，免疫機能の未熟性から感染に伴う嘔吐もきたしやすい。

D 看護

1. 情報収集・アセスメント

悪心・嘔吐の発症時期，吐物の性状と量（表 3-9），におい，吐き方や頻度の推移，前駆

表 3-8 発達段階別　悪心・嘔吐をきたす疾患等

	新生児	乳児	幼児・学童
消化器疾患以外で見落とさないよう注意する疾患	敗血症・髄膜炎 水頭症・脳奇形 尿路感染症	髄膜炎・脳炎・脳症 被虐待 尿路・呼吸器感染症 心疾患 薬物中毒・誤嚥	脳炎・脳症・脳腫瘍 肺炎・中耳炎 頭部外傷 薬物中毒 心筋炎・不整脈
よくある消化器疾患	溢乳・空気嚥下 哺乳過誤 初期嘔吐 胃食道逆流現象 胃長軸捻転 腸管感染症 壊死性腸炎	食事過誤 空気嚥下 便秘 腸管感染症 幽門狭窄症 腸重責症 胃食道逆流現象 胃長軸捻転 食物アレルギー	腸管感染症 急性虫垂炎 肝・胆囊・膵炎 腹部外傷 食物アレルギー・好酸球性胃腸症
主な代謝性疾患	先天性副腎過形成 ガラクトース血症	先天性副腎過形成 ライ症候群	アセトン血性嘔吐症 ケトン性低血糖症 糖尿病性ケトアシドーシス ライ症候群
そのほか			起立性調節障害 神経性食思不振症
外科的疾患	食道閉鎖・狭窄症 胃軸捻転 十二指腸閉鎖・狭窄症 腸回転異常・捻転 小腸閉鎖症 ヒルシュスプルング病 胎便性イレウス 稀に腸重積・肥厚性幽門狭窄・特発性腸管偽性閉鎖症	肥厚性幽門狭窄症 腸重積 腸回転異常・捻転 ヒルシュスプルング病 虫垂炎	虫垂炎 腸重積 腸回転異常・捻転 上腸間膜動脈症候群 腫瘍・囊胞

表3-9 吐物の性状と原因例

性状	原因例
泡沫状	食道閉鎖
羊水様	初期嘔吐
乳汁様	胃食道逆流現象，肥厚性幽門狭窄，胃軸捻転，空気嚥下，哺乳量過多
胆汁様	十二指腸閉鎖・狭窄，空腸閉鎖，腸回転異常，ヒルシュスプルング病
便状様	下部消化管閉鎖・狭窄
コーヒー残渣様	上部消化管出血

症状や食事内容との関連，服薬の有無や内服時間を情報取集する。悪心・嘔吐の随伴症状として，腹痛，腹部膨満，下痢，便秘，血便，食欲低下，腸蠕動といった消化器症状に加えて，不機嫌，発熱，頭痛，意識レベル，脱力感，尿量の減少，脱水，体重の推移を情報取集し，原因を探る。また，食物アレルギーや外傷の有無，心理的誘因，既往歴，家族歴も聴取し原因解明につなげる。

検査として，必要に応じて血液検査や検尿，腹部X線撮影などが行われる。

2. 看護の実際

1 吐物による窒息・誤嚥の予防

新生児や乳児では口からだけでなく，鼻孔から出る場合がある。また，仰臥位や嘔吐後の啼泣により，気管に吐物が入り込む恐れがある。また，小児は啼泣時に加えて，睡眠時に声門を閉じることが難しいため，嘔吐が予想される際には，安楽を確保しつつ側臥位になり顔を横に向け，吐物の気管内流入を防ぐ。我慢して吐物を口腔内に溜めたり飲み込んだりしないように，ガーグルベースン等を準備し，声かけや背中をさする，プライバシーの保護など，嘔吐しやすいように介助する。

2 脱水，栄養状態悪化の予防

医師の指示を確認し，飲食による悪心・嘔吐の誘発を防止するために，飲食の中止や，輸液療法を行う。嘔吐の量や頻度に加えて，脱水徴候を示す臨床症状や水分出納，体重，栄養状態，電解質の観察を行い，早期対応につなげる（脱水のページを参照）。回復期には，症状が出現しないことを確認しつつ，少量ずつ経口量を増やしていく。

3 苦痛緩和

医師の指示を確認し，制吐薬を内服もしくは，坐薬，点滴にて投与する。この投与にも不快や恐怖心といった苦痛が伴うため，子どもの理解に合わせた説明や，投与時姿勢の支持，タッチングや声かけなどをとおして，また迅速で正確な手技にて投与を実施する。体位や衣類による腹部の締め付けや圧迫がないよう配慮する。また嘔吐が繰り返される場合は，心身の疲労も強くなっていくため，適時症状緩和を図るとともに，看護師ができるだけ子どもの側にいる安心感や，服装や部屋の温度，照度を調整して子どもの安楽を支持する。

悪心・嘔吐の出現時やその前後，また処置や検査時の子どもの表情や態度，様子から，過度な不安や恐怖，動揺など，精神状態をアセスメントしつつ，保清や排泄介助といったセルフケア支援や症状緩和ケアをとおして信頼関係を構築していく。特に吐物が口腔内に残っていたり，皮膚や衣服，シーツなどに付着すると，さらに臭気も発生し不快なため，うがいや口腔ケア，保清や着替えなどをとおして清潔な環境を整える。また，タッチケアや声がけ，ディストラクション，気分転換，遊び，子どもの理解度にあわせた見通しについての情報共有など，体調に合わせて精神的な苦痛の緩和を図る。

V 下痢

A 定義

下痢とは，排便回数が多く，便中水分量が多い状態である。ただし，便の回数や硬さには個人差があるので，ふだんの状態との比較が必要である。

B 分類・種類

下痢は，経過による分類として，急激に発症し少なくとも2週間以内に軽快する**急性下痢症**と2週間以上遷延する**慢性下痢症**に分けられる（**表3-10**）。

急性下痢症は感染性と非感染性に分けられるが，感染性下痢のうちノロ・ロタ・アデノウイルスなどのウイルス性胃腸炎が大半を占める。非感染性の下痢には食物アレルギーによる下痢や，抗菌薬使用による下痢があげられる。

慢性下痢症には，乳糖不耐症，過敏性腸症候群や潰瘍性大腸炎など，非感染性の下痢が大部分を占める。

C 看護

1. 情報収集・アセスメント

1 問診

便の性状（便の硬さ・排便回数・色・におい・混入物・症状の出現時期）および随伴症状（発熱・

表3-10 下痢の原因

経過による分類	原因		
急性下痢症	感染性下痢	ウイルス	ノロ
			ロタ
			アデノ
		細菌	病原性大腸菌
			サルモネラ菌
			カンピロバクター
			Clostridium difficile（CD）
			赤痢菌
		寄生虫	
	非感染性下痢	抗菌薬使用による	
		食物アレルギーまたは中毒	
		食事過誤（量，種類）	
慢性下痢症	ヒルシュスプルング（Hirschsprung）病		
	乳糖不耐症		
	過敏性腸症候群		
	炎症性腸疾患	クローン（Crohn）病	
		潰瘍性大腸炎	

腹痛・悪心・嘔吐，食欲の有無）を確認する。家族がおむつを持ってきていたり，便の写真を撮っている場合も多い。

また，アレルギー歴，食事歴，渡航歴，周囲の流行疾患の有無，薬剤服用歴も重要な情報となる。

2 身体所見

機嫌や活気，顔色，腹痛や腹部膨満の程度を観察する。小児，特に乳幼児では下痢による水分喪失によって容易に脱水が生じるため，脱水の評価が不可欠である。バイタルサインを評価し，脱水を示す症状（頻脈，血圧低下）がないか確認し，毛細血管再充満時間（capillary refilling time；CRT），体重減少，尿量減少（最終排尿時間）を確認する。また，皮膚所見（ツルゴール反応，色調・四肢の温感），大泉門，啼泣時の涙の有無や口腔内の乾燥について情報を収集する。

また，下痢が続くと肛門周囲の皮膚トラブルが生じることも多いため，状態を確認する。

2. 看護の実際

1 脱水管理

脱水に対する水分，電解質の補充を行う輸液療法には，**経口補水療法**（oral rehydration therapy；ORT）と，**経静脈輸液療法**（intravenous infusion therapy；IVT）がある。ORTは安価で，家庭でも安全に実施でき，何より小児の身体的・精神的な負担がない。経口補水液（oral rehydration solution；ORS）は，ほとんどの薬局やスーパーマーケットで購入できる。

スポーツドリンクやジュース類は使用しないほうがよい。

IVTは重症で，ORTでは効果が期待できない場合に選択される。

2 食事・栄養管理

急性下痢症の小児は，脱水から回復し嘔吐がなくなれば，年齢に応じた食事の摂取を再開する。授乳中の乳児は母乳を継続する。また，乳児用ミルクを希釈したり特殊ミルクを用意する必要はなく，通常どおりの投与でよい。

中等症から重症脱水症の場合には腸管安静のために食事を控える場合もある。脱水の管理を行いながら全身状態を安定させたのちに食事を開始する。

慢性下痢症の場合，疾患に応じた食事療法を行う。

3 清潔ケア

頻回の下痢症状がある場合，肛門周囲の皮膚と腸液が接触することや，拭き取りの摩擦刺激により，皮膚のバリア機能が低下し，発赤やびらん，発疹などが生じやすい。排便後のおむつ交換の際は，摩擦による皮膚障害を予防するために押し拭きを行い，撥水性のある軟膏を使用して悪化を防ぐ。

4 感染性下痢の2次感染予防

非常に感染力が強く，接触汚染された手指や物品を介して感染が広がるため，接触感染予防策を行い，小児や汚染場所に触れる際には手袋やエプロンを装着する。またウイルスを含んだ飛沫を介して感染する場合もあるため，汚物の処理にはマスクも装着する。ノロウイルスやロタウイルスは感染力が強く，消毒用アルコールでは死滅しない。小児に触れた後や，便，衣類や汚染場所に触れた後は流水による手洗いを行う。

2次感染を予防するため，汚染された衣服やシーツは200ppm以上の塩素系漂白剤（次亜塩素酸ナトリウム，キッチンハイター®など）でのつけ置き洗いを行い，ほかの洗濯物とは別に洗う。汚染場所も拭き取りを行う。

VI 便秘

A 定義

便秘とは，便が腸管に長くとどまり，排便に困難を生じている状態を表し，単に排便回数が少ない状態のことではない。排便に困難を生じている状態とは，排便時に痛みを伴い，いきんでも排便に至らないことを示す。

B 分類

器質的な疾患や薬物に伴って生じる便秘は**器質性便秘**，器質性便秘に分類されない便秘全般は**機能性便秘**に分類される。

機能性便秘は，発生のしくみにより弛緩性便秘，直腸性便秘，痙攣性便秘に分類され，また症状の持続期間により一過性と慢性に分けられる。一過性は急性便秘ともよばれ，体調不良時の経口摂取不足や脱水，環境の変化などに伴い生じ，一時的な処置やいつもの生活に戻ることで改善することが多い。ただし，急性便秘には，まれに腸閉塞など器質的原因による場合もあり，注意が必要である。

慢性機能性便秘症は，国内の診療ガイドラインではRome Ⅲの診断基準が使われている。診断基準では，症状は1週間に2回以下の排便・排便時の痛み・大きな便塊の排出・便失禁・排便を回避する行動などがあげられ，持続期間は4歳未満では1か月以上，4歳以上では2か月以上が示されている。持続期間は参考であり，小児にとって苦痛な排便が続いている場合には対処が必要である。慢性機能性便秘症は，離乳食の開始や排泄の自立の時期，集団生活の開始時期に生じることが多い。小児の慢性機能性便秘症の特徴は，便秘の悪循環であり，痛みのある排便に伴う排便の我慢と回避行動により，直腸内の便の貯留時間が長期化することである（図3-1）。この悪循環が繰り返されることで，直腸が器質的にも拡張し，便意を感じにくくなり，直腸内の便の貯留が常態化し，治療にも時間を要する状態となる。そのため，早期発見と治療が肝要である。

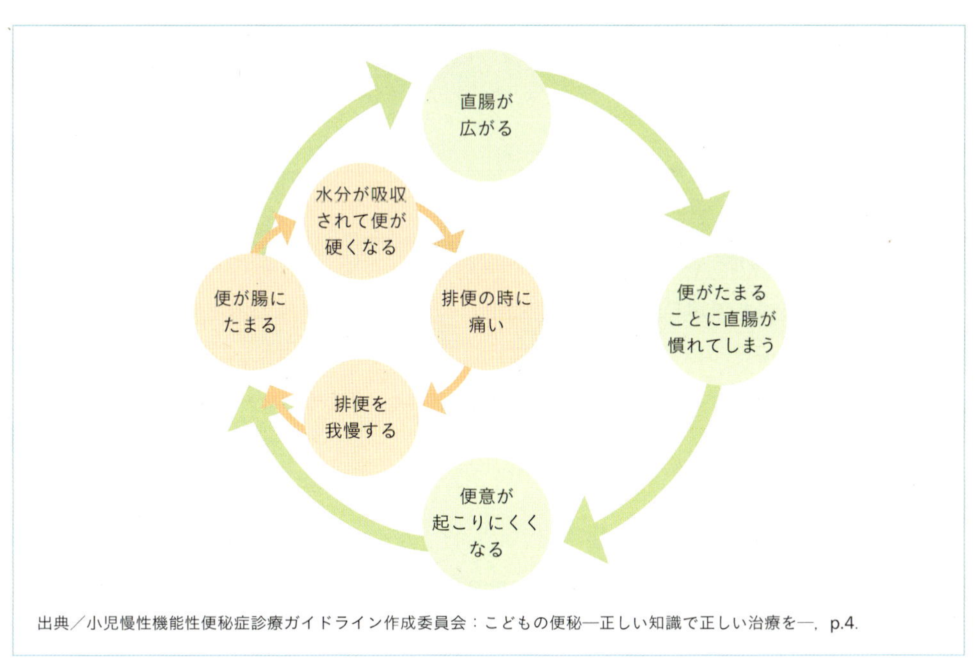

出典／小児慢性機能性便秘症診療ガイドライン作成委員会：こどもの便秘―正しい知識で正しい治療を―，p.4.

図3-1 便秘の悪循環

C 原因疾患

器質性便秘には，ヒルシュスプルング（Hirschsprung）病や鎖肛など消化管の形態・機能異常を伴う疾患や二分脊椎など脊髄神経系疾患，骨盤内腫瘍，甲状腺機能異常など代謝内分泌疾患，腹壁破裂やダウン（Down）症候群など腹筋の異常を伴う疾患，脳性麻痺など神経疾患などが原因疾患としてあげられる。麻薬や抗痙攣薬，抗がん剤など薬剤が原因となることもある。

機能性便秘は原因となる器質疾患はなく，小児の生活習慣やストレス，学齢期以降のダイエットなどにより生じる。慢性機能性便秘症は，乳幼児期は男児が多いが，学齢期以降は女児が多い傾向にある。直腸性便秘が長期化することで，直腸が器質的に拡張する巨大結腸症となることもある。

D 看護

1. 情報収集（観察のポイント）・アセスメント

1 排便状況

排便の頻度，1回の排便量，便の性状，腹痛の有無，裂肛や脱肛の有無を確認する。便秘の場合，排便に時間を要する，苦痛がある，排便を拒む言動をするなどの様子がみられるほか，幼児期には，足をクロスして排便を嫌がるなどの特徴的な行動がみられることもある。

2 日常生活と排便習慣

❶食事・哺乳

食事の摂取量や食事回数（特に朝食の摂取の有無），食事の著しい偏りがないかを確認する。乳児の場合，哺乳量や哺乳回数，人工乳・母乳・混合乳のいずれであるか，また離乳食の進み具合と摂取状況についても情報を収集する。

また，水分摂取量や牛乳摂取状況も把握する（牛乳は過剰摂取により糞便が硬くなることがある）。

❷生活リズムと排便習慣

食事・睡眠・排便のリズムや排便時間が定期的であるか，朝に排便時間を確保する余裕があるかを確認する。幼児期にはトイレットトレーニングの状況を排尿と排便それぞれで確認をするほか，幼稚園や学校など集団生活で排便をすることができているかについても確認する。

❸便秘の経過

新生児期の胎便の排出の有無や便秘が始まった時期，便秘のきっかけを確認する。

便秘に対してこれまで行ってきた対処方法，下剤や浣腸（かんちょう）の使用の有無と頻度など，これまでの便秘に対する対処を親がどのようにとらえているかについても確認したい。慢性機能性便秘症の治療には継続的な薬物治療が必要であるが，下剤や浣腸への誤解から親の判断で中断されることが多く，治療の継続に重要な情報である。

3 随伴症状

腹部膨満感（ぼうまんかん），腹痛，悪心（おしん）・嘔吐（おうと），食欲低下，口臭，遺尿や夜尿，体重増加不良などがみられる。

2. 看護の実際

❶小児の苦痛の緩和

排便に伴う苦痛を緩和することが最優先である。一過性の便秘の場合には，浣腸や綿棒を用いた肛門刺激などにより苦痛は緩和される。慢性機能性便秘症の場合，浣腸をしても排便に至らない**便塞栓**（そくせん）の状態をきたしていることもあり，排便やその処置に伴う小児の苦痛は強い。これらの苦痛の緩和には，薬剤処置による便塞栓の解除とその後の下剤を用いた中長期にわたる薬物療法が主要な対処法となる。さらに，排便に苦痛を生じてきた小児にとっては，肛門に触れられることは恐怖を伴う。よって浣腸や坐薬・注腸の処置をする場合は，小児に対しても事前に説明して納得してもらう，あるいは処置中にディストラクションを行うなどして，心理的準備および恐怖心の緩和に努める。

乳幼児期では，特に小児自身が排便に伴う苦痛が緩和したことを体感し，排便に伴う爽快感（すっきり感）を得られるよう，言語的な働きかけも必要である。

❷排便習慣と生活への支援

健康的な排便習慣を確立できるよう，排便のリズム，生活のリズムを整えていけるよう支援をする。健康的な排便習慣とは，定期的に排便があり，すっきり感があることである。胃直腸反射による腸の大蠕動は朝に最も生じやすいことからも，朝食の摂取や朝食後のトイレの時間の確保ができるよう生活を調整していく。しかし，近年多忙な小児とその家族が増えていることからも，一概に朝とは決めず，それぞれの子どもとその家族の生活のなかで最も良い時間に調整していくことも必要である。

❸親への教育的·情緒的支援

排便に関連した問題は，親は周囲に相談しづらく，対処に困っていても抱え込んでいることもある。また，便秘は“たかが便秘”と重要視されないこともあり，親の小児の便秘に対する認識がどうであるか確認をすることが必要である。

小児の排便習慣の確立を支援するために，小児の排便パターンや排便の状態を把握したり，具体的な小児へのかかわり方（定期的に排便を促すようトイレに連れていく，腹圧のかけ方がわからない場合には親のいきむ様子を見せる，トイレで足が着く適切な体位を保持するなどトイレ環境の整備），便秘やそれに伴う症状と治療を親が正しく理解できることが必要である。

食事療法は，補助的であるが，三食を規則的に摂ることをまずは目標とする。食物繊維は腸管の働きを高め，便量を多くすることからも効果的ではあるが，小児の場合，好き嫌いや摂取量の限界もあるため，食事内容は過度に強調しない。

VII 脱水

A 定義・分類・種類

脱水とは，水分の喪失もしくは摂取不足により体内の水分量が正常よりも少なくなった状態をいう。これに伴い，体内の電解質（例：ナトリウム［Na］・カリウム［K］・クロール［Cl］）が失われると，低Na血症などの電解質異常をきたす。重炭酸イオン［HCO_3^-］の喪失が伴うと，代謝性アシドーシスをきたす。皮膚や粘膜の乾燥，血圧の低下や頻脈，尿量の低下，体重減少，乳児では大泉門の陥没などの症状を引き起こす（表3-11）。

B 原因

脱水の主な原因は体液の喪失や水分摂取の不足によるものである（表3-12）。小児は年齢が低いほど，また成人に比べて，体重に占める水分と細胞外液量の割合が高い，不感蒸泄や尿，便中水分量が多い，腎機能（尿濃縮力）が未熟といった特徴があり，発熱や嘔吐，

表3-11 脱水症の重症度と症状

臨床症状・所見		軽症	中等症	重症
体重減少	幼児	3～5%	6～9%	≧10%
	幼児～学童	3～4%	5～8%	≧9%
脈拍		正常	頻脈で弱い	頻脈をわずかに触れる
血圧		正常	正常～低下	低下～ショック
呼吸		正常	軽度多呼吸	多呼吸
意識		清明	不穏，傾眠傾向	傾眠～昏睡
口渇		なし	あり	あり，もしくは飲水不良
粘膜		正常～乾燥	乾燥	著明に乾燥
流涙		あり	出が少ない	出ない
皮膚ツルゴール		正常～やや低下	低下	著明に低下
毛細血管再度充満時間（CRT）		2秒未満	2～3秒	4秒以上
大泉門（乳児）		平坦～やや陥没	陥没	著明に陥没
尿量		正常～低下	欠尿	欠尿～無尿
血清尿素窒素（BUN）		正常～軽度上昇	上昇	著明に上昇

表3-12 脱水の主な原因疾患

	症状	主な原因疾患
体液の喪失	嘔吐，下痢による消化液の喪失	乳児下痢症，急性胃腸炎，周期性嘔吐，肥厚性幽門狭窄症，腸閉塞，呼吸不良症候群
	多尿	尿崩症，糖尿病，慢性肝炎，急性腎炎の利尿期
	発熱，発汗，高温環境による不感蒸泄の増加	感染症，先天性心疾患，熱中症
	多呼吸による呼気からの喪失	肺炎，気管支喘息，細気管支炎
	滲出液の増加	熱傷，皮膚炎
水分摂取の不足	意識障害	髄膜炎，脳炎，脳腫瘍
	呼吸困難	気管支喘息，肺炎，仮性クループ
	食欲不振	感染症，重症疾患，口内炎
	嘔吐	種々の嘔吐をきたす疾患
	誤った栄養法	過度の食事制限，濃いミルクの授乳

下痢といった症状から容易に脱水をきたす。特に乳児では，口渇を訴えたり自由に飲水できなかったりすることも脱水の原因になる。

脱水は，細胞外液の水分と電解質が失われるバランスにより，①**等張性脱水**（混合性脱水）②**高張性脱水**（水欠乏性脱水）③**低張性脱水**（Na 欠乏性脱水）に分類される。

1 等張性脱水（混合性脱水），血清Na135～145 mEq/L

細胞外液から水分とNaが同程度の割合で喪失する場合に生じる。細胞内外での浸透圧差が生じず水分の移動が少ないため，細胞外液，つまり循環血液量が減少する。同じく細胞外液を喪失する低張性脱水と同じ症状を比較的軽度呈する。小児における脱水症のほとんどはこれに相当する。下痢や出血，熱傷など急速に細胞外液を喪失する際に呈することが多い。

2 高張性脱水（水欠乏性脱水），血清Na > 145 mEq/L

発汗や嘔吐，下痢で脱水が進行し，経口摂取ができない場合など，細胞外液中からNaよりも水分が多く失われ，細胞外液のNa濃度が高くなり，細胞内液に比して浸透圧が高くなる。そのため，細胞内液から細胞外液へ水分が移動し体液量が減少する。口渇や尿量の低下，易刺激性，興奮，進行すると筋攣縮（れんしゅく）や意識障害，痙攣（けいれん）を起こす。

3 低張性脱水（Na欠乏性脱水），血清Na < 135 mEq/L

細胞外液中のNaが欠乏し，細胞外液の浸透圧が低くなり，細胞外の水分が細胞内に移動する。そのため，細胞外液量，つまり循環血液量が減少する。

C 看護

1. 情報収集・アセスメント

原因となる疾患によらず，まず脱水への対応が求められる場面が多い。脱水に伴って変化する身体状態を経時的に観察し，また子どもと家族の基本的情報や養育環境をとらえ，脱水の状態や進行，改善のアセスメントを行い，対応に生かしていく（表3-13，14）。

表3-13 脱水のある（疑われる）子どもの情報収集・アセスメント

項目	内容
基本的情報	年齢，既往，基礎疾患の有無・状態，食事制限や利尿薬等使用の有無，発育歴
循環	脈拍，血圧，毛細血管再度充満時間（CRT），末梢皮膚温と色，呼吸，尿量
水分出納（in/out）	体重（減少，増減の推移），下痢，嘔吐，尿（性状・量・回数），便（量・回数），飲水・食事量（授乳量・回数）
養育環境	食事内容，水分摂取状況，授乳の回数・量，親の育児状況，とらえ方
一般・全身状態	意識状態（活気・機嫌，表情，脱力感，傾眠，不穏，興奮，痙攣など），口唇・口腔粘膜の乾燥の有無・程度，口渇の有無・程度，ツルゴール，涙，眼球の陥没，大泉門の陥没
血液検査	電解質，酸塩基平衡（動脈血液ガス），血糖，尿素窒素（脱水症で上昇），浸透圧，クレアチニン（脱水症，急性腎不全で上昇），アンモニア（意識障害ありの場合），ヘモグロビン（血管内ボリューム評価のため：脱水症で血液濃縮があれば上昇）
尿検査	たんぱく尿，血尿，尿糖，比重，沈渣など（急性腎障害，低・高ナトリウム血症があれば尿中クレアチニン，Na，尿素窒素）
超音波検査	腸管（胃腸炎），腎臓尿路（無尿・尿量減少），血管内ボリューム評価（下大静脈呼吸性変動，心臓拡張末期経など），その他標的臓器があれば確認

表3-14 脱水の臨床症状

		等張性脱水（水分とNaが同じく失われる）	高張性脱水（水分の欠乏，Naの濃度が高い）	低張性脱水（Naが欠乏，水分量が多い）
皮膚	**色**	灰色	灰色	灰色
	温度	冷感	冷感／熱感	冷感
	ツルゴール	ゆっくり戻る	普通	なかなか戻らない
粘膜		乾燥	極度の乾燥	少し湿っている
涙・唾液		出ない	出ない	出ない
眼球		陥没	陥没	陥没
大泉門（乳児）		陥没	陥没	陥没
体温		少し高い	少し高い	少し高い
脈拍		頻脈	中度の頻脈	重度の頻脈
呼吸		速い	速い	速い
行動		不機嫌	とても不機嫌／ぐったり	ぐったり／昏睡／痙攣

出典／Essential of Pediatric Nursing, Elsevier, 2022, p.686.

2. 看護の実際

1 水分電解質の補給

▶**経口補水療法**　脱水の種類と重症度に応じた治療が実施される。軽症から中等症で，経口摂取が可能であれば**経口補水療法**（oral rehydration therapy；**ORT**）が第一選択となる（表3-15）。4時間かけて約50～100mL/kgを少量頻回に摂取できるようにする。飲んだ後に嘔吐するようであれば，10分程度待って少量から再開する。母乳栄養はできるだけ中断しないように母子を支持する。

▶**経静脈輸液療法**　重度の脱水が明らかである場合や，経口摂取が不可能な場合，ORTを行っていても状態が悪化する場合は**経静脈輸液療法**（**IVT**）を実施する。また重篤（じゅうとく）な電解質異常（主にNa）を伴う高張性，あるいは低張性脱水の場合もIVTの適応となる。

等張性脱水の場合，細胞外液が減少しているため，100mL/kgの等張液である乳酸リンゲル液または生理食塩水を年齢に応じて3～6時間程度で輸液する（表3-16）。中等症の場合，一般的に等張液または低張液（ソリタ®-T1号輸液など）を10～20mL/kg/時で開始する。ショックがある場合，まずは等張液を10～20mL/kg/時でボーラス投与し，循環動態の安定を図る。

高張性脱水の場合，主に細胞内液の補充を行うため5%ブドウ糖液の投与が行われる。低張性脱水の場合は等張液の急速輸液が基本となる。

低張液輸液が低Na血症を招き致死的になる危険性がある。脱水の種別や重症度，進行

表3-15 各ガイドライン等で推奨されているORS（経口補水液）と本邦で入手可能なORSの例

	Na（mmol/L）	K（mmol/L）	CL（mmol/L）	ブドウ糖（%）
WHO	75	20	65	1.35
ESPGHAN	60	20	－	1.3～2.0
OS-1	50	20	50	1.8
ソリタT2顆粒	60	20	50	1.8

WHO: World Health Organization, ESPGHAN: European Society for Paediatric Gastroenterology.

表3-16 輸液製剤（例）

		Na（mEq/L）	K（mEq/L）	Cl（mEq/L）	Ca（mEq/L）	P（mmq/L）	Mg（mEq/L）	ブドウ糖（%）	lactate（mEq/L）
生理食塩水	等張液	154	－	154	－	－	－	－	－
ハルトマン輸液（乳酸リンゲル液）	等張液	130	4	109	3	－	－	－	28
ソリタ®-T1号輸液（開始液）	低張液	90	－	70	－	－	－	2.6	20
ソリタ®-T2号輸液（脱水補給液）	低張液	84	20	66	－	10	－	3.2	20
ソリタ®-T3号輸液（維持液）	低張液	35	20	35	－	－	－	4.3	20

に沿った，適切な補水・液療法が実施できるよう，看護師は，常に子どもの状態をアセスメントしながら医師の処方を確認し輸液量の調節や輸液製剤の変更など，適切な投与につなげていく。全身状態が安定してくればORTを併用して開始し，その後，ORTを増量しIVTを減量していく。

▶**症状に対するケア**　脱水や，その原因となる下痢や嘔吐，また発熱，不機嫌，疲労感といった随伴症状に伴う苦痛に対する看護を行う。発汗など余計な水分の喪失を防ぐために，衣服の工夫や温度の調整を行う。

粘膜や皮膚の乾燥に伴う損傷，感染を防ぐために，保湿や保護，清潔が保持できるよう，保清や保湿・リップクリームやワセリンなど保護剤の塗布，服装や生活環境，空調調整，環境整備を行う。

▶**苦痛の緩和**　脱水に伴う症状や検査・処置・治療，輸液療法に伴う体動制限や通園・通学の中断など，環境の変化に伴う全人的苦痛の理解に努めていく。子どもの発達段階に応じた，状態や見通しに対するプレパレーションなどを通して，不安・恐怖の軽減を図っていく。

▶**親へのケア**　養育環境や対応を，自ら責めていることがある親の心情に配慮しつつ，水分摂取や食事に関する認識を確認していく。急性胃腸炎に伴う嘔吐や下痢に対して，自宅でのORTを速やかに開始することができるよう，看護師は情報共有を図る。

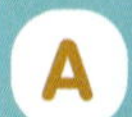

VIII 呼吸困難

A 呼吸困難とは

呼吸困難とは，息苦しいという主観的症状のことであり，言葉による訴えが難しい小児の場合は多呼吸や呻吟（しんぎん）・チアノーゼなどの客観的症状の有無も含めて判断する。一方，**呼吸不全**とは，低酸素血症（動脈血酸素分圧：PaO_2 ≦ 60mmHg）をきたすⅠ型呼吸不全と低酸素血症と高炭酸ガス血症（動脈血二酸化炭素分圧：$PaCO_2$ ≧ 45mmHg）をきたすⅡ型呼吸不全の2つの客観的病態のことをいい，同義ではない。

呼吸困難はその発症機序によって**急性呼吸困難**と**慢性呼吸困難**に分けられる（表3-17）。前者の場合は，重症化しやすく生命予後に大きく影響することから迅速で適切な医療処置が必要となる。また，後者の場合は，呼吸困難の訴えがないのに呼吸不全の状態になっていることも少なくないため，経時的な呼吸状態のモニタリングと的確な酸素療法や人工呼吸器管理などが行われているかを確認することが重要である。

表3-17 呼吸困難をきたす主な疾患

	急性呼吸困難	慢性呼吸困難
呼吸器疾患	気管支喘息，気道内異物，肺炎，細気管支炎，急性呼吸窮迫症候群（acute respiratory distress syndrome；ARDS）	気管支拡張症，びまん性汎細気管支炎，間質性肺炎
循環器疾患	急性心不全（心筋炎，弁膜症，致死性不整脈など），肺血管塞栓症	肺高血圧症，慢性心不全（心筋症，弁膜症など）
血液疾患	急性出血（外傷や脳出血，動脈瘤破裂など）	慢性貧血（消化管出血や白血病など）
神経筋疾患	脊髄損傷，ギラン - バレー（Guillain-Barré）症候群	重症筋無力症（myasthenia gravis；MG），筋萎縮性側索硬化症（amyotrophic lateral sclerosis；ALS），筋ジストロフィー（muscular dystrophy；MD），脊髄性筋萎縮症（spinal muscular atrophy；SMA）
代謝系疾患	糖尿病性ケトアシドーシス，尿毒症性アシドーシス	甲状腺機能亢進症
精神・中枢神経系疾患	過換気症候群，神経症性障害，心身症	脳炎，脳腫瘍，髄膜炎

B 小児の特徴

小児の呼吸様式は呼吸筋の発達とともに**腹式呼吸**中心から**胸式呼吸**中心へと変化していく過程にあるため，成人よりも呼吸困難をきたしやすい。小児が呼吸困難をきたす原因は，解剖学的または生理学的特徴から様々であるが，これらの特徴を理解して的確かつ迅速に呼吸困難の状態をアセスメントすることが重要である（表3-18）。特に小児は**呼吸原性の心停止**が多いため，呼吸困難が生じている状況においては状態が急変するリスクも考慮して，適切な医療につなげる必要がある。

C 看護

呼吸状態と循環動態は密接に影響し合う関係にあるが，呼吸器症状は，表3-17に示したとおり様々な疾患によって出現する。そのため，呼吸状態悪化の原因がどのような機序で生じるのか病態生理を正しく理解し，必要な処置と適切なケアを考えることが重要であ

表3-18 小児の呼吸困難の主な原因

	原因
解剖学的側面	①肋骨が水平であるため吸気と呼気で胸郭容積の変化が少なく，1回換気量が少ない。 ②胸郭が樽状で高位の横隔膜による腹式呼吸が中心であるため，腹部膨満によって腹式呼吸が制限されやすい。 ③胸郭が柔らかいため過度な陰圧によって容易に陥没呼吸に陥り，胸郭容積の減少が遷延しやすい。 ④気道（鼻腔，気管支など）が狭いため，浮腫や分泌物，または頸部の屈曲や伸展により容易に閉塞しやすい。
生理学的側面	①呼吸中枢（延髄・橋）が未発達であり，無呼吸を起こしやすく呼吸困難に対する代償機構が弱い。 ②赤血球の酸素運搬能力が低いことに比べて新陳代謝が盛んなため，組織での酸素の需要と供給のバランスが崩れやすい。

る。

1. 全身状態の観察

❶呼吸

呼吸数・呼吸様式・呼気臭・咳嗽（がいそう）・喘鳴（ぜんめい）・努力呼吸や異常呼吸（クスマウル［Kussmaul］呼吸，チェーン - ストークス［Cheyne-Stokes］呼吸など）の有無を観察する。呼吸音は全肺野を聴取し，左右の換気音の強弱や異常呼吸音（表 3-19）の有無などを確認する。

❷循環動態

呼吸困難により，肺でのガス交換効率を少しでもあげられるように拍動は微弱で頻脈となりやすい。

❸体温

肺炎など炎症を伴う原因疾患の場合は発熱がみられる。

❹検査データ

SpO_2 値，胸部 X 線・CT 所見，動脈血ガス分析（$PaCO_2$・PaO_2・pH・P/F 比など），心エコー所見，12 誘導心電図などから呼吸困難が生じている病態を把握する。

2. 適切な酸素療法

小児の急変が多くの場合，呼吸状態の悪化から生じることを常に念頭に置いて，体格と病態に応じた酸素療法を確実に行う。重症例には，**ハイフローネーザルカニューレ**（high-flow nasal cannula；**HFNC**）（図 3-2）などによる高流量酸素投与システムや**非侵襲的陽圧換気**（noninvasive positive pressure ventilation；**NPPV**）の導入，気管挿管による人工呼吸器管理の開始といった高度集中治療が必要な場合もある。

3. ポジショニング

ポジショニングとは，体位を一定時間保持することにより換気量やガス交換率の改善を目的に行われる体位調整のことである。特に小児の場合は，胸郭や気道の解剖生理学的特徴から，ベッド上で上半身を 30° 挙上したセミファーラー位や座位などによって横隔膜の動きを改善させたり，肩枕を使用して胸郭の広がりを促す体勢をとったり，腹臥位により換気血流不均衡を改善させたり，気道分泌物のドレナージを行ったりすることなどが大きな効果をあげることが多い。また，ポジショニングに併せて換気障害の生じている肺野に

表 3-19　異常呼吸音の分類

	異常呼吸音	音の聞こえ方（例）
断続性副雑音	細かい（捻髪音；fine crackles）	チリチリ（耳元で髪を捻る際に聞こえる音）
	粗い（水泡音；coarse crackles）	ボコボコ，ブクブク（水中にストローで空気を送り出す際の音）
連続性副雑音	低調性（いびき音；rhonchi）	グーグー，ウーウー（低いいびきのような音）
	高調性（笛音；wheezes）	ヒューヒュー（口笛のような音）

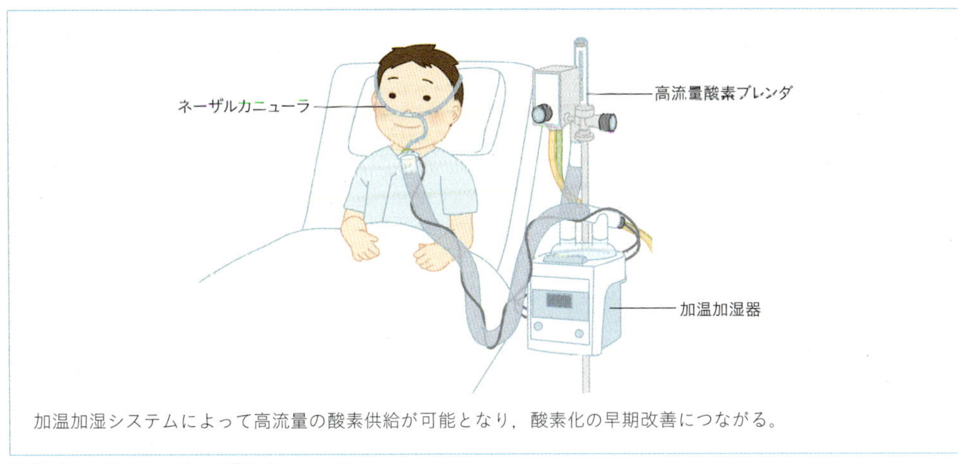

加温加湿システムによって高流量の酸素供給が可能となり，酸素化の早期改善につながる。

図3-2 ハイフローネーザルカニューレ

対してスクイージングやタッピング，バイブレーションなどの**呼吸理学療法**を行うことで非侵襲的に呼吸困難の改善につなげることも可能である。ただし，重症呼吸不全状態の小児に対してこれらのケアを行う際は，呼吸状態や循環動態が著しく変化する可能性も少なくないので，全身状態のモニタリングが欠かせない。

4. 清潔の保持

酸素療法時は加温加湿器をつけていても口腔（こうくう）・鼻腔内は乾燥しやすい状態となっているため，日頃の口腔ケアや保湿が感染予防の観点から非常に重要である。また，療養中の空間も新鮮な空気が循環するように，十分な換気と湿度の管理に注意が必要である。

5. 水分・栄養管理

呼吸困難による呼吸筋疲労も考えられるため，通常以上の栄養補給と水分管理が重要である。特に小児は細胞外液の組成割合が成人より多いため，厳格な水分管理を行うことが痰の粘稠性（ねんちゅうせい）の改善や肺水腫，ARDSなどの病態コントロールに肝要である。

6. 精神的なサポート

小児が呼吸困難になると，息が苦しいという未体験の苦痛や計り知れない恐怖によってさらに呼吸仕事量を増加させ，呼吸不全へと悪化の経路を辿りかねない。そのため，小児の理解度に応じて今の心身の状況を具体的に説明し，安心感を与えられるように不安の軽減に努めることも大切である。

IX チアノーゼ

A チアノーゼとは

チアノーゼとは，皮膚や粘膜の暗紫色変化のことであり，末梢動静脈の毛細血管血液中の還元ヘモグロビン濃度が 5g/dL 以上になると生じる。チアノーゼ出現に最も強く影響するのは血中総ヘモグロビン濃度であり，一酸化炭素中毒*や重症貧血では低酸素血症の所見があってもチアノーゼが出現しにくく，新生児で多い多血症では出現しやすいため，呼吸不全の際に必発する特異的所見ではない。また，チアノーゼは心疾患・呼吸器疾患・血液疾患などの原因により唇や爪先などから全身にかけて出現する**中心性チアノーゼ**と，末梢循環不全による四肢末梢に限局して出現する**末梢性チアノーゼ**に分類される（表 3-20）。前者は中枢の動脈血酸素飽和度（PaO_2）が低い重篤な状態であり，後者は末梢のみ PaO_2 が低く中枢の PaO_2 は正常の状態であるため，いずれの病態なのかの迅速で的確なアセスメントが必要である。

B 小児の特徴

小児は出生直後に**胎児循環**から**肺循環**への移行（第 6 編 - 第 3 章「新生児の特徴と疾患」参照）により，呼吸状態および循環動態が大きく転換するため，肺サーファクタントの未成熟や重篤な先天性心疾患がある場合には，中心性チアノーゼが出現しやすく生命の危機にあることが多い。特にチアノーゼ性心疾患においては，動脈管が循環維持にとって非常に重要であり，肺循環に特有な生理学的反応である低酸素性肺血管収縮*がある以上，高濃度酸素投与は肺血管拡張によって動脈管閉塞性ショック（ductal shock）を促進してしまうおそ

表 3-20 チアノーゼの分類と主な原因疾患

分類	原因	主な疾患
中心性チアノーゼ	呼吸器疾患	新生児一過性多呼吸，胎便吸引症候群，呼吸窮迫症候群，気道内異物，肺炎，喘息
	右左シャント（先天性心疾患）	チアノーゼ性心疾患（ファロー四徴症，総肺静脈還流異常，完全大血管転位，縦型肺動脈閉鎖）
	中枢神経系疾患	髄膜炎，重症筋無力症，筋萎縮性側索硬化症
末梢性チアノーゼ	末梢循環不全	低心拍症候群，多血症，寒冷刺激
	動静脈閉塞性疾患	血栓症，静脈瘤

* 一酸化炭素は，ヘモグロビンとの結合力が酸素の 200 ～ 300 倍あるとされており，ほんのわずかな濃度でも一酸化炭素中毒をきたしやすい。また，一酸化炭素中毒ではパルスオキシメーターの構造上，一酸化炭素がヘモグロビンと結合した COHb が酸化ヘモグロビン（O_2Hb）として認識されることで SpO_2 値が PaO_2 値と乖離して高値を示すため，動脈血ガスのデータから低酸素血症と判定するなどアセスメントが重要となる。

れがあるため，低酸素換気療法が行われている。このように，小児の中心性チアノーゼのなかでも，一般的な酸素投与によってある程度改善が認められる呼吸器疾患や中枢神経系疾患が原因であるものと，先天性心疾患が原因であるものでは必要な処置が異なってくるため，チアノーゼの原因を的確にアセスメントし，迅速に対応することが求められる。

 看護

1. 全身状態の観察

バイタルサインを確認し，チアノーゼの出現部位を確認するとともに中心性チアノーゼと末梢性チアノーゼの的確なアセスメントに努める。特に，爪先や四肢末梢にチアノーゼが限局しない中心性チアノーゼの場合は，心雑音の有無が先天性心疾患であるかそれ以外の原因であるかの判断に有力な所見となるため，正確な聴診技術が求められる。また，入浴中や排便時・啼泣(ていきゅう)時など，安静時より多くの酸素が消費される行為中のチアノーゼの出現の有無を注意深く観察するとともに，血液検査データや SpO_2 値，心エコー検査所見などを含めたアセスメントを行うことで緊急性の有無を判断し，求められる治療や処置に備えることが重要である。

末梢性チアノーゼの場合は，寒冷刺激による末梢循環不全が原因であることが多いので，腋窩(えきか)温だけで判断するのではなく，四肢末梢冷感の有無なども確認して保温に努めることも重要である。

2. 安楽な体位の調整

喘息(ぜんそく)やチアノーゼ性心疾患などの中心性チアノーゼの場合は，解剖学的特徴により上体を30°程度ギャッジアップした（挙上させた）体位をとると，横隔膜が下がり心臓への循環血液量が減少するため安楽な呼吸が可能となる。また，年齢とともに運動能力が発達する小児においては，活動後に**蹲踞(そんきょ)の姿勢**（しゃがみこむ姿勢）（図3-3）をとることが多くなり，膝胸位(しつきょうい)による下肢静脈還流の減少によって中枢の循環還流量が改善し，チアノーゼの出現を回避することもみられる。この場合は，しばらくその体勢で症状が改善するまで安静にし，改善がみられた後は心負荷の高い遊びではなく，絵本を読むなどの安静を保てるようなかかわりをすることも重要である。

チアノーゼによる慢性的な低酸素状態においては，末梢血管や毛細血管が増生する特徴があり，四肢末梢が太鼓のバチのように丸く膨らんだ**バチ状指**（図3-4）がみられる。これによって小児の食事や歯磨きなどの清潔行動，学習活動のような巧緻(こうち)作業に支障が出てい

＊ **低酸素性肺血管収縮**：低酸素状態における肺の酸素化能を維持するために肺血管が収縮する肺循環に特有な生理学的反応のことである。低酸素分圧の血流が通常どおりの肺循環を行うよりも，効率的な酸素化を行えるように肺循環の一部を制限して有効換気区分の血流を維持できるようにする反応だと考えられている。

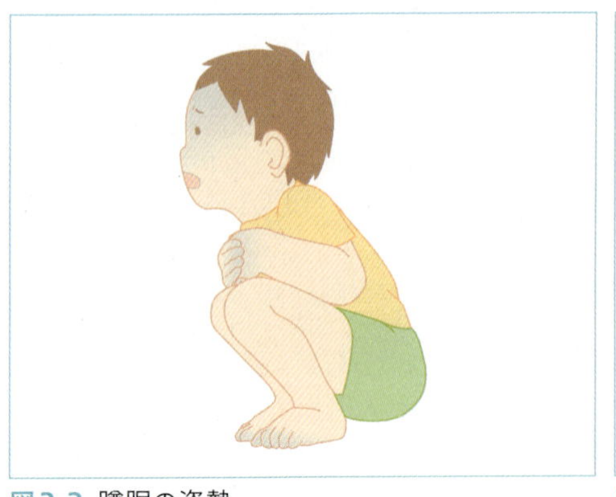

図3-3　蹲踞の姿勢

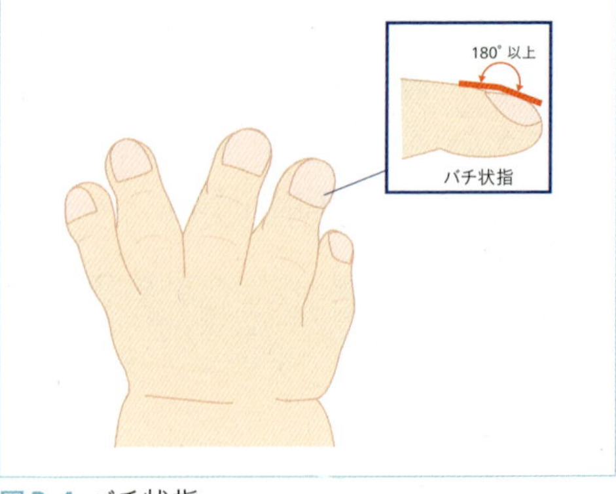

図3-4　バチ状指

る場合は，症状に応じて使いやすい道具への変更やサポートが必要である。

3. 十分な栄養摂取

出生直後に緊急手術が必要な重度のチアノーゼでないかぎり，原疾患の根治術を行うまでは心身の発育のサポートが重要である。十分な栄養摂取ができるように呼吸状態や循環動態に応じて，休息をとりながら哺乳させるなど，少量ずつの食事摂取ができるように工夫する必要がある。哺乳中や食事摂取中のチアノーゼの出現にも注意しつつ，常に呼吸様式の変化や SpO_2 モニターを確認しながら小児の心身の負担が少なくなるようなケアを心がけることが大切である。

X　痛み

 痛みとは

1. 主観的・個人的体験としての痛み

国際疼痛(とうつう)学会は，「痛みとは，実際の組織損傷もしくは組織損傷が起こり得る状態に付随する，あるいはそれに似た，感覚かつ情動の不快な体験」[9] と定義している。また，マッカーフェリー（McCaffery, M.）は「痛みとは，それを体験している人が表現するとおりのもので，その人が痛いと表現したときにはいつでも存在するものである」[10] と述べている。このように，痛みは主観的かつ個人的な体験であるため，看護師が他者の痛みを完全に理解することには困難を伴う。特に，痛みを言葉でうまく表現できない小児の場合はその体験の理解は難しい。小児とかかわる看護師は，言葉で伝えられなくても，小児が痛みに苦しんでいる可能性があることを理解しなければならない。

2. 多面的な体験である痛み

痛みは,「感覚的, 身体的, 認知的, 感情的, 行動的, スピリチュアル的な構成要素からなる多面的な事象である」[11]。これらの多様な要素すべてが, 脳に伝達される不快な刺激を変化させ, 痛みの体験に影響を及ぼす。そして痛みの体験は, 小児の生活の質を低下させ, 小児らしさを失わせてしまうだけでなく, 緩和されない痛みの体験は長期にわたるネガティブな影響を生じさせる。したがって, 痛みは, 身体的側面からのアプローチのみでなく, 多側面からの継続的なアプローチが必要な症状である。

3. 痛みの分類

痛みは, その原因によって, **侵害受容性疼痛**, **神経因性疼痛**, **心因性疼痛**に分けられる(表3-21)。痛みの原因により治療の際の薬剤の選択が変わるため, 原因を探索することは重要である。また, 心因性疼痛を考慮する場合も, その前提として器質的疾患を除外することが必須である。痛みの持続期間による分類では, **急性疼痛**と**慢性疼痛**に分けられる(表3-22)。急性疼痛に対しては, 集中して痛み緩和の治療やケアによって痛みを取り除くことを目指す。一方, 慢性疼痛のような長期にわたる痛みは, 小児の生活のみならず, 家族の生活にも大きな影響を与えるにもかかわらず, 取り除くことが難しいことが多いため, 痛みとともにどのように生活していくかということを目指す。

表3-21 痛みの原因による分類

分類	説明および特徴
侵害受容性疼痛 (nociceptive pain)	組織の損傷による痛みで, 外傷, 手術, がん, 炎症などが原因。体性痛(somatic pain)は皮膚や内臓・神経組織以外の組織損傷による侵害受容器の活性化により生じる痛み, 内臓痛(visceral pain)は臓器の炎症や閉塞・腫瘍による圧迫によって内臓にある侵害受容器の活性化により生じる痛みを指す。
神経因性疼痛 (neuropathic pain)	神経組織の物理的損傷, 機能的変化により生じる痛みで, 組織損傷が完全に治癒した後も続く痛みをいう。
心因性疼痛 (psychogenic pain)	痛みの原因となる病態生理学的異常がないにもかかわらず発生する痛みで, 精神心理学的, 社会心理学的な異常が原因である。

表3-22 痛みの持続期間による分類

分類	説明および特徴
急性疼痛 (acute pain)	疾病の経過のなかで突然発生し, 組織の損傷に引き続き直ちに感じられ, 痛みの程度は強い。持続時間は短く, 疾病の治癒とともに消失していく。
慢性疼痛 (chronic pain)	急性疾患の治癒に要すると考えられる時間を経過しているにもかかわらず, 予測される期間を超えて持続し, 反復する痛み。

B 痛みの緩和

1. 小児の痛みの特徴

新生児も皮質レベルで痛みを知覚できる，新生児も痛みを覚えており長期にわたる影響がある，年少児は年長児より強い痛みを知覚することがあるなどが報告され，かつての小児の痛みへの捉え方への誤解は否定されている。小児は，痛みを言葉でうまく表現できなくても，大人と同じように体験し，発達段階に応じた何らかの方法で伝えようとしている。また，小児自身が痛いと伝えることで何か嫌なことが起こるのではないかと誤解して痛みを隠したり，親の「我慢は美徳」「男の子だから弱音を吐かせてはいけない」といったような考えに影響されるなど，社会的・文化的影響を強く受けやすいという特徴もある。

2. 痛みの閾値という考え方

小児が痛みを訴えながらも遊んでいたり，痛みを訴えていなかった小児が1人になったときに痛みを訴えたりする場合，看護師はその痛みを精神的なもの，ほんとうの痛みではないととらえる傾向がある。このような誤った痛みのとらえ方をしないように「**痛みの閾値**（いきち）」という考え方を理解する。痛みの閾値とは，痛みを認知する最小の痛み刺激強度のことをいう。痛みの閾値が上がると痛みを感じにくくなり，逆に痛みの閾値が下がると痛みを感じやすくなるため（表3-23），同じ痛みが存在していても，周囲の環境やかかわり，ほかの症状の存在により，痛みが強くなったり弱くなったり，表現が顕著に出たり出なかったりする。したがって，痛みのアセスメントにおいては，痛みが何によって左右されているのか，痛みを感じにくくするためにはどのようなケアや環境調整が必要かを考えていく必要がある。

表3-23 痛みの閾値に影響を与える因子

痛みの感じ方を増強する因子	痛みの感じ方を軽減する因子
怒り	受容
不安	不安の減退，緊張感の緩和
倦怠	創造的な活動
抑うつ	気分の高揚
不快感	ほかの症状の緩和
深い悲しみ	感情の発散，同情的な支援
不眠→疲労感	睡眠
痛みについての理解不足	説明
孤独感，社会地位の喪失	人との触れ合い

出典／Twycross, R., et al., 武田文和監訳：トワイクロス先生のがん患者の症状マネジメント，第2版，医学書院，2010，p.13.

3. 小児の痛みのアセスメント

痛みのアセスメントにおいては，痛みの部位や性質，パターンや程度，持続時間（期間），痛みの緩和因子，増強因子を見きわめることが必要である，ウォング（Wong, D.L.）らは，アセスメントのためのQUESTTという方法を提唱しており（表3-24），そのなかで最も重要なことは「子どもに尋ねる」こととしている。小児の痛みのアセスメントにおいては，小児の訴えに耳を傾け，小児の訴えを読み取り，小児が訴えやすくするようなコミュニケーション能力が必要とされる。また，小児の身体的・心理社会的状況から痛みの原因を予測する力，生理学的変化，行動や生活状況の小さな変化をキャッチする観察力も必要である。さらに，痛みに関する子どもとのコミュニケーションを促進し，医療者どうしが同じ指標で痛みをアセスメントできるように，**痛みのスケール**（例：Wong & Baker FACES pain scale, VAS）を使用することも有効である（第4編-第1章-Ⅱ「痛みを表現している小児と家族への看護」参照）。

4. 小児と親が参加する痛み緩和ケア

1 小児の参加を促すケア

痛みは主観的なものであるため，痛みを体験している小児を中心に位置付け，小児自身が緩和ケアに参加できるようにかかわっていく。予測される手術や処置の痛みなどについては，綿密なプレパレーションを行い，小児が予測や見通しをもって痛みに向き合えるようにすること，小児が痛みを伝える方法を一緒に考えたりすることが必要である。また，年長児においては，痛みの日誌をつけてケアの効果を小児と確認することなども，小児が望むケアを伝えやすくしたり，小児自身がケアの効果を実感しやすくしたりする。

2 親が参加することの意義

痛み緩和ケアにおいては，小児のことを最もよく知る親をエキスパートとして位置付けることも大切である。親は，子どもの痛みの存在に医療者よりも早く気づいたり，子どもの代弁者となって痛みの程度を正確に医療者に伝えることができる。また，親の存在自体が小児の痛みや不安を和らげるケアの一つとなる。そのため，親が小児の状況を十分に理

表3-24 小児の痛みをアセスメントする方法：QUESTT

Question the child：子どもに尋ねる
Use pain rating scales：痛みのスケールを使用する
Evaluate behavioural and physiological changes：行動や生理学的変化を評価する
Secure the parents' involvement：親が確実にかかわれるようにする
Take the cause of pain into account：痛みの原因を考える
Take action and evaluate the results：痛みに対して介入したうえでその結果を評価する

解できるように情報を提供することや，親が小児のそばにいられるように配慮することは痛み緩和ケアにおいて大切なポイントである。

XI 意識障害

A 意識障害とは

意識障害には，何らかの原因により一過性の脳の高次機能障害が生じる**急性意識障害**とその障害が持続する**遷延性意識障害**がある。急性意識障害の場合は，その重症度と遷延時間により生命予後が大きく影響を受けるため，迅速な意識レベルの評価と救命措置を行いながら適切な治療につなげることが重要である。遷延性意識障害の患者は，「脳の高次の機能を障害する何らかの原因によって自らの意思と能力では，食事，排泄，会話によるコミュニケーションなどの生活行動を確立することができず，生活全般に看護・介助を必要とする重複生活行動障害者」（日本看護研究学会，1991［平成3］年）と定義されており，生命活動は高度医療によりコントロールされているが，不可逆的な脳障害により日常生活上の支援を要するため，原疾患のコントロールと新たな合併症の予防に努めるケアが必要となる。

B 小児の特徴

小児は中枢神経系の発育が未熟であり，神経興奮の閾値が低いためにてんかん発作による意識障害を起こしやすい。意識障害の原因の多くは中枢神経系の疾患や病態によるものだが，特に乳幼児期には先天性代謝異常症の鑑別を行う必要もある。また，乳幼児期のウイルス性疾患による発熱の際には熱性痙攣や急性脳症を発症することがあり，注意が必要である。さらに，たばこなどの有害物質摂取による中毒，気道異物による窒息，事故や溺水などによって低酸素脳症となり遷延性意識障害へと経過をたどるケースも少なくないため，小児の身の回りにある環境要因に対しても意識障害を想定したリスクアセスメントが欠かせない。

C 看護

急性意識障害と遷延性意識障害ではケアの優先順位が異なるが，いずれの状態においても意識レベルを含めた全身状態の経時的で正確な評価と，急変に備えた適切な医療処置がいつでも行える状態にあるかを十分に確認しておくことが重要である。

1. 意識レベルの観察

意識レベルの評価には**ジャパン・コーマ・スケール**（Japan Coma Scale；**JCS**，表3-25）や**グラスゴー・コーマ・スケール**（Glasgow Coma Scale；**GCS**，表3-26）が一般的な指標として用いられる。GCSは乳幼児用も作成されており，15点満点を正常として最低点の3点が深昏睡（しんこんすい），8点以下を重症意識障害として取り扱う（記載例：E2V3M4）。これらの指標以外にも，発達段階による影響が大きい小児の意識レベルの判断には**AVPU**（alert：意識清明，verbal：よび

表3-25 JCSの乳児用改訂版

Ⅰ. 刺激しなくても覚醒している状態（1桁で表現）	
0	正常
1	あやすと笑う（ただし，不十分で声を出して笑わない）
2	あやしても笑わないが，視線は合う
3	母親と視線が合わない
Ⅱ. 刺激すると覚醒する状態（刺激をやめると眠り込む：2桁で表現）	
10	飲み物を見せると飲もうとする，あるいは乳首を見せれば欲しがって吸う
20	よびかけると開眼して目を向ける
30	よびかけを繰り返すとかろうじて開眼する
Ⅲ. 刺激しても覚醒しない状態（3桁で表現）	
100	痛みに対し，払いのけるような動作をする
200	痛み刺激で少し手足を動かしたり，顔をしかめる
300	痛み刺激に反応しない

出典／坂本吉正：小児神経診断学，金原出版，1978，p.36.

表3-26 GCS

成人用GCS

開眼，発語，運動の反応	最良反応
E　開眼（eye opening）	
自発開眼	4
声掛けで開眼	3
痛み刺激で開眼	2
開眼せず	1
V　発語（verbal response）	
見当識良好	5
混乱した会話	4
不適切な言葉	3
言葉にならない音声	2
発声なし	1
M　運動（motor response）	
命令に従う	6
疼痛部位の認識可能＊1	5
痛み刺激で逃避反応＊2	4
四肢の異常屈曲（除皮質硬直＊3，図3-6）	3
四肢の異常伸展（除脳硬直＊4，図3-6）	2
動かさない	1

乳幼児用GCS

開眼，発語，運動の反応	最良反応
E　開眼（eye opening）	
自発開眼	4
声掛けで開眼	3
痛み刺激で開眼	2
開眼せず	1
V　発語（verbal response）	
機嫌よく喃語を喋る	5
不機嫌	4
痛み刺激で泣く	3
痛み刺激でうめき声	2
声を出さない	1
M　運動（motor response）	
正常な自発運動	6
触れると逃避反応	5
痛み刺激で逃避反応	4
四肢の異常屈曲（除皮質硬直）	3
四肢の異常伸展（除脳硬直）	2
動かさない	1

＊1 胸骨上あるいは眼窩上切痕などへの痛覚刺激に対して，被刺激者の手が痛覚刺激部へ動く。
＊2 正常屈曲反応である。爪床や上肢への痛覚刺激に対して，被刺激者の脇が開くような動き。
＊3 大脳半球（内包・基底核・視床など）の広範な障害により，被刺激者の肘・手関節・手指が屈曲し，脇が閉まるような動き。
＊4 中脳あるいは橋の両側性障害により上部脳との連絡が遮断され，被刺激者の上下肢が体幹に沿って伸展する動き。
出典／成人用：Jennett, B., Teasdale, G.: Aspects of coma after severe head injury, Lancet, 309(8017): 878-881, 1977. 乳幼児用：James, H.E.: Neurologic evaluation and support in the child with an acute brain insult, Pediatric Annals, 15(1): 16-22, 1986.

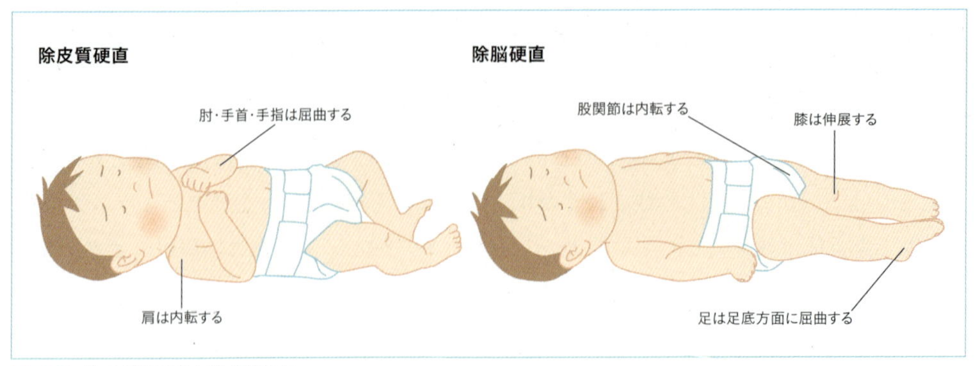

図3-5 除皮質硬直と除脳硬直

かけに反応する，pain：痛み刺激に反応する，unresponsive：反応なし）という簡便な評価方法が用いられることも多い。また，小児の認知能力に応じてこれらの評価項目を理解できるように簡単な問いかけをするとよい。

2. 神経症状の観察

急性意識障害の場合は，ウイルス性または細菌性髄膜炎などでみられる**髄膜刺激症状**（項部硬直・ケルニッヒ［Kernig］徴候・ブルジンスキー［Brudzinski］徴候）が有名であるが，小児の場合は必発の所見ではないため四肢の麻痺や痙攣の有無・視野の異常なども含めて評価する（図3-5）。遷延性意識障害の場合は，これまでになかった新たな神経症状の出現に注意して評価を行う。

3. 全身状態の観察

何となく元気がない，何となくおかしい（not doing well）は小児の意識障害を疑ううえで重要な非特異的徴候である。特に乳幼児では言語的な訴えが難しいので，呼吸窮迫・傾眠傾向・腹部膨満・嘔吐・下痢・大泉門の膨隆などは重要なバイタルサインの一つとして敏感にとらえてアセスメントする必要がある。

4. 日常生活の援助

突発的な意識障害による急性期を脱した後も，遷延性意識障害のある小児には，今後成長発達する過程に起こり得る様々な課題が達成できるようなセルフケアの援助が重要となる。特に重症心身障害児においては，自ら行える生活行動は大きく制限されているが，食事や排泄のタイミングや喜怒哀楽をその子なりの表現方法で伝える手段は十分に残されているので，全身を用いたコミュニケーション方法の理解に努めることが大切である。また，褥瘡や関節拘縮の予防のために良肢位を保持することや，誤嚥や気道分泌物の貯留による呼吸障害の予防のための吸引介助や体位ドレナージなどのケアを，いかにその子の成長発達過程に合わせて取り入れるかを考慮することが最も重要である。

XII 痙攣

痙攣とは

痙攣（けいれん）とは，全身またはからだの一部の筋肉が不随意性の収縮を繰り返す急激で発作性の運動現象であり，その筋肉の収縮は神経系あるいは筋肉自体の異常な興奮によって引き起こされる。ここで重要なのは，痙攣の発生機序としての異常興奮は脳，脊髄，神経，筋肉のいずれの部分であってもよく，てんかんと混同して捉えてしまうことも多いので注意が必要である。

てんかんとは，てんかん性発作を引き起こす持続性素因を特徴とする脳の障害であり，慢性的な脳の病気である。大脳の神経細胞が過剰に興奮するために，脳の発作性の症状が反復性に起こる。この発作は突然に起こり，普通とは異なる身体症状や意識，運動および感覚の変化などが生じる。明らかな痙攣があればてんかんの可能性は高い[12]（第6編 - 第4章 - IX -A-1「てんかん」参照）。

B 小児の特徴

小児の痙攣が生じる原因として，頭蓋内病変や中枢神経系の感染症，代謝性異常など様々あるが，異常興奮が生じる筋・神経系の刺激に対する閾値（いきち）が小児のからだの成長によって上がることや発達段階によって行われる行動様式を考えると，痙攣性疾患を発症年齢別にまとめることができる（表 3-27）。

また，痙攣発作の種類として，**強直性痙攣**，**間代性痙攣**，**ミオクロニー発作**などの種類があり，特に乳幼児期には発熱に伴う熱性痙攣が見られることが多い（表 3-28）。

熱性痙攣（第6編 - 第4章 - IX -A-2「熱性痙攣」参照）とは，主に生後6～60か月の乳幼児期に起こる，通常は38℃以上の発熱を伴う発作性疾患（痙攣性，非痙攣性を含む）で，髄膜炎などの中枢神経感染症や代謝異常，そのほかの明らかな発作の原因が見られないものをいい，てんかんの既往のあるものは除外されている[13]。用語として，発作が痙攣性のものに限局しているように誤解を招きがちであるが，脱力や一点凝縮，眼球上転のみなどの非痙攣性発作も一部に見られることに注意が必要である。

熱性痙攣は，複雑型熱性痙攣と単純型熱性痙攣に分類され，前者は①焦点性発作（部分発作）の要素，②15分以上持続する発作，③一発熱機会内の，通常は24時間以内に複数回反復する発作の3項目のうち1つ以上もつものをいい，後者はこれらのいずれにも該当しないものをいう。また，前者は熱性痙攣後のてんかん発症関連因子の1つであることが明らかになっている（表 3-29）。

表 3-27 発症年齢別における主な痙攣性疾患

1. 新生児期
1）脳奇形
2）分娩障害（低酸素性虚血性脳症，頭蓋内出血など）
3）中枢神経系感染症（髄膜炎，胎内感染など）
4）代謝性疾患（低血糖症，低 Ca 血症，低 Mg 血症，ビタミン B_6 欠乏症・依存症など）
5）先天性代謝異常（アミノ酸・有機酸代謝異常症など）

2. 乳幼児期
1）脳奇形，神経皮膚症候群
2）中枢神経系感染症（髄膜炎，脳炎・脳症など）
3）各種脳血管障害，急性小児片麻痺
4）熱性痙攣
5）良性乳児痙攣，軽度胃腸炎に伴う乳児痙攣
6）憤怒痙攣（泣き入りひきつけ）
7）てんかん，てんかん症候群

3. 学童期
1）中枢神経系感染症（髄膜炎，脳炎・脳症など）
2）脳血管障害（脳梗塞，もやもや病，脳動静脈奇形など）
3）脳腫瘍
4）神経変性疾患
5）てんかん，てんかん症候群
6）過呼吸症候群，ヒステリー，偽性発作
7）循環器疾患に伴う痙攣（失神，Adams-Stokes 発作，QT 延長症候群など）

出典／椎原弘章：けいれんを起こす疾患の鑑別，小児内科，31：461-467，1999．一部改変．

表 3-28 主な痙攣の種類と特徴

種類	特徴
強直性痙攣	筋収縮が持続的に一定時間続く発作。主に強直発作としててんかんの全般発作があり，全身の筋収縮（つっぱり）と意識障害が見られることが多い。強直発作後に間代発作に移行する強直間代発作はてんかんの大発作として多くのてんかん性疾患に見られる。
間代性痙攣	拮抗筋が弛緩と収縮を一定間隔で繰り返す発作。主に間代発作としててんかんの全般発作があり，意識障害を伴い，全身の筋収縮と弛緩が繰り返されることで全身がガクガク震えることが特徴的である。
ミオクロニー発作	手足，体，顔などの筋肉が一瞬ピクっとなる発作。発作によって物を落としたり転んだりすることがあり，短時間の発作なので意識障害があるかどうか不明である。

表 3-29 熱性痙攣後のてんかん発症関連因子

❶ 熱性痙攣発症前の神経学的異常
❷ 両親*1・同胞におけるてんかん家族歴
❸ 複雑型熱性痙攣*2
（i. 焦点性発作（部分発作），ii. 発作持続が 15 分以上，iii. 一発熱機会内の再発，のいずれか 1 つ以上）
❹ 短時間の発熱 - 発作間隔（おおむね 1 時間以内）

*1 特に母親の家族歴の関連が強い
*2 特に焦点性発作の関連が強い

熱性痙攣において長時間持続する発作，または複数の発作でその間に脳機能が回復しないものを熱性痙攣重積状態といい，30 分以上と定義されることが多い[14]が，ヒトにおける痙攣発作は 5 ～ 10 分で自然に止まることが多いため，治療判断の目安として 5 分以上持続する場合を薬物治療（ジアゼパムやミダゾラム）の開始としている[15]。

表3-30 熱性痙攣の再発予測因子

❶ 両親のいずれかの熱性痙攣家族歴＊1 ❷ 1歳未満の発症 ❸ 短時間の発熱-発作間隔（おおむね1時間以内） ❹ 発作時体温が39℃以下 ＊1 特に母親の家族歴の関連が強い

熱性痙攣の有病率は諸外国とわが国とでやや乖離があり，人種・民族差，地域差が言及されているが，わが国のデータで最も信頼できるものとして5歳までの調査で3.4%であった[16]。20～30人の小児に1人以上の高頻度に認められる年齢依存性の疾患であるが，基本的には良性疾患であることや再発時の対応，予防接種の必要性を保護者に十分に説明することが重要である。また，熱性痙攣の再発予測因子（表3-30）は4つあるが，これらをもたない熱性痙攣の再発率は約15%に対し，1つ以上有する症例を含めた熱性痙攣全体の再発率は約30%とあり，これらの再発予測因子の有無で再発率において2倍程度差があることが明らかになっている[17]。

C 看護

痙攣発作時の看護として最も重要なことは，痙攣に伴う意識消失や呼吸停止の有無を迅速に判断し，気道確保の実施と転倒や転落による頭部損傷などの二次的外傷を予防することである。痙攣による二次的損傷を最小限にとどめ，痙攣発作の契機，持続時間，発作回数，痙攣部位などの観察と記録を行うことが求められる。

1. からだの安全確保

痙攣によって多くの場合，意識消失や呼吸停止や呼吸数の減少を認めるので，立位時は転倒の予防および安全な場所への移動と気道確保を行う。ベッド上で痙攣が生じた際は，患児の周囲にあるナースコールや玩具などの物品を取り除き，ベッド柵をクッションなどで保護することで頭部や四肢をぶつけても怪我をしないように対策を行う。また，痙攣発作前の食事状況などによっては嘔吐も誘発されるので，嘔吐物による誤嚥や窒息予防のために顔を横向きにしたり，嘔吐物による呼吸障害が生じた際は口腔内および鼻腔内の吸引を行ったりする。

中枢神経系または筋肉自体に異常興奮が生じていることから痙攣発作時は刺激による閾値が下がっていると考えると，生命危機の状況に陥らせることなく安全を確保し，不要な接触や騒音，照明，室温などに配慮することで安静を保持できる環境調整が非常に重要となることがわかる。

表3-31 痙攣発作時の主な観察項目

観察項目	具体的な内容
痙攣様式	• 痙攣の種類：強直性か間代性か，全身性か部分性かなど • 痙攣の持続時間 • 痙攣の拡大：どの部分からどのように始まったか，前兆などがあったかなど • 眼球の状態：瞳孔不同，一点凝視，眼振の有無など • 問診による既往歴，家族歴
意識レベル	• JCS・GCS での評価，意識消失の時間など
呼吸様式	• 呼吸停止や減弱，チアノーゼや気道閉塞の有無など
随伴症状	• 発熱の有無　• 嘔吐の有無　• 尿・便失禁の有無
検査データ	• 血液検査（Na，K，Ca，Cl，AST，ALT，アンモニア，Cre，BUN，CRP，血糖値，尿ケトン，CK など） • 動脈血ガス（PaO_2，$PaCO_2$，BE，pH，乳酸値など） • 12 誘導心電図，CT や MRI などの画像，脳波，髄液検査などの所見

2. 全身状態の観察

痙攣の誘因として発熱，下痢，嘔吐，外傷，睡眠不足などニューロンの過活動を引き起こす可能性の高い刺激が多いが，痙攣が生じる前からこれらの誘因による影響はないか経時的なアセスメントを行う必要がある。そして，痙攣が生じた際の全身状態の観察においては，痙攣様式や意識レベルなどの項目を網羅的にかつ的確に捉えることが重要である（表3-31）。

3. 家族への支援

痙攣は日常生活において突然生じ，意識消失を伴うことが多いためそれを目の当たりにした家族の不安は非常に強くなりがちである。特に痙攣の既往がない初発の状況下では，迅速な対応もできずに自責の念を抱くことも多く，家族の動揺も大きい。このような家族の心情を汲み取り，一般に小児は中枢神経系の発達上の未熟性から痙攣を起こしやすい特徴があることや今後の再発時の対応を具体的に説明することで，その不安を取り除いていくことが大切である。たとえば，5 歳以下の乳幼児であれば発熱時に熱性痙攣を生じる可能性が高いがその多くが良性疾患であること，5 分以上の痙攣が持続する場合は救急車を要請し，可能であれば衣服を緩めるなどの呼吸がしやすい体勢をとれるようにするなどを伝えることで，家族として必要な対処をとれるようになることもある。

ショック

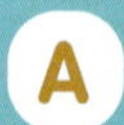

ショックとは

ショック（shock）とは，何らかの原因により全身の重要な臓器・組織へ十分な血液を運

表3-32 ショックの主な原因

ショックの分類	原因	主な疾患
循環血液量減少性	出血，発汗，下痢，嘔吐，血管内溶液の血管外への喪失などに伴う循環血液量の減少	外傷，熱傷，熱中症，腸管虚血，重症感染症など
血液分布異常性	動静脈の拡張による相対的な循環血液量の未充足*	薬物・食物などによるアナフィラキシー，重症感染症による敗血症，脊髄損傷や不安などによる血管迷走神経反射など
心原性	1次性心疾患による心拍出量の絶対的な減少	拡張型心筋症，心筋炎，洞不全症候群，心室頻拍など
心外閉塞・拘束性	心臓・大血管の充満または駆出を物理的に阻害する因子	心タンポナーデ，緊張性気胸，肺塞栓症など

*循環血液量は正常であることが多いが，アナフィラキシーや敗血症の場合はしばしば循環血液量減少も生じ得る。

搬できなくなった循環不全の結果，生体の維持に必要な酸素や栄養物質の不足によって細胞機能が障害され，全身レベルの致死的な症状に発展し得る状態である。この重篤な状態に至る要因は，**循環血液量減少性**，**血液分布異常性**，**心原性**，**心外閉塞・拘束性**に分類され，ショックに関連する3つの機序（循環血液量の減少・心拍出量の減少・末梢血管拡張）を考慮すると理解しやすい。

B 小児の特徴

通常，成人におけるショックは，代償性から非代償性へと移行するが，小児は構造・機能的に未成熟で未発達であることからショックに対する代償作用が弱く，重症化しやすい。小児のショックは，疾患によるものだけでなく小児の予備力を上回る環境要因の変化によるものなど，日々の成長発達過程におけるささいな要因によって引き起こされるものも多い（表3-32）。

主な初期症状には，頻脈（ひんみゃく）・呼吸促迫・顔面蒼白（がんめんそうはく）・末梢冷感・活気がなくなるなどがあり，循環不全の状態がこれらの代償作用を上回るように進行すると**脈拍触知不能**（pulseless），**呼吸不全**（pulmonary insufficiency），**蒼白**（pallor），**冷汗**（perspiration），**虚脱**（prostration）といった**ショックの5P徴候**がみられるようになる。

治療法はショックの原因によって異なるが，一般的な管理として外出血をコントロールし，十分な酸素投与を行いながら急速輸液を行う。ショックに至った原因検索と治療は同時進行で行われるため，常に時間との勝負であることを忘れてはならない。

C 看護

1. 全身状態の観察と初期対応

ショックのケアとして最も重要なことは，急速に進行する全身状態の悪化を予測して迅速かつ的確な重症度のアセスメントを行い，早期治療に取り組めるようにすることである。

そのためには，バイタルサインをはじめとする経時的な全身状態のモニタリングと，形態的な変化をとらえるフィジカルアセスメントが重要である。

1　バイタルサイン

ショックの5P徴候に沿って，血圧・脈拍・呼吸状態・体温・意識レベルの変化をそれぞれアセスメントする。

▶**血圧**　ショック初期時は末梢血管収縮による代償作用により血圧の低下がみられないことが多いが，ショックの進行とともに血圧が低下してくると非代償性のショックとなり，組織の低酸素状態が続くことで心停止のリスクが高まる。小児の低血圧の基準は，収縮期血圧が1か月未満の小児で60mmHg以下,1か月以上～1歳未満の小児で70mmHg以下,1歳以上10歳未満の小児で70＋（年齢×2）mmHg以下，10歳以上の小児で90mmHg以下となっているが，これを踏まえてふだんの血圧より著しく乖離（かいり）している場合は，ショックを考えて注意深く観察する。

▶**脈拍**　血圧と同様に，ショック初期時には心拍出量を補填するように頻脈となって代償機構が働くが，予備力のない心機能で頻脈の状態が持続することは難しいため，しだいに徐脈から測定不能になる。心筋の慢性的な酸素不足により，洞調律の不整や致死性不整脈が起こりやすい状態であるため心電図モニターによる観察が必要である。

▶**呼吸状態**　組織の低酸素状態を代償するために，ショック初期時には過換気を伴う鼻翼呼吸などが多くみられるが，ショック状態の遷延により浅く速い呼吸へと変化していく。小児では特に呼吸停止からの心停止のリスクが非常に高いので,呼吸様式の変化と呼吸数·呼吸の深さに注意して急変に対応できるように酸素投与の開始や用手換気などに備える。

▶**体温**　ショックの原因にもよるが，warm shockとよばれる敗血症性ショックの初期では一酸化窒素などの血管拡張作用をもつ物質が産生されることで末梢血管が拡張し，四肢が温かい状態になる。敗血症の増悪によりcold shockとよばれる重症循環不全状態になると致死的であるため,膀胱温や直腸温などの深部体温の経時的なモニタリングが重要である。

▶**意識レベル**　ショック初期時は脳への灌流を優先して全身で様々な代償機構が働いているために急激な意識レベル（本章-XI「意識障害」参照）の低下はみられないが，ショックの遷延とともに活動性が低下し昏睡状態へと進行していく。虚脱とまでいかないが，いつもより機嫌が悪い，活気がない，不穏状態などになっていないかを，ふだんの様子をよく知っている看護師や家族が早期に気づくことが大切である。

2　そのほかの観察項目

▶**尿量**　ショックの代償機構が働いて全身の循環血液量が維持されることで十分な腎血流量も維持できると考えがちだが，実際には，血管拡張性プロスタグランジンなどの産生が障害されて輸入細動脈が拡張できず，十分な腎血流量は得られない。そのため尿量の減少は重要なショックの指標であり，急速輸液によるintakeと合わせて水分出納バランスをアセスメントすることが必要である。

▶**皮膚**　皮膚の冷感や蒼白の有無，毛細血管再充満時間（capillary refilling time；CRT）*の延長がないかを確認する。

▶**大泉門**　脱水状態による循環血液量の減少をアセスメントするために，陥没の有無を確認する。

▶**検査データ**　動脈血ガスの採取により，組織レベルでの低酸素状態によって生じる低血糖・高乳酸血症・酸塩基平衡の異常などを確認する。特に小児ではグルコースの利用が多く，貯蔵も少ないために低血糖のリスクが高い。さらに，ベッドサイドで可能な検査としては心エコーによる心拍出量低下や下大静脈（inferior vena cava；IVC）虚脱の有無の確認・心電図・胸部X線撮影などがある。

3　体位の調整

代償性ショックの際には脳や心臓への循環血液量を保つために，仰臥位で下肢を30cm程度挙上した体位を保持する。静脈還流を促すことを優先する体位であるが，これはショックを改善させる一時的なケアであり，同時にショックの原因検索と適切な治療の準備を行う。

4　酸素投与

ショックによる組織の低酸素状態を早急に改善するために，ベンチュリーマスクやハイフローネーザルカニューレ（high-flow nasal cannula；HFNC，本章-Ⅷ「呼吸困難」参照）などの高流量酸素投与システムの導入により効果的な酸素化の改善が認められるなどの報告もある。

5　輸液ラインの確保

小児の場合，末梢静脈路の確保が難しいことが多いため，中心静脈路や骨髄針による**骨髄路輸液**（図3-6）が選択されることもある。

XIV　黄疸

A　定義

黄疸とは，血液中のビリルビン濃度が上昇し皮膚や粘膜が黄染された状態である。血清

＊ **毛細血管再充満時間（capillary refilling time；CRT）**：指の爪床を5秒間圧迫した後に圧迫を解除し，爪床の色が元の色に戻るまでの時間。2秒以内が正常。

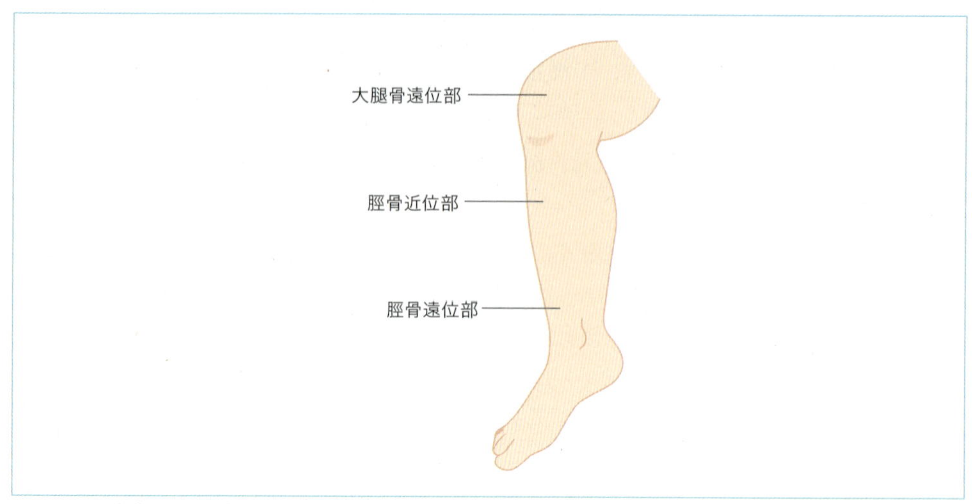

図3-6 骨髄路として選択される主な穿刺部位

ビリルビン値は，1mg/dL以下を基準値とするが，2～3mg/dLを超えると肉眼的に黄疸の症状を認めるようになる。

B 分類・種類

小児にみられる黄疸は，病的原因のない**生理的黄疸**と，様々な原因疾患により高ビリルビン血症をきたす**病的黄疸**に分類される。

1. 生理的黄疸

新生児は出生後に子宮外環境へ適応する過程で，生理的に黄疸をきたしやすい特徴をもち，これを**生理的黄疸**という。黄疸は生後2～3日で発現し，ピークは生後4～5日で，血清ビリルビン値は8～12mg/dLとなり，生後1～2週間で消失する。

非侵襲的(ひしんしゅうてき)で簡便な経皮的ビリルビン測定法がスクリーニングとして用いられ，黄疸(おうだん)の原因の鑑別として血液検査による血清ビリルビン値の測定が行われる。血清ビリルビン値が，基準値を超えた場合は光線療法の適応となる。

また，母乳栄養の新生児は黄疸が遷延(せんえん)することがあり，これを**母乳性黄疸**という。母乳中に含まれるプレグナンジオールによって肝臓のグルクロン酸抱合を阻害することが主な原因と考えられている。母乳性黄疸は自然に消失し，小児の状態が問題なければ母乳栄養を中止する必要はない。

2. 病的黄疸（表3-33）

病的黄疸は，ビリルビン代謝過程の障害部位により，①溶血性黄疸（肝前性黄疸），②肝細胞性黄疸（肝性黄疸），③閉塞性黄疸（肝後性黄疸）に分類される。

表3-33 病的黄疸の種類と所見および主な原因疾患

	溶血性（肝前性）黄疸	肝細胞性（肝性）黄疸	閉塞性（肝後性）黄疸
種類	赤血球の破壊が亢進することによってビリルビンが過剰に産生される。 間接型ビリルビン	肝臓自体の障害による胆汁の生成と胆管への運搬機能の障害。 間接型ビリルビン 直接型ビリルビン	肝内胆管うっ滞，胆道の閉塞により胆汁がうっ滞する。 直接型ビリルビン
血清ビリルビンの所見	間接型ビリルビン上昇	直接型ビリルビン上昇 障害が著しい場合は，間接型ビリルビンの割合が増加。	直接型ビリルビン上昇
排泄物	• 尿の色調：正常	• 尿の色調：褐色尿	• 尿の色調：褐色尿 • 便の色調：灰白色
原因疾患	• 生理的黄疸 • 血液型不適合	• ウイルス性肝炎 • 肝硬変	• 胆道閉鎖症 • 胆道拡張症 • アラジール（Alagille）症候群

黄疸の発現時期と，月（年）齢は大きく関連する。新生児期の，生後24時間以内に出現する黄疸を**早発黄疸**といい，これは病的黄疸である。**核黄疸**とは，間接型ビリルビンが脳組織を障害するもので，適切な治療が行われなければ神経学的な後遺症を残す。

C 原因疾患

新生児期以降は，肝臓や胆道の障害を原因とする疾患による黄疸が多い。また，病的な原因がない皮膚の黄染として，ミカンやカボチャなどを大量に摂取すると，柑皮症とよばれる手掌や足底の皮膚の黄染をきたすことがある。柑皮症では，血清ビリルビン値は正常で，眼球結膜の黄染は認めない。

D 看護

黄疸と肝機能の低下に伴う症状の観察，症状の緩和および苦痛を軽減するよう援助する。また，原因疾患によっては，手術療法を必要とする場合があり，病状の悪化の徴候に留意し，援助していくことが必要である。

1. 情報収集・アセスメント

原因疾患に関連する検査所見および症状の観察を行い，部位（眼球結膜や粘膜，顔面や体幹，四肢の皮膚など）や発現時期，症状の程度や色調，排泄物（尿・便）の色調など，経過や変化をアセスメントする。黄疸の観察にあたっては，できるかぎり自然光あるいは，白色の照

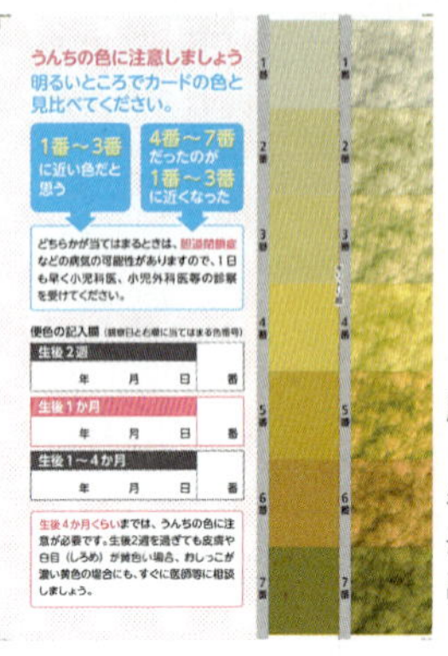

胆道閉鎖症等の早期発見・早期治療による予後改善を目的として，母子保健法施行規則の一部を改正する省令（平成23年12月28日厚生労働省令158号）により，便色カードを母子健康手帳に掲載することが義務付けられた。
出典／松井陽，他：胆道閉鎖症早期発見のための便色カード活用マニュアル（平成23年度厚生労働科学研究費補助金），2012.

図3-7 便色カード

明の下で観察する。たとえば，直接型ビリルビン値が高値を示す黄疸は，緑色を呈するといった特徴があるため，黄染の色調に留意して観察する。

便の色は，便色カード（図3-7）を用いて，正確に記録する。

2. 看護の実際

1 原因疾患の治療の援助

❶光線療法：光線療法を実施する場合は，体温管理に注意し，不感蒸泄が増加するため，脱水に留意する。光線療法にあたっては，網膜や性腺を保護し，有害作用を最小限にするよう行う。

❷薬物療法：肝機能改善薬や利胆薬などが処方されるため，これらの確実な与薬を行う。

2 安静の保持

安静や臥床は，肝血流量を維持するのに有効である。過度の安静は必要ないが，安静を保ち安楽に過ごせるよう援助する。乳児期では，啼泣（ていきゅう）を最小限にするよう，抱っこをしてなだめたり，遊びを取り入れ，気分転換を図ったりする。

3 皮膚の掻破と損傷の予防

閉塞性黄疸（へいそくせいおうだん）に伴い，血中の胆汁酸が増加し瘙痒感（そうようかん）を引き起こす。爪を短く切り，ミトンを着用するなどして，掻破（そうは）による皮膚の損傷を予防し，冷罨法（れいあんぽう）を用いて瘙痒感を緩和する。

4 2次感染の予防

肝機能の低下や，胆汁酸の分泌が阻害され脂肪の消化が妨げられることにより栄養状態が悪化し，褥瘡（じょくそう）や感染の危険性が高まる。したがって，皮膚や粘膜の損傷を防ぎ，清潔を保持して2次感染を予防する必要がある。

5 便秘の予防と利尿の促進

胆汁の排泄障害により，脂肪の分解能が低下し，便の性状の変化をきたす場合がある。

便秘になると，ビリルビンが再吸収され，黄疸の悪化を引き起こす。そのため，定期的に排便できるよう習慣付ける。医師の指示により，薬理的に排便を促すこともある。

また，制限がないかぎり水分の補給を促し，利尿を保ち，ビリルビンが排泄されやすいようにすることが重要である。

6 随伴症状に対する援助

消化機能の低下による嘔吐・下痢・便秘などの消化器症状や，食欲が低下する場合がある。体重増加不良をきたすこともあるため，成長や発達の状況についてアセスメントし，症状の安定化や悪化の予防を図りながら，成長・発達を促すことができるよう援助を検討する。

また，肝機能の低下に伴い，出血傾向をきたすことがあるため，皮膚や粘膜，消化管などの出血に注意して，日常生活が送れるよう援助する。

7 精神的支援

年長児になると黄疸による外見の変化や，黄疸による症状および原因疾患による身体的苦痛により，ストレスを自覚するようになる。慢性的な経過をたどる疾患が多く，病気や治療の理解および精神的な支援が求められる。

XV 浮腫

A 定義

浮腫とは，細胞間質腔に過剰に水分が貯留した状態である（図3-8）。一般には，**むくみ**とよばれる。

浮腫は前述以外の発生機序として，脳浮腫の一部である細胞内にも水分が貯留する病態，胸水や腹水などのように体腔に生理的範囲を超えて水分が貯留する病態，肺水腫のように水分だけでなく血液成分が漏出する病態に区別される。

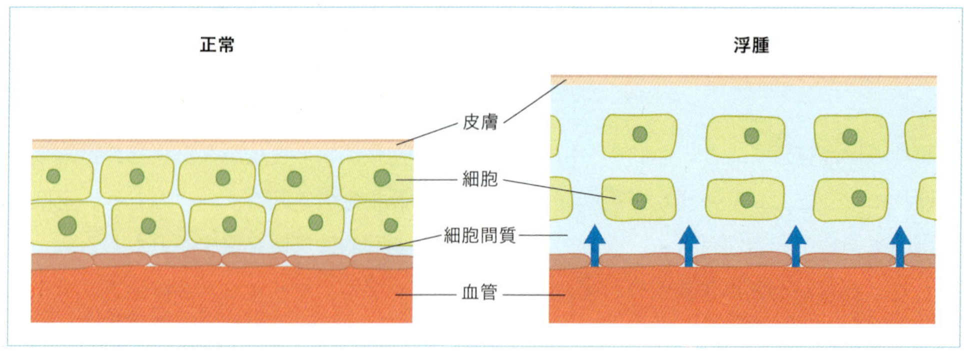

図3-8 浮腫の模式図

B 分類・種類

浮腫は，全身性浮腫と局所性浮腫に分類される。

全身性浮腫は，血管内と間質腔の水分が増加し水分が全身に貯留しやすい①毛細血管内圧の亢進がある場合と，②血漿膠質浸透圧の低下（低アルブミン血症）により，血管内から血管外に水分が漏れて間質腔の水分が増加する場合とがある。

局所性浮腫は，炎症やそのほかの原因による③毛細血管壁の透過性の亢進や，手術の影響などによる④リンパ回収機能の低下による浮腫がある。

また，浮腫は重力による影響を受け，からだの下側に位置する部位に水分が貯留し，浮腫を認める場合もある。

C 原因疾患

浮腫の発生機序と主な原因疾患の分類を表3-34に示す。

D 看護

浮腫（ふしゅ）は，慢性的な経過をたどる原因疾患が多いが，病状の悪化に伴い浮腫が急激に進行し，たとえば高度な脳浮腫や肺水腫をきたした場合は，生命の危機に陥る危険性がある。

表3-34 浮腫の発生機序と主な原因疾患

発生機序	主な原因疾患
①毛細血管内圧の亢進	腎不全，心不全，上大静脈症候群など
②血漿膠質浸透圧の低下（低アルブミン血症）	ネフローゼ症候群，肝硬変，たんぱく漏出性胃腸症，低栄養状態など
③毛細血管壁の透過性の亢進	炎症，アレルギー，熱傷など

表3-35 浮腫に関する情報収集とアセスメントの視点

浮腫に関する情報	アセスメントの視点
①浮腫の経過（急性，慢性） 原因疾患と治療の効果（検査所見）	• 浮腫の原因を把握し，浮腫の発生機序や発生部位，治療と予測される経過を総合的にアセスメントする。
②浮腫の部位（全身性，局所性） • 眼瞼，顔面，四肢，下肢，陰部などの部位や左右差の観察をする。	• 小児は，自覚する症状を的確に言葉で表現する能力が未熟である。したがって，経時的あるいは，毎日，一定時刻・一定部位で比較し，浮腫の変化や程度を正確に把握し，異常を早期に発見し，症状緩和のための援助を検討する必要がある。 <浮腫の程度の主な観察部位> 脛骨 内果 足背
③浮腫の程度（圧痕の有無と程度） • 皮下脂肪が少なく骨表面が触れやすい部位（脛骨，足背，内果，手背，前額など）を指で5秒以上圧迫する。	
④計測（体重，腹囲，四肢周囲径，バイタルサイン，尿量，水分出納など）	
⑤浮腫の随伴症状	• 原因疾患や浮腫の程度，臓器の浮腫によって予測される随伴症状に焦点をあてた観察結果と，計測値や病勢とを併せてアセスメントする。
⑥皮膚（全身性・局所性，光沢，チアノーゼ，冷感，熱感など）	• 浮腫のある皮膚は，容易に損傷しやすく，皮膚の状態に応じてケアを検討する。
⑦機嫌・活気・倦怠感	• 浮腫に伴う身体的苦痛による機嫌・活気の変化や，倦怠感の有無による小児への影響についてアセスメントし，成長・発達段階に応じた生活が送れるようにする。
⑧日常生活の状況 （食事，排泄，清潔，更衣など）	• 浮腫に伴い，把持のしにくさといった日常生活動作や運動機能への支障の有無や程度と，転倒・転落のリスクをアセスメントし，セルフケア行動の援助を検討する。
⑨不安やボディイメージなど	• 浮腫について，目が開きにくいといったからだの変化について認識をもつ，鏡を見て容姿の変容に気づくなど，年齢や経験によって認識は様々である。浮腫の観察の際には，具体的な症状について小児がどのように認識しているかを確認し，小児なりに理解し不安を軽減できるよう支援を検討する。

したがって，浮腫の原因や程度，変化を観察し，浮腫の改善や苦痛の軽減のための援助を行う。

1. 情報収集・アセスメント

浮腫に共通する情報収集とアセスメントの視点について表3-35に示す。

2. 看護の実際

1 安静の保持と保温

浮腫を生じている部位や臓器は，血行が阻害され，酸素や栄養の運搬能が低下している。循環が悪く，皮膚温が低下し，色調が蒼白となる場合もある。運動は，酸素や栄養を消費し腎血流を減少させる。これらのことから浮腫を軽減するため，適度な安静を保持することが有効である。安静について年齢に応じた説明を行い，安静を保持できる遊びや活動を提案し，ストレスの緩和を図る。また，保温は末梢血管を拡張させて，循環障害を改善し，浮腫の軽減を促すといわれている。浮腫が強度であると，皮膚の脆弱性も強まる。保温のために温罨法（おんあんぽう）を実施する際は，低温熱傷の危険性が大きくなるため，特に注意が必要である。

2 皮膚や粘膜の保護

浮腫のある皮膚や粘膜は脆弱で容易に傷つきやすい。そのため，締め付けの強い衣類や，おむつによる腹部の圧迫，摩擦による皮膚への刺激を避け，爪は短く切り，擦過傷などを生じさせないよう留意する。浮腫を生じさせる原因疾患や，循環障害，皮膚や粘膜のバリア機能の低下により，抵抗力が弱まり皮膚や粘膜からの感染の危険性がある。よって皮膚や粘膜の清潔を保持し2次感染を予防する。清潔ケアの際には，皮膚や粘膜を傷つけないよう，柔らかい物品を選択して使用する。皮膚の圧迫により，褥瘡（じょくそう）が生じやすいため，寝具や衣類のしわを伸ばし，定期的な体位変換を行い，褥瘡を予防する。また，皮膚の発赤や表皮剝離の原因となる粘着力の強い医療用テープの使用を避け，必要に応じて皮膚保護剤を使用する。

3 安楽な体位の工夫

胸水，肺水腫などがある場合は，呼吸運動を妨げないよう，座位や半座位とし，安楽な呼吸ができるよう体位を調整し苦痛を軽減する。腹水がある場合は，腹水により消化管が圧迫されたり，横隔膜が挙上して，呼吸困難を生じることがあるので，上半身を挙上する体位をとる。

また，下肢に浮腫のある場合は，下肢を挙上した体位をとる。

4 原因疾患の治療

全身性疾患の増悪による浮腫の場合，食事療法や水分制限，利尿薬の投与などの治療がなされる。

食事療法では，疾患によって，塩分やたんぱく質の摂取の制限が必要となる場合があり，食事が嗜好に合わず，ストレスの原因となり得る。家庭との食事の違いや，周囲の小児と食事の内容が異なることが，食欲にも影響を与えるため，食事の環境の調整や楽しい雰囲気づくりに留意する。また，消化管の浮腫により腹痛や食欲低下を認めることもあり，その場合には，食べやすい食事の形態を小児と一緒に考えるなど，身体的状態と小児の示す反応を併せてアセスメントし，援助の方向性を検討する必要がある。

水分制限がある場合は，口渇を訴えることも多く，1日の水分を計画的に摂取できるように配分を調整し，氷片の摂取や，年齢に応じて「ぶくぶく」や「がらがら」などの含嗽を促してのどを潤すなどの工夫をする。

利尿薬使用時には，薬剤の効果を評価するために，尿量の変化や，水分出納，同一条件下で計測した体重や腹囲などの値を併せてアセスメントする。また，利尿薬の使用に伴う脱水の徴候や，電解質などの検査結果に留意する必要がある。

 瘙痒感

A 定義

瘙痒感とは，皮膚や粘膜を掻くという行動を誘発する，不快で主観的な感覚である。

B 分類・種類

瘙痒感の原因は，主に全身性の疾患による**中枢性のかゆみ**と，起痒刺激による反応である**末梢性のかゆみ**に分類されるが，中枢性および末梢性の両者が関与する場合もある。

C 原因疾患

瘙痒感を伴う主要な原因疾患を表3-36に示す。瘙痒感は様々な病態が原因となる。瘙痒感は，胆道閉鎖症では胆汁酸，腎不全では尿毒症物質など，血中にこれらの起痒物質が増加することが原因と考えられている。そのほか，モルヒネなどオピオイドの投与に関連して瘙痒感が生じることもよく知られている。接触皮膚炎では物理的刺激が原因となり，乳児ではおむつかぶれにより瘙痒感を生じることがある。

D 看護

小児の皮膚は薄く，皮脂の分泌量が少ない特徴があり，バリア機能は未熟である。皮膚は，からだの内と外の境界であり，からだの恒常性の保持に重要な役割を果たす。瘙痒感が強い場合は，かゆみと掻破の悪循環によって，皮膚の炎症や損傷を引き起こし，傷ついた皮膚からの2次感染が問題となる。瘙痒感を誘発する原因疾患の適切な治療の継続と，瘙痒感を誘発する要因を取り除き，適切なスキンケアによる瘙痒感の緩和と，かゆみの閾

表3-36 小児の瘙痒感を伴う主要な疾患

消化器疾患	• 胆道閉鎖症	• ウイルス性肝炎	
腎疾患	• 腎不全		
血液・造血器疾患	• 悪性リンパ腫	• 白血病	
アレルギー疾患	• アトピー性皮膚炎 • 蕁麻疹	• アナフィラキシー • 虫刺症	• 食物アレルギー • 小児ストロフルス
感染症	• 水痘（みずぼうそう）	• 伝染性膿痂皮（とびひ）	• 伝染性軟属腫
皮膚疾患	• 汗疹（あせも） • 手湿疹（てあれ）	• 凍瘡（しもやけ）	• 接触皮膚炎（かぶれ）

＊（ ）内は俗称を示す。

表3-37 瘙痒感に関する情報収集

アセスメント項目例		症状を伝える表現の例
瘙痒感	• 部位と範囲（全身性・局所性） • 程度・性質（持続的・断続的） • 出現時期	• むずむず • ちくちく • 虫が這うような • そわそわ • ぴりぴり • ひりひり（灼熱感） • 疼くような • ずきずき
掻破行動	• 自覚の有無 • 程度	• 掻かずにいられる • 自覚なく無意識に掻く • 掻かずにいられない，など
皮膚の状態	• 乾燥・湿潤・発疹の有無 • 発汗の程度	
爪の状態	• 爪の光沢の有無（掻破が習慣になると爪が光沢を帯びることがある）	

表3-38 瘙痒感による影響

身体的影響

- 皮膚の状態が悪化し，瘙痒感の感受性が下がりささいな刺激でも瘙痒感を生じる場合がある。
- 眠りの質の低下や睡眠不足により，生活リズムの乱れや，日中の活動性が低下することもある。
- 活動と休息のバランスに支障をきたしQOLが低下する場合がある。
- 痛み刺激によって一時的にかゆみが緩和することから，瘙痒感のある部位を叩いたり，つねったりするといった行動を示すこともある。

精神的影響

- 瘙痒感や掻破行動を我慢することは不機嫌や怒りなどの情動的反応を生じさせる。
- かゆみと掻破の悪循環によって，皮膚症状が悪化し，外見的な悩みを抱える場合がある。
- 他者の掻いている行動を見ることで，掻破行動が他者から伝染することや，かゆいという思いが瘙痒感を増強させることがあるなど，心理的な刺激が影響する。
- 親の関心を引き付けたいという気持ちが掻破行動につながるというように，条件付けによる掻破行動をきたす場合があり，精神的な要因が影響することがある。

社会的影響

- 瘙痒感によって，集中力が妨げられる，イライラする，落ち着きがないといった様子がみられ，学童期以降では学校生活に影響を及ぼすことがある。

値を上げて掻破行動を防ぎ，2次感染を予防することが重要である。

1. 情報収集・アセスメント

瘙痒感をきたす原因疾患の病態と瘙痒感に関する情報（表3-37），そして，瘙痒感による①身体的影響，②精神的影響，③社会的影響（表3-38）について，小児の成長・発達と併せてアセスメントし，ケア計画を立案する。

2. 看護の実際

瘙痒感（そうようかん）を緩和し掻破（そうは）行動を予防するために，①適切なスキンケアと②瘙痒感の緩和のための援助を行う。

1 適切なスキンケア

❶清潔

皮膚を清潔に保ち，バリア機能を維持することが重要である。洗浄剤の成分の洗い残しは，皮膚への刺激となり症状を悪化させる可能性がある。皮膚が重なる部分や肘窩（ちゅうか）や膝窩（しっか）

といった関節の屈側の部位は，しわを伸ばして洗うことを指導し，洗い残しの有無や，皮膚の状態を観察する。また，皮膚を傷つけないように，からだをスポンジやタオルで強くこすらず，泡で優しくていねいに洗う。入浴で温まることにより瘙痒感を誘発するため，湯の温度は37～40℃が良い。

❷保湿

皮膚の乾燥は瘙痒感を誘発する。皮膚の乾燥を防ぐため保湿剤を使用する。保湿剤には様々な種類があるため，皮膚の状態に合わせた性状の保湿剤を小児の好みも考慮して選択する。入浴後は特に乾燥しやすいため，保湿剤を適量使用する。保湿剤を塗布することを嫌がる場合は，就寝中に使用するなどの工夫をする。

2 瘙痒感の緩和

❶皮膚への刺激を避ける

子どもが抱かれたときに，相手の衣類に顔をこすり付けるしぐさをみせるときは，瘙痒感を摩擦によって軽減させようとしている場合である。

就寝時に布団の中で体が温まると瘙痒感を生じる場合がある。掻破によって出血し，衣類や寝具に血液が付着していることがある。部屋の温度や湿度，衣類の調整に留意し，室温の上昇による過度な発汗を防ぐようにする。衣類は，通気性や吸湿性に優れた肌触りの良い綿などの素材や，からだを締め付けないゆとりのある衣類を選択する。衣類の洗剤や柔軟剤の成分が刺激となる場合もあるため注意する。

発汗や流涎，食べこぼしは皮膚への刺激となるため，摩擦を避けるためにこすらないように拭き取る。また，髪の毛の刺激が瘙痒感の誘因となる場合もある。爪は短く切り，皮膚の損傷を防ぐようにする。瘙痒感の原因として，アレルゲンなどの特定の刺激への接触がないか，生活環境の情報収集や生活環境の改善の検討も必要な場合がある。

❷掻破行動の予防

ミトンや肘関節筒による肘関節の抑制を検討するが，行動を制限されることによるストレスに留意する。また，行動を制限することにより，発達が阻害されることのないように，抑制は就寝中に限るなどタイミングを考慮する。また，「掻く」や「引っ掻く」ことを直接的に言葉で制止することは効果的ではない場合が多い。集中できる遊びを提供して気をそらすなど，抑制や制止以外の方法による解決策を検討する。

❸瘙痒感への対処

局所の冷却が瘙痒感を緩和することが多い。小児にとって不快な刺激とならず，心地よく感じるような方法を選択する。

❹医師の指示による薬物療法の実施

瘙痒感そのものに対する薬物療法は，外用止痒薬の塗布による局所療法と，全身療法がある。確実な薬物療法の実施が求められるが，外用薬の塗布量は個人差が大きくなりやすく，過小使用となっている場合も多い。皮膚の部位によって外用薬の吸収率も異なるため，指示量を塗布する。

文献

1）Kohl KS, Marcy SM, Blum M, et al.：Fever after immunization: current concepts and improved future scientific understanding. *Clin Infect Dis.* 2004；39（3）：389-394. doi：10.1086/422454
2）Bouchama A, Knochel JP. Heat stroke. *N Engl J Med.* 2002;346（25）：1978-1988. doi:10.1056/NEJMra011089
3）上村克徳 著，井上信明 監，安藤恵美子 編：Medical Note presents 子どもの「症状」から考える 外来小児診療　伝え方の極意，中外医学社，p2-6，2017.
4）深沢千絵：【～エキスパートの経験に学ぶ～小児科 Decision Making】よくみる症状　発熱．小児科診療 2021; 84: 2-6.
5）中嶋諭著，中田諭編：小児クリティカルケア看護 基本と実践，南江堂，p65-67，2011.
6）浅井利夫 著 浅井利夫 他編：ナースのための小児科学．中外医学社，p100-101，2007.
7）成育医療研究センター薬剤部 編：小児科領域の薬剤業務ハンドブック第２版，じほう，2016.
8）中里豊：嘔吐，小児内科，32，p395，2000.
9）International Association for the Study of Pain: IASP announces revised definition of pain.，https://www.iasp-pain.org/publications/iasp-news/iasp-announces-revised-definition-of-pain/?ItemNumber=10475（最終アクセス日：2022 年３月８日）
10）McCaffery, M., Beebe, A. 著，季羽倭文子監訳：痛みの看護マニュアル，メヂカルフレンド社，1995，p.10.
11）世界保健機関編，武田文和監訳：WHO ガイドライン　病態に起因した小児の持続性の痛みの薬による治療，金原出版，2013，p.21.
12）日本神経学会監修：てんかん診療ガイドライン 2018，医学書院，p2，2018.
13）一般社団法人日本小児神経学会：熱性けいれん診療ガイドライン 2015，p2，2015.
14）Guidelines for epidemiologic studies on epilepsy. Commission on Epidemiology and Prognosis, International League Against Epilepsy. Epilepsia, 34, p592-6, 1993.
15）日本神経学会監修：てんかん診療ガイドライン 2018，医学書院，p7，2018
16）Ohtahara S, Ishida S, Oka E, et al. Epilepsy and febrile convulsions in Okayama prefecture -A Neuroepidemiology study -In: Fukuyama Y, Arima M, Maekawa K, ed. Child Neurology: Proceedings of the IYDP Commemorative International Symposium on Developmental Disabilities, Tokyo, September 26-27, 1981(International congress series vol.569). Amsterdam: Excerpta Medica, p376-82, 1982.
17）日本神経学会監修：てんかん診療ガイドライン 2018，医学書院，p8，2018

本章の参考文献

・脇口宏 編：こどもの感染症ハンドブック第２版，医学書院，2004.
・Tan E, Braithwaite I, McKinlay CJD, Dalziel SR. Comparison of Acetaminophen（Paracetamol）With Ibuprofen for Treatment of Fever or Pain in Children Younger Than 2 Years: A Systematic Review and Meta-analysis. *JAMA Netw Open.* 2020;3（10）:e2022398. Published 2020 Oct 1. doi:10.1001/jamanetworkopen.2020.22398
・木下笑香：発疹，小児看護，40（3）：258-264，2017.
・赤池洋人，尾内一信：発疹〈佐地勉，他編：ナースの小児科学〉，第６版，中外医学社，2015，p.161-163.
・日本小児科学会：学校，幼稚園，保育所において予防すべき感染症の解説（2018 年７月改訂版），https://www.jpeds.or.jp/uploads/files/yobo_kansensho_20180726.pdf（最終アクセス日：2018/12/12）
・中村由美子：発疹〈松尾宣武，濱中喜代編：新体系看護学全書　小児看護学②健康障害をもつ小児の看護〉，第５版，メヂカルフレンド社，2013，p.162-164.
・藤井徹：小児の治療指針　よくみられる症状・症候への対症療法　下痢，小児科診療，81（増刊号），20-23，2018.
・石峯佐知子：特集　子どもによくみられる症状：観察のポイントと看護の実際　嘔吐・下痢・脱水，小児看護，40（3），282-288，2017.
・国立感染症研究所感染症情報センター：ノロウイルス感染症，http://idsc.nih.go.jp/disease/norovirus/taio-b.html（最終アクセス日：2019/10/3）
・日本小児救急医学会編：エビデンスに基づいた子どもの腹部救急診療ガイドライン 第Ⅰ部小児急性胃腸炎診療ガイドライン，p.8，2017.
・小児慢性機能性便秘症診療ガイドライン作成委員会編：小児慢性機能性便秘症診療ガイドライン，診断と治療社，2013.
・福田あゆみ：けいれんの定義と種類，小児内科，50（3），529-531，2018.
・日本救急医学会 HP：医学用語解説集，痙攣，https://www.jaam.jp/dictionary/dictionary/word/0206.html（最終アクセス日 :2022/8/26）
・一般社団法人日本神経学会 HP：脳神経内科の主な病気，https://www.neurology-jp.org/public/disease/tenkan_detail.html（最終アクセス日：2022/8/26）
・加藤英治：症状でみる子どものプライマリ・ケア，医学書院，2010.
・小野正恵：Primary care note こどもの病気，第２版，日本医事新報社，2012.
・Rogers, J.：The IMPACT pediatric bowel care pathway, Nursing Times, 104（18）：46-47, 2008.
・Wong,D.L., et al.：Pain in children；comparison of assessment scales, Pediatr Nurs, 14：9-17, 1988.
・バーナデット・カーター著，横尾京子訳：小児・新生児の痛みと看護，メディカ出版，1999，p.12-13.
・片田範子，他：痛みの判断プロセスとそれに影響を及ぼす因子；がん性疼痛のある子どもの痛み緩和ケア実態の把握（第１報），看護研究，36（6）：471-481，2003.

第4章 経過の特徴と看護の展開

この章では

- 健康問題／障害のある小児について経過別の特徴を学ぶ。
- それぞれの健康レベルにおいて，小児と家族に必要な看護を理解する。

I　急性期にある小児と家族への看護

急性期とは，侵襲に対する生体の防御機構の働きや恒常性を維持するための反応により，急激な状態の変化を伴う時期であり，急速に進行する症状を呈する。

急性的な経過をたどる健康問題には，感染症や熱中症などの急性疾患，不慮の事故による外傷や熱傷，慢性疾患の発症期や急性増悪期，治療・手術・検査・処置による身体的侵襲に対する生体反応などがある。また，先天性の疾患があり在宅療養や医療的ケアを必要とする小児が急性疾患に罹患し，病状が悪化することもある。

急性期の治療は，疾患や病状により，入院による治療や手術を必要とする場合があり，その多くは緊急性を要する。診療の場は，外来，救急，病棟，集中治療室など，経過や重症度に応じて変化する。

急性疾患の特徴として，一般的に比較的予後は良好で，短期間の治療で回復が期待できるが，疾患の特徴や治療の経過により後遺症を残す場合や，慢性期に移行する場合，生命の危機的な状況に陥り，終末期の転帰となることもある。

A　急性期にある小児と家族の体験

1. 急性期にある小児の特徴

小児は，解剖・生理学的な特徴により**予備能力**が未熟であり，急激に病状が重篤化する危険性が高く，迅速かつ適切な医療的介入が求められる。また，成長・発達の途上にあり，危険を予測し，回避することができず事故に遭遇しやすい。

病状は発達段階ごとの特徴や基礎疾患による個人差が大きいため，これまでの小児の成長の経過や背景因子を把握し，生体反応や代償機構により呈している急性症状への早期の対応を行い，回復を促進するよう支援することが必要である。

2. 急性期にある小児の体験

急性期にあり，入院して治療を受ける小児は，急性症状による身体的苦痛にくわえ，様々な苦痛を準備や予測のつかない状態で体験する（**表4-1**）。

急性症状や，治療の影響，環境の変化により，獲得してきた生活習慣やセルフケア行動を一時的に他者に依存するといった対処が必要となることがある。また，病棟内やベッド上で過ごすといった活動範囲や体動の制限，病院の決められた食事を食べるというように，治療や病院の制約に従い，日常とは異なる生活に適応する必要がある。感染症のある場合は隔離を必要とし，寂しさや孤独をいっそう感じやすい。入院や治療によるネガティブな体験の一方で，がんばって乗り越えることができたというような自信につながる肯定的な

表4-1 急性期の小児に苦痛をもたらし得る原因

- 急性症状（発熱・脱水・下痢・嘔吐・呼吸困難・痙攣など）
- 疼痛や不快感を伴う検査・処置・治療
- 次々に行われる未知の医療行為
- 慣れない病院の環境や雰囲気
- 見知らぬ医療者の存在
- 入院・治療による制限
- 家族（集団社会）との分離

体験になり得る。

3. 急性期にある小児の家族の体験

年齢が低いほど，小児は症状を的確に表現することができず，小児の様子がふだんとは異なり，「何かがおかしい」と気づいた家族は受診のタイミングについて悩みながら判断をして受診に至ることも多い。

小児が突発的に予期せぬ急性身体症状を呈した場合，家族は子どもを前に戸惑い，動揺し，急激に変化する小児の状態を目の当たりにして極度に混乱することもある。また，家族が強いストレスに直面した結果，否認や怒りの反応を示すこともあり，急性期の短いかかわりのなかでは信頼関係の構築やコミュニケーションの不十分さによって家族の複雑な思いがとらえにくいと感じることもある。急性期にある小児をもつ家族は，小児が症状による苦痛を感じている姿から，代わってあげることのできない無力感や，「あのときもっと早く病院に連れてくればよかった」と自責の念を抱くこともある。このほか，診断が確定しない段階では，子どもの死を連想して強い不安や恐怖を感じている場合もある。

家族は，病気を理解する準備がない状態で説明を受け，治療の同意や意思決定をする。なじみのない言葉により状況がイメージしにくいことや，危機的な心理状態により，説明の内容を断片的にしか記憶にとどめられないことがある。治癒に至る急性疾患の場合は，小児の病状の回復とともに家族の精神状態も安定することが多いが，家族も緊張感や心身の疲労の蓄積により体調を崩すことがある。

また，小児の入院や治療，退院後の自宅療養に伴い，家族の役割の変化，面会や付き添いによる仕事の調整，経済的負担など社会的な調整が必要となる場合がある。

特にきょうだいにおいては，生活を共にするきょうだいが疾病（しっぺい）に罹患したり急に入院した場合や，きょうだいの目の前で急性症状を呈したり，不慮の事故が発生した場合は，きょうだいがその場面や状況をどのようにとらえているか確認する必要がある。きょうだいも年齢に応じたとらえ方をすることから，きょうだいの病気を自分に原因があると感じて罪悪感を募らせていることもある。複雑な感情を言語化することが難しい年齢では，これらの感情が行動の変化や身体症状として現れることもある。

きょうだいが，家族の様子の変化を察知し，何か隠し事があるのではないかと感じること，きょうだいの入院する病院に連れていってもらえないこと，病院に行っても年齢制限のために自分だけが面会できないことなどを体験すると，不安や疎外感，無力感を感じる。また，家族の注意が患児に向けられ，孤独や寂しさを感じる。生活環境や生活リズムの変化が，きょうだいにも及ぶ場合がある。

B 急性状態が小児に与える影響

1. 身体的影響

小児は，免疫機能も発達の途上にあり，年少であるほど流行性感染症に対する免疫をもたない。また，気管は細くわずかな気道の浮腫により容易に呼吸状態が悪化する危険性があり，腎機能は未熟であるなど，解剖生理学的な特徴から発熱，脱水，痙攣，呼吸困難などの急性症状を引き起こしやすく，症状は経時的に著しく変化する。呼吸・循環機能の予備能力が少ないため容易に呼吸不全や循環不全をきたし，生命の危機的状態に陥る。急性期にある小児は，からだの不調や環境の変化，家族との分離が原因で，不機嫌に激しく啼泣するなどの反応を示す。予備能力の低い小児はこれらのことがさらなる状態悪化を招き悪循環となり得るため，苦痛をもたらす要因への適切かつ迅速な対応が必要となる。

2. 認知・情緒的影響

小児は年齢により言語的表現が未熟であり，症状を的確に言葉で訴えることが難しく，異常の発見が遅れて病状の悪化をきたす場合がある。年長児になると過去の病院での体験を思い起こし，症状があっても我慢して訴えないこともある。また，からだの変調による苦痛や，急性の激しい症状による死の恐怖，苦痛の因果関係が理解できないことによる混乱が生じ，なじみのない医療者や見知らぬ環境などによって，よりいっそう不安や恐怖心は高まる。また，入院による家族との分離により，悲しみや不安，絶望感を抱き，不信感や猜疑心から医療者との接触を拒絶するというような，様々な反応を示す。

急性期に行われる治療や処置による心理的混乱，治療に伴う活動制限は，小児の主体的な対処行動を妨げ，自尊感情を低下させる要因となる。

そして，情動を伴う体験は記憶に残りやすい特徴があるため，入院・治療にネガティブな印象が残る可能性がある一方で，がんばった，乗り越えたと認識できる体験にすることは，小児の自信となり自己効力感を高めることにつながる。

認知的な発達の特徴により，入院や治療に伴う医療機器の装着や慣れない環境の変化のなかで自ら危険を察知して事故を回避する行動をとることが難しいため，安全な環境を整える必要がある。

3. 社会的影響

急性期の入院や治療は，就園・就学中の小児にとって社会的な集団からの分離の経験となる。特に学童期以降の小児は，短期間であっても仲間集団との分離や，学校生活が中断されることによって，孤立感や疎外感を抱いていることがある。

小児は発達の途上にあり，ルールの順守や協力を集団のなかで学び得ていく時期にある。入院生活においても，病院という集団のなかで，年齢の異なる小児や，医療者との新たな人間関係を築いていくことになる。

C 急性期の小児と家族の看護

急性期のわずかな判断や対応の遅れが，回復の遅延や悪化を引き起こし，小児と家族の将来に大きく影響を及ぼすような合併症や後遺症を残す危険性がある。したがって急性期に共通する小児と家族に対する看護の目標は，①小児が生命の危機的状態に陥ることを回避する，②急性症状による苦痛を緩和する，そして③合併症や後遺症を予防し，回復を促進するよう支援することである。また同時に，小児の権利擁護を念頭に，④小児の心理的混乱を最小限にし，病気や療養行動の理解を促す，⑤小児が成長・発達に合った生活を送れるような支援をする，⑥家族が安心できる状況や環境を整え，納得して治療を受けられるよう支援することが大切である。また，急性期としての期間は比較的短いため，入院時から，⑦回復後の日常生活を見据えた支援が求められる。

1. アセスメントの視点

急性期にある小児と家族の看護では，急性症状や急性状態が，小児の心身に及ぼす影響，成長・発達段階に応じた生活，そして小児を取り巻く家族の状況に着目し，回復の過程や，回復後の生活に必要な情報を優先的に収集して包括的にアセスメントし，ケア計画を立案することが重要である（図 4-1）。

急性症状を呈する前の，成長・発達の状況や生活習慣，家庭での生活リズム，就園・就学状況など，小児の状況を把握し，必要以上に小児の自立を妨げることのないよう支援を計画する。

多くの場合は，急性期を脱すると，急性状態に陥る前の生活に支障なく戻ることができるが，急性症状による一時的な免疫能の低下により2次感染の危険性が高まる時期は，復園や復学の時期の調整をする。また，日常生活のなかで体力の回復を促すような活動を無理なく少しずつ取り入れていく。

新たな療養行動の導入など，継続的な支援を必要とし，生活の変更が必要な場合は，外来や病院，病院と地域といった関係職種や機関との連携や調整が必要になるため，小児や家族と共に，回復後の生活を想定して準備していくことが重要である。

また，家族の育児の状況や，療養行動についてアセスメントし，教育や指導の必要性や内容について検討する。

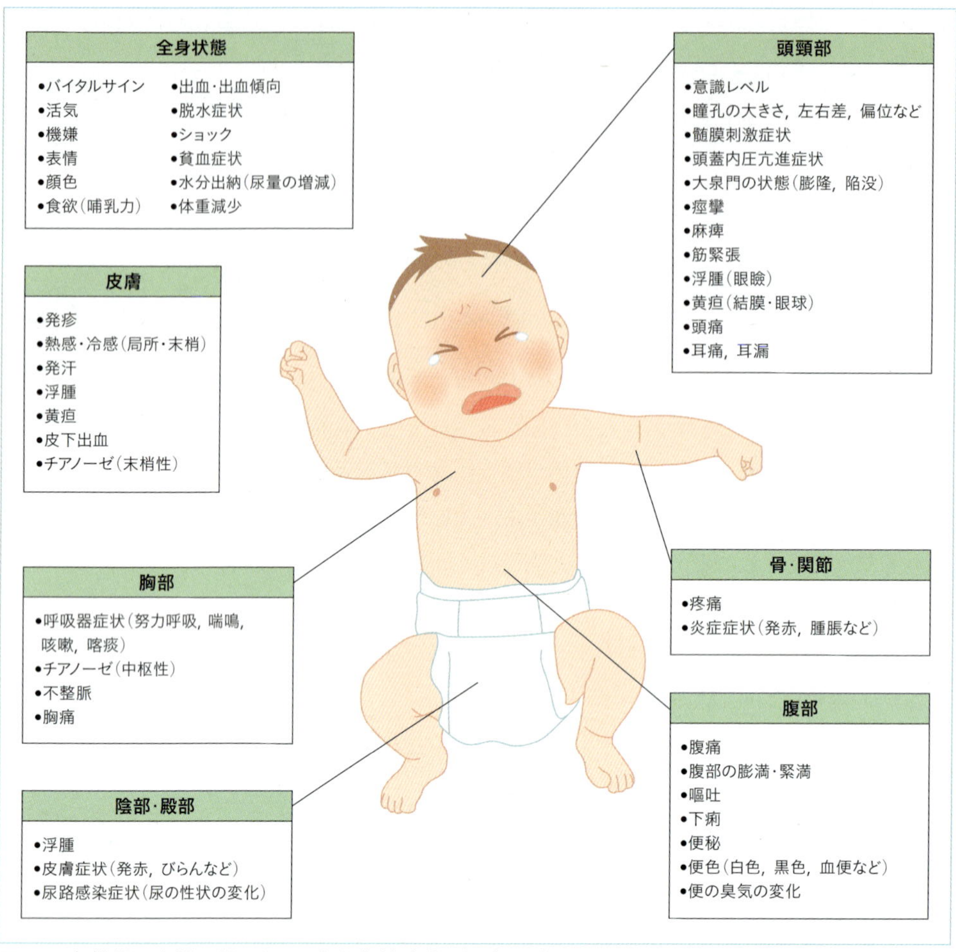

図4-1　急性期の小児に認められる主な急性症状と観察のポイント

2. ケア計画

急性期に共通する具体的なケア計画には，①全身状態および疾患特有の症状の観察，②急性症状による苦痛の緩和，③小児の心理的準備と病気や療養行動の理解を促す援助，④病気や治療および成長・発達段階に応じた日常生活行動の援助，⑤家族に対する支援，⑥退院後の小児と家族の生活を視野に入れた支援があげられる。

3. 看護の実際

❶全身状態および疾患特有の症状の観察

小児の主訴，疾患特有の典型的な症状や徴候と，予測される合併症を早期に発見するため，適切なモニタリングを実施し，症状の程度や経時的変化を観察し，異常の早期発見と対処につなげることが重要である。

小児の緊張や興奮，啼泣（ていきゅう）は，バイタルサインといった生理学的所見や観察結果に影響し，病状や治療効果の正確な判断を難しくする要因となる。小児が安楽で安静を保持した状態で観察ができるように，小児への説明や，気をそらしたり気分を落ち着かせて安心させることができるように家族の協力を得るなどの工夫が求められる。

観察やケアをする際には，カーテンなどで場を仕切り，プライバシーを保護し，不必要な露出を防いで，羞恥心（しゅうちしん）に配慮する。

❷急性症状による苦痛の緩和

急性症状による苦痛の緩和のために，症状に応じて薬理的な治療の援助や，安楽な姿勢の保持，体温調節のための衣類や寝具の調整，冷罨法（れいあんぽう），タッチングなどの援助を行う。たとえば，咳嗽（がいそう）によって嘔吐（おうと）が誘発されるなど症状の誘因が明らかな場合は，吸引や食事などのケアのタイミングや，食事や水分の摂取量や摂取回数を調整し，嘔吐の誘発を予防する。また，これらの介入による効果を評価し，支援を検討することが重要である。

❸小児の心理的準備と病気や療養行動の理解を促す援助

発達段階に応じたコミュニケーション技術を用いて，年齢に応じた言葉で説明し，検査・処置や治療の直前の短い時間であっても，小児の理解の度合いを確認しながら検査・処置や治療を進めていくことが重要である。治療期間や制限が必要な期間の目安を伝え，遊びを取り入れるなど工夫する。また，小児が様々な反応を示すことの意味をとらえ，年齢に応じた説明によりアセントを促し，小児の回復力を最大限に引き出す。また，侵襲（しんしゅう）の少ない処置であっても，バイタルサインの測定のように，一時的に体動を制限され，体温計をはさむ感覚や，血圧計のマンシェットによって圧迫される感覚が，小児にとっては苦痛であることも多い。測定の必要性について理解できるようかかわり，測定値に影響を与えないように気を紛らわす工夫を取り入れるとよい。

❹病気や治療および成長・発達段階に応じた日常生活行動の援助

急性症状や治療により阻害される日常生活行動やセルフケア不足を補い，小児が獲得してきたセルフケア行動が継続できるように配慮し，生活リズムを整え，回復を促進するよう援助する。遊びは小児の生活の一部であり，行動範囲の制限がある場合でも，安静を維持しながら実施することが可能な適度な遊びを生活のなかに取り入れる。からだの回復に伴い活動範囲を拡大できないことによるストレスが生じるため，過度な安静を回避し，可能な範囲で行動を拡大できるようかかわる。

❺家族に対する支援

家族の不安や緊張を緩和し，家族の気持ちを支え，家族と協力して小児の治療を進められるよう看護師は家族と良好な信頼関係を築いていく支援が求められる。病状や治療の説明の理解を確認し，補足の説明や，医師から説明を受ける機会を調整し，家族の理解を助け，家族が正確な情報を得られるよう支援する。話しかけやすい雰囲気をつくり，疑問や質問があればささいに思うことでも聞いてほしいことを伝える。また，緊張を和らげ，休息を促す配慮が必要である。家族が不在にしている間の小児の様子を伝えたり，家族と協働してケアを行うことが小児と家族の安心につながる。

また，きょうだいの様子に変化がないか声をかけることで，家族がきょうだいにも目を向けるきっかけとなることもある。

❻退院後の小児と家族の生活を視野に入れた支援

近年の在院日数の短縮化により，回復後は早期に退院となるため，家族が家庭で適切にケアできるよう支援することが求められる。また，核家族化に伴い，育児や療養について身近に相談者がいないといった状況にある家族も多く，子育て支援の視点も必要となる。

退院に向けた指導では，初期対応や自己管理，生活や療養行動改善のための情報提供が必要となる。入院中は急性症状を一緒に観察し，具体的な対処方法や今後の受診の目安について指導することのできる貴重な機会となる。

Ⅱ 周術期における小児と家族への看護

A 周術期にある小児と家族の体験

1. 小児の手術の特徴

成人では腫瘍などの切除を行う手術が多いのに対し，小児への手術は，外表の形態異常によるもののほか，循環器・消化器・泌尿器系の先天性疾患時の機能の温存や再建のための手術が多いという特徴がある。また，先天性の疾患では生後間もない時期の緊急手術や成長に伴う再手術，術後に長期のフォローアップが必要な手術が多い。さらに，先天性の疾患による個々の小児の病態や治療は一様ではなく，将来の見通しも不透明なまま成長することが多く，学校生活や進学・結婚などのライフイベントにおける，小児や家族の不安や情緒的な不安定がみられやすい。このように家族を含めた継続的な支援と生涯にわたる医療の提供が必要となることを念頭に置かなければならない。ここでは，小児の手術における特徴を表4-2に示し解説する。

1 成長・発達段階の考慮

小児は成長・発達途上にあり臓器や神経機能も月齢や年齢によって大きく異なり，同じ疾患であっても，手術の使用器具や麻酔法・薬剤の投与量などが，小児の体格・発達段階・臓器機能・病態などから適切であるかを判断しながら準備・実施する必要がある。また，成人においては高齢なほどリスクが高くなるが小児では年齢が低いほど臓器機能が未熟で手術リスクが高くなる。

新生児や乳幼児では自ら症状を適切に伝えることができないことから，バイタルサインや小児の反応から身体症状を把握することが必要となる。

表4-2 小児における手術の特徴

特徴	注意点や看護師に求められること
成長・発達段階の考慮が必要となる	●体格差が大きく，手術器具・麻酔法・薬剤量が大きく異なる。 ●身体機能が未熟なため，低年齢ほどリスクが高い。 ●症状の訴えが困難なことが多く，特に乳幼児では自覚症状の把握が難しい。
先天性の疾患による手術が多い	●人工肛門・導尿・酸素療法など，術後に継続したケアが必要。 ●成長や機能の変化に伴う手術など，複数回にわたる計画的な手術が必要。
生涯にわたって影響を及ぼす	●小児自身の理解を促すための情報や選択肢の提供や説明が必要。 ●困難を乗り越えるための勇気や意欲を引き出すかかわりが必要。
家族への援助が重要である	●意思決定の家族への依存度が高い。 ●インフォームドコンセントとインフォームドアセントが必要。 ●母親に自責の念があることが多い。

2 先天性の疾患による手術

消化器系（例：鎖肛（さこう）・ヒルシュスプルング［Hirschsprung］病）・泌尿器系（例：尿道下裂・総排泄腔遺残症（そうはいせつくういざんしょう））・循環器系（例：ファロー［Fallot］四徴症・完全大血管転移症・単心室）などの先天性の疾患では形態異常や機能異常を併せもつことが多く，これらの疾患は一度の手術で完治せず成長や機能の回復に合わせて複数回にわたる手術を必要とする。また，その間，在宅にて人工肛門（じんこうこうもん）や導尿など特別な処置や運動など様々な制限のなかで生活を行うことが多い。術後に人工肛門や導尿などの処置を行う場合，小児の発達段階においては家族が実施・管理するため，家族を含めた継続的な指導や援助を行う。

3 生涯にわたる影響

小児にとって，手術は試練であり，この体験によって発達に様々な影響をもたらす。先天性の疾患による手術では一度の手術や治療では終わらず，成人期にもわたる治療が必要な場合も少なくない。手術や治療においては不安や心理的な混乱を最小限となるように理解を促す情報や選択肢の提供や説明，困難を乗り越えるための勇気や意欲を引き出すかかわりが重要である。たとえば，手術が必要な小児に説明し理解を促す内容として「今のからだの状態はどんな状態か」「なぜ，そうなったのか。これから何をどんな理由でするのか」「手術をしたらどうなるのか。手術の後は痛いのか」「手術後，帰宅してすることはあるのか？（例：内服・浣腸（かんちょう）・導尿など）」などがあげられる[1)]。

4 家族への支援の重要性

手術の決定は一般に病状や具体的な内容について説明を受け，理解したうえで本人の選択によって行われる（インフォームドコンセント）。しかし，急性虫垂炎（きゅうせいちゅうすいえん）や腸重積・腸閉塞（ちょうへいそく）など緊急で手術を要する場合や乳幼児期にある小児は疾患の理解や治療を選択したり手術を決定したりすることが困難である。小児の疾患や治療法について家族に説明して同意を得るだけでなく，小児の発達段階に応じてこれから行われることへの了解を得ること（インフォームドアセント）が重要となる。

また，生後間もない時期の手術や緊急手術では，家族の心理的な負担も大きいことやきょうだいの世話や家族の社会的な役割から，家族への心理的な支援やサポート体制の調整も必要となる。特に先天性の疾患では母親が自責の念を抱いていることが多く，小児への過剰な擁護が小児の自立を妨げることもあることから，母親や家族を含めた継続的な介入を考慮する必要がある。

2. 手術を要する健康障害と手術の時期

小児期に手術を必要とする健康障害は，疾患や病態・出現している症状・年齢によって様々である。手術や麻酔による侵襲（しんしゅう）を考慮すると，成長を待ち臓器の予備力や体力が備わった状態で手術を実施するのが望ましい。しかし，手術時期が遅れることで全身状態が悪化するような病態では緊急に手術が必要な場合もある。手術の時期については，疾患の自然予後や治療に対する反応・小児の発達状況などを総合的に評価し，本人や家族と相談して決定される。

たとえば，先天性心疾患では，心房や心室の中隔や出入りする大血管の異常によって，同一の疾患でも多様な病態や症状が出現する。胎児循環から肺循環となる出生直後から重度な心不全やチアノーゼが出現する病態では新生児期に手術を必要とする。また，手術侵襲や成長に伴う血管抵抗や体格の変化に伴って複数回の手術や長期的な治療を必要とする病態もあるため，継続的な検査によって小児一人ひとりに合わせた手術の内容や時期が決定される。

3. 手術の種類と特徴

1 計画手術・緊急手術

計画手術は，小児の手術に適した時期を総合的に判断し予定して行われる手術である。この手術では，家族は小児への説明や体調管理や心理的な準備についても計画的に行うことが可能である。医療従事者は疾患の過程や病期，小児の成長・発達段階，小児や家族の受け止め方や支援体制を考慮して手術に臨（のぞ）むことが可能である。

緊急手術は，早期に外科的治療を行わなければ全身状態の悪化を招く疾患に行われる手術である。疾患としては虫垂炎（ちゅうすいえん）やヘルニア・腸重積などである。これらの病態では，心身の苦痛を伴っていることが多く，家族の不安も強いなか，短い時間で症状緩和や手術・麻酔の説明，支援が必要となる。

2 日帰り手術

日帰り手術は，小児が手術のために家族と離れる時間が短縮され，入院による心理・発達面への影響を少なくすることや院内感染のリスクを低下させることが可能である。一方，術前の経口摂取制限や創部の管理などは家族が行う必要があり，自宅において麻酔や手術による影響（悪心・嘔吐・咳嗽・眠気・咽頭痛・嗄声など）が出現する可能性がある。日帰り手術では，術前から家族に対する指導やサポート体制を整えることが重要となる。

3 低侵襲手術

医療機器や治療技術の進歩に伴い，小児の領域においても胸腔鏡手術・腹腔鏡手術など内視鏡による手術や，傷口をできるだけ小さくする低侵襲手術が行われるようになった。内視鏡による手術では傷が小さく術後の回復が早いという利点があるが，小児の体格に適した器具の確保や手術時の視野などの技術的な問題も生じやすいというリスクがあるため，内視鏡による手術の限界やリスクを念頭に置いて実施する必要がある。

B 手術が小児に与える影響

1. 身体的影響

手術を受ける小児は，手術侵襲に加えて麻酔に伴う人工呼吸器の装着や薬剤によって意識状態や呼吸・循環動態，消化器系などに大きな影響を受ける。さらに手術侵襲に対する防御反応として神経系・内分泌系・免疫系を中心とした生体反応が引き起こされる。これらの反応は術前の病態や手術侵襲によって一様ではないが，重症な成人患者では数週間から数か月以上にわたって影響があるとされている。いずれにせよ，術後は手術に近いほど侵襲による生体反応が強く現れることから，意識・呼吸・循環を中心に継続的なモニタリングと適切な対応が必要である。

2. 認知・情緒的影響

小児は常に発達し続けており，その影響は家族だけでなく，病院環境や医療チームの言動も関与している。小児の手術は，慣れ親しんだ家族から離れた場所で行われ，術前からの検査や処置に対する不安や恐怖・術後の疼痛や苦痛を伴う。このような苦痛や術後も継続する処置により，小児と家族は精神的なストレスを感じており，耐え難いストレスは小児の認知・情緒的な障害や発達障害を引き起こすことも考えられる。しかし，小児が困難を自らの力で乗り越えられたという経験や達成感を実感することは，小児の自己肯定感や自信につながり，その後の人生にも大きな影響を与えると考えられる。手術という体験が小児と家族にとって肯定的な経験となるよう医療チームでかかわることが重要である。

3. 社会的影響

日帰り手術が増加しているものの小児への手術は，通院・きょうだいの世話・付き添いなど家族の生活に，就学児であれば学習やクラブ活動・友達との関係などに影響をもたらす。また，これらの影響は入院期間の長期化や小児の生活上の制限を伴うほど大きくなり，社会性の発達への影響も考えられる。小児によって，年齢・疾患・手術時期・家族背景・養育環境などが異なるため，それぞれに応じた支援体制の充実と連携が重要である。

C 周術期の小児と家族の看護

1. 小児と家族の術前準備

手術を行うことが決定すると，当日までは小児や家族のもつ不安や苦痛が緩和され，最良の状態で安楽に手術を迎えることができることを目標にした術前の準備を行う。手術を受ける小児のからだは，程度の差はあるが麻酔や手術操作の影響により，呼吸機能の低下・脱水や浮腫(ふしゅ)などの循環の障害・疼痛(とうつう)・免疫力(めんえきりょく)の低下・ライン類の挿入や行動制限などに伴うストレスなどの侵襲(しんしゅう)を伴う。術前はこれらの侵襲による影響を最小にするため，感染予防・低栄養や脱水の予防，不安やストレスの緩和を行うことが重要である。

1 感染予防

術前の感染症の罹患(りかん)は，発熱や炎症による脱水や体力・免疫能の低下を招く。特に呼吸器感染症は気道分泌物(きどうぶんぴつぶつ)の増加により術後の合併症や回復遅延を起こし手術の延期の考慮が必要となる。

家族には保育所や幼稚園などで発生する流行性の感染症の状況に留意してもらい，きょうだいを含めて接触を避けるよう指導を行う。また，手術部位の清潔を維持するため，傷をつくらないよう留意し，シャワーや入浴を適切に行う。

2 栄養管理

術前の低栄養は術後の創部の修復や感染に影響を与え，回復の遅延を引き起こす。特に低栄養で貧血がある場合は，酸素運搬能の低下により呼吸や循環への影響を引き起こす。身長・体重による評価のほか，血液検査のHb・Alb値にも着目し，栄養状態や貧血の評価を行い，改善が必要な場合は薬剤の投与を考慮して食事の内容や方法の指導を行う。

3 苦痛・不安の軽減

緊急手術を必要とする腸重積や虫垂炎(ちゅうすいえん)などでは，嘔吐(おうと)・下痢(げり)による脱水のほか，腹痛など不快な症状や苦痛を伴うことが多い。薬物や輸液による治療とそれに対する反応を確認しながら身体的な苦痛の軽減を行う。また，術前の痛みのスケールなどの表現方法，軽減する方法について理解を促すことも重要である。

4 プレパレーション

手術や術後のボディイメージの変化に対する緊張や不安に対して，年齢や状況に応じたプレパレーションを行い，小児が主体的に手術に対する心理的な準備ができ，困難を乗り越える力を高める支援が重要である（第5編図4-19参照）。プレパレーションの実施にあたっては医療チーム（医師，看護師，チャイルド・ライフ・スペシャリスト，保育士など）でかかわり，家族と相談しながら実施する。手術を受ける小児へのプレパレーションでは，絵本やぬいぐるみなどを活用した説明，手術室のスタッフの格好や手術器具を見るなどの体験をとおして，「手術はいつどこでどのようなことを行うのか」「どんな場面でどんなことをがんばればよいのか」などの理解を促す。

5 生活リズムの調整

睡眠不足や欠食などによる不規則な生活は，交感神経の緊張により心身にストレスを与え，体力の低下を招く。適切な食事や睡眠時間の確保を行い，リズムの整った生活ができるよう家族への指導や支援を行う。また，術後に抗凝固療法を必要とする，あるいは凝固系に障害のある小児では，術前の外傷だけでなく，打撲や鼻出血，抜歯などが術後の出血につながる可能性があることを考慮する必要がある。

6 家族・きょうだいへの支援

手術当日や術後の流れ，家族の待機場所，術後の小児の安静度や酸素や点滴などの処置，経口摂取などの状態，疼痛緩和の方法，小児への接し方などについて，医師をはじめ他職種と協働しながら小児の発達段階や病態・術式に応じて説明し理解を促す。看護師は医師からの手術に対する説明内容や理解状況を把握し，不十分な場合は調整や可能な範囲の説明を行う。就学している小児では入院することによる学習への影響，きょうだいのいる家庭ではきょうだいへの心理的な影響やサポート体制への不安も考慮し，家族が気がかりに感じている事項についてはいつでも相談してよいことを伝え，家族の思いを傾聴し不安の軽減に努める。

2. 小児の安全・安楽への支援

手術を心身共にコンディションの良い状態で受けるには，安全・安楽を図り，障害やストレスのない状態を維持することが重要である。ここでは，手術を目前に控えた小児に対する安全・安楽への支援について述べる。

1 全身状態とバイタルサインの確認

バイタルサイン，睡眠状態，排泄状況，発熱やかぜ症状の有無，脱水症状や低血糖症状の有無を確認する。手術を行う部位や周囲の皮膚に傷や異常がないかを確認する。

2 絶飲食の確認

術前は麻酔による嘔吐や誤嚥予防のために**絶飲食**の時間が定められる。一般的な絶飲食の時間として，①澄水（透明な水分）は2時間，②母乳は4時間，③粉ミルクや牛乳は6時間などがある[2)]。経口摂取の内容や量が指示どおりか確認する。

3 導入時の支援と前投薬

麻酔や手術の導入時は，安心できる家族の付き添い・音楽療法・紙芝居・DVDなどによるストレス緩和のケアが有効である。特に麻酔導入時の啼泣（ていきゅう）は，気道分泌物（きどうぶんぴつぶつ）の増加・不規則な呼吸・吃逆（きつぎゃく）による気道障害の原因となるため，ストレス緩和のケアが重要となる。

小児のストレス緩和や安全・安楽の援助として家族の立ち合いのもとで麻酔を導入する方法がある。家族の不安が小児にも影響するため，家族の心理状態や準備の状況，小児との関係性，医療チームによる支援体制などの環境を整えて実施する。また，気を紛らわせる（ディストラクション）玩具などを活用して処置を行う方法もある。

乳幼児や不安の強い小児の場合は麻酔前投薬を行い術前の不安を軽減することもあるが，その際は過鎮静による呼吸抑制や血圧低下，ふらつきによる転倒のリスクが生じることから適応や薬物の種類・投与量の考慮が必要となる。

3. 手術中・手術直後の小児と家族の支援

手術中は，麻酔薬や手術操作による全身への影響が大きいことから，麻酔科医がモニタリング機器・薬剤・輸液によって全身管理を行う。術後の小児は，一般病棟に帰室するまでの間，覚醒（かくせい）状況と全身状態が安定するまで回復室で療養する。覚醒直後の小児は，覚醒時興奮・上気道閉塞（じょうきどうへいそく）・疼痛発作（とうつうほっさ）・悪心（おしん）・嘔吐（おうと）の合併症が生じやすい。回復室では，呼吸を中心とした注意深いバイタルサインの観察を行いながら安全確保に努め苦痛緩和の支援が重要となる。

1 気道の確保と呼吸・循環・意識・体温の観察と管理

覚醒直後は麻酔の影響が強く残っている時期であり，自発呼吸が出現していても呼吸抑制をきたしやすい。舌根沈下の有無や呼吸数・呼吸パターン・顔色を中心に，意識状態・経皮的酸素飽和度（けいひてきさんそほうわど）・心拍数・体温などのバイタルサインの継続的な観察が行われる。また，小児は体重当たりの体表面積が大きく全身麻酔や鎮静薬の投与により体温中枢の反応が抑制され，薬剤による血管拡張や熱産生の低下，術野からの熱の放散により体温低下が生じやすい（6か月以上の乳児ではうつ熱が出現することもある）。手術中の低体温や覚醒後のシバリングの出現は，感染症などの合併症や酸素消費量の増大による回復の遅延につながることから体温のモニタリングと体温管理が重要である。

2 安全・安楽の確保

術後は薬剤投与や輸液に必要な点滴ルートの確保，傷周囲からのドレーン・パルスオキシメーターや心電図のセンサーや電極の設置，尿道留置カテーテルなどの挿入が行われることが多い。

覚醒時は無意識に暴れることや不快なラインをはずそうとすることが予測される。これらのラインの抜去は，出血や循環への影響・感染を生じさせ，再挿入のための処置が必要となり新たなストレスとなる。術前から術後の状況と注意事項についてプレパレーションしておくとともに小児の覚醒後の体動を考慮したラインの固定や安全の確保を行う。

3 疼痛・不快の緩和

手術直後は，疼痛やライン類などによる体動の制限・母子分離・薬剤の影響などの不快による苦痛を伴う。小児の訴えを受け止め対応しながら，苦痛や不快の原因をアセスメントし，鎮痛薬の効果が適切に得られているか，全身への影響などを観察し，安楽が保てるよう疼痛・不快の除去に努める。

4 悪心・嘔吐対策

術後の悪心・嘔吐（postoperative nausea and vomiting；PONV）は全身麻酔の術後合併症として最も頻度が高いものであり，単に小児が不快なだけでなく，血圧上昇やうっ血による出血，誤嚥（ごえん）による呼吸器合併症などを引き起こす。小児は解剖学的に胃内容量が小さく，噴門（ふんもん）の括約筋（かつやくきん）の機能が成熟していないため興奮や痛みによる啼泣，気管チューブによる刺激により嘔吐を起こしやすい。原因となりやすい長時間の手術や吸入麻酔・笑気の使用，オピオイドの使用の際は気道の確保に努め，安楽な体位の維持や不快の除去に努めることが重要である。

5 がんばる意欲を引き出す

麻酔から覚めて安定したら，よくがんばったことや上手にできたことを褒める。手術室への入室時に恐怖で泣いたり暴れたりした場合は，何が怖かったのかなどを尋（たず）ね，そのようななかでもできたことやがんばったことを伝えて，恐怖の体験のまま手術が終了することがないよう支援する。小児自身が手術を乗り越えた体験を自らの主体的な姿勢やがんばる意欲につなげられるようフィードバックすることが重要である。

6 家族への援助

術後に小児に面会する際は，医師からの説明の機会を調整し，状況を理解してもらったうえで行う。発達段階や状況によって，家族の顔を見ることでかえって興奮することもあるが，安全を確保しながら小児と家族にとって良い環境に調整する。また，小児の自己肯定感を高めるために家族からよくがんばったことを伝えるよう促すことも重要である。長時間の手術が予定されている場合や手術予定時間を超える場合は，家族の不安が高まることから，医師と協働しながら小児もがんばっていることなどを含め，状況や見通しについて情報提供を行う。

4. 手術後の身体状況のアセスメントと支援

呼吸や循環が不安定で全身状態の観察や集中的な治療が必要な場合は，集中治療室やハイケアユニットでの治療が行われる。全身麻酔の術後は，麻酔や手術侵襲による影響は数日間続くことから継続した観察や支援が必要である。ここでは全身麻酔で手術をした小児に対する主なアセスメントと支援の要点を述べる。

1 全身状態のアセスメント

麻酔や手術に伴う侵襲は，全身の血管透過性の亢進や酸素消費量の増大を引き起こし，呼吸・循環機能への負荷や全身の浮腫が出現する。また，ドレーンからの出血や体液の流出は循環血液量の減少にもつながる。術後は呼吸数・呼吸パターン・気道の分泌物貯留のアセスメントを行う。また，尿量やドレーン排液の量と性状，水分出納の確認や体重測定を行い，循環のバランスを確認し循環動態のアセスメントを行う。手術後の全身状態のアセスメントに必要な主な観察項目を表 4-3 に示す。

2 感染予防

全身麻酔による術後は，人工気道による咽頭部の刺激や薬剤の影響により誤嚥や嘔吐をきたすことがあり，それらは気道の閉塞や肺炎の原因となる。初めての経口摂取は，少量の透明水分から開始し，誤嚥・嘔吐がないことを確認しながら段階的に進める。

術後は，点滴ラインやドレーンが抜去されるまで適切な頻度で刺入部の発赤や腫脹の有無など感染徴候の観察を行い，確実な固定を確認して，小児が不用意に傷を触ることがないよう被覆材にも留意する。

3 疼痛緩和

術後は創部痛やドレーンの挿入・手術操作に伴う疼痛に加え，不安や恐怖・緊張が疼痛を助長する。乳幼児では疼痛を訴えることができないことから，術後は表情や姿勢・活動状況を観察しながら各種スケールを活用して評価し，苦痛が最小限となるような管理をする。また，疼痛は小児にとって苦痛なだけでなく，交感神経の緊張による呼吸・循環系への影響，睡眠障害や合併症の出現，意欲の減退や発達上の障害にも関連する。術前に説明

表 4-3 手術後の主な観察項目

- バイタルサイン：呼吸数，心拍数，体温，血圧
- 循環状態：顔色，全身色，機嫌，チアノーゼの有無，尿量，浮腫の有無
- 呼吸状態：呼吸パターン，酸素飽和度，呼吸音
- 意識状態
- 姿勢・四肢の動き・本人の訴え（疼痛の部位・程度）
- 創部やドレーンの状態（出血・発赤の有無や程度）
- 皮膚の状態など

しておいた表現方法を活用し，状況に応じた鎮痛薬*の投与や安心できる環境の調整など，小児と相談しながら疼痛緩和を行うことが重要である。

4 リハビリテーション

心不全や呼吸不全で長期の安静臥床（あんせいがしょう）や人工呼吸器管理などが必要な状況では，筋力の低下による回復の遅れや発達への影響をきたす可能性がある。術後は手術やそれに伴う安静臥床や治療に伴う影響を最小限にしながらリハビリテーションを行うことが必要である。小児の周術期における主なリハビリテーションとしては，ポジショニング（体位管理）・関節可動域訓練・他動運動・呼吸理学療法（呼気介助や排痰援助）・嚥下訓練などがある。

5. 退院に向けての支援

全身麻酔による手術では，気道確保のための気管チューブの挿入による咽頭不快や嚥下障害，さらに創部の感染などのリスクがある。また，出現しやすい症状や対処方法などについて発達段階に応じた小児への説明を行うとともに，内服治療・次回外来受診日・それまでに留意しておきたい事項などについて家族への説明や指導が必要となる。

1 日常生活の指導

日常生活の指導として，食事制限・入浴やシャワーの方法・外出や通園・通学の開始時期・運動会への参加やプールの利用について指導が必要である。

2 創部の観察

退院後に創部の感染を起こす可能性もあるため，創部の清潔を保持する方法や被覆方法，発赤・腫脹・排膿（はいのう）の有無やそれらの観察方法について指導を行う。

3 継続した処置や治療に対する支援

疾患や手術に伴う苦痛の体験は，生涯にわたってつらい記憶として残る可能性があることから，プレパレーションや積極的な苦痛緩和，がんばりを支える支援によって困難を乗り越える力をもてるよう自己肯定につながるフィードバックや支援が重要である。また，退院後も治療の継続が必要な場合や，障害や病気と共に生活を送る必要がある場合は，就学や進学などのライフイベントに応じた小児や家族に対する移行期の支援について調整し，小児と家族のQOLを高める支援が必要である。

* 術後の疼痛緩和に使用される薬物として，アセトアミノフェン，非ステロイド性抗炎症薬（NSAIDs），麻薬性鎮痛薬（オピオイド）がある。麻薬性鎮痛薬は，坐薬や持続注入法のほか，5～6歳以上であれば患者管理鎮痛法（patient-controlled analgesia；PCA）も可能とされている[3]。

慢性期にある小児と家族への看護

A 慢性期にある小児と家族の体験

1 慢性的な経過をたどる疾患の特徴と治療

慢性疾患とは「患者の生活様式の変更を余儀なくさせるような器質的もしくは機能的障害が長期的に存在するあるいはそれが予測されるような状態（WHO,1957年）」で，病状は比較的安定しているが，再発・増悪の予防や身体機能の維持・改善を目指しながら，継続的な療養や症状に対するマネジメントが必要な状態である。また，医学的介入によって治癒しない状態であり，病気の程度を減少させ，セルフケアに対する小児の機能と責任を最大限に発揮するためには，定期的なモニタリングと支持的なケアが必要な状態である[4)]。

慢性疾患は機能の制限，形態の異常，薬物や日常生活上の注意・制限，医療機器への依存，医療機器や医療的ケアサービス，モニタリングを必要とする（表4-4）。これらは，疾患の管理や健康状態の維持に欠かせないものになり，長期にわたり継続することが必要であるが，適切にマネジメントと対処をすることで，増悪や再発，進行を軽減することが可能な場合も多い。

2 疾患による小児と家族の生活の変化

慢性疾患はその多くが在宅での療養となるため，小児と家族が疾患の管理や療養生活のありようを家族の日常生活に組み込み，健康状態と生活の質（quality of life；QOL）のバランスを維持しながらのその子らしい生活，家族らしい生活を構築することの支援が重要になる。疾患に関連した身体機能の変化や，小児の心身の成長・発達に関連した病気の理解，

表4-4 慢性疾患に伴う小児の状態

項目	内容	疾患や状態
機能の制限	年齢や発達に見合わない機能	未熟児，脳性麻痺など
形態の異常	もともとの疾患や，その治療によるからだの形態の異常や外観上の変化がある	四肢麻痺，網膜芽種，炎症性腸炎によるストーマ造設など
薬物や日常生活上の注意・制限の必要性	からだの機能や状態を保つための薬物や，特別な食事を必要とする	血友病や1型糖尿病管理の自己注射，食物アレルギーの食事制限，喘息など
医療機器への依存の必要性	からだの機能や状態を保つために医療機器を必要とする	腎臓病での透析，心臓病に伴う在宅酸素療法など
医療的ケアサービスの必要性	医療的ケアや関連サービスを，家庭や学校において必要とする	リハビリテーション，脳性麻痺に伴う呼吸器装着，神経疾患に伴う経管栄養など
長期間のモニタリングの必要性	現在は上記の項目に当てはまらないものの，将来，必要になるリスクが高くモニタリングを必要とする	小児がんの晩期合併症など

セルフケアのありよう，生活や社会的役割の変化を念頭に置いた，身体機能と成長・発達に伴う変化の両方をとらえた継続的なケアの提供が求められる。特に，小児の将来的な自立に向かって，セルフケア能力を引き出す看護が重要である。小児が成長・発達に従って適切なセルフケアを実施できるように，親から小児へとケアの主体を移行する支援も行う。

❶小児の体験

慢性疾患を生きる小児は，不安・不快の体験や，新たなことへの適応，制限，疎外・孤独，分離・別離を体験する（本編 - 第 1 章 - Ⅱ「病気や診療・入院が小児に与える影響と看護」参照）。小児の体験は，小児の認知発達によっても異なり，乳幼児期からの疾患である場合，日常生活の制限や治療への我慢の気持ちもある一方，疾患と共にある生活を当たり前の生活と感じていることもある。他方，学童期・思春期以降に発症した場合には，これまでの機能や生活からの変化を感じやすい。また，療養のために学校を休んだり，体育を見学したりするといった同年代の友人と同等の活動が制限されることを体験し，そのことが自尊感情の低下やつらい思いへとつながる場合もある。小児の体験を理解し，小児のストレスの状態やコーピングできているかをアセスメントする。

このように，慢性疾患と共に生きる小児の体験は，認知発達，病気の理解，そして発達に伴って生じるライフイベントなどといったライフサイクルによって変化し続ける。小児がライフサイクルに伴った課題や困難を抱えていたり，自尊感情が育ちにくいといったことがないように，その子なりの病気の受け入れと毎日の療養への前向きな取り組みを一歩一歩，支援することが重要である。

❷家族の体験

慢性疾患を診断されることは家族にとって突然の衝撃的な出来事で，病気を受け入れていくことには時間を要する場合がある。親はわが子が長期間にわたり管理が必要な疾患になったことに対する自責の念や，からだの状態に対する「わが子のからだは大丈夫だろうか」といった不安，「大人になったときどうなるだろうか」といった小児の将来に対する不安や不確かさを感じる。小児の病気に対する親の反応に影響を与えるものとして，小児の病気の程度や予後，小児の治療に対する主観的な認識，これまでの経験（ほかの家族の入院体験），小児の特性（年齢や性格，セルフケア能力），親の特性，家族の関係性，医療者の態度や支援，小児と家族が暮らす社会の反応などがある。

また，家族は，小児が療養できるようにするために生活を変える必要が生じ，仕事の調整，療養の役割調整・分担，きょうだいの世話の調整などの生活全体の調整を余儀なくされる。慢性期の家族への支援においてこのような家族の生活と小児の療養生活との統合を家族がマネジメントしていくこと[5]やノーマライゼーションプロモーションを促進することは重要なことである。

慢性疾患の経過のなかでは，小児の現在と将来に対する不安と不確かさを抱えながら，症状の管理，就学先，親から小児へのセルフケアの移行など，様々な事柄に対する繰り返しの意思決定が必要になる。このような意思決定は小児の身体状態だけでなく，成長・発

表 4-5 小児慢性特定疾病の対処疾患群リスト

❶悪性新生物	❾血液疾患
❷慢性腎疾患	❿免疫疾患
❸慢性呼吸器疾患	⓫神経・筋疾患
❹慢性心疾患	⓬慢性消化器疾患
❺内分泌疾患	⓭染色体または遺伝子に変化を伴う症候群
❻膠原病	⓮皮膚疾患群
❼糖尿病	⓯骨系統疾患
❽先天性代謝異常	⓰脈管系疾患

達や社会化，家族の生活をも含むものであるため，家族の視点からの体験を大事にし，トータルケアを重視する必要がある。

3 小児特定疾病対策

慢性疾患の小児のなかでも治療期間が長く，医療費負担が高額になる疾病(しっぺい)に対し，児童の健全育成を目的として疾患の治療方法の確立と普及，患者家族の医療費負担の軽減を図るための制度として，小児慢性特定疾病医療費（旧小児慢性特定疾患治療研究事業）がある[6)]。16 疾患群，756 疾病（表 4-5）を特定疾病として指定し，それらと診断された場合に医療費を補助する制度である。対象となる疾病は，①慢性に経過する疾病，②生命を長期に脅かす疾病，③症状や治療が長期にわたって生活の質を低下させる疾病，④長期にわたって高額な医療費の負担が続く疾病で，18 歳未満の小児が制度の対象になる。ただし，18 歳に達した時点で対象で，かつ 18 歳以降も引き続き治療が必要と認められる場合には 20 歳未満まで対象になる。

B 慢性状態が小児に与える影響

1. 身体的影響

慢性状態の小児は，症状への対処と予防が必要であるが，適切にマネジメントすることでコントロール可能な状態である。しかし，小児の疾患や症状は，年齢や発達によって変化，進行する場合があり，変化に合わせた適切なマネジメントの調整がされないと，増悪や再燃などを招きかねず，継続支援が肝要である。また，感染症への罹患(りかん)をきっかけに原疾患が増悪・再燃し，機能の不可逆的低下を引き起こすことがあるため，感染症への注意喚起や疾患の再燃や増悪の引き金になる健康問題や生活習慣の教育的支援を行う。このようにマネジメントは，服薬，食事などの生活習慣，活動と休息の管理，感染予防，生活環境の調整など多岐にわたり，家庭で小児のセルフケアの能力に合わせて親が担(にな)うことになる。そのため，小児には状態と発達に見合ったセルフケア支援と小児と親への教育的支援を提供する。さらに，小児の発達に合わせて親から小児自身へとマネジメントの主体を移行する支援を提供する。

再燃，再発時には，その影響を最小限にしつつ速やかに安定状態となるよう，治療と症状マネジメントを医師と協働して行う。増悪あるいは再燃後の状態がそれ以前と異なる場合は，小児と家族がそのことを受け入れていけるよう支援するとともに，新たな状態に適した家庭でのマネジメントについて教育的支援を提供する。

2. 認知・情緒的影響

健康の慢性状態は，痛みや治療に伴う不安，恐怖，不快などを繰り返しの経験につながる。認知発達に合った説明や，病気や治療の受容のための支援がなされないと，病気や治療を罰と感じたり，主体的な取り組みや積極性の阻害，孤独感，自尊心の低下を招く。学童期では同年代の小児と同じ活動に参加できないことや，身体的な自信のなさ，勉強の遅れなどが劣等感に結びつく可能性がある。また学童後期から思春期では先の見えなさが将来への不安になるため，いずれの発達段階の小児に対しても病気についてそれぞれの理解に合った説明をする。病気のある小児が，つらい体験もあるものの，一つ一つの治療，処置，毎日の生活のマネジメントに取り組めたことをポジティブにフィードバックし，できたことを認めることができるといった主体性を身に付けることや，乗り越えたこと・やれたことの経験が小児の自信や心的外傷後成長に結びつく。

3. 社会的影響

小児は社会性を身に付けている途上にあり，発達に応じた仲間との交流や集団生活，保育，学校を通じた社会とのかかわりが大切である。病院や入院の環境では医療者や親などとのかかわりがほとんどで大人に囲まれた生活となる。入院中でも状態に合わせて保育士や他児とかかわりがもてるようにプレイルームでの遊びをする，学童期以降では訪問学級，院内学級，学習の時間を設けるなど，成長・発達に見合ったその子らしい生活を支援することで，社会性を身に付けていくことを支援する。

C 慢性期の小児と家族の看護

慢性期においては，病気を受容し，小児と家族の日常生活にその家族らしい症状マネジメントが組み込まれるように，病気があっても普通の自分（わが子）ととらえるノーマライゼーションの促進を支援する。慢性期の小児と家族への支援の目標は，病気をコントロールしながら，身体状態と成長・発達に見合った日常生活や意思決定を小児と家族が主体的に行うこととし，看護師はトータルケアの視点とQOLの維持・向上を図りながらその子なりの自立を支援する（表4-6）。具体的には，身体状態を良好な状態に保つこと，小児自身が発達に合わせて病気を理解しセルフケアを獲得していくこと，身体状態とバランスのとれた日常生活を営めることである。

表4-6 慢性期の小児と家族への看護

	治療	病気と療養の受容と理解への支援	セルフケアの促進への支援	発達に見合った社会活動への支援
発症時／急性増悪・再燃時	●確実な治療により速やかで最小の後遺症にとどめること ●症状の緩和など	●その子に合わせた病気と治療の説明 ●家族への説明など	●セルフケア能力のアセスメント ●身体状態に合わせたセルフケアの支援など	●治療・状態に合わせた遊び，保育，教育の提供と参加の促しなど
回復期	●状態の維持 ●症状マネジメントの状態のモニタリングなど	●家庭での状態に対するマネジメント方法の説明 ●家族へのノーマライゼーションプロモーションの促進 ●友達，周囲の人，学校などへの説明内容の相談など	●子ども共通のセルフケアと状態のマネジメントのために必要なセルフケアに関する教育的支援など	●復園・復学カンファレンス ●通園・通学に合わせた状態のマネジメントのための多職種での協働など ●復園・復学の際の注意事項の教育的支援など
慢性期	●症状・状態のモニタリング ●再燃・増悪の早期発見 ●成長・発達に合わせた薬剤調整やコントロール方法の調整など ●マネジメントの状況	●ノーマライゼーションプロモーション ●家庭に合わせた病院生活の構築に向けたマネジメント方法，状態の変化の判断についての説明など	●その子の生活に合ったセルフケア方法の熟達への支援 ●成長・発達に合わせて親から子どもへのセルフケアの移行など	●復園・復学後の課題への支援 ●進学，進路の決定，就労選択などに関する意思決定支援

1 学習支援・復学支援

小児にとって学校や学習は成長発達に欠かせないだけでなく，自分も一人の小児としてみんなと同じだ，という**正常性（ノーマルシー）の感覚**を得るのに重要な場である。慢性疾患などの小児のための教育支援として**病弱教育**がある。**病弱**とは慢性疾患などのため，長期にわたり医療や生活規制を必要とする状態にある小児を指し，病状が慢性に経過する疾患に限り，急性のものは含めない。学校教育法施行令第22条の3では，**病弱者**とは，「慢性の呼吸器疾患，腎臓疾患及び神経疾患，悪性新生物その他の疾患の状態が継続して医療又は生活規制を必要とする程度のもの」と，「身体虚弱の状態が継続して生活規制を必要とする程度のもの」をいう。入院が長期になる場合には学習が継続できるように支援することが，退院後・回復後の安定期に入ってからの小児の発達や社会化のために大切である。また，特別支援学級への転籍などに際しては，原籍校とのつながりを維持し，治療終了後の復学がスムーズになるように，転籍時のカンファレンス，退院時のカンファレンスなどをコーディネートする。友達に学校を休むことをどのように伝えるか，友達とのつながりをどのように維持するか，原籍校の学習内容と特別支援教育での学習内容との合致をどのように行うか，卒業式などの学校の行事への参加をどうするかといった課題を話し合うようにする。その際，小児の希望や思いを聞き取り，小児の希望を反映した学習支援・復学支援が行えるようにする。

復園・復学後には外来通院時に，学校生活での困り事や心配事の情報収集をし，必要時，マネジメント方法や治療薬の服薬時間の調整などを他職種と協働して行う。また，小児と家族が学校生活の課題に対処できているかをアセスメントし，必要時にはセルフケアへの介入を行う。

2 発達に応じたセルフケア能力の獲得への支援

小児は成長・発達の途上にあり，乳幼児期の小児であれば基本的生活習慣は確立しておらず，基本的生活習慣が獲得されている学童期，思春期であっても疾患に対するセルフケアや意思決定についての支援を必要とする。小児だけでは行えないセルフケアについての多くは親が担(にな)っているため，慢性期の長い経過のなかで，身体状態と小児の成長・発達に合わせてセルフケアの主体を親から小児へと移行できるように支援する。

セルフケアを主体的に行う前提は，病気の受容と理解である。診断時からどのように話すか，だれが話すかといったことを家族と相談し，その子に合わせた説明をすることがその後のセルフケアにとって重要である。親は病気が診断されたことでショックや罪悪感を抱いたり，小児への病気の説明は本人にとって大きな負担やショックになることを心配して，説明することに不安を抱く場合がある。親には病気を説明する目的や，伝えた場合の小児の反応を伝えると同時に，親が不安に思うことをていねいに聞き取り，それらが解消できる説明方法を共に考える。また，病気の説明は，1回きりではなく，小児の成長・発達に合わせて繰り返し行っていく。

3 地域との連携・調整

在宅生活では小児の療養は医療者中心のケアから，小児自身・家族中心のケアへと移行する。そこでは入院生活などのような医療を中心とした生活ではなく，家庭での日常生活に組み込まれた状態に対するマネジメントとセルフケアが求められることになる。そのため，外来通院時に症状・状態のモニタリングを行う必要が生じる。たとえば，再燃・増悪がある場合の早期発見，成長・発達に合わせた薬剤調整やコントロール方法の調整など，小児と家族の地域生活の状況，小児と家族のマネジメントとセルフケア能力についてなどである。そして，予測される健康に関する状態はどのようなものか，成長・発達段階から予測される状態と生活の変化や課題はどのようなものかといった視点で，小児と家族の生活に即した目標を共有しながら支援を行う。

また，家族全体の生活については，慢性疾患や障害をもつ小児の親や家族が，小児と家族に普通の生活経験を提供すること，家族が小児を慢性疾患や障害のある小児としてではなく，まず，子どもであるという視点をもつノーマライゼーションプロモーション[7)]を支援する。小児と家族が病気と共にある自分，家族，生活を統合できるようすることが重要で，身体状態へのケアといった医療のみを整えるだけでは不十分である。小児と家族がその子らしく，家族らしく生活していけるように多職種と協働する。

D 移行期にある小児と家族への看護

1. 移行期とは

小児の慢性疾患の医療が発展するなかで，小児期発症の疾患をもちながら成人期を迎える小児が増加している。小児は，慢性疾患の有無にかかわらず，思春期・青年期に進学・就職に関する意思決定などを経て物理的・心理的に親から自立した生活へと移行する。また社会的にも保険加入や福祉利用など経済的な自立をする，人間関係も親密な他者との関係を育むなど，様々な課題を乗り越えながら全体としての自立へと向かう。慢性疾患をもつ小児は，からだの状態とが影響し合い，より複雑な自立へのプロセスをたどる。くわえて，生活習慣病などの成人期に起こりやすい健康課題（生活習慣病など）への支援も必要となる。よって，小児診療科から成人診療科へ移ることが慢性疾患の療養に関連した移行を経験するため，移行のタイミングやからだの状態と発達課題とのバランスを整える移行ケア・移行医療の提供が重要である。

移行医療とは，「疾患を有する小児が小児期から成人期に移行するにあたり，個別のニーズを満たそうとするダイナミックで生涯にわたるプロセスのことである。また，移行医療の目的は，患者が思春期から成人期に移行するにあたり，継続的で良質，かつ発達に即した医療サービスを提供することをとおして，生涯に渡り持てる機能と潜在能力を最大限に発揮することである。移行医療は，患者中心であり，柔軟性と感受性を有し，継続的かつ包括的，協調的であることを基本とする」ものとされる[8)]。移行には小児科診療から成人診療科への移行，小児から成人への全人的な発達的移行，就労などの社会的な移行があり，それらをトータルに支援するのが移行ケアである。移行ケアでは，身体面への最善の医療を提供しつつ，生涯にわたる慢性疾患へのコンディションマネジメントを含むケアの一部としての移行医療を個々の発達に即して提供し，移行を通じて慢性疾患をもつ子どもと家族がセルフケアを認識し，将来の最大限の自立を果たしていくことを促す。

2. 移行期にある小児と家族の体験

慢性疾患をもつ小児は疾患による症状や晩期合併症とともに，それらによって2次的に生じる毎日の生活上の課題や成長・発達上の課題に直面する。特に，小児期は身体的・心理的・社会的な状態が常に変化していくため，その子の個別の成長発達と生活をとらえたトータルケアが必要になる。たとえば，小児脳腫瘍(しょうにのうしゅよう)の経験者では，晩期合併症としての認知機能障害が生じやすい。認知機能障害は原疾患から生じる運動障害・感覚障害や内分泌(ないぶんぴつ)などの身体的合併症と相まって複数の長期にわたる困難を引き起こし，成長・発達過程にある小児では越えるべきライフイベントについての困難に直面しやすい。学童期・思春期では復学困難や学習困難，友人関係上の困難によるいじめやひきこもりの経験となったり，進路選択や就労の時期となる青年期･若年成人期では自立困難を引き起こす可能性がある。そのため，生活や成長・発達に合わせた支援によって，学校生活への不適応や社会参加の困難への発展，身体的問題へのセルフケア不足とさらなる機能の悪化，QOLの低下，将来的な自立困難といった悪循環を予防できる。

そのため，移行期にある小児と家族への支援として，小児科からの移行医療では，小児と家族が小児中心の診療科から成長・発達に見合った成人中心の診療科へと移行できるようにして，患者のセルフケア技術の獲得と意思決定への積極的な参加を促し，からだの状態とのバランスのとれた進路，就労選択といった人生選択の力をつけることを目指す。

看護師は，このような晩期合併症，2次的障害，生活上の課題，成長・発達上の課題を包括したトータルケアを念頭に，最大限の自立というゴールに向かって小児が歩みを進めていけるよう，小児の次の一歩を見据えた支援を提供する。また，最大限の自立のゴールは動的に変化するため，小児の状態の把握とリスクのアセスメント，成長・発達や生活のアセスメントを繰り返し行う。

E 成人期への移行過程を生きる小児と家族への看護

移行期ケアは慢性的な疾患や症状に対して，予防・早期発見・マネジメントすることで，QOLの高い生活と，様々な意思決定を支援するもので，well-beingの維持増進を目指す前向き（ポジティブ）なケアである。看護の長期目標は，小児と家族の個別の生活に根ざして彼らのQOLを支えること，その子の心身の状態に合う自立を支援することである。具体的には，①小児の顕在あるいは潜在する症状に対するアセスメント，スクリーニング，マネジメント，②小児と家族の成長・発達および生活上の課題に対するアセスメントとマネジメント支援，③多科受診，多職種支援へのコーディネーションと情報提供，それらとの協働，④学校や就労先などのコミュニティーへの情報提供，それらとの協働，⑤成長・発達に見合ったセルフケア能力への支援，⑥家族への支援を実施し，小児の成長・発達を促進する。

小児の自己管理については，まず，小児が自分の病気を理解すること，症状と管理方法を知ることを支援する。さらに，症状の悪化や受診タイミング，症状や状態を他者（家族・医療者・学校教師など）に伝えられる力をはぐくむことが求められる。これらを実践するためには，看護師が診断時から小児と家族の移行期を含む長期的な課題を認識して，小児の家族とその見通しを共有していくことが大切である。

1. ケア計画

1 事前のアセスメント

まずは移行ケア計画の立案に向けて，小児の病歴・治療歴から現在の状態と将来のリスクをアセスメントし，個別のサマリーを作成する。また，将来的な疾病(しっぺい)の経過を踏まえて，移行期ケアの計画を多職種で検討する。

計画は，小児と親の自立度をアセスメントするとともに，次の段階を目標とした看護計画を立案し，多職種が協働して行う。自立度の確認は，小児の成長・発達に沿って行う。そのため，乳児期，幼児前期，幼児後期，学童前期，学童後期，思春期などの発達段階ごとに，「疾病理解」「セルフケアの状態と自己決定能力」「社会参加」などの視点をもち，自立度を確認することが大切になる。

ケア計画では顕在・潜在の症状や生活上の課題や成長・発達上の課題に対して，必要なモニタリング・検査，他科受診，多職種支援を計画し，症状コントロールのための治療方針やケア方法，カウンセリングや社会資源導入の必要性などを検討する。そして，他科・他職種と計画を共有しながら協働とコーディネーションを図る。受診時には小児と家族の生活上の困難について包括的な聞き取りとアセスメントを行い，処方や検査，他科受診のコーディネートにつなげたり，必要に応じて心理職などのコメディカルと協働したりして復学・就労，保険加入などの支援を進める。

2　実践

小児と家族の受診時には，ヘルスプロモーションの支援のための運動や食事の状況，喫煙(きつえん)，飲酒などの生活習慣，家族歴，生活上の困難や訴えについても情報を収集する。治療，有害作用，症状などによる生活上の課題や成長・発達上の2次的な課題が生じていないかをアセスメントする。心理的・社会的な課題についても，成長・発達段階やそれぞれの段階に特徴的な復学・就学，学習，学校行事，進路選択，友人との関係，就労などの課題を踏まえてアセスメントする。また，現在の生活の状態と将来の生活に関する選択が，成長・発達および身体状態とのバランスのとれたものになっているのかについてもアセスメントすることが，小児と家族の主体的な意思決定への支援になる。

これらの受診時のアセスメントで事前に作成した看護計画を更新して，チームカンファレンス，他科との共有などを行い，小児と家族に合わせた計画にする。

3　セルフケア・自己管理へのケア・ヘルスプロモーション

多くの小児がん経験者は幼少時に発症するため，認知発達段階から考えても病気についての理解が限定的にならざるを得ず，治療や療養生活に対する意思決定と症状マネジメントの多くを親が担(にな)う。前述のとおり，看護師は診断時からのあらゆる時期に，小児と家族の成長・発達に合わせた病気の理解（原疾患は何か，治療歴はどのようか，それは自分の現在とこれからの状態にどのような影響を及ぼすのか，どのような支援とセルフケアを要するのかなど）を支援する。これらの支援によって，治療終了後の長いプロセスのなかで，小児が身体状況へのセルフケアをすることと，身体状態とのバランスがとれていて小児にとって価値ある学業・就労・人生選択の意思決定力とセルフケア力をはぐくむこと，が重要である。

移行ケアを通じて小児と家族の，成長・発達に見合ったセルフケアを支援することは将来の自立に向けて大切なことであるが，セルフケアのありようは，身体状態や発達，病気の理解の度合い，家族のサポート状況，社会的環境などにより異なる。看護師は情報や教育的支援を提供し，小児と家族が原疾患・治療歴，疾患の見通しに対する知識・理解を深め，症状の自己管理や困難な状況への対処方法・技術を獲得することを支援する。喫煙や飲酒などは思春期から生じやすい逸脱行動の一つで，若年成人期では社交などの意味合いをもつため社会生活との関係性が深い。そのため，自己管理の必要性を説明したり，健康教育を実施したりするなどして，小児が自らの身体状態の理解と結びつけた飲酒や喫煙に関するヘルスプロモーションを行うように支援する。自己管理は，たとえば自分の通院理由がわかるなどの段階から始まり，成長・発達とともに自己管理が成熟し，小児自身が症状の度合いを理解したうえでそれに合わせた食生活や生活習慣の実施や体調の良し悪しの判断ができ，検査結果についても解釈ができるようになる。状態の変化に合わせて医療を選択できるような場合は，地域の診療所への移行を考慮するなど，段階を追って支援する。小児が自分の健康に関心をもつよう働きかけ，自ら健康的な生活を送る力をはぐくむことと，環境調整が必要な事柄に関して，学校へ情報を提供し，小児が不必要な制限を受けることなく必要な支援を得て，健康的で最大限自立した生活を送れるように調整を図る。

4 家族へのケア

家族は小児が慢性疾患と診断されたことにショックを受けつつも，闘病生活において様々な意思決定，療養上のケアと家族の生活の調整をし続けながら治療を乗り越えていくが，治療終了後に心的外傷後ストレス障害（post-traumatic stress disorder; PTSD）となる場合もある。治療終了後には再発への不安は継続するものの，慢性状態を生活に取り入れていくことができる場合が増えながら，学校生活の調整や小児の進学や将来的な進路についても考えていく移行期を迎える。

意思決定とセルフケアの移行を支援する。小児が自分で受診したり，看護師や親が行っていた他科とのコーディネーションや連携を自分で行ったり，医療者に対する状態の説明ができるようになったりするためには，親も小児のそのような自立を信じて，任せることが必要である。時には闘病経験を通じて親子の結びつきが非常に強くなり，家族がケアを代行して過保護的なかかわりをしてセルフケアを阻害しているのではないかと思われることもある。看護師はこれまでの家族の体験に寄り添いつつ，小児がセルフケア能力を発揮していくことの重要性を伝え，小児ができていることを家族にフィードバックしたり，家族とセルフケアの目標を共有したりするなどして，家族が代行しているケアを小児へと移行することを支援する。

2. 移行期のケアの課題

小児の，医療システムへの理解と自立への過程における家族の課題として，病気の理解，ヘルスリテラシー不足，医療者との密な関係性からくる小児診療科から離れることへの不安，セルフケア・自己管理能力の未成熟がある。また，医療者側の課題としては，診療科間の連携の不十分さ，移行ケアへの認識の欠如などがある。看護師は，早期から小児と家族の自立を目指して，発達段階に合わせた病気の理解，セルフケア，自己管理のための支援を行う。

IV プライマリヘルスケアで出会う小児と家族への看護

プライマリケアとは，あらゆる健康上の問題に対応する，地域の保健・医療・福祉機能で，その理念として，近接性・包括性・協調性・継続性・責任性がある。小児医療においてもプライマリケア医，すなわちかかりつけ医はとても重要な役割を担(にな)っている。受診しやすく（近接性），小児の全身を診察することができ（包括性），小児を取り巻く環境調整を行い（協調性），成長・発達を継続的に追い（継続性），必要時は専門機関につなぐことができる（責任性），というものである。

プライマリケアを担う外来看護の役割について，明確な定義は難しい。「さまざまな健康レベル・発達段階の小児とその家族がさまざまなニーズを抱えて来院する，混沌(こんとん)とした小児科外来における看護師の働きは，単なる『診療の補助』以上の意味があった[9)]」とされている。心身に問題を抱えている小児，慢性疾患を患う小児とその親，子育てについての悩みをもつ親など，その親・その家庭・その地域のなかで育つ子どもを思いながら看護を展開する必要がある。

また，近年，医学の進歩により様々な疾患をもち，呼吸器などの高度な医療技術を必要としながら在宅で過ごす患者も多い。小児科外来の看護師の役割として，医師のみならず，地域の保健師や訪問看護師・かかりつけ医・保育園や学校などとの調整も大切な役割となってくる。

一期一会の外来で，看護師は常に患者の病状や小児の置かれている状況にアンテナを張り巡らせなければならない。そして，外来を訪れるすべての小児がその子らしくあるために必要な医療・保健を提供できるように考え，働くことが小児外来の難しさであり，また興味深いところである。

A 一般外来

小児科は通常 0 ～ 15 歳，つまり生まれてから中学校を卒業するまでの小児を対象としている。小児が健康上の問題を生じたとき，その疾患が特定されていない状況で初めて訪れるのが，かかりつけ医，もしくは出産した病院や 2 次医療，3 次医療を担う総合病院などである。

小児は，湿疹（しっしん）や便秘といった日常生活での困り事や，発熱・嘔吐（おうと）といった身近な疾患が多い。小児は人口比率がもともと低いが，さらにまれな疾患をもつ小児がそのなかに含まれている。小児は自分自身の症状を伝える方法が発達段階によって異なるため，ふだんから小児の様子を観察している親が代弁者となって，医療者に症状を伝える。親の話はとても重要であるが，必ずしも小児の状態と合致しているとは限らない。小児の訴えることをいかに読み解いていくのかも看護師に求められる大切な感性といえる。また，小児の言語表現が未熟であることは，時に親の不安を増大させる。親を対象にした調査[10)]では，小児に適切な処置ができずに症状を悪化させる可能性や，不必要な心配から育児不安を強くしていることを報告している。また，状況に応じて，入院，手術が必要になることもある。一時的ではあるが突然生活が変化し，家族にとって危機となる場面になり得る。

このような小児と親の特性を理解し，小児や家族の不安に耳を傾け，小児が適切な治療を受けることができ，家族と共に安全な場所で過ごせるように援助していくことが求められる。

B 予防医療（乳幼児健診・予防接種）

小児科外来の役割は，小児に何らかの症状があったり，親が小児に対して心配に思っていることがあったりして訪れたときにのみ果たされるものではない。小児が健康に育っていくための支援も小児科外来における大きな役割の一つである。特に乳幼児は言語表現が未熟であるため，定期的な健康診断をしながら，客観的な異常の早期発見に努める必要がある。

健康診断では，身長・体重などの体格がその子なりに成長しているのか，身体的な疾患が何か隠れていないか，運動発達・精神発達に問題がないか，小児を育てている家族の愛着形成やこころとからだの健康状態はどうか，小児を取り巻く環境は適切かなどを一つ一つ確認していく必要がある。これらの異常や遅れを早期発見し，必要な時期に対応することで，正常な発達や養育環境に近づけることができる。また，健康診断で外来を訪れるときは，家族の知識を補い，安心して子育てができるように支援する良い機会である。特に小児の成長につれ，転倒・転落，火傷，誤飲（ごいん）など家庭内での傷害が多くなってくる。傷害はどのようなことから起こるのか，それに対してどのような注意が必要かなど成長・発達と合わせて家族に指導できる良いチャンスである。それらを含め，通いやすい場所に，小児の心身の健康な発達とそれを取り巻く正常な環境が確認・指導できる専門家がおり，必要時に専門医療を紹介できる体制が整っている医療・保健機関をもつことが重要である。主に地域のかかりつけ医や，保健センターがそれを担っている。乳幼児健診をかかりつけの医療機関で受けることで，小児の特徴を理解し，その子なりの成長を時間の経過に合わせてきちんと評価することができる。乳幼児健診はおおむね3歳頃まで継続される。3歳

表4-7 多くの小児が接種する予防接種

区分	ワクチン名	種類	接種時期／回数
定期	ロタ	生ワクチン（経口接種）	生後6週から
定期	Hib	不活性化ワクチン	生後2か月から／4回
定期	小児用肺炎球菌	不活性化ワクチン	生後2か月から／4回
定期	B型肝炎	不活性化ワクチン	生後2か月から／3回
定期	4種混合（百日咳・ジフテリア・破傷風・ポリオ）	不活性化ワクチン	生後3か月から／4回
定期	BCG	生ワクチン（経皮接種）	生後5か月から
定期	麻疹・風疹	生ワクチン	1歳時・年長時
定期	水痘	生ワクチン	1歳から／2回
任意	おたふく	生ワクチン	1歳時・年長時
定期	日本脳炎	不活性化ワクチン	生後6か月から
定期	子宮頸がんHPV	不活性化ワクチン	小学6年生から
任意	インフルエンザ	不活性化ワクチン	生後6か月または1歳から

以降になると，多くの小児は幼稚園や保育園などの集団に所属し，その施設で健診が行われていく。客観的に気になることがあれば医療機関の受診を勧められる。特別な異常がなければ，就学以降も学校施設での定期的な健診が行われていく。

医療機関によっては生後2週間で，多くの医療機関や出生施設においては生後1か月で健診が実施される。新生児が安全な環境で過ごし，適切な栄養を与えられ，体重増加が得られているかを確認する。また，地域の保健師は，新生児家庭訪問を行い，母子の状態を確認して，今後必要となると予想される社会資源の情報を提供する。医療者からの一方的なかかわりにならないように，家族の不安や考えを聞き，家族の悩みに共感しながら，安全に小児が成長していくにはどうしたらよいかを共に考えていく。そして，ゆくゆくは家族自身がその家族のなかで解決していく方法を模索していけるような支援が必要である。

生後2か月頃より，予防接種が開始される。小児は感染症に弱く，罹患（りかん）すると重症化したり，後遺症を残したりと，小児の人生への影響はもとより，家族への負担も大きくなる。予防接種で予防可能な疾患は積極的に接種するように，各医療機関は推奨している。日本で多くの小児が接種している予防接種一覧を表4-7に示す。

乳幼児健診を行ううえで，専門的な知識は当然必要となるが，最も大変で大切なことは，親との関係性を構築することである。常に親に寄り添い，支持的に介入することで，指導が必要なときに親の理解が得られる。

V 終末期にある小児と家族への看護

1990年代後半に**緩和ケア**という考え方が生まれ，**小児緩和ケア**は表4-8のように定義されている。**終末期**とは，生命を脅かす疾患（life-threatening conditions）や生命を制限する疾患（life-limiting conditions）をもつ小児が，どのような治療を行っても死が避けられな

表 4-8　小児緩和ケアの定義

生命を制限する，あるいは生命を脅かす病気をもつ小児や若者のための緩和ケアは，診断時から死までの生涯を通じての積極的かつ全人的なケアアプローチである。それは，身体的，情緒的，社会的，スピリチュアル的な要素を含み，小児の QOL の向上と家族のサポートに焦点を当てた苦痛を与える症状の緩和，レスパイトケア，看取りのケア，死別後のケアである。

出典／Together for short lives: A guide to children's palliative care ; Supporting babies, children and young people with life-limiting and life-threatening conditions and their families, Fourth edition, 2018, https://www.togetherforshortlives.org.uk/wp-content/uploads/2018/03/TfSL-A-Guide-to-Children's-Palliative-Care-Fourth-Edition-5.pdf（最終アクセス日：2022/9/25）を著者邦訳.

い状態にあり，積極的な治療から苦痛の緩和と QOL の向上に治療・ケアの目的がシフトした時期のことを指す。緩和ケアは，終末期に限定したケアのことではないが，終末期において緩和ケアの考え方はより重要になってくる。終末期を迎えるプロセスは，疾患によって異なり，小児がんの再発や治療不応例などのように再発と寛解を繰り返した末に迎える場合，先天性代謝異常症や筋ジストロフィーなどのようにゆっくりと機能低下がみられる場合，脳性麻痺（のうせいまひ）のように感染症などを契機に急激に死が差し迫ってくる場合，不慮の事故などのように突然死を目の前にする場合など様々である。どのような場合であっても，小児と家族に残された大切な時間は，二度と取り戻すことのできないものだと強く認識して小児と家族にかかわることが求められる。

 死の概念の発達

1. 小児の発達段階別の死の概念

小児の死の概念の発達には，年齢，認知発達，死別体験などを含む社会的・文化的要因が影響する。ナギー（Nagy, M.H.）は小児の年齢別の死の概念の発達を表 4-9 のように示した。認知発達に伴う死の概念の発達は，アニミズム的思考*に影響を受けているとされている。

死の概念には，「**非可逆性**（irreversibility）：死んだら生き返らない」「**からだの機能の停止**（finality or non-functionality）：死んだら○○することができない」「**普遍性**（universality）：すべての生き物はいつか死ぬ」「**死の原因**（causality）：何らかの原因があって死ぬ」の 4 要素があるとされている。これらすべての要素の理解が困難な小児は，死を大人がもつ意味とは異なったものとして理解し，独自の自由な死の概念を形成している[11]。たとえば，非可逆性の理解ができていない小児は，「（亡くなった人を目の前にして）どれくらい死んでいるの？　いつ戻ってくるの？　どうやったら生き返らせることができるの？」と質問してきたり，機能の停止が理解できていない場合は「死んだ人は何しているの？　死んでもプ

＊ **アニミズム的思考**：生命のない物体や現象など自分の周りのものすべてが，自分と同じように意識をもち，意思をもっており，人間と同じように生きているととらえる思考。

表4-9 年齢による小児の死の概念

段階（年齢）	小児のもつ死の概念
第1段階（5歳以下）	死を単に「別れ」「夢」「眠りに似たもの」としてとらえ，取り返し難いものだとは受け止めていない。死のなかに生をみるという特徴がある。
第2段階（5～9歳）	死を「擬人化」する傾向がある。死を偶発的な出来事としてとらえ，生と死の区別はまだついていない。生き返りはしないが，どこかで存在していて，自分には起こらないものだととらえている。
第3段階（9歳以上）	死を「身体活動の停止」としてとらえるとともに，だれもが死ぬ，永遠のもので戻ってくることはないと，死を自然の法則によって起こる一つのプロセスだととらえるようになる。

出典／Nagy, M.: The child's theories concerning death. J Genet Psychol, 73(First Half), 3-27, 1948.

レゼントはもらえるの？」と質問してきたりする。

2. 命の教育

現代社会を生きる小児の多くは，看取りの経験の少なさ，映像やゲーム・コミュニケーションツールの変化の影響など，様々な要因から命の尊さに対する認識が育っていない可能性が指摘されている。近年，子どもに命の尊さを伝えることを目指した「**命の教育**」が教育・医療現場で行われ始めた。「命の教育」とは，「いのちのかけがえのなさ，大切さ，素晴らしさを実感し，それを共有することをとおして，自分自身の存在を肯定できるようになることを目指す教育的営み」と定義されている[12)]。終末期にある小児やそのきょうだいへの「命の教育」はとても重要であり，命には限りのあること，だからこそ今を精一杯生きること，命のかけがえのなさや尊さはどんな状況にあっても変わらないこと，大切な人との思い出はどんなときもなくなるわけではないことを，日常的なかかわりのなかで小児が実感できることを目指すものである。

B 終末期の小児と家族の体験

1. 終末期の小児の死の理解

死を避けられない小児の死の理解には，小児自身の闘病体験，特に死別体験が大きく影響を与え，健康な小児のもつ死の概念とは異なるといわれている。入院直後の小児は，親の様子から自分の病気は重いに違いないと悟り，治療が始まると自分の病気は重いが治るものだと信じている。しかし，再発を繰り返した場合，自分の病気は永遠に治らないのではないかと考えるようになるが，自分が死ぬとは思っていない段階が続き，その段階の小児が同じ病気の仲間との死別体験をすると，自分と死が近いものであることを悟ってくる[13)]。終末期にある小児の親を対象とした研究結果では，4歳未満の小児は死の不安を言葉にはしないが，突然号泣したり心理的混乱を絵で表現したりして，本能的に不安を表出し，4歳以降になると半数以上が「死にたくない」と直接的に死への不安を表現したり，「もう治らないの？」と抽象的な言葉で表現したりするようになると述べている[14)]。また，

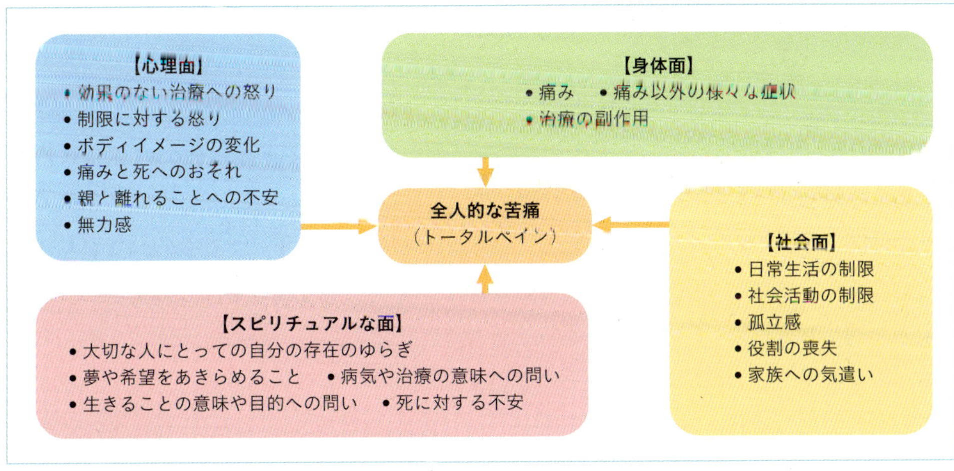

図4-2 終末期の小児が体験する全人的な苦痛

死が避けられない病気をもつ年長児は，親や医療者などの何げない反応から死が近いことを認識しても，知らぬふりをすることが多いため，小児の気持ちを推し測っていくことが大切である。

2. 終末期の小児の全人的苦痛

終末期の小児は，身体面のみならず，心理面・社会面・スピリチュアルな面の4側面が相互に関連し合った**全人的な苦痛**（図4-2）を体験している。これらの苦痛の存在は，小児と家族に残された大切なQOLを下げ，その子どもらしさ，その家族らしさを奪ってしまうため，看護師は苦痛の存在を理解し，第一義的に苦痛緩和に取り組むことが求められる。

1 身体的苦痛

終末期にある小児が最期の1週間に体験している症状は，衰弱・倦怠感（けんたいかん）が70.0％，痛み53.3％，呼吸困難や咳46.7％，排尿障害40.0％という報告があり[15]，症状コントロールの難しさを示している。緩和されない小児の症状を目の当たりにする親はその苦痛を自分の痛みとして感じたり，死別後の後悔や自責の念につながったりすることも多い。

2 心理的苦痛

終末期にある小児の60％は傾眠状態にあると同時に，半数の小児がイライラを体験しているという報告がある[16]。7～17歳の小児を対象とした研究において，小児は**悪い知らせ**（bad news）であっても知らせてほしいと思っている反面，できるだけ希望を保つことができるような形で情報を伝えてほしいこと，その場には親がそばにいてほしいことも示されている[17]。このような小児の心理的苦痛へのケアとして，小児を一人の人として尊重し，子どもと家族の気持ちに寄り添い，小児にどのように，どのような情報を伝えるか（伝えないか）については，子どもに嘘（うそ）をつかないことを基本とし，それぞれの状況や希望に応じて誠実にかかわっていくことが最も大切である。

3 社会的苦痛

終末期は,「身体機能が低下しこれまで自分でできたことができなくなる」「医療に依存しているためなかなか家に帰ることができない」「遊びや学習に参加できない」「学校や園などの仲間との交流の機会が制限される」など,日常性を失ったり,社会的つながりが極端に減ったりすることで孤立感を抱くことがある。どのようなときも,どのような場所で終末期を過ごしていても,小児が日常性を維持し,子どもらしくいられる環境を整えていくことが必要である。病棟の規則などで制限が加わることも多いが,貴重な時間の過ごし方を考え,制限の緩和を検討する。

4 スピリチュアルな苦痛

小児のスピリチュアルなニードは,発達段階によっても異なるが,小児が大切にしている人や物との関係,小児の夢や希望,自分自身が大切な人に遺(のこ)していきたいもの,自分にとっての病気や治療の意味,死に対する不安などに関係している。また,思春期以降の小児がんの小児は,終末期の様々な意思決定において,自分のことだけでなく,親への気遣いや同じ病気をもつ小児の将来の治療への貢献など,他者にとって自分がどうあるべきかといった選択をすることも報告されている[18]。特に年齢の高い小児においては,小児自身が最期までどうありたいのかということを理解したうえで,その意思を最大限に尊重した過ごし方を小児と共に考えていくべきである。

3. 終末期の小児をもつ家族の体験

わが子の病気の治癒が難しいと告げられた親は,小児の状態の悪化を理解し,自分の子どもが死ぬかもしれないと認識する一方で,小児と1日でも長く過ごしたいと願い,子どもの死に向き合うのを避けようとする[19]。その現実を受け止められず気持ちが混乱しているなかで,積極的な治療を継続するか中止するか,どこでどのように終末期を過ごすのか,延命処置をするのかなど,次々と様々な意思決定を求められることになる。終末期の意思決定は,親にとって小児の闘病生活のなかで最も困難な体験となりうる[20]。からだや心の苦痛がない毎日を送れること,小児が安心できる人に囲まれ安心できる場所で過ごすこと,小児のニードや意思が尊重されること,希望をもち続けながらも思い出づくりをすること,子どもらしい毎日を送ることなどを小児と家族の願いに寄り添いながら支援する。

C 終末期の小児と家族の看護

1. 全人的苦痛の緩和

終末期ケアの目指すところは，終末期の小児と家族のQOLの向上，小児の穏やかな最期である。終末期であっても小児が最期までその子らしく生きるためには，あらゆる苦痛から解放されることが必要で，タイミングよく苦痛緩和ケアを提供することが求められる。小児の状態が悪化してくると，体位や入浴の方法など，どれをとっても安楽を導くケアは個別性を増してくるため，どのようなケアが小児にとって最善なのかを，かかわる医療者で十分に共有することが重要である。また，心理的，社会的，スピリチュアルな苦痛の緩和においては，小児と家族のもつ希望に耳を傾けそれを支えることや希望が叶えられるように最大限の配慮をすること，小児が生きた証しを遺せるような思い出づくりをすることなどの支援が求められる。

2. 社会とのつながりを維持するケア

小児が終末期に過ごす場がどのような場所，どのような状況であっても，小児が最期までその子らしく過ごし，自分の力を試すことができるように，遊びや教育の機会を保障していくことも大切である。「どのようなことに喜びや楽しみを感じるのか」「残された機能のなかで何が可能なのか」を小児の声や反応から親と一緒に考え，他職種と共に小児に喜びや楽しみを与えるようなケアを提供していくことが必要である。また，希望があれば仲間や教師との関係を維持できるように最大限に調整することも大切である。面会が叶わなくとも，集合写真や園や学校で作った作品を貼ったり，日常的な会話のなかで学校や園に通っていたときのことを振り返ったりすることなども，重要なケアの一つである。

3. 家族の絆を支えるケア

小児の病状が悪化し，それまでのように親のケアへの参加が難しくなったり，一緒にしていた遊びに反応しなくなったりすると，親は「何もしてあげられない」「私は親として何ができるのか」と葛藤することが多い。一方，親は子どものために最期まで良い親であり続けたいと願い，子どもにとって最善のことをしたいと考えている。家族の存在自体が重要であることを家族に伝えるとともに，小児と触れ合ったり，小児が好きなことを家族主体で行えるように場の調整を行ったりすることで，小児に安心感を与え，家族全員が小児のために何かできているという感覚を失わせないようにし，家族の絆（きずな）を支えることが大切である。たとえば，入浴の際に好きな服を準備してもらう，顔を拭（ふ）いてもらったりマッサージをしてもらったりする，好きな音楽を選んで一緒に聴くなど小さなことであっても，家族のケアへの参加を常に意識してかかわっていくことが必要である。また，患児のきょうだいも参加できるように配慮することを忘れてはならない。家族からケアを受けたときの小児の反応を「気持ちよさそうですね」などと，言葉に出して家族に伝えていくことも大切である。

4. 小児と親の意思決定に向けての支援

前述したように，家族は精神的に混乱した状況のなかで，多くの意思決定を迫られる。治療方針や終末期を過ごす場の決定にとどまらず，毎日の生活のなかで「この子どもにとっての最善は何か」「子どもの意向や希望に沿っているのか，子どもには，何を伝えるべきなのか」という葛藤のなかで，意思決定をしていかなければならない。小児と親の意思決定を支えるために最も重要なのは，医療者との信頼関係とその関係に基づいた情報の共有である。「重篤な疾患を持つ子どもの医療をめぐる話し合いのガイドライン（日本小児科学会，2012年）」[21]でも，小児，親，関係する多職種が，小児の最善の利益を尊重し，おのおのの価値観・思いを共有して支え合い，パートナーシップを確立していく話し合いのプロセスが重要だとしている。終末期における決定は不確実性が高く，小児の最善がわかりにくいこと，小児の意向や希望がわかりにくいことが多いため，模範解答を探したり，すぐに答えを出そうとしたりせずに，話し合いを積み重ねて試行錯誤しながら小児の最善を最期まで追求していく姿勢を示していくことが看護師には求められる。

5. 子どもを亡くした家族へのケア

わが子を失うという体験は，親にとって人生のなかで最もつらく悲しい出来事であり，親より先に子どもが亡くなるというのは，不条理なことである。このように大切な者を失うという喪失体験によって生じる心理的・行動的・社会的・身体的反応（悲嘆）のプロセスは正常な反応であり，悲嘆を取り除くことがケアではなく，その気持ちに正直に向き合ったり，感情表出ができるように，場を与えたり，共にいたりすることが最も大切である。また，悲嘆のプロセスには「悲しみを乗り越えた」といったような終わりはなく，行ったり来たりするものであることを理解しておくことも必要である。一方で，死別後に重い精神症状や社会的機能の低下を引き起こし日常生活に支障をきたすような，専門的治療が必要な**複雑性悲嘆**に移行する場合もある。

悲嘆のプロセスは，子どもを看取るまでの過ごし方が大きく影響する。したがって，子どもを亡くした家族へのケアは，子どもとの死別後から始めるものではなく，診断時からの信頼関係とその関係の上でのケアの積み重ねによるものであり，最も大切なことは，終末期の子どもと家族に質の高いケアが提供され，より穏やかな最期が送れるように支援することである。苦痛を取り除くことができず小児にとってつらい最期を迎えた場合であっても，看取りのケアがていねいに施され，わが子がみんなに大切にされていたのだという感覚を得られることは家族の後悔を和らげる。また，複雑性悲嘆に移行しそうなケースを早めにキャッチし，専門家につないでいくことも重要である。

文献

1) 田村恵美：インフォームドアセントと意思決定支援における看護の役割，小児看護，41（13），1634-1641，2018.
2) Lerman, J., et al. 著，宮坂勝之，山下正夫訳：小児麻酔マニュアル，改訂第6版，克誠堂出版，2012，p.70.
3) 前掲書 2)，p.203.
4) アイリーン・モロフ・ラブキン，パメラ・D・ラーセン著，黒江ゆり子監訳：クロニックイルネス；人と病いの新たなかかわり，医学書院，2007.
5) Knafl, K., Deatrick A. J.. Further Refinement of the Family Management Style Framework, J Fam Nurs, 9(3): 232-256, 2016.
6) 小児慢性特定疾病情報センター医療費助成：https://www.shouman.jp/assist/（最終アクセス日：2019/3/6）
7) Knafl, K.A., et al.: Normalization Promotion. In Craft Rosenberg, M., Denehy, J. eds.: Nursing Interventions for Infant, Children, and Families, Sage Publications, Inc., 2001.
8) 日本小児科学会 移行期の患者に関するワーキンググループ：小児期発症疾患を有する患者の移行期医療に関する提言，http://www.jpeds.or.jp/uploads/files/ikouki2013_12.pdf（最終アクセス日：2019/11/12）
9) 前掲書 1)
10) 前掲書 1)
11) 前掲書 1)
12) 杉本陽子，他：看護師による子どもへの「いのちの教育」；実践例から看護師の役割を考える，日小児看護会誌，22(2): 97-106, 2013.
13) マイラ・ブルーボンド・ランガー著，死と子供たち研究会訳：死にゆく子どもの世界，日本看護協会出版会，1992.
14) 細谷亮太：小児がん患者のターミナルケアとデスエデュケーション，ターミナルケア，1(2): 105-109, 1991.
15) Drake, R,. et al.: The symptoms of dying children, J Pain Symptom Manage, 26(1): 594-603, 2003.
16) Goldman, A. et al.: Symptoms in Children/Young People With Progresssive Malignant Disease, UKCCSG/PONFS, Pediatrics, 117(6): e1179-e1186, 2006.
17) Jalmsell, L., et al.: Children with cancer share their views: tell the truth but leave room for hope, Acta Paediatr, 105(9): 1094-1099, 2016.
18) Hinds, P.S., et al.: End-of-life care preferences of pediatric patients with cancer, J Clin Oncol, 23(36): 9146-9154, 2005.
19) Matsuoka, M., Narama, M.: Parents' thoughts and perceptions on hearing that their child has incurable cancer, J Palliat Med, 15(3): p.340-346, 2012.
20) Hinds, P. S., et al.: An international feasibility study of parental decision making in pediatric oncology, Oncol Nurs Forum, 27(8): p.1233-1243, 2000.
21) 日本小児科学会：重篤な疾患を持つ子どもの医療をめぐる話し合いのガイドライン，2012.

本章の参考文献

・及川郁子監，村田惠子編：病と共に生きる子どもの看護〈新版小児看護叢書 2〉，メヂカルフレンド社，2005.
・田口智章：特集／一般外科医が知っておくべき小児患者への対応；一般外科における小児患者　小児の生理学的特徴と周術期管理の要点，臨床外科，68（5）：504-512，2013.
・権守礼美：全身麻酔で手術を受ける子どもの看護，小児看護，37（11）：1403-1408，2014.
・本多有利子：子どもの術後ケアの概要，小児看護，36（11）：1436-1441，2013.
・土井ゆみ，香川哲郎：兵庫県立こども病院における日帰り手術，日小児麻酔会誌，20（1）：215-221，2014.
・関島千尋，他：小児の日帰り麻酔，日小児麻酔会誌，19（1）：p.147-152，2013.
・及川郁子監：子どもの外来看護，へるす出版，2009，p.4.
・飯村尚子：小児科一般外来における看護師の役割，日本看護学会誌，34（1）：46-55，2014.
・田中哲郎，他：子どもの疾病に関する保護者の理解度，小児科臨床，54（1）：96-102，2001.
・中村博志：子供における死の認識の発達，BRAIN MEDICAL，18(3): 279-284, 2006.
・American Academy of Pediatrics，American Academy of Family Physicians，American College of Physicians，American Society of Internal Medicine : A consensus statement on health care transitions for young adults with special health care needs. Pediatrics 110(6Pt2): 1304-1306, 2002.
・Boydell KM et al. : I'll show them: the social construction of (in)competence in survivors of childhood brain tumors. Journal of Pediatric Oncology Nursing, 25(3): 164-174, 2008.
・Hocking MC et al. : Neurocognitive and family functioning and quality of life among young adult survivors of childhood brain tumors. The Clinical neuropsychologist, 25(6): 942-962, 2011.
・Twycross R.&Wilcock C. 著，武田文和・的場元弘監訳：緩和ケア―QOL を高める症状マネジメントとエンドオブライフケア，医学書院，2018.

国家試験問題

1 Aちゃん，4歳。初めて入院した。面会時間終了後に母親から「ママは病院には泊まれないと言い聞かせ，Aはわかったと言っていたのですが，帰ろうとしたら，一人でお泊まりするのはいやだとひどく泣いて困っています」と看護師に相談があった。対応で最も適切なのはどれか。（96回 AM122）

1. 「病棟の規則に従ってください」
2. 「もう少しAちゃんのそばにいてあげてください」
3. 「すぐに戻ってくると言ってそのまま帰ってください」
4. 「言うことを聞かないと明日は来ないと話してください」

2 小児の痛みについて正しいのはどれか。**2つ選べ**。（103回 AM88）

1. 新生児の痛みを把握する指標はない。
2. 薬物療法よりも非薬物療法を優先する。
3. 遊びは痛みに対する非薬物療法の1つである。
4. 過去の痛みの経験と現在の痛みの訴えには関係がない。
5. 3歳ころから痛みの自己申告スケールの使用が可能である。

3 A君（11歳，男児）。喘息（asthma）発作のため救急外来に来院した。喘鳴が著明で，経皮的動脈血酸素飽和度（SpO_2）88%（room air），ピークフロー値45%である。まず行うべきA君への対応で適切なのはどれか。（102回 PM71）

1. 起坐位を保つ。
2. 水分摂取を促す。
3. 胸式呼吸を促す。
4. 発作の状況を尋ねる。

▶答えは巻末

第1章

臨床において起こりやすい・直面しやすい状況と看護

この章では

- 臨床の場で起こりやすい状況での小児と家族への看護を学ぶ。
- 救急処置が必要な小児と家族への看護を学ぶ。
- 出生直後から集中治療が必要な小児と家族への看護を学ぶ。
- 先天的な健康問題のある小児と家族への看護を学ぶ。
- 心身障害のある小児と家族への看護を学ぶ。
- 医療的ケアを必要として退院する小児と家族への看護を学ぶ。

I 検査・処置を受ける小児と家族への看護

A 対象の理解

1. 検査・処置を受ける小児

病院を受診，入院する小児は，病院という場に行く（もしくは病院という場にいる）だけでとても緊張し，不安や恐怖心を抱く。そのような気持ちを抱きながら，小児は診断や治療効果の判定のために，様々な検査・処置を体験する。また，見慣れない環境のなかで，見知らぬ多くの人々に囲まれ，体験したことのない痛みや制限を伴い，時には親と離れなくてはならないこともあるため，不安や恐怖心はさらに増す。慢性疾患の小児においては，このような体験を長期にわたって繰り返すことになり，病気を治すための治療にもかかわらず，その過程で有害作用や合併症などの症状も加わり，自己を脅かす体験となり得る。

検査・処置の苦痛は一時的なものではあるが，緩和されなかった場合は，同じような検査・処置に対する不安や恐怖心をさらに高めるとともに，その後の人生にわたって病院や医療者への嫌悪感を生じさせる。看護師は，検査・処置が小児にとってどのような体験であるのかを，小児の視点に立って理解し，長期的な影響も十分に考慮したうえで，苦痛緩和ケアを提供する必要がある。

2. 検査・処置を受ける小児の家族

病院を受診，入院する小児の親は，小児の病状を心配し，なぜもっと早く気づいてあげられなかったのかなどと自責の念を抱くなど，心理的に混乱していることが多い。また，検査・処置は小児の診断やその後の治療方針の決定につながるほか，検査結果により決定された治療は小児の命の長さや質にも影響を与えるため，親の思いは複雑である。親の不安は子どもに伝わり，子どもの不安は親の不安をさらに高める。このような親子の相互作用による悪循環を断ち切るために，検査・処置が始まる前から終わった後に至るまで，継続して小児と家族へのケアが求められる。

B アセスメントの視点

1. 小児の理解と納得を得ること

小児の病状から検査・処置の必要性を判断するのは医療者であり，その判断に合意してその検査・処置を行うと決定するのは親であることが多い。しかし，その検査・処置を受けるのは小児である。したがって，小児自身が医療者と親が決定したことを理解し，検査・処置を受けることに納得できるように，小児を支援することが求められる（第5編-第2章「意思決定のための心理的支援技術」参照）。単に小児を説得するという医療者の姿勢は，自分が大切にされていないという小児の認識につながり，小児の納得が得られないばかりか，医療者と小児の信頼関係の確立を妨げる。したがって，どのような方法で検査・処置が行われるのかが，小児なりにイメージできるような情報を小児に伝え，どんなふうにその検査・処置に臨（のぞ）みたいかなど，小児の希望や考えを聞き，検査・処置の一つ一つのプロセスで小児の意思が尊重されるように一緒に考えていく姿勢が大切である。

2. 小児中心の視点を大切にしたプレパレーション

プレパレーションとは，病気・入院・検査・そのほかの処置に対する小児の不安や恐怖を緩和し，小児と親の対処能力を支えるために，それぞれに適した方法で心の準備やケアを行い，環境を整える，一連のプロセスである。したがって，プレパレーションは，あらゆる医療体験をする小児の最善の利益を考慮した，小児と家族への継続した心理的支援のプロセスである。それは，年齢や疾患，検査や処置・治療内容，また，家庭・病院・クリニックなどの場所を問わず，医療体験をする小児すべてに必要な日常的なケアである。プレパレーションのプロセスで最も重要なことは**小児中心の視点**であり，医療者が伝えたいことの説明から始めるのではなく，その小児のことを理解し，内に秘めた不安や疑問を探ることからそのプロセスを始めていく。表1-1に検査・処置を受ける小児のケアを計画する際のアセスメントのポイントを示した。プレパレーションは，小児の理解と納得を得ることにとどまらず，入院生活全般にわたって小児が主体的に検査・処置に参加できるように，継続的に提供されるべきケアである。

C 看護の実際

1. 検査・処置を受ける小児への看護が目指すこと

検査・処置は，決められた時刻に，限られた時間内で終わらせなければならないものも多く，医療者にとっても緊張感の高いことである。しかし，医療者がやりやすいように，小児が協力してくれることや泣かずにいられることを目指すのではなく，小児がどのような形であれ，主体的に検査・処置に参加できることを目指さなければならない。そして，小児にとって嫌なことが終わった後，小児ががんばれた自分，乗り越えられた自分を肯定的にとらえ，その後の生活のなかでの成長の機会につなげていくことが大切である。したがって，医療者の目からみての失敗や成功のみでケアの効果を判断せずに，小児が短期的・長期的に検査・処置に主体的に参加できているかどうか，心理的な苦痛を抱えていないか

表 1-1 検査・処置を受ける小児とその親のアセスメントのポイント

着眼点	アセスメントのポイント
本来どのような小児と親か	• 小児の年齢・理解力・性格 • 小児のコミュニケーションの傾向 • 小児の興味あることや好きな遊び • 親の理解力・性格・親子の関係 • 親のコミュニケーションの傾向
検査・処置に対する小児と親の理解や気持ち	• 実施する治療・検査・処置の過去の体験 • 検査・処置に対する小児と親の対処行動のパターン • 小児と親の理解の程度 • 小児と親が抱く検査・処置に対する不安や疑問や誤解 • 検査・処置の結果の小児と親にとっての重要性
検査・処置の進め方に対する小児の希望や意向	• 鎮痛薬，鎮静薬の使用の有無 • 検査・処置をする場に一緒に行く人，同席する人 • 検査・処置の姿勢，時間，進め方のタイミング • 検査・処置の際に持っていきたいもの
検査・処置を行う環境	• 小児の不安や恐怖心を高めるものは何か • 不安や恐怖心を高めるものを取り除くことはできないか • 小児の理解者はいるか
検査・処置が終わった後の小児の気持ち	• 小児が体験した身体的苦痛のレベル • 小児の達成感，満足感のレベル • 提供されたケアの効果
検査・処置が終わった後の親の気持ち	• がんばった小児に対する親の気持ち • 親の検査結果に対する不安のレベル • 親の役割遂行に対する達成感，満足感のレベル

どうかでその有効性を評価していくことが大切である。

2. 小児の安全と安楽への配慮

検査・処置は，期待される治療効果や正確な検査結果を得て，小児の病状の回復につなげていかなければならない。そのため，検査の時間を守ることや遅らせないこと，小児に動かないことを求めることも多い。小児は検査・処置を受けることを理解し，納得していても，反射的に動いてしまったり，医療者が期待するようにじっとしていられなかったりすることも多い。そのため，検査・処置の際は，介助者が小児を支えたり，ベルトを巻いて固定したりすることもある。看護師は，そのような場合も小児の立場からその状況を考え，「早く検査が終わるようにお手伝いをするね，いいかな」などと声を掛けて小児の了解を得てから，からだの一部を固定したり，固定の理由を伝えるなど，安全に十分に配慮しながらも，小児の不安や恐怖心を高めないような声掛けが重要である。必要最小限の固定をしながらも，小児の突発的な行動にも確実に対応できるように，小児を十分に観察し続けること，安全への配慮が大切である。

3. 穿刺を伴う検査や処置における統合的なアプローチ

針穿刺（せんし）を伴う検査においては，穿刺による身体的な痛みとともに，不安や恐怖心による心理的苦痛を伴う。そこで，検査や処置の苦痛緩和においては，痛みのマネジメントとともに不安や恐怖のマネジメントが必要とされる。それを達成するには注射手技や体位の工夫による介入，プレパレーションやディストラクション，親の同席を奨励する，母乳やショ糖を飲ませながら処置を進めるなどの心理的側面への介入，外用局所麻酔薬を使用したり，鎮静下で行うなどの薬物を用いた介入を組み合わせた統合的なアプローチの有効性が報告されている（第5編-第1章「コミュニケーション技術」参照）。

4. 鎮静下で行われる検査や処置に対する注意喚起

小児に行われる検査・処置には，痛みを緩和するために鎮痛薬を使用したり，意識レベルを低下させ，骨髄穿刺や腰椎穿刺・MRI検査などでは適切な体位や動かない状態を保持するために鎮静薬を使用したりすることが多い。小児に鎮静を行う場合には，嘔吐(おうと)や誤嚥(ごえん)・呼吸循環抑制などのリスクがあることを念頭に置き，決められた絶飲食時間を守り，鎮静中のモニタリングを行い，緊急時の物品の準備を忘れてはいけない。また，鎮静を行うか否かについては，小児の発達段階や特性・過去の経験・小児の意向・鎮静によるリスクと利益に応じて，小児にとって最善な方法は何かというアセスメントに基づいて医師と共に検討していく必要がある。

5. 環境の調整

検査・処置は，待ち合い室や診察室・病室や病棟から離れて，検査室・処置室で行われることが多い。処置室には小児に恐いイメージを抱かせるような医療器具がたくさん置いてあったり，マスクやガウンを着用している医療者がいたりするため，小児の不安や恐怖心を高める。したがって，小児の不安や恐怖心を緩和するような環境調整もケアの大切な要素となる。処置室を装飾することも効果的だが，それが不可能な状況でも，小児に恐怖心を抱かせるような物ができるだけ見えないようにする配慮や，小児が落ち着ける物を検査室や処置室に持ち込むことを奨励することも効果的である。また，小児の気持ちが検査や処置のみに集中せずに，小児の興味ある別のもの・ことに向くような**ディストラクション**の提供も小児の苦痛緩和には有効である。

II 痛みを表現している小児と家族への看護

A 対象の理解

1. 小児の痛みの受け止め方

痛みの存在は，痛みを体験している本人がだれかに伝えるか，他者が痛みを体験している人とのかかわりのなかで気づかなければ，本人以外のだれにも理解されない。小児が痛みをだれかに伝えるときは，痛いことをだれかに理解してもらいたい，痛みから解放されたいという切実な思いがある。伝えられた人（医療者や家族）は，その訴えをありのままに受け止め，痛みの存在を理解し，小児を待たせることなく痛みから解放することを考え，対応していかなければならない。適切な痛みの緩和提供の前提として，小児と医療者の間にコミュニケーションがあり，痛みを訴える小児と，痛みの緩和を一緒に考える医療者との信頼関係が必要である。

2. 小児の痛みの表現方法

小児は，大人と同じような方法で，痛みの存在，痛みの部位・性質・程度・持続時間などを医療者に伝えることは難しく，痛みの表現方法も多様である。痛みの表現方法は，認知能力や言語機能の発達・過去の痛みの経験・社会的文化的背景によって左右され，成長発達に応じて変化する。看護師は，発達段階に応じた小児の痛みの表現の特徴を理解し，アセスメントの際に考慮する必要がある。

1 乳児期

乳児期の小児は，痛みを「泣く」という形で表現する。親のような身近な人でなければ，泣いている理由の判断が難しいこともある。痛みについて学習し，不快な感覚を繰り返し経験すると，同じような不快な刺激に対して前よりも大きな声で泣くといった変化がみられる。1歳をすぎた頃になると，痛みと関連した状況（例：処置室に入る・白衣の人が来るなど）に遭遇すると，嫌がったり，大泣きをしたりすることで，痛みを避けるような反応をみせるようになってくる。

2 幼児前期

1歳半をすぎた頃になると，「いや」「いたい」など痛みを表現する言葉を発するようになる。痛みの部位を「ここ，いたい」「あたま，いたい」などと大まかに示すこともできるようになってくる。一方で，どこが痛くても「ぽんぽん，いたい」と曖昧な表現をすることもある。痛みを和らげる方法を学習し，「だっこ」などの**痛みの閾値（いきち）**を上げるようなかかわりを求めたり，「あっち，いって」などの，痛みを回避するような言動をみせる。

3 幼児後期

3歳をすぎた頃になると，より正確に，痛みの部位を言葉や指で示すことで表現できる。「すこし」「いっぱい」など，痛みの程度を表現する言葉や数の概念を習得し始め，痛みの程度をよりうまく伝えられるようになる。嫌なことを避けたり周囲の関心を引くために痛みを表現したり，逆に痛みを隠したりするような行動変化もみられるようになる。

4 学童期

自分から痛みを訴えることができるようになり，痛みの部位や性質・持続時間なども伝えられるようになる。また，痛みの程度について10段階程度で表現できるようになる。言葉で「よくなった」「すこしよくなった」「あまりよくならない」などケアの効果が表現でき，自ら楽になる方法を考えたり，試すようになる。自分が置かれている状況の理解が可能になり，自分に対して好ましくない状況を回避するため，親の意向に沿った態度をとるために，意図的に痛みの表現を変化させたり，我慢したりすることが増えてくる。

5 思春期

大人と同様に，自分の痛みの体験を表現し伝えることが可能になる。一方で，自分の置かれている状況，周囲の状況を深く理解し，自分なりの判断をするようになるため，表現される痛みや痛みへの向き合い方には複雑性がくわわる。親への気遣いから痛みを我慢する，親や医療者への反抗を示すために痛みを強く表現する，限定した信頼できる人だけに痛みを伝える，痛みのケアより自分のやりたいことを優先するなどがあげられる。また，精神的にはまだ未熟さが残っていたり，思春期ならではの特徴からくる複雑な痛みの出現もあり，精神的なケアが必要な痛みも多くなる。

3. 言葉で痛みを伝えることが困難な小児の痛みの表現

障害があったり，意識レベルが低下していたりして，言葉で痛みを伝えることが困難な小児の痛みを示す行動上の指標を表1-2に示した。このような状況にある小児の痛みの体験を正確に読み取るためには，言葉にならない小児の声をキャッチする医療者の観察力と親からの情報が重要である。親は，自分の子どものことに関するエキスパートであり，表情や姿勢・行動の小さな変化も見逃さず，それが何によるものなのかも深く理解できることが多いため，このようなケースにおいては親の関与は特に大切である。

表1-2 言葉で痛みを伝えることが困難な小児の行動上の指標

急性の痛みを表す行動上の指標	慢性的な痛みを表す行動上の指標
• 表情がさえない • からだの動かし方や姿勢が不自然になる • 周囲からの慰めに対して反応が乏しい • 泣く • うめく	• 不自然な姿勢が続く • からだを動かしたり，触られたりすることを嫌がる • 表情が乏しい • 周囲に対して無関心，無反応になる • 過度に静かになる • イライラがひどくなる，怒り • 気分が落ち込んでいる • 睡眠障害，食欲低下，学習・遊び意欲の低下などの生活行動の変化

出典／世界保健機関編，武田文和監訳：WHOガイドライン 病態に起因した小児の持続性の痛みの薬による治療．金原出版，2013，p.34，を参考に作成．

B アセスメントの視点

小児の痛み緩和ケアの鍵はアセスメントにある。アセスメントのポイントとしては，痛みの部位・パターン・程度・性質・持続時間・経時的変化・増強因子と緩和因子・日常生活への影響・現在行っている治療やケアへの反応や有害作用の有無などがあげられる。

1. 痛みの客観的評価の指標

医療現場では多くの専門家が小児にかかわるため，客観的な指標を用いてアセスメントし，痛みの全体像を共有し，継続的に緩和ケアの計画，修正を行わなければならない。

1 生理学的指標および日常生活への影響

痛み緩和ケアは，その小児が望む生活が送れることを目指す。病態や病状を把握して，小児の反応をよく観察し，生理学的な変化をとらえることと同時に，痛みによって影響されている日常生活の変化をとらえることが大切である。生理学的な変化としては，バイタルサイン，皮膚色や顔色，発汗の有無などを，日常生活の変化としては，姿勢，食事，排泄（はいせつ）行動，睡眠状況，遊びや学習への意欲，社会相互作用などを定期的に観察・記録し，その変化を追っていく。

2 自己申告スケール

アセスメントにおいて最も重視すべきことは，小児自身の表現である。小児の表現を助けるための複数の自己申告スケールが開発されている。代表的なものとして，**Wong-Baker FACES® Pain Rating Scale**（図 1-1），**NRS**（Numerical Rating Scale）（図 1-2），**VAS**（Visual Analogue Scale）（図 1-3）があげられる。それぞれの特徴と使用方法を表 1-3 に示した。自己申告スケールの導入は痛みの強くない時期とし，小児と医療者の痛みに関するコミュニケーションツールの一つとして活用する。医療者がそのスケールを使用してスコアリング

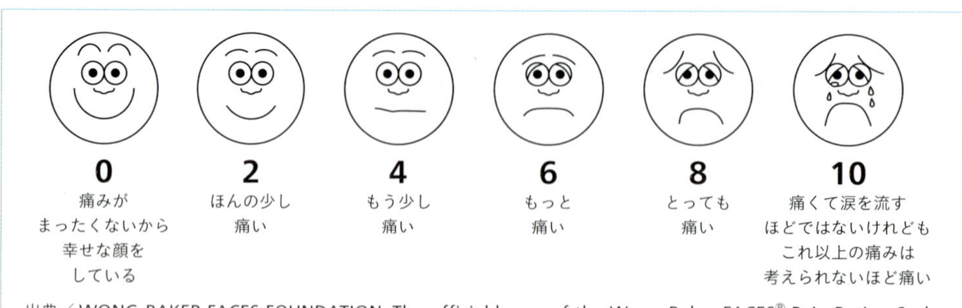

出典／WONG-BAKER FACES FOUNDATION: The official home of the Wong-Baker FACES® Pain Rating Scale. https://wongbakerfaces.org（最終アクセス日：2019/3/8）を著者邦訳.

図 1-1 Wong-Baker FACES® Pain Rating Scale

0 1 2 3 4 5 6 7 8 9 10

図1-2 NRS

図1-3 VAS

表1-3 小児に使用可能な自己申告スケールの種類・特徴・使用方法

自己申告スケール	特徴と使用方法
Wong-Baker FACES® Pain Rating Scale	痛みの程度がイラストの顔と数字で示されており，3歳以上の小児で有用性が報告されている。 【使用方法】①0～10のそれぞれの顔の説明を行う，②今どのように感じているか小児に尋ねる，③その顔が示す値を痛みの程度を示す指標とする。
NRS	数の概念を習得した小児に使用できる。 【使用方法】①痛みを0～10の11段階に分けて，痛みがまったくないものを0，考えられるなかで最悪の痛みを10として，痛みの点数を小児に尋ねる，②その点数を痛みの程度を示す指標とする。
VAS	学童期以上の小児に使用できる。 【使用方法】①幅10cmの線を示し，自分の感じている痛みの強さを最もよく表していると思う位置に好きな印を付けてもらう，②定規で「まったく痛みがない」から印までの長さを測る，③その測定値を痛みの程度を示す指標とする。

したり，小児に強要することはしてはならない。

3 行動スケール

行動スケールは，自己申告スケールの使用が困難な乳幼児，重度の障害をもつ小児，病状が不安定だったり痛みが強く自己申告が苦痛となる小児に使用する。痛みのアセスメントツールとして十分に確立された評価ツールには，**FLACC**（Face, Legs, Activity, Cry, Consolability）（表1-4）[1]と**CHEOPS**（Children's Hospital of Eastern Ontario Pain Scale）がある。また，重度の神経障害をもつ小児の親が主体となって痛みをアセスメントするツールとして開発された**PPP**（Paediatric Pain Profile）も妥当性が検証されている[2]。これらのツールは，自己申告できない小児の痛みの程度を客観的にとらえる指標となるばかりでなく，親とツールを共有することで，小児の様子の変化を話し合うきっかけとして活用できる。

2. 痛みの履歴書の活用

痛みの履歴書とは，がんの小児の過去の痛みの体験・痛みへの反応や対処の傾向・小児が希望する薬の剤形や投与経路・小児の好みのスケールを知り，小児に合った，より効果的な痛みの程度の把握・緩和ケアの方法を小児および家族と共に考えることを目的として

表 1-4 行動スケール：FLACC

カテゴリー	スコアリング		
	0	1	2
表情	無表情または笑顔	時折しかめっ面，眉をひそめている，うつむく，無関心	頻繁または持続的なしかめっ面，歯ぎしり，わななく
下肢	正常肢位またはリラックス	落ち着きがない，じっとしていられない，緊張	足を蹴る，突っ張る
活動性	おとなしく横になっている，正常位，容易に動く	じっとしていない，体位変換を繰り返す，緊張	反り返る，硬直する，ひきつけ
啼泣	泣いていない	うめく，めそめそ泣く，時折苦痛を訴える	泣き続ける，悲鳴をあげる，泣きじゃくる，不満を訴え続ける
安静度	満足している，リラックス	時々，タッチングや抱っこ，声掛けをすると落ち着く，注意散漫になることもある	慰めたり，安心させたりすることが困難

軽度から重度の認知障害のある子どもの術後疼痛，言葉を話せない乳幼児の手術，外傷，がん，そのほかの痛みを伴う疾患において，妥当性が検証されている。

作成されたアセスメントツールである（図 1-4）。がんの小児のみならず，あらゆる痛みを体験する小児に活用可能で，小児と家族との痛みに関する対話の促進，小児と家族の痛み緩和ケアの参加を促すような効果的な緩和ケアの提供を目指すものである。痛みの出現が予測される治療や手術の前にこのツールを活用して，小児と家族とが痛みについて話し合う機会をもつとよい。

C 看護の実際

1. 痛み緩和における基本的なアプローチ

痛み緩和における基本的なアプローチは，医療者のアセスメントに基づいた判断と小児の意向や希望に応じた薬物療法と非薬物療法の併用である。

1 薬物療法

『WHO ガイドライン；病態に起因した小児の持続性の痛みの薬による治療』では，薬による痛み治療の基本原則を表 1-5 のように示している。

❶ 2 段階除痛ラダーの考え方を参考にする（by the ladder）

この原則は，小児の痛みの強さに応じて強度の異なる鎮痛薬を選択する必要性を示している。第 1 段階の軽度の痛みの治療においては，アセトアミノフェンやイブプロフェンが第 1 選択であり，中等度から高度と評価された場合は，強オピオイド鎮痛薬が第 1 選択となる。

「痛みの履歴書」記入のおねがい

「痛みの履歴書」ってなんですか？

「痛みの履歴書」は，痛かったことについて，あなたにきくためのものです。前にどんなふうに痛かったのか，そのときどんなふうにしたらよくなったのか，痛いことをどんなふうに思っているのかを私たちに教えてください。

私たちはもしもこれからあなたが痛いと思ったとき，あなたがどのくらい痛いのか，どうやったら痛くなくなるか，一番いい方法を私たちは考えたいと思っているのです。だから，ぜひ私たちに協力してくれませんか？

書き方

あなたが書けると思ったらあなたが書いてください。もちろん，家族の人と相談しながら，あなたが言ったことを家族の人に書いてもらってもよいです。

そのとき，あなたが言ったことばをそのまま書いてもらうように家族の人に伝えてください。そして，あなたのことばであることがわかるように誰が言ったのかを書いてかっこしてください。

書き方がわからないときは，看護師にきいてください。

書いてくれたことについて，あとで看護師がお話をきくかもしれません。

どうぞよろしくおねがいいたします。

痛みの履歴書　　平成　　年　　月　　日

お名前：＿＿＿＿　性別：男・女　年齢：＿＿＿＿

受け持ち看護師：＿＿＿＿　担当医：＿＿＿＿

1. あなたが今まで体験した痛みを2つ思い出してみてください。

質問項目	痛み（その1）	痛み（その2）
①痛くなったのはどんなときでしたか？		
②どこがどのように痛かったですか？		
③それは何歳のときでしたか？		
④痛かったときには，どのように知らせましたか？		
痛かったことが伝わりましたか？		
⑤痛かったときに，薬は使いましたか？		
それで痛みはなくなりましたか？		
⑥そのとき薬のほかに何かしましたか？		
それで痛みはなくなりましたか？		

2. あなたは痛みをがまんする方ですか？なぜですか？

3. 痛みについて思っていることを何でもよいので，自由に書いてください。

4. どのくらい痛いかを伝えるために「痛みスケール」を使ったことはありますか？

5. 痛みをとる薬を使うにはいくつかの方法があります。どの方法がいいか順番とその理由を教えてください。

① 飲み薬　（　）理由＿＿＿＿
② 坐薬（お尻から入れる薬）（　）理由＿＿＿＿
③ 点滴から入れる薬　（　）理由＿＿＿＿
④ その他の方法　（　）理由＿＿＿＿

6. あなたはどの飲み薬がいいか順番を教えてください。今まで飲み薬をどのようにして飲んでいましたか？

① 粉の薬　（　）　飲み方（　）
② 粒の薬　（　）　飲み方（　）
③ シロップの薬　（　）　飲み方（　）
④ その他の方法＿＿＿＿（　）　飲み方（　）

受け取り者サイン＿＿＿＿

出典／片田範子，他：研究成果を実践に根付かせるための専門看護師を活用した臨床 - 研究連携システムの構築；小児における痛みアセスメントツールを用いたケア導入と効果の検証をとおして，平成17年度～19年度科学研究費補助金　基盤研究（A）研究成果報告書，2008，p.19-20.

図1-4 痛みの履歴書

表1-5 薬による痛み治療の基本原則

- 2段階除痛ラダーの考え方を参考にする（by the ladder）
- 時刻を決めて規則正しく薬を反復投与する（by the clock）
- 適切な投与経路である経口投与を用いる（by mouth）
- それぞれの小児に適合する個別的な量を用いる（by the individual）

❷時刻を決めて規則正しく薬を反復投与する（by the clock）

痛みが持続的に存在しているとき，小児の痛みが強くなってから鎮痛薬の投与を検討するのではなく，一定の時間間隔で鎮痛薬を投与し，痛みが強くなったときには臨時追加量を投与することを意味している。この原則を守ることによって，小児に痛みを我慢させる時間が最小限に抑えられ，痛みの出現や増強に対する不安や，恐怖による痛みの閾値の低下を防ぐことができる。

❸適切な投与経路である経口投与を用いる（by mouth）

これは，すべての鎮痛薬を経口で投与するという原則ではなく，小児の状況や希望に応じて，苦痛を伴わない鎮痛薬の投与経路を選択すべきだということを意味している。たとえば，坐薬が嫌いな小児に坐薬の指示があるからといってその指示に従うのではなく，小児にとって苦痛の少ない投与経路は何か，経口投与が可能なのか，静脈注射の経路が確保されているのか，確保されていない場合は静脈注射の経路の確保は小児にとってどの程度の苦痛なのかなど，総合的に考えていくことである。

❹それぞれの小児に適合する個別的な量を用いる（by the individual）

この原則に従うためには，重篤な有害作用を避けられるように，小児それぞれの年齢や体重・状態に基づいた安全な投与量と投与方法を十分に理解しておくことが必要となる。ガイドラインでは，痛みを緩和できる効果的なオピオイド鎮痛薬の投与量は同じ小児でも状況によって大きく異なることを示している。同じ病状だからと一律に投与量を決めず，一人ひとりの痛みの体験に応じて投与量を決定していくことが必要である。

2　非薬物療法

痛みに対する非薬物療法は，薬物療法を避けるための手段ではなく，薬物療法と併用することで，痛みの緩和を達成するための重要な治療・ケアである。非薬物療法は，どのような状況でも容易に行うことができ，**支持的療法・認知的療法・行動的療法・物理的療法**に分類される[3]。非薬物療法は，痛みの体験を多側面からとらえ，何が小児の痛みを左右しているのか，どのようなケアが小児を安楽に導くのかを考えて選択していく。

❶支持的療法

小児の心理社会的ケアをより充実させることを意図した，小児と家族を支え，エンパワーするケアである。小児の不安や恐怖心を最小限にするための環境調整，小児が安心できる人（主に親）がそばにいる環境をつくる，共感を示す，スキンシップを図る，リラックスして遊ぶなどが含まれる。

❷認知的療法

小児の思考と想像に影響を与えることを意図したケアである。小児が自分で対処する力を最大限にする**プレパレーション**，小児の気持ちを紛らわせたり，励ましたりする遊びや音楽を活用した**ディストラクション**，小児が痛みに代わって楽しい経験を想像することに集中するプロセスをたどるイメージ法などが含まれる。

❸行動的療法

小児の行動変容を意図したケアである。深呼吸を促すこと，遊びを活用してシャボン玉や吹き戻しなどを吹いて呼吸を整えること，リラクゼーション法などが含まれる。

❹物理的療法

感覚系に影響を与えることを意図したケアである。筋緊張を和らげるマッサージ，温熱刺激や冷却刺激を与えることで痛みを緩和する罨法，皮膚に貼り付けた電極を通じて電気刺激を与える装置を用いる経皮的神経通電法（transcutaneous electrical nerve stimulation；TENS）などの，生理学的根拠に基づいた痛み部位に直接介入するものが含まれる。

2. 小児による自己調節型鎮痛法

自己調節型鎮痛法（patient controlled analgesia；PCA）は，痛みの状態を最もよく知る患者本人が，痛みを感じたときに専用の機器（PCAポンプ）を自分で操作し，安全かつ効果的な量の鎮痛薬を投与する方法である。小児にPCAを導入する際は，PCAポンプの実際的な使用法のみならず，その原理や，安全装置が付いていることなどを小児と親に教育することが大切である。PCAポンプについての不十分な教育は，ポンプのボタンをうまく押せない，恐くて押せないなど，不適切な疼痛緩和につながってしまう。小児がうまくボタンを押せなくても，付き添う親への十分な教育が施されれば，小児を待たせることなく鎮痛薬の投与が可能となる。

Ⅲ 活動制限が必要な小児と家族への看護

 対象の理解

小児にとって動くということは，行きたい場所に行き，さわりたいものにさわり，自由に自分の思いを表現することができる手段の一つである。小児は動くということをとおして，自分自身の興味を広げ知的に発達し，微細運動や粗大運動の能力も発達させていく。

ピアジェ（Piaget, J.）の認知発達理論によると，感覚運動期にある乳幼児は，からだを動かし運動機能を獲得するとともに，認知も発達させている。このことは，からだを動かすことそのものが小児の運動機能の発達ばかりでなく，認知も発達させていることを示している。年少の時期にある小児もその発達段階なりに，周囲の世界を理解し始めていることがわかる。しかし，年少児では，活動制限が求められるような状況下では，状況をその子なりに理解できたとしても，大人であれば期待できるような自身でコントロールすることは難しい。さらに，幼児ではその認知発達段階の特徴から，抑制や固定を自分が悪いことをした罰であるととらえる場合もある。また，エリクソン（Erikson, E.H.）によると，自身の欲求やコントロール感を脅かされるような葛藤が大きい場合には，基本的信頼感や自律性の獲得に影響を及ぼし得る。これらから，活動制限は身体的・心理社会的な成長・発達に影響を及ぼし得ることがわかる。小児にとって，活動を制限され動けないということ

は，自由に動きたい・遊びたいという本来小児自身がもっている根源的な思いを奪われる体験であり，小児の自信やコントロール感を揺るがされるような体験となる。

しかし，医療の場面では，治療のための安静の保持やギプス・牽引による治療が必要になり，物理的に動くことができなくなることがある。また，検査・処置時の小児の安全を確保するためなどの理由で，活動制限を余儀なくされることがある。

1999（平成11）年に日本看護協会が示した小児看護領域で特に留意すべき子どもの権利と必要な看護行為の「抑制と拘束」の項では，「①子どもは抑制や拘束されることなく，安全に治療や看護を受ける権利がある。②子どもの安全のために，一時的にやむを得ずからだの抑制などの拘束を行う場合は，子どもの理解の程度に応じて十分に説明する。あるいは保護者に対しても十分に説明する。その拘束は必要最低限にとどめ，子どもの状態に応じて抑制を取り除くよう努力しなければならない。」とされている[4]。近年，高齢者や精神疾患を有する患者の抑制や身体拘束が社会的に取り上げられ，人間の尊厳を脅かすものであることが課題となっている。成人ばかりでなく小児も同様に，「子どもにとって動けなくされること，体の一部であっても動けないようにされることは子どものコントロール感を著しく傷つけるものであり，尊厳を脅かすものである。」とされている[5]。

やむを得ず，小児の活動制限を必要とする場合には，必要最小限な活動制限にする。その活動制限が本当に必要なものであるのか，活動制限する範囲や時間が妥当であるのか，ほかに代替手段はないのかアセスメントし，チームで活動制限の妥当性について検討することが求められる。必要な治療や検査が受けられる権利を保障すること，小児の尊厳を尊重することという2つの視点から考え，小児が最善の利益を得られるように支援する。

B アセスメントの視点

1. 活動制限や隔離の目的・方法

1 目的

①全身あるいはからだの一部の活動を制限し，エネルギーの消耗を最小限にし，安静を保つことにより疾病（しっぺい）の回復を促進する。
②特定の部位の安静を保持することにより，効果的な治療効果を得る。
③術後の創部の安全・安静を確保する。
④カテーテルやドレーンなどの自己抜去や転倒・転落を予防する。
⑤安全に検査・処置を行うために一時的に全身あるいは一定の部位の活動を制限する。
⑥感染予防のために隔離する（易感染状態・感染状態）。

2 活動制限の種類

①動くことが可能であっても必要とされる治療のための活動制限・隔離（心疾患：急性期の心負荷の軽減，腎疾患：急性期の血流量の確保，小児がん：骨髄抑制による易感染状態時のクリーンルーム，感染状態：隔離，尿道下裂術後・尿道形成のためのカテーテル誤抜去予防の活動制限など）

②物理的に動くことができない状況にある，治療のための活動制限（骨折：牽引治療やギプス固定，股関節脱臼：ギプス固定，点滴挿入；シーネ固定など；図1-5）

3 活動制限の方法

全身あるいはからだの一部を制限あるいは隔離することで，安静・安全を確保する。

2. 活動制限や隔離の身体的・心理社会的影響

活動制限や隔離は，小児に様々な影響を及ぼし得る（表1-6）。たとえば身体的影響では，動くことができないことにより，筋力低下や関節可動域の減少・骨密度の低下を引き起こし得る。心血管系には血栓形成や起立性低血圧，呼吸器系には気道内分泌物（ぶんぴつぶつ）のうっ滞による肺機能の低下，消化器系には便秘などがあげられる。心理社会的影響としては，心理的混乱を引き起こし，啼泣（ていきゅう）や不安・怒りを表現し，無表情や抑うつの症状を示したり，退行現象が生じたりすることもある。また，指しゃぶりや爪かみなど，それまではなかった習癖が生じたり，活動制限や隔離が長期間になる場合には，言語発達の遅れや自発性の低さ，自己像の脅かしなどが生じたりする場合がある。

C 看護の実際

1. 小児の発達に応じた日常生活への援助

まず，小児の発達段階，性格やそれまでの経験，いつもの対処行動の様子，活動制限の必要性を理解・納得できるかどうか，家族の面会の頻度などの情報を収集し，その活動制限が本当に必要なものであるのかアセスメントする必要がある。活動制限や隔離が必要であるとアセスメントされた際には，家族と小児に，どんな目的で，どのくらいの期間，どのように活動制限するのか，いつになれば活動制限を解除することができるのか，ほかに方法はないのかなど説明し同意を得る。小児にも，できるかぎり納得が得られるように説明する。

また，活動制限や隔離は，小児にとって身体的・心理社会的な影響を及ぼし得ることであるため，こうした影響を最小限にして，日常生活を送ることができるよう支援する。たとえば，ギプス装着中や牽引による治療を必要とする小児の場合には，活動制限によって筋力の低下や便秘などを起こし得る。このような合併症や2次障害を予防するために，観

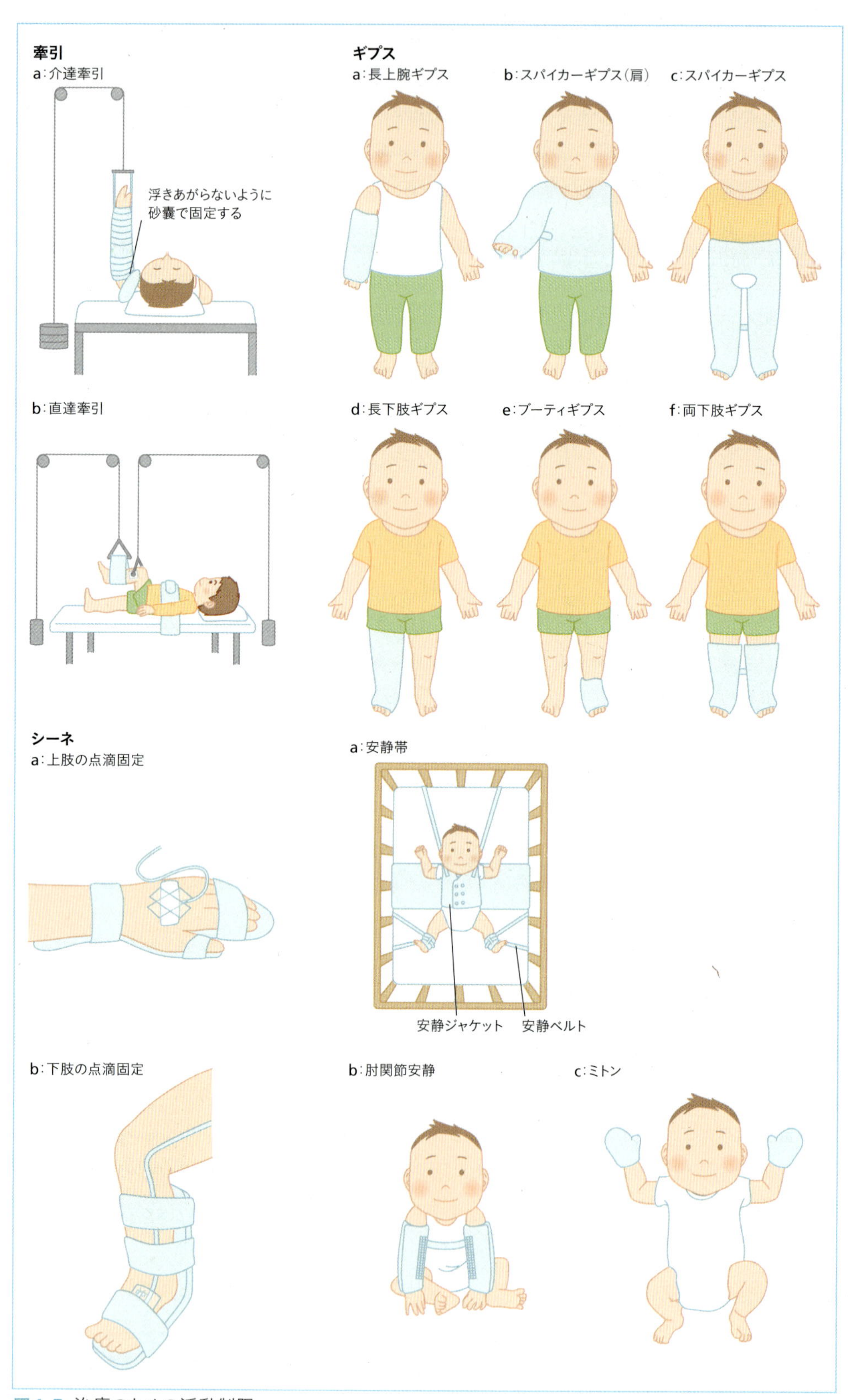

図1-5 治療のための活動制限

表 1-6 活動制限による心身への影響と看護

影響部位		影響内容	看護
身体的影響	筋肉系	筋力低下（1日で3%の低下）と筋体積の減少，関節拘縮，関節可動域の減少。	安全確保：適切なハビリテーション，良肢位の保持，転倒・転落防止。
	骨格系	骨形成と骨吸収のバランスの崩れ（骨密度の低下），病的骨折，カルシウム沈着，骨外造骨，腎結石。	安楽の保持：十分な水分摂取を促し，カルシウムの排泄を促進する。
	心血管系	血管収縮機序の機能低下，起立性低血圧，心負荷増大，血栓形成。	安全確保：体位変換，適切なハビリテーション。
	呼吸器系	酸素必要量・肺活量の減少，気道内分泌物のうっ滞，呼吸筋の筋力減少，酸素吸入量の減少，うっ滞性肺炎，無気肺，上気道感染。	安楽の保持：体位変換，体位ドレナージ，深呼吸，呼吸練習（口すぼめなど）。
	消化器系	食欲不振・消化能力低下，腸蠕動運動低下による便秘。	安楽の保持：腹部マッサージ，食事の工夫，環境整備。
	その他	腎・代謝・神経感覚の機能低下から順応力の低下，褥瘡，膀胱炎などの感染症。	安楽の保持：適切なハビリテーション，水分摂取。
心理的影響	心的混乱	啼泣，不安，怒り，攻撃，拒否，抑うつ，無表情，反応の低下，発声発語の低下，過度の依存，退行現象，コントロール喪失，集中力の低下，落ち着きのなさ。	安楽の確保：小児の訴えを聞く，生活リズムを整える，可能なかぎり好きな遊びを取り入れる，発達段階に応じたかかわりをもつ，気分転換，家族の面会，人的・物的な環境整備。
	習癖の発生	指しゃぶり，爪かみ。	

出典／濱田米紀：ケアに必要な知識と留意点　精神的苦痛に対するアプローチとケア，小児看護，23（12）：1620，2000，一部改変．

察と適切なハビリテーションやリハビリテーション・腹部マッサージを行う。

また，活動制限は小児にとって，心理的にも非常に大きな苦痛を伴うものである。できるかぎり，気分転換ができるようストレスを発散することができるような遊びを小児と共に考えたり，同室児などの他者との交流の機会をできるかぎり多くしたりすることで，心理社会的な支援を行っていく。また，小児にとって活動を制限されることは，自己コントロール感を揺るがされる体験となり得る。たとえば，前述のような治療を必要とする小児の場合，治療によりお風呂に入ることができず，ギプスの中はかゆみが強いなどの不快な状況が生じたり，排泄（はいせつ）の自立ができている小児が，介助者の援助やおむつを使用せざるを得ない場合，自尊心が脅かされたりすることがある。看護師は，このことを十分に認識して，小児が快適な生活を送ることができるよう，また，排泄の援助の際には，プライバシーを保護できるよう配慮する。さらに，小児の自己コントロール感が揺るがされないよう，できるかぎり自分でできることは自分でできるように，セルフケアを促進するようかかわる。セルフケアを促進することは，退院後に家庭や地域で生活を送る準備にもつながるため，小児と家族が主体的に行えるよう支援する。

2. 家族の面会や付き添いにおける援助

家族にとって，小児が活動制限されていることは，わがことのようにつらく，自責の念を感じることも多い。小児の安全を確保するためであると医療者から説明されれば，親は受け入れざるを得ない状況であることを認識し，十分に家族が理解・了解をして治療・処置・検査に臨（のぞ）めるように支援する。また，家族の付き添いがあれば，小児の活動制限を一部解除できることがある。小児の状況を適切に説明し，家族が子どもの援助をできるよう支援することが必要である。一方で，特に年少の活動制限が必要な小児の場合，面会が長時間に及ぶことが多く，身体的な疲労も大きくなりやすい。家族の心理的・身体的影響についてもアセスメントしながら，家族の心理的・身体的負担を軽減できるように，家族の思いを傾聴し，問題点を表出できるよう援助する。

3. 小児の対処を支えるケア

活動制限や隔離は，小児にとって非常にストレスを感じる要因となる。年少の小児の場合，ストレスに対して自身で積極的に対処行動をとることは難しいが，その子なりの対処行動をとっていることもある。たとえば，乳児ではおしゃぶりや抱っこを求め，満たされることにより気持ちを落ち着けていることもある。幼児前期でも，経験を重ねることで，どう行動するとよいのか，たとえば，採血のときに泣くことで感情を出しながら動かないでいられるといったような，その子なりに問題解決したり回避したりするような対処行動をとることがある。小児自身で，活動制限によるストレスに対処する行動をとることができるよう支援することは，自己コントロール感を取り戻すことにつながり得る。

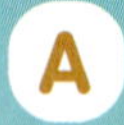

IV 外来における小児と家族への看護

A 対象の理解

1 外来を受診する小児と家族の健康問題

小児を対象とする外来は，あらゆる健康レベルの小児と家族が様々な目的で受診する。

急性疾患，慢性疾患，発達障害，心の問題などの診断と治療，健康診査や予防接種などの健康増進を目的とした受診がある。受診する小児と家族のなかには，育児に対する不安が強く医療者に助けを求めている場合や不適切な養育のために小児の健康状態に悪影響を及ぼしている場合がある。小児と家族の健康問題を理解するためには，受診の理由，何に困っているのか，医療者に何を求めているのかを把握することが重要である。

診療所（1次医療機関）や地域の急性期病院（2次医療機関）の外来では，発熱，頭痛，下痢，嘔吐（おうと），アレルギーなどの症状で受診する小児が多い。ほとんどの場合，内服や点滴治療と家庭のケアで症状が改善するが，入院治療が必要な疾患の場合がある。また，まれに白血病や脳腫瘍（しゅよう）などの小児がん・炎症性腸疾患や腎臓疾患などのこともある。そのため小児の症状を慎重に診察していくことが大切である。

大学病院や小児専門病院（3次医療機関）の外来では，高度で専門性が高い小児医療を必要とする小児が集まってくる。診療所や地域の病院から紹介されて受診する小児や，難治性で重症な疾患をもつ小児が定期的に長期的に受診している。

小児在宅医療の推進に伴い，医療依存度が高い小児が退院した後に地域で生活できるようになってきた。退院後は大学病院や小児専門病院に定期受診するほかに，診療所や地域の病院でサポートする機会が増えてきている。そのため，医療機関の規模や設備にかかわらず，外来看護師には在宅療養をする小児と家族の健康問題を理解し，看護できる能力が求められている。

小児期に発症した慢性疾患や重度な障害をもつ成人患者は，小児領域の医師が継続して診療していることがあり，小児を対象とした外来であっても成人患者が受診している。成人期の健康問題も含めて看護していく必要がある。

2 受診時の小児と家族の緊張と不安の軽減

外来を受診する小児は，見慣れない医療施設や初めて会う医療者に緊張したり警戒心を抱いたりしている。また何をされるのかと不安を抱いていることもある。外来看護師は小児にあいさつをして，看護師が何をする人かを伝えて，コミュニケーションをとりながら緊張を和らげる。医療者の行為一つ一つについて，これから何をするか，小児に従ってほしいことは何かを短い言葉でわかるように伝えることが大切である。

子どもが病気になった家族は，様々な不安を抱えて外来を訪れる。家族の不安や緊張は子どもに伝わり，子どもが不安定になることもある。まずは家族が安心して話せる環境をつくり，しっかりと話を聞く。家族は外来看護師との対話をとおして小児の症状や経過を整理し，気持ちを落ち着かせることができる。

乳幼児や発達に障害がある小児では，激しく泣く，あらがう，かたくなに動こうとしないなど，全身で緊張と不安を表現することがある。小児が嫌がっているときは無理にかかわることをせずに少し待つことを心がける。家族に抱っこしてもらう，静かに傍らに寄り添う，手を握ったりからだに触れたりするなどしてスキンシップを図り，小児が安心できるようにかかわる。

外来の初期診断は，治療方針に大きく影響し病状の改善を左右する。そのため，小児の症状と経過を正しく情報収集することが重要である。しかし，小児は発達段階によっては自分の症状を言葉で伝えることが難しい。また，代弁者である家族は，医師の前では緊張していて子どもの症状をうまく伝えられないことがある。外来看護師は診察に同席して医師との橋渡しをするなど，小児と家族が安心して診察が受けられるようにする。

特に病気の告知・治療についての説明（例：化学療法，胃瘻（いろう）造設や気管切開など）は，小児と家族の緊張が高まり，説明を聞いた後は不安が強くなる可能性がある。医師と協働して，事前に説明する内容を共有し，外来看護師が説明場面に同席できるようにする。医師の説明後は，小児と家族に説明内容は理解できたか，もっと聞きたいことはないかなどを確認する。困ったことがあったら電話をするように声をかけ，帰宅後の小児と家族の不安に対応できるようにすることが大切である。

退院後に初めて外来受診する小児と家族にとって，知らない外来に来ることは緊張と不安を伴う。そのため，退院前に小児と家族に外来オリエンテーション（外来の場所や受診の流れを案内する，外来看護師と顔合わせをする）を行うことが望ましい。

B アセスメントの視点

1 外来における緊急度の把握・トリアージ

外来を受診する小児の多くは軽症であるが，そのなかに重症化の危険性をもつ小児や，緊急の処置を必要とする小児が含まれている。小児は成長発達の特徴から予備能力が低く緊急の状況に陥りやすい。また小児は症状や苦痛を言葉で伝えることが難しく，親が状態の悪化に気づけないことがある。これらの理由から，来院して診察を待っている間にも状態が悪化する危険性がある。そのため，診療所や病院の小児外来においてもトリアージを行うことが重要である。

小児の状態に合わせて，診察の順番を早めたり，医療者が観察できる場所に移動したり，感染症の拡大を防ぐために隔離するなど，外来看護師の判断で迅速に実施することが重要である。トリアージは，小児の病状悪化の危険性を減らすだけでなく，診療の効率化につながる。

小児が来院したら，最初に計測やバイタルサインの測定・問診をしてトリアージを行う。また定期的に待合室・廊下・トイレなどを見回り，早期に対応が必要な小児がいないかを確認する。待ち時間が長くなっている小児と家族には声を掛け，状態を確認する。トリアージをする際，親やきょうだいが感染症に罹患（りかん）していることもあるため，受診する小児のみではなく一緒に来院している家族の体調も把握することが大切である。

2 外来における感染症対策

❶患児への対処

小児を対象とした外来では，感染症に罹患した小児が多く受診する。その一方で免疫（めんえき）機能が低下していて易感染状態にある小児も受診している。来院した小児が医療施設内で感染を受けるという不利益をこうむることがないようにしなければならない。

感染症を拡大させないために，来院するすべての人に感染症対策への協力が得られるようにすることが重要である。小児に感染症の疑いがある場合は，家族が申告するように働きかける。可能なかぎり，来院する前に電話で相談するように促す。

感染症を疑う症状がある小児や家族を発見した場合，ほかの来院者との接触を極力避けるために，速やかに隔離用の個室やほかの来院者と離れた場所に誘導する。隔離をする際は，その必要性を小児と家族が理解できるように説明する。小児の安全のために，絶対に小児を1人にしないこと，必ず大人がそばにいることをしっかりと伝える。

隔離中は，適宜小児の状態を観察し，苦痛の緩和が図れるようにケアする。何か気になることがあったら，すぐに看護師をよぶように説明し，看護師をよぶ方法（例：ナースコールを押す，電話をかける）を具体的に伝える。

帰宅する際は，家族内で感染症がうつる危険性について説明し，できるかぎりの予防策を実施するように医師や看護師から指導する。

❷医療者への教育

医療者は感染症に罹患する危険性がある。また医療者を介して感染症が拡大するおそれがある。外来診療に携わるすべての医療者は，感染症に対する正しい知識をもち，適切に対応できるように日頃からトレーニングすることが望ましい。

標準予防策（スタンダードプリコーション）を厳守する。医療者自身が麻疹・風疹・水痘・流行性耳下腺炎の罹患歴とワクチン接種歴を把握しておく。

C 看護の実際

1 外来でのアセスメント

アセスメントは，最初に小児と家族に会った第一印象から始まる。「体調が悪そう」「子どもの反応が気になる」「家族（同伴者）の様子が気になる」などの気づきが，観察と情報収集につながる。小児が受診したら，最初に受診の目的を確認して，バイタルサインや身体計測を行いながら小児の病状と成長発達をアセスメントしていく。外来受診の場面のみで判断するのではなく，家庭や学校・保育園・幼稚園などの生活状況も把握してアセスメントし，看護ケアにつなげていく。

外来看護師は，目の前にいる小児と家族の今の状況をアセスメントすることも大切である。たとえば，待ち時間が長いことや自分の子どもが泣いたり，騒いだりしていることに苛立っている，診療が小児と家族の期待する内容ではなく不満を抱いていることなどがある。小児と家族の表情や言動が気になったときは，声をかけて対応する。看護師が声をかけるだけでも，小児と家族は気持ちが和らぐ。また，小児と家族は外来看護師をみて“忙しそうだから声をかけにくい”と思っていることがある。繁忙ななかでも小児と家族のサインを見落とさないように心がけることが大切である。

2 検査・処置への支援

外来では，病気の診断，病状の評価のために様々な検査が行われる。針を刺す，管を入れるなど痛みを伴う検査・処置や，CTやMRIなどの，動くことを制限される特殊な医療機器検査がある。検査・処置は，小児にとって，緊張・不安・恐怖を伴うことなのである。外来看護師は，短時間のなかで小児の発達段階に合わせてわかるように説明し，小児が「がんばれる」ようにケアする能力が必要である（本章-Ⅰ「検査・処置を受ける小児と家族への看護」参照）。

外来では，検査・処置のときに初めて顔を合わせる小児が多い。外来看護師は小児にあいさつをした一瞬の間に，小児の緊張感や不安・心の準備状況をアセスメントし，小児に合わせたケアをする。検査・処置への小児の反応は様々で個別性がある。発達段階による違いだけではなく，過去の体験も影響していることがある。小児がうまくできた体験・嫌だった体験を小児と家族から聞くことで，短時間のかかわりのなかでも，小児に適したケア方法を見つけることができる。

検査・処置にあたっては，必ず小児と家族の双方に付き添いの希望を確認する。医療者の都合で小児と家族を引き離すことがないように配慮する。

小児は検査・処置で嫌な体験・つらい体験をすると，外来受診を嫌いになるおそれがある。必要に応じて次に受診ができるように，「待っています」のメッセージを伝え，外来を嫌な場所と思わせない努力が必要である。

3 教育的支援

家庭で生活する小児と家族にとって外来受診は，専門職とかかわる貴重な機会である。外来看護師が専門職として教育的支援をすることで，小児と家族のケア能力を高めることができ，小児の健康状態の改善・維持・向上につながる。

病気をもつ小児とその家族に必要な教育は，病気を理解して症状を観察できるようにする，症状に対処できるようにする，などである。また，過度な受診や受診が遅れて小児の状態が悪化することを防ぐために，受診の目安や受診方法を具体的に説明し，家族が判断できるようにする。たとえば「○時頃まで様子をみて，改善がなかったら受診する」「水分やミルクが1日で○○ mL程度以上飲めないときは，翌日の午前中に受診する」などである。適切な受診行動がとれるように小児と家族へ教育することは外来看護師の役割である。

4 地域との連携

地域で生活している小児は，外来をとおって入院し，退院した後は外来で診察される。外来は病院の玄関であり，地域との連携拠点である。

養育支援，就園・就学支援，学校生活への支援，在宅療養中の在宅医や訪問看護・訪問リハビリテーションの導入や利用中の調整など，外来看護では地域との連携が不可欠である。連携にあたっては，医療者個人の主観的な意見に偏らないように，小児と家族に携わっている複数の関係者と意見交換をして，多角的に支援を検討することが大切である。たとえば，保健師や学校教諭が診察に同席できるように，また地域の支援者とカンファレンスができるように調整する。外来受診は小児と家族の状況を知る機会であり，外来看護師が小児と家族の問題に気づき，適切に連携することが支援につながる。

入退院支援においては，常に病棟看護師と連絡をとり，入院あるいは退院する小児の情報を共有することが大切である。退院前の地域とのカンファレンスに参加し，入院中から地域の支援者と顔が見える連携をつくることが望まれる。

5 小児と家族のセルフケアへの支援

外来は，小児に長期的にかかわることができ成長発達していく過程を観察することができる。小児の発達段階に合わせて，親から小児へセルフケアが移行し，小児が自立できるように支援することは外来看護師の重要な役割である。

外来看護師は，医療的ケア，服薬管理，食事管理など病気をもつ小児が生活していくために必要な多くのことを支援する。小児が乳幼児の場合は主に親に指導を行い，徐々に小児主体への指導に移行していく。就学や進学・学校の宿泊行事などのタイミングは，小児がセルフケアを獲得するきっかけとなる。それぞれに適したタイミングをつかんで介入することが大切である。小児によって受診間隔が異なり，1～2か月，あるいは数か月に1回の受診の場合がある。限られた短い時間でセルフケアへの支援をするためには，小児と家族と一緒に目標を立てて計画的に進めていくことが必要である。

V クリティカルな状況にある小児と家族への看護

A 対象の理解

1. クリティカルな状況にある小児とは

クリティカルな状況とは，重篤(じゅうとく)な疾患や外傷などの過大な侵襲(しんしゅう)により生命活動が極めて危機的な状態のことである。小児のなかでも，特に乳幼児は生理学的に予備力が少なく，免疫(めんえき)の獲得段階にあり抵抗力は脆弱(ぜいじゃく)であるため，ひとたびクリティカルな状況になると症状が急速に進行し生命の危機的状況に直結するリスクが高い。クリティカルケアの対象となる病態は，急性呼吸不全，敗血症性ショック，痙攣(けいれん)重積を伴う中枢神経障害，DKA（糖尿病性ケトアシドーシス），多発外傷，心肺停止などであり，心肺蘇生などの救命処置のために救急外来に搬送され，生命維持・回復のために集中治療室における全身管理を必要とする。このようにクリティカルな状況にある小児は，生命を脅かす危機的な状態であるため救命処置が最優先されるが，心理的側面でも大きなストレスを感じていることを認識する必要がある。たとえば，喘息(ぜんそく)の急性増悪(ぞうあく)により呼吸不全となった場合，激しい呼吸困難を経験する小児は不安や恐怖を感じ，持続する呼吸努力や低酸素血症に対する医療処置が余儀なくされ，心理的に不穏となり，さらに苦痛が強まるという負の連鎖に陥りやすい。

救急外来や集中治療室でクリティカルケアを必要とする小児（および家族）が抱える問題として，病態の安定化，複雑さ，予測性，脆弱性，意思決定への参加，ケア提供場面への参加，利用可能な社会資源などを看護師は考慮する必要がある。具体的には，クリティカルな状況にある小児の生理的状態は不安定であるため，現状の維持が可能な状態なのか，すぐに介入が必要な状況であるのか迅速な判断が求められる。小児は強い心理的苦痛を感じているだけでなく，病態生理学的な問題，複雑な家族背景，高度な集中治療管理の必要性など2つ以上のシステムの問題が合わさることで，小児を取り巻く状況はさらに複雑化する。また成人に比べて予備力の少ない小児は，実際に生じている深刻な病態や潜在するストレスにより病状の悪化が速いため，予測を超えた急激な変化が起こりやすい。さらに，入院中は高度な集中治療が優先される傾向にあるが，家族の代理意思決定を支援する機会やケアに参加する機会を設け，可能であれば小児の意思を尊重しながら，小児と家族のつながりが途切れない看護支援を提供する。

2. クリティカルな状況にある小児の家族とは

救急外来や集中治療室では，小児だけでなく，その家族もケアの対象者となるため，家族の特徴を理解して課題をとらえていくことが重要である。ここでクリティカルな状況にある小児をもつ家族に生じる心理的・身体的・社会的変化を理解することで，家族の状況により適した看護ケアに結びつけていく。

1 心理的変化

家族に生じる心理的変化を，ここではFinkの衝撃から適応へ向かう危機理論を用いて説明する。この理論は，突然の予期せぬ出来事により，からだに不可逆的な障害をもつことで心理的危機状態に陥った患者を対象に，障害受容に至るまでの時間を追ったプロセスモデルである。そのため，本来のモデルの適用範囲からは外れるが，クリティカルな状況に直面した小児の家族は，常に不確実性や不可逆性のリスクにさらされ，同様の心理的変化が生じる可能性があるため，このモデルを基に危機的状況にある家族を理解する。このモデルでは，「**衝撃**」「**防衛的退行**」「**承認**」「**適応**」の4つの段階で進行するが，実際のケースでは良い方向に向けて直線的な経過をたどらないことがある。

▶ **衝撃の段階**　突然の出来事に心身ともに衝撃を受けて，パニックに陥る。この段階の家族の言動は，激しい動揺をストレートに表出する場合（落ち着かない，突然泣くなど）と行動が抑制される場合（無反応，無表情など）がある。特にこの段階では，後者のように自分の置かれている状況が理解できずに無力状態である場合が多い。

▶ **防御的退行の段階**　強烈なショックの時期がすぎ，実際に起こっていることの重大性を少しずつ認識し始めるが，厳しい現実を受け止めきれず，家族は自己の心を守るために，現実逃避，否認，抑圧などの防衛機制を用いることがある。

▶ **承認の段階**　あらゆる防衛機制を試みた結果，直面している現実は変えることができないという事実に気づき現実に向き合おうとする。しかし，小児の不可逆的な変化（身体機能の喪失や脳死など）が避けられない場合には，家族は再び不安や抑うつに襲われ，承認と防御的退行の段階を何度か繰り返す（ストレスの再現）。状況が圧倒的過ぎると，小児の永続的な変化に対して悲嘆や喪失のプロセスへ移行したり，自傷行為などのリスクが高まったりする可能性がある。

▶ **適応の段階**　危機的な状況に対して建設的・積極的に抵抗できる時期を迎え，家族は自分の置かれている状況に対して，新たなイメージや価値観が構築されることで不安も軽減する。しかし，小児が生命の危機的状況に置かれることの多い救急医療や集中治療の現場では，家族がこの段階に到達することは難しい。

2　身体的変化

家族の身体的な変化としては，小児がクリティカルな状況にあるために生じた心理的ストレスにより，息の詰まる感じ，口渇，脱力感，食欲低下，睡眠障害など様々な症状を経験する可能性がある。さらに，慣れない病院環境における待機時間が長くなり，疲労が蓄積しやすいため家族の健康状態に問題を生じることがある。

3　社会的変化

このように心身ともに深刻な変化が家族に生じるだけでなく，家族の機能不全や経済的苦悩など，家族の社会的側面も変化する可能性がある。クリティカルな状況にある小児の厳しい現実から自己を守ることで精一杯となり，家族成員がお互いに配慮する余裕がなくなり，相互理解の低下，コミュニケーション不足による衝突やすれ違いなどが起こる。さらに，それまで家族のリーダーを務めていた家族成員が心理的に動揺し，リーダーシップ機能の低下などが起こることで，家族機能が大きく揺らぎ家族危機が起こることがある。また，家族が病院に待機する時間が長くなると，幼い兄弟の世話や仕事の調整など家族への社会的負担が増大することになる。

B　アセスメントの視点

1. クリティカルな状況にある小児

クリティカルな状況にある小児に生じている主な症状をとらえながらフィジカルアセスメントや病歴聴取を行い，検査データの結果などを踏まえて，その原因や病態生理の理解をすることで身体的問題をとらえていく。さらに心理的・社会的問題としては，小児が理解できる状況であれば，感じている不安を軽減し苦痛を緩和するために必要なケアを提供し，家族と過ごす時間を少しでも多く確保するためにケアプランを検討していく必要がある。

2. クリティカルな状況にある小児の家族

小児がクリティカルな状況にあることで，小児と家族の関係にどのような危機的状況が生じているのか，その要因をアセスメントすることが基本となる。そして，小児と家族が危機的状況をどのように認識し，どのような対処ができているのかをアセスメントする。その際に，家族の心理的変化のプロセスがどの段階にあり情緒的反応を示しているか理解する必要がある。情報提供が十分になされていない場合，あるいは危機的状況に対する適切な認識が不足している場合でも，危機的な状況では常に家族の意思決定が迫られるため，家族の理解できる言葉で情報提供を行いながら意思決定支援をしていくことも重要となる。

 看護の実際

1. クリティカルな状況にある小児

1 救命のための全身管理

生命の危機的状況にある小児の全身管理を行うためには，フィジカルアセスメント，バイタルサインや各種パラメーターによる全身状態のモニタリング，生命維持のための高度な医療技術や集中治療，急変時の救命処置や心肺蘇生法などについて，十分な知識や思考プロセス，および技術を看護師は習得する必要がある。

2 苦痛の緩和

クリティカルな状況にある小児の痛みとは身体的苦痛だけでなく，精神的苦痛，社会的苦痛，霊的苦痛（スピリチュアルペイン）といった全人的な苦痛（トータルペイン）を抱えている。

身体的苦痛とは，侵襲(しんしゅう)的な処置に伴う痛みや創部痛に限らず，発熱，悪心(おしん)・嘔吐(おうと)，倦怠感など，身体的に経験している苦痛のことであるため，それぞれの症状に対するアセスメントを行い，症状をコントロールできるよう援助する。

精神的苦痛とは，入院や処置に対する不安や恐怖，親との面会制限による寂しさ，治療の停滞に対する苛立ちや焦りなどがある。クリティカル領域では治療が優先され制約もあるが，できる限り小児が家族と過ごせる時間を確保できるように配慮する。

社会的苦痛は，たとえば，入院に伴い，学童期であればそれまで送ってきた学校生活における立場や家庭内における役割の喪失などである。社会的苦痛に対するアプローチとしては，できる限りこれまでの人間関係を入院中も維持できるよう働きかけることにより，病気によって家族関係や人間関係が悪化しないようにする。

霊的苦痛とは，病気によってこれまで描いてきた人生の意味や目的などが見えなくなり，自己存在が脅かされること（アイデンティティ・クライシス）を経験するために生じる苦痛である。霊的苦痛に対しては，小児に対して傾聴や共感といった態度を示しながら，その時間・空間を共に経験することが重要である。特に小児にとって最も重要な存在となる家族とのつながりの時間を可能な限り確保し，小児の霊的苦痛に傾聴できるように落ち着いた環境調整をしていく必要がある。

2. クリティカルな状況にある小児の家族

1 環境調整

クリティカルな状況にある小児をもつ家族は急激な情緒的ストレスを経験しているため，家族の心理的変化に応じた対応が求められる。家族が「衝撃」の段階にある場合は，小児の危機的状況に対する感情を表出できる環境調整を行う。たとえば，救急外来や集中治療室ではほかの患者家族や医療スタッフの話し声，ほかのベッドのアラームなどで落ち着かない環境ではなく，できるだけ家族だけの時間や個室などプライベートな空間を確保できることが望ましい。個室が用意できなくても，パーテーションなどで視覚的なノイズを取り除き，家族が話しかけたり，泣き叫んだり，怒り悲しんだり，手を握り合ったりすることができる環境を整えて，家族成員で体験を共有することが重要となる。

高度かつ複雑な医療機器に囲まれての全身管理を必要とするため，面会制限を設ける場合があるが，小児にとっては家族の面会が大きな支えとなり，小児のそばにいたいという家族のニーズもあることから面会のタイミングを調整する必要がある。家族が小児へのタッチングや声かけができるよう促し，不要なアラームは鳴らないよう配慮する。

2 情緒的サポート

突然のわが子の生命の危機的状態に対して，家族はパニック状態となり，どのように振る舞ったらいいのかわからず動揺する。大きなストレスを受けている家族へは，不安・怒り・悲しみなどの感情を表出できる環境を整えると同時に，感情を表現していることに対して支持的に関わり傾聴する。家族は自らの感情や思いを傾聴してくれる相手がいることで，十分に感情を表出できる。この感情を表出するプロセスは「衝撃」から「適応」の段階に至るためにも，家族が危機的状況から回復の過程をたどるための援助となる。また小児や家族といった対象者と時間および空間を共有するだけでなく，「いつでもそばにいます。何かあればいつでも言ってきてください」という言葉かけなどを行い，看護師は落ち着いた態度で家族と共にいることが重要である。

3 十分な情報提供

クリティカルな状況では，救急処置の合間に家族に対する病状や治療方針の説明が行われ，説明する医療者が毎回変わることがあるため，説明が断片的となり家族が現状の理解を十分にできないことが起こり得る。ただでさえ家族は情緒的危機が強くなっているため，家族が理解可能で平易な説明の方法を工夫し，できる限り家族への説明者を統一するなど，医療者の説明と家族の理解に齟齬が生じないようにする。危機的状況にある小児の家族には，治療方針，蘇生行為，延命処置などに関する多くの意思決定が迫られるため，意思決定を支援する意味でも十分な情報提供がなされるよう支援していく。

VI 救急処置が必要な小児と家族への看護

A 対象の理解

1. 救急処置を必要とする小児

小児外来や救急外来で救急処置を必要とする小児の状況として，大きく分けて外因系と内因系疾患の2つがある。そのほかの状況に，入院中に状態が急激に悪化したような場合にも救急処置が必要となる。

外因系疾患には，予測的にかかわることで予防可能な傷害（injury）と避けることのできない偶然の出来事である事故（accident）がある。事故とは，わが国では人口動態統計で用いられている「不慮の事故」という言葉が一般的であるが，たとえば，交通事故，転倒・転落，四肢や頭部の外傷，溺水，異物による窒息などは決して予想できないことではないため，海外では事故ではなく，傷害と表現され，小児保健における予防可能な最大の健康問題となっている。つまり，繰り返す外傷を予防するためには，小児を取り巻く環境（製品のデザイン，生活空間など）や発達過程にある小児の状況を考慮して，傷害が起こらない環境づくりを養育者と共に考えていく必要がある。

内因系の急性疾患では呼吸不全，ショック，中枢神経障害などの状態を認めるために救急処置が必要となる。成人に比べて生理学的に予備力がない小児の病態は急激に悪化しやすいこと，慣れない病院や見知らぬ医療者に対して不安や恐怖を感じていること，これらを小児に救急処置を行う医療者は理解しておく必要がある。つまり，救急処置中にあっても状態変化にすぐに気がつけるように適切なモニタリングを行い，不安で啼泣している小児にはプレパレーションツールなどで気をそらし，理解可能な年齢では事前にプレパレーションツールを使用して説明を行うことで不安の軽減に努める必要がある。そうすることで，より安全で安心できる救急処置を提供していくことが重要である。

2. 救急処置を必要とする小児の家族

救急処置は家族にとって不安や緊張感といったストレスを与え，特に病気や傷害の予後が深刻である場合，突然の予期せぬ出来事に対して家族は激しいショックを受ける。家庭内の傷害（事故）や家族がそばにいた場合には，家族は自責の念に苛まれることがある。冷静な判断ができない家族は，医療スタッフの説明や技術に疑問･不満をもつこともあり，処置を行う前の情報提供はシンプルな言葉によるていねいな説明を行い，家族が抱く不安に対処していくことが重要である。

B アセスメントの視点

1. 小児の救急におけるトリアージと対応

トリアージとは，災害現場や救急外来において多数の傷病者が同時に発生した場合，傷病者の緊急度や重症度に応じて適切な処置を行うために，傷病者の治療の優先順位や加療場所を決定することをいう。救急外来を受診するケースには，発熱，下痢・嘔吐，発疹，痙攣など様々な主訴が混在しており，そのなかには全身状態に問題を認めず帰宅可能なケースが多数含まれていることが小児救急患者の特徴である。つまり，小児の多くは軽症患者であるが，そのなかに潜在するひと握りの緊急性の高い，生命を脅かす危機的病態にある小児を見逃さないためにトリアージが行われている。小児は自分の訴えをうまく伝えられないため，トリアージ看護師は言葉にならない小児の声を代弁（アドボケイト）する役割を担うことで，医療安全の確保だけでなく家族に安心を提供するという点でも有益である。トリアージの流れは，第一印象を評価する小児初期評価トライアングル（Pediatric Assessment Triangle：PAT）から始まり，焦点を絞った病歴聴取，バイタルサインとABCDEアプローチによる生理学的評価をもとに，小児の全身状態を迅速に評価し，病態の緊急性を判断していく。

2. 小児の意識レベル

意識レベルは，自分自身や周囲の環境を正しく認識できる「認知」と刺激がなくても開眼し周囲の情報に対して注意を保てる「覚醒」の2つの要素がある。代表的な意識レベルの評価スケールはJapan Coma Scale（JCS）とGlasgow Coma Scale（GCS）があるが，JCSは主に「覚醒」レベルの障害の程度を評価の軸にしており，一方でGCSは頭部外傷患者の意識障害のレベル評価を目的としているため，「覚醒」だけでなく「認知」の評価も含まれる。GCS（3編表3-26参照）について補足すると，3～15点満点で評価するGCSは開眼，言語反応，運動反応の3項目で構成されるが，E（開眼）では15秒自発開眼が可能であればV4とする。乳幼児で不機嫌や啼泣により判断に迷う場合は，15分ごとに繰り返し評価を行う。GCS ≦ 8 で改善傾向を認めない場合は気管挿管が考慮される。

このほか，救急場面では迅速性を重視した 4 段階評価である AVPU Scale（Alert：覚醒し周囲に対して適切に反応する，Voice：呼びかけに反応する，Pain：痛み刺激だけに反応する，Unresponsive：刺激に対して反応しない）が使われることがある。

救急処置を必要とする小児の意識レベルは気道・呼吸・循環やバイタルサインと並行して，処置を開始する前に必ず評価し，意識レベルの変容は生命に危機的状況が差し迫っている可能性を示唆することがあるため繰り返し評価する。

3. 異物誤飲，主な誤飲物質と処置

異物誤飲は，手にしたものを口や鼻などに入れる探索行動が盛んな乳幼児に圧倒的に多い疾患である。飲み込んだ異物が喉頭や気管などの入る気道異物と食道や胃などにある消化管異物があり，異物の種類，停滞部位，症状によっては緊急処置の対象となる。

気道異物には，咽頭，喉頭，気管・気管支の異物がある。咽頭部の異物には魚の骨や玩具が多く鉗子で除去できる場合もあるが，耳鼻科的処置が必要になることもある。気道異物で最も多いのはピーナツであり，節分豆や枝豆などの豆類が多い。特に嚥下機能・咀嚼力・咳嗽反射の未発達な 4 歳以下の乳幼児では食物誤嚥による気道閉塞が多いため食材の制限などが必要となる。そのほかに小さい玩具・部品，ガム，ビニール袋の切れ端やシールなどにより喉頭部で閉塞を起こすと突然のむせかえるような激しい咳き込みや呼吸困難症状を起こし，泣いたり・話せなかったりする場合は完全閉塞による窒息の可能性があるため救急処置の対象となる可能性が高い。そのため，乳児の場合は，術者の腕に乳児の頭部が下になるようにうつぶせに乗せて，肩甲骨の間を 4 ～ 5 回叩く**背部叩打法**（図 1-6a）を行う。幼児以降の小児の場合は，術者が後ろから抱きかかえるような格好で小児の腹部を下から上方に圧迫する**ハイムリック**（Heimlich）**法**（図 1-6b）を行う。

消化管異物には，食道異物と胃以降に停滞する異物がある。症状としては，悪心・嘔吐，流涎，咳嗽，嚥下困難，食べたがらないなどがある。ボタン電池や複数の磁石が食道の生理的狭窄部などに停滞する場合は，粘膜障害を起こすため緊急摘出の対象となる。また鋭利なもの・長いものを誤飲した場合も，粘膜障害や穿孔の危険性が高いため緊急摘出が考慮される。

薬物誤飲をした場合，以前は催吐薬を使って嘔吐させることもあったが，誤嚥による肺炎のリスクや臨床転帰が改善しない点を考慮して，嘔吐は推奨されていない。小児の薬物誤飲の特徴として，家族が定期的に内服している感冒薬，降圧薬，血糖降下薬，向精神薬などの医薬品，防虫剤，洗剤，ジェルボールなどの日用品・家庭用薬品やたばこの誤飲があげられる。中枢神経障害，血圧低下，血糖低下などの症状を認める場合は，輸液や拮抗薬により薬物の排泄を促進させ，バイタルサインのモニタリングを行う。バイタルサインや ABC（気道・呼吸・循環）の問題や意識レベルの低下を認める場合は，救命処置の適応となる。

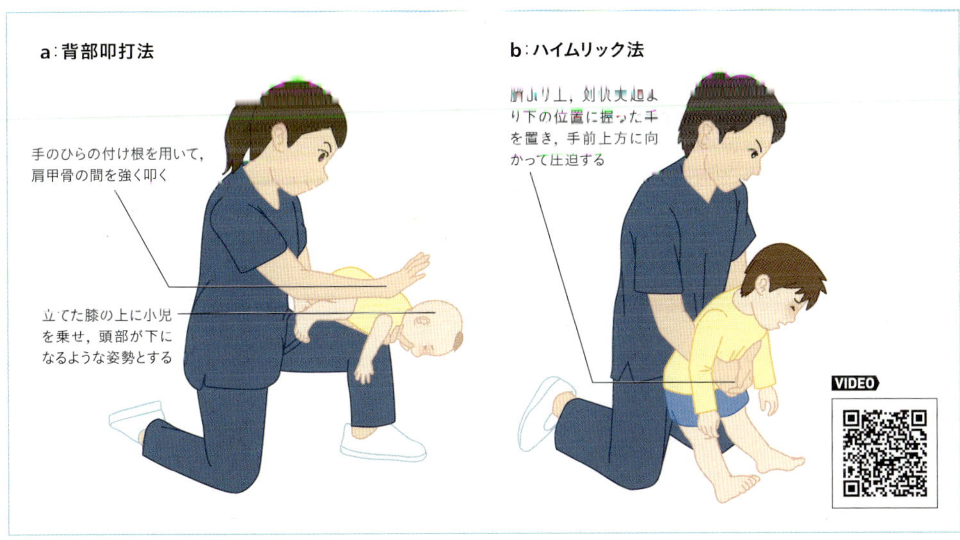

図 1-6　背部叩打法とハイムリック法

4. 小児の熱傷の特徴・重症度および処置

小児の熱傷の特徴は，運動・認知機能の発達に伴い行動範囲が拡大し，好奇心から周囲のものに興味を示し，あらゆるものに触ろうとする。しかし，危険を予測する能力は不十分であるため，たとえば，テーブルの上の熱い汁物やポットのお湯が原因で受傷する。

熱傷は受傷面積と熱傷の深度を評価し，さらに年齢などで総合的に判断が必要である。小児の受傷面積の推定には，範囲が広い場合は 9 の法則，5 の法則があり，範囲が狭い場合は手掌を体表の約 1% として概算する手掌法がある（6 編図 4-87 参照）。深度（6 編図 4-86 参照）は，Ⅰ度熱傷：紅斑，乾燥，疼痛（とうつう），Ⅱ度（浅達性）：紅斑，湿潤・水疱，疼痛，Ⅱ度（深達性）：発赤（ほっせき）または紫斑～白色，湿潤・水疱，知覚鈍麻，Ⅲ度：黒色，褐色または白色，乾燥・硬化・炭化，水疱，無痛に分類される。

熱傷に対する処置は，家庭で受傷した直後は 10 ～ 20 分間水で冷却し，消毒剤は創傷治癒を阻害する可能性があるため使用しない。冷却後は創傷を清潔なガーゼなどで被覆し受診する。重症度判定には，アーツ（Artz）の基準などがあり，たとえば，Ⅲ度熱傷で受傷範囲 10%（小児では 5%）を超えた場合はショックのリスクがあるため重症熱傷となる。気道熱傷では気道を含めた全身管理を行う。

5. 溺水と処置

溺水は 1 歳以降の小児の不慮の事故による死因として交通事故に次いで多い。その原因は，家庭内では浴槽への転落による溺水が多く，未就学児のいる家庭では，浴槽に残し湯をしない，風呂場に入る扉の高い位置に鍵を設置するなどの防止策が重要である。屋外では海や川，あるいはプールにおける事故であるため，遊泳時にライフジャケットの着用により事故防止のための意識が大切である。溺水は重篤化すると生命の危機的状況となる割合が高いため，神経学的後遺症を残さずに救命するためには，現場における第一発見者の迅速な心肺蘇生法が最も重要である。ハイムリック法は溺水に対する心肺蘇生の適応とはならないことに留意する。

医療施設では，来院時に自発呼吸のない小児に対しては適切な気道確保を行い，バッグバルブマスクやジャクソンリースにより人工呼吸を行うことで速やかに酸素化を開始し，循環，中枢神経，体温などを含めた全身管理を行う必要がある。

6. 頭部外傷

小児の解剖学的特徴として，特に乳幼児は頭部が体幹に比べて相対的に大きく重いため，重心が高く不安定であり，かつ運動能力も発達途上にあるため，転倒や転落を起こしやすい。その結果，小児は頭部外傷のリスクが高く，小児の外傷のなかでは頻度が高い疾患となるが，救急外来を受診する頭部外傷の大多数は受傷機転が軽微であり意識障害を認めない軽症頭部外傷である。しかし，明らかな意識障害，バイタルサイン異常，神経学的異常，あるいは受傷機転が高リスクである頭部外傷は，呼吸，循環，意識などの評価と介入を行い，頭部 CT による評価を検討する必要がある。

頭部外傷患者のリスクアセスメントとして，受傷機転が高所転落や交通外傷などの高リスクでないか，受傷から来院までに意識変容がないかだけでなく，虐待のリスクがないかなどの病歴を聴取する必要がある。また身体症状として意識消失，頭痛，傾眠，複数回の嘔吐が出現していないか，全身状態，意識レベル，神経学的所見（追視，対光反射，瞳孔径，四肢の動きの左右差など）と併せて評価を行う。理解できる年齢であれば，受傷時の状況，頭痛，視力障害，複視，四肢の感覚・運動障害などを聴取する。以上のような症状や所見に異常を認めた場合は，頭部 CT による評価を行い，脳神経外科医に相談する。

虐待に伴う頭部外傷は乳幼児に最も多いため，事故と同時に虐待の可能性は常に考慮する必要がある。乳幼児は自ら受傷機転を説明することは困難であるため，小児の発達上の能力と受傷した所見が合致するか，養育者の説明と病歴の整合性がとれるか，受診行動の遅れがないかなどを確認する。頭部だけでなく，鼻や耳から髄液の漏出がないか，さらに全身を詳細に診察し，陳旧性の打撲痕や，不適切な衛生状態，体重増加不良などの有無を確認する。網膜出血，硬膜下出血，脳実質異常所見を認めた場合は，虐待による乳幼児頭部外傷（abusive head trauma in infants and children：AHT）を考慮する。AHT は，暴力的な揺さぶり，殴打，故意による衝突などで生じた外傷の総称である。AHT の症状は幅広く，重症の AHT では痙攣・意識障害・呼吸障害などに加えて上記の異常所見を認めるが，軽症では，嘔吐・不機嫌・哺乳不良などの非典型的な症状であり，しばしば見逃されることがある。

表 1-7 虐待を示唆する注意が必要な徴候

- 小児の発達過程で獲得している能力と受傷機転や外傷所見が合致しない。
- 外傷の種類・重症度と親の説明する病歴との整合性がない。
- 病歴が曖昧または矛盾があり，時間の経過で変化する。養育者によって説明が異なる。
- 新旧混在する身体的外傷を認める。
- 小児が養育者に安心させてもらおうと求めない。
- 小児の不適切な衛生状態や服装やからだが極端に汚れている。
- 体重減少や発育不良，発達の遅れを認める。

7. 子どもの虐待

外傷や発育不良の原因が虐待やネグレクトによる場合があるため，医療機関を受診した際には虐待の可能性を常に考慮する必要がある。特に乳幼児は虐待による受傷の危険性が高い。救急処置を行うと同時に，全身の身体所見を含めた包括的アセスメントを行う機会があるため，医療従事者は虐待を示唆する徴候（表 1-7）や身体所見を認識しておく必要がある。

救急処置をする際にこれらの徴候を認め虐待が疑われた場合には，緊急性の有無を判断し入院による保護を検討し，児童相談所，警察，保健センターに連絡する。その場合，養育者を問い詰めたり，非難したりして孤立させるのではなく，虐待の可能性を判断するために慎重に情報収集を行いながら，医師，ソーシャルワーカーなど虐待対応チームでかかわることが望ましい。

虐待による子どもの心身の危険は，必ずしも外傷に限ったものではないことを認識する。最近の ACEs（adverse childhood experiences）研究では，虐待をはじめとする小児期の望ましくない体験がその後の心身の問題や健康寿命につながることが明らかになっている。虐待を受けることで，その後に被害を受けることが多くなる可能性や，加害に至る危険も生じるため，これらの危険から小児を心身の安全を守ることができる虐待対応が求められる。

8. 小児の一次救命処置

日本蘇生協議会が作成した JRC 蘇生ガイドライン 2020 によると，救命のために不可欠な連続した要素である「救命の連鎖」は，①心停止の予防，②早期認識と通報，③一次救命処置（心肺蘇生と AED），④二次救命処置と心拍再開後の集中治療の 4 つの要素から成る。「救命の連鎖」は小児と成人を包括した概念であり，小児の心停止を予防するためには不慮の事故による傷害を予防する重要性が強調されている。小児の一次救命処置（Basic life Support：BLS，図 1-7）で注意が必要なのは，成人に比較して小児の心停止の多くは呼吸状態の悪化や呼吸停止に続く呼吸原性心停止が多い傾向を示す点である。そのため，小児に対する胸骨圧迫と人工呼吸の比（二人法）が成人とは異なり，小児では効果的な心肺蘇生の要素として人工呼吸の重要性が示唆されている。つまり，小児の胸骨圧迫と人工呼吸は，

図 1-7　一次救命処置の流れ

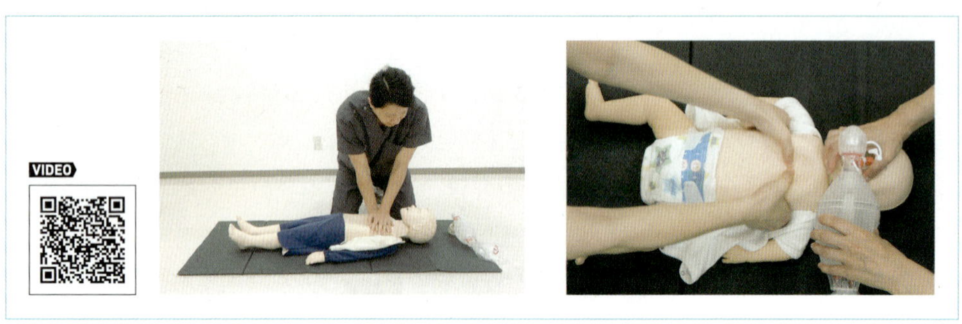

図 1-8　胸骨圧迫の方法

救助者が一人の場合は成人同様 30：2 で行うが，救助者が複数の場合は 15：2 で行うことが推奨（人工呼吸の頻度がより多い）されている。また 1 歳未満の乳児に対する胸骨圧迫の方法は，一人法の場合は乳頭を結ぶ線のすぐ下の胸部中央を救助者の指 2 本で圧迫する 2 本指法，二人法の場合は胸郭を包み込む両母指圧迫法（図 1-8）がある。一次救命処置（BLS）は小児にかかわる医療従事者は習得すべき救命処置であるため，定期的に BLS プロバイダーコースなどを受講することが望ましい。

C 看護の実際

1. 生命が危険な状況にある小児と家族への援助

救命処置を必要とする小児のなかには，生命が危機的な状況となってしまう場合がある。そのような小児をもつ家族に生じる心理的・身体的・社会的変化を理解することが家族への援助のためには重要である。詳細は本章 - V「クリティカルな状況にある小児と家族への看護」を参照。

出生直後から集中治療が必要な小児と家族への看護

A 対象の理解

1. ハイリスク新生児の特徴

ハイリスク新生児とは，出生時や出生後早期に死亡したり重篤な疾患を合併する危険性が高いと予想される新生児である[6]。一見正常そうに見える新生児のなかに重篤な疾患または問題を起こし得る可能性の高い小児が含まれており，そのリスクに応じた観察が必要という，注意を喚起する意味が含まれる[7]。

2. ハイリスク新生児の要因

新生児がハイリスクとなり得る要因は，母親に関する因子（母体因子），新生児に関する因子，妊娠・分娩（出産時の状況）に関連した因子の大きく3つに分類される。これら3つの因子が重複して存在したり，因果関係にあることもある。

1 母親に関する因子（母体因子）

母親に関する因子には，妊娠に伴う合併症によるもの（妊娠糖尿病→低血糖・低カルシウム血症・心疾患など，妊娠高血圧→発育不全など）と，もともと疾患を有する女性が妊娠した場合（悪性腫瘍合併，自己免疫疾患合併，神経・精神疾患合併）がある。そのほか，母親の年齢（20歳未満の若年，35歳以上の高齢），子宮や胎盤，産道の異常も要因にあがる。

2 新生児に関する因子

新生児に関する因子は，在胎週数および体重の分類に基づく因子と新生児自身の先天的な因子によるものがある。出生体重による分類を表1-8に示す。出生体重は胎内での発育状態を表す。在胎週数による分類を表1-9に示す。在胎期間が短いほどからだの諸臓器の機能的な成熟が整わず，未熟性により様々な症状を呈する。近年，34週以降37週未満で出生した新生児において，呼吸障害や低血糖・黄疸などを伴うことが少なくなく，注意して管理することが必要であり，**late pre-term 児**として区別されるようになった。

3 妊娠・分娩（出産時の状況）に関連した因子

妊娠・分娩（出産時の状況）に関連した因子には，分娩の時期の異常（早産・過期産）や胎位の異常（骨盤位・横位）・羊水の異常・分娩方法（帝王切開・吸引分娩・鉗子分娩）・前置胎盤・

表 1-8 出生体重による新生児分類

出生体重	～999g	1000～1499g	1500～2499g	2500～3999g	4000g～
分類	超低出生体重児	極低出生体重児	低出生体重児	正出生体重児	巨大児

表 1-9 在胎週数による新生児分類

分類	出生時の在胎週数		
過期産児	42週以降		
正期産児	37週以降42週未満		
早産児	22週以降37週未満	late pre-term児	34週以降37週未満
		超早産児	22週以降28週未満

表 1-10 妊娠・分娩の関連因子と予測される新生児の状態およびリスク

妊娠・分娩の関連因子	予測される新生児の状態およびリスク
羊水過多症	中枢神経系の異常，消化管閉鎖
羊水過少症	腎奇形，肺低形成
多胎	多血症*，貧血
前期破水	子宮内感染
常位胎盤早期剝離	新生児仮死
帝王切開	呼吸障害
吸引分娩	帽状腱膜下出血
鉗子分娩	分娩外傷

＊多血症：静脈血中のヘマトクリット値が高く，血液の粘度が高まり，循環不全をきたした状態。

前期破水・常位胎盤早期剝離などがある。表 1-10 に妊娠・分娩の関連因子と予測される新生児の状態およびリスクを示す。

3. ハイリスク新生児の出生に備える

上記に示したハイリスク新生児の要因に基づき，あらかじめ出生前から出生後の状況を予測し，妊娠中の母体管理を慎重に行う。妊娠中から分娩および出生後のケア，育児の準備を整えることが新生児の予後をも左右する。ハイリスク新生児の分娩は，周産期母子医療センター*で新生児を専門とする医師の立ち会いのもとで取り扱われることが望ましく，出生後の新生児のケアは**新生児集中治療室**（neonatal intensive care unit；NICU）で行う。NICU は，保育器や人工呼吸器をはじめとする高度な医療を提供する医療機器を備え，専門的な知識や技術を有する多職種の医療チームで運営される。

一般的に，ハイリスク新生児を出産するイメージを抱き，心構えがある家族，特に母親は少ない。出生後に新生児が NICU での治療およびケアを必要とすることが予測される場合，あらかじめ家族にその可能性について説明して理解を得ることが，家族へのケアとして重要である。NICU の医師や看護師・公認心理師などが母親のベッドサイドを訪れ，

＊ **周産期母子医療センター**：周産期にかかわる高度な医療行為を行うことができる機能を有する医療機関であり，都道府県によって指定される。

出生後，新生児が過ごすNICUの環境・新生児に予測される病状・必要となる治療やケア・医療費の助成制度などについて説明する。家族が抱く疑問や不安を軽減できるようなケアを提供し，ハイリスク新生児を迎える家族の心理的な準備を整える。

B アセスメントの視点

1. 発達：在胎週数と体重

在胎週数は，体内の諸臓器の機能的な成熟の程度を予測することにつながる。また，在胎週数と出生体重のバランスにより，リスクの幅が異なる。

2. 出生直後のアセスメント方法

出生直後の状態を評価する一般的な方法が，アプガー・スコア（Apgar Score）である（表1-11）。出生後1分と5分で評価され，5項目各2点を合計した点数0～10点で示される。1分値は，胎内の状況も反映した出生時の状態を表し，5分値は新生児の予後との強い相関がある。このことは，5分までに適切な蘇生がなされなかったか，または蘇生に反応しないほど重篤であったかを意味する。日本では1分値で7～10点が正常，4～6点が軽度仮死，0～3点が重症仮死と分類される[8)]。

3. 生理学的機能のアセスメント

ハイリスク新生児の生理学的機能のアセスメントの視点と特徴を表1-12に示す。

C 看護の実際

1. 集中治療における援助

1 生理学的適応を助ける援助（intensive care）

子宮内（胎児）から母体外（新生児）に移行することで，成育環境は大きく変わる。胎盤からの酸素および栄養の供給が絶たれると，呼吸器系・循環器系・代謝系・自律神経系などあらゆる生理的機能に変化が生じる。生理的機能が未熟な場合や合併症により低下している場合，母体外環境への適応に困難を伴う。変化が急激なことも特徴であり，言語的なコミュニケーションが困難な発達段階にあることから，わずかな変化も見逃さない観察力が求められる。

ハイリスク新生児への具体的な看護の視点は，①適切な酸素化の維持，②安定した体温の維持，③適切な水分と栄養の維持，④脳室内出血の予防，⑤皮膚損傷の予防，⑥感染予

表1-11 アプガー・スコア（Apgar Score）

評価内容＼点数	0点	1点	2点
心拍数	ない	100回／分未満	100回／分以上
呼吸	ない	弱い泣き声 不規則な浅い呼吸	強く泣く 規則的な呼吸
筋緊張	だらんとしている	四肢を曲げる程度	四肢を活発に動かす
刺激に対する反応	反応しない	顔をしかめる	咳またはくしゃみ
皮膚色	全身蒼白 または 暗赤色	体幹ピンク 四肢チアノーゼ	全身ピンク

表1-12 ハイリスク新生児のアセスメント項目とその特徴

項目	特徴
呼吸	• 胎盤呼吸から肺呼吸へ変化（サーファクタントの産生）。 • 呼吸調節機能が未熟（34～35週頃，呼吸中枢が確立）。 • 肺のガス交換面積が少ない。 • 胸郭が柔らかく，呼吸筋の力が弱く，横隔膜優位の腹式呼吸。
循環	• 細胞内液量が少なく，細胞外液量・総水分量が多い。 • 体内水分量が多く，不感蒸泄も多い。 • 生理的な体重減少がある。 • 出生後，胎児循環から新生児循環へ変化する。 • 心筋の予備能が小さい。 • 在胎週数により，循環血液量・血圧・不感蒸泄量が異なる。
体温	• 体表面積が成人より大きい。 • 体温調節可能温度域が狭い。 • 周囲の環境により，体温が変動しやすい。
栄養（哺乳）	• 消化・吸収の機能が未熟。 • 消化器の運動機能が未熟。 • 脂肪やグリコーゲンの貯蔵量が少ない。 • 母乳や人工乳が主な栄養源。 • 急速に発育するための栄養が必要。
排泄	• 腎機能は出生後，急速に発達する。 • 腎・直腸反射が活発なため，排泄回数が多い。
免疫	• 体内での免疫機構が備わっていないため，病原体に対して脆弱である。 • 子宮内は無菌状態であり，病原体に曝露した経験がなく，獲得免疫*1が機能していない。 • 母親から胎盤（在胎17～33週）や母乳により移行するIgG*2により免疫機能を補っている。
皮膚	• 皮膚が脆弱な構造であり，早産児ほど皮膚が未熟。 • 皮膚と皮膚とが密着する部分が多く，皮膚の密着部は浸軟*3しやすい。 • 皮膚のバリア機能が未熟なため，皮膚の損傷から重篤な感染症に移行するリスクあり。
代謝	• 生理的に多血状態にあり，ビリルビンの産生率が高い。 • 肝臓でのビリルビンの代謝・排泄が未熟。

＊1 獲得免疫：過去に異物に曝露した経験により記憶される異物に対する反応。
＊2 IgG：Bリンパ球から産生されるたんぱく質の免疫グロブリンであり，感染制御に重要な役割を果たす。
＊3 浸軟：過剰な湿潤環境によって皮膚がふやけた状態。皮膚のバリア機能が低下している。

防があげられる。

2 ディベロップメンタルケア（developmental care）

新生児の脳は侵襲的な治療や処置による影響やストレスによって，障害を受けやすい。発達途上にある新生児の脳にとって，良い刺激を受ければ良い発達に，逆に悪い刺激を受ければ悪い発達に向かうところから，「発達を促すケア」と「障害を防ぐストレスの少ないケア」の両面に配慮するのがディベロップメンタルケアの基本概念である[9]。

3 痛みを緩和するための援助

新生児期に痛み刺激を繰り返し受けると，将来的に認知や行動にも影響が出ることがいくつかの研究で明らかになった。2014（平成26）年に「NICUに入院している新生児の痛みのケアガイドライン」が示された。これに基づき，徐々に臨床において新生児用の痛みの評価ツールの活用や，処置中のおしゃぶりの使用，からだ全体の包み込みなど非薬理学的方法が取り入れられている。

2. 親子・家族関係確立への支援（family-centered care；FCC）

ハイリスク新生児と家族は，出生直後から分離状態にあり，関係性を確立するための支援が必要である。FCCの概念は，周産期・小児医療における重要な要素を説明しており，「子どもと家族の尊厳と多様性を尊重し，家族と医療者の良好なパートナーシップを基盤とした情報の共有，意思決定支援，家族のエンパワメントなどの包括的かつ継続的なケアプロセス」と定義されている[10]。集中治療下であっても決して新生児から家族を引き離すことなく，共に過ごし，親としての役割を果たせる環境や機会の提供が重要である。

3. 長期フォローアップ

ハイリスク新生児のフォローアップは，医学的・社会的ハイリスク児に対し，発育・発達を見守り，継続した医学的管理・NICUから社会生活への移行支援を行うことを目的とする[11]。ハイリスク新生児が，NICUから退院し，社会生活に移行するには，大きなギャップがあり，家族はとまどいが大きい。経管栄養や在宅酸素などの医療的なケアを継続するケースも増加しており，生活を支援する体制として地域の保健師や訪問看護ステーションとの連携が重要である。

最近では極低出生体重児は学童期に学習面や集団適応の面でつまずくことが多いということがクローズアップされてきており，より長期のフォローアップと支援が必要である[12]。

VIII 先天的な健康問題のある小児と家族への看護

A 対象の理解

1. 先天異常の種類と特徴

先天異常（birth defect／congenital anomaly）とは，生まれつきの形態的・機能的な異常をいい，全新生児の5％程度にあると考えられている。単一部位に先天異常がある疾患と，先天的に複数の器官系統に先天異常がある疾患があり，後者は先天異常（malformation）症候群と総称される[13]。

形態的な先天異常は**奇形**（anomalies）ともいわれ，先天異常と同義に使われることがあり，生後早期に認められる場合が多い。機能的な先天異常には，先天性代謝異常（アミノ酸・糖・脂質などの代謝異常症）があるが，近年の遺伝医学の発展により，難聴や発達障害・成人期発症の神経難病などの一部では遺伝が関与していることが明らかとなりつつあり，広義には先天異常といえる。詳しくは遺伝医学の成書を参照されたい。

2. 小児と家族の体験

先天異常は，疾患により出生前検査が可能であるもの，出生時に診断可能なもの，生後一定期間を経過したのちに診断可能となるものがある。先天性疾患による症状の程度や，出生後のどのタイミングで診断されたかなどにより，どのような健康問題となるかは非常に幅広く多岐にわたる。先天異常のある小児の家族は，小児の健康状態について，「いつ，どのように診断を受けたか」「治療が可能であるか」「治療が可能な場合には，内容を理解し納得する時間があるか」など様々な体験をしており，その体験をひとくくりにして考えることは困難である。小児と家族の体験は，小児を授かる前から始まっているとも考えられ，妊娠・分娩の経過，出生前検査や診断の経過，生後の診断，治療の経過といった過程があり，それらが続いていく。多くの家族，特に母親は，授かった小児に先天異常があるとわかると，ショックを受け自責の念にかられる。ドローター（Drotar, D.）らは，「先天異常という障害のある小児を授かった母親は，ショックや否認，悲しみと怒り・適応・再起という過程を経て，小児の障害を受容していく」としている[14]。この過程は，ショックが終われば否認へと一方向に進んでいくわけではなく，それぞれが重なる，あるいはどこかにとどまり困難なときを過ごすこともある。また，中田洋二郎の螺旋型モデル[15]やオルシャンスキー（Olshansky, S.）の慢性的悲哀説[16]では，落胆と回復は繰り返され，慢性的悲観の周期的回復を螺旋的に繰り返すともいわれている[17),18]。

先天異常は，多くの場合，新生児期・乳児期に診断されることが多いが，成長発達の途上で診断される場合もある。診断時期によって，あるいは診断は乳児期以前であっても，小児の発達段階により，小児本人が自身の状況や治療内容などを認識するようになる。そのため，自らの健康状態を理解できるようにするとともに，自身の健康状態や治療，それに伴う障害をどのように受け止めているか，小児本人の体験をとらえることも望まれる。

B アセスメントの視点

1. 対象理解の視点

先天的な健康問題のある小児の経過は，長期にわたる場合が多く，病態により急性期 - 回復期 - 慢性期を繰り返すことも少なくない。一般的に，小児は依存から自立への過程にある。小児の発達段階により，その依存度・自立度は異なり，先天的な健康問題のある小児の場合は，その健康問題の経過によっても依存度・自立度は変化する。依存から自立へは連続した過程にあり，依存する要素と自立する要素は共存している。アセスメントにあたっての対象理解では，自立と依存のバランスはどのような現状であるか，つまり，依存を要し支えるところ，自立を促すところを見極めることが求められる。対象理解の手がかりとして，図1-9のようなマトリックス形式により，依存から自立の過程にある小児の発達段階と健康レベルを総合的に考える。現時点で得られた情報や予測される状態などを位置づけることで，長期的視野で依存度・自立度を具体的にイメージすることが期待されるため，参考にされたい。

ここでは，先天異常による先天的な健康問題のなかでも，出生時から診断され，生涯に

		発達段階							
		新生児期	乳児期	幼児前期	幼児後期	学童前期	学童後期	思春期	青年期
	依存 自立								
	教育	保育園 →		幼稚園 →		小学校 →		中学校 →	
経過	準備期 前急性期								
	急性期								
	回復期 移行期		10か月●●形成術						
	慢性期								
	終末期								
主な生活の場 医療・介護 社会資源									

図1-9 アセスメントシート（青字は記入例）

わたり，長期的に治療や療養，経管栄養や口鼻腔吸引などの医療的ケアを要する事例を想定し，アセスメントの視点を述べる。

2. 身体面

先天異常の病態・治療内容，小児の診断までの経過，診断内容と遺伝カウンセリングの状況，先天異常による症状とそれに伴う苦痛・障害の有無や程度など，現在の病態や潜在的なリスクを査定する。また，小児の生活（睡眠 - 覚醒パターン，活動と休息，食事と栄養状態，排泄など）の基本的ニードの充足状況を把握し，健康レベルを査定する。

3. 成長発達面

新生児期・乳児期は，成長・発達段階，成熟度の確認，養育者である家族，なかでも母親の心理面の状況を査定する。幼児期には，個人差を考慮して成長発達の側面，成熟度を査定する。認知・言語発達面については，療育や保育などの状況と併せて査定する。

4. 社会面

小児と家族のソーシャルサポートの内容，育児や療養の環境，通院状況，療育の状況，保育所や学校への通園・通学状況などを査定する。

かかりつけ医・訪問看護などの社会資源の活用状況についても確認する。

 看護の実際

1. 小児の発達段階に応じた援助

先天異常のある場合，子宮内発育不全や早産となることも少なくない。早産児では，在胎であれば何週に相当するかという修正週数を考慮して，成長発達・成熟度をアセスメントし，具体的な援助を行う。また，先天異常の診断は，出生前検査あるいは出生後の臨床症状により可能性が指摘される場合，あるいは遺伝的要因が考慮され遺伝学的検査により確定診断となる場合などがある。何らかの疾患の可能性が考えられるとき，診断を伝えるときには，家族の状況に応じて適時に適切な情報が共有されるほか，心理的援助が継続されるようにする。

▶ **新生児期**　新生児早期は，呼吸・循環・体温などの安定を図り，胎外生活への適応を促すことが目標である。出生時に重症の仮死状態があり，直ちに蘇生された場合，あるいは先天異常があることが出生時に初めて認められた場合などでは，小児の状態を把握し，必要な治療が優先される。治療処置が適切に行われることを前提に，家族が小児の誕生の喜びを感じとれるような働きかけ，環境を整えることは重要である。

▶ **乳幼児期**　先天異常に伴う症状をコントロールして身体機能の安定を図り，成長発達を

促すことが目標である。また，症状の有無や程度により，身体機能の安定性や成熟度は異なる。そのため成長発達の程度は月齢（生活年齢）のみを目安とせず，身長・体重など実際の体格に応じて考えることが望ましい。特に，心不全や呼吸不全の症状がある場合は，啼泣・授乳や排泄・入浴などの生活行動が負荷となる。予備能力が低い乳幼児期に，症状や身体機能の安定化を図るためには，負荷を最小にするケアと注意深い観察を要する。また，幼児期には療育や幼稚園・保育園などの集団生活の機会が増えるため，担当医師との相談により計画的に予防接種を進める。

▶ **学童・思春期**　乳幼児期と同様に，先天異常に伴う症状をコントロールして身体機能の安定を図り，成長発達を促すことが目標である。乳幼児期に比較すると，症状や全身状態は安定化することが一般的である。先天異常に伴う症状に起因する，生活状況での障害の有無や程度，認知言語機能の発達状況などを考慮し，就学先や療育を選択できるような援助が期待される。

2. 養育とケア技術指導に関する家族への援助

家族は，小児とのかかわりをとおして親になっていく。まずは，小児の養育で小児とのかかわりの機会をもてるよう家族を促していく。小児が入院中は，家族にとっての療養生活は1日のうち数時間のかかわりであるため，24時間の生活をイメージすることには困難がある。24時間の生活を意識し理解できるように，必要なケア技術については，主たる養育者である親の考えや希望を考慮し，それぞれのペースでケア技術習得を目指す。ケア技術指導にあたっては，実際の家庭での状況を想定してケア技術の手順や日課表などを作成し，段階的に行うことが望ましい。退院後に担当する訪問看護師が決まったときには，連携して技術指導を行うことで家族の不安軽減につなげる。

3. 小児と家族の生活調整への支援

小児を迎えることで，家族の生活には様々な変化が生じる。生活調整にあたっては，家族構成・キーパーソンとなる人・家族同居の有無・家族の就労状況・家族の考えや希望・居住地域や居宅などの情報を得る。主たる養育者に対しては情報を得るプロセスで24時間の生活として具体的に考えられるよう働きかけ，調整内容について共に考える。

小児を迎える家族の状況として，カップル（父母）の就労状況も考慮した，個別の状況に応じた生活調整への支援のポイントを述べる。

1　カップルでの暮らしの場に小児を迎える場合（第1子）

大人だけの生活の場に小児を迎えることになる。たとえば寝室や寝具の選択・食卓や椅子の選択・身に着ける衣服や様々な生活用品など，小児の生活に必要な環境を整えることから始める。また，その環境は小児の健康維持と事故防止の視点をもって整える。

2　カップルときょうだいの暮らしの場に小児を迎える場合

きょうだいの発達段階に応じた生活の場に，新たに小児を迎えることになる。迎える小児の年齢や外泊経験などに基づき，初めはきょうだいに合わせた生活リズムを整える。また，きょうだいの認知発達段階を考慮し，小児を迎えること，またその後の変化を具体的かつ段階的に説明することで，迎える小児の特徴についても関心をもち，理解できるようにする。

3　療養をきっかけに新たな生活基盤を構築する場合

上記のほか，先天異常のある小児の療養生活をきっかけに転居する，小児の祖父母などの同居家族が増えるなどの場合がある。カップル自身にとっても新たな環境で，小児を迎えることになる。

4. 退院支援

退院支援は，小児本人の状態，身体・心理面のアセスメントのほか，家族のアセスメントやレスパイトなど社会資源の確認と調整，退院支援といった心理面へのフォローなどのプロセスを経て，退院時期を具体的にしていく。退院はいきなりとならないよう，小児の状態と入院施設の状況に応じ，施設内の一室で小児と家族で過ごす施設内外泊を短時間から始め，段階的に時間を延長し，家族の心理状態を考慮しながら，外泊・退院と進めていく。そのプロセスにあっては，退院調整看護師や訪問看護利用の場合には担当看護師との連携により，小児と家族が安心して退院できるように体調および環境を整えていく。

IX　心身障害のある小児と家族への看護

A　対象の理解

1. 心身障害の定義と種類

1　心身障害とは

障害のとらえ方は，時代の変遷に伴い変化してきた。2001（平成13）年に**国際生活機能分類**（International Classification of Functioning, Disability and Health：**ICF**）がWHO総会で採択された。ICFにおいて，人の生活機能と障害は，健康状態と背景因子（環境因子・個人因子）とのダイナミックな相互作用と考えられている（図1-10）。障害は，病気などの健康

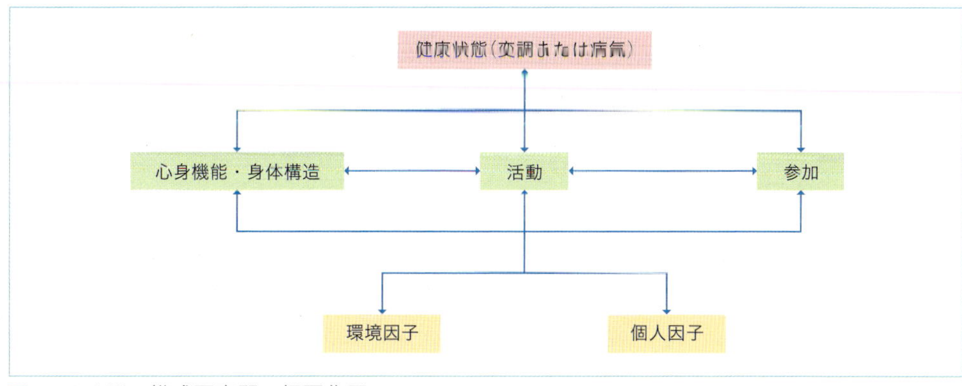

図1-10 ICFの構成要素間の相互作用

状態に起因するという一方向的な考え方ではなく，環境因子として個人的環境（家庭や学校など）と社会的環境（社会構造，サービス，制度など）が相互に関連するものとしてとらえられている。他職種と協働し，多職種連携をする際に，障害を医学的側面のみでなく，環境との相互作用としてとらえるモデルを共通言語としてもつことで，問題の把握，サービスやケアの計画，評価の視点を共有できる。

日本では，障害者基本法第2条において障害者を「身体障害，知的障害，精神障害（発達障害を含む。）その他の心身の機能の障害（以下「障害」と総称する。）がある者であつて，障害及び社会的障壁により継続的に日常生活又は社会生活に相当な制限を受ける状態にあるものをいう」と定義しており，心身障害はこれに含まれる。看護の観点からは，障害児とは，心身の機能・構造の障害と小児の環境によって，小児の活動や参加が阻まれ，特別なケアニーズをもつ小児といえる。

2 障害の種類

❶身体障害

身体障害は，身体的機能の障害を表し，視覚障害，聴覚・言語障害，肢体不自由，内部障害などがある。

❷知的障害

知的障害は，知的発達の障害を表し，全般的な知的機能が同年代の子どもと比べて明らかに遅滞し，適応機能の明らかな制限が18歳未満に生じるものを指す。

❸発達障害

発達障害は，2005（平成17）年施行の発達障害者支援法第2条において「自閉症，アスペルガー症候群その他の広汎性発達障害，学習障害，注意欠陥多動性障害その他これに類する脳機能の障害であってその症状が通常低年齢において発現するもの」と定義されている。また，アメリカ精神医学会がDSM-5（Diagnostic and Statistical Manual of Mental Disorders, Fifth Edition）を2013（平成25）年に刊行し，その日本語版が2014（平成26）年に発表された。日本語版DSM-5においては，発達障害を包括する名称として

“neurodevelopmental disorders”（神経発達症群）を用いている。神経発達症群には，知的能力障害群，コミュニケーション症群，自閉スペクトラム症，注意欠如・多動症，神経発達運動症群，限局性学習症が含まれる。

2. 重症心身障害児と家族

重症心身障害児とは，「重度の知的障害及び重度の肢体不自由が重複している児童」（児童福祉法第7条の2）を指す。しかし，知的障害と肢体不自由の程度についての具体的な基準は，法的に示されていない。従来用いられてきた基準に**大島分類**（図1-11）がある。縦軸にIQ，横軸に運動機能が配されており，区分1～4，すなわち，IQが35以下，運動機能が寝たきりまたは座位までの18歳未満の小児が重症心身障害児とみなされている。しかし，重度・最重度のIQを知能テストで算出することは困難である。現在は，大島分類の縦軸を知的発達段階，横軸の運動機能をより具体的に細分した**横地分類**が作成されている。

重症心身障害の多くは，胎児期～小児期における脳損傷により引き起こされる。合併症の主な原因は全身の筋緊張異常に由来する運動障害であり，骨・筋疾患，消化器疾患，呼吸器疾患など多岐にわたる。これらの合併症は互いに関連し合っている（図1-12）。たとえば，筋緊張異常やそれに関連した胸郭変形は食道裂孔ヘルニアの合併を伴うことが多く，胃食道逆流症の原因となる。胃食道逆流症は，呼吸障害と密接な関係にあり，進行すると嚥下（えんげ）障害も相まって誤嚥（ごえん）性肺炎を繰り返すことになる。成長とともに症状が進行することも多く，障害の状況に応じて薬物療法以外に外科治療や医療的ケア*が検討される。

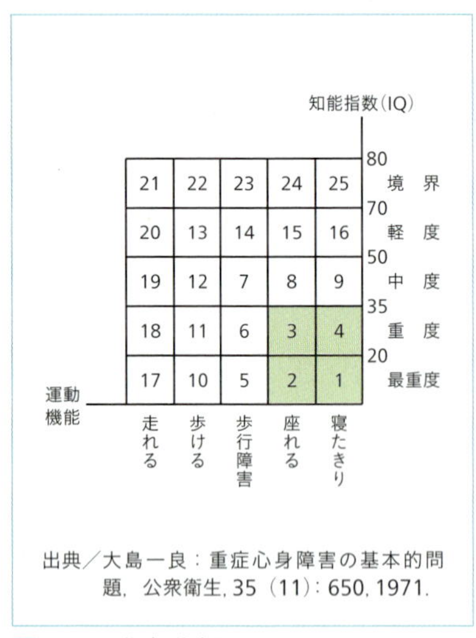

出典／大島一良：重症心身障害の基本的問題，公衆衛生，35（11）：650，1971．

図1-11 大島分類

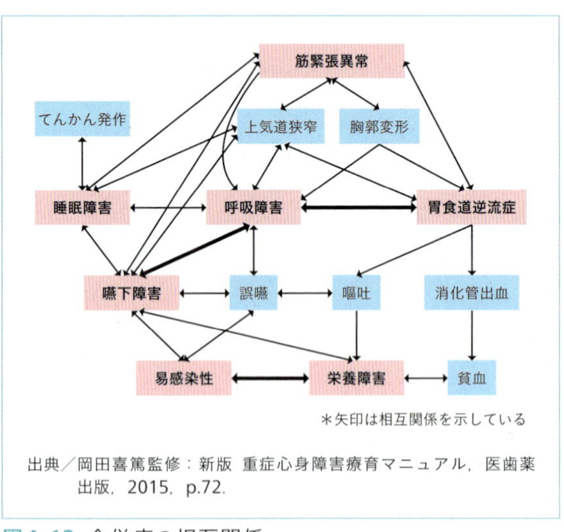

出典／岡田喜篤監修：新版 重症心身障害療育マニュアル，医歯薬出版，2015，p.72．

図1-12 合併症の相互関係

* **医療的ケア**：日常生活に必要な医療的な生活援助行為を指す概念である。治療行為としての医療行為と区別し，実施者として医療者以外の家族や教師などを想定している。

また，コミュニケーションの障害として，言語理解力・意思表現力の障害や構音障害・聴覚障害・視覚障害などがある。重症心身障害児は，気持ちを言語的に表現することや，自ら外界に働きかけ刺激を受けることが難しい。そのため，周囲の人々が小児の発するサインをていねいに読み取り，小児の心身の状態を把握し援助することが，小児の QOL の向上や発達支援に欠かせない。

重症心身障害児の家族は，特に在宅で小児と過ごしている場合，小児の健康管理・生活援助・成長発達支援などを育児の文脈のなかで行っている。重症心身障害児は障害の個別性が高く，小児ごとに合わせたケア，たとえば姿勢の調整や食事の介助などが必要になる。親は，ケアの個別性の高さから他者へケアをゆだねることに不安を抱き，ケアの負担を背負い込んでしまう場合があり，適切なサポートが必要である。きょうだい児は，重症心身障害児と共に育つ家族の一員であるが，親に遠慮し，思いを表出することや甘えることを我慢する場合があるため，きょうだい児を含めて家族全体を見守る視点が医療者に求められる。

3. 医療的ケアの必要な超重症児と家族

障害のある小児のなかには，気道分泌物の吸引・経管栄養・酸素投与・気管切開管理・人工呼吸器管理・導尿・人工肛門管理など医療的ケアを受けながら生活する小児がおり，その数は増加傾向にある。**超重症児**の概念は，医療・介護のニードが濃厚な小児に対し，診療報酬上の対応を可能にするために生まれたものである。運動機能は座位までが条件であり，超重症児（者）スコア（表 1-13）により，合計 25 点以上が超重症児，10 点以上が準超重症児と判定され，診療報酬上に位置付けられる。

超重症児・準超重症児のように医療・介護のニードが濃厚な小児が社会参加し，周囲の小児や大人との相互作用のなかで育つためには，小児の生活の場において医療的ケアを担う存在が欠かせない。社会福祉士及び介護福祉士法の一部改正（2012［平成 24］年 4 月 1 日施行）により介護福祉士など（一定の研修を受けた特別支援学校の教員などを含む）による医療的ケアの実施が法律で位置付けられた。また，特別支援学校への看護師の配置の整備も進んでいるところではあるが，医療的ケアを必要とする小児への社会的なサポート態勢はまだ十分とはいえない。たとえば，人工呼吸器を装着している小児が通学バスに乗る態勢を学校側が整えられないため，小児は通学できず訪問学級を受けているなどのケースがある。通学に限らず，医療的ケアを受ける小児は外出が困難なことが多く，その場合は環境からの刺激を受けながら成長発達する機会が制限されてしまう。医療的ケアを受ける小児の健康な発育を支えるため，社会資源の整備が急務である。

超重症児・準超重症児の家族は，小児の医療的ケアを担うことによる心身の負担を抱えていることが多い。昼夜を問わず医療的ケアを必要とする小児もおり，夜間も体位変換や気道分泌物の吸引が必要な場合，まとまった睡眠時間を確保することができない家族もいる。また，超重症児・準超重症児は医療的ケアにより生命が支えられているため，小児の

表 1-13 改訂超重症児スコア

1. 運動機能：座位まで

2. 判定スコア

	（スコア）
（1）レスピレーター管理[1]	10
（2）気管内挿管・気管切開	8
（3）鼻咽頭エアウェイ	5
（4）O_2 吸入または SpO_2 90％以下の状態が 10％以上	5
（5）1 回 / 時以上の頻回の吸引	8
6 回 / 日以上の頻回の吸引	3
（6）ネブライザー 6 回 /日以上または継続使用	3
（7）IVH	10
（8）経口摂食（全介助）[2]	3
経管（経鼻・胃瘻含む）[2]	5
（9）腸瘻・腸管栄養	8
持続注入ポンプ使用（腸瘻・腸管栄養時）	3
（10）手術，服薬にても改善しない過緊張で，発汗による更衣と姿勢修正を 3 回 /日以上	3
（11）継続する透析（腹膜灌流を含む）	10
（12）定期導尿 3 回 /日以上[3]	5
（13）人工肛門	5
（14）体位変換 6 回 /日以上	3

注 1）毎日行う機械的気道加圧を要するカフマシン，NPPV，CPAP などは，レスピレーター管理に含む。
注 2）（8）（9）は経口摂取，経管，腸瘻，腸管栄養のいずれかを選択。
注 3）人工膀胱を含む。
判定：1 の運動機能が座位までであり，かつ，2 の判定スコアの合計が 25 点以上の場合を超重症児（者），10 点以上 25 点未満である場合を準超重症児（者）とする。

出典／鈴木康之，他：超重症児の判定について；スコア改訂の試み，日本重症心身障害学会誌，33（3）：304，2008.

急変に対して家族が不安を抱いている場合も多い。適切な社会資源の利用や家族に寄り添う専門職の存在により，家族は自身の体調を維持し，安心して穏やかな気持ちで医療的ケアを要する小児の育児を継続できる。

4. 発達障害児と家族

発達障害のある小児は，家庭での日常生活や保育所･学校などでの集団生活において様々な困難を抱える場合が多い。たとえば自閉スペクトラム症の特性には，社会的コミュニケーションの障害や限定された反復的な行動様式がある。具体的には，周囲の人々と共感性をもって交流することが苦手，同じ手順にこだわりがあり順序や場所が違うと混乱するなどがある。しかし，発達障害のある小児は外見からは理解されにくく，障害に起因する特性について小児の性格や努力不足が原因と誤解されがちである。すると本人は，自信を喪失し居場所のない思いを抱くことになる。同年代の小児と同じことができるようになるのを目指すのではなく，発達障害のある小児の特性に合わせたかかわり方をし，環境などを整えることで，生活における困難を軽減しその小児らしく過ごすことができる。

発達障害のある小児の家族は，発達障害の行動特性の原因が自分たちの育て方にあると思い悩むことがある。また，周囲から親の育て方が悪いと批判され，深く傷ついているケースもある。そのため，小児が発達障害の診断を受けることで，自分たちの育て方が悪かったわけではなかったと安堵する場合も多い。しかし，診断後も一定の育てにくさは継続する。育児困難感は行き過ぎたしつけや，虐待のリスクにつながるおそれがある。医療者・学校教員などの専門職を含め周囲の者が家族の心情に寄り添い，小児を共に育てる姿勢をもつことで，家族はそれぞれの小児に合わせた育児を学び，力を発揮することができる。

B アセスメントの視点

1. 小児と家族の障害受容

親による子どもの障害の受容については，多くの研究がなされている。わが国でよく引用されるモデルに，1975（昭和 50）年に発表されたドローター（Drotar, D.）らの**段階説**がある[19]。ドローターらは，先天性奇形（ダウン［Down］症候群・先天性心疾患・口蓋裂）のある小児の誕生に対する親の反応について調査し，親の反応には，「ショック・否認・悲しみと怒り・適応・再起」の 5 段階があることを報告した（図 1-13）。このような段階説は，親は時間の経過とともに子どもの障害の受容に向かうことが前提となっている。一方，1962（昭和 37）年にオルシャンスキー（Olshansky, S.）によって発表された**慢性的悲哀**（chronic sorrow）の概念[20]は，段階説とは対照的である。オルシャンスキーは，「精神遅滞のある小児（mentally retarded child）の親は，慢性的な悲哀を体験しており，それは自然な反応である」[21]と主張した。また，1995（平成 7）年に中田洋二郎は，「親の内面には障害を肯

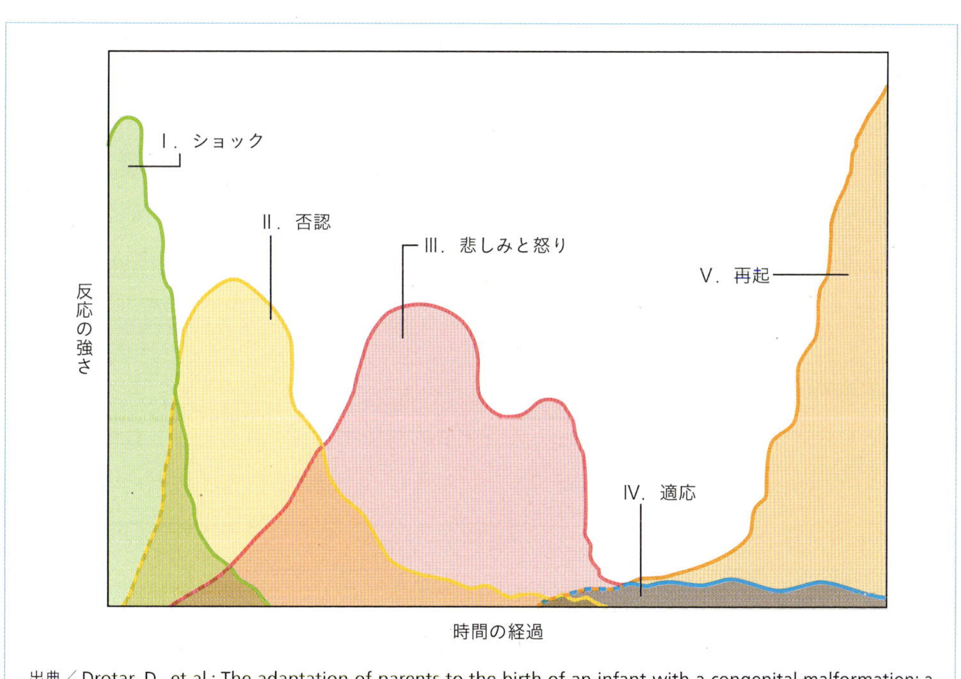

出典／Drotar, D., et al.: The adaptation of parents to the birth of an infant with a congenital malformation: a hypothetical model, Pediatrics, 56(5): 715, 1975.

図 1-13 先天奇形をもつ子どもの誕生に対する親の反応の継起を示す仮説的な図

定する気持ちと障害を否定する気持ちの両方の感情が常に存在する」[22] と述べ障害の肯定と障害の否定は表と裏の関係にあることを示した**障害受容の螺旋形モデル**を提案している。

いずれにしても，十分なサポートがなければ親が子どもの障害を受容することは困難であり，受容を急がせる働きかけは，障害のある小児の親の正常な反応を否定することになりかねない。上記のモデルや概念は，障害のある小児の親の受容の状況を医療者が理解するためのヒントとなるが，医療者は個別の事例の状況を考慮し，親の気持ちに寄り添い，親と共に小児をケアする視点をもつことが重要である。医療者が障害のある小児を一人のかけがえのない小児としてケアすることで，家族が少しずつ現状を受け入れられるようになることも多い。

C 看護の実際

1. 身体の安楽の援助

身体障害のある小児の場合，身体機能の障害により安楽な状態が保てないことが多い。特に重症心身障害児は，合併症が多岐にわたり，呼吸機能の問題や栄養・消化機能の問題により，誤嚥性肺炎・胃食道逆流症・イレウス・低栄養状態などを引き起こす。また，自分で姿勢の調整ができない場合は褥瘡のリスクも高い。それぞれの問題に対してケアを実施するとともに，呼吸機能や栄養・消化機能の問題と深い関係がある筋緊張亢進に対するケアが重要である。不快感や不安感が筋緊張亢進の原因になっている場合もあるため，薬物療法の支援にとどまらず，発汗があれば清拭や更衣をする，小児とかかわるときは必ず声掛けをしてからからだに触れるなど，不快感や不安感が最小限となるようにケアをする。

また，身体障害がある小児が家庭や社会で安楽な状態を保ちながら生活できるよう，医療者は障害のある小児の生活を支える家族や学校教員などが，小児の健康管理に関する正しい知識・技術を身に付けられるよう連携する必要がある。

2. 成長発達の援助

小児はどのような障害をもっていても成長発達の過程にある存在である。**療育**という言葉は様々な用いられ方をするが，広辞苑第７版によると「障害がある子供のために行う医療と保育・養育」と定義されている。障害のある小児が，それぞれのペースで成長発達をするための療育が重要である。

障害のある小児は，周囲の同年代の小児と同じようなことができないことで，自己効力感をもつことが難しい場合がある。小児が「できた」と思える体験を増やせるような援助が重要である。障害が重い場合は，通学や外出が困難になる場合もあるが，生活体験・社会体験を増やせるよう，環境を調整していく。

3. 日常生活の援助

障害のある小児は，障害の種類・程度により，日常生活動作の獲得に問題が生じる。たとえば，重症心身障害児は，食べる機能を獲得することが難しいケースがある。そのような場合でも，医療者は経管栄養が小児の食事という行為であることを意識し，小児の身体機能上可能であれば離床し座位を保ち「ごはんの時間だよ，いただきます」「ごちそうさま，おなかがいっぱいになったね」などの温かい声掛けとともに，注入中は一緒に絵本を読むなど小児にとって楽しい食事の時間となるよう援助することが重要である。また，日常生活動作の獲得を阻害する要因をアセスメントし，小児のペースに合わせて日常生活動作の獲得に向けた看護を行う。

重度の障害がある場合や，抗痙攣薬（こうけいれんやく）を服用している場合は，日中に傾眠傾向となり昼夜逆転など生活リズムの乱れを引き起こすことがある。活動と睡眠・休息のバランスを整える援助が必要である。

4. 家族への援助

家族が，障害のある小児や障害のある小児との生活についてどのように受け止めているのかをアセスメントし，家族への援助を検討する。小児が障害を負ってまもない時期は，障害のある小児の特性に合わせた育児について家族の悩みも多い。一般的な育児書や祖父母・知り合いなどの育児経験談は，障害のある小児にとって必要なかかわりを考えるうえで参考にならない場合もあり，医療者は家族と共に考える姿勢をもつことが重要である。また，家族が穏やかな気持ちで育児に取り組むためには，社会資源を活用できるように各種サービスを紹介することも必要である。

X 医療的ケアを必要としながら退院する小児と家族への看護

 対象の理解

1. 在宅療養中の小児と家族

1 在宅療養中の小児

医療技術の発展を背景に，かつては救命が難しいと考えられてきた健康問題を抱える小児の命が救われるようになり，医療的ケアを日常的に必要とする小児が増えている。**医療**

的ケアとは，日常生活に必要な医療的な生活援助行為を指す概念であり，その内容は気道分泌物(ぶんぴつぶつ)の吸引，経管栄養，酸素投与，気管切開管理，人工呼吸器管理，導尿，人工肛門管理など多岐にわたる。2021（令和3）年の在宅で生活する医療的ケアを必要とする小児は，2万180人[23]と推定されている。医療改革により，在院日数の短縮化，在宅医療が推進されており，医療的ケアを必要とする小児の生活の場は病院から家庭へと移行している。

医療的ケアを必要とする小児の70％[24]は重症心身障害児で，残りの30％は重症知的障害を伴わない肢体不自由児，肢体不自由を伴わない知的障害児，肢体不自由および知的障害がない（あるいは軽度な）小児などである。

このように，在宅療養をしている小児の障害の種類や程度，必要とする医療的ケアは様々である。在宅療養は，小児が家族の一員として親やきょうだいと共に生活し，学校・保育所や地域の活動に参加するなかで豊かな経験を重ねながら成長発達することを可能にする。小児が在宅療養を続けながら健やかに成長発達するためには，それぞれのニードに応じて個別性のあるケアが求められる。

2 在宅療養中の小児の家族

病院や施設を退院・退所し，小児の在宅療養を開始した家族は，障害のある小児の育児を受け入れて新たな生活をつくり上げていくプロセスにある。家族は，育児，医療的ケア，小児の健康管理，学校や保育所との連携，小児と家族に必要なサービスの調整など，小児の在宅療養において重要な役割を担(にな)う。家族にとって，子どもと一緒に暮らせることは大きな喜びである一方で，そのケアが心身の負担になる場合もある。そのため，レスパイトサービスなどを利用し，家族が休息できる時間を確保しながら在宅療養を継続することが必要である。

小児の在宅療養が長期間になると，家族が小児のケアに慣れ生活が安定する場合が多い。しかし，小児の入園・入学などのライフイベントに伴い環境が変わると，小児の支援体制の変化により，家族の悩みが生じることもある。また，成長発達とともに健康障害が進行する場合，新たな治療や医療的ケアが検討され，親は子どもの代理として意思決定が求められ，その決断に逡巡(しゅんじゅん)することもある。小児の在宅療養の継続においては，家族に伴走し，家族の心身の支えとなる医療者の存在が求められる。

B アセスメントの視点

入院生活から在宅療養への移行においては，小児と家族が在宅で生活を送ることが可能な状態にあるか，必要な環境やサポート体制は十分に整っているかをアセスメントすることが必要である。以下に5つの視点をあげる。

1 小児の身体状態が安定しており在宅療養が可能な状態か

在宅療養においては，小児の身体状態が安定していることが必要である。家庭は，病院と異なり医療者が24時間そばにいる環境ではないため，共に生活する家族が小児の安全を守れないような不安定な身体状態であれば在宅療養は成立しない。たとえば，気管切開をしており人工呼吸器を使用している小児の場合，気道分泌物（ぶんぴつぶつ）の吸引の頻度が高過ぎないことや，人工呼吸器の設定条件が一定となっていることなどが考えられる。小児の健康管理について家族に行き過ぎた負担が生じる可能性がないか，アセスメントすることが必要である。

2 小児と家族が在宅療養に対してどのような思いを抱いているか

在宅療養について，小児が抱く思いは様々である。小児にとって退院し家庭で過ごせることはうれしいニュースであることが多い。しかし，たとえば悪性疾患の終末期において在宅療養を検討する場合，小児は家庭で過ごしたいという思いを抱く一方で，家族への負担を思い気兼ねをする場合もあるだろう。

また，家族が障害のある小児をどのように受け止めているか理解する必要がある（詳細は本章 - IX「心身障害のある小児と家族への看護」参照）。たとえば，外傷や感染症が原因で重度の中途障害を負った小児の家族の場合，小児がいつかは回復し元どおりの元気な様子をみせてくれることを願っていることもある。障害のある小児をありのまま受け止めることは一朝一夕にはいかないことを念頭に，家族の自然な心情を理解して在宅療養の時期を検討することが必要である。

家族は，小児と共に生活することを望んでいるが，小児の健康管理に関する責任の重さや，退院後の家族の生活について不安を感じ，退院を思い悩むことが多い。家族のなかでも父親と母親で在宅療養への意欲や意見が異なる場合もある。それぞれの家族が在宅療養に対して抱く思いをていねいにアセスメントすることが必要である。

3 家族が小児の育児法や医療的ケアを習得しているか

先天性疾患や周産期の異常により出生直後からNICUに入院し，退院を機に初めて家庭での生活を開始するケースも多い。そのような場合は，家族が基本的な育児法を習得しているかをアセスメントすることが必要である。障害のある小児の育児は，健常児の育児とは注意点が異なるため，きょうだい児の育児を経験している親であっても難しい場合がある。筋緊張が強い小児の抱っこや移動，摂食嚥下（えんげ）障害がある小児の食事援助など，一つ一つの育児を家族が小児にとって安全・安楽に行えるかをアセスメントする。

医療的ケアに関しては，家族の手技の習得状況の確認が必須であるが，それだけでは不十分である。家族が小児にとっての医療的ケアの必要性を理解し，心から納得していなければ，在宅における確実な医療的ケアの実践にはつながらない。家族が医療的ケアに対して抱く思いをアセスメントすることが重要である。

4　社会資源の調整や支援者の確保はできているか

在宅療養を継続するためには，社会資源の活用や支援者の確保が必要である。しかし，社会資源の活用について，医療者と家族の考えが同じではないこともある。たとえば，医療者が小児の健康管理のために訪問看護を導入したほうがよいと考え提案しても，家族がその必要性を感じていなければ，退院後早期に訪問看護の契約を終了してしまうこともある。在宅療養においては，家族が主体となりケアを行う。そのため，小児と家族が本当に求めており必要な支援とは何かをアセスメントし，退院後の生活をイメージしながら家族と共に社会資源の活用について考えることが重要である。

5　医療的ケアが必要な小児との生活を家族がイメージできているか

病院と家庭の環境は大きく異なる。障害のある小児が在宅療養を始める際には，小児のベッドや医療機器の設置位置など物理的な環境を検討することや，家庭の浴槽での入浴の方法・医療的ケアに使用する物品など，家庭における生活の工夫を考えることが必要になる。また,医療的ケアが必要な小児と共に暮らす家族の生活を調整することが必要である。たとえば，両親が共働きで，重度の障害のある小児が退院する場合，在宅ワークや短時間のパート勤務への切り替え，または退職など，家族の働き方の変更が検討されることもある。家族は，院内の個室外泊や家庭への外泊を経験するなかで徐々に生活のイメージをもてるようになるため，特に外泊などの前後において家族が小児との生活をイメージできているか，生活における不安はないかをアセスメントすることが必要である。

C 看護の実際

1. 入院生活から在宅への移行に向けた支援

入院生活から退院するまでに，複数のステップがある（図 1-14）。この期間において，親は，数々の医療的ケアや急変時の対応について習得する必要がある。そのため，医療者は家族の手技習得に向けたケアに焦点を当てがちである。しかし，同時に大切なことは，温かな触れ合いの時間のなかで家族が障害のある小児との愛着を形成し，家族の一員として小児を家庭に迎え入れる準備を支援することである。親として子どもにどのように育ってほしいと思っているか，きょうだいが健康障害のある小児とどのような生活を送りたいと思っているかなど，家族それぞれが抱いている思いを受け止めることが必要である。

2. 多職種の連携と社会資源の活用

医療的ケアを必要とする小児が在宅療養に移行する際には，病院・施設において医療や

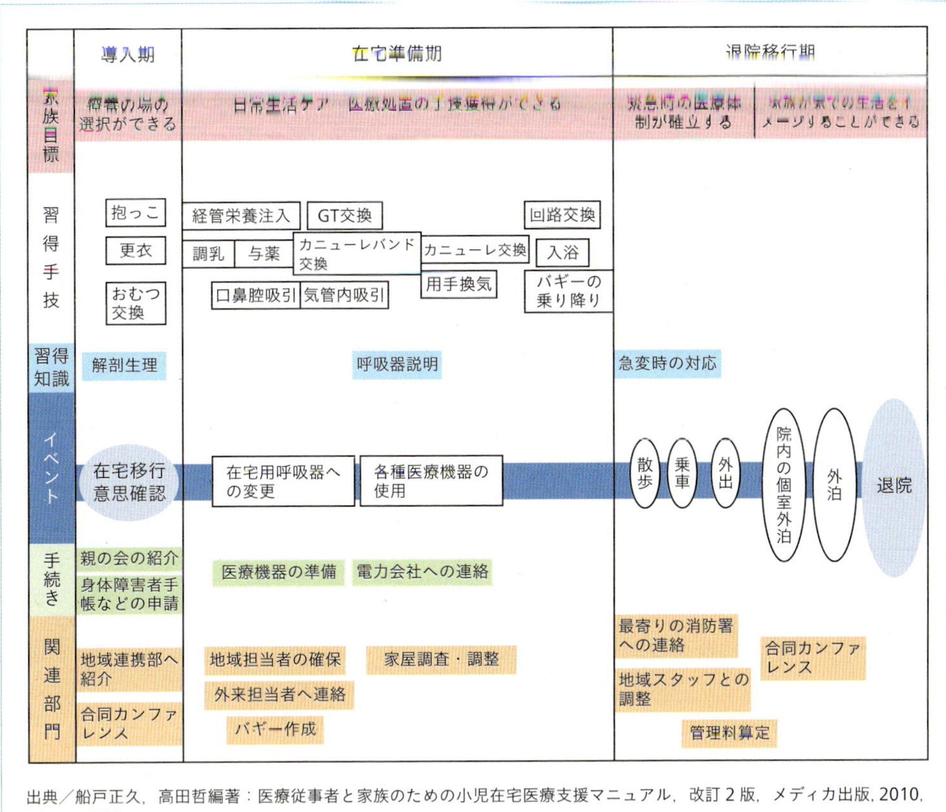

出典／船戸正久，高田哲編著：医療従事者と家族のための小児在宅医療支援マニュアル，改訂2版，メディカ出版，2010，p.165.

図1-14 入院から退院までのステップ（例）

ケアを担っていた医療者と，地域において小児と家族を支援する多職種が十分に連携をとることが重要である。たとえば，退院前に数回，多職種合同の支援者会議を開催する。支援者会議では，病院や施設の担当看護師や主治医・地域のかかりつけ医・訪問看護師・保健師・学校教員・相談支援専門員*などが一堂に会し，退院後に必要な支援を話し合い，それぞれの役割や支援方針を共有する。その際に重要なことは，小児と家族がどのような生活を送りたいと考えているのかをチームで共有し，その目標に向かっておのおのの専門性から支援方針を検討することである。また，小児の退院前に訪問看護師が病院を訪問して，医療的ケアの手技の確認を行うことは，在宅療養へのスムーズな移行につながる。

地域においては，医療的ケアを必要とする小児が利用できる様々な社会資源がある（表1-14）。しかし，これらの社会資源のなかには，制度が整備されていても施設数や医療的ケアに対応できる支援者の不足により，小児や家族が十分に活用できる状況にあるとは言

* **相談支援専門員**：児童福祉法，障害者総合支援法における障害福祉サービスなどの利用計画の作成により地域生活を支える支援，退所・退院などの地域移行に向けた支援などを行う。介護保険制度の介護支援専門員とは異なり，相談支援専門員が扱う社会資源には医療的なサービスは含まれない。そのため，訪問看護など医療保険による医療的なサービスを併用することになる。

表1-14 在宅療養をする障害児と家族が利用できる主な社会資源

大別	種類	例
経済的な支援	医療費の助成	重度障害者医療費助成，自立支援医療，小児慢性特定疾病医療費助成，養育医療給付，乳幼児・小児医療費助成*
	福祉手当	特別児童扶養手当，障害児福祉手当，児童手当*
医療的な支援	訪問	訪問看護，訪問診療，訪問リハビリテーション
	通院・入院	病院，診療所
福祉サービス	訪問	居宅介護，行動援護，移動支援
	通所	児童発達支援センター，放課後等デイサービス，保育所等訪問支援
	入所	短期入所
手帳交付	身体障害者手帳，療育手帳など	各種福祉サービス，医療費の助成，税の控除，旅客運賃や公共料金の減免，雇用など

＊障害の有無を問わず利用できる社会資源。

い難い状況であるものも多い。また，助成額や利用者負担額は，世帯年収により異なる制度が多く，一律ではない。

社会資源の利用にあたっては，家族による申請・手続きが必要となる。そのため，看護師は，小児と家族が必要な社会資源を利用できるように，地域における社会資源の状況を把握し，情報提供をする必要がある。

3. 小児のセルフケア行動の促進

小児は，成長発達とともに日常生活行動が自立し，家族の援助がなくてもできることが増えていく。医療的ケアも同様に，小児が幼い頃は家族や医療者がセルフケアを補完する

身体障害者手帳と療育手帳

身体障害者手帳とは，都道府県知事などより交付される身体障害者であることを証明する手帳である。申請には医師の診断書の添付が必要である。等級は障害が最も重い１級から６級までの区分があり，受けられる措置も変わってくる。手帳を保持することにより，医療費の助成，福祉手当の支給，雇用，税の控除，旅客運賃や公共料金の減免，日常生活用具の給付といった措置が受けられる。

療育手帳とは，都道府県知事などより交付される知的障害児（者）であることを証明する手帳である。児童相談所または知的障害者更生相談所において知的障害と判定された場合に取得できる。障害の程度の区分は全国共通ではない。手帳を保持することにより，日常生活用具の給付や税の控除などが受けられる。地域によって，愛の手帳（東京都・横浜市），愛護手帳（青森県・名古屋市）など，療育手帳以外の名称を用いる自治体もある。

このように，身体障害者手帳や療育手帳の取得は小児と家族にとってメリットが大きい。一方で，これらの手帳の取得は，障害と向き合わざるを得ない機会となり，受け入れ難い思いを抱く場合もあるため，小児や家族の意向を尊重しながら，手帳の取得に関する情報を提供する必要がある。

必要があるが，成長発達に伴い小児自身がセルフケアの主体となる。医療者には，医療的ケアの主体が親から小児に移行するプロセスを支援することが求められる。

たとえば，二分脊椎があり間欠的導尿を行っている乳幼児の場合，親がケア実施の主体となり小児を臥位にして間欠的導尿を行うケースが多いだろう。しかし，小児の発達に伴い，トイレに行き座位で行うなど，排泄行動の発達を踏まえた支援も必要である。間欠的自己導尿の必要性や方法を理解でき，導尿カテーテルを扱うための手指の運動の巧緻性が高まってきたら，小児のセルフケア行動を促進するための支援を行う必要がある。小児が自分のからだや自己導尿についてどのような思いを抱いているのかをアセスメントしたうえで，無理やりに進めるのではなく，それぞれのペースを大事にしながら支援をする。看護師は，家族や学校教員など，小児の日常生活を支えている人々と情報交換を行い，チームで小児のセルフケア行動の促進に向けた目標や支援を共有することが重要である。

医療的ケアを必要とする小児のなかには，知的障害のある小児も多い。そのため，自分ですべてできるようになることを目標にするのではなく，その子どもにとって今できることは何かという視点をもつことが必要である。気管切開をしている小児が気道分泌物の増加により吸引をしてほしいときに，家族や看護師に自分の気管切開孔を指さしてサインを送ることもセルフケア行動の一つである。ささいなことでも，小児ができたことを褒め，自信につなげることが必要である。

文献

1) Hunt, A., et al.: Clinical validation of the paediatric pain profile, Dev Med Child Neurol, 46(1): 9-18, 2004.
2) Merkel, S.I., et al.: The FLACC ; a behavioral scale for scoring postoperative pain in young children, Pediatr Nurs, 23(3): p.293-297, 1997.
3) 世界保健機関編，片田範子監訳：がんをもつ子どもの痛みからの解放とパリアティブ・ケア，日本看護協会出版会，2000，p.35.
4) 日本看護協会：小児看護領域で特に留意すべき子どもの権利と必要な看護行為，日本看護協会，1999.
5) 片田範子：知っておきたい知識　小児看護における抑制の意味，小児看護，23（12）：1604，2000.
6) 田村正徳：新生児の分類と定義〈日本新生児成育医学会編：新生児学テキスト〉，メディカ出版，2018，p.9.
7) 仁志田博司編：新生児学入門，第5版，医学書院，2018.
8) 杉浦崇浩：2章1 Apgarスコアを正しく判定しよう！〈大木茂編：ネオネイタルケア2015春季増刊　新生児の症状別フィジカルアセスメント〉，メディカ出版，2015，p.58.
9) 仁志田博司：総論 早産児・低出生体重児とディベロップメンタルケア〈日本ディベロップメンタルケア（DC）研究会編：標準 ディベロップメンタルケア〉，改訂第2版，メディカ出版，2018，p.11.
10) 浅井宏美：周産期・小児医療におけるFamily-Centered Care；概念分析，日本看護科学会誌，33（4）：13-23，2013.
11) 河野由美：ハイリスク児のフォローアップシステム〈日本新生児成育医学会編：新生児学テキスト〉，メディカ出版，2018，p.686.
12) 内山温：ハイリスク児のフォローアップ〈楠田聡監修，内山温編：新生児集中治療クリニカルプラクティス〉，メディカ出版，2014，p.131.
13) 渡邉淳：診療・研究にダイレクトにつながる遺伝医学，第2版，羊土社，2017.
14) Drotar, D., et al.: The adaptation of parents to the birth of an infant with a congenital malformation; A hypothetical model, Pediatrics, 56(5): 710-717, 1975.
15) 中田洋二郎：親の障害の認識と受容に関する考察；受容の段階説と慢性的悲哀，早稲田心理学年報，27：83-92，1995.
16) Olshansky, S.: Chronic sorrow; A response to having a mentally defective child, Social Casework, 43(4)：190-193, 1962.
17) 前掲書15).
18) 前掲書16).
19) 前掲書14).
20) 前掲書16).
21) 前掲書16).
22) 中田洋二郎：親の障害の認識と受容に関する考察；受容の段階説と慢性的悲哀，早稲田心理学年報，27：83-92，1995.
23) 厚生労働省：医療的ケア児等とその家族に対する支援施策，1 医療的ケア児について．https://www.mhlw.go.jp/content/000981371.pdf（最終アクセス日 2023/10/19）

24）北住映二：“医療的ケア”の再定義，小児看護，41（5）：522-529，2018.

本章の参考文献

・Taddio, A., et al.: Physical interventions and injection techniques for reducing injection pain during routine childhood immunizations: systematic review of randomized controlled trials and quasi-randomized controlled trials, Clin Ther, 31(Suppl2): 48-76, 2009.
・Rasha, F.G., et al.: Oral Sucrose Versus Breastfeeding in Managing Infants' Immunization-Related Pain: A Randomized Controlled Trial, MCN Am J Matern Child Nurs, 44(2): 108-114, 2019.
・中川聡，他：小児に鎮静を行う際に考慮すべきこと，小児内科，35（8）：1320-1324，2003.
・日本小児科学会，他：MRI 検査時の鎮静に関する共同提言改訂版．https://www.jpeds.or.jp/uploads/files/20200416_MRI.pdf（最終アクセス日：2022/9/25）
・Mitchell, P.: Understanding a young child's pain, Lancet, 354（9191）: 1708, 1999.
・余谷暢之：痛みの客観的評価，小児内科，50（7）：1042-1046，2018.
・小川真，花岡一雄：小児の痛みの特殊性，小児内科，35（8）：1270-1273，2003.
・英国小児医学・保健学会編著，片田範子監訳：子どもの痛み；その予防とコントロール，日本看護協会出版会，2000.
・von Baeyer, C.L., et al.: Systematic review of observational(behavioral) measures of pain for children and adolescents aged 3 to 18 years, Pain, 127(1-2): 140-150, 2007.
・世界保健機関編，武田文和監訳：WHO ガイドライン　病態に起因した小児の持続性の痛みの薬による治療，金原出版，2013，p.42.
・片田範子：知っておきたい知識　小児看護における抑制の意味，小児看護，23（12）：1603-1607，2000.
・濱田米紀：ケアに必要な知識と留意点　精神的苦痛に対するアプローチとケア，小児看護，23（12）：1619-1623，2000.
・佐藤奈々子，他：活動制限；成長・発達を支える看護とともに子どもの安全と生命をまもる，小児看護，30（4）：1619-1623，2007.
・野村雅子，内田美恵子編：新生児のからだをやさしく理解　Let's start! NICU 看護，へるす出版，2016.
・横尾京子：新生児集中治療室における子どもと家族のケア〈及川郁子監修，村田惠子編著：新版小児看護叢書 2 病いと共に生きる子どもの看護〉，メヂカルフレンド社，2005，p.208-226.
・Hockenberry, J., et al.: Wong's Nursing Care of Infants and Children, 11th ed., Elsevier, 2019.

第2章 地域・在宅看護

この章では

- 心身障害のある小児と家族の特徴, 看護に必要な知識を学ぶ。
- 難聴の種類と原因, 言葉の発達に与える影響について理解する。
- 家庭で療養している慢性疾患のある小児と家族の看護の特徴を学ぶ。
- 家庭で療養している慢性疾患のある小児と家族に対する継続的な支援について理解する。

I 聴覚障害のある小児と家族への看護

A 対象の理解

「聞こえない」「聞こえにくい」という状態を聴覚障害といい，聞こえの程度によって，「難聴」のレベルを分類している。わが国では，先天性感音性難聴の発見目的として，新生児聴覚スクリーニング検査が行われている。音が聞こえないと，言葉の発達が遅れてしまうため，難聴の早期発見と早期療育の取り組みを実施している。乳幼児の発達が顕著な時期から難聴に対応することで，その小児の発達を促すことができる。

1. 聴覚障害の原因

乳幼児の聴覚障害の原因は，遺伝的な原因と遺伝以外の原因に大別される（表2-1）。

1 外耳・中耳などの部位に起こる原因

①中耳炎などで鼓膜に穴が開いてしまう。
②耳小骨が生まれつきくっついていたり，離れていたりする。

2 内耳などの部位に起こる原因

①蝸牛（かぎゅう）に障害がある。
②聴神経に障害がある。
（1）髄膜炎（ずいまくえん）・インフルエンザ・麻疹（ましん）などの感染症による神経の損傷
（2）遺伝的な要素
（3）薬の有害作用
（4）脳性麻痺
（5）交通外傷

2. 聴覚障害の程度

難聴は，**軽度難聴**・**中等度難聴**・**高度難聴**・**重度難聴**の4つに分類される（表2-2）。

表2-1 乳幼児期の聴覚障害の原因

遺伝的な原因	遺伝以外の原因	
	妊娠経過中の感染	感染症以外の原因
父親と母親の遺伝子の組み合わせ・遺伝子の突然変異	風疹・サイトメガロウイルス・トキソプラズマ・ヘルペスウイルス・梅毒	37週未満の早産・出生後の頭部外傷・乳幼児期の髄膜炎や麻疹，水痘の感染・ストレプトマイシン硫酸塩などによる有害作用・中耳炎

表2-2 難聴の程度

難聴の程度分類	聴力レベル(dB)	自覚内容
正常	25dB 未満	—
軽度難聴	25dB 以上 40dB 未満	小さな音や騒音があるなかでの会話の聞き間違いや，聞き取りにくさを感じる
中等度難聴	40dB 以上 70dB 未満	普通の大きさの会話での聞き間違いや聞き取りにくさを感じる
高度難聴	70dB 以上 90dB 未満	非常に大きい声か，補聴器を装用しないと会話が聞こえない。聞こえても聞き取りに限界がある
重度難聴	90dB 以上	補聴器でも聞き取れないことが多い

表2-3 難聴の種類とその特徴

種類	伝音性難聴	感音性難聴	混合性難聴
どこの障害か	外耳や中耳	内耳	伝音性と感音性の両方の特徴をもつ
聞こえ方の特徴	ラジオの音を小さくした感じに聞こえるという	ラジオの音を悪くして小さくした感じに聞こえるという	
補聴器の効果	補聴器を用いるとよく聞こえる	補聴器をかけても人の話す声はほとんど聞こえない	
そのほか	手術で人工鼓膜を作成したり，耳小骨を修復したりすることが可能	太鼓や木琴の音は聞こえることもある	

3. 障害の種類

難聴は，**伝音性難聴**・**感音性難聴**・**混合性難聴**の3つに分類される（表2-3）。

4. 障害の発生時期

生まれつき聴覚に障害があることを**先天性難聴**，生後に聴覚に障害が出ることを**後天性難聴**という。

5. 聴覚障害がある小児の反応

人間は，生まれた直後から音を聞くことができる。そのため，大きな音へのびっくり反射や音の出るおもちゃに振り向くかどうかなどの様子から，音への反応の有無を観察することができる。言葉を習得していく過程では，聞こえは重要な要素となる。聞こえていなければ，言葉を模倣することもできない。そのため，言葉の遅れは，聴覚障害を疑うきっかけとなる。

1 言葉の習得の目安

❶ **9か月**：簡単な言葉「パパ」「ママ」などの理解ができる。音の真似をする。

❷ **10か月**：「だーだーだ」のような赤ちゃん言葉を発する。

❸ **1歳**：複数の単語を発する。

❹ **1歳6か月**：簡単なフレーズを理解し，からだの各部を指さしたりできるようになる。

❺ **2歳**：単純な2単語文が話せる。

❻ **3 ～ 5 歳**：常時話し言葉を使用して話ができる。就学前の小児は，言われたことをほぼすべて理解している。

2　行動・様子の目安

①大きい音に反応しない。
②何か伝えたいことがあると，言葉でなくジェスチャーを使う。
③視界に入っていない人が話していることに気づかない。
④テレビのボリュームを異常に大きくする。
⑤電話の声に応答しない。

6. 聴覚障害がある小児をもつ家族の反応

新生児聴覚スクリーニング検査は，生後 2 ～ 4 日目に実施されるものであり，子どもの誕生を喜ぶ気持ちから，先天性の「聞こえない」という状態が発見されたときの気持ちの落差は，非常に大きく，つらい体験となる。

1　「聞こえない」ことを伝えられた際の家族の反応

妊娠経過で聴覚障害を生じるような問題がなかった場合，家族は「説明された内容をよく覚えていない」「説明された日は，食事ものどを通らなかった」など，非常に大きな衝撃を受ける。また，妊娠経過中に，風疹（ふうしん）の感染や低出生体重など何らかの問題が生じていた場合には，原因にもよるが「命に別条がなく『聴こえていない』という状態だけで良かった」などの結果を受け入れる反応とともに「心配していたとおりになってしまった」「私の責任だ」など，自責の感情が表出する傾向にある。

2　聴覚障害に対応しようとする行動

新生児聴覚スクリーニング検査から，精密検査を受け，確定診断までには，おおよそ 6 か月程度の時期を要する。その期間に様々な病院からの情報提供をもとに，インターネットや書籍から情報を入手して，小児への対応を模索している。

言語の習得のための臨界期（りんかいき）は，3 歳までと考えられており，早期の対応が重要である。アメリカでは，生後 3 か月以内にすべての難聴児を見いだし，6 か月までに補聴器の使用を始めることを目標としており，わが国でも低年齢での補聴器の装着が増加している。また，高度難聴の場合は，人工内耳の手術を 1 歳頃より実施している。このため，家族は小児に合う補聴器の選定や手術の適応などについて，専門機関での検査や診断を受けるために対応する。

難聴の早期療育機関には①通園施設，②ろう学校の教育相談，③病院やリハビリテーションセンター，④地域でのグループ活動などがある。

表2-4 発達段階別のアセスメントの視点

乳児期	幼児期	5～6歳以降
①強くて大きい音に反応するか ②よびかけや簡単な言葉に反応するか ③音の出るおもちゃに振り向くか	①言葉をどのくらい話せるか ②よびかけに振り向くか ③発音が正しいか ④テレビの音量を極端に大きくしたりしていないか	①言葉の理解ができ，会話が成立しているか ②成人とほぼ，同じ聴力検査が行えるため，聴力検査により聞こえを確認できる

B 対象アセスメントの視点

小児の聞こえを確認する場合，まず日常生活での音への反応などを家族から聞き，アセスメントする（表2-4）。その後，検査中の行動などを観察していく。

C 看護の実際

聴覚障害をもつ小児とのコミュニケーションには，様々な方法がある。小児の発達段階に合わせて，それらの方法を適切に取り入れていく必要がある。

1. 乳幼児期の小児への看護

1 伝音性難聴の小児の場合

外耳から中耳までの障害によって起こる伝音性難聴の場合，補聴器を使用すると，音が大きく聞こえやすくなる。しかし，雑音も大きく拾ってしまうため，騒がしい場所では逆に人との会話は，聞き取りにくくなってしまう。「補聴器の使用中は低音で話す」「音の反響が大きいと聞き取りづらいため，話をする際には静かな場所を選択する」などの配慮をするとともに，「補聴器を装着して音の存在に気づかせる」「楽器や音の出るおもちゃ，リズム遊びなどを通じて音への興味をもたせ，徐々に音の意味への気づきを引き出す」など音への興味・関心をもたせたり，「発声表現を促す遊びなども交えて豊かなコミュニケーションを楽しむ」「手話によるコミュニケーションを取り入れる」など，自らの意思を表現する方法を習得できるように促したりすることが看護師の役割として求められる。

2 感音性難聴の小児の場合

内耳の障害によって起こる感音性難聴の場合，人工内耳の手術の適応となる。人工内耳によって，どれだけ聞き分けられるようになるのかは，個々によって違う。

2. 学童期の小児への看護

語彙が増加し，会話が成立している場合，聞こえを補うための方法に視覚的な方法も取り入れるとコミュニケーションがスムーズになる。文字を書いて言いたいことを筆談で伝え合うと，より詳細なニュアンスも伝わりやすい。

3. 聴覚障害をもつ小児の家族への看護

「聞こえない」ことを診断されると，家族は「聞こえるように練習しよう」と，必死になってしまう。そのような家族には，育児を楽しむように助言することがポイントになる。「聞こえないから意味がないと考えず，たくさん子どもに話しかけ，笑いかけるようにする」「話す際には音の高低や強弱，リズムがわかるように抑揚をつけて話す」「身振り手振りも交えて，表情豊かに接する」などの助言をするとよい。

4. 地域・在宅支援・学校との連携における聴覚障害をもつ小児の家族への支援

聴覚障害は外見からは理解されづらい障害であり，一般の保育所や幼稚園などでは支援について協力を得られにくい状況がある。言葉の習得が難しいうえに，身辺自立が確立していない幼児期からの集団生活のなかでは，個々の小児の特性を理解し，発達を促しながら支援をするための特別な配慮が求められる。

1 保育所・幼稚園での配慮と連携について

保育所や幼稚園において，特別な配慮をするため人員を加配する制度がある。聴覚障害を抱える小児が集団生活をする際に，小児どうしだけではコミュニケーションが難しい場合がある。補聴器を装着することによって，子どもから注目されたり，いたずらをされたりすることで，仲間外れや喧嘩が起きてしまうことがある。あるいは，保育士や幼稚園教諭に指示されたことが理解できず，ほかの園児と集団行動がとれない場合などがある。小児が集団に馴染めないだけでなく，安全な環境で保育されないという状況をつくりかねない。このような状況に配慮し，子どもへの支援を実施するために，保育士や幼稚園教諭を多く配置するために，地方自治体が助成金を提供する障害児保育加算の制度がある。これは，保護者である家族や保育所・幼稚園が地方自治体に申請し，助成金を得ることで保育士や幼稚園教諭を通常よりも多くの人数を雇うことができ，聴覚障害などの小児に特別な配慮を提供できるものである。加配制度の具体策は各自治体に委ねているため，必ず保育士や幼稚園教諭が配置されるわけではない。そのため，子どもへの配慮を十分に受けられない場合もあり，保育所や幼稚園，自治体との連携や検討が重要になる。加配配置が認められれば，子ども2人につき1名の保育士や幼稚園教諭の配置，あるいはマンツーマンで保育士や幼稚園教諭が配置される場合もある。このような制度が利用できることを家族に情報提供し，申請ができるように助言する。また，保育所や幼稚園から看護の側面からの助言を求められることもあるため，聴覚障害について看護師が説明できるようにしておかなければならない。

2 小学校での配慮と連携について

聴覚障害の小児の就学に際しては，乳幼児期の早期から就学相談や教育相談などによって，家族と共に進路を決定する。「就学基準に該当する障害のある子どもは，特別支援学校に原則就学するという従来の就学先決定の仕組みを改め，障害の状態，本人の教育的ニーズ，本人・保護者の意見，教育学，医学，心理学等専門的見地からの意見，学校や地域の状況等を踏まえた総合的な観点から就学先を決定する仕組みとすることが適当である」[1] と示されており，十分な検討を必要とする。

小学校に入学した場合，聞こえの状況や言葉の発達の支援方法などの専門的な経験のない教諭に子どもの教育を託す場合もある。家族と教諭が聴覚障害の状態を共通に理解し，どのような支援が必要であるのかを十分に話し合う機会を得ることが重要である。授業では，会話による指示だけでなく，絵や図などの視覚教材を使用するなど，工夫を要することもある。補聴器を装着していると，聞こえは良くなるものの，大人数の会話は逆に聞き取りづらいこともある。また，マスクの装着によっては，唇の動きが読み取れなかったり，誰が話しているのかがわかりにくくなることもある。このような環境に小児が置かれることで，学習の理解の遅れや疎外感などを覚え，学習への意欲が低下したり，登校そのものへのモチベーションが減退し，不登校へとつながるおそれもある。本人の気持ちが表出できるようなかかわり，言葉では表現が難しい際に発出している表情の曇りや身体的な苦痛の表現（腹痛や頭痛，吐き気の訴え）などを読み取る必要がある。外来などの受診の際には，学校での様子を看護師が聞き取り，家族と子どもが話し合える機会をもてるようにする。

教室内では，前の席に誰もいないとわからなかったときに聞く生徒がいないため，前から2番目，教諭が黒板に書いた後に，振り向くと見えるような中央からやや左あたりに座席を配置する。生徒達の話し合いの場では書記の生徒の隣に座席するなどの工夫も必要である。また，話し手を集中して見ているのかを確認してから話をするなど，話し手側にも工夫が必要であることを生徒や教諭にも伝えられるよう家族に助言する。家族は，教諭や生徒からサポートを得られない場合，聴覚障害をもったわが子の教育や将来について，苦悩し不安が強くなる。小学校に聴覚障害教育支援を専門としている職員の巡回訪問をする制度や聴覚障害の通級などの実施体制もあることを助言し，家族と小児の状況に合った教育支援を受けられるように看護師は助言する必要がある。

II 発達障害のある小児と家族への看護

発達障害には様々な定義が存在する。発達障害者支援法（厚生労働省，2016［平成28］年改正）では，「自閉症，アスペルガー症候群その他の広汎性発達障害，学習障害，注意欠陥多動性障害その他これに類する脳機能の障害であってその症状が通常低年齢において発現するものとして政令で定めるもの」とされている[2)]。

2013（平成25）年にアメリカ精神医学会による「精神疾患の診断と統計のためのマニュアル第5版（Diagnostic and Statistical Manual of Mental Disorders 5th edition；DSM-5）」が出版され，前版DSM-Ⅳから疾患の項目分類や名称が変更された。従来の発達障害は「神経発達障害」というカテゴリーとなり，含まれる疾患や診断名も変更となっている。

本節では，使用する疾患名・定義をDSM-5に従って記載し説明する。神経発達障害には幅広い疾患，障害が含まれるが，以下に**知的障害**，**注意欠如・多動症／注意欠如・多動性障害**（attention-deficit/hyperactivity disorder；ADHD），**自閉症スペクトラム障害**（autism spectrum disorder；ASD）について説明する。

▶ **知的障害**　知的機能が平均より有意に低く*，同時に適応行動（他人との意思の交換，日常生活や社会生活，安全，仕事，余暇利用など）の障害を伴っており，発症年齢が18歳以下であることと定義される[3)]。それ以前は精神遅滞（mental retardation；MR）という用語が使われてきたが，知的障害に変更された。従来，知能指数の程度により重度分類（軽度～重度）がなされてきたが，DSM-5では知能指数による分類ではなく，重症度評価の指標として生活適応能力（学力領域，社会性領域，生活自立能力領域）が重視されることとなった。知的障害をもつ子どもは，緩やかではあるものの，定型発達の子どもと同様に発達を遂げていく。基本的生活習慣の獲得もゆっくりではあるが，これを支援することは，成長発達に伴う集団活動，社会活動の拡大，自立に向けて非常に重要である。

▶ **注意欠如・多動症／注意欠如・多動性障害***　発達段階に不相応な不注意症状（注意集中の困難さ），多動／衝動性，興奮しやすさがあり，日常生活に支障があるもので，これが12歳以前に出現し，6か月以上持続するものと定義されている。DSM-5では，それまでの「7歳未満に存在し」の診断基準が緩和され，重症度分類（軽度・中等度・重度）が導入されている。

▶ **自閉症スペクトラム障害**　従来，広汎性発達障害（pervasive developmental disorder；PDD）に分類されていた疾患群が整理され，DSM-5では自閉症スペクトラム障害というカテゴリーがつくられた。また診断基準として，新たに①社会的コミュニケーションおよび相互関係における持続的障害（情緒的な相互関係の障害，非言語的コミュニケーションの障害など），②限定された反復する様式の行動，興味，活動（常同的で反復的な運動や話し方，日常生活行動におけるこだわりの強さ，感覚入力に対する敏感性または鈍感性など）の2領域にまとめられた。これまでは幼児期の症状を中核とした診断基準であったが，どの年齢でも用いることができるものへと変更されている。診断基準に沿って，障害の重さにより3段階の区分が示されており，支援を提供する際の目安となっている。

＊ 標準化された心理検査の平均IQをおよそ2標準偏差以上下回る値が目安となっている。
＊ **注意欠如・多動症／注意欠如・多動性障害**：2014年に，「注意欠陥・多動性障害」から名称が変更された。

A 対象の理解とケアに必要な知識

発達障害のある小児には，以下に示すような特徴的な認知，行動がみられる。そしてこれらの特徴をいくつか併せもっていることが多く，疾患による特徴的なものもあれば，発達障害のある小児に共通してみられるものもある。また，これらの特徴は，小児の身体状態や日常生活行動，保育所や学校などでの活動や人とのかかわり，家族の日常生活に影響を与える。

1. 感覚・知覚の過敏または鈍麻

発達障害の小児では，視覚，聴覚，触覚，嗅覚，味覚，平衡感覚などが過敏であるため，日常生活に困難を抱える場合がある。たとえば聴覚過敏では，部屋の空調音，家電製品が発する音，教室や駅などの人のざわめきなど，いわゆる生活音のレベルであってもうるさく感じ落ち着かなくなったり，外出することが難しくなったりする。また，触覚過敏では下着や洋服がからだに触れる感覚を嫌がり更衣ができない，平衡感覚の過敏では乗り物やエレベーターが苦手で乗れないなど，子育てを含めた家族の日常生活に影響を及ぼすことも多い。逆に，知覚の鈍麻（どんま）がみられることもあり，外傷を負っていることに気がつかない，熱いフライパンに触れてもしばらく離さず火傷を負う，寒さを感じにくく薄着のまま過ごしてしまう，といったことがある。

2. 人への興味・関心の低さ，非言語的コミュニケーションの弱さ

自閉症スペクトラム障害の小児では，視線が合わない，笑いかけても表情があまり変わらない，1人で遊ぶことが多く周りの子どもに関心を示さない，話しかけられたことをそのまま繰り返す（オウム返し）などの行動がみられる。また，言外の情報（状況や表情）から相手の思いや考えを察することが苦手であり，例え話や比喩（ひゆ）表現を理解しにくいことから，一方的に話をしたり，怒られていることがわからなかったりする。学童期以降では，これらの特徴が学校・社会生活における人との関係に影響し，問題を抱えることがある。

3. 特定の物事や行動に対するこだわりと不安

発達障害をもつ小児では，ある特定の行動パターンや環境へのこだわりを強くもっていることがあり，通学路，着替えの方法，食事などをいつもと同じ物，同じ手順で行わないと泣き叫ぶ，物の置き場所や置き方をほかの人に変えられると激しく怒るなどの行動がみられる。また，予定の変更や見通しが立たないことへの不安が強く，気分や行動の切り替えが苦手であることから，見る予定だったテレビ番組が変更になったり，家族で出かける予定が急に中止になったりするとパニックとなることもある。これらの泣き叫ぶ，パニックになるなどの行動が着目され，わがまま，自分勝手のようにとらえられがちであるが，

いつもと違うこと，予定が変更になったことにどのように対応してよいかわからず，さらに不安が高まることからこのような行動に至っていると考えられる。

4. 衝動的な行動，多動，注意・集中のアンバランスさ

ADHDがある小児では，じっとしていられない（自分の席に座っていられない，待合室などで待っていられずにどこかへ行ってしまう，常にからだのどこかを動かしているなど），少しの刺激で注意がそれてしまい集中が続かない（遊びの途中でほかのおもちゃが視界に入るとそれにとびつく，人の話を集中して聞けないなど），気になるものがあると周囲の状況にかまわず行動する（目についたものを次々と触ったり押したりする，気になるものを見つけて道路に飛び出すなど），何度注意をされても同じことを繰り返す，頻繁に物を失くしたり忘れたりするといった行動がみられる。ほかの小児と遊ぶなかで，順番を待つことができない，人の持っているおもちゃを取り上げてしまう，ルールを守らないといった行動を示すことから，乱暴な子ども，トラブルメーカーと思われがちな面がある。一方で，関心があるものに過度に集中して自分では途中でやめることができず（過集中），食事や睡眠をとらずに長時間没頭してしまうこともある。

5. 常同行動（反復的な行動），自己刺激

発達障害の小児のなかには，手を目の前でひらひらさせる，くるくる回るなど，目的もなく同じ行動を繰り返し行うことがある。これらの行動の出現や頻度は様々で，興奮しているときやストレスを感じたときに起こりやすい子どももいれば，何かに没頭しているとき，逆に1人で時間を持て余しているときにみられやすい場合もある。

特に知的障害を併せもつ小児では，自分を叩く，頭を壁に打ちつける，手指や口唇をかむなど，自傷行為となる自己刺激がみられることがあり，家族が難渋しているケースもある。

6. 感覚・知覚情報を行動につなげる機能の弱さ

発達障害の小児のなかには，はさみが使えない，スプーンや箸が使えない，枠線の中に色を塗ったり文字を書いたりすることが苦手，着替えに極端に時間がかかる，ボールを投げたり受け取ったりすることが苦手，人や物にぶつかることが多いなど，顕著な不器用さがみられる場合がある。**発達性協調運動障害**（developmental coordination disorder；DCD）では，粗大運動や微細運動の発達に大きな遅れはなくても，歩行時の上下肢の動きや，物をつかむときの手指の使い方のぎこちなさなどの，質の問題があることが知られている。また，ADHDなどのほかの発達障害をもつ小児が，DCDを併せもつこともある。

B 具体的な支援と看護

1. 小児の健康状態，成長発達，日常生活リズムに関する支援

発達障害の小児への支援を考える際，前述した特徴的な行動や反応，それらによる親や家族の困り事に注目しがちである。しかし，まずは小児の健康状態，成長発達，日常生活の状況をアセスメントすることが重要である。発達障害の小児は一般の健康な小児よりも肥満傾向にあることが多く，これには拒食・偏食などの食習慣，夕食の時間の遅さ，就寝時間の遅さなどの日常生活リズム，運動の苦手さ，集団行動の困難さによる活動の少なさなどが関連していることが指摘されている。また，身体的な不調や痛みなどの症状があることを周りにうまく伝えられず，気づかれないうちに病状が悪化することもある。家族からふだんの小児の様子や行動の特徴について情報を得つつ，客観的に小児の状態をとらえることが必要である。

2. 受診や入院をする際の支援

発達障害の小児は，内服薬の処方を受けている場合を除き，日常的に医療と接する機会は多くない。一方で，医療の場は日常とは異なる場で，見知らぬ人から診療や治療，検査，ケアを受けるという，発達障害の小児にとって恐怖や不安の大きい場といえる。そのため，健康診断や予防接種を受けたり，急性疾患に罹患（りかん）し外来を受診したり，入院して検査や処置，手術を受けたりする際には，個々の小児の特徴を勘案し，支援を計画する必要がある。たとえば，外来での診察内容や手順について，事前に絵カードなどで伝え，診察中も次に何をするのかを示しながら進めるなどの方法がある。また，歯科や耳鼻科の受診など，治療を受ける日の予定が立てられる場合には，治療当日よりも前に，診察室や器具を見たり，医療スタッフに会ったりする機会を設けることもある。

3. 家族が抱える育児／養育上の問題，家族の日常生活への支援

発達障害の原因については，遺伝子異常，妊娠期の子宮内の環境，妊娠中の喫煙・飲酒や大気汚染への曝露（ばくろ），周産期異常などとの関連が指摘されている。しかし現在でも，周囲の人々から「親のしつけが悪い」「愛情が不足しているのではないか」などと言われ，親が追い詰められている例も多く聞かれる。また，子どもの行動を親が厳しく叱り，一方で小児の行動が変わらないという悪循環を繰り返して親も子どもも疲弊していたり，小児の特徴的な行動に対応するために家族の負担が増大し，家族の日常生活や健康状態に問題が生じていたりすることもある。保健所・保健センターや児童発達支援センター・保育所などでは，子育て支援を行う専門職どうしが連携し，子どもと家族の両面に対する支援を検

表2-5 合理的配慮について

障害者の権利に関する条約における「合理的配慮」

(1) 障害者の権利に関する条約「第二十四条　教育」においては，教育についての障害者の権利を認め，この権利を差別なしに，かつ，機会の均等を基礎として実現するため，障害者を包容する教育制度（inclusive education system）等を確保することとし，その権利の実現に当たり確保するものの一つとして，「個人に必要とされる合理的配慮が提供されること。」を位置付けている。

(2) 同条約「第二条　定義」においては，「合理的配慮」とは，「障害者が他の者と平等にすべての人権及び基本的自由を享有し，又は行使することを確保するための必要かつ適当な変更及び調整であって，特定の場合において必要とされるものであり，かつ，均衡を失した又は過度の負担を課さないものをいう。」と定義されている。

「合理的配慮」の提供として考えられる事項

(1) 障害のある児童生徒等に対する教育を小・中学校等で行う場合には，「合理的配慮」として以下のことが考えられる。

（ア）教員，支援員等の確保

（イ）施設・設備の整備

（ウ）個別の教育支援計画や個別の指導計画に対応した柔軟な教育課程の編成や教材等の配慮

(2) 障害のある児童生徒等に対する教育を小・中学校等で行う場合の「合理的配慮」は，特別支援学校等で行われているものを参考とすると，具体的には別紙２のようなものが考えられる。

(3)「合理的配慮」について条約にいう，「均衡を失した又は過度の負担を課さないもの」についての考慮事項としてどのようなものが考えられるか（例えば，児童生徒一人一人の障害の状態及び教育的ニーズ，学校の状況，地域の状況，体制面，財政面等）。

資料／文部科学省：合理的配慮について，http://www.mext.go.jp/b_menu/shingi/chukyo/chukyo3/044/attach/1297380.htm（最終アクセス日：2022/4/29）

討する必要がある。また，就学や学校生活における小児への支援や合理的配慮（表2-5）についても，関係機関と連携し検討する必要がある。

発達障害をもつ小児に対する子育て支援においては，地域や保育所などにおいてペアレントトレーニング，ペアレントプログラム，絵カードなどを用いた構造化，ソーシャル・スキル・トレーニング（SST）などを取り入れているところもある。

Ⅲ 家庭で療養している慢性疾患のある小児と家族への看護

慢性疾患のある小児は，かつては長期間にわたる入院を余儀なくされることが多かったが，昨今では，多くの小児が入院による治療が必要なときや体調悪化時以外は在宅にて生活している。また，以前は生存が難しかった疾患や障害がある小児が，胎児期または生後早期に治療を受け，医療的ケアや高度の医療管理を在宅で実施し生活できるようになり，同年代の小児と共に保育所・幼稚園，学校に通うことが可能となってきた。現在では，これらの小児のほとんどが成人に至ることから，成人医療への移行，生殖ならびに妊娠・出産にかかわる医療など，青年期・成人期も視野に入れた看護を展開する必要がある。

A 対象の理解

1. 慢性疾患のある小児

小児の慢性疾患の範囲は幅広く，その治療処方は多岐にわたる。疾患により，内服薬の管理，吸入，自己注射，自己導尿などが必要となったり，心疾患による運動制限，アレルギー疾患や腎疾患による食事上の制限など，日常生活上の制限が必要となったりする。さらに，血液・腫瘍疾患により化学療法を受けたり，自己免疫疾患により免疫抑制剤を使用する際の感染予防行動のように，ほかの小児よりも慎重な健康行動が必要となる場合もある。

慢性疾患のある小児が乳児期・幼児前期にある間は，これらの多くを親が担うが，幼児後期頃からは状況に応じて段階的に小児自身が行っていくこととなる。同時に小児は，成長するにつれて体験する様々な場面や状況のなかで，自分の健康状態や症状を認識・判断し，対処する力を獲得していく。学童期・思春期で慢性疾患を発症した小児では，診断時から小児自身が疾患や治療をある程度理解でき，初期から療養行動を自分で行える可能性があるが，一方で，それまで培ってきた日常生活行動や学校での生活，他者との関係のなかに，新たに療養行動を組み込むことに困難を抱えることもある。

これらの小児が直面する健康問題，心理社会的問題は，成長・発達とともに変化し，また多様となる。たとえば，第二次性徴の開始とともに疾患や症状のコントロールが難しくなったり，体育などの身体活動の増加に伴い症状が強くなったりすることがある。また，自分がほかの子どもと異なることを認識したり，活動の制限や自分ではできない物事に直面することで，他者との関係に困難を抱えることもある。思春期以降では，疾患がある自分の将来に対する不安の高まりや，疾患や療養行動が学校での活動や友人との関係に影響することへの懸念により，それまで実施できていた療養行動が継続されなくなる（怠薬，定期受診の自己中断など），健康状態に悪影響を及ぼす行動をする（飲酒，喫煙など）といった問題行動が現れることもある。

2. 慢性疾患のある小児を育てる家族

慢性疾患のある小児の親は，小児の疾患や治療の理解，身体状態の把握と健康管理，療養行動の実施といった役割を担う。疾患がある小児が乳幼児期の場合は，日常の育児のなかでこれらの役割を組み込み遂行することとなり，負担が高まりやすい。またこの時期は，感染症の罹患などにより体調を崩す頻度が高いことから，親は子どもの健康状態の判断や療養行動の実施に困難を感じる機会も多い。

小児が成長し学童期・思春期になると，それまで親が担っていた療養行動を，小児主体で実施できるよう段階的に移行していく。思春期に入ると小児の行動範囲や他者との関係は拡大し，小児自身が自分で健康状態を判断したり療養行動を実施したりする機会が多くなる。親は子どもの健康状態を管理しつつ，今後の子どもの生活を見据えて，療養行動へのかかわり方を徐々に変化させる必要がある。

慢性疾患のある小児がいる家族では，疾患のある小児の健康状態や必要な療養行動を中心に日常生活が組み立てられる傾向がある。それにより，食生活や運動習慣，日常生活リズムなどの点で，家族全員が健康的な生活を送れるようになることもある一方，疾患(しっかん)のある小児に関する世話や療養行動を優先するあまり，家族全体または個々の家族員のニードが満たされにくくなることもある。特に，疾患のある小児にきょうだいがいる場合には，きょうだいの発達ニードと，慢性疾患のある小児のニードに対応することに，家族が過度の負担を抱えることも多い。

B ケアに必要な知識・技術と留意点

1. セルフケアを促す支援

慢性疾患がある小児自身にとって，自分のからだや治療，健康に関心をもち，必要な判断や療養行動ができることは，生涯にわたって重要な課題である。それをはぐくむためには，小児の認知発達の状況，興味や関心に沿って，小児が自分でやろうとする意欲と姿勢を支えるかかわりをすることが必要となる。幼児期では実際の療養行動は親が行うことが多いが，内服薬や自己注射の準備を小児と一緒に行うなど，日常生活のなかで小児が関心をもつ機会を設けることが重要である。

学童期・思春期の小児では，成人期への移行を視野に入れ，疾患や治療に関する知識，療養行動の実施状況などのセルフケア能力をアセスメントする。

2. 保育所・幼稚園，学校との連携

現在では慢性疾患のある小児が保育所・幼稚園，学校に通っていることから，看護師は保育士，幼稚園や学校の担任教諭，養護教諭などと協働し，小児が集団のなかで健康かつ安全に生活できるよう支援する必要がある。幼児期に集団のなかで生活を送ることは，発達課題のうえで重要な体験であり，これは疾患や障害がある小児も同じである。小児ができるだけ集団に入れるよう，身体状態の維持や療養行動の調整を行うとともに，親が保育所や幼稚園に必要なかかわりをもてるよう，支援する。

学校生活においては，**学校生活管理指導表**が使用されている。これは，小学校や中学・高等学校において，運動制限を要する疾患のある小児の体育やクラブ活動，学校行事などへの参加の目安を示すもの，または，アレルギー疾患のある小児の重症度や使用薬剤などの情報，学校生活上の留意点を共有するためのものである。学校において慢性疾患のある小児が，不必要な制限を受けることがなく学校生活をほかの子どもと同様に送ることがで

きるとともに，疾患や治療に関連し起こり得る事故を予防するために有用である。子どもの身体状態は病状や治療，成長発達により変化するため，管理指導表の具体的な運用については，小児と家族，担任教諭，養護教諭と連携し検討する。

C 看護の実際

1. 小児の健康状態の確認・対応

疾患や発達段階を問わず共通して重要となるのは，小児の健康状態の把握，観察により，身体的な問題や異常の早期発見，対応がなされ，小児がより良い健康状態のなかで生活できることである。小児の健康状態の把握，観察のなかには，症状の出現や悪化，再発や合併症に関連する徴候の観察とともに，治療処方に伴う有害事象，有害作用の観察などが含まれる。

また，慢性疾患のある小児は，慢性疾患そのもの以外に，感染症などほかの急性疾患の罹患（りかん）とその治療に伴う身体状態の変化，療養行動上の問題に直面する機会も多い。体調不良時（シックデイ）における療養行動や，他診療科での治療を受ける際の注意点などについて，家族や小児と共有しておく。

2. セルフケアの促進と成人期への移行支援

慢性疾患のある小児には，小児期のみならず将来にわたって医療とのかかわりが必要である。それを踏まえて，小児自身がその発達段階に沿ってからだや治療，健康に関心をもち，必要な判断や療養行動ができるよう支援するとともに，家族がそれを促し支えることができるよう働きかける。早くできるようになることを目指すのではなく，小児の発達段階や療養行動への興味・関心の在り方をとらえつつ，就園や就学・進学などのライフイベントなどと合わせて，段階的に進めていく。

疾患によっては，乳幼児期に主要な手術や治療が終了しており，小児自身はそれらを記憶していないことがある。小児に疾患や受けた治療（手術，移植など）について話す機会を設け，外来受診や内服の必要性について小児の理解を促せるよう，親と共に考えることも重要である。

学童期以降では，家族以外の他者と生活する時間が多くなり，自分の身体状態や感覚（疲労感など）について，周りの人に知らせたり説明したりする機会が増える。外来診療において，医療者は親とやり取りすることが多くなりがちだが，小児の発達段階に応じて，学校での生活について聞くなど，小児が直接医療者とやり取りする機会をつくるようにする。

表 2-6 に成人期への移行支援のチェックリストを示す。高等学校の卒業後は，就職や進学，それに伴う転居や一人暮らしの開始など，小児自身の日常生活が大きく変化することが多い。これらを見据えて，成人診療科への移行を含めた医療の継続の方向性，今後起こ

表2-6 成人期への移行支援のチェックリスト（患者用）〈一般〉

病気・治療に関する知識	
1.	自分の身長・体重，生年月日を知っている
2.	自分の病名を知っている
3.	自分の病状や受けている治療内容を十分に把握している
4.	自分が処方されている薬の名前・効果・副作用を知っている
体調不良時の対応	
5.	受診しなければならない症状を知っている
6.	体調不良時の対応（連絡先・相談先・応急処置など）ができる
医療者との対等なコミュニケーション	
7.	診察前に質問事項を考えて受診することができる
8.	診察時，医師に質問および自分の意見を述べることができる
9.	医師・看護師，またはほかの医療従事者（栄養士・薬剤師・ソーシャルワーカーなど）からの質問に答えることができる
10.	困ったときには医師・看護師，またはほかの医療従事者（栄養士・薬剤師・ソーシャルワーカーなど）に話すことができる
診療情報の自己管理	
11.	検査結果について記録またはコピーをもらい保管管理できる
12.	診断者や意見書など必要な書類を医師に依頼できる
13.	現在と過去の自分の診療録（カルテ）がどこにあるか知っている
14.	今まで自分がかかった病院の名前・住所・担当医師の名前のリストを持っている
自立した受療・セルフケア行動	
15.	外来の予約の時期を把握し，忘れないための工夫ができる
16.	外来の予約方法を知っている（自分で診療の予約ができる）
17.	残っている薬を把握し，必要な分の薬の依頼ができる
18.	処方箋の期限や，期限が過ぎたときの対応を知っている
19.	自分の病気に関して必要時に協力が得られるよう第三者へ説明できる（学校・友人・上司など）
20.	医療保険について説明できる（自分の健康保険と自己負担額についての知識がある）
21.	自分が使用している特殊な機器の注文と管理の仕方を知っている
思春期・青年期患者としての健康教育	
22.	医師・看護師，またはほかの医療従事者（栄養士・薬剤師・ソーシャルワーカーなど）と，喫煙・飲酒・薬物乱用，人間関係について議論したことがある
23.	医師・看護師，またはほかの医療従事者（栄養士・薬剤師・ソーシャルワーカーなど）へ，妊娠・出産の問題，性の問題や悩みについて相談したことがある
24.	避妊の仕方と性病の予防法を知っている
主体的な移行準備	
25.	内科の医師といつどんな形で診療を開始するのかを主治医と相談している
26.	自分に役立つような情報について主治医と話し合いをしている
27.	転科する前に内科医に会って話をしている

出典／東野博彦，他：小児期発症の慢性疾患患児の長期支援について；小児 - 思春期 - 成人医療のギャップを埋める「移行プログラム」の作成をめざして．小児内科，38（5）：p.962-968，2006，を参考に引用改変．

り得る健康問題の知識と対応（晩期合併症など），妊娠・出産の際の身体管理などについても，本人の意思や家族の意向を踏まえて段階的に検討・共有する。

3. 家族を含めた健康な生活を促す支援

疾患（しっかん）のある小児の健康状態とともに，家族の日常生活の状況にも着目し，支援を組み立てる必要がある。家族をアセスメントする際の視点としては，家族の日常生活リズム，家族員の発達段階とニード，家族内での役割分担，社会資源の活用状況，家族の問題解決能力といった内容があげられる。慢性疾患のある小児の健康状態は良好でも，親の日常生活を聞いてみると，疲労の蓄積により健康問題が生じていたり，ストレスを強く感じていたりすることがある。また，小児の成長発達に伴い対処を要する問題は変化し，家族内での問題解決が困難な状況となっている場合もある。特に外来看護においては，家族全体の健康的な日常生活の維持という視点から支援を計画することは重要である。

疾患のある小児にきょうだいがいる場合には，きょうだいの日常生活の様子や心理社会的な反応，きょうだいの世話や発達ニードへの家族の対応にも目を向けて支援を行う。

4. 災害発生に対する備え

わが国は自然災害の発生が多く，どこに居住していても災害に対する備えは必須である。慢性疾患のある小児は，内服，吸入，自己注射などを必要とすることが多く，アレルギー疾患をはじめ食事の制限が必要な小児も多い。災害発生時を想定して必要な備え，避難場所や小児と家族の連絡手段の確認などを行うよう指導し，必要な情報提供を行う。学会などのウェブサイトに，災害時対応のパンフレットを公開しているところもあるので，それらも参考にするとよい（図 2-1）。

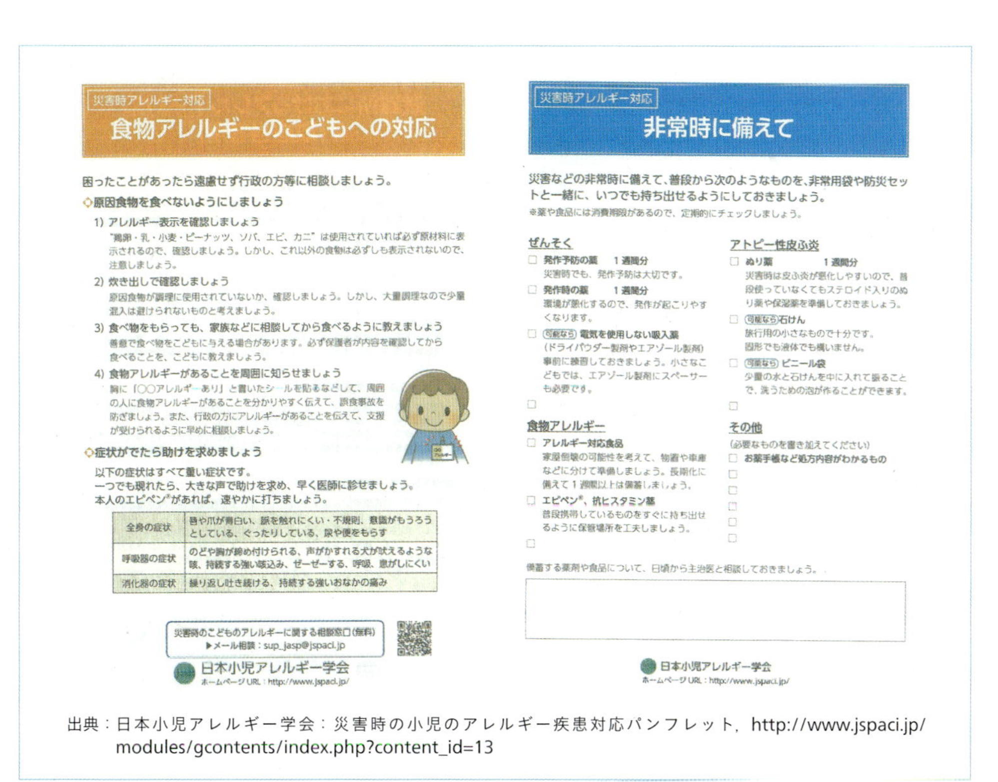

災害時アレルギー対応

食物アレルギーのこどもへの対応

困ったことがあったら遠慮せず行政の方等に相談しましょう。

◇原因食物を食べないようにしましょう

1) アレルギー表示を確認しましょう
"鶏卵・乳・小麦・ピーナッツ、ソバ、エビ、カニ" は使用されていれば必ず原材料に表示されるので、確認しましょう。しかし、これ以外の食物は必ずしも表示されないので、注意しましょう。

2) 炊き出しで確認しましょう
原因食物が調理に使用されていないか、確認しましょう。しかし、大量調理なので少量混入は避けられないものと考えましょう。

3) 食べ物をもらっても、家族などに相談してから食べるように教えましょう
善意で食べ物をこどもに与える場合があります。必ず保護者が内容を確認してから食べることを、こどもに教えましょう。

4) 食物アレルギーがあることを周囲に知らせましょう
胸に「○○アレルギーあり」と書いたシールを貼るなどして、周囲の人に食物アレルギーがあることを分かりやすく伝えて、誤食事故を防ぎましょう。また、行政の方にアレルギーがあることを伝えて、支援が受けられるように早めに相談しましょう。

◇症状がでたら助けを求めましょう

以下の症状はすべて重い症状です。
一つでも現れたら、大きな声で助けを求め、早く医師に診せましょう。
本人のエピペン®があれば、速やかに打ちましょう。

全身の症状	唇や爪が青白い、脈を触れにくい・不規則、意識がもうろうとしている、ぐったりしている、尿や便をもらす
呼吸器の症状	のどや胸が締め付けられる、声がかすれる犬が吠えるような咳、持続する強い咳込み、ぜーぜーする、呼吸、息がしにくい
消化器の症状	繰り返し吐き続ける、持続する強いおなかの痛み

災害時のこどものアレルギーに関する相談窓口（無料）
▶メール相談：sup_jasp@jspaci.jp

日本小児アレルギー学会
ホームページURL：http://www.jspaci.jp/

災害時アレルギー対応

非常時に備えて

災害などの非常時に備えて、普段から次のようなものを、非常用袋や防災セットと一緒に、いつでも持ち出せるようにしておきましょう。
※薬や食品には消費期限があるので、定期的にチェックしましょう。

ぜんそく
- □ 発作予防の薬　1週間分
災害時でも、発作予防は大切です。
- □ 発作時の薬　1週間分
環境が悪化するので、発作が起こりやすくなります。
- □ 可能なら 電気を使用しない吸入薬
（ドライパウダー製剤やエアゾール製剤）
事前に練習しておきましょう。小さなこどもでは、エアゾール製剤にスペーサーも必要です。
- □

食物アレルギー
- □ アレルギー対応食品
家屋倒壊の可能性を考えて、物置や車庫などに分けて準備しましょう。長期化に備えて1週間以上は備蓄しましょう。
- □ エピペン®、抗ヒスタミン薬
普段携帯しているものをすぐに持ち出せるように保管場所を工夫しましょう。
- □

アトピー性皮ふ炎
- □ ぬり薬　1週間分
災害時は皮ふ炎が悪化しやすいので、普段使っていなくてもステロイド入りのぬり薬や保湿薬を準備しておきましょう。
- □ 可能なら 石けん
旅行用の小さなもので十分です。
固形でも液体でも構いません。
- □ 可能なら ビニール袋
少量の水と石けんを中に入れて振ることで、洗うための泡が作ることができます。
- □

その他
（必要なものを書き加えてください）
- □ お薬手帳など処方内容がわかるもの
- □
- □
- □
- □
- □

備蓄する薬剤や食品について、日頃から主治医と相談しておきましょう。

日本小児アレルギー学会
ホームページURL：http://www.jspaci.jp/

出典：日本小児アレルギー学会：災害時の小児のアレルギー疾患対応パンフレット，http://www.jspaci.jp/modules/gcontents/index.php?content_id=13

図 2-1 災害時のアレルギーがある小児への対応例

Ⅳ 在宅・地域で医療的ケアを必要とする小児と家族への看護

A 対象の理解

以前のわが国では，多くの低出生体重児を救命することができなかった。現在では，新生児医療の技術の進歩とともに新生児死亡率は出生1000人に対して約1人となっている。アメリカは約4人，イギリスは約3人であることから，わが国の新生児医療の進歩が著しいことは容易に推測できる。NICUに長期入院した小児は，新生児以降も生命の維持と日々の生活を送るために医療が必要である場合が多い。家族は，医療者や多くの職種から常にケアを必要としている状態にある「医療的ケア児」に対する自宅や保育所，学校などでの介入を希望している。

1. 医療的ケア児の状態像

経管栄養，気管切開，人工呼吸器などが必要な小児のうち約90％がNICU，ICUの入院経験がある。NICUなどを退院した小児の60％以上が吸引や経管栄養を必要としており，約20％が人工呼吸器管理を必要とするなど，特に高度な医療を必要としている[4]。

B 対象アセスメントの視点

1. 子どもの成長・発達段階の視点によるアセスメント

医療的ケアが必要な小児の成長・発達段階は，正常な成長・発達段階とまったく同様とはいえないが，成長・発達段階の方向性や評価の視点は同じである。たとえば，運動機能は，粗大運動から微細運動へと発達し，からだの成長の評価は，身体測定による値によって異常か正常かを判断するということである。そのためには，脳の障害の程度や運動障害の程度，進行性疾患かどうかなども適切に理解し評価しておく必要がある。

体重の測定は栄養状態の指標となる[5]。栄養が十分に取り入れられていなければ，体重は増加せず，エネルギーを消費することでむしろ減少する。逆に，自動運動が困難で，エネルギーの消費が少ない場合は，肥満につながってしまうこともある。栄養摂取は，身体発育だけでなく知的機能の発育にも必要であるため，適切に管理しなければならない。また，体重は長期に服用している抗痙攣(けいれん)薬などの適応量の指標ともなるため，定期的な測定が必要である。測定の際には，小児の運動機能や成長・発達状況に合わせて，身長体重計やストレッチャー型の体重計，あるいは車椅子用体重計などを活用する。

身長の測定は，栄養状態の評価だけにとどまらず，経管栄養チューブの留置長さなどにも影響するため，定期的に測定する。

2. 家族の状況の視点によるアセスメント

医療的ケアが必要な小児を養育するためには，家族への技術獲得に向けた教育的なかかわりが重要となる。また，育児が初めての家族には，抱き方やオムツ交換などの育児そのものへの支援も必要である。そのため，家族の年齢，職業，収入などの経済的な状況，きょうだいの有無，家庭環境，家族のキーパーソン，宗教や価値観，などを聞き取り，アセスメントする必要がある。収入については，個人的な情報であることから，聞き取りに躊躇してしまうこともあるが，小児に必要な物品の購入が継続的に可能かどうかなどを確認する。収入状況によっては，医療助成の対象となることもあるため，家族には情報を聴取する理由を説明し，聞き取る必要がある。

医療的ケアが長期にわたり必要な状況であると，家族内での役割の変更や調整が必要になることもあるため，就業状況や祖父母の協力の有無などは重要なアセスメント項目となる。

3. 疾患や障害の状態からみたアセスメント

進行性の疾患や悪性疾患の増悪によって，家族やきょうだいと共に家庭で過ごす時間をもつために，地域・在宅移行をすることもある。家族と小児の意思を確認し，家族の対応能力やきょうだいの理解状況などをアセスメントする必要がある。

健康状態が安定した状態での地域・在宅移行ではあっても，気管切開術後の腕頭動脈からの出血や痙攣重責による呼吸停止など，状態は急変する可能性がある。術後の状態や治療中の疾患の状態を適切にアセスメントする。

4. 地域や社会資源の活用状況からのアセスメント

地域の在宅支援体制は，それぞれの地域の立地や気候（雪深い地域などは，施設はあっても通所そのものが困難など），あるいは行政の政策などによって違う。このため，小児と家族の居住する地域の支援体制の状況を確認したうえで，情報提供をする。2021（令和3）年6月11日成立・同年6月18日公布された医療的ケア児法（医療的ケア児及びその家族に対する支援に関する法律）によって，医療的ケア児支援センターが小児と家族に必要な支援の相談や助言，情報の提供などを行っているが，地域によって行政や社会福祉法人などの運営主体が違っているため，所在地などを確認する。

社会資源を活用する場合は，新規での活用になるのか，すでに活用しているのか，などによって情報提供や連携方法なども違う。たとえば，医療的ケアを導入して初めて訪問看護を利用する小児と家族の場合には，訪問看護がどのような支援を提供するのか，小児と家族の生活状況に合った資源であるのか，などを説明する必要があるため，訪問看護を提供する事業所の所在地や事業所が得意とする看護の内容について，アセスメントする必要がある。

レスパイトの活用も医療的ケアが必要な小児と家族には，欠かせない社会資源である。地域によっては，病院の空床を利用したレスパイトを提供している。その場合は，事前にカルテを作成するための受診が必要なこともあるため，制度活用に必要な事前の準備をしなければならない。

ショートステイなどを提供する医療型入所施設では，医療的ケアの状況や年齢，障害の状態などによっても活用の可否がある。

医療的ケアが必要な小児の発達を促すためには，保育所や幼稚園，通所，学校での専門家からのかかわりは欠かせない。医療的ケアの種類によって，受け入れの可否などが違うため，状況の確認が必要になる。こうした保育所や幼稚園，通所，学校は，家族にとっても，親同士のピアサポートや情報収集の場として活用される。

C 看護の実際

1. 多職種と連携した退院支援

地域・在宅移行には，医療的ケアが必要となった疾患（しっかん）や障害について，治療をした病院内での多職種連携のはじめには必要となる。

看護師が福祉的な情報をもっていなければならないことは前提ではあるが，院内にある地域支援室などに所属する社会福祉士などに地域の社会資源について，情報提供を依頼する。直接，担当者が家族の相談にのってもらえるように，看護師が調整することもある。

家庭内での移動方法や姿勢の保持などについては，理学療法士や作業療法士などの介入も必要となる。医療的ケアが必要となった状況の早期から連携し，地域・在宅移行を見据えた準備をする。家庭で必要な器具や装置の申請や作成には時間がかかり，退院の時期に必要な物品がそろっているように，事前の準備が重要となる。

小児と家族の生活の視点から，さまざまな職種によるアセスメントを総合し，退院支援に活かさなければならない。多職種の支援の方向性を一致させ，バラバラな支援とならないように状況の集約が必要となる。看護師は，多職種間の橋渡しの役割を担（にな）うことができる。看護師は，小児の健康状態，家族の技術獲得の状況を評価しながら，多職種と連携する。

また，職種は同じでも病棟看護師と外来看護師は，部署が違うために情報を共有する機会がない場合も多くみられる。病棟で提供した看護を継続できるように，外来と情報を共有し，継続した看護を提供する。

2. 地域, 社会資源との連携

院内における多職種連携をもとにした地域・社会資源との連携も重要である。小児と家族の成長・発達過程において，地域・社会資源の担当者が交代しながら連携していくことは，小児の在宅支援の特徴である（図 2-2）。

訪問看護を利用する場合は，病棟看護師は小児と家族の状況をサマリーにまとめ，訪問看護ステーションに提供する。退院支援の過程では，訪問看護師がカンファレンスに参加できるように調整する。病院内での小児の様子や家族の医療的ケア技術の獲得状況や購入する予定の物品や器具などについても，訪問看護師と検討できるとよい。小児と家族が地域・在宅移行した後に，スムーズに支援を受けられるように，早期からの介入を要請し，訪問看護師との信頼形成の構築を促せるように，橋渡しをする。

社会資源を活用するためには，行政への申請が必要となる。障害者総合支援法におけるサービスを受けるためには，相談支援専門員などによるサービス利用計画書を提出し，必要なサービス量を評価され，障害程度区分の認定を受けなければならない。家族のサービス利用の意向を聞き取り，家族が申請できるように助言をする。

3. 家族に着目した看護

病院や施設では，24 時間常に看護師や医師が小児と家族の支援をしている。しかし，地域・在宅移行をした後には，小児の世話のほとんどを家族が担うことになる。家族の生活リズムの視点を大切にしながら，小児の世話や医療的ケアが提供できるように，生活リズムを整える看護が重要である。そのためには，家族それぞれの 1 日の行動を書き出し（表

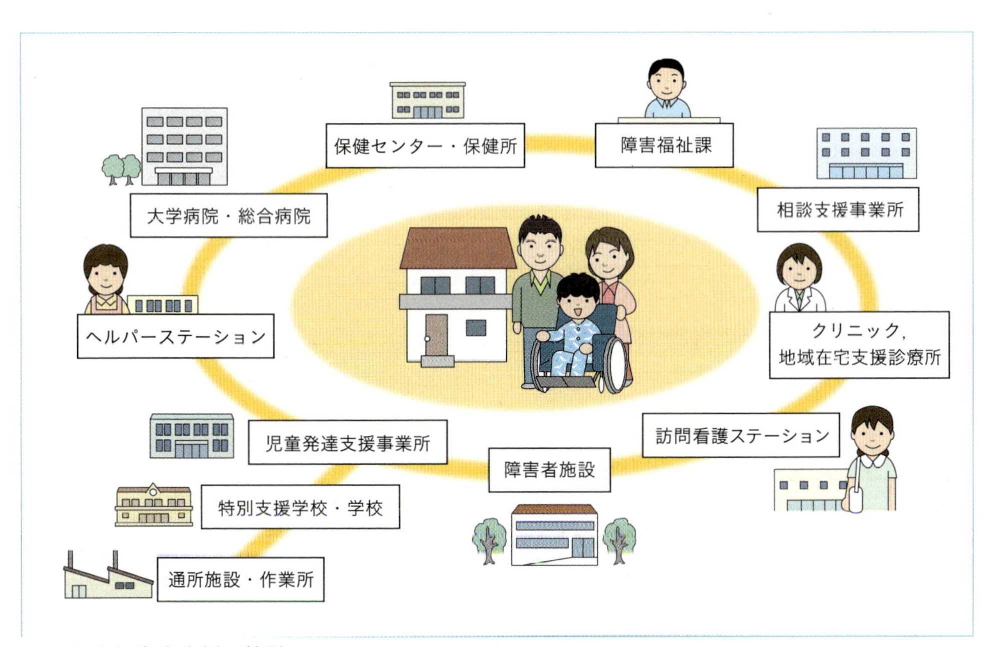

図 2-2 小児在宅支援の特徴

表2-7 小児と家族の生活状況（1日の行動）の書き出し方

時間	子ども	母親	父親	きょうだい（弟）
0時	就寝中	オムツ交換・吸引・体位変換	入浴・就寝	
1時		就寝		
2時				
3時		オムツ交換・吸引・体位変換		
4時		就寝		
5時		起床・朝食準備・洗濯		
6時		ネブライザー・排痰介助	起床	
7時	起床・経管栄養	きょうだいの世話	経管栄養の介助・与薬	
8時	登校	学校へ送迎・学内待機	きょうだいを保育所に送り出社	保育所へ
9時				
10時	経管栄養（水分補給）			
11時				
12時	経管栄養（与薬）			
13時				
14時				
15時	経管栄養（水分補給）・下校	学校から送迎・買い物		
16時		移乗介助・更衣		
17時		保育所の迎え・きょうだいと遊ぶ		帰宅
18時		夕食準備		
19時	経管栄養（与薬）	きょうだいの世話		
20時	就寝	入浴・きょうだいの寝かしつけ・父親の食事準備	帰宅・夕食・夕食後の後片付け・排痰介助・ネブライザー	
21時		洗濯物をたたむなどの家事		
22時		就寝		
23時			経管栄養介助・片付け・吸引・オムツ交換・体位変換	

2-7），家族内での役割分担が調整できるように，家族に助言する。

家族の養育能力の状況によっては，小児は多くの時間を他者からの支援を受けることになる。在宅移行までの準備に期間を要する場合には，入所施設に転院し，家族が医療的ケアの技術獲得を目指すこともある。家族の対応力を適切に見極め，訪問看護師などに適切につながなければならない。なぜならば，退院したその日に災害が起きたり急変したりすることもあり得るからである。家族が自立して医療的ケアを実施できることが必要ではあるが，すべてが完璧でないと退院できないと家族が考えた場合は，入院が長期間に及んでしまうこともある。どの程度，どのような内容を支援されると家族が自立できるかについて，地域・在宅支援をする者が共通理解しておくことが重要である。

4. 保育所，幼稚園，通所，学校における医療的ケアの実際

保育所，幼稚園，通所，学校では，看護師を配置して，医療的ケアを必要とする小児の看護を提供する。吸引や経管栄養などは，医療的ケアの研修を受けた者であれば，家族に代わって実施は可能である。しかし，マンパワーの不足によって，研修への参加ができない，設備や環境を整えることができないなど，それぞれの地域や事業所によって受け入れ

の可否は違う。このため，地域・在宅移行をする前に，関係者に病院での様子を伝え，カンファレンスに参加してもらいながら，受け入れに必要な準備を共に行う。退院以後は，外来看護師や医療連携室などが窓口となり，医療的ケアの技術に関する問い合わせなどを受けられるように体制を整える。

成長・発達段階が変化することで，課題となる内容も違ってくる。小児と家族の成長・発達の変化に対応した支援ができるように，情報の共有や新たな健康問題への素早い対応を必要とする。小児と家族のライフイベントを先回りし，予測した支援計画を立案する。たとえば，就園や就学は，家族にとっても，受け入れる側の学校や幼稚園などにとっても不安が大きい。安全に配慮した環境の設定や急変時の危機管理の計画，小児と家族の置かれている状況の共有などが整うことで，家族も受け入れる側も安心することができる。ライフイベントの数年前からの準備が必要となるので，常に将来を見据えて看護を提供する必要がある。

文献

1） 文部科学省：就学相談・就学先決定の在り方について，https://www.mext.go.jp/b_menu/shingi/chukyo/chukyo3/siryo/attach/1325886.htm.（最終アクセス日：2022/4/30）
2） 厚生労働省：発達障害者支援法，https://www.mhlw.go.jp/file/06-Seisakujouhou-12200000-Shakaiengokyokushougaihokenfukushibu/shienhou_2.pdf（最終アクセス日：2019/10/17）
3） American Association on Intellectual and Developmental Disabilities: Definition of Intellectual Disability, https://aaidd.org/intellectual-disability/definition（最終アクセス日：2019/10/17）
4） 厚生労働省：医療的ケア児について，https://www.mhlw.go.jp/content/12200000/000365983.pdf（最終アクセス日：2019/10/31）
5） 佐藤朝美：成長発達の評価．ケアの基本がわかる重症心身障碍児の看護，p.67-72，へるす出版，2016.

本章の参考文献

・常石秀市：感覚器の成長・発達，バイオメカニズム学会誌，32（2）：p.69-73，2008.
・岡　明監訳：一目でわかる小児科学，第3版，メディカル・サイエンス・インターナショナル，2018
・倉内紀子監：ふしぎだね!?　聴覚障害のおともだち，〈発達と障害を考える本⑨〉，ミネルヴァ書房，2008
・古川恵美，岡本啓子：自閉症スペクトラム障害のある小児の親がとらえた社会的困難性につながる小児の身体感覚，小児保健研究，75（1）：p.78-85，2016.
・中井昭夫：特集／子どもの不器用：（1）不器用な小児たちに関する基本的な理解；発達性協調運動障害，チャイルドヘルス，18（6）：p.406-409，2015.
・鶴田真：発達障害児における肥満傾向児の頻度とその生活特性，小児保健研究，75（2）：p.203-208，2016.
・佐藤敦志：病因，診断のトピックス；特集／発達障害―医療・支援のマネジメント，小児内科，48（5）：p.659-663，2016.
・小平雅基：乳児，幼児―家族に対する助言，ペアレントトレーニング；特集／発達障害―医療・支援のマネジメント，小児内科，48（5）：p.705-708，2016.
・森則夫，他：臨床家のためのDSM-5虎の巻，日本評論社，2014，p.30-45.
・東野博彦，他：小児期発症の慢性疾患患児の長期支援について；小児-思春期-成人医療のギャップを埋める「移行プログラム」の作成をめざして，小児内科，38（5）：p.962-968，2006.
・丸光惠：10代患者への支援―看護師の立場から〈水口雅監，石﨑優子編著：小児期発症慢性疾患患者のための移行支援ガイド〉，じほう，2018，p.42-52.
・厚生労働省：社会・援護局障害保健福祉部障害福祉課障害児・発達障害者支援室　資料，2016.
・東京都福祉保健局障害者施策推進部居住支援課編：訪問看護師のための重症心身障害児在宅療育支援マニュアル，第2版，2014.

第3章

特別な状況，その他起こりやすい・直面しやすい状況と看護

この章では

- 急性ストレス障害（ASD）と外傷後ストレス障害（PTSD）の違いを理解する。
- 小児への虐待の特徴と支援の方法を学ぶ。
- 災害における心のケアの本質と必要な体験を説明できるようになる。

I 心の問題を抱えている小児と家族への看護

 対象の理解

1. 心の問題を抱えている小児の特徴

小児は，常に家族や周囲の人たちとの間に何らかの葛藤を抱えている。さらには何らかの障害を抱えていたり，複雑な家庭環境で育ってきたことで心に何らかの問題を抱えていたりすると，小児の行動と感情が一致しない状況が多くみられる。これは過去の体験において小児が自分の気持ちを語ることに慣れていないためであり，特に年齢が低くなるほど言語による表現は難しくなる。心に問題を抱えている小児は，身体症状や問題行動などの拒否的な表現が多くなるという特徴がある。

1 心の問題を抱えている小児にみられる主な症状

❶こだわりが強い

一般的な意味として，「心が何かにとらわれる・気にする」「ささいなところまで趣味嗜好を主張する」「固執する」などの意味合いがある。これらが日常生活に支障をきたすほどになると問題行動として考えられる。たとえば，発達の偏りによるコミュニケーションの質的な問題により「予定や道順・物事の手順などが厳密に決まっている」など，決め事に固執する状態は，「いつもどおり」という安心感を得るための一つの方法である。また，ある動作や行動，頭に湧いてくる考えを繰り返さずにはいられないくらいの強迫的なものは，強い不安を伴い，そのばかばかしさや不合理性を自覚している場合が多いが，小児の場合はその自覚に悩む様子に欠けることが特徴となる。このように，こだわりが強いと表現されるなかには多くの意味合いが含まれているため，こだわりの内容や生じた理由，小児の年齢，こだわりに対する思いなど，多角的な面から観察していくことが重要となる。

❷暴力を振るう

「カッとして暴力を振るいやすい」「キレやすい」という怒りの感情は，自分の思いどおりにいかないような場合や自分に対して敵対的な状況にある場合に，だれもが経験し得るものである。しかし，こうした怒りを「感じる」ことと「表出する」ことは別問題であり，特に怒りが「殴る」「蹴る」「切る」などのような攻撃的行動として自分や他者に向けられた場合は，社会的に受け入れられない問題行動ととらえられる。この暴力的な行動に対しては，ストレスへの対処能力が弱い，言葉での表出が苦手，社会的なルールや倫理観が十分に備わっていないなど，小児ならではの視点に立つと様々な要因が考えられる。

❸からだの不調を訴える

頭痛・腹痛・めまいなどの身体症状があれば，まずは小児科や神経内科などを受診するが，身体要因が見つからない場合は心の問題が考慮される。小児の場合は，心身の成長発達の途中であり言語化能力も大人に比べて未熟であるため，心の不調がからだの不調という形で表現されることが多い。ただし，最初から心因性が強く疑われても，内分泌系（ないぶんぴつけい）の疾患や神経疾患，自己免疫疾患（じこめんえきしっかん）などのなかには不定愁訴（ふていしゅうそ）を訴えるものもあり，身体的な問題が認められるとともに心理的な問題も同時に存在することは珍しいことではない。

❹登校しぶり，不登校

不登校が始まるきっかけは，信頼していた大人（家族や先生など）からの見捨てられ感，友人関係の破綻（はたん）から生じる「からかい」や「いじめ」に遭遇するなどの精神的・心理的要因，そのほかに喘息（ぜんそく）やアトピー，微熱の持続，手術の回復の遅れなどの身体的要因がある。

❺自分のからだを傷つける

自傷行為で最も多いのは，リストカットである。その意味合いは，心理的・環境的側面を中心に多岐にわたり，心が不安定になるたびに繰り返される傾向がある。特に思春期は自我の成長段階であり，自我の脆弱性（ぜいじゃくせい）のためストレスや葛藤を受け止める力が未熟である。家庭や学校などの交友関係などで挫折を感じると，自分の存在感が容易に喪失しやすく，現実を取り戻す試みとして自傷行為が繰り返されるという特徴がある。また発達障害がある場合，こだわりや儀式行動，癇癪などが中心で言語化されないことが多い。自傷行為を慌てて止めることで，「自傷行為をすれば注目してもらえる，話を聞いてくれる」という条件付けがなされ，繰り返されることもある。

2 小児の心の育ち

小児の問題行動に対し，看護師は解決しようとして小児の症状に終始振り回されがちになるが，これは対応が遅れるだけでなく，小児の何が問題か，どういった能力が欠けているのかといったレベルでしか小児をとらえられなくなる危険性がある。小児の怒りの爆発や社会のルールを守れないといった問題行動の背景には，小児なりの「生きにくさ」があり，そこからくる孤独感や自尊心の低下がある。不適切な行動ではあるが，一度立ち止まり，全体像を眺める冷静さが重要となる。見えている問題行動をどう治していくかよりも，小児の「心の育ち」にどう寄り添っていくか，小児のもつ本来の力を発揮できるように「心の成長」をどう支えていくかに目を向けることが重要である。

小児の「心の育ち」は，常にそばにいてくれる親との関係から始まる。そして特別な大人と出会うことにより，自分のものとして意味付けられていき，自分の到達点をイメージすることにつながっていく。つまり，自分がこれからたどるルートが具体的にイメージできるようになることで，小児は成長していくのである。看護師は一人の大人として，小児にとってのモデルとなることを常に意識することが重要である。「つまんない。遊んでよ」と病棟を走り回っていた小児が，1年後の再入院の際には「看護師さんたちみんな疲れてるね。ちゃんと休んでる？」などと言うようになって，「あ，成長したな」と感じることがある。これは言葉の数が増えたからではなく，1年の間に心が育ったということである。子どもが育つとは，からだが大きくなり，いろいろと知恵がつき，一人前になるというだけではない。「心が大人になる」ためには，親だけではない多くの大人がかかわることが重要である。

2. 家族の特徴

親は子どもの誕生により「親になる」という役割に向き合うことになり，夫婦関係も変容する段階にある。そのなかで小児の心の問題や発達障害を知ることで，自分の育児に自信を失い，努力が足りなかったという自責の念，そして子どもの病気を受け止めきれない思いを抱くことが多い。さらには「この子は将来どうなるのか」と困惑し，「この子にはもう期待できない」など，失望にまで発展することもある。そうなると親は，周囲からどうみられているかを過敏に察知し，その不安定な思いを子どもに向けることで，育児困難を助長させてしまう危険性がある。母親だけでなく父親にとっても混乱や動揺を生じさせ，心の奥底に潜んでいたいろいろな感情が揺さぶられ，互いのマイナス要因が複雑に絡み合うことで，かかわりを難しくさせてしまうなど相互の関係性に悪循環が生じやすくなる。つまり，小児のケアだけでなく，そこにはまってしまった親の気持ちにもケアが必要になる。

親と子どもの関係性に影響を及ぼす要因として，親自身による要因（親自身の育てられてきた体験や妊娠・出産体験時の葛藤（かっとう），うつなどの精神疾患など），子ども側の要因（発達障害やほかの要因により生きにくさを抱えている，育てにくい何らかの要因があるなど），周囲の要因（夫婦関係や十分でないサポート体制，社会経済的な要因など）がある。親と子どもの関係性において，どちらかの要因だけで関係性が悪循環に陥ることはあまりない。親と子どもがしっかりと周囲から支えられることで，子どもの安定した育ちを保障し，親子の関係性の発達を支えるプラスの要因となる。「かわいいと思えないときもあるよ」などといった周囲からの支援によって，親が育児に自信をもって取り組めるようになる。そして，親と共に目の前の子どもと向き合い，小児がもつ脆弱性（ぜいじゃくせい）と本来もっている強さを見つけることで，その子らしさを引き出すことが重要である。

さらにきょうだいがいる場合，そのきょうだいが，親が心の問題や発達障害をもつ小児への療育に労力を注ぐことによる疎外感を抱いたり，あるいは過度の期待をされることで心理的な不適応がみられることもある。「我慢しなくてもいいのよ」という曖昧な言葉を掛けるだけでなく，心の問題や発達障害のある子どもがパニックを起こしたときに避難する場所や，一人で過ごせる場所を確保するなど，具体的な支援策を示す必要がある。ここで大切なことは，心の問題や発達障害のないきょうだいを「小さな親」にしないことであり，家族全体の発達という視点のなかで支援の枠組みを考えることである。

B アセスメントの視点

1. アセスメントのポイント

子どもの心の問題に関する行動観察において，子ども本人，家族関係，そして彼らを取り巻く社会生活という3つの視点を常にもつことが重要となる。子どもの生活のなかで圧倒的に占めるのは，家族や友達と過ごす学校・幼稚園・保育園での時間であり，医療者とかかわる時間はほんのわずかな部分にすぎない。小児と1対1の関係のなかでのみの状態を評価するのではなく，行動観察で得られた情報を，成育歴や既往歴，家族に関する情報，社会集団や利用できる社会資源に関する情報と併せて整理して分析し，子どもの全体像を理解することが重要である（表3-1）。

2. 他職種からの視点

子どもの生活の場は，家庭以外にも学校・部活動・塾・習い事・地域の遊び友達など広範囲にわたり，親の目が届かない場における日々の複雑な人間関係に曝（さら）されることで，2次的に心の問題を抱える要因がいくつも生じる。また，医療の枠組みのなかだけでできることには限界があり，地域の各機関との連携は必要不可欠である。子どもを取り巻く地域の状況や，最近の子どもと家族の特徴を知り，他職種からの異なる視点での新しい情報や

表3-1 子どもと家族をアセスメントする視点

生い立ち	発達歴・成育歴・愛着問題など
からだの健康状態	染色体異常などによる先天性奇形の有無・虐待などの不適切な養育による低栄養や外傷の有無・顔色・年齢相応の身長や体重・体格であるかなど
精神面も含めた疾患の症状	幻聴・妄想，不安，気分や感情の浮き沈み，怒りの表出とそのきっかけ，暴言・暴力の表出とそのきっかけ，行動の逸脱行為，自傷・自殺企図，精神的トラウマ，性的・身体的虐待，依存症，ストレッサーなど
症状による日常生活への影響	睡眠状態と食欲，習慣としていることと強迫観念（こだわり），髪や服装も含めたからだの清潔さなど
望んでいる生活環境	親やきょうだいへの思い，友達への思いなど
自尊心・自己肯定感	投げやり，チャレンジしない，人に依存する，自分が好きになれない，イライラしているなど
知的レベル	心理・発達検査の結果，学校での学力水準，認知発達の水準と学力との間に乖離がないかなど
注意・衝動性のコントロール	人と会話するときにからだをじっとさせていられるか，気が散っていないか，集団場面と個別の場面で衝動性の違いがあるかなど
遊びの特徴	一人遊び，二人遊び，大人数での遊び，同年代との遊び，大人との遊び，運動能力，物の操作の特徴，手先の不器用さ，各場面でのコミュニケーションの特徴，興味の対象など
家族情報	家族関係，きょうだい関係，親子関係，家族と医療者間の認識のズレ，養育力，子どもに対する気持ち（本音），育児感，家族ルール，価値観，ストレス，精神状態の把握，抱いている脅威や不安，ふだんの生活パターン，経済状況，発達歴，成育歴
子どもとのかかわり方（コミュニケーションの特徴）	これから希望する家族間の在り方，子どもや医療者への期待など

新しい理解を得る必要がある。さらに，各機関と情報を共有するだけでなく，家族が各機関をうまく使えているか，連携体制はうまく機能しているか，チームアプローチとしての多機関連携のバランスが保たれているか，連携するうえでの調整役は明確になっているか，そしてその調整機関はいくつもの職種をうまくコーディネートできているかなど，広い視点で観察していく必要がある。

C 看護の実際

1. 社会の枠(ルール)について学ぶ機会をつくり，子どもの自立を支える

心の問題を抱える小児は，学校での友人関係や精神症状などの様々な障害や家族の問題のために，自立した生活を送ることが困難な状況にあることをまずは理解する。昼夜逆転など崩れた小児の生活リズムを調整するため，睡眠リズムを整えることと，日中の活動でできるだけからだを動かすことを促すことが大切である。自立した生活を送ることが困難な小児は，精神症状によってごく当たり前のことが学習できなかったケースが多いため，集団活動のなかで対人関係における最低限のルールを守ることを学びながら，社会性を育てることが重要である。今まで経験できなかったことを支援することは，小児が少しずつ大人としての役割を果たすことにもつながると考える。

2. 対人関係をとおして，自分自身を見つめる

同年代の仲間ができると，葛藤(かっとう)も生じてくる。友達ができて自分が特別と感じられるような誇らしい気持ち，一緒に遊んで楽しい気持ち，反対に友達を取られた気持ち，裏切られた気持ち，どうしてあの子はよくて自分はダメなのかといった様々な感情である。そして，自分の主張も出てくると他人とぶつかることも増えてくる。仲間との交流のなかで，主張を通すことも譲歩することも学ぶことができ，さらには自分の意見を受け入れてもらえることも経験することで相手への信頼感という感情も生まれてくる。また，様々な職種の大人たちとの交流も含めて，人との距離のとり方や接近のしかたを練習する。看護師もそうした練習台の一人であることを自覚する必要がある。たとえば，揺れる感情のなかで，看護師やほかの患者に同一化したり，医療者を母親か父親に見立て，感情をぶつけたりすることで自分の感情に気づき，自らの問題点を見つめていくことにつながる。

3. 自尊心・自己肯定感を伸ばす

自尊心・自己肯定感とは，「自分」というものに対する自信のようなものであり，「私でもやっていける」「自分は大丈夫」といえる感覚である。この感覚が人を内側から支えており，自尊感情を大切にできることで，自分を受け入れて，自分自身を大切にできるよう

になる。小児が良いことをしたときに褒めること以外にも，我慢ができたとき，待つことができたとき，あいさつができたときなど，できて当たり前の行動をはじめとしたささいな場面を見つけて褒める力をつけることが重要である。問題や欠点ばかりが目について褒める気になれないと思う場合には，「褒められない」と思っている理由に気づくことで小児の良いところが見えてくることもある。たとえば，子どもの能力を大きく超えたことを目標としていないか，自分の理想を子どもに押しつけてはいないか，自分の思いどおりになることを望んではいないか，結果だけを見ているのではないかなど，いま一度子どもを観察している自分の視点を振り返ってみることが必要である。

4. 家族自身が強みを認識できるようかかわる

1 家族の思いを受け止め，労をねぎらう

子どもが生まれてからの育児生活について家族の話を聞き，家族が抱えてきた思いに触れながら，その気持ちを受け止めることで，家族が気持ちを整理できるよう支援していくことが重要である。家族が大変な日々のなかで，心身共に疲れ果てている状況である場合が多いため，その労をねぎらい，家族の今までのがんばりや強さを発見したらそれらを積極的にほめることで，家族は自分のしてきたことを肯定的にとらえることができる。つまり，家族自身が今まで気づかなかった自分の強さや長所を自分たちで認識できるように促していく。

2 親子関係を調整する

看護師という第三者が親子関係をサポートするうえでは，親と子どもの間で何が起こっているかを見極めて，彼らのやりとりに焦点を当てることが重要である。親が子どもと一緒にいることで湧き起こってくる様々な思いを受け止めながら，その背景にある思いを一緒に整理していくこと，小児の反応や行動の意味を一緒にとらえなおしていくこと，そしてより良いかかわり方のモデルをさりげなく示す必要がある。たとえば，親子が面と向かうとどうしても言い合いになってしまうのであれば，親が子どもと1対1で遊ぶ（ゲーム，創作など），親の家事（食事作り，お風呂掃除など）を一緒に行うなど，子どもとの時間の過ごし方を具体的に提示し，親子での健康的なやりとりから始めることも必要である。

3 正しい知識と情報を提供する

小児の心の障害の理解に向けて，小児が抱えている病状や治療に関する知識や情報を，必要時は他職種の協力を得ながら伝えていき，小児と家族の生活上の困難さが軽減されるような支援が必要である。また家族が小児の障害を受け入れられない状況が続いている場合，小児への期待が大き過ぎることや小児の願いと親の願いがかみ合っていないことがある。単に情報や知識を提供するだけでなく，小児の日々の様子を伝えながら，小児の特性

や得意・不得意，小児のできることと限界について説明しながら，小児のありのままの状態に目を向けられるような支援が必要となる。そして，小児の特性に合わせたかかわり方や問題行動への対応方法について具体的な指導や助言も必要となる。

II 虐待を受けている小児と家族への看護

A 対象の理解

1. 小児への虐待の特徴

子どもは，心身共に成長していく過程において大人の保護を必要とし，自らの意向や考えを表出できない年少児ほど，周囲の大人の影響を大きく受ける。また，不当な対応を受けたとしても，子ども自身がそれを認知したり，避けたりすることは難しい。このような子どもの脆弱性（ぜいじゃくせい）から，1994（平成6）年に日本が批准した「児童の権利に関する条約（子どもの権利条約）」では，「子どもの最善の利益」を前提として，子どもの「生きる権利」「育つ権利」「守られる権利」などを保障している[1]。そして，子どもへの虐待は，「子どもの心身の成長及び人格の形成に重大な影響を与えるとともに，次の世代に引き継がれるおそれもあるものであり，子どもに対する最も重大な権利侵害」して，その防止に向けた法改正や様々な取り組みがなされてきた。2000（平成12）年11月に施行された「児童虐待の防止等に関する法律（児童虐待防止法）」では，虐待を次のように定義している。「児童虐待とは，保護者*がその監護する児童*に対して行う行為をいい，**身体的虐待・心理的虐待・ネグレクト・性的虐待**の4つに分類される」[2]。

一方，虐待をする保護者も，周囲から孤立し，子育ての悩みなどを抱えており，双方に対する支援が不可欠であり，児童虐待の防止は，社会全体で取り組むべき課題となっている。子どもや保護者に接するすべての者が，子どもや保護者それぞれが発信するサインに気づく視点をもち，子育てに悩む保護者への働きかけをすることが，虐待の深刻化や再発を防ぐ大きな力となる。医療に携わる者として，これらのことを認識し，小児にかかわるすべての職種や関係機関と連携して，支援を行うことが重要である。

1 小児への虐待の現状

児童虐待は，児童虐待防止法の制定後，児童相談所の体制強化をはじめとした防止対策が講じられてきたが，死亡事例が後を絶たない状況である。2016（平成28）年度における

＊ **保護者**：親権を行う者，未成年後見人そのほかの者で，児童を現に監護する者をいう。
＊ **児童**：18歳に満たない者をいう。

児童相談所の相談対応件数は12万件を超え，児童虐待防止法施行前の1999（平成11）年度に比べ，約10.5倍に増加した。これを受け，2018（平成30）年には「児童虐待防止対策の強化に向けた緊急総合対策」[3]が出され，子どもの安全確保を最優先として必要な場合には躊躇(ちゅうちょ)なく介入するなど，子どもの命を守ることを何より第一に据え，すべての行政機関があらゆる手段を尽くして緊急に対策を講じるよう提言がなされた。しかし，その後も相談対応件数は増加の一途をたどり，2020（令和2）年においては，20万件を超えて過去最多となった。2020（令和2）年度の虐待相談の内容は，心理的虐待の割合が59.2％と最も多く，次いで身体的虐待が24.4％であり，相談経路は，警察など50％，続いて近隣・知人，家族・知人，学校の順に多く，医療機関からの通告は1.7％にとどまっている[4]。相談件数の増加は，国民や関係機関の児童虐待に対する意識が高まったことも大きく関係していると考えられる。その一方で，自治体からの聞き取りでは，児童が同居する家庭における配偶者に対する暴力がある事案（面前DV）について警察からの通告が増加しており[5]，心理的虐待に係る相談の増加が要因として挙げられている。近年では，新型コロナウイルス感染症の影響により子どもを見守る機会が減少していることもあり，今後さらなる増加に結びつくことも懸念される。虐待の対応には，福祉・保健・警察・司法・教育など様々な機関と連携する必要があるが，子どもと子育て家庭をめぐる社会環境は大きく変化し，それに伴い課題も一層複雑化しており，子どもが切れ目のない支援を受けられる体制の構築を目指すことが求められている[6]。

2 児童虐待防止対策に関する法改正の経緯

児童虐待への対応に関する主な法律は，児童福祉法，児童虐待の防止等に関する法律の2つであり，児童福祉法は，戦後，困窮する子ども保護・救済，そして次代を担(にな)う子どもの健全な育成を図るため，1947（昭和22）年に日本の社会福祉制度に先駆けて制定された。1951（昭和26）年には，すべての子どもの幸福を図るための児童の権利宣言として「児童憲章」が定められ，1994（平成6）年に子どもの権利条約が日本で批准された以降は，子どもの最善の利益を保障する観点から発展してきた。そして，近年における児童虐待や少子化の進行といった新たな課題に対応するべく，児童虐待防止法が2000（平成12）年に制定され，ここで初めて児童虐待の定義・住民の通告義務などが明記された。2000（平成12）年以降の児童福祉法，児童虐待防止法の主な改正内容については，表3-2に示す。

2016（平成28）年には，年々増加する児童相談所における児童虐待相談対応件数に対して，児童福祉法が大きく改正された。この改正では，すべての児童が健全に育成されるよう，発生予防から自立支援まで一連の対策の強化等を図るため，児童福祉法の理念の明確化（子どもが権利の主体であること，家庭養育優先など），虐待発生時の迅速・的確な対応，被虐待児童への自立支援の施策が盛り込まれた。また，2019（令和元）年の改正では，保護者が「しつけのため」と称して，幼い子どもの衰弱死や暴行を与える事例が後を絶たないことから，「児童の親権を行う者は，児童のしつけに際して，体罰を与えることその他監護

表3-2 児童福祉法・児童虐待防止法の変遷

公布年	児童福祉法	児童虐待防止法
2000（平成12）		児童虐待防止法の制定 • 児童虐待の定義・住民の通告義務
2004（平成16）	• 市町村を児童相談の第一義的窓口とする • 要保護児童対策地域協議会（任意）	• 児童虐待の定義・通告義務の範囲が拡大（虐待を受けたと思われる場合も対象）
2007（平成19）		• 児童の安全確認のための立ち入り調査の強化 • 親に対する面会・通信などの制限の強化
2008（平成20）	• 乳児家庭全戸訪問事業など子育て支援事業の法定化 • 養育里親制度化	
2011（平成23）	• 親権の停止制度の新設	
2016（平成28）	• 児童福祉法の理念明確化 • 市町村への子育て世代包括支援センター設置の努力義務化 • 家庭療育の推進	
2019（令和元）	• 親権者などによる体罰の禁止が明文化	
2021（令和3）	• こども家庭センターの設置 • 児童養護施設で暮らす子どもの自立支援の年齢制限撤廃 • 児童虐待で一時保護をする際の司法審査が導入	

及び教育に必要な範囲を超える行為により児童を懲戒してはならない[7)]」として，体罰の禁止を明文化し，範囲などを示した。

2021（令和3）年の改正では，子育てに困難を抱える世帯がこれまで以上に顕在化している状況から，保育所を利用していない家庭も含め，子育て世代が気軽に相談できる機関を市町村が整備することなど，子育て世帯に対する包括的な支援のための体制強化，子どもをわいせつな行為から守るための環境整備が行われた。

3 虐待の種類

虐待は大きく4つのタイプに分類されているが，多くの事例において，いくつかのタイプの虐待が複合している。どのようなタイプの虐待であっても，子どもの心身に深刻な影響をもたらすため，子どもにとって安心・安全が守られているかどうか，という視点で判断することが重要である。

❶身体的虐待

「児童の身体に外傷が生じ，又は生じるおそれのある暴行を加えること」[8)]と定義され，叩く・殴る・蹴るなどの暴力，たばこの火を押しつける，逆さづりにする，戸外に閉め出す，などが相当する。身体的虐待は，乳幼児よりも年長児において頻度が高いとされ，乳幼児に生じた身体的虐待は年長の児に比べて虐待であることを見分けることが困難である。特に乳幼児の頭部外傷は重篤な後遺障害や生命の危機をきたすことが多いため，少しでも気になる徴候があった場合には，身体的虐待も鑑別に挙げて，子どもに関わる。医療的虐待*（代理によるミュンヒハウゼン症候群を含む）もこれに含まれる。

❷心理的虐待

「児童に対する著しい暴言又は著しく拒絶的な対応，児童が同居する家庭における配偶者に対する暴力（略），その他の児童に著しい心理的外傷を与える言動を行うこと」[9]と定義される。無視・拒否的な態度（「こっちに来て」など小児の呼びかけを無視），罵声を浴びせる，言葉による脅し・脅迫（「ちゃんとできなければご飯あげないよ」など），きょうだい間での極端な差別扱い（「お姉ちゃんはできるのにあなたはダメね」）が含まれる。

❸ネグレクト

児童の心身の正常な発達を妨げるような著しい減食または長時間の放置や，保護者以外の同居人が虐待を行うのを放置することを指す。適切な食事を与えない，年齢や気候に合った衣服を与えない，清潔を保たない，予防接種や薬物治療など必要な医療を受けさせない，学校などに登校させない，乳幼児を家に残したまま外出する，車の中に放置する，などがあげられる。保護者の怠慢でケアを与えなかったり，特別な信念や宗教によって必要なケアを与えない場合も，ネグレクトとなる。子どもの虐待の中で最も多く発生しているが，家庭内で日常的に行われていても周囲には気づかれにくい。しかし，その影響は長期的に子どもの発達や自己認知に影響を及ぼす可能性があり，早期介入が鍵となる。

❹性的虐待

「児童にわいせつな行為をすること又は児童をしてわいせつな行為をさせること」[10]と定義され，子どもへの性的行為・性的暴力，性器や性的行為を見せる，ポルノグラフィーの被写体にする，などがある。子ども自身が性虐待として認識していないことや加害者からの口止めなどにより，発覚までに時間を要したり，性感染症などで偶発的に発覚することも多く，身体的虐待よりもトラウマが大きいため，回復には長い年月を要する。

B アセスメントの視点

1. 虐待のリスク要因と虐待の早期発見

1 虐待のリスク要因

虐待が起こる背景には，保護者側の要因，子ども側の要因，養育環境など様々な要因が複雑に絡み合っている。保護者は，子どもの育てにくさや初めての子育てに悩んだり，相談相手がいなかったり，様々なストレスや葛藤を抱えていても，周囲に助けを求められずに苦しんでいたりすることがある。そして，そのような状態が続くと，保護者は追い詰められ，子どもへの虐待につながる。このような場合，たとえば，保護者に相談相手がいれば，社会的孤立はせず，困ったときに相談することができたり，社会資源を導入して保護

＊ **医療的虐待**：養育者が意図して，子どもに不必要で有害な，もしくは有害になり得る医療的ケアを受けさせている状態のことである。

表 3-3 虐待に至るおそれのある要因と虐待のリスクとして留意すべき点

親側	望まない妊娠・若年の妊娠 子どもへの愛着形成が十分に行われていない マタニティーブルーズや産後うつ病など精神的に不安定な状況 性格が攻撃的・衝動的，あるいはパーソナリティの障害 精神障害・知的障害・慢性疾患・アルコール依存・薬物依存など 保護者の被虐待経験，育児に対する不安，育児の知識や技術の不足 特異な育児観や脅迫的な育児　　　など
子ども側	乳児，未熟児，障害児，多胎児 親にとって何らかの育てにくさをもっている子どもなど
養育環境	経済的に不安的な家庭，親族や地域社会から孤立した家庭 未婚を含むひとり親家庭，内縁者や同居人がいる家庭 子連れの再婚家庭，転居を繰り返す家庭 保護者の不安定な就労や転職の繰り返し 夫婦間不和，配偶者からの暴力（domestic violence; DV）など不安定な状況にある家庭
そのほか	妊娠の届け出が遅い，妊婦・乳幼児健康診査未受診 きょうだいへの虐待歴，関係機関からの支援の拒否　　　など

資料／厚生労働省雇用均等・児童家庭局総務課：「子ども虐待対応の手引き」平成 25 年 8 月改正版，p.29，一部改変.

者のストレスや負担が軽減すれば，虐待の防止につながり得る。以上のことを踏まえて，子どもの出生前から，保護者が置かれている状況や子どもの特性など，虐待のリスク要因（表 3-3）を知り，支援を行うことが虐待の予防や早期発見につながる。

2　早期発見

子どもや保護者に接するとき，子どもや保護者の状態などを的確に判定するためには，チェックリストやアセスメント指標を用いることが有用である。虐待が疑われる場合は，「子ども虐待評価チェックリスト」を利用して，次の 3 項目から虐待の可能性をスクリーニングする。わずかなサインを見逃さないように観察し，当てはまった場合にはさらに問診などで状況を確認していくことが重要である。

❶**子どもの様子**：不自然に子どもが保護者に密着している，子どもの緊張が高い，年齢不相応な行儀のよさ・性的な興味や言動，無表情・凍りついた凝視など

❷**保護者の様子**：調査に対して著しく拒否的，子どもの養育に関して拒否的・無関心，泣いてもあやさない，絶え間なく子どもを叱る・罵るなど

❸**生活態度**：家庭内が著しく乱れている・不衛生である，不自然な転居歴がある，過去に虐待歴がある，家庭内の著しい不和・対立，経済状態が著しく不安定など

また，医療機関などでの診療の際には，虐待の可能性を常に念頭に置き，適切にスクリーニングを行う。虐待の可能性を示唆するサインは，身体的特徴と行動的特徴がある[11]。

- **身体的特徴**：基礎疾患のない低身長・低体重，言語発達の遅れ，乳幼児の下痢（げり）を伴わない嘔吐（おうと），意識障害，頭蓋骨骨折などの頭部外傷，ハイハイなど移動獲得前の外傷・熱傷，保護者の説明と一致しない骨折，新旧混在する損傷など
- **行動的特徴**：愛着障害，痛みへの年齢不相応な恐怖，洋服を脱ぐことへの極端な不安や抵抗，ぼーっと一点を見つめるような解離，極端な偏食，夜泣き，好きな遊びの特徴

や遊び方，人見知りがない，ほかの子どもへの乱暴など

C 看護の実際

1. 虐待の未然防止に向けての支援

子どもへの虐待は，「家族の構造的な問題を背景として生起してくる。そのため，家族の歴史や家族間の関係，また経済的背景などを含めて総合的な見立てをすることが必要」[12)]である。そのため，子どもや保護者にかかわる者が，おのおのの家族が置かれている状況を把握し，リスクをアセスメントしたうえで，関係機関と情報共有し，連携して支援を行う。

1 妊娠期

児童福祉法では，妊婦のなかでも出産前において支援を行うことが特に必要と認められる妊婦として「特定妊婦」を定めている。対象となるのは，未婚または1人親で支援者がいない，妊娠の自覚がない・知識がない，望まない妊娠をした妊婦などである。これらの対象者を妊娠届出や母子健康手帳の交付を行う市区町村，妊婦健診や分娩を取り扱う医療機関などが連携して情報を共有し，支援を行う。出産後に在宅での養育が難しいと考えられる場合は，ショートステイや一時保護を検討することも必要である。

2 乳幼児期

全国の各市区町村では，乳児家庭全戸訪問事業（こんにちは赤ちゃん事業）や乳幼児健診などを行い，小児の成長発達や育児状況の確認やアセスメント，保護者からの育児に関する不安や悩みの相談，子育て支援サービスに関する情報提供を行っている。訪問事業や健診は母子の心身の健康状態を把握できる貴重な機会であるが，もし訪問を拒否されたり，受診しない場合には，要支援家庭として要保護児童対策地域協議会*において協議するなど，支援が切れないようにすることが重要である。

3 学童期

子どもが学校など集団の場に入ると，保護者以外の大人と一緒に過ごす時間が多くなり，子どもの様子や変化に気づいたり，子どもからの訴えを聞く機会が増える。また，医療現場も子どもや保護者の異変に気づきやすい場である。子どもや保護者の話をよく聞き，保護者一子ども，夫婦間での激しい言い争いや暴力が日常的にある場合や，家に帰りたくな

* **要保護児童対策地域協議会**：要保護児童（保護者の養育を支援することが特に必要と認められる児童）などへの適切な支援を図ることを目的に，地方公共団体が設置・運営する組織である。2004（平成16）年の児童福祉法改正で規定された。

いなどの発言があった場合など，必要時は関係者で集まって対応を協議することが未然防止につながる。異変に気づいても，だれかほかの人が気づいてくれるだろうと放置した場合，次に発見されたときには深刻な事態になっている可能性が高く，気づいたそのときに行動を起こすことが重要である。

2. 多機関・多職種の連携・協働

子どもへの虐待の対応窓口となるのは，主に児童相談所と市区町村である。児童福祉法では，児童相談所は「専門的な知識及び技術が必要な相談に応じ，立入調査や一時保護，児童福祉施設への入所等の措置を行う」，市区町村は「業務として子育て家庭の相談に応じ，要保護児童の通告先となること」[13] とされている。そして，それぞれが対応する内容と役割は，自立した育児が可能な虐待ローリスクから生命の危険など最重度虐待までのレベルの異なる事例別に，図3-1のように整理される。一方，虐待の発見側となる医療，福祉，学校などは，児童虐待を受けたと思われる児童を発見した場合には，速やかに市区町村もしくは児童相談所に通告する義務がある。しかし，子どもにかかわる者は，その保護者にも常に接していることが多く，「まさかあの親が……」「虐待でなかったら……」と通告に躊躇(ちゅうちょ)することも少なくない。医療機関が子どもの虐待に対して，組織的に子どもの安全をより確実に担保し，支援につなげていくためのしくみとして，「病院内子ども虐待対応組織（Child Protection Team；CPT）」の構築が推奨されている。CPTを含めた医療機関としての虐待対応の役割を次に述べる。

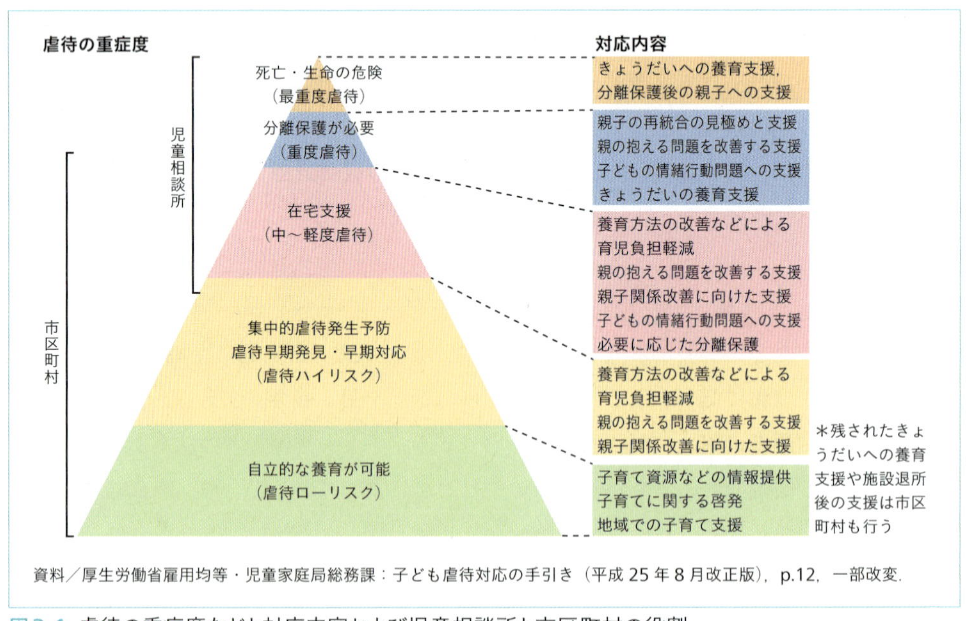

資料／厚生労働省雇用均等・児童家庭局総務課：子ども虐待対応の手引き（平成25年8月改正版），p.12，一部改変．

図3-1 虐待の重症度などと対応内容および児童相談所と市区町村の役割

1 医療現場における虐待発見時の対応

虐待を疑う状況が発生した場合，まず子どもと保護者をできるだけ分離したうえで，それぞれから話を聞き，子どもの全身状態を観察することが望ましい。その理由は，保護者が目の前にいると，子どもが保護者から威圧されたり，保護者の顔色をうかがい話さない可能性があるためである。また，子どもを無理に引き離すと保護者が警戒する場合もあるため，計測などを理由に別室に移動させるなどの工夫を行う。そして，これらの観察事項や子ども・保護者の発言を記録に残すことが重要である。記録の注意点は，発言を省略することなく逐語的(らくごてき)に（発言した言葉のとおりに記載する。わかりやすい言葉や専門用語に置き換えない），態度などは客観的に記すことが有益である（「そわそわしている様子だった」ではなく「視線を絶えず動かしていた」など）。また身体的損傷があった場合には，写真での記録が重要となる。そして，虐待が疑われる場合には，CPT内で，通告の必要性や関係機関への情報提供の内容・方法，その後のフォローについて協議する。保護者には客観的な子どもの身体状態のみを話すようにし，虐待を疑っていることを気づかれないようにする。保護者から危害を加えられることがわかっているような危機的な状況においても，子ども自身が保護者との分離を望むことは少ない。しかし，子どもにとっての安全を考えることが最重要課題であり，その判断をCPT内で行い，通告あるいは関係機関へ情報提供を行う。また，要支援対象者をマーキングして状況を定期的に確認し，CPT内で共有したうえで，情報や支援が途切れている場合は関係機関に連絡するなどの措置を検討する。2022（令和4）年の診療報酬改定では，不適切な養育などが疑われる児童の早期発見や関係機関の適切な連携を推進する観点から，CPTのように多職種で構成される専任のチームを設置して連携体制を整備している場合について，養育支援体制加算が新たに設置された。

2 子どもと親への対応

虐待を受けた子どもは様々な反応を見せる。基本的信頼を獲得すべき幼児期に虐待を受けた場合は，愛着形成に重大な影響を受け，対人関係に対する問題が生じる。暴力を受けた場合は，暴力で問題を解決することを学習し，攻撃的・衝動的な行動をとったり，刺激に敏感に反応して落ち着きのない行動をとるなど，集団生活に影響を与える。また，繰り返し虐待を受けるなかで，虐待を受けるのは自分が悪い子だからととらえ，自分に対して肯定的な感情をもてないことが，自我の獲得にも多大なる影響を及ぼす。これらのことから，まずは安全で安心できる環境を提供することが重要である。子どもの成長発達に必要不可欠な食事や休息，清潔などの基本的な欲求を満たしながら，遊びや日々のかかわりをとおして子どもが安心感や信頼を得られるようにすることが，健全な成長につながる。また，共同生活のなかで問題行動などが起きた場合，子どもの行動を注意しがちになるが，問題行動を正すのではなく，行動の意味を，子ども自身と臨床心理士を中心としたスタッフとの間で考え，別の形で表現する方法を模索するなどのケアを行う。虐待を受けた子どもの心理や行動特性を理解したうえで，ケアを提供することが必要である。

一方，保護者もケア対象者であることを認識することが重要である。虐待を行う保護者自身も苦しんでいたり，自ら虐待を受けて育った保護者の場合は，自身の子どもへの行為を虐待と認識していなかったりする可能性もある。そして，虐待という言葉は保護者にとっては脅威であり，支援を行ううえでは大きな弊害となるため，言葉の使い方や説明の方法には十分な配慮が必要である。虐待かどうかを考えるのではなく，子どもにとって何が必要で，何が足りないのかという視点で，子どもへの対応を保護者と一緒に考えることが支援の第一歩である。また，保護者の育児に対する負担軽減を目的に，社会資源として利用できるサービスを提供することも重要であり，入院早期から院内のソーシャルワーカーに介入を依頼し，家族構成や生活状況に合わせたサポートを検討する。

Ⅲ 災害を受けた小児と家族への看護

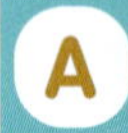 対象の理解

1. 災害とは

災害対策基本法において災害は「暴風，竜巻，豪雨，豪雪，洪水，崖崩れ，土石流，高潮，地震，津波，噴火，地滑りその他の異常な自然現象又は大規模な火事若しくは爆発その他その及ぼす被害の程度においてこれらに類する政令で定める原因により生ずる被害をいう」と，定められている[14]。日本では，国土の位置条件から発生しやすい**自然災害**と，社会・産業の高度化，複雑化に伴う**事故災害**への対策が求められる。防災基本計画では，地震災害，津波災害，風水害，火山災害，雪害，海上災害，航空災害，鉄道災害，道路災害，原子力災害，危険物等災害，大規模な火事災害，林野火災への具体的な対策が示されている[15]。

2. 災害による小児への影響とストレス

乳幼児は，高齢者，障害者と共に災害における**要配慮者**として位置付けられている[16]。生命や生活の依存度が高く，体格的な特徴や危険予知能力の面から危険に曝されやすいなど，小児の特性が災害時に大きく影響する。小児は認知発達や脳機能の特徴から，報道される災害の映像を繰り返し見ることで，自分の体験として取り込む可能性があるため，視聴を最小限にする配慮も必要である[17]。

災害によって小児は，恐怖体験・喪失体験・環境の変化など，複数のストレスを体験する。生命に危険を感じる外傷体験によって起こる精神的変調はトラウマ反応とよばれ，多

表 3-4 小児のトラウマ反応

身体症状	手足が動かない。意識を失い倒れる。頭痛・腹痛・四肢痛などの痛み，嘔気，めまい，過呼吸，夜尿，頻尿，吃音，食欲不振・過食などを起こしやすい。
過緊張・過覚醒	眠れない，ささいな物音での驚愕，常に存在する過緊張状態を呈する。
再体験	恐い体験を思い出して再体験する。 • 突然興奮したり，過度の不安状態になる。 • 突然人が変わったようになる。 • 突然現実にないことを言い出す。 • 恐ろしい夢を繰り返し見る。 • 体験を思い出す遊びや話を繰り返す，興奮したり，落ち着かなくなる。
感情の鈍麻（解離状態）	• 表情が乏しく，ボーッとしている。 • 泣くことができない。 • 体験を思い出すことを避けようとする。 • 生き生きとした現実感が得られなくなる。
精神的混乱	行動や思考にまとまりがなくなり，現実の出来事とそうでない出来事との区別がつき難くなる。
喪失や体験の否定	• 家族が亡くなっていないかのように行動し，現実への適応を拒否する。 • 亡くなった人の声を聞く。
過度の無力感	• 生活全体の活動性が著しく低下する。 • 乳児や幼児の場合，食事などを摂らなくなる。 • 自信がなくなり，引っ込み思案になる。話をしなくなる。
強い罪責感	• 出来事のあらゆることに関して自分の行動を責め，過度の罪責感が生じる。 • 自分のからだを叩く，傷つけるなどの自傷行為が出ることもある。
激しい怒り	暴力を振るう。他者を傷つける。物を壊す。
著しい退行現象	幼児語の使用，赤ちゃん返り，わがままなど。

出典／一般社団法人日本小児心身医学会災害対策委員会編：災害時の子どものメンタルヘルス対策ガイド，子どもの心とからだ，23(3)：324-325，2014，一部改変．

くは一過性のものであり，自然に回復する。小児は成人に比べて，感情を言語で表現する力が不十分なため，身体症状や行動の変化として現れる傾向にある（表 3-4）。

外傷体験から 4 週間以内にトラウマ反応が起こり，最低 2 日間，最大 4 週間まで持続する場合，**急性ストレス障害**（acute stress disorder；**ASD**）とされる。3 症状（再体験・侵入，回避，過覚醒（かかくせい））のすべてが 1 か月以上持続し，臨床的に著しい苦痛または社会的な機能障害を引き起こす**心的外傷後ストレス障害**（post-traumatic stress disorder；**PTSD**）とは区別される。災害の程度・種類によって異なるが，PTSD となる小児は数～数十％と考えられている[18]。

B ケアに必要な知識・技術と留意点

1. 災害医療の基本原則

災害時には，体系的な医療対応が求められる。**CSCATTT**＊は重要事項の頭文字を並べ，この順番に従って事を進めることを示す基本原則である[19]。災害医療活動はトリアージ（Triage），治療（Treatment），搬送（Transport）という医療支援（**3T's**）が鍵となる。しかし，これらが円滑に機能するためには指揮命令（Command & Control），安全（Safety），情報収集・伝達（Communication），評価（Assessment）といった管理体制の確立が重要である。

＊ **CSCATTT**：1995（平成 7）年よりイギリスで開始された災害医療研修コース（Major Incident Medical Management and Support；MIMMS）で示される行動原則である。災害派遣医療チーム（DMAT）の養成研修でも採用され，日本の災害急性期医療対応の基本原則ともなっている。

1 災害における小児の医療管理体制

わが国は，1995（平成 7）年の阪神・淡路大震災を契機に，災害拠点病院の整備，災害派遣医療チーム（Disaster Medical Assistance Team；DMAT），広域災害救急医療情報システム（Emergency Medical Information System；EMIS）など，災害医療体制の整備が進んだ。この災害医療体制と小児周産期医療領域をつなぐ，**災害時小児周産期リエゾン**設置の必要性が 2011（平成 23）年の東日本大震災から見いだされた。災害時小児周産期リエゾンとは「災害時に，被災都道府県が小児・周産期医療に係る保健医療活動の総合調整を適切かつ円滑に行えるよう支援する者であり，災害医療コーディネーターをサポートすることを目的として，都道府県により任命された者」と定義される[20]。研修が開始された 2016（平成 28）年に起きた熊本地震では，期待される役割（情報収集・発信，医療支援調整，母子保健活動の調整）を果たすこととなった[21]。

2 災害における小児のトリアージ

トリアージは，治療の優先度と適切な加療場所を決定するために，緊急度や重症度の高い患者を選別することであり，平時の救急医療において行われている。災害時においては，今ある医療資源で，最大多数の傷病者を救うことが目的となる。そのため，すべての傷病者に最大限の医療を施す平時とは異なり，災害トリアージでは重症度が高く救命に多くの医療資源を要する傷病者は，治療の優先度が低くなる可能性がある。

災害医療では，まず災害現場で患者を振り分ける 1 次トリアージが行われる。図 3-2 に，日本で普及する Simple Triage and Rapid Treatment 法（START 法）を 1 ～ 8 歳の小児に適応するように作成された JumpSTART 法を示した。トリアージでは，救命不能な傷病者（黒）と治療不要の軽症者（緑）を除外し，緊急度の高い傷病者（赤，黄）を選別，安定化，搬送することを目的として 4 つの群に区分し，トリアージタッグを右手首に取り付ける。

1 次トリアージに次いで，現場の救護所や医療機関への搬送前後に 2 次トリアージが行われる。そこでは，生存可能性が高まる傷病者，すなわち最優先治療群（赤）に相当する傷病者を選出するために優先順位の並び替えがなされる。ただし，災害現場では親子を離散させないことが原則となる[22]。

2. 災害における心のケア

阪神・淡路大震災を機に，「**心のケア**」という言葉が広く注目を集めた。冨永は，心のケアの本質は「被災された方自身が，傷ついた心を主体的にケアできるように，他者がサポートすること」[23]であり，原点はセルフケアにあることを示している。

災害のように命が脅かされるような体験をした後に，トラウマ反応が現れることは，自然なことである。図 3-3 のように，小児に害を与えることなく，小児に備わっている自己回復力を，小児自身で引き出す「セルフケア活動」を支えることが心のケアである。災害

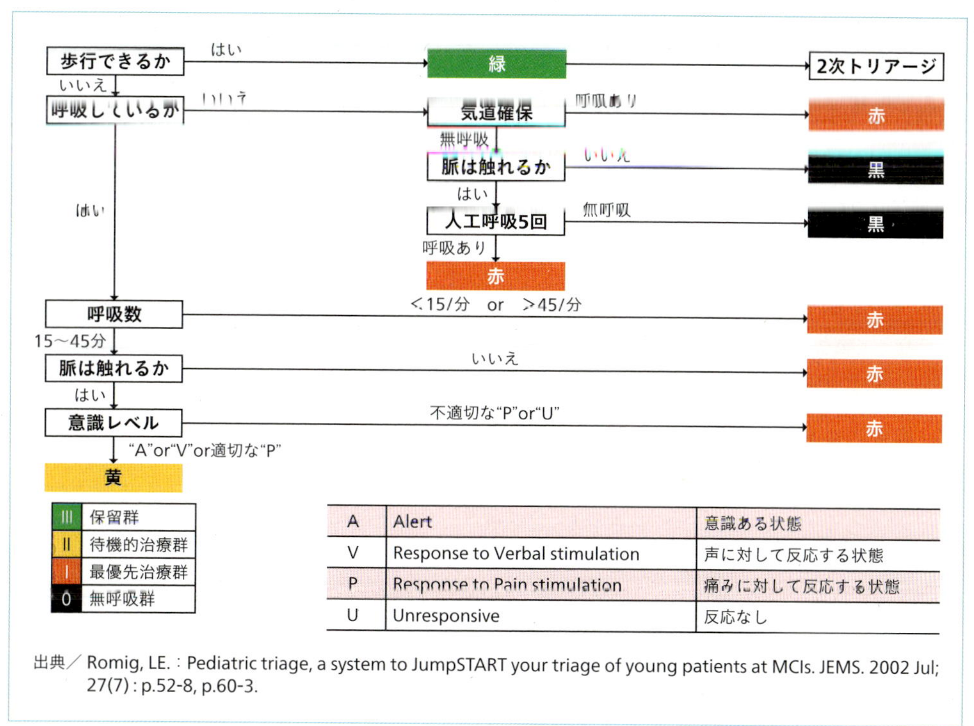

A	Alert	意識ある状態
V	Response to Verbal stimulation	声に対して反応する状態
P	Response to Pain stimulation	痛みに対して反応する状態
U	Unresponsive	反応なし

出典／Romig, LE.：Pediatric triage, a system to JumpSTART your triage of young patients at MCIs. JEMS. 2002 Jul; 27(7) : p.52-8, p.60-3.

図3-2 JumpSTART法

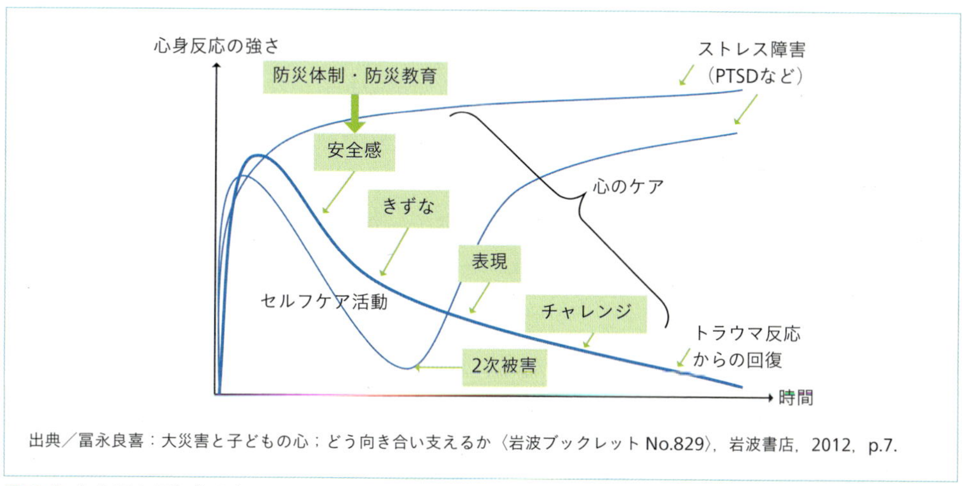

出典／冨永良喜：大災害と子どもの心；どう向き合い支えるか〈岩波ブックレット No.829〉，岩波書店，2012，p.7.

図3-3 セルフケアと心のケア

後に必要な体験である「安全感」「きずな」「表現」「チャレンジ」は，この順番が大切である。安全･安心の感覚やつながりが乏しい段階で，生活体験やトラウマ体験の表現であったり，避けていることへのチャレンジを強いたりすることは，二次被害を与えることになる[24]。

C 看護の実際

1. 防災における援助

東日本大震災を機に，防災対策の基本といわれる**自助***，**共助***，**公助***に関して，公助の限界と自助・共助の重要性が認識されるようになった。「想定にとらわれるな」「最善を尽くせ」「率先避難者たれ」という津波避難の3原則に基づき行動したことで，岩手県釜石市の小中学生は99.8%という割合で命が守られた。「津波てんでんこ」は，津波が来たら家族もそれぞれに逃げると信じて，各自てんでんばらばらに高台に逃げ，自分の命は自分で守れという，まさに自助と共助の教えである。

医療とつながりながら生活する小児および家族と，平時から災害の備えについて共に考え，自助や共助への意識を高めることは大事な援助の一つである。災害を想定した常備薬の備蓄と携帯，母子手帳やお薬手帳，医療情報カードの所持，緊急時とセットで災害時の対応策および災害時要援護者への登録，災害時のライフライン途絶を見越した在宅医療機器の対策などについて話し合っておく。その際，関連学会や団体などが提供する最新の疾患対応パンフレットやマニュアルなどを活用するとよい。

2. 災害に遭遇した小児と家族への援助

災害を経験した小児が安全・安心の感覚と日常性を取り戻せるようにかかわることが基本となる。そのために小児の生理的なニーズを満たし，生活・環境を整えることが重要となる。

避難所では，母乳栄養・人工ミルクの衛生的供給，液状ミルクや離乳食，アレルギー食の供給，糖質過多の予防など食事管理が必要になる。感染予防，小児の活動や休息スペースの確保においては，よりいっそうの配慮が必要となる発達障害の小児や，医療的ケアを必要としている小児の把握に努める。

また，小児が表現したいときに表現しやすい状況を整え，小児の示す反応を受け入れられるように，大人も被災者であることに配慮しながら，家族全体を多面的に支援することも大切である。小児の症状や，反応の意味や背景を理解することは，安心して小児に対応することにつながる。

たとえば，退行や分離不安は，小児が基本的信頼を確認し，安心感を得て自分を守るための一時的な反応である。症状は数週間から数か月続くことがあるが，受け止めるかかわ

---

* **自助**：ふだんから災害に備えて物資の備蓄や，自身で状況判断し適切な避難行動を行うことなど自らの命を自らが守ることを指す[25]。
* **共助**：要配慮者の避難誘導，生き埋めになった人の救助活動など近隣が互いに助け合うことを指す[26]。
* **公助**：災害発生に備えた啓発・準備・整備や，発災時に行う情報提供や避難所運営などの災害対応など行政機関が実施する公的な支援を指す[27]。

りが大切である[28)]。

また，地震ごっこや津波ごっこなどの災害をテーマにした遊びのなかで小児は体験を表現することがある。遊びを通じて不安や恐怖を表現し，克服しようとしていることを理解し，大人は禁止することなく見守ることが重要である。遊びを繰り返す様子やその内容によっては，遊びの方向性を変えるようにかかわる。

文献

1) 文部科学省ホームページ：児童の権利に関する条約，http://www.mext.go.jp/a_menu/kokusai/jidou/main4_a9.htm（最終アクセス日：2022/6/22）
2) 厚生労働省ホームページ：法令等データベースサービス　児童福祉法，https://www.mhlw.go.jp/hourei/（最終アクセス日：2022/6/22）
3) 厚生労働省ホームページ：児童虐待防止対策の強化に向けた緊急総合対策について（平成30年7月），https://www.mhlw.go.jp/stf/seisakunitsuite/bunya/kodomo/kodomo_kosodate/dv/hourei.html（最終アクセス日：2022/6/22）
4) 厚生労働省：令和2年度 児童相談所での児童虐待相談対応件数，https://www.mhlw.go.jp/content/000863297.pdf（最終アクセス日：2022/6/23）
5) 前掲書 4).
6) 厚生労働省ホームページ：子ども虐待対応の手引き（平成25年8月改正版），p.7，https://www.mhlw.go.jp/seisakunitsuite/bunya/kodomo/kodomo_kosodate/dv/130823-01.html（最終アクセス日：2018/12/31）
7) 前掲書 2).
8) 前掲書 2).
9) 前掲書 2).
10) 前掲書 2).
11) 前掲書 1).
12) 前掲書 1).
13) 前掲書 2).
14) 電子政府の総合窓口 e-Gov：災害対策基本法，http://elaws.e-gov.go.jp/document?lawid=336AC0000000223_20210901_503AC0000000036&keyword= 災害対策基本法（最終アクセス日：2022/4/14）
15) 内閣府防災情報のページ：防災基本計画，http://www.bousai.go.jp/taisaku/keikaku/pdf/kihon_basic_plan180629.pdf（最終アクセス日：2022/4/14）
16) 前掲書 14).
17) 一般社団法人日本小児神経学会：子どもに被害映像を見せない配慮を！；子どもの心を守るために，マスメディアの方にお願いしたいこと，https://www.childneuro.jp/uploads/files/about/20110325.pdf（最終アクセス日：2018/12/24）
18) 一般社団法人日本小児心身医学会災害対策委員会編：災害時の子どものメンタルヘルス対策ガイド，子どもの心とからだ，23（3）：300-333，2014.
19) MIMMS 日本委員会監訳：災害ルール，へるす出版，2012年，vii-x.
20) 災害小児周産期リエゾンについて【別添2】災害時小児周産期リエゾン活動要領，http://www.mhlw.go.jp/content/10800000/000478156.pdf（最終アクセス日：2022/4/14）
21) 岬美穂：災害時小児周産期リエゾンの役割;これからの小児の災害医療に向けて－医療提供体制の見地から，小児内科，50（3）：p.337-340，2018.
22) 佐々木勝：【改訂版】医療従事者のための災害対応アプローチガイド，新興医学出版社，2015，p.54-55.
23) 冨永良喜：大災害と子どもの心；どう向き合い支えるか〈岩波ブックレット No.829〉，岩波書店，2012，p.6.
24) 冨永良喜，他編：災害後の時期に応じた子どもの心理支援；被災体験の表現と分かち合い・防災教育をめぐって，誠信書房，2018，p.40.
25) 内閣府（防災担当）防災教育チャレンジプラン実行委員会：地域における防災教育の実践に関する手引き，平成27年3月 .http://www.bousai.go.jp/kyoiku/pdf/h27bousaikyoiku_guidline_jp.pdf（最終アクセス日：2022/4/14）
26) 前掲書 22)
27) 前掲書 22)
28) 永光信一郎：子どもにみられやすい身体化症状〈藤森和美，前田正治編：大災害と子どものストレス；子どものこころのケアに向けて〉，誠信書房，2011，p.24-27.

本章の参考文献

・山登敬之：子どもの精神科，筑摩書房，2005，p.83-104.
・小倉清：子どものこころ；その成り立ちをたどる，慶應義塾大学出版会，1996.
・市川宏伸編：ケースで学ぶ　子どものための精神看護，医学書院，2005.
・天賀谷隆，他編：実践精神科看護テキスト，第15巻　児童・思春期精神看護，精神看護出版，2008.
・青木紀久代編著：いっしょに考える家族支援；現場で役立つ乳幼児心理臨床，明石書店，2010.
・市川宏伸監：子どもの心の病気がわかる本，講談社，2004.
・原田香奈，他編：医療を受ける子どもへの上手なかかわり方；チャイルド・ライフ・スペシャリストが伝える子ども・家族中心医療のコツ，日本看護協会出版会，2013.

・田中哲：“育つ”こと“育てる”こと；子どもの心に寄り添って，いのちのことば社，2016.
・市川宏伸，海老島宏編：臨床家が知っておきたい「子どもの精神科」；こころの問題と精神症状の理解のために，第2版，医学書院，2010.
・滝川一廣：子どものための精神医学，医学書院，2017.
・船越明子，他：児童・思春期精神科病棟における看護実践向上のためのコンピテンシーモデル；看護師に求められる能力，http://capsychnurs.jp/competency/（最終アクセス日：2018/12/11）
・船越明子監：児童・思春期精神科病棟における看護ガイドライン 児童・思春期精神科病棟の看護 基本のQ&A，http://capsychnurs.jp/gl/（最終アクセス日：2018/12/11）
・文部科学省ホームページ：児童の権利に関する条約，http://www.mext.go.jp/a_menu/kokusai/jidou/main4_a9.htm（最終アクセス日：2018/12/31）
・キャロル・ジェニー編，溝口史剛，他監訳：子どもの虐待とネグレクト；診断・治療とそのエビデンス，金剛出版，2017.
・厚生労働省ホームページ：子ども家庭総合研究事業 医療機関ならびに行政機関のための病院内子ども虐待対応組織（CPT：Child Protection Team）構築・機能評価・連携ガイド～子ども虐待の医療的対応の核として機能するために～，https://www.mhlw.go.jp/site_kensaku.html?q=CPT（最終アクセス日：2018/12/31）
・厚生労働省ホームページ：「要支援児童等（特定妊婦を含む）の情報提供に係る保健・医療・福祉・教育等の連携の一層の推進について」の一部改正について（平成30年7月），https://www.mhlw.go.jp/stf/seisakunitsuite/bunya/kodomo/kodomo_kosodate/dv/hourei.html（最終アクセス日：2018/12/31）
・井上信明：災害時の子どもへの対応，小児外科，46（4）：324-327，2014.
・井上信明：Ⅰ．災害の中の子どもたち 災害の中の子どもたちとニーズの探求，小児科診療，77（1）：p.25-30，2014.
・一般社団法人日本心理臨床学会・支援活動委員会：コミュニティの危機とこころのケア，https://www.ajcp.info/heart311/（最終アクセス日：2022/4/14）
・小井土雄一，鶴和美穂：Ⅱ．災害発生直後の対応課題 Disaster Medical Assistance Team（DMAT），小児科診療，77（1）：31-41，2014.
・齋藤修，清水直樹：Ⅱ．災害発生直後の対応課題 多重小児重症患者発生時の対応，小児科診療，77（1）：49-54，2014.

国家試験問題

1 幼児の心肺蘇生で正しいのはどれか。 (95回 AM128改)

1. 心臓マッサージ3回につき1回人工呼吸をする。
2. 心臓マッサージは60回 / 分を目安に行う。
3. 心臓マッサージは胸骨の下半分を圧迫する。
4. 心臓マッサージは胸の厚さの半分以上を圧迫するよう実施する。

2 小児の一次救命処置において推奨される胸骨圧迫の速さ（回数）はどれか。 (103回 AM62改)

1. 60～80回 / 分
2. 80～100回 / 分
3. 100～120回 / 分
4. 120～140回 / 分

3 小児の外来看護で最も優先されるのはどれか。 (95回 AM127)

1. 感染症症状の確認
2. 育児相談
3. 病棟との連携
4. 社会資源の紹介

4 糖尿病でインスリン療法中の小学3年生。自分でできる療養行動の目標で適切なのはどれか。**2つ選べ**。 (98回 PM89)

1. 血糖値測定
2. シックデイ対策
3. 食品の単位換算
4. インスリン注射
5. インスリン注射量の調節

第1章

コミュニケーション技術

この章では

- 小児看護において必要なコミュニケーションを学ぶ。
- 発達段階ごとにどのようなコミュニケーションを図るのが適切か理解する。
- コミュニケーションの技法を学ぶ。

I 小児看護のコミュニケーションとは

一般に，コミュニケーションは，知覚・感情・意思の伝達あるいは相互作用のことで，**言語的コミュニケーション**と**非言語的コミュニケーション**に大別される。小児とのコミュニケーションは，その子に合わせた安心できるコミュニケーションを様々な方法を用いて行うことが原則である。また，小児の非言語的表現を理解することが重要である。小児の表現やコミュニケーションの能力には，発達の状態やコミュニケーション時の状態が影響する。認知の発達，社会性，コミュニケーションにかかわる身体機能・運動発達と共にコミュニケーション時の身体状態や情緒・意欲などがある。

乳幼児期の小児の場合，言語による表現で自らが伝えたいことをすべて伝えるのは難しい。たとえば，言語で伝える場合，気持ち悪いなどの身体症状を「痛い」と表現することもある。子どもが伝えようとしていることに寄り添い，しぐさや表情，からだの動きなどの非言語的な表現をよく観察して理解する。

小児のコミュニケーション能力をアセスメントし，小児と応答しながら，目的にかなったコミュニケーション技法を用いることで，小児に良い影響を与えるコミュニケーション（例：自己肯定感やセルフケア能力の育成，主体的な意思決定支援）をとることができる（図1-1）。

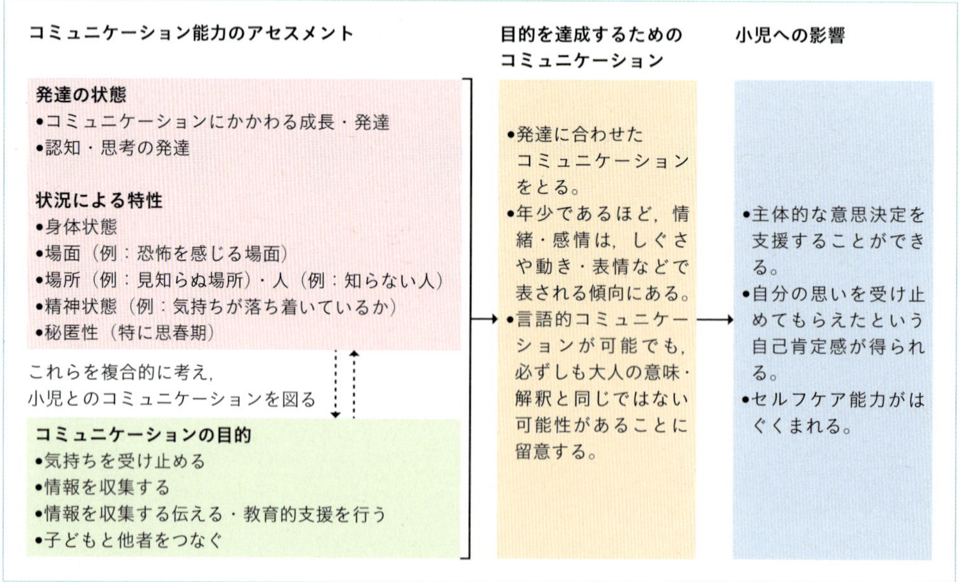

コミュニケーション能力のアセスメント

発達の状態
- コミュニケーションにかかわる成長・発達
- 認知・思考の発達

状況による特性
- 身体状態
- 場面（例：恐怖を感じる場面）
- 場所（例：見知らぬ場所）・人（例：知らない人）
- 精神状態（例：気持ちが落ち着いているか）
- 秘匿性（特に思春期）

これらを複合的に考え，
小児とのコミュニケーションを図る

コミュニケーションの目的
- 気持ちを受け止める
- 情報を収集する
- 情報を収集する伝える・教育的支援を行う
- 子どもと他者をつなぐ

目的を達成するためのコミュニケーション
- 発達に合わせたコミュニケーションをとる。
- 年少であるほど，情緒・感情は，しぐさや動き・表情などで表される傾向にある。
- 言語的コミュニケーションが可能でも，必ずしも大人の意味・解釈と同じではない可能性があることに留意する。

小児への影響
- 主体的な意思決定を支援することができる。
- 自分の思いを受け止めてもらえたという自己肯定感が得られる。
- セルフケア能力がはぐくまれる。

図1-1 小児とのコミュニケーション

Ⅱ コミュニケーション技術

1. 接近法

小児は,初めて出会う人とのコミュニケーションに不安を感じることが多い。そのため,小児に急に近づくなど,小児を脅かすようなアプローチをしないようにする。特に,初めての出会いで,小児が気恥ずかしそう,居心地が悪そうな様子の場合は,まずは親に話しかけたり,小児が持ってきた人形に話しかける,遊びをとおしたコミュニケーションをとるなど,小児がその場を観察したり,看護師に慣れることができるようにすることで,安心感を促す(図 1-2)。

A 言語的コミュニケーション技術

小児との言語的コミュニケーションは,小児の認知発達に合わせて行う。認知発達の個別性があるため,年齢だけで判断せずそれぞれとやりとりをしながら,言葉や表現を工夫する。小児と目線の高さを合わせてコミュニケーションし,穏やかに話すことを心がける(表 1-1)。教育的支援や説明を行うコミュニケーションでは,具体例を使ったり,小児が理解できる表現で伝えたりする。遠回しな言い方よりも,短い文章を用いて明確に伝え,ポジティブな表現を心がける。言語的コミュニケーションの際も,小児の非言語的表現の理解を心がけながらコミュニケーションし,看護師も非言語的コミュニケーションを織り交ぜながら小児に伝えていく。

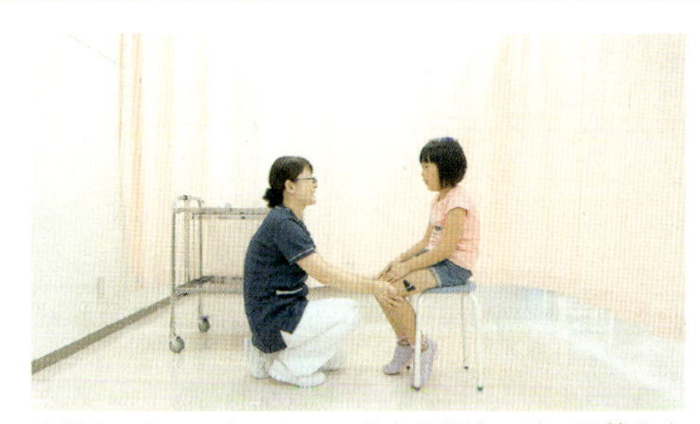

小児とコミュニケーションをとる場合には,目線を小児と合わせて話すと小児の安心感を高めることができる。

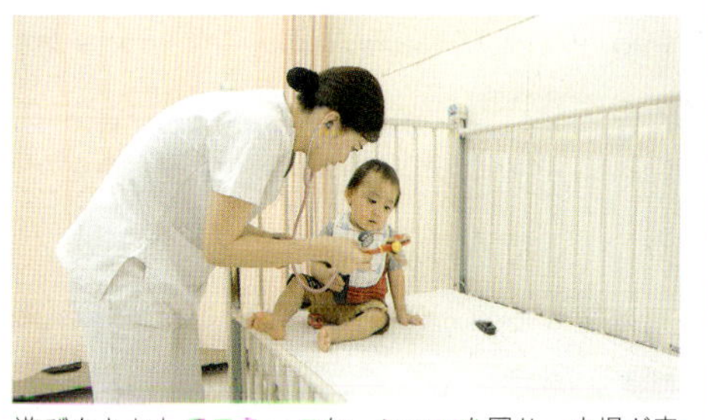

遊びをとおしてコミュニケーションを図り,小児が安心して検査・処置を受けられるよう配慮する。

図 1-2 小児とのコミュニケーション時のポイント

表1-1 小児とのコミュニケーション技法

- 顔を見て，よく声をかける。
- 子どもの目線の高さでコミュニケーションをとる。
- 落ち着いた調子，簡単・明瞭，わかりやすく，肯定的な言葉を用いる。
- 子どもの言葉をよく聞く（例：いいかげんな相槌を打たない。関心を示しながら聞く）。
- 子どもが感情を話しているときには，止めない・あわてない・無視しないで，まず受け止める。
- うそをつかない。看護師がうそと思っていないことでも，子どもの体験からみるとうそになることがある（例：血圧測定のときに「痛くないよ」と伝えたが，実際はマンシェットの締め付けが小児にとっては痛く，うそだったと感じるなど）。
- 子どもが聞きたくないことまで無理に言わない。
- 小児が選べる選択肢がある場合には，選択肢を提示する。
- 子どもの心配事や不安を尋ねる。子どもの気持ちの表出ができる機会をつくる。
- 学童・思春期ではプライバシーを十分に確保する。
- 思春期では決めつけたり，批判的な言い方ではなく，子どもを尊重しながら伝える。
- 一度に情報を与え過ぎない。
- タッチングを効果的に用いる。

B 非言語的コミュニケーション技術

どの年齢の小児であっても非言語的コミュニケーションは重要であるが，幼児期などの低年齢児とのコミュニケーション時では，非言語的なコミュニケーションが特に重要になる。小児の様子をよく観察し，小児が表現しようとしていることを多角的に理解するように努める。また，小児は大人の様子をよく観察している。看護師のしぐさ・目線・表情などが小児に伝わることを忘れずに小児に接する。

III 小児各期にある子ども・家族へのコミュニケーション

乳幼児期は，言語的なコミュニケーションよりも観察や非言語的コミュニケーションによって信頼関係や看護ケア提供をしていくことが多い。また，学童・思春期では言語的コミュニケーションがとりやすくなるものの，他者に気持ちを打ち明けることを好まない時期もあるため，言語的コミュニケーションに頼り過ぎず，非言語的コミュニケーションも大切にする。

コミュニケーションを行う場にも配慮が必要である。たとえば，乳幼児期は母親などの安心できる対象と分離した状況では不安が大きくなるため，母親同席のもとコミュニケーションをとるなど，小児ができるだけ安心できる環境のもとでのコミュニケーションを心がける。学童・思春期の小児は，乳幼児期に比べてプライバシーをより必要とするようになる。家族であっても会話を聞かれたくないと考える小児もいるため，事前に同席者についての希望を小児に確かめプライバシーが確保できる環境を整えることが大切である。また，発達段階の区別なく，可能な限り小児が自らの気持ちを表現できるように，小児に気

表1-2 成長発達区分ごとのフィジカルアセスメント時の接近法・コミュニケーション法

	姿勢	順序	準備・実施時のコミュニケーション
乳児期	4～6か月：親の膝の上など おすわりができたら，ベッドの上でもよい 安全に気を配る	落ち着いて行えるようだったら呼吸，心拍を聴取していく 侵襲的なものは後にする	ディストラクションやお気に入りのものなどを活用する。子どもに笑いかける。優しい声の調子を心がける。親に手伝ってもらえることがあれば手伝ってもらう（子どもが安心する）。
幼児前期	親の近くでのおすわりや臥位	子どもが一緒にできる遊びを取り入れながら行う（数えてみようね，など） 侵襲的なものは後にする	親に手伝ってもらえることがあれば手伝ってもらう（子どもが安心する）。 行う前にどんなふうに行うのか説明し，使う物品を見せてあげる。 落ち着けないようだったら素早く行う。 声かけはおだやかにゆっくり，行うことは素早く行う。 必要なときは適切に抑える。 無事に処置を行えたことを褒める。
幼児後期	座ったり立ったままで行うことを好むことが多い 親が近くにいると安心する	落ち着いて行えるようだったら順序は目的に合わせる 侵襲的なものは後にする 協力を得るのが難しいときは幼児前期と同様に行っていく	子どもができることは手伝ってもらう。 何かする前に「〇〇をするね」と伝えてから行う。 行う前にどんなふうに行うのか説明し，使う物品を見せてあげる。 選択肢が提示できるようだったら提示し，選択してもらう。 無事に処置を行えたことを褒める。
学童期	座って行うことを好むことが多い 低学年では親がいると安心するが高学年ではプライバシーを守ること好む場合もある	落ち着いて行えるように進める 侵襲的なものは後にする	プライバシーを尊重する。 何かをする前に，その目的とどのように行うかを伝える。 からだのしくみやケアについても教えてあげるとよい。
思春期	座って行うことを好むことが多い プライバシーを守ることを好む場合が多い	落ち着いて行えるように進める 侵襲的なものは後にする	プライバシーを尊重する。 何かをする前に，その目的とどのように行うかを伝える。 行っていることを行いながら伝える。

持ちや症状・困り事を尋(たず)ねる。

処置や検査の際も，成長・発達に合わせた接近法やコミュニケーションを用いる。小児のフィジカルアセスメント，バイタル測定時のコミュニケーションを表1-2にまとめた。

1. 親とのコミュニケーション

親とのコミュニケーションは，小児の成長・発達，症状などの病状，家庭での生活などの情報収集に欠かせない。また，小児のケアのパートナーとしての親との信頼関係，パートナーシップ構築にコミュニケーションは重要である。ただし，年齢の高い子どもと親が同席している際に，すべてを親が話して小児が症状や気持ちを話せないようであれば，子どもが話せる機会を意図的につくることも大切である。さらに，小児の成長・発達や健康問題に対する親の心配や不安の軽減，家族の生活の調整支援のためにもコミュニケーションを図る。

親とのコミュニケーションにおいて**傾聴**は大切である。傾聴では，話しやすいようにうなずいたり相槌(あいづち)を打つなど，言語的・非言語的コミュニケーションによって共感を伝えるようにし，評価的な態度は示さない。親がコミュニケーションを図ることに抵抗をもっているときは無理にコミュニケーションを図ろうとせず，情報収集が必要なときは尋(たず)ねている理由と共に尋ねるようにする。親自身の不安や困りごとを話してもらうときは，「お母さん」「お父さん」などと呼ぶのではなく，「○○さん」などと親自身への気持ちの寄り添いが伝わるような呼びかけも大事なときがある。

本章の参考文献

・Hockenberry, M. J., Wilson, D：Wong's essentials of pediatric nursing, Elsevier, 2013.

第2章

意思決定のための心理的支援技術

この章では

- インフォームドアセントとインフォームドコンセントの概念を理解する。
- 医療体験の時間的流れに沿って，小児に行うべきプレパレーションを理解する。
- 小児各期の発達段階に応じたプレパレーションを実践できるようになる。

I インフォームドコンセントとインフォームドアセント

A インフォームドコンセントとは

インフォームドコンセント（informed consent）とは，患者が病状や治療について十分に理解できるように医療者が情報を提供し，その後の方針に対して患者と医療者との話し合いを経て合意に至るプロセスである。この概念は，医療者が一方的に説明をして同意を得るというものではなく，医療者と患者の信頼関係のもと，双方の意見の一致（合意）に向けての協働の意思決定を意味している。インフォームドコンセントは，患者の知る権利，自己決定権，自律の原則に基づいた，患者の尊厳を最大限に尊重する行為である。アメリカ小児科学会（American Academy of Pediatrics：AAP）生命倫理委員会は，インフォームドコンセントにおいて医療者に求められる要素を表2-1のように示している。

小児医療においては，患者である小児が説明内容を理解する能力や，方針を判断する能力が未熟であること，親が小児の養育や発達の責任を担っていることから，親が合意のプロセスにおける代理決定者としての中心的役割を担うことが多い。このような特徴から，インフォームドコンセントの概念とは異なる概念，すなわち，**ペアレンタルパーミッション**（parental permission；親の許可），**インフォームドアセント**（informed assent）という概念をAAPは提唱している。

B 小児医療におけるインフォームドコンセント

乳幼児の場合は，親によるペアレンタルパーミッション，学童の場合は小児のインフォームドアセントとペアレンタルパーミッション，思春期以降の小児の場合は本人のインフォームドコンセントというように，対象年齢によって，意思決定のプロセスを使い分けることが提案されている。ペアレンタルパーミッションとは，親が子どもに代わってその決定を許可することを示し，インフォームドアセントは，小児が意思決定のプロセスに参

表2-1 インフォームドコンセントにおいて医療者に求められる要素

❶理解しやすい言葉で，病状，治療について正しい情報を提供すること。
❷提供された情報に関する患者の理解の程度をアセスメントすること。
❸患者（または代理人）が必要な判断をする能力があるかどうかをアセスメントすること。
❹患者の自由な選択を最大限に保障すること。

出典／Informed consent, parental permission, and assent in pediatric practice ; Committee on Bioethics, American Academy of Pediatrics, Pediatrics, 95(2): p.314-317, 1995, を参考に作成.

表2-2 小児医療における小児のインフォームドアセントに向けての実践的な側面

❶病気や病状についての小児の発達に応じた適切な awareness（気づき，知ること）を助けること。 ❷検査や処置で何が起こるのかを小児に伝えること。 ❸小児が状況をどのように理解しているか，また処置や治療を受け入れるために不適切な圧力がかかっていないかなど，影響している要因をアセスメントすること。 ❹最終的に小児が可能なかぎり前向きにケアを受けたいという気持ちを引き出すこと。また，どのような状況においても，小児にうそをつかないこと。

出典／American Academy of Pediatrics Committee on Bioethics ; Informed consent in decision-making in pediatric practice, Pediatrics, 138(2): e20161484, 2016. を参考に作成.

加できるように支援し小児の理解と納得を得ることを示している。小児医療における小児のインフォームドアセントに向けての実践的な4つの側面を表2-2に示した。

Ⅱ プレパレーションの方法

プレパレーションは，上記のインフォームドアセントの要素を含み，医療体験をする小児の力を最大限に発揮できるように，小児を支える一連のプロセスである。

プレパレーションは，年齢や疾患，検査や処置･治療内容，また，家庭，病院，クリニックなどの場所を問わず，医療体験をする小児すべてに必要な日常的な心理的支援のプロセスである（図2-1）。以下に，小児の医療体験の時間的流れに沿ってその具体的なケアについて説明する。

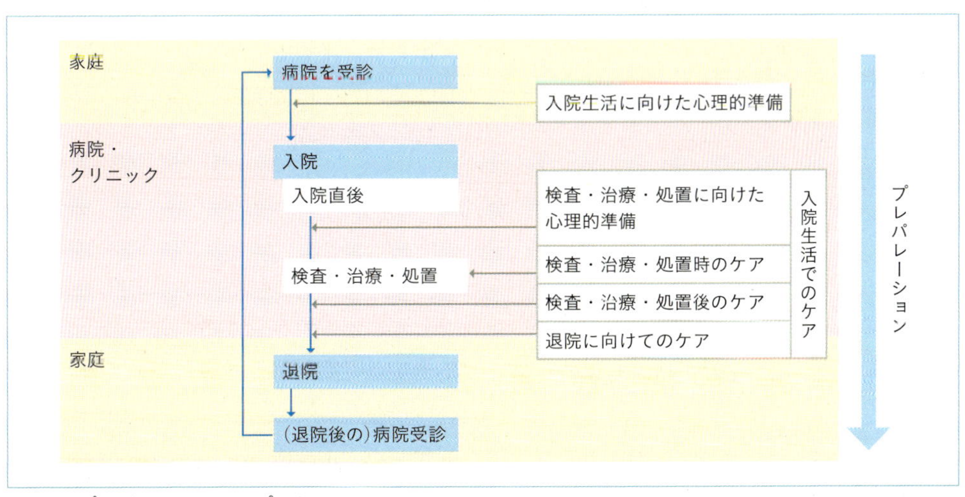

図2-1 プレパレーションのプロセス

A 病院受診の前

親が何らかの変調に気づき，小児を病院に連れていこうとする場合，親が小児にその理由を伝えることからプレパレーションのプロセスが始まる。しかし，なかには小児の病状を心配し，病院に早く連れていかなければならないと考え，小児に何も伝えずに病院に連れてくることもある。看護師が行うプレパレーションの最初のステップとして，親が何をどのように伝えて病院に連れてきたのか，そのときに小児がどのような反応を示したのか，情報を得ることが必要である。その際，小児にきちんと伝えることができなかった親の心情にも十分配慮することも大切である。

B 入院時のケア

1. 小児が感じる第一印象をより良いものにする

小児が病院や病棟に一歩足を踏み入れたときに感じる第一印象は，小児のその後の反応を大きく左右する。医療者のあいさつや言葉遣い，声のトーン，小児が目や耳にした病院の様々な物事や声・音が小児への第一印象に影響を与える。小児が一度抱いてしまった医療者や病院環境へのネガティブなイメージはなかなか拭い去ることはできないので，最初が肝心である。小児は突然新しい環境に連れてこられ，五感をフルに働かせてその状況を把握しようとしていること，小児にとって目や耳にする物事のほとんどがなじみのないもの・不安や恐怖を高めるものであることを前提に，小児とかかわることが大切である。たとえば，生活の場として紹介される高い柵の付いたベッドは，檻（おり）のように感じられるかもしれない。また，隣のベッドの子どもが付けている心電図モニターの音やその子の泣き声を恐ろしいと感じているかもしれない。小児の目線に立って，一つ一つ不安と恐怖心を和らげるケアを提供していかなければならない。医療者は，小児との出会いの瞬間から長期的視野をもって，小児や親に安心感をもたらす存在となり，信頼関係確立の第一歩を踏み出していくことが求められる。

2. 入院の理由と入院生活について伝える

小児の入院生活の始まりには，なぜ入院することになったのか，病院ではどのような毎日を送るのか，どのような人が小児にかかわるのかを伝えていくことが必要である。入院の理由については，小児が自覚している症状や外傷などと結びつけて伝えていくと理解につながりやすい。入院生活については，病院における制限のみに焦点を当てるのではなく，病院で過ごす日々のなかにも小さな楽しみがあることや，理解者がたくさんいることを小児に伝えることが大切である。同時に，看護師は小児の発達段階や特徴，興味のあることなどについて，その後のケア計画を立てるうえで必要となる情報を得て，小児と家族のアセスメントを進めていく。

C 検査・処置に向けての心理的準備

1. 小児に病気や治療について伝える

入院後の検査や処置の結果，確定診断がつくと，最初に小児や親に伝えたことと状況が変化することも多い。ある程度の見通しがついたら，親に診断や今後の方針について伝える。その際に，小児に病気や治療のことをどのように伝えるか，いつ伝えるかなど，親と共に慎重に考えていく。小児に真実を伝える基盤として，「小児をていねいに支えられる医療チーム」「物事を深く考え，真実を伝えることに納得している親」「小児の身体的状態が落ち着いていること」が必要である。また，小児に病気や治療のことを伝える際には，「うそをつかない」「本人がわかるように話す」「後のことを考えて話す」ことが大切である（表2-3）。

2. 検査や処置・手術について伝える

検査や処置，手術などの実施が決まったら，小児にもそのことを伝えなければならない。小児に伝える時期は，年齢やその子どもの状況に応じて，親と共に慎重に考える必要がある。小児への情報の伝え方は，発達段階や過去の経験などに応じて，使う言葉や使用する媒体を選択する必要がある。腹部の手術について「手術ではおなかを切って悪いものを取るけれど，眠っている間に終わるから大丈夫」という説明をしたとする。これだけでは，小児ははさみでおなかを切られるような恐ろしい光景を思い浮かべるかもしれない。また，眠ることができなかったら，途中で目が覚めてしまったらどうしようと不安になるかもしれない。この例のように，医療者が伝えたいと考えることと，実際に小児に伝わったこと

表2-3 小児に病気や治療について伝えるときに大切にすべきこと

①うそをつかない	• すべての情報を与える，すべての見込みを話すという意味ではない。 • 後で矛盾が生じるような話はしない。 • 小児が質問したことについては，誠意をもって対応する。
②本人がわかるように話す	• 小児の発達段階や状況に応じて，「理解できる言葉」「誤解しない言葉」を用いて伝える。 • （必要時）絵本やパンフレット，ぬいぐるみや模型を使ったり，検査結果を見せたりして，イメージ化を助ける。 • 一度伝えれば「わかる」と考えず，繰り返し行う。
③後のことを考えて話す	• 小児が心理的に不安定になっても支える人がいるように，時間やタイミングの設定，人の調整を行う。 • 小児にとってつらい話は，日中の明るいうちに行う。 • 小児に伝えることの意味を親が十分に理解，納得できるように綿密な話し合いを行った後に行う。

出典／真部淳：小児がんの現状と課題；総論，緩和ケア，24（suppl）：p.80-87，2014，を参考に作成．

表 2-4　検査や処置について小児に伝えたいこと（一例）

伝えたい内容	例
検査や処置の必要性	なぜ，必要なのか。
日程，場所，所要時間	いつ，どこで，どれくらいの間行われるのか。
関係する人，助けてくれる人	だれがするのか，だれが一緒にいてくれるのか。
事前準備	その前にどのような準備が必要なのか（絶飲食，浣腸，内服など）。
小児が体験する感覚	どのような感覚がするのか（痛い，冷たい，何も感じない）。
	痛い場合にはどれくらい痛いのか。
痛みへの対処方法	痛かったらどうすればよいのか。
不安や恐怖心への対処方法	お気に入りのものを持っていってもよいのか。
時間短縮への対処方法	どうしていたら早く，楽に，終わるのか。
周囲の期待の把握	医療者は何を小児に期待しているのか。
	泣いたり，大声を出してしまったらどうなるのか。
終わったときの状況	それが終わったら，どうなっているのか，どこに行くのか。

の間にズレが生じていることもしばしばあるため，誤解なく小児に情報が伝わるように，継続的なコミュニケーションが必要である。小児の理解を促し，イメージ化を助けるために視聴覚ツールを使用するのも効果的である。また，検査や処置の必要性の説明や説得も時には必要であるが，むしろ小児が体験すると考えられる感覚を正確に伝えたり，小児自身で対処できる方法を一緒に考えたり，泣いたり大きな声を出してもいいことなどを伝えて（表 2-4），小児に「それなら，私（ぼく）にもできるかもしれない」と思わせることが重要である。

D 検査や処置中のケア・入院中のケア

1. 検査や処置中のケア

検査や処置前までのケアが十分に提供され，小児が検査や処置を行うことを理解・納得していても，小児にとってはそれが嫌なことには変わりなく，痛みがなくなるわけでもない。また，実際の検査や処置は医療者側の緊張感も高く，検査・処置室に入った瞬間，小児の不安や緊張が高まる。検査や処置を行う段階で効果的なケアの一つは，**ディストラクション**である。ディストラクションとは，実際の検査や処置・治療のなかに，遊びや好きなことを導入することによって，小児の興味を処置ではなく別の方向にそらし，緊張を和らげ，**痛みの閾値**（いきち）を上げることである。また，検査・処置室から小児の恐怖心を高めるようなものを最大限に取り除き，温かい態度で小児を迎え入れることも一種のディストラクションといえる。表 2-5 にディストラクションのポイントを示した。このように，小児自身がディストラクションに参加し，途切れることなくケアが提供されると，不安や恐怖心，痛みを緩和する効果が得られやすい（図 2-2）。

表2-5 検査・処置中のディストラクションのポイント

- 小児と一緒にディストラクションツールを選び，それで遊ぶことを約束する。
- 遊びや興味のあることに集中すると，痛みを感じにくくなることを小児に伝え，対処のガイドをする。
- 受け身的な遊びよりも，小児が参加できる能動的な遊びがより効果的である。
- ディストラクションに参加し始め，小児が落ち着いてから処置を始める。
- 痛みが強まる場面で，ディストラクションを強化する。
- 処置が長い場合は，小児が飽きてしまわないように，複数のディストラクションツールを準備する。
- ツールがなくても，しりとりや楽しいおしゃべりなども，効果的なディストラクションとなる。

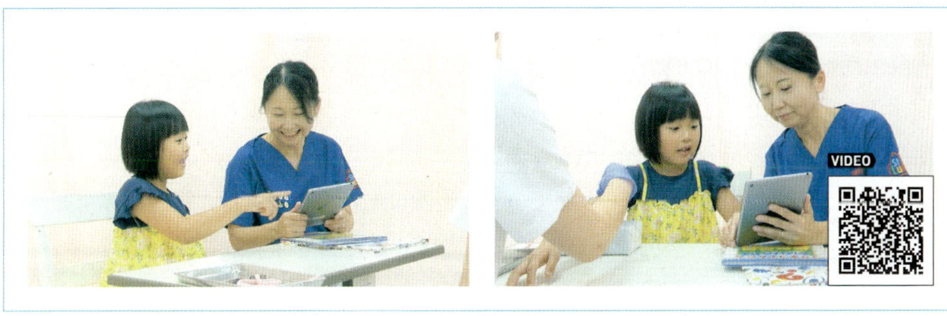

図2-2 ディストラクションの例（タブレット端末を用いたディストラクション）

2. 入院中の日常的なケア

小児にとっての入院生活は，生活上の制限や自分の力を試す機会が奪われることが多いことにくわえ，病状の変化によって先の見通しが立たなくなったり，急な予定変更も多い。検査や処置のみならず，病状や治療による生活の変化（外泊・退院の日程，安静度・食事制限，治療［服薬］内容，治療や検査時刻などの変更）についても，小児が現状を理解し，先の見通しを立てることができるように伝えるとともに，小児の意向を確認していくことが大切である。また，前述したディストラクションを広い意味でとらえると，日常生活のなかにある遊びやイベント，何げないスタッフとの日常会話などすべてが，入院生活におけるストレスから気を紛らわすことにつながるディストラクションと考えることができる。

E 検査や処置後のケア・退院に向けてのケア

1. 検査や処置後のケア

小児にとって嫌な出来事（検査や処置・手術・治療など）が終わったら，終わったことを小児に伝えることが大切である。また，ここでプレパレーションが終わるわけではないことを忘れてはいけない。小児のなかには，検査や処置中に泣いてしまったり，うまくできなかったと後悔したり，次の検査や処置に対しての不安がさらに高まったりと，様々な思いを抱いている者がいる。そのような場合は，検査や処置後のケアが重要になってくる。プレパレーションのプロセスで大切なのは，小児ががんばった自分をどう評価できるかである。したがって，看護師はうまくできなかったことに目を向けるのではなく，うまくできた部分に焦点を当て，ポジティブにフィードバックすることが大切である。褒め言葉のシャワーを浴びせたり，言葉のみならずシールやカードなどの形にして，終わったことやがんばったことを伝えることは，小児の達成感や満足感につながる。さらに，小児の体験や感情を自分の言葉や表現で表出できるようにする場をもつことも支援方法の一つである。

2. 退院に向けてのケア

入院生活が終わる頃に大切なケアは，入院中に様々な出来事に対処し，成長した自分を，小児が正当に評価できるように一緒に振り返ることである。振り返りによって，病気や入院生活をとおしての自分の成長，小さな満足感や達成感など，何らかの意味を見いだすことができるように支援することも大切である。退院に向けてのケアは，退院後の小児が病院の外の世界（家庭，学校，幼稚園／保育園など）で自分の力を発揮することを目指して行うものであり，退院後はそのケアを親が引き続き行っていけるように支援しなければならない。

Ⅲ 小児各期にある小児へのプレパレーション

プレパレーションの実践においては，小児の発達段階に応じた方法を選択することが大切である。以下に，発達段階別の認知の特徴と，それに応じた小児の心理的準備やディストラクションの具体的な方法を示す。

 乳児期

病気や処置などについて理解を促し，小児の納得を得ることは難しいが，安心，安楽の感覚を感じさせることで，プレパレーション本来の目的である心理的安定をもたらすことはできる。大切なことは，親がそばにいられるような配慮と，親を安心させ落ち着いて小児にかかわれるようにする親へのサポートである。親が，小児の病気や治療処置・検査について十分に理解し，納得できていること，また，入院生活の様々な出来事において，子どもへの役割が認識でき，役割を遂行できるように支援されることが重要である。

検査や処置の場面においては，小児と親への優しい声掛けや歌を歌うなど，その場が和むようなかかわりが小児と親の心を安定させる。また，この時期の小児は同時に 2 つ以上のことに集中できないため，音が出るおもちゃや見かけが変化するおもちゃなどを用いて，小児が検査や処置ではなく，別のことに注意を向けるディストラクションも有効である。

B 幼児期

この時期の小児は，実際に目にしたものや体験した感覚などから物事を理解することが可能となる。また，言語機能の発達も著しい時期であり，よく耳にする医療用語も自分自身に関係のあるものとして獲得する。この段階の小児は，現実にない物事をほかのものに置き換えて表現する機能（表象）を獲得すること，自分の視点から物事を解釈する自己中心性も特徴である。また，幼児後期から学童期の小児は，病気になったことや痛みを伴う検査・処置が行われることを自分が悪いことをした罰だと考える傾向があるため，病気になったことはだれのせいでもないことを強調して伝えるべきである。

小児に情報を伝えるときは，これらの認知の特徴を考慮し，よく使う医療用語，たとえば「採血」「レントゲン」「CT」「吸入」「白血球，赤血球，血小板」などは，ほかの言葉に置き換えることなく使用するほうが誤解を生じさせにくい。また，実際に使用する医療器具を見せたり，人形やぬいぐるみなどを活用し，小児が見るものや感じることなどを具体的に伝えるとよい。年長幼児においては，絵本やスライドなどを活用し，小児の体験を登場人物のストーリーに反映させて示すのも効果的である。小児の対処行動をガイドするために，遊びのやりとりのなかで検査や処置が楽にできる方法や，ディストラクションの方法を一緒に考えていくことも大切である。実際の検査や処置中には，一緒に歌を歌ったり，集団生活での出来事，好きなテレビやキャラクターについての会話でリラックスさせ，小児自身に話をしてもらうことや，シャボン玉や吹き戻しを吹いたりして呼吸を整えることを意図した遊び，自分が操作すると変化が起きるようなしかけ絵本やタブレット媒体，何かを探す絵本などの能動的な遊びをディストラクションとして取り入れることも効果的である。

C 学童期

この時期の小児は，経験したことを論理的に考えることができるようになる。また，物事を順序立てて考えることができるようになるので，短期的なことであれば，見通しをつけることが可能になり，時間や数の概念もしっかりとしてくる。小児への情報の伝え方としては，必要性の理解やそれをしなかったら次にどのようなことが起こるか，処置や治療の手順や所要時間，その後の予定を正確に伝えていくことが必要である。処置の進め方やディストラクションの方法については，いくつかの選択肢を与え，小児の意向や好みに応じたものを選択できるとよい（図 2-3）。親が処置に同席するかどうかについては，親に自分の弱いところを見せるのを嫌がる小児もいるため，小児の希望に応じて決定する必要がある。

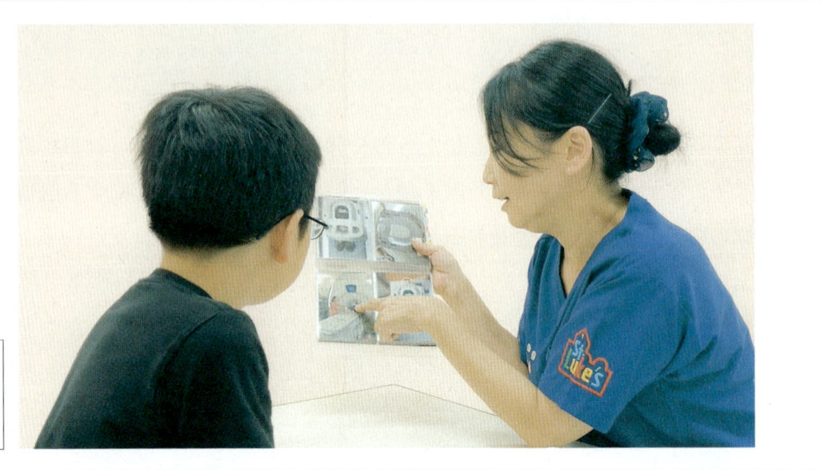

図2-3 写真集を使ったMRI検査のプレパレーション

D 思春期・青年期

大人と同じように,「もしこうなったら，この後こうなる」というような抽象的・仮説的な思考ができるようになるため，今の状況や行動が将来の自分にどのようにつながっていくかという長期的な視野をもつことができるようになる。情報の伝え方としては，子ども扱いをせず，大人と同じような言葉を使ったパンフレットや冊子などを用いるとよい。親に知られたくない心配事や不安を抱いていることも多いので，親の同席については小児の希望を反映させるようにする。また，小児が話しやすいと感じる医療者，信頼している医療者にしか本音を伝えないことも多いので，だれが話をするかについても，慎重に検討するべきである。実際の処置中のケアに関しては，ディストラクションによってどのような効果があるのかを伝え，小児自らがディストラクションに参加したり，好きな音楽を聴く，ゲームをする，本を読むなど，どのような方法が良いかを小児が選択できるようにするとよい。

E 家族へのプレパレーション

1. 親へのケア

小児は，親の様子をよく観察し親の不安や気持ちの揺れを敏感にとらえ，自分も不安定になるなど，親の心理的状況による影響が大きい。したがって，親の不安を緩和するケアは，間接的に小児へのケアにつながる。また，小児にとって親は一番の支えとなる重要な存在であること，小児の過去の体験やそのときの反応，小児が知っていることや理解できそうなこと，小児が好きなことなど，小児のことを一番よく知るエキスパートであることを忘れてはいけない。プレパレーション本来の目的を達成するためには，親がどのように小児の医療体験にかかわるかは重要なポイントである。小児の処置に親が同席することや親の膝（ひざ）の上に座って行う体位での検査や処置が，小児の恐怖心を軽減し安心感をもたらすこと，前向きな対処行動につながること，穿刺の安全性や確実性も高い方法であることなどが報告されている。医療者が処置技術に自信がない，親がいるとやりにくいなどという理由で，処置から親を排除するのは，医療者中心の考えである。看護師は，処置のやりやすさへの配慮をしながらも，常に小児を擁護する立場で，どのようなプレパレーションの方法が最善であるのかを親と一緒に検討していけるとよい。さらに，看護師から小児に提供したプレパレーションを，日常生活のなかで継続して親が行っていけるようにすると，切れ目のないプレパレーションのプロセスを踏むことができ，結果的に小児に良い結果をもたらす。

2. きょうだいへのケア

きょうだいも，患児の病気や入院によって，生活環境や家族との関係に大きな変化を体験する。親の関心は患児に向きやすく，きょうだいが置き去りにされ，孤独や嫉妬などを感じたり，患児が病気になったのは自分のせいだと罪悪感に苛（さいな）まれていることも多い。また，患児が長期入院し，長期間会えない場合は，患児のことを心配して不安定になることも多い。したがって，医療者は患児のきょうだいもプレパレーションを実践する対象として位置付け，患児の病気や入院について時機をみて伝えるとともに，きょうだいも患児を支えるチームメンバーとして迎え入れ，闘病生活に参加できるように配慮していくことが求められる。

F プレパレーションの実践における多職種・多部署との連携

プレパレーションには，外来受診，入院，検査や治療，手術など，小児が不安や恐怖を抱くであろう体験にかかわるすべての部署や職種が携わっていくものである。小児の扱いに慣れていない部署や職種のスタッフがかかわることも多いが，小児にかかわるすべてのスタッフがプレパレーションの意義を共通して理解し参加すること，一人ひとりの小児とその家族に関する情報を共有することが大切である。このような実践の積み重ねは，多職種・多部署との連携をより促進し，切れ目のないプレパレーションの実践を可能にする。

本章の参考文献

- 糸井利幸：小児医療におけるインフォームド・コンセント；日小児循環器会誌，26(4)：298－299, 2010.
- 平田美佳：小児がんと闘う子どもを多職種・多部署で支える取り組み；協働して行うケアの積み重ねが子どもにもたらすもの，日本小児血液・がん学会雑誌，53(5)：403－412, 2016.
- 真部淳：小児がんの現状と課題；総論，緩和ケア，24(suppl)：80－87, 2014.
- 平田美紀，他：家族が付き添った場合の幼児の採血に対する対処行動の観察分析；聖泉看護学研究，1：29－35，2012.
- 細野恵子，常本典恵：小児科外来で痛みを伴う処置を受ける幼児の反応；母親と共に座位で行う処置の現状，名寄市立病院医誌，17(1)：13－16，2019

第3章 ヘルスアセスメントの手法

この章では

- 小児のフィジカルアセスメントについて学ぶ。
- 小児の安全・安楽を担保しつつ，正確に身体測定を行うことができるようになる。
- 小児におけるバイタルサインの基準値を理解し，アセスメントを行うことができるようになる。

I ヘルスアセスメントとは

A ヘルスアセスメントとは

病院，地域，ヘルスケアシステムなど，あらゆるレイヤー（階層）で活躍する看護師に共通して，看護プロセスに基づいたケアを提供するために不可欠となる最初のステップが，ヘルスアセスメント（health assessment）である。

ヘルスアセスメントには，**健康歴聴取**（history taking）と**フィジカルアセスメント**（physical assessment）が含まれる。つまり，ヘルスアセスメントとは，対象となる人々の健康状態に関するデータを包括的に収集し，そのデータを分析・統合し，その結果に基づいて看護介入を判断し，看護ケアの結果を評価することである（図3-1）。

小児にかかわる看護師には，身体的・心理的・社会的側面だけでなく，家族背景，経済的・文化的側面，ライフスタイル（言語や宗教），子どもを取り巻く環境なども含めた，包括的なアセスメント能力が求められる。子どもを取り巻く環境には，家庭，臨床診療，地域社会，医療制度，政策，の5つのレベルがある。

B ヘルスアセスメントの構成要素

ヘルスアセスメントは図3-2の要素によって構成される。

1. 情報収集

ヘルスアセスメントでは，①問診（病歴聴取など），②フィジカルアセスメント，③過去の記録，に基づいて，**主観的情報**（subjective data）と**客観的情報**（objective data）を系統的に収集することが基本となる。

アセスメント → 看護診断 → 目標設定（ケアプラン） → ケアの実施 → 評価

図3-1 看護プロセス

情報収集 → 情報の解釈 → 分析・統合 → 看護診断（臨床判断）

図3-2 ヘルスアセスメントの構成要素

1 主観的情報（subjective data）

まずは問診で，ラポールを意識しながら，コミュニケーションスキル（言語的・非言語的）を駆使して，本人に主訴・現病歴などを聴取する。しかし，言葉の獲得途上にある小児や不安の強い小児から，主訴や症状を直接聴取できない場合は，養育者から詳細な情報を入手できることが多い。そのため，子どもだけでなく家族とのパートナーシップも意識しながらコミュニケーションをとる。ただし，養育者の解釈モデルが必ずしも小児の健康状態を正確にとらえているとは限らないため，医療者として，客観的な情報の解釈が重要である。

2 客観的情報（objective data）

問診で話題にあがらなかった症状を発見し，問題をより明確にするために，フィジカルアセスメントを行う。その際に，全身の各臓器に関して系統的に症状を把握するために，システムレビュー（Review of Systems）や Head-To-Toe アプローチ（頭からつま先までの評価）のフォーマットなどを活用し，効率よく身体的アセスメントを行っていく。これには，救急領域でよく用いられるバイタルサインや生理学的アセスメント（PAT や ABCDE アプローチ）から得た生理学的データにくわえて，検査データや身体測定結果も含まれる。

2. 情報の解釈

看護診断（または臨床判断）を下すためには，正確なデータ収集が不可欠であるが，意思決定に影響を与えるのは，収集したデータに対する看護師の解釈となる。この解釈は，看護師がこれまでの臨床経験や知識などに基づいた臨床推論のパターンを用いて，優先順位をつけながら状況を理解するアセスメント思考のプロセスである。

3. 情報の分析・統合

優先順位の高い健康課題に関して，EBM（ガイドラインなど）に基づいたリソースを参考にしながら，看護介入の方向性を明確にしていく。たとえば，救急外来で虐待が疑われた場合，骨折などの身体面や心理面だけでなく，家族背景も含めて虐待のリスクアセスメントを行い，子どもが安全に帰宅可能か判断していく。つまり，現在だけでなく中長期的な視点で予測的に分析して，看護介入につなげていくことが重要である。

4. アセスメント結果の記録（文書化）

アセスメントした結果の記録は，患者の経時的な変化を記録するためのベースラインとなるため，看護職だけでなくほかの専門職にも伝わるように整理して記録する。看護師の包括的なアセスメントの視点は，記録として多職種に共有する，または申し送りやカンファレンスで伝達することで初めて価値ある情報となるため，アセスメント結果は SOAP などで文書化，あるいはSBARなどを活用して口頭で報告できるようにする。

5. 評価

ヘルスアセスメントから導かれた小児の健康課題が看護介入によって解決されているか必ず評価する。

健康課題が解決されない場合は，収集データに不足はなかったか，介入したレイヤーが適切であったか，質の高い看護ケアの連続性（持続可能性）など，を考慮しながら再度アセスメントを行っていく。

C ヘルスアセスメントのポイント

1 臨床判断は，これまでの看護師の経験や知識に影響される

臨床判断は，データだけでなく，看護師のこれまでの臨床経験，知識，態度，視点などに影響されるため，看護師の経験や想像を超えた課題にも予測的に対応できるようEBMに基づいた知識や実践力を深める。

2 子どものふだんの様子を知る

異常な所見に気がつくためには，小児のふだんの様子を知ることが重要である。そのためには，年齢や発達段階に応じたバイタルサインの基準値や身体機能の特徴などを理解しておく必要がある。

3 子どもをみたら，必ず家族をアセスメントする

社会がVUCA*化し，小児を取り巻く家族背景も多様化・複雑化しているため，子どもだけでなく家族も問題を抱えているケースが増加している。そのなかで，ハイリスクな家庭ほど医療や学校にアクセスしてこないため，子どもの健康を守るためには，ハイリスクな家庭こそ医療者がアウトリーチしていく姿勢が必要である。

II バイタルサインの測定

バイタルサインとは，呼吸，心拍，血圧，体温，SpO_2などの生命徴候のことであり，全身状態を数値化して把握する指標である。そのため，測定したバイタルサインが，基準

＊ **VUCA（ブーカ）**：Volatility（変動性），Uncertainty（不確実性），Complexity（複雑性），Ambiguity（曖昧性）の頭文字を並べたもので，将来の予測が困難で先行きが不透明な状態を意味する造語。

値の範囲にあるか，ふだんの測定値との違いはないか，一時点だけでなく経時的に測定値の変化が生じていないか，それらと小児の全身状態を併せて評価し，アセスメントしていくことが重要である。また，小児は年齢が低いほど，自分で症状や訴えをうまく伝えることが難しく，特に言語や社会性の獲得過程にある乳幼児はコミュニケーション能力が未熟であるため，小児の全身状態の変化や異常を早期発見するためには，客観的な指標となるバイタルサインが有用である。

しかし，注意しなければならないのは，小児は生理機能が発達途上にあるため，年齢に応じた基準値を考慮してアセスメントする必要があること，そして，バイタルサインは原則として安静時に測定するが，小児は外的刺激の影響を受けやすく，特に乳幼児は見知らぬ医療者，慣れない病院環境，あるいは聴診器や血圧計などの医療機器に対する恐怖から，啼泣，逃避，興奮が測定値を変動させることがある。そのため，小児に直接触れずに観察できる呼吸から測定し，心拍，体温，必要時血圧測定へと測定順序を考慮し，正確な数値を測定するために泣かさないようにする。発達段階を考慮し，乳幼児は保護者の膝の上で測定してもよい。測定中にじっとしていられない年少の小児には，絵本や玩具を利用することで気が紛れるように工夫する。理解できる年齢であれば，いきなり触れるのではなく，可能な限り測定内容や方法を説明することで，恐怖心や不安の軽減に努めて短時間で実施する。バイタルサイン測定後には小児の協力をねぎらう。

 呼吸

1. アセスメントのポイント（基準値を含む）

呼吸とは，空気中の酸素を取り込み，二酸化炭素を外に放出するために肺でガス交換を行うことである。小児では年齢が低いほど，ガス交換のための肺胞が未熟であり，1回換気量が少ないため，体重当たりの酸素消費量が多く，必要となる酸素は呼吸回数を増加させることで取り込んでいる。そのため，成長に伴って呼吸回数は少なくなり，学童期以降では成人の呼吸回数とほぼ同様となる。

呼吸様式は，乳児期は主に腹式呼吸を行い，幼児期には胸郭の発達に伴い胸腹式呼吸，そして，学童期以降に胸式呼吸となる。胸腹部を観察して，年齢に不相応な呼吸様式を認めた場合は，呼吸回数やほかの随伴症状（痰などの分泌物，異常呼吸音，努力呼吸）がないかアセスメントする。

2. アセスメントの方法

❶必要物品

ストップウォッチ（または秒針付き時計），聴診器，玩具（必要時）

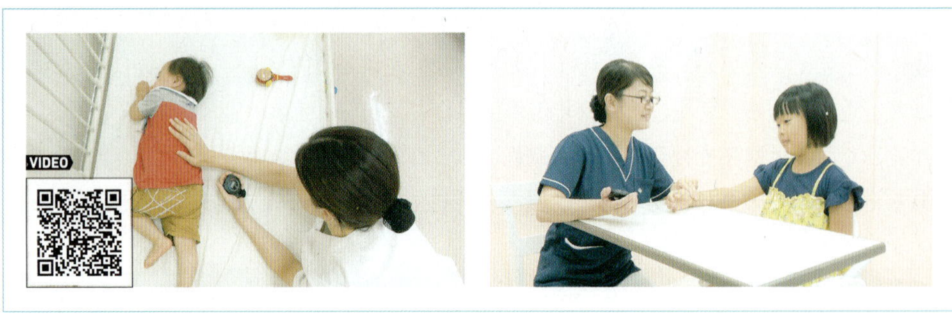

図 3-3 呼吸・脈拍・心拍のアセスメント

❷方法（図 3-3）

①呼吸様式に応じて，腹部あるいは胸郭の上下の動きを観察し，乳幼児では腹部に軽く手を当てて腹部の動きを触知して，30 秒間に胸があがる回数を数え，これを 2 倍することで測定する。ただし，乳幼児の呼吸は不規則であり，測定時間が短いと過小評価になりやすいため，原則として 1 分間の呼吸回数を測定する。そのほか，聴診器を用いて呼吸音を聴取して呼吸回数を測定する方法もある（恐怖を感じているときには，背部から聴診してもよい）。

②呼吸のアセスメントは，呼吸回数だけでなく，呼吸の深さ，呼吸運動パターン（規則正しいか），努力呼吸（陥没呼吸，鼻翼呼吸，呻吟（しんぎん），肩呼吸）を観察し，胸部に聴診器を当てて呼吸音（清明か，喘鳴（ぜんめい）や雑音の有無，肺野へのエア入り）を聴診する。

❸注意事項

①呼吸音の聴診をする際に，小児が呼吸を意識すると，呼吸回数やリズムに影響するため，注意が呼吸に向いていないときに視診で測定する。特に年長児は意識的に深呼吸をしたり，呼吸を止めたりするため，脈拍を測定するふりをするなど工夫する。

②啼泣（ていきゅう）時の測定は，正確な測定が難しいため避ける。特に乳幼児では正確な呼吸回数を測定するためには睡眠中などの安静時が望ましい。

B 脈拍・心拍

1. アセスメントのポイント（基準値を含む）

心臓から血液が全身に送り出されると脈拍として触れることができるため，脈拍は循環状態の有用な指標となる。心室の収縮ごとに拍出される血液量は 1 回拍出量といい，1 回拍出量に心拍数（回 / 分）をかけたものを心拍出量という。心拍数と 1 回拍出量を変化させる要因があると，心臓のポンプ機能を反映した心拍出量に影響する。小児では，成長に伴って心臓の筋肉（心筋）の筋力が増加した結果，1 回拍出量が増加するため，年齢が上がるとともに心拍数は減少するため，年齢に応じた基準値がある（表 3-1）。

このように脈拍と心拍は循環をアセスメントするために重要な指標であるが，これらに

表 3-1 小児における心拍数の基準値（覚醒時）

乳児	100-180/分	学童	75-118/分
幼児	98-140/分	思春期	60-100/分
就学前	80-120/分		

出典／アメリカ心臓協会 Pediatric Advanced Life Support ガイドライン 2020

くわえて，毛細血管再充満時間，皮膚色・皮膚温，血圧，さらに意識レベルなどを併せて循環を評価する必要があることを留意する。また呼吸回数と同様に外的刺激や活動などの影響を受けやすいため，啼泣，興奮，発熱，薬物などの影響要因，または心疾患などの既往を考慮してアセスメントを行う。

2. アセスメントの方法

❶必要物品

ストップウォッチ（または秒針付き時計），聴診器，玩具（必要時）

❷方法

①心拍数を測定するには，聴診器を心尖部（しんせんぶ）（2 歳未満では第 5 肋間胸骨左縁）に当て，心拍数を原則として 1 分間測定する。またリズム不整の有無，心雑音の有無を聴診で確認する。

②脈拍を測定するには，測定部位は，乳児では上腕動脈を，幼児以降では橈骨（とうこつ）動脈・足背（そくはい）動脈・後脛骨（こうけいこつ）動脈などの体表近くを走行する動脈を触診する（図 3-3，4）。測定は第 2，3，4 指の指腹を動脈の走行に沿って軽くあて触診して脈拍数と性状（規則性，強さ，結滞の有無）を確認する。

❸注意事項

①呼吸回数同様に，啼泣時の測定は，正確な測定が難しいため避ける。特に乳幼児では正確に測定するためには，できる限り落ち着いている安静時や睡眠時が望ましい。

②乳児のように脈拍の触診が困難な場合は，胸部で心拍数の聴診を行う。

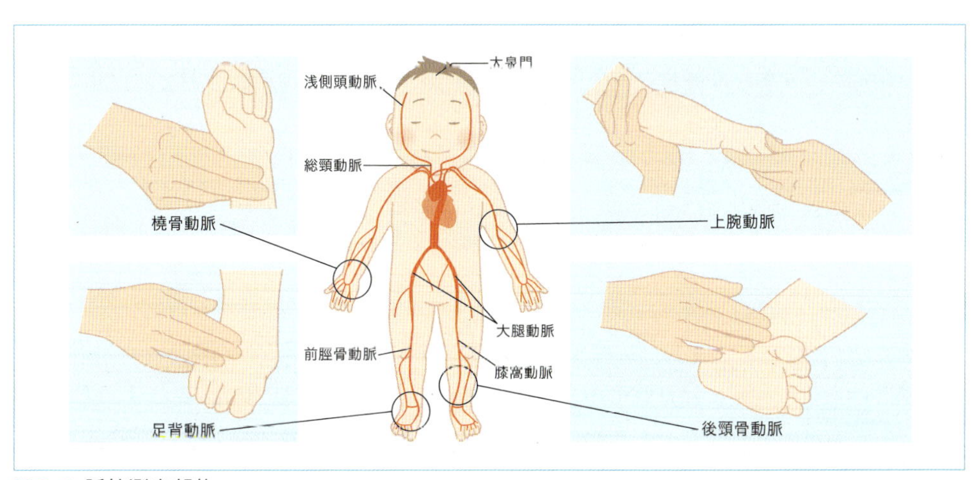

図 3-4 脈拍測定部位

③聴診器は直接胸部に当てる場合，刺激を最小限にするため，あらかじめ手で温めておく。

 血圧

1. アセスメントのポイント（基準値を含む）

血圧は血管壁に血液によってくわえられた圧力のことであり，血管の弾性や半径，血液の粘性，左心室の収縮能などと関連している。すなわち，血圧は心拍出量と末梢血管抵抗の積により規定され，心拍出量と末梢血管抵抗が増加すると血圧は上昇する。したがって，血圧測定を行うことで，臓器に血液を灌流させるための重要な指標を得ているのである。新生児の心筋は成人と比較して，収縮組織が少ないが支持組織は多いため，左心室の収縮能は未熟であり収縮期血圧が低く，拡張期には心室が拡張しにくい。そのため，乳幼児の心拍出量は成人に比べて心拍数依存性である。成長に伴い，左心室と心臓自体の大きさが増大することで，血圧は上昇する。

2. アセスメントの方法

❶必要物品（図3-5）

血圧計，マンシェット（年齢に応じたサイズ），聴診器，アルコール綿

❷方法（図3-6）

マンシェットは小児の年齢および測定部位に適したサイズを選択する。サイズは小児の上腕（または下腿）の約2/3を覆うものを選択する。マンシェットの幅が狭いと測定値は高くなり，幅が広いと低くなるため適切なサイズを選択する。座位または仰臥位で測定を行う。

❸注意事項

①体動や興奮で血圧値は変動するため，できるだけ安静時に測定する。動いてしまう乳幼児は，玩具などで気をそらせて測定する。

②血圧測定が不安または慣れない小児は，測定前にマンシェットや聴診器を触らせて，不安を軽減してから測定する。

 体温

1. アセスメントのポイント（基準値を含む）

体温とは，常に一定に保たれているからだの深部の核心温（深部体温）を指す。しかし，実際にからだの内部を測定することは困難であるため，日常臨床では腋窩（または直腸）で体温測定がされる。

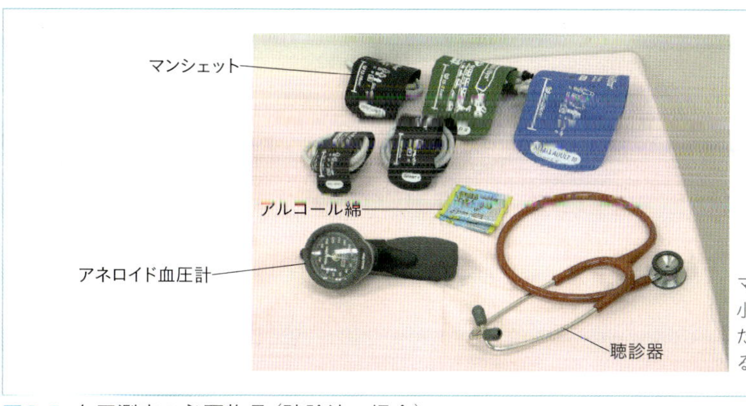

マンシェットは，小児の年齢に適したサイズを選択する。

図3-5 血圧測定の必要物品（聴診法の場合）

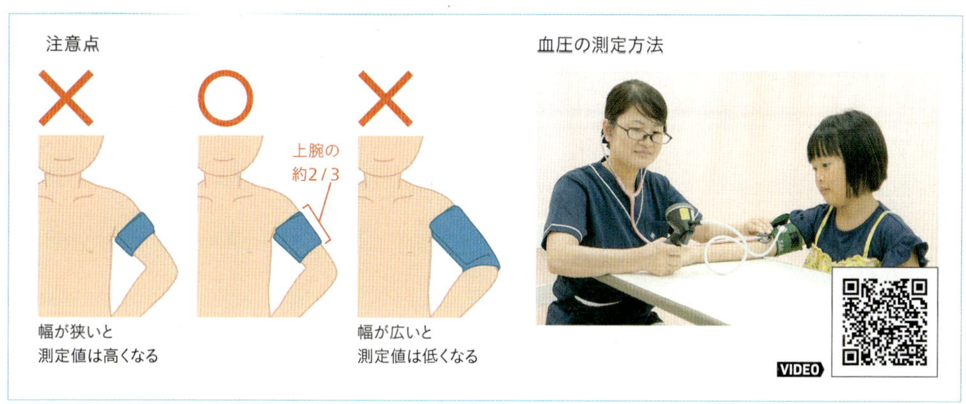

図3-6 血圧の測定方法と注意点

人間の体温調節の仕組みは，視床下部にある体温中枢で熱産生と熱損失のバランスを一定に保つように調節されている。熱産生は，肝臓，脳，心臓や骨格筋といった深部の臓器から，代謝による熱産生や寒冷などに対する筋収縮（ふるえ）によって産生されるものなどがある。この熱はその後，深部の臓器や組織から皮膚へ運ばれ，皮膚から放射，伝導，蒸発によって空気中や環境中へ失われる。

発熱とは，視床下部に存在する体温中枢のセットポイントが，感染，脳腫瘍，熱中症などの何らかの原因で通常のレベルより高くセットされて，体温調節が行われている状態である。一般的に発熱は直腸温（深部体温）で38.0℃以上と定義されており，腋窩温（表在温）では約0.5℃低い値を示すため37.5℃以上が発熱の基準値となる。

小児（特に乳児）の体温は成人に比べて高く，年齢や測定部位によって誤差があることに留意する。また小児の体温調節機能は未熟であるため，外気温の影響を直接受けやすいことにも注意が必要である。

2. アセスメントの方法

1 腋窩温の測定

❶必要物品（図3-7）

電子体温計（腋窩用），アルコール綿

❷方法（図3-8）

①腋窩が汗などで湿っている場合は，正確に測定できないため拭いてから行う。

②腋窩の中央よりやや前方に（腕に対して30~45°の角度で）挿入する。測定中は腋窩を閉じた状態とし，体温計が動かないように支える。特に乳幼児は体動で体温計が動いてしまうため，上腕を軽く支えて体温計を保持する。

③測定終了を知らせる電子音が鳴ったら，腋窩から体温計を取り出し，表示値を読む。

④体温計をアルコール綿で拭く。

❸注意事項

①測定中は安静を保ち，看護者は見守り，けがのないようにする。

②正確に測定するために，肌着の上から体温計が当たっていないか測定部位を確認する。

③体温計は複数で使う場合，必ずアルコール綿で毎回拭いてから使用する。

2 直腸温の測定

❶必要物品（図3-9）

電子体温計（直腸用），体温計用サック，ディスポーザブル手袋，潤滑油（ワセリン，オリーブ油），おむつ，おしり拭き，アルコール綿

❷方法（図3-10）

①便で汚染されている場合は，おしり拭きで拭いてから測定を行う。

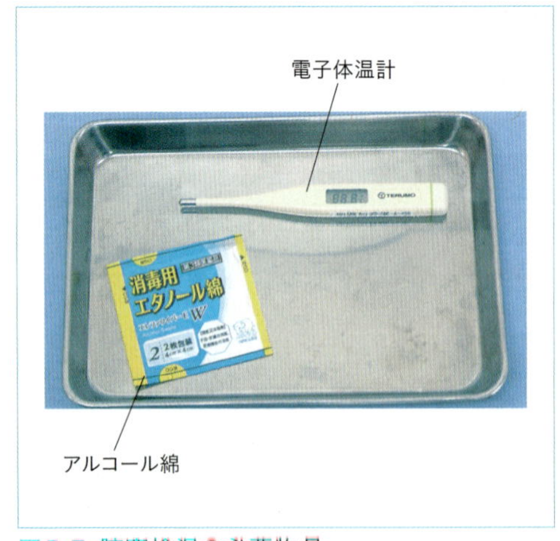

図3-7 腋窩検温の必要物品

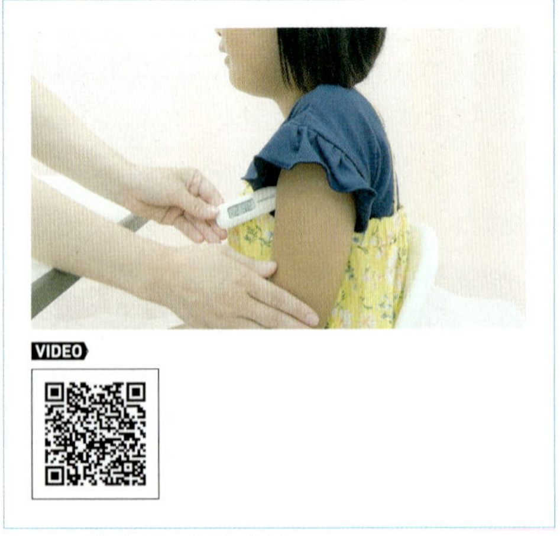

図3-8 腋窩温の測定方法

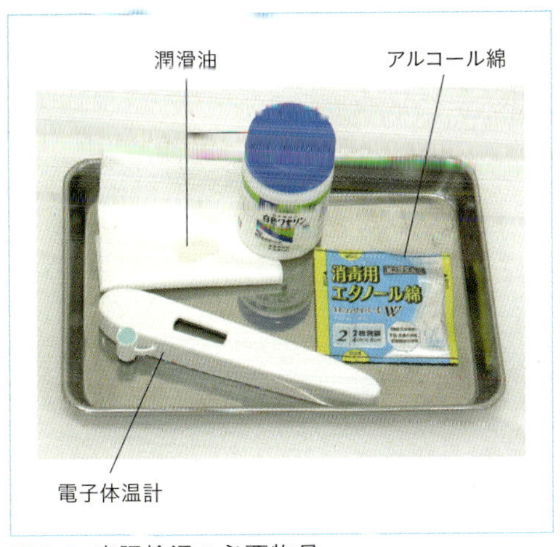

図3-9 直腸検温の必要物品

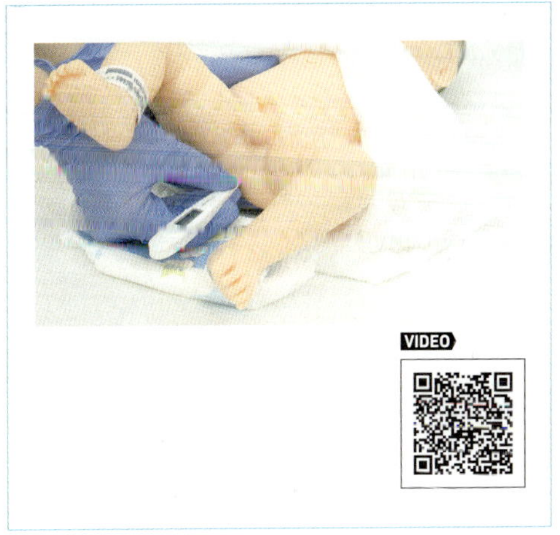

図3-10 直腸温の測定方法

②体温計の先端部に潤滑油を付ける。
③手袋を装着し，小児は仰臥位（ぎょうがい）にした状態で，体温計をゆっくり肛門2.5cmほど挿入する。
④測定終了を知らせる電子音が鳴ったら，体温計を抜き取り，おむつを当てる。

❸注意事項

①直腸温測定は，直腸穿孔（せんこう）のリスクがあるのでルーティンでは測定しないようにする。
②体温計は，挿入する長さが深くなり過ぎないよう，安全のため直腸に挿入する長さのところを持ち，それ以上挿入しないよう留意する。
③女児は肛門と腟口が近接しているため，誤って挿入しないように注意する。下痢や肛門周囲に炎症や出血がある場合は，ほかの部位で検温を行う。

E SpO_2（経皮的動脈血酸素飽和度）

1. アセスメントのポイント

SpO_2とは，パルスオキシメータで経皮的に測定した動脈血酸素飽和度であり，動脈血中の赤血球に含まれるヘモグロビンが，どの程度の割合で酸素と結合しているかを数値化したものである。SpO_2は，心拍数や呼吸数と共に日常診療で使用されており，SpO_2の低値は低酸素血症の重要な指標となる。指などにプローブ（センサ）を装着し，波長の異なる2種類のLED光を当てて，心臓から送り出される拍動（パルス）を利用することで動脈血の酸素飽和度を測定できる。利点として，動脈血を採血することなく非侵襲（しんしゅう）的に酸素飽和度を算出でき，かつ連続的に酸素化状態をモニタリングが可能であり，携帯型のパルスオキシメータを使用すれば病棟に限らず，あらゆる場面でも測定できる点にある。その有用性から，最近では新型コロナウイルス（COVID-19）感染の重症度分類にもSpO_2が評価基準として用いられ，不可欠なバイタルサインとなっている。

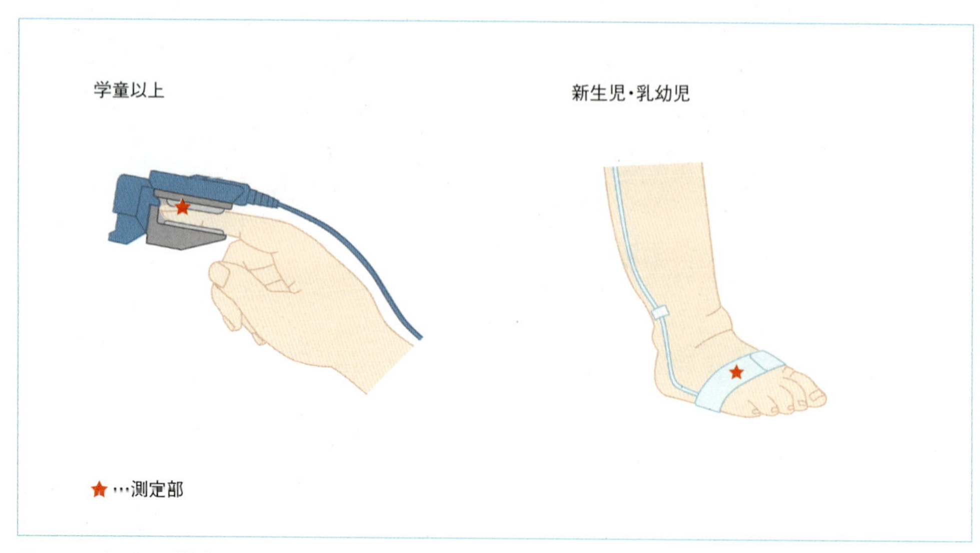

図3-11 SpO_2の測定

2. アセスメントの方法

❶必要物品

パルスオキシメータ，プローブ（テープ型またはフィンガー型），テープ，アルコール綿

❷方法

①プローブの種類と適切な装着部位を選択する（図3-11）。

▶ **テープ型（ディスポーザブルタイプ）** 乳幼児では，第一足趾（そくし）（足親指）または足背部（足の甲）の第四指（薬指）の付け根付近を目安にテープ型のプローブを装着する。プローブは通常6〜18mmの厚みがある部位の組織を挟み込むように装着する。体動などでプローブが剝がれてしまう場合は，プローブが密着するようにテープなどできつくならない程度に補強する。

▶ **フィンガー型（リユーザブルタイプ）** 指の先端に隙間ができないように指を奥まで挿入し，爪の付け根付近に受発光部が位置するようにする。

②ケーブルを装着部付近で固定する。体動でプローブが外れてしまう場合は，プローブの上からテープを巻いて固定し，屈伸などの動きでプローブにストレスがかからないよう，ケーブルをテープでつまむように貼り付け，その裾部分を皮膚に貼り付けるΩ（オメガ）留めで固定するとストレスがかかりづらい。

③使用後は清掃する。フィンガー型（リユーザブル）プローブの使用後は，付着した汗や汚れをアルコール綿などで取り除き，正確にSpO_2が測定できるようにする。

❸注意事項

①伸縮性の強いテープや弾性包帯による保護は，組織の圧迫による低温熱傷や壊死（えし）などの皮膚障害の原因となるので使用しない。

②弱い装着圧や少ないLEDの発熱でも，長時間同じ部位へ装着することで低温熱傷などの皮膚障害を引き起こすことがあるので，テープ型は8時間以内に，フィンガー型は4時間以内に装着部位の観察と変更を行う。
③新生児やショックなどで末梢循環不全を起こしている場合も皮膚障害に注意する。

III フィジカルアセスメント

健康上の問題を明らかにするためには，身体的，心理的，社会的な側面から包括的にアセスメントする必要がある。これを**ヘルスアセスメント**とよぶ（本編 - 第3章 - I「ヘルスアセスメントとは」参照）が，ここでは身体的な状態に着目したフィジカルアセスメントについて述べる。

1. 小児を対象にしたフィジカルアセスメントの特徴（表3-2）

小児は，それぞれの発達段階でからだの構造や機能の特徴が異なっている（小児看護学1- 第2編 - 第1章「小児の特徴と成長・発達」参照）。そのため，まず各発達段階における標準的な状態を理解することが必要である。併せて遺伝的要因や外的環境要因，先天的な障害などによる成長・発達の個人差を考慮してアセスメントすることが求められる。

小児のフィジカルアセスメントは，小児の訴えがわかりにくいことなどから難しいと感じられることもある。しかし，生命維持に必要な呼吸器系，循環器系の機能は小児の意思によってコントロールできず，医療者の技術によって明らかにすることができる。一方，感覚器系や運動器系は，小児の意思により得られる情報が異なるため，小児との信頼関係や医療者のコミュニケーション技術が重要になる[1]。このような場合，家族からの情報も必要であるが，具合の悪いわが子を目の前にして大きな不安を抱えている家族は，冷静に客観的な情報を提供できないことも多い。小児や家族とのコミュニケーションは，医療者が必要な情報を得るためのものだけでなく，小児や家族が「聞いてもらえた」「話せてよかった」と感じられることで小児や家族へのケアへとつながることもある。そのため，小児やその家族とは，コミュニケーションの特徴を理解してかかわることができるとよい（本編 - 第1章「コミュニケーション技術」参照）。小児は，生理学的な代償機能が未熟であるため，症状の変化が急速に進むことがある。家族が感じる「いつもと違う」様子はとても重要で

表3-2 小児のフィジカルアセスメントの特徴

- 成長・発達により，各発達段階で正常値や標準な状態が異なる
- 発達の個人差や先天的な障害などにより，その子なりの正常な状態がある
- 言語理解の発達段階により，小児の訴えがわかりにくいことがある
- 家族からの情報が必要になるが，不安や動揺などから情報が混乱することがある
- 生理学的な未熟さから，症状の変化が急速に進むことがある

あり，小児や家族の話をていねいに聞き観察することで，重篤な状態への変化を未然に防ぐことも可能である。

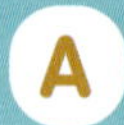 フィジカルアセスメントの実施手順

1. アセスメントのポイント（表3-3）

フィジカルアセスメントは，症状や徴候から情報を収集し，問診・視診・聴診・触診・打診を行ってからだの状態を判断することである。そのため，医療者のかかわりによって小児が激しく啼泣（ていきゅう）したり暴れたりすると，正確にアセスメントできなくなることがある。小児のフィジカルアセスメントでは，小児が不安や恐怖を抱かないように，そして負担がかからないように進めなければならない。一般的には問診や視診といった，からだに触れないものから始める。

小児にとって，触診や聴診をされるということは，どのような意味をもつ体験になるであろうか。乳児であればベビーマッサージをされているような，幼児であれば遊びながらボディタッチをし合うような，そんな感覚であれば，触診や聴診，打診は楽しい体験になるであろう。からだの状態を判断するための技術であっても，その子にとってどのような意味をもつのかを考えると，小児の協力を得られやすくなる。看護師とのかかわりが楽しくて，次々と自分のことを話し始めたり，自ら衣服をめくって聴診に協力したりする小児もいる。家族への問診も同様である。問診はフィジカルアセスメントに必要な技術であるが，家族の訴えがわが子のケアに役立つということは，家族にとってうれしいことである。家族の気がかりを医療者が共有することは，家族と医療者が協働して小児のケアを行うことにつながるため，フィジカルアセスメントを行うときには意識してかかわるとよい。

2. アセスメントの方法

小児の負担を可能な限り減らし，また小児や家族と信頼関係を構築するためにも，お互いの第一印象は大切である。フィジカルアセスメントは，小児や家族と顔を合わせるところから始まっている。病院の診察室や処置室であれば，小児は痛いことをされるかもしれないと構えているかもしれない。外来の待合室やプレイルームなどでは，医療者のことが気になりながらもリラックスして過ごしているかもしれない。保育園や学校，家庭などは小児にとって自分の生活スペースであり，医療者がいることを意識していないかもしれない。このような小児の視点を大切にして，小児や家族に挨拶し，相手の緊張を和らげるこ

表3-3 小児のフィジカルアセスメントのポイント

- 小児が不安や恐怖を抱かないように，負担にならないように進める
- 問診や聴診などが，小児や家族にとってどのような体験なのかを考える

とが必要である。

小児や家族に会ったとき，どのように過ごしているかはとても重要な情報である。顔色良く走り回っていれば，呼吸や循環，運動機能は安定しているかもしれない。家族と目が合わずにぐったりしていれば，緊急的な状況かもしれない。このように，小児や家族と顔を合わせたときの全身状態を，最初に把握してアセスメントする。

続いて問診や視診などから，何を診るのかをアセスメントする。「今日はどうしたのですか」という自由回答式質問（オープンクエスチョン）は，相手の訴えをそのままに聞くためには有効である。小児から訴えを聞くときには，小児が関心をもっていそうなことから会話を始めるとよい。持っているおもちゃや着ている洋服のキャラクターなどは，小児と共通の話題になりやすい。小児に問診するときには，慣れない医療者への緊張などから自由回答式質問（オープンクエスチョン）では返答できないことがある。「痛いところがありますか」など択一回答式質問（クローズドクエスチョン）を用いたほうが，小児も回答しやすいし，医療者も情報を得やすいことがあるので，適宜使い分けるとよい。そして聴診や触診，打診を行うときには，プレパレーションの技術を使い小児の主体性を引き出しながら進めていく。

1 乳児期のフィジカルアセスメント

乳児は言語的コミュニケーションが未発達であるため，家族からの問診や，視診･触診･聴診・打診などの客観的な情報収集が必要である。特に乳児では衣服を脱いだ状態の観察が重要となる。人見知りが生じている場合は，医療者が近づくだけで啼泣し正確な情報が得られない場合があるので，家族に抱っこしてもらったり，おもちゃなどであやしたりしながらアセスメントできるとよい。

2 幼児期のフィジカルアセスメント

幼児は，「痛い」「気持ちが悪い」など言語的な表現ができるようになるが，その内容は不明確なことがある。また疼痛（とうつう）部位を触られることに恐怖を感じるなどして，本人の訴えはあるが詳細がわからないこともみられる。問診や視診をとおして小児や家族と十分コミュニケーションをとり，小児が慣れていない場合は触診や打診を最小限にするなどの配慮が求められる。

3 学童期のフィジカルアセスメント

学童では言語的理解が進み，自分の症状を言語で伝えることができるようになる。また，医療者が行うことの意味も説明すれば理解ができて，協力できるようにもなる。しかし，周囲に気を遣って苦痛があることを言わなかったり，異なった症状を言ったりすることもあるため，フィジカルイグザミネーションで得られた情報を総合的にアセスメントする必要がある。日常生活が自立する時期でもあるため，自分のからだへの小児自身のとらえかたを尊重し，家族からの情報と併せてアセスメントできるとよい。

4 思春期のフィジカルアセスメント

思春期では二次性徴が始まり，からだの構造や機能が大きく変化する。認知・情緒機能においても自我同一性の確立に向け，心理的変化が著しい。医療者がからだのことを尋（たず）ねても，明確に返答してくれないことはよくあることである。全身の観察をする場合でも，からだを他者に見られることへの羞恥心などから，強い抵抗感を表出するときもある。小児自身が感じていることや大切にしていることを十分受け止めてから，介入を開始する。

B 全身状態のアセスメント

1. アセスメントのポイント

まず，小児の表情や外観など，全体的な印象を把握する。図 3-12 に示した PAT（Pediatric Assessment Triangle）は，外観，呼吸状態，皮膚への循環の 3 領域を示したものであり，小児科外来や救急外来などで多く使用されている。フィジカルアセスメントは小児の負担にならないような順番で進めるが，PAT で意識混濁や苦悶（くもん）表情などがみられた場合は，速やかにバイタルサイン測定や必要な処置を実施する。PAT で全身状態に緊急性がみられなければ，問診や視診，触診などを行っていく。

小児では，言語発達や認知機能の未熟さから，本人の訴えがわかりにくいことがある。特に乳幼児では，激しく泣いていて苦痛の有無も部位もわからないことがよくある。そのようなときには，全身をていねいに観察することが必要である。靴下を脱いだら足趾（そくし）が骨折していたり，おむつの中に小さいおもちゃが入っていたりすることもある。併せて適切な方法で得たバイタルサインは，全身状態をアセスメントするために必要不可欠である（本編 - 第 3 章 - Ⅱ 「バイタルサインの測定」）。

2. アセスメントの方法

まず「外観（Appearance）」として，筋緊張の程度，周囲への反応，精神的安定，視線がどこにあるか，会話や啼泣（ていきゅう）が可能かを確認する。次に「呼吸状態（Work of Breathing）」，すなわち喘鳴（ぜんめい）や努力呼吸の有無から呼吸が安定しているかどうかを評価する。「皮膚への循環（Circulation to Skin）」では，顔色や全身皮膚色の蒼白さ，末梢冷感の有無を確認する。

問診や視診で疼痛や外傷などの部位がはっきりしている場合は，その部位や器官から全身に向けたアセスメントを行う。しかし，なんとなく元気がないなど部位や器官がはっきりしなかったり，健康な小児の身体症状をアセスメントしたりする場合は，頭部から足部に向けて全身のアセスメントを実施する。

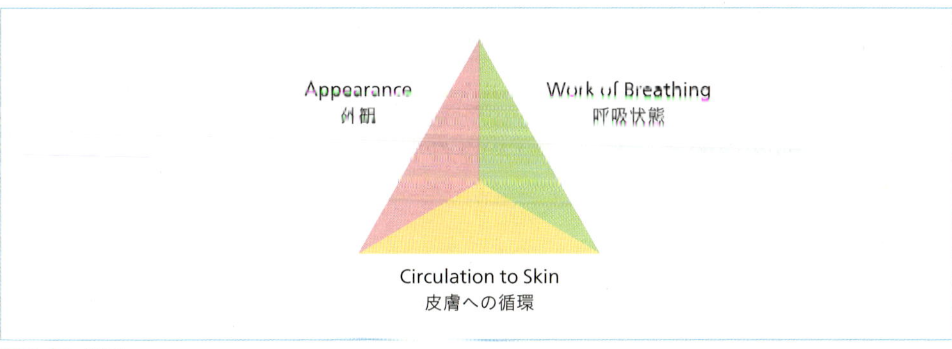

図3-12 PAT

C 系統別のアセスメント

1. 皮膚

▶ **アセスメントのポイント**

気温や食事内容など，何らかの出来事に関連して皮膚症状が出現することがある。また，黄疸（おうだん）など緩やかな時間経過で症状が変化することもあるため，そのときの様子を観察するだけではなく，小児や家族からふだんの様子を問診することも重要である。皮膚の著しい汚染やにおいがある場合は，虐待を考慮してアセスメントする。

▶ **アセスメントの方法（表3-4）**

衣服を脱いでもらい，視診，触診を行う。医療者にからだを直接触られることは，小児にとって不快な体験になることもある。小児の理解を得られるように努め，家族と協力しながら行う。

2. 頭頸部

▶ **アセスメントのポイント**

奇形や神経系の障害と関連する場合もあるので，全身の症状も併せてアセスメントする。特徴的な顔貌（がんぼう）は，染色体異常症の疑いもある。

表3-4 皮膚のアセスメント項目と内容

	項目	内容
問診	• 異常がみられる状況 • アレルギーの有無 • かゆみや痛みなどの自覚症状	• いつ何をしているときに症状が出現するのか • 症状は継続するのか，一時的か • 食べ物，環境など • いつ，どんなときに，どこが，どれくらい
視診	• 皮膚色 • 皮膚の異常	• 全身に差があるか • 発赤，腫脹，浮腫，創傷，腫瘤，出血斑，色素沈着，乾燥，汚染，においなど
触診	• 皮膚の弾力や温度，保湿感	• 全身に差があるか

表3-5 頭頸部のアセスメント項目と内容

	項目	内容
問診	• 痛みの自覚症状	• いつ，どんなときに，どこが，どれくらい
視診	• 頭の形状・外観 • 頭髪や頭皮の状態 • 顔色 • 各器官の左右対称性 • 特徴的な顔貌 • 頭頸部全体の外観 • 顔面・頸部の動き	• 頭囲・頭の変形の有無，大泉門の状態 • 汚染や脱毛の有無 • 蒼白・黄疸・チアノーゼの有無 • 各器官の位置・大きさなどの左右対称性 • 染色体異常症に特徴的な顔貌 • 発赤・腫脹・浮腫・創傷・腫瘤の有無 • 痙攣や不随意運動の有無，可動域の制限
触診	• 疼痛の有無 • 腫脹の有無	• 刺激により疼痛が出現するか • 甲状腺やリンパ節に腫脹があるか

▶ アセスメントの方法（表3-5）

大泉門(だいせんもん)は出生時には開いており，乳児期の脱水や水頭症などの診断指標の一つとなるため，視診や触診を用いて確認する。項部硬直は髄膜炎を疑うが，小児が嫌がって首を曲げない場合もあるため，小児の理解が得られるようにし，ていねいに観察する。

3. 眼

▶ アセスメントのポイント

視力は乳幼児期に発達のピークを迎える。眼の状態を正確にアセスメントできることは，その後の適切な発達支援につなげることができる。小児がどのように見えているかは本人にしかわからないため，物を見るときの姿勢や距離など，日常的な行動の情報も必要である。

▶ アセスメントの方法（表3-6）

開眼して診察に応じることが難しい場合もあるため，事前に小児に十分説明して理解を得たり，医師と一緒に観察するなど，できるだけ小児の負担にならないように安全に観察できるようにする。

4. 耳鼻咽喉・口腔器官

▶ アセスメントのポイント

外観だけでなく，痛みの有無や聴力など小児の訴えが必要になる。また，小児は乳歯から永久歯への生え替わりがあるため，歯牙萌出(ほうしゅつ)の状態を確認する（図3-13）。歯磨きなどができていなかったり養育者の支援が不十分であったりする場合は，う歯や耳垢塞栓(じこうそくせん)がみ

表3-6 眼のアセスメント項目と内容

	項目	内容
問診	• 物の見え方 • 痛みや異物感の有無	• 視力，色覚異常 • いつ，どんなときに，どこが，どれくらい
視診	• 眼の形態・外観 • 眼瞼や結膜の異常 • 流涙 • 眼位	• 睫毛の生え方，眼瞼の開き，水晶体の濁り • 発赤・腫瘤・水泡・眼脂などの有無 • 持続しているか • 眼球の位置や動き

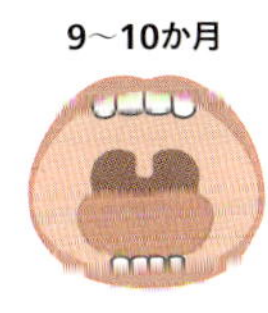

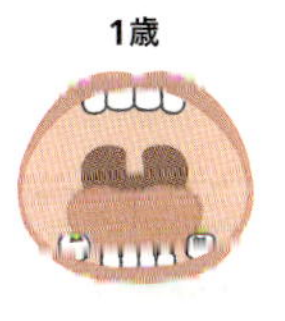

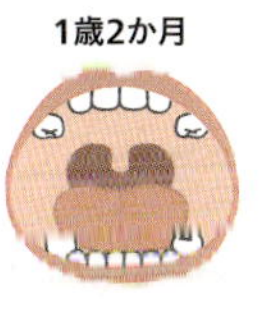

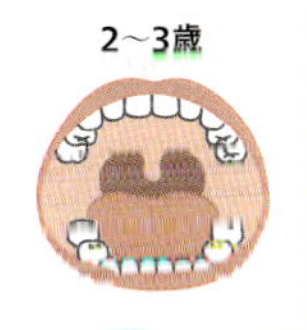

図3-13 歯の萌出

られることもある。日常生活における清潔に関する習慣の確認もできるとよい。

▶ **アセスメントの方法（表3-7, 図3-14）**

中耳炎や上気道炎などにより診察を受ける機会が多いが，小児は一度怖い体験をすると，口を開けることも，耳を触らせることも嫌がることがある。診察に必要な器具を最初に見せたり触ってもらったりして，小児の主体性を引き出せるようにするとよい。顔や頭を固定するときには，家族に体幹や頭部を抱きしめてもらうように包み込んでもらうと，小児も家族も安心することができる。

表3-7 耳鼻咽喉・口腔器官のアセスメント項目と内容

	項目	内容
問診	• 痛みや異物感の有無 • 音の聞こえ方 • 話し方，声 • 咀嚼，嚥下の様子	• いつ，どんなときに，どこが，どれくらい • 左右差，テレビなどの音量 • 鼻が詰まったような声か，発声の明瞭さ • 発達段階に合った咀嚼，嚥下か
視診	• 各器官の左右対称性 • 耳・鼻・口唇の外観 • 鼓膜の状態 • 鼻汁の状態 • 口鼻腔内 • 口唇色 • 歯の状態 • 咽喉頭や扁桃の状態	• 各器官の位置・大きさなどの左右対称性 • 発赤・腫脹・浮腫・創傷・腫瘤の有無 • 発赤や穿孔の有無，耳垢以外の分泌物 • 量や色，におい，鼻出血の有無 • 出血の有無，口蓋裂の有無 • チアノーゼや紅潮の有無 • 歯牙萌出の状態，う歯 • 発赤・腫脹・出血・潰瘍・水疱の有無

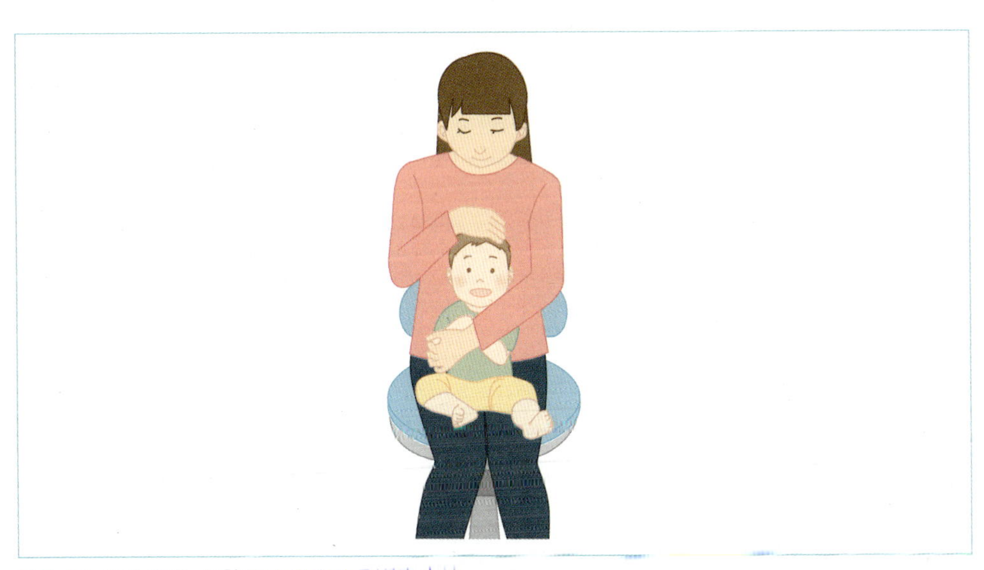

図3-14 耳鼻咽喉・口腔器官診察時の固定方法

5. 胸部・肺

▶ **アセスメントのポイント**

胸部では，外観だけでなく呼吸状態のアセスメントを行う。小児の呼吸生理は，出生後の第1呼吸，腹式呼吸から胸式呼吸への変化，肺活量の増加など，成長とともに大きく変化する。また，鼻翼呼吸は乳幼児に著明で学童になるとあまりみられなかったり[2)]，乳幼児の喘鳴は喘息だけでなく，気道の感染症やミルクの誤嚥，胃食道逆流でもみられたりすることがある。それぞれの発達段階での呼吸の特徴を理解してアセスメントする。

▶ **アセスメントの方法（表3-8，図3-15）**

呼吸音は，小児が激しく啼泣すると聴取しにくい。家族に抱っこしてもらい小児の背部から聴取するなど，小児の負担にならない方法を検討する。

6. 循環器

▶ **アセスメントのポイント**

心拍のリズムや心音の聴取により，先天性心疾患に気づくことがある。新生児や乳児では正常な心拍数が速く，慣れないと聞き取り難いことがあるため，できるだけ安静時に聴

表3-8 胸部・肺のアセスメント項目と内容

	項目	内容
問診	• 息苦しさ • 咳嗽 • 喀痰 • 同居者の喫煙歴	• いつ，どんなときに，どれくらい • 咳嗽の種類，頻度 • 痰の性状，色，量 • 喫煙の場（小児のそばか，同建物内か）
視診	• 各器官の左右対称性 • 胸郭変形の有無 • 努力呼吸の有無	• 各器官の位置・大きさなどの左右対称性 • 前胸部の陥没や突出 • 鼻翼呼吸・陥没呼吸・肩呼吸など
聴診	• 呼吸音	• 異常な呼吸音の有無（表3-9）
触診	• 胸郭全体	• 肋骨の異常や腫瘤・圧痛の有無

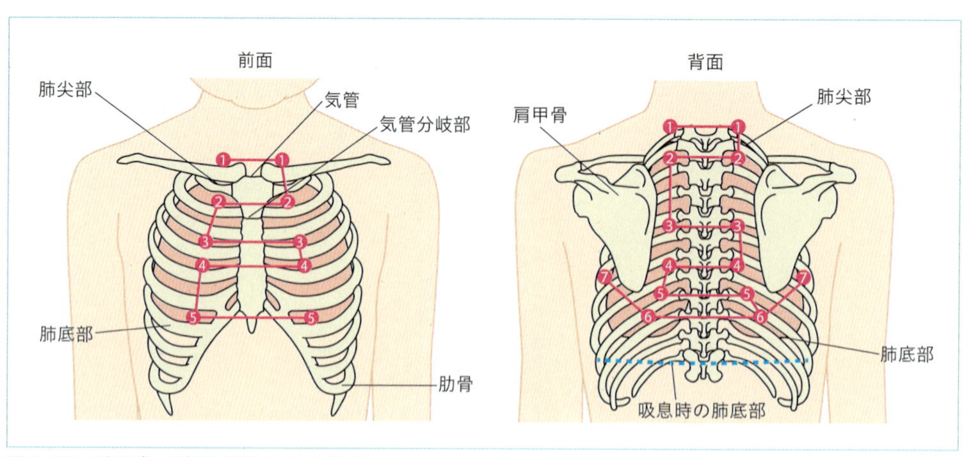

図3-15 呼吸音の聴診部位と聴診順序

表3-9 異常な呼吸音の特徴と考えられる病態・疾患

分類			音の特徴	考えられる病態・疾患
異常呼吸音	呼吸音の減弱・消失		呼吸音が聞こえづらい	気胸，異物による気道狭窄や閉塞
	呼吸音の増強		呼吸音が発生しやすい	過換気症候群
	呼気延長	喘鳴	狭窄部位により音が異なる（①ヒューヒュー，②ゼーゼー）	気管支喘息
	気管支呼吸音化		（肺胞呼吸音が聴取されるべき場所で聴取される）気管支呼吸音	肺炎，無気肺
副雑音	連続性ラ音	低調音（いびき音）	ブー・グーなどの低い音の連続音	気管支喘息，分泌物の貯留
		高調音（笛様音）	ヒュー・ピーなどの高い音の連続音	
	断続性ラ音	水泡音	ブツブツといった粗い断続音	気管支拡張症，肺炎
		捻髪音	プチプチ・パチパチといった細かい断続音	間質性肺炎，肺線維症

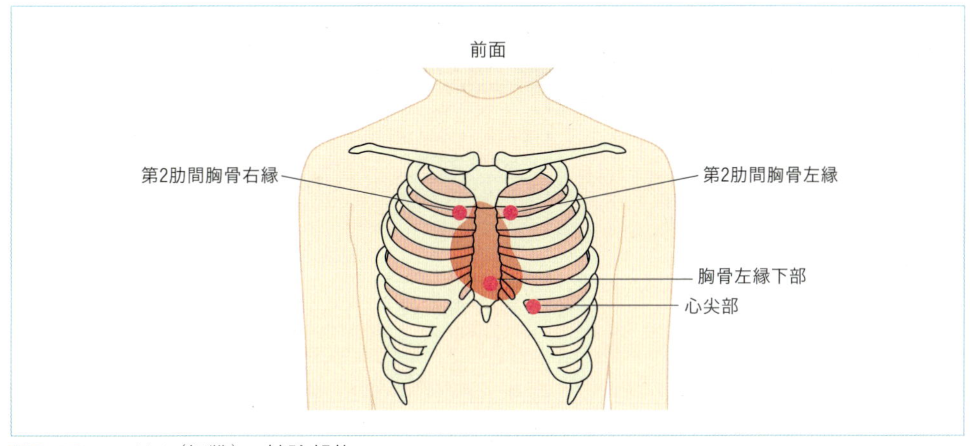

図3-16　スリル（振戦）の触診部位

取できるとよい。乳幼児期では，体重増加不良や，遊んでいてもすぐに座り込むなどの症状から診断につながることもあり，経過を追った日常生活の情報も必要である。

▶ アセスメントの方法（表3-9，図3-16，17）

小児のからだの大きさに合った聴診器を使用する。先天性心疾患では特徴的な心雑音が聴取されることがあるため，理解しておくとよい（表3-10，11）。

7. 消化器・腹部

▶ アセスメントのポイント

腹痛は急性胃腸炎などの日常的な症状であるが，腸閉塞や腸重積など重篤な疾患の場合もある。小児の訴えがはっきりせず症状がとらえにくいうえに，小児が啼泣したり緊張したりすると腹部の聴診や触診が難しくなることもある。重要な情報なので，できるだけ小児の協力が得られるように準備してアセスメントする。

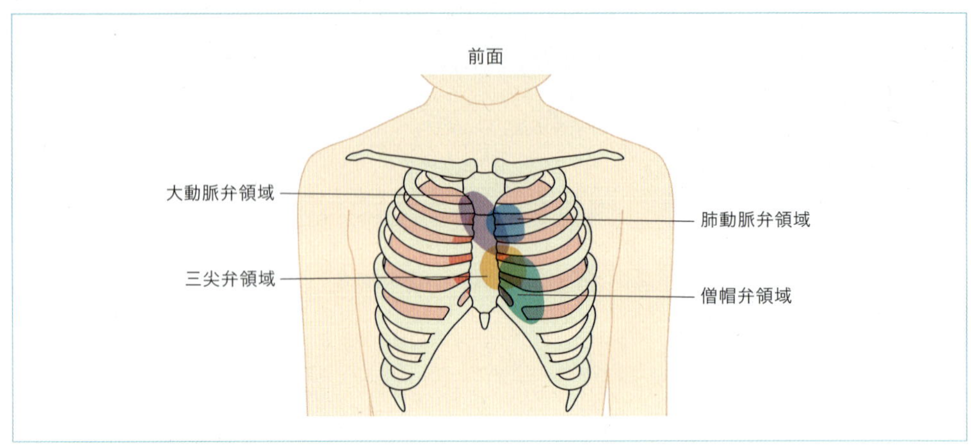

図3-17 心臓（心雑音）の聴診部位

表3-10 循環器のアセスメント項目と内容

	項目	内容
問診	• 息苦しさ，疲れやすさ • 哺乳状態 • 体重	• いつ，どんなときに，どれくらい • 哺乳量，一度に全部飲めるのか休むのか • 体重が成長曲線に沿って増加しているか
視診	• 皮膚色 • 爪 • 前胸部の拍動 • 浮腫	• チアノーゼの有無 • バチ状指の有無，爪床色 • 心尖拍動の確認 • 部位や出現状況
聴診	• 心拍リズム • 心音	• リズム間隔が一定か，不規則か，どんなリズムか • 雑音が聴取される部位と音の種類，程度
触診	• 胸スリル（振戦）の有無 • 毛細血管充満時間*	• スリルが触れる位置 • 2秒以内かどうか

＊ 毛細血管充満時間：capillary refilling time; CRT。手足指の腹，爪床などを5秒間圧迫し，圧迫を解除した際に圧迫部位の色が戻る時間。正常は2秒以内である。

表3-11 心音ごとの疑わしい疾患の例

疾患	聴診部位	聴取雑音
心室中隔欠損症（ventricular septal defect：VSD）	胸骨左縁第2～第4肋間	収縮期雑音 • 大欠損で心雑音は不明瞭 • 中欠損以上で低調性 • 小欠損で高調性
心房中隔欠損症（atrial septal defect：ASD）	胸骨左縁第2肋間	収縮期雑音 II音の固定性分裂
動脈管開存症（patent ductus arteriosus：PDA）	胸骨左縁第2肋間	連続性雑音
ファロー四徴症（tetralogy of Fallot：TOF）	胸骨左縁下部	収縮期雑音 （肺動脈の狭窄が高度の場合，収縮期雑音が弱く短い）
肺動脈狭窄症	胸骨左縁	収縮期駆出性雑音
大動脈縮窄症	胸骨左縁上部	収縮期雑音あるいは連続性雑音
三尖弁閉鎖症（tricuspid atresia：TA）	胸骨左縁第2肋間	収縮期駆出性雑音

表3-12 消化器・腹部のアセスメント項目と内容

	項目	内容
問診	• 痛みの自覚症状 • 嘔気・嘔吐 • 食事摂取状況 • 排泄状況	• いつ，どんなときに，どこが，どれくらい • いつ，経口摂取との関連，嘔吐量 • 食欲，摂取内容，摂取量 • 排尿・排便の回数やその性状（下血・血便・白色便の有無，においなど）
視診	• 腹部の外観 • 皮膚色 • 肛門の外観	• 発赤・膨満・浮腫・創傷・腫瘤・各臓器の腫大の有無 • 黄疸の有無 • 開通しているか（鎖肛の有無） • 発赤・創傷・腫瘤・潰瘍の有無
聴診	• 腸蠕動音	• 音の有無，強さ，種類
打診	• 腹部全体	• 痛みの有無，鼓音・濁音の鑑別
触診	• 腹部全体	• 圧痛や腹壁の緊張，表在性の腫瘤

▶ アセスメントの方法（表3-12）

乳幼児の触診や打診を行うときは，家族などに十分問診を行い，互いに慣れた段階で始めるようにする。家族に抱っこしてもらったり，手を握ったりしてもらうなどの配慮も必要である。痛みなどの部位は，小児自身に指でその箇所や範囲を円でかくように示してもらうとわかりやすい。

8. 腎・泌尿器

▶ アセスメントのポイント

新生児，乳児の腎機能は未熟であり，電解質や酸塩基平衡の異常をきたしやすい。下痢や嘔吐（おうと）などで急激に体内の水分や電解質が喪失するときには注意が必要である。尿路感染症は乳幼児期に多い疾患であるが，発熱や不機嫌，哺乳不良など非特異的な症状しか呈さないことがある[3]。検査データと併せて全身のアセスメントを行う必要がある。

▶ アセスメントの方法（表3-13）

尿のアセスメントが必要であり，排尿が自立していない場合は採尿バッグなどを使用する（本編-第4章-Ⅱ「採尿」参照）。

9. 代謝・内分泌

▶ アセスメントのポイント

甲状腺やインスリン，成長ホルモンなどの分泌（ぶんぴつ）異常により，特有の症状を呈することが

表3-13 腎・泌尿器のアセスメント項目と内容

	項目	内容
問診	• 痛みの自覚症状 • 排尿状況	• いつ，どんなときに，どこが，どれくらい • 尿量，尿回数，1回量と1日量。排尿を我慢していないか，残尿感はないか
視診	• 尿 • 浮腫 • 腹部の外観	• 色，におい，量 • 全身，顔，下肢 • 腫瘤の有無

表3-14 代謝・内分泌系のアセスメント項目と内容

	項目	内容
問診	• 食事摂取状況 • 日常の活動状況	• 食欲，摂取内容，摂取量や回数 • 活気の低下，運動習慣
視診	• 身長，体重	• 年齢相応か，成長曲線に沿っているか • 肥満度

表3-15 免疫のアセスメント項目と内容

	項目	内容
問診	• アレルギーの有無 • 痛みの自覚症状	• 運動に誘発されるものもあるため，いつ，どんなときに，どこに，どんな症状がでるか確認する • いつ，どんなときに，どこが，どれくらい
視診	• 全身皮膚，粘膜	• 発赤・腫脹・浮腫・創傷・腫瘤・乾燥など
触診	• リンパ節	• 小児では蝕知することが正常であるため，頸部と鼠径部など2か所以上を触診する

ある。一つの症状だけではわからないことも多く，長期的に経過を追ったり全身を総合的に観察したりしてアセスメントする。

▶ アセスメントの方法（表3-14）

身長・体重値が重要であり，母子手帳や学校検診のデータを参考にできるとよい。同年齢よりも小柄な小児は，計測することに抵抗を感じることもある。なぜ計測するのかを小児がわかるように説明し，協力を得られるようにする。

10. 免疫

▶ アセスメントのポイント

免疫機能が十分機能していないと易感染性となり，過剰に反応するとアレルギーを起こす。バイタルサインと併せて全身の包括的なアセスメントが必要である。

▶ アセスメントの方法（表3-15）

日常生活との関連も大きい。生活環境などを小児や家族にていねいに問診する。

11. 筋・骨格

▶ アセスメントのポイント

体幹や四肢の左右対称性，変形・拘縮の有無とともに，動きの左右対称性にも留意する。

▶ アセスメントの方法（表3-16）

四肢や体幹の動きは，小児が遊ぶ場面など日常生活での観察も必要である。診察室でも，小児が協力しやすいように普段の遊びを取り入れながらアセスメントできるとよい。脊柱の観察などで衣服を脱ぐ必要がある場合は，小児であってもプライバシーに配慮することを忘れてはならない。

表3-16 筋・骨格のアセスメント項目と内容

	項目	アセスメントのポイント
問診	• 痛みの自覚症状	• いつ，どんなときに，どこが，どれくらい
視診	• 脊柱	• 立位時の彎曲の程度 前屈時の肋骨隆起（図3-18）
	• 四肢の外観	• 長さ，関節の変形や拘縮 発赤・腫脹・浮腫・創傷・腫瘤の有無
	• 四肢の動き	• 関節可動域，跛行など歩容異常
	• 股関節	• 股関節の開排制限（図3-19）

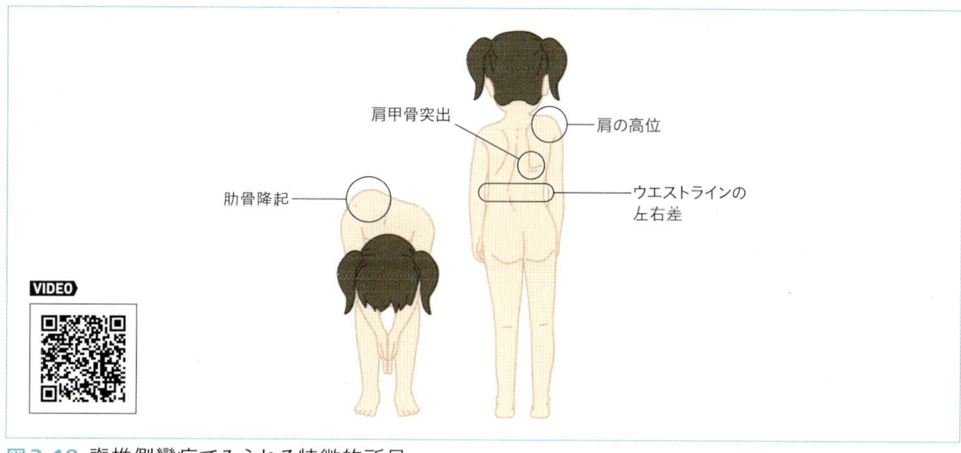

図3-18 脊椎側彎症でみられる特徴的所見

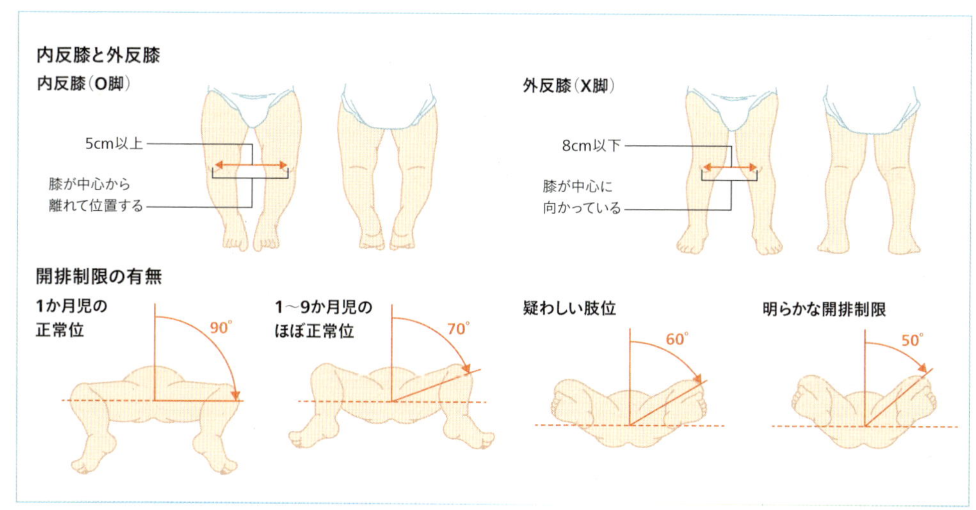

図3-19 O脚・X脚，アリス徴候・股関節の開排制限

12. 生殖器

▶ アセスメントのポイント

新生児の外性器異常は重大な代謝性疾患の兆候である可能性がある。性別が明らかでない場合，その決定はその後の人生に大きな影響を及ぼすため，医学的にも緊急な対応が求

表3-17 生殖器のアセスメント項目と内容

	項目	アセスメントのポイント
問診	• 二次性徴の発来状況 【男児】• 射精の有無 【女児】• 性器出血や分泌物 • 月経 • 痛みの自覚症状	• 初経以前や月経以外での症状の有無 • 初経時期，月経周期 • いつ，どんなときに，どこが，どれくらい
視診	• 外性器の形状・外観 【男児】 【女児】	• 年齢相応であるか，変形の有無 • 発赤・浮腫・創傷・腫瘤・潰瘍の有無 • 生理的包茎，亀頭部の汚染 • 大陰唇や陰核の大きさ • 分泌物の性状，色，におい，量
触診	【男児】	• 精巣の位置

められる。生殖器のアセスメントは，小児にとって生殖器の働きを知り，性に関する疑問や不安を解決する性教育の場としても有用である。小児が前向きにかかわることができるように支援する。

▶ アセスメントの方法（表3-17）

新生児期では性分化疾患（第6編-第4章-Ⅻ-A-7「性分化疾患」参照）などを確認する。二次性徴での生殖機能の評価では，タナーの分類が多く用いられている（表3-18）。

D 神経系のアセスメント

神経系では，意識状態や脳神経，運動機能，感覚機能，反射機能，自律神経に関する身体所見をアセスメントする。歩行などの日常生活動作や，周囲からの刺激に対する反応をみるため，目の前にいる小児からの情報収集だけでなく，家族からの情報も必要である。

1. 意識状態

▶ アセスメントのポイント

小児については，指示に従えるか否かなどで意識状態を判断することは難しい場合がある。しっかり覚醒しているか，意識変容はないか，などのアセスメントは，ふだんの小児の様子をよく知っている人の協力が不可欠である。小児の意識状態に異常がみられるとき，家族の不安はとても大きいものである。正確なアセスメントのために家族の協力は不可欠であるが，不安の大きい家族もケアの対象となっていることを忘れてはならない。

▶ アセスメントの方法

意識状態を評価するスケールとして，ジャパン・コーマ・スケール（Japan Coma Scale：JCS，表3-19）やグラスゴー・コーマ・スケール（Glasgow Coma Scale：GCS，表3-20）があり，小児の特徴を把握しやすいように，小児版が用いられている[4]。

表3-18 タナーの分類

女子の乳房				女子の外陰部	
ステージ		乳房	乳輪		陰毛
1度		未発達	平坦（乳頭のみ突出）		なし
2度		やや膨らむ	大きくなり，隆起		長く柔らか，ややカールして疎らに存在
3度		さらに大きく突出	隆起は目立たない		色は濃く，硬く，カールする。写真に写る程度
4度		乳房肥大	隆起		成人に近いが，疎らで大腿部に及ばない
5度		成人型	平坦（乳頭のみ突出）		濃く密生する。大腿部に及ぶ

男子の外陰部					
ステージ		陰茎	陰嚢	精巣	陰毛
1度		未発達	未発達	未発達≦ 3mL	なし
2度		ほとんど変化しない	肥大し始め赤みを帯びる	肥大し始める。4～ 8mL	疎らで長く柔らか。ややカールしている
3度		肥大	さらに大きくなる	さらに大きくなる。8～ 12mL	色は濃く，硬く，カールしている。写真に写る
4度		長く太くなる。亀頭肥大	さらに大きくなる。色素沈着が起こる	さらに大きくなる。12～ 18mL	成人に近いが，疎らで大腿部には及ばない
5度		成人様にまで成熟する	成人様にまで成熟する	成人様にまで成熟する。≧ 18mL	濃く密生する。大腿部に及ぶ

表3-19 JCSの乳児用改訂版

III	刺激をしても覚醒しない状態
300	痛み刺激に反応しない。
200	痛み刺激で少し手足を動かしたり，顔をしかめたりする。
100	痛み刺激に対し，払いのけるような動作をする。
II	**刺激をすると覚醒する状態（刺激をやめると眠り込む）**
30	呼びかけを繰り返すとかろうじて開眼する。
20	呼びかけると開眼して目を向ける。
10	飲み物を見せると飲もうとする。あるいは乳首を見せれば欲しがって吸う。
I	**刺激しないでも覚醒している状態**
3	母親と視線が合わない。
2	あやしても笑わないが視線は合う。
1	あやすと笑う。ただし不十分で声を出して笑わない。

表3-20 小児版グラスゴー・コーマ・スケール（Glasgow Coma Scale；GCS）

	年長児・成人		乳幼児改訂版	
開眼	自発開眼	4	自発開眼	4
	声かけで開眼	3	声掛けで開眼	3
	痛み刺激で開眼	2	痛み刺激で開眼	2
	開眼せず	1	開眼せず	1
言語	見当識良好	5	機嫌よく喃語を喋る	5
	混乱した会話	4	不機嫌	4
	不適切な言葉	3	痛み刺激で泣く	3
	言葉にならない音声	2	痛み刺激でうめき声	2
	発声せず	1	声を出さない	1
運動	命令に従う	6	正常な自発運動	6
	疼痛部位の認識可能	5	触れると逃避反応	5
	痛み刺激で逃避反応	4	痛み刺激で逃避反応	4
	異常な四肢の屈曲反応	3	異常な四肢の屈曲反応	3
	異常な四肢の伸展反応	2	異常な四肢の伸展反応	2
	動かさない	1	動かさない	1

2. 脳神経

▶ アセスメントのポイント

小児の神経系は乳幼児期に急速に発達する。特に感覚を司（つかさど）る脳神経のアセスメントは小児の訴えが必要であるが，乳幼児期の小児の訴えはわかりにくいことが多い。日常生活の様子を，ていねいに問診したり視診したりすることが大切である。

▶ アセスメントの方法

各脳神経を個別にアセスメントするのではなく，顔面を診察するときに知覚や顔の動きをアセスメントしたり，眼を診察するときに眼球の動きや見え方をアセスメントしたりするなど，小児の負担にならないように行えるとよい。

3. 運動機能

▶ アセスメントのポイント

運動機能は発達段階によって異なるため，それぞれの特徴を理解してアセスメントする。進行性筋疾患では，一度獲得した運動機能が退行する場合があるので，経時的に評価することも重要である。

▶ アセスメントの方法

デンバー式発達スクリーニングテスト（Denver Development Screening Test）（小児看護学①付表参照）や遠城寺式乳幼児分析的発達検査法がよく用いられている。乳幼児の場合，機嫌が良いときにみせる自発姿勢や自発運動を観察することで，多くの情報を得ることができる。

4. 感覚機能

▶ アセスメントのポイント

感覚は，表在感覚・深部感覚からなる体性感覚（例：痛覚），内臓により受容される内臓感覚（例：飢餓感や尿意），感覚器によって受容される特殊感覚（例：視覚）の3種類に大別できる。感覚機能は，小児の主観的な訴えによるところ大きいため，本当に機能障害があるのか，小児が訴えていないだけなのかをアセスメントしなければならない。また，触覚が成人期に近づくのは10歳代半ば以降であったり[4)]，痛みに対する感じ方や反応も年齢によって異なったりするため，ふだんの様子を家族と共有しながらアセスメントすることが重要である。

聴覚障害があるために言語発達が遅れたり，視覚障害があるために運動発達が遅れたりしているように判断されることがある。補聴器や眼鏡などの矯正器具を利用することで発達への影響を改善することができるので，早期介入につなげられるとよい。

▶ アセスメントの方法（表3-21）

刺激に対する小児の反応を確認する。言語で表現することが難しい場合もあるので，小児の好きなおもちゃや遊びをとおしてアセスメントしたり，日常生活の様子を家族や保育士などから問診したりすることも必要である。

5. 反射機能

▶ アセスメントのポイント

反射とは，何らかの刺激に対して生じる不随意の反応である。反射は，原始反射，姿勢反射，腱反射，表在反射，病的反射（クローヌス）に分けることができる。反射機能をアセスメントすることにより，脳神経学的な機能の評価をすることができる。

▶ アセスメントの方法

主な原始反射や姿勢反射は，「小児看護学1」第2編 - 第1章 - Ⅴ - A 表1-5 を参照する。

表3-21 感覚機能のアセスメント項目と内容

機能	アセスメント項目	内容
視覚	• 視野や追視の有無	• 音や動きがあったときに，小児が見る方向
	• 視力	• 絵本やテレビなどを見るときの距離 • 急に明るくなったときにまぶしそうな顔をするか
	• 色覚	• 赤と緑の見分けがついているか
聴覚	• 音に対する反応	• 大きな音にびっくりするかなど，音のみで反応を確認する
	• 聴こえの左右差の有無	• おもちゃなどを左右それぞれで鳴らす
触覚	• 触っている部位と程度の理解	• 先を細くしたティッシュなどで皮膚をなでる
痛覚	• 痛みの部位と程度の理解	• つまようじを用いて軽く皮膚をつつく
温度覚	• 温冷がわかる	• 温湯（40～50℃）や冷水（10℃前後）を試験管に入れ，皮膚に当てる

6. 自律神経

▶ アセスメントのポイント

自律神経は，循環，呼吸，消化，排泄（はいせつ），妊娠などの生命維持に関する神経系である[5)]。自律神経がうまく機能しないと，反復する朝の腹痛・悪心（おしん）・嘔吐（おうと）などの消化器症状や，手足の冷感・頭痛・めまい・失神・不整脈などの循環器症状，倦怠感・脱力感・発熱などの不定愁訴を生じることがある。日常生活に影響して学校に行けなくなったり，過敏体質といわれて我慢を強いられたりすることもある[6)]。辛い症状は本人にしかわからないこともあるため，小児の気持ちに寄り添いながらフィジカルアセスメントを進める。

▶ アセスメントの方法

どのようなときに，どのような症状が出現するのかという，症状と日常生活の関連をていねいに問診する。そして症状に関連する器官のフィジカルアセスメントを十分に行う。初めから神経系の症状と思い込んで，各器官のアセスメントが不足しないように注意する。

文献

1）山内豊明：フィジカルアセスメントガイドブック；目と手と耳でここまでわかる，第2版，医学書院，2011.
2）豊原清臣，中尾弘著，松本壽通監：開業医の外来小児科学，第6版，南山堂，2013.
3）内山聖監：小児科学，第8版，医学書院，2013.
4）前掲書3).
5）馬場一雄監：新版小児生理学，第3版，へるす出版，2009.
6）前掲書5).

第4章 検査や処置の手法と看護

この章では

- 治療に伴う看護の実際について，解剖学的・生理学的根拠とともに学ぶ。
- 検査や処置に必要な物品と実施手順を理解する。
- 小児の安全確保と苦痛を最小限に抑えるための工夫について学ぶ。

I 採血

採血は，病気の診断，治療の効果判定，病態の変化を把握するために行う。

1. アセスメント

採血を行うにあたり，小児の疾患に関する情報を把握し，全身状態や出血傾向の有無，感染の有無，アルコール綿やラテックスに対するアレルギーの有無を確認する。また，小児の認知的な発達段階について情報収集し，過去の採血体験の有無や，そのときの様子，小児の希望を把握し，どのように行えば小児のがんばる力を引き出すことができるか，小児や家族と相談を行う。年長児では，採血時に迷走神経反射で血圧低下・冷汗・気分不快などの症状が出現することもある。過去に迷走神経反射を経験した小児には，安全のためベッド上での採血を計画する。採血部位に関しては，以下のとおりである（図4-1）。

❶**静脈血採血**：正中皮静脈・尺側皮静脈・橈側皮静脈・手背静脈など

❷**動脈血採血**：上腕動脈・橈骨動脈・大腿動脈など

❸**毛細血管採血**：足底（そくてい）（乳児）・耳朶・指先など

2. 診療に伴う技術と看護

1 実施前の看護

❶準備する物品

注射針または翼状針（ライン挿入の際に採血する場合は留置針）21 ～ 24G，シリンジ，アルコー

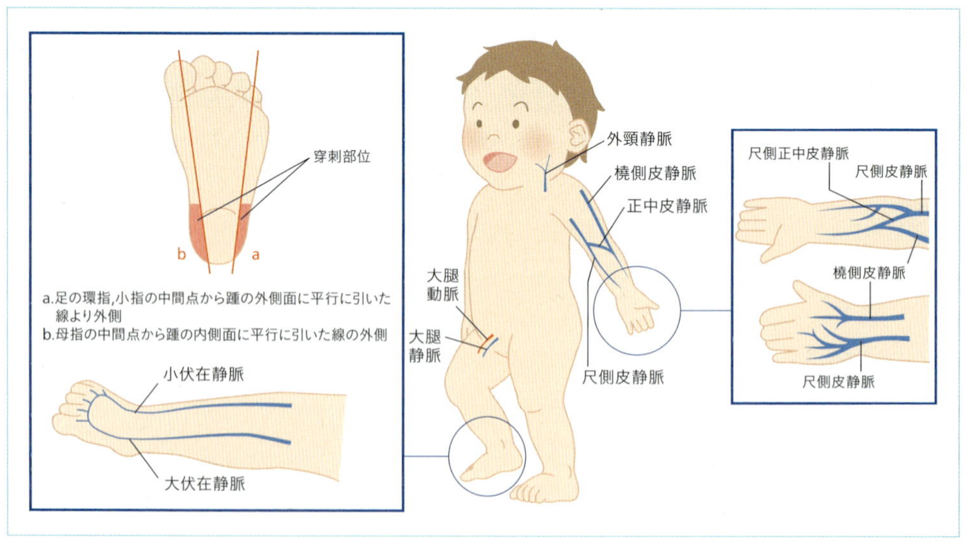

図4-1 採血部位の例

ル綿もしくはヘキザック®AL1%綿棒などの消毒薬，駆血帯，検体容器，検体ラベル，処置用防水シーツ，肘枕，ディスポーザブル手袋，絆創膏，ディストラクション用ツール（おもちゃやDVDなど）

❷手順

①採血項目を把握し，採血に適したタイミングであるかどうかを確認する。薬物血中濃度採血の場合は，最終内服・投薬時間を確認する。血糖採血の場合は，飲食の時間を確認する。また，乳幼児は採血の際の啼泣（ていきゅう）で腹圧がかかり，嘔吐・誤嚥（ごえん）する可能性もあるため授乳や食事の直後は避ける必要がある。

採血に関する恐怖心が強い場合は，外用局所麻酔薬（エムラ®パッチ，ペンレス®テープ）をあらかじめ貼付（ちょうふ）し，採血に臨む場合もある。

②必要物品を準備する。検査内容により検体容器が変わるため注意する。

③検体を確認し，必要な採血量を把握する。また検体によっては氷冷（血液ガス，NH_3）や遮光が必要なものもあるため，適切な取り扱い方法を確認する。

2　実施中の看護・実施手順

①小児や家族に採血の説明を行う。

②小児の発達段階や希望に応じた固定方法にて，穿刺（せんし）部を動かさないように採血部位の上下2か所の関節を支える。

③採血部位を決定し，駆血帯を用いて血管を怒張（どちょう）させる。血管が触知しにくい際は温めたり，採血部位を心臓より下に下ろしたりする。

④採血部位を中心に円をかくように消毒し，乾燥させる。

⑤15～30°の角度で皮膚を穿刺する。

⑥痺れがないことを確認した後に，シリンジを固定し，内筒を引く。必要量の血液を採取する。

⑦駆血帯をはずし，アルコール綿を当てながら針を抜き，すぐに用手的に圧迫止血を行う。

⑧止血を確認したのちに絆創膏を貼り，小児のがんばりを褒める。

3　実施後の看護

採血部位の止血と腫脹がないか確認を行う。気分不快がないか，採血への自己評価を聞きながら，小児のがんばった出来事について振り返る。

3. プレパレーションと看護

採血は，疼痛（とうつう）を伴う処置であるため，恐怖心を抱きやすい処置の一つである。小児が動いてしまうと安全に採血ができず，さらなる苦痛を与えることになってしまうため，小児の協力を引き出しながら，一度で確実に，安全に採血を行うことが必要となる。

そのために，採血の必要性を小児の理解度に合わせて行い，小児にどのようにがんばってほしいかを具体的に伝えることが重要である（例：「ちくっとするときに泣いても，大きな声を出してもいいよ。だけど動かしてしまうと危ないから，腕は動かさないでいてね」）。また，声掛けは「痛くないよ」「すぐ終わるよ」など嘘になる言葉は使用せず「少しだけチクっとするよ」「1，2の3でちっくんするね」「あと10数えたら終わるよ」と小児ががんばるタイミングをわかりやすく伝えるとよい。また，いざ採血という場面になって抵抗する小児も多い。その場合は，無理やり押さえつけるのではなく，プレパレーションや小児の希望を聞きながら小児の覚悟が決まるのを待ち，協力を得る。

乳幼児の採血では，おもちゃや映像などでディストラクションを行いながら採血を行うことで，小児の不安や恐怖を軽減し，協力を得ることができる。

Ⅱ 採尿

尿検査は，尿量測定・尿比重・尿糖・白血球・pH・潜血・たんぱく・ケトン・ウロビリノーゲン・浸透圧・亜硝酸塩・尿培養・尿細胞診検査がある。

1. アセスメント

小児の病状や検査項目・感染の有無を確認する。小児の排泄に関する発達を確認し，排泄の自立の程度や尿意を訴えることができるかを確認し，羞恥心にも配慮した適切な採尿方法を検討する。検査項目によっても採尿方法や物品が変わるため注意が必要である。

また，採尿バッグを使用する際には陰部の皮膚の状態を確認する。

2. 診療に伴う技術と看護

1 排尿が自立している場合

可能であれば排尿カップに直接排尿させるが，難しい場合はおまるや尿カップに排尿し，検体容器に移す。学童期や思春期の小児の場合は，排泄物を提出する羞恥心に配慮し，自分で行ってもらい，終了後に看護師に声を掛けるように伝える。

❶準備する物品

採尿カップやおまる・ポータブルトイレ，清浄綿，検体容器，検体ラベル

2 排尿が自立していない場合

啼泣（ていきゅう）時など腹圧がかかる際に排尿することが多いため，採血などの処置がある場合にはあらかじめ採尿バッグを貼付しておくと効果的に採尿が可能である。体動が激しいと採尿バッグが剝がれてしまうため，睡眠時や安静時に貼付（ちょうふ）するとよい。

画像提供／アトムメディカル

図4-2 採尿バッグ

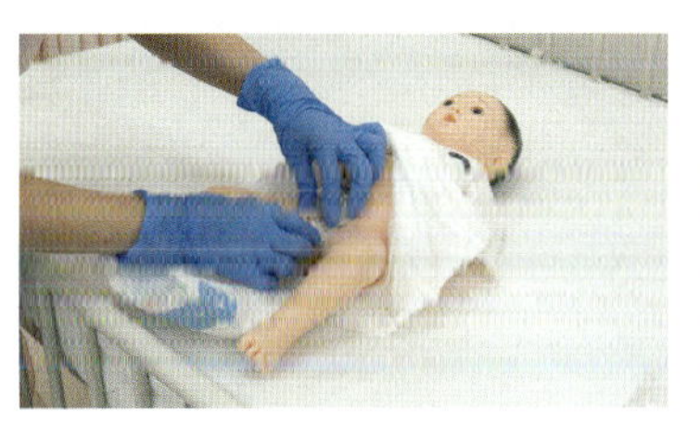

図4-3 排尿が自立していない場合の採尿

❶準備する物品

採尿バッグ（男児または女児用，図4-2），皮膚被膜剤（セキューラ®など），補強用テープ，清浄綿，検体容器，検体ラベル，ディスポーザブル手袋，ディストラクション用ツール（おもちゃやDVDなど）

❷採尿バッグの貼り方（図4-3）

①小児の体位を整え，過度な不安を抱かないようおもちゃやDVDなどでディストラクションを行う。

②ディスポーザブル手袋を装着し，清浄綿で尿道口が清潔になるように拭(ふ)く。

③接着面の皮膚に皮膚被膜剤を塗布する。

④採尿バッグを袋から出し，剝離紙を剝がす。利き手で採尿バッグを持つ。

- 女児の場合：反対側の手で大陰唇を開き，会陰部に会陰パッドを押し当てて，下側の接着面を密着させる。残りの上側の接着面を貼り，必要に応じてテープで補強する。肛門をふさがないように注意する。
- 男児の場合：新生児の場合は陰囊ごとバッグの中に入れて貼る。乳幼児の場合は，陰茎の根本に採尿バッグの縁を合わせて貼り，必要に応じてテープで補強する。

⑤おむつを当て，排尿があったかこまめに確認する。

⑥排尿後は速やかに採尿バッグを剝離する。剝離時は疼痛(とうつう)が生じないように，ゆっくりと皮膚を伸展させながら行う。テープによる皮膚トラブルがないか確認する。

3 カテーテル尿の場合

❶準備する物品

カテーテル（新生児：4～5Fr，乳幼児：6～8Fr，学童：8～10Fr），滅菌手袋，清浄綿，潤滑剤（カテゼリー®など），滅菌カップ，検体容器，検体スピッツ

❷手順

①小児を仰臥位(ぎょうがい)に寝かせ陰部を露出する。女児は開脚した姿勢を保つよう体制を保持する。

②滅菌手袋を装着し，無菌操作にてカテーテル，潤滑剤，清浄綿，滅菌カップを清潔野に準備する。

③尿道口とその周囲を清浄綿にて消毒する。男児は亀頭部を露出させ，尿道口・亀頭・包皮を消毒する。女児は大陰唇・小陰唇を開き，尿道口から肛門に向かって消毒する。
④潤滑剤をカテーテル先端に塗付し，ゆっくりと挿入する。
⑤尿の流出を確認したら挿入を止め，必要量を採尿する。
⑥カテーテルを抜去し，尿道口周囲を清拭する。
⑦カテーテルによる違和感や疼痛の有無を確認する。
⑧衣服を整え，小児のがんばりを褒める。

3. プレパレーションと看護

採尿は，採尿バッグを貼付することによる違和感や，剝離する際の疼痛，カテーテル尿採取の場合も疼痛が生じるため，小児の理解度に応じた説明を行い，協力を得ることが不可欠となる。尿を採取するためには動かずにバッグを貼ることが必要であること，尿が採取できたらすぐに剝がすことを説明し，理解を促す。状況に応じて，採尿バッグを小児に触ってもらったり，人形に貼ることで視覚的な理解を促すことも有効である。

学童期や思春期の小児でも排泄物を提出する際の羞恥心に配慮を行い，処置時や運搬時などは人目に触れないように注意することが必要となる。

III 骨髄穿刺

骨髄穿刺（bone marrow aspiration）は，骨髄穿刺針を骨髄の中に刺入し，骨髄液や組織を吸引・採取する検査である。細胞数や細胞形態を検査し，造血機能の評価や血液疾患，悪性腫瘍の診断，および治療効果の判定を行う。腸骨を穿刺するのが一般的であるが，乳児は脛骨，成人は胸骨で行うこともある。強い痛みを伴う処置であり，体動によるリスクもあるため，鎮静下で行うことが多い。

1. アセスメント

バイタルサイン，血液データ（出血傾向がないかどうかを確認する），易出血作用のある薬剤使用歴，薬剤アレルギー，感染症の有無を確認し，小児の全身状態をアセスメントする。

処置に対する思いや理解，過去の検査・処置体験での思い，疼痛の体験や表出方法・緩和方法について把握し，小児の苦痛が最小限で済むケアを検討する。

2. 診療に伴う技術と看護

1 実施前の看護

❶準備する物品

骨髄穿刺針（図 4-4），滅菌手袋，消毒薬（クロルヘキシジングルコン酸塩エタノール液AL1％綿棒など），滅菌スピッツ，滅菌穴あきシーツ，局所麻酔薬（プロカイン塩酸塩，キシロカイン®など），ヘパリンナトリウム注，ガウン，ディスポーザブルキャップ，マスク，圧迫用ガーゼ，圧迫用テープ，心電図モニター，酸素飽和度モニター，酸素流量計，酸素マスク，エラスティックバンテージ，アルコール綿，滅菌ガーゼ，5mL シリンジ，23G 針

▶ **鎮静を行う場合** 上記にくわえ鎮静薬（硫酸アトロピン＋ミダゾラム＋ケタラール®），バッグバルブマスク，吸引器，吸引カテーテル

❷手順

①全身状態をアセスメントし，実施可能であるか判断する。

②小児・家族へ説明を行い，同意を得る。

③処置の 1 時間前に，穿刺部に外用局所麻酔薬（エムラ®パッチ，エムラ®クリーム，ペンレス®テープ）を貼付する。処置と同一体位にして，穿刺部とずれないようにする。

④処置室の準備を整え，必要物品を準備する。小児の希望に沿った音楽や動画などを流し，緊張を和らげる環境をつくる。

⑤排泄を済ませた小児を処置室へ誘導し，モニター類を装着する。看護師はガウン・マスク・キャップを装着する。医師はガウン・マスク・キャップ，滅菌手袋を装着する。

2 実施中の看護・実施手順

①鎮静を行う場合，鎮静薬を投与する。バイタルサインや呼吸状態の変化に注意し観察する。必要に応じて酸素投与を行う。

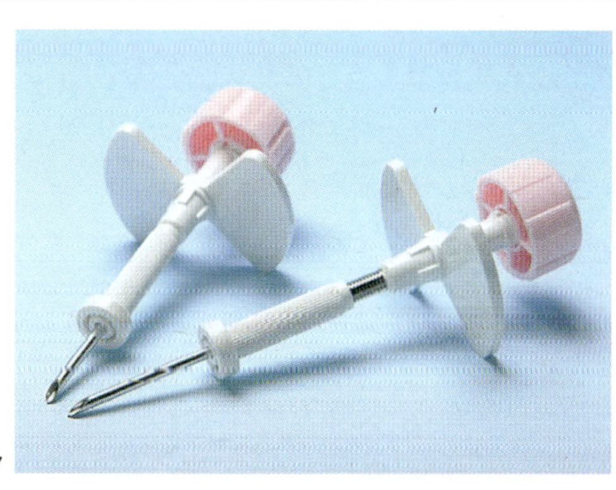

画像提供／タスク

図4-4 骨髄穿刺針

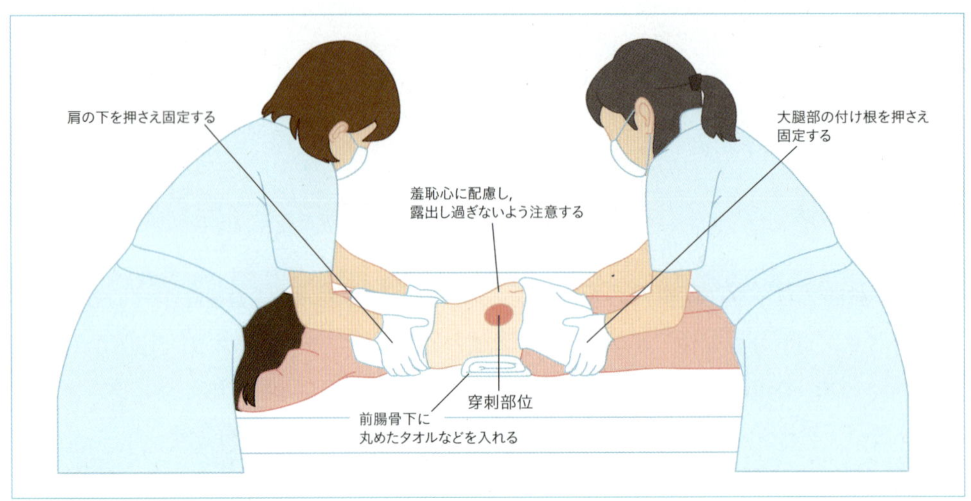

図4-5 骨髄穿刺時の固定方法

②穿刺部に応じて，固定する（図4-5）。

③穿刺部位の消毒を行う。穿刺部位の消毒は，エムラ®パッチなどの外用局所麻酔薬を剥がし，アルコール綿で消毒をする。その後，滅菌操作で医師が穿刺部を中心に内側から外側に向かって広範囲に消毒をする。鎮静をかけていない場合は，「冷たくなるよ」と説明を行う。

④医師が局所麻酔を行う（骨髄穿刺では痛みが強いため，外用局所麻酔薬に加えてプロカインなどで局所麻酔を行う）。

⑤医師が骨髄穿刺を行い，シリンジに接続し，骨髄液を採取する。小児が動かないよう，確実に固定を行う。

⑥抜針する。抜針後，素早く滅菌ガーゼを当てて用手圧迫止血を行う。止血後，折りたたんだ滅菌ガーゼの上からエラスティックバンテージを貼り圧迫する。

3 実施後の看護

①患者を仰臥位にし，衣類を整える。全身状態を観察し，鎮静をかけた場合は呼吸状態，覚醒状態を確認する。

②ストレッチャーまたはベッドで帰室する。

③全身状態（バイタルサイン，意識レベル，悪心，めまい，出血，穿刺部の疼痛，下肢の知覚異常の有無）を観察する。

④止血が確認できるまでは安静にする。

⑤覚醒後は水分摂取から開始し，問題なければ食事摂取を進めていく。

⑥圧迫止血したガーゼは24時間後にはずす。剥がす際には剥離剤を使用するとよい。

3. プレパレーションと看護

骨髄穿刺・腰椎穿刺・髄腔内注射は強い痛みを伴う処置であり，白血病などの造血器系疾患では長期にわたり繰り返し処置を受ける必要がある。また，背中の処置であり何をされているかわからず恐怖心が強くなることが考えられる。どのような処置が行われるのか，具体的にイメージができるようパンフレットや映像などで説明を行い，小児が体験すること（五感で感じること）を中心に説明し，何をするのか，何をがんばればよいのか明確に理解できるよう援助を行う。処置に対する理解は発達年齢によっても違いがあるため，年齢に応じた方法を検討する。処置後には，小児のがんばりを評価し，処置を振り返ることで小児の思いを確認し，次回の対処方法について小児と保護者と一緒に検討する。

IV 腰椎穿刺・髄腔内注射

腰椎穿刺（spinal tap）とは，中枢神経組織の病変を調べるために腰部の椎間から穿刺し，脳脊髄液を採取する検査である。腰椎穿刺を行うことで①脳脊髄液の一般症状の観察および細菌学的検査，②神経疾患の診断や経過観察，③頭蓋内圧の測定，④脊髄液の細胞診断を行い髄腔内浸潤の有無を確認すること，が可能である。また，髄腔内に薬剤（化学療法薬・局所麻酔薬・造影剤）を注入する，**髄腔内注射**（intrathecal injection；IT）を行うこともある。

穿刺には強い疼痛（とうつう）を伴い，かつ体動によるリスクも高いため，鎮静下で行うことが多い。

1. アセスメント

バイタルサイン，血液データ（出血傾向がないかどうかを確認する），易出血作用のある薬剤使用歴，薬剤アレルギー・感染症の有無を確認し，小児の全身状態をアセスメントする。

処置に対する思いや理解，過去の検査・処置体験での思い，疼痛の体験や表出方法・緩和方法について把握し，小児の苦痛が最小限で済むケアを検討する。

2. 診療に伴う技術と看護

1 実施前の看護

❶準備する物品

腰椎穿刺針（スパイナル針：学童：70mm，幼児：38～70mm，乳児：38mm），滅菌手袋，消毒薬（ヘキザック®AL1%綿棒など），アルコール綿，検体ラベル，滅菌ガーゼ，滅菌スピッツ，滅菌穴あきシーツ，延長チューブ，ガウン，ディスポーザブルキャップ，マスク，圧迫用ガーゼ，圧迫用テープ（エラスティックバンテージ），心電図モニター，酸素飽和度モニター，酸素流量計，酸素マスク

▶ **髄腔内注射の場合**　前記にくわえ，投与する薬剤，シリンジ，注射針

▶ **頭蓋内圧測定の場合**　前記にくわえ，定規

▶ **鎮静を行う場合**　前記にくわえ鎮静薬（硫酸アトロピン＋ミダゾラム＋ケタラール®），バッグバルブマスク，吸引器，吸引カテーテル

❷手順

①全身状態をアセスメントし，実施可能であるか判断する。

②小児・家族へ説明を行い，同意を得る。腰椎穿刺（せんし）および髄腔内注射の施行後，髄液の量や圧が減少することで頭痛が生じることがあるため，処置終了後1時間は頭部挙上せず（枕は使用しない），水平臥位（がい）にして歩行禁止・ベッド上排泄・飲食禁止になることを事前に説明しておく。

③処置の1時間前に，穿刺部に外用局所麻酔薬（エムラ®パッチ，エムラ®クリーム，ペンレス®テープ）を貼付（ちょうふ）する。処置と同一体位にして，穿刺部とずれないようにする。

④処置室の準備を整え，必要物品を準備する。小児の希望に沿った音楽や動画などを流し，緊張を和らげる環境をつくる。

⑤排泄を済ませた小児を処置室へ誘導し，モニター類を装着する。看護師はガウン・マスク・キャップを装着する。医師はガウン・マスク・キャップ・滅菌手袋を装着する。

2　実施中の看護・実施手順

①鎮静を行う場合，鎮静薬を投与する。バイタルサインや呼吸状態の変化に注意し観察する。必要に応じて酸素投与を行う。

②小児を左側臥位にし，固定する（図4-6）。

③穿刺部位を消毒する。エムラ®パッチなどの外用局所麻酔薬を剝がし，アルコール綿で消毒をする。その後，滅菌操作で医師が穿刺部を中心に内側から外側に向かって広範囲に

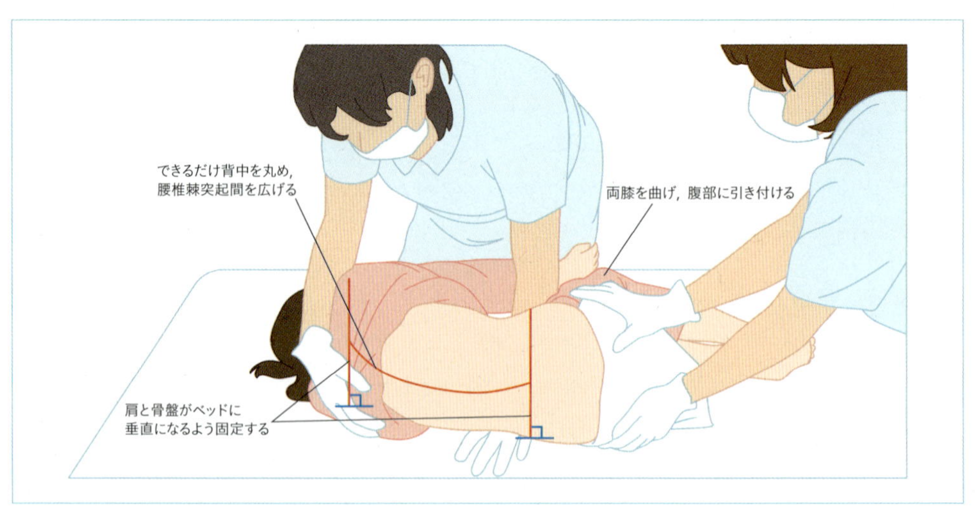

図4-6 腰椎穿刺時の固定方法

消毒をする。鎮静をかけていない場合は，「冷たくなるよ」と説明を行う。

④医師が第3～4腰椎間もしくは第4～5腰椎間に穿刺を行う。小児が動かないよう，確実に固定を行う。

❶頭蓋内圧の計測：延長チューブを接続し，穿刺部から髄液が上昇した高さを計測する。

❷髄液採取：延長チューブを接続し，髄液を滅菌スピッツに採取する。検体は20分以内に提出する。

❸薬液の注入：化学療法薬などを注入する。

⑤抜針する。抜針後，素早く滅菌ガーゼを当てて用手圧迫止血を行う。止血後，折りたたんだ滅菌ガーゼの上からエラスティックバンテージを貼り圧迫する。

3 実施後の看護

①患者を仰臥位（ぎょうがい）にし，衣類を整える。全身状態を観察し，鎮静をかけた場合は呼吸状態・覚醒状態を確認する。

②頭部を挙上しないように注意しながらストレッチャーまたはベッドで帰室する。

③全身状態（バイタルサイン，意識レベル，悪心，めまい，出血，穿刺部の疼痛，髄液漏れ，下肢の知覚異常の有無）を観察する。

④処置終了後1時間は頭部挙上せず（枕は使用しない），水平臥位にして歩行禁止・ベッド上排泄・飲食禁止とする。

⑤覚醒後は水分摂取から開始し，問題なければ食事摂取を進めていく。

⑥圧迫止血したガーゼは24時間後にはずす。剝がす際には剝離剤を使用するとよい。

3. プレパレーションと看護

本章-Ⅲ-3「プレパレーションと看護」参照。

V 与薬（経口与薬）

経口与薬は，消化管（特に小腸粘膜）から吸収され全身に作用する。錠剤やカプセル・顆粒・散剤・シロップ剤・ゼリー剤などの剤型から，小児の成長・発達や好みに応じて，適したものを選択する。

1. アセスメント

薬剤の準備にあたり，与薬における6つのRを確認する（図4-7）。

内服が必要な小児の疾患や全身状態，アレルギーの有無を確認する。卵アレルギー，乳アレルギーがある場合は使用できない薬剤もあるため注意する（表4-1）。

•Right patient ：正しい患者	•Right dose ：正しい量
•Right drug ：正しい薬剤	•Right route ：正しい投与経路
•Right purpose：正しい目的	•Right time ：正しい時間

図4-7 与薬時に確認すべき6つのR

表4-1 内服において注意を要する薬剤

薬剤名	注意を要する理由
クラリシッド・ドライシロップ10%小児用 クラリスドライシロップ10%小児用 ジスロマック細粒小児用 ユナシン細粒小児用	オレンジジュースなど柑橘系のジュース，スポーツドリンク，乳酸菌飲料，ヨーグルトなどの酸性飲料・食品と混ぜると苦味が増すため。
エリスロシンドライシロップ10% エリスロシンドライシロップW20% エリスロシンW顆粒20%	酸性下で不安定なため，酸性飲料・食品と混ぜると力価が低下する。
ミノマイシン顆粒	牛乳に含まれるカルシウムとキレートを生成し，吸収率が低下するため。
テオフィリン製剤	カフェインで有害作用が増強するおそれがあるため。
ムコゾーム点眼液®，リフラップ®軟膏・シート （含有成分：塩化リゾチーム，リゾチーム塩酸塩）	鶏卵アレルギーの場合，投与禁忌
タンナルビン® （含有成分：タンニン酸アルブミン）	牛乳アレルギーの場合，投与禁忌
エンテロノンR散®，コレポリーR散®，ラックビーR散®，耐性乳酸菌散「JG」® （含有成分：耐性乳酸菌製剤）	
ミルマグ錠® アミノレバンEN配合散®，エネーボ®，エンシュア・H®，エンシュア・リキッド®，ラコールNF® （含有成分：カゼイン）	
エスクレ坐剤 （含有成分：精製ゼラチン　ブタ皮由来）	ゼラチンアレルギーの場合，投与禁忌
漢方薬	漢方薬のなかには小麦・ゴマ・モモ・ヤマイモ・ゼラチンなどを含むものが存在するため（アレルギー患者への投与時には注意が必要）。

出典／木下典子：小児の内服指導と注意点：薬が飲めない子，薬を飲まない子への支援，小児科臨床60（12）：2272，2017をもとに作成.
出典／AMED研究班による食物アレルギーの診療の手引き2017，p 20　食物アレルギー患者への薬物投与　表11 投与禁忌の医療用医薬品 をもとに作成.

薬剤の内服時間の指示（食前・食後・食間・空腹時など）と小児の生活リズムを確認し，服薬に適したタイミングであるかどうかを確認する。内服時間について特に指示がない場合は，授乳・食事直後を避けたほうが協力を得られ，嘔吐などのリスクを避けることができる。

過去の内服経験の有無や，その際の内服方法を確認し，小児の協力を得られる内服方法を検討する。薬剤によっては，混合を避けたほうがよい薬剤と飲料・食品の組み合わせもあるため注意する。

2. 診療に伴う技術と看護（図4-8）

1 新生児・乳児

新生児・乳児には，スポイト・乳首・シリンジを用いて内服を行う。原始反射の残る生後5か月までは薬剤や器具を舌で押し返すことも多いため，乳首を用いて自然に内服ができるように工夫をする。しかし，ミルクや食事に混入するとそれ自体が嫌いになる可能性もあるため極力避ける。

スポイトやシリンジで口腔内に注入する際には，口角の端から頬粘膜（きょうねんまく）に沿わせて少量ずつ注入することで，あまり味を感じずに内服することができる。一度にたくさんの量を注入すると，吐き出したりむせることがあるため，嚥下（えんげ）を確認しながら少量ずつ内服させることが重要である。散剤であれば，ごく少量の水で練って団子状にし，頬粘膜に塗ってその直後に哺乳させる方法もある。離乳食が始まった小児であればスプーンに少量の水を入れ，散剤を載せてそのまま口に運ぶ方法で内服することもできる。

2 幼児

過去の内服体験によって拒否感や恐怖を抱きやすい年齢であるため，事前に内服の必要性を伝えたうえで，小児の希望に沿った内服方法を検討する。

シリンジやスポイトを用いて散剤を溶解し注入する方法，スプーンを用いた内服，薬杯に水と薬剤を入れストローで内服する方法，内服補助ゼリー（おくすり飲めたね®など）を使用する方法などがある。バニラアイスやチョコクリーム，ヨーグルトなどの嗜好品と一緒に内服したり，内服の際の飲料を自ら選択したりすることで小児の内服に対する抵抗を減らすこともできる。また，内服の時間をあらかじめ相談し，小児の心の準備ができるようにすることも大切である。内服後には，小児のがんばりを十分に褒めることが重要である。カレンダーにシールを貼ったりイラストをかいたりすることで自身のがんばりを視覚的に明らかにし，次の内服をがんばる意欲を引き出す。

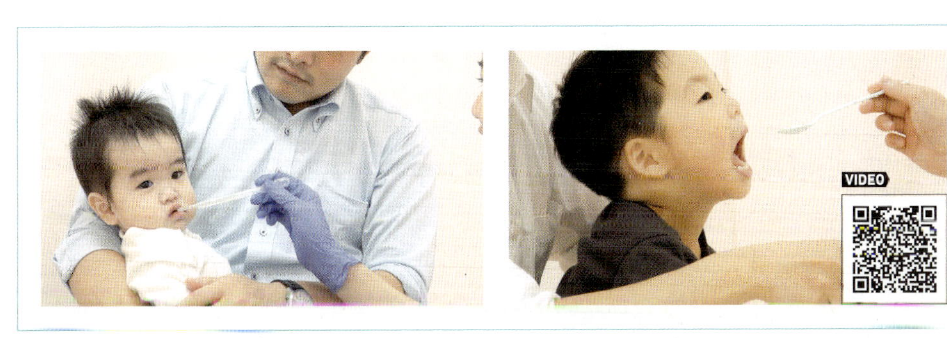

図4-8 経口与薬

3 学童期以上

学童期になると物事の因果関係を理解することができるため，発達段階に応じて薬物療法の必要性を説明し，理解し納得したうえで内服ができるようにする。剤型によっては内服困難な場合もあるため，小児の希望に合った内服方法を模索し，援助することが必要になる。長期的に内服が必要になる場合，少しずつ自立を促し，自身での内服管理ができるようにしていく。

3. プレパレーションと看護

小児にとって内服は，「無理やり内服させられた」「苦かった」「気持ち悪くなって吐いてしまった」などの苦痛を伴う経験にもなり得る。そのため，不快な体験をできる限り少なくし，小児が主体的に内服できるように理解を促すことが必要不可欠となる。内服という行為は決して害や罰ではなく，体調を改善するものであることを説明し，小児と共に内服をしやすい方法を検討することで，小児の協力を得ることができる。

VI 注射

注射は，皮膚に注射針を穿刺して薬剤を注入する処置であり，痛みを伴う。注射は皮内注射・皮下注射・筋肉内注射・静脈内注射がある（図4-9，10）。静脈内注射については次節にて述べる。

1. アセスメント

小児の疾患や全身状態，アレルギーの有無，投与薬剤の使用経験，注射に関する過去の経験，注射についての理解について確認する。疼痛への恐怖が強い場合や，協力が得にくい場合には外用局所麻酔薬（エムラ®パッチ，ペンレス®テープなど）をあらかじめ貼付する場合もある。与薬に関する6つのR（本章-V「与薬（経口与薬）」）を確認する。

2. 診療に伴う技術と看護

1 筋肉内注射

筋層内に薬液を注入する。筋層内は血管が豊富であり速やかに吸収され，高い血中濃度が得られる。そのため，鎮痛薬やエピネフリン製剤など即効性が必要な場合に用いられることが多い。また，新型コロナワクチンなど，筋肉内注射を標準的接種法とするワクチンが導入され，筋肉内注射の機会は増加することが予想される。

標準的には，1歳未満は大腿外側広筋の中央1/3，1～2歳は大腿外側広筋または三角筋，

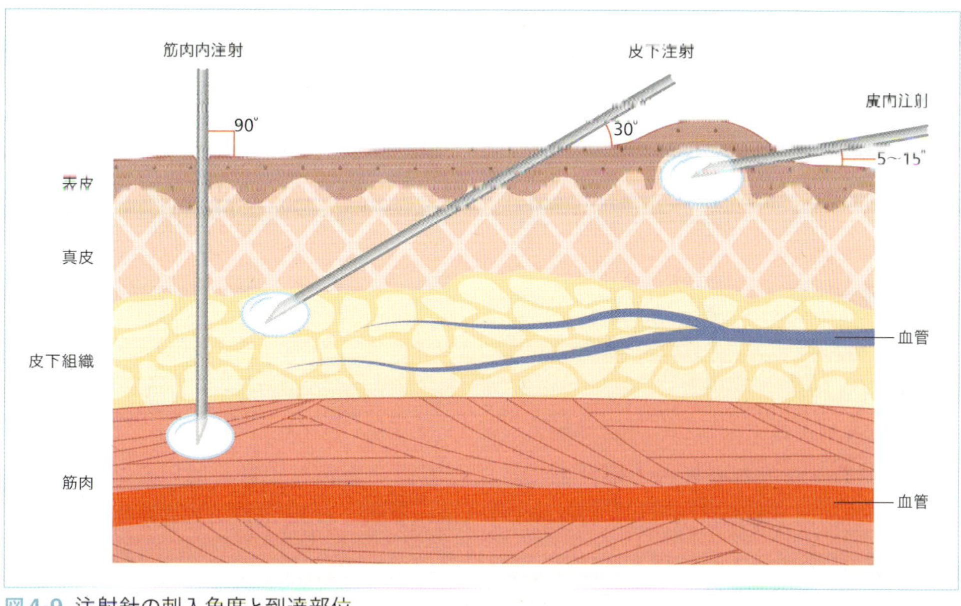

図4-9 注射針の刺入角度と到達部位

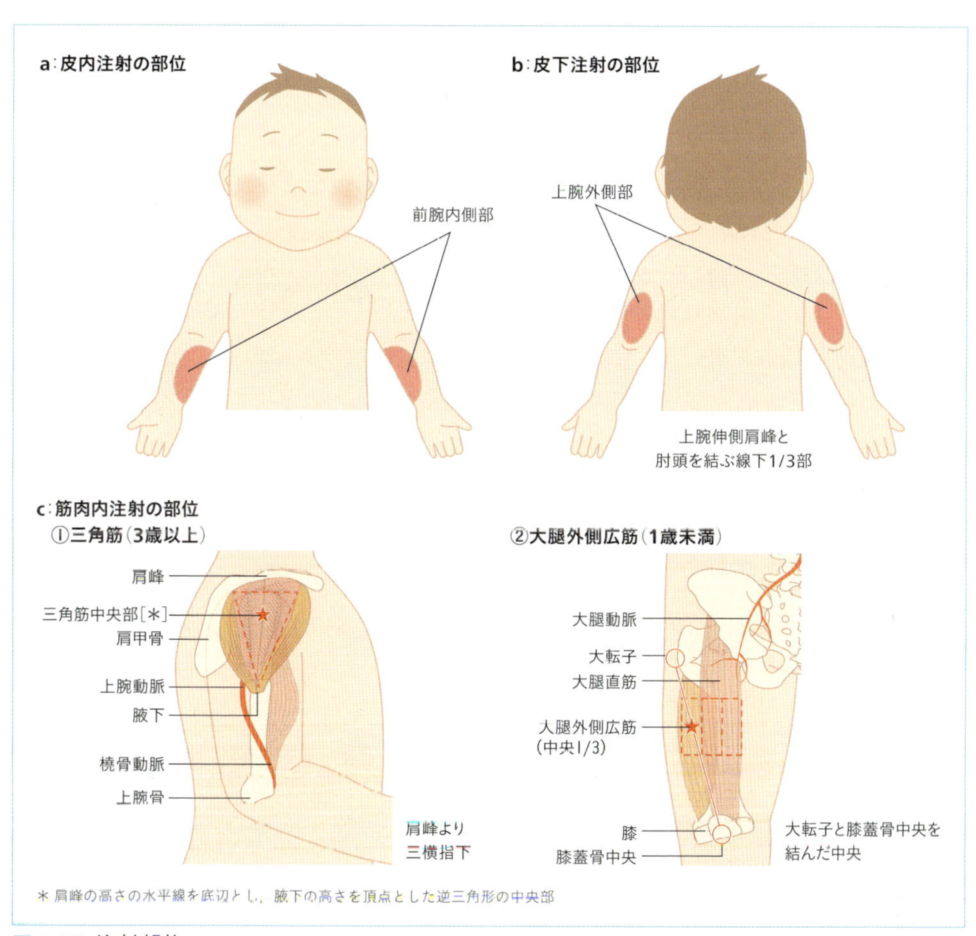

図4-10 注射部位

表4-2 接種年齢別にみた筋肉内注射の接種部位と標準的な針の長さ・太さ

年齢	接種部位	標準的な針の太さ（ゲージ）	標準的な針の長さ（mm）
新生児	大腿前外側部	25	16
乳児（1歳未満）	大腿前外側部	25	16～25
1～2歳	大腿前外側部	23～25	25～32
	三角筋中央部	23～25	16～25
3～18歳	三角筋中央部	23～25	16～25

出典／日本小児科学会：小児に対するワクチンの筋肉内接種法について（改訂第2版）．https://www.jpeds.or.jp/uploads/files/20220125_kinchu.pdf．2022．

3歳以上は三角筋に接種を行う。明らかに筋肉量が少ない場合などは，年齢に関係なく大腿前外側部に接種することも可能である。

接種にあたり，接種年齢と接種部位によって適切な長さの針を用いる必要がある（表4-2）。筋肉内に薬剤が留まるものを選択する必要があるため，小児の接種部位の筋肉量，脂肪組織の厚さなどを考慮する。

注射器を持たない手の親指と人差し指で接種部位の筋肉をつまみ，針を接種部位に対して，垂直（90°）の角度で針全体を挿入する。もしくは，親指と人差し指で接種部位を伸展してから，接種する。なお，推奨接種部位に大きな血管は存在しないため，あえて内筒を引いて，血液の逆流がないことを確認する必要はなく，そのまま，薬液を注入する。接種後，接種部位をもむ必要はなく，ガーゼや綿球で，数秒軽く押さえる。

2 皮下注射

皮下組織に薬液を注入する。皮下組織内の血管に薬剤が吸収されるのに時間がかかるため，長時間にわたり有効血中濃度を保ちたい場合に使用される。小児では予防接種やインスリン製剤で皮下注射を行うことが多い。穿刺（せんし）針は23～25Gを使用し，上腕伸側（じょうわんしんそく）の三頭筋外側部や大腿広筋部，腹部など，皮下組織が豊富で柔らかな部位を選択する。皮膚に対して10～30°程度の角度で穿刺する。血液逆流や痺れがないことを確認したのち，薬液を注入する。

3 皮内注射

皮内（表皮と真皮の間）に薬液を注入する。ツベルクリン反応検査や薬物アレルギーなどの局所反応を確認するために行われる。穿刺針は26～27Gを使用し，上腕や前腕の内側など皮膚が平らで柔らかな部位を選択する。皮膚とほぼ平行（角度5～15°）に穿刺し，白い膨疹（ぼうしん）ができたことを確認してから抜針する。注射後のマッサージは行わない。

3. プレパレーションと看護

注射は痛みを伴うため，小児にとっては強い苦痛や恐怖を伴う処置である。恐怖で動いてしまうと安全・確実に薬剤を投与できないばかりか，何度も穿刺することにつながり，さらなる苦痛や恐怖が生じてしまう。そのため，あらかじめ小児の理解に合わせて，注射で薬剤を注入する必要性について説明を行い，協力を得る。注射の際に小児にがんばってほしいことを具体的に伝え（「大きな声を出してもいいけど動かないでね」など），小児がどのタイミングでがんばることが必要なのか，理解を促す。また，可能であれば注射部位の選択肢を提示し，注射の際の姿勢についてあらかじめ小児と相談をしておくとよい。ディストラクションツールを何にするか，穿刺時や薬液注入時を見たいのか見たくないのか，小児の好みを確認し，できる限り小児の希望に沿うようにすることで，小児のがんばる力を引き出すことができる。

VII 輸液療法

輸液療法は，薬剤を持続的に静脈内に投与する治療法である。輸液は経路によって，末梢静脈と中心静脈に分けられ，病態や投与薬剤，目的，輸液の期間によって選択される。末梢静脈は，静脈内留置針（インサイトTMオートガード®，ジェルコ®針など）や翼状針があり，中心静脈では皮下トンネル中心静脈カテーテル（ブロビアック®カテーテルなど）や，末梢穿刺中心静脈カテーテルなどの種類がある。

1. アセスメント

小児の病態，アレルギーの有無，薬剤の使用経験，静脈留置針や注射などの処置経験やそのときの反応を確認する。薬剤投与の際は，与薬の6つのRを確認する（本章-V「与薬（経口与薬）」）。

部位の選択に伴い，小児の利き手や指しゃぶりをする手，歩行の有無，小児の希望を確認しておく。

2. 診療に伴う技術と看護

1 準備する物品

投与薬剤，輸液製剤，輸液セット，静脈内留置針，駆血帯，肘枕，アルコール綿，エクステンションチューブ，三方活栓，透明フィルムドレッシング（IV3000®など），ディスポーザブルトレイ，医療用テープ，シーネ，輸液ポンプやシリンジポンプ

2 挿入部位の選択

末梢静脈留置針の挿入にあたっては，炎症がなく，表在性の血管で，太くて走行がまっすぐな血管を選択する（図4-11）。

3 実施手順

①物品を準備し，与薬前の薬剤確認後，挿入部位が決まったら，小児の体位を整える。
②採血のときの体位を参考に，挿入部位上下2点を支え，小児が動かずに安全に刺入できるよう体位を固定する。
③挿入部を消毒し，穿刺（せんし）を行う。皮膚を伸展しながら，皮膚にほぼ平行な角度で穿刺する。
④挿入し血液の逆流を確認したのちに，生理食塩水などを注入し，挿入部の腫脹の有無や自然滴下を確認する。
⑤固定を行い，指示どおりに輸液を開始する。

4 輸液速度

❶自然滴下の場合

輸液セットには，微量用輸液セット（1mL ≒ 60滴）と成人用輸液セット（1mL ≒ 20滴）がある。輸液速度に合わせて輸液セットを選択する。

投与速度は

$$1\text{分間当たりの滴下数}=\frac{1\text{mL当たりの滴下数}\times\text{指示総量（mL）}}{\text{指定された時間（時間）}\times 60\text{（分）}}$$

で求められる。

自然滴下の場合，抱っこや，ベッド上での姿勢によって流速が変わるため，適宜調整を行う。また家族にも説明し，協力を得る。

❷輸液ポンプ，シリンジポンプの場合

体動が激しく，輸液速度が一定に保てない場合や，血中濃度を一定に保つ必要がある薬

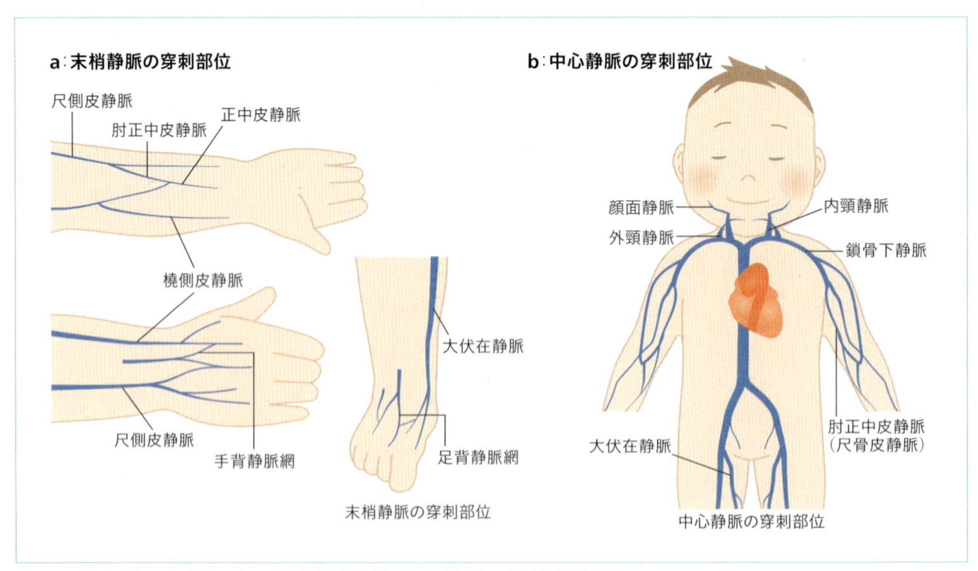

図4-11 小児でよく用いられる末梢静脈と中心静脈の穿刺部位

a：体動が激しい乳児の場合

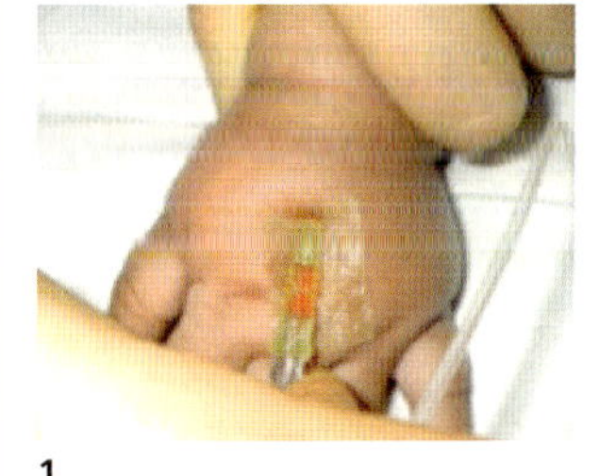

1

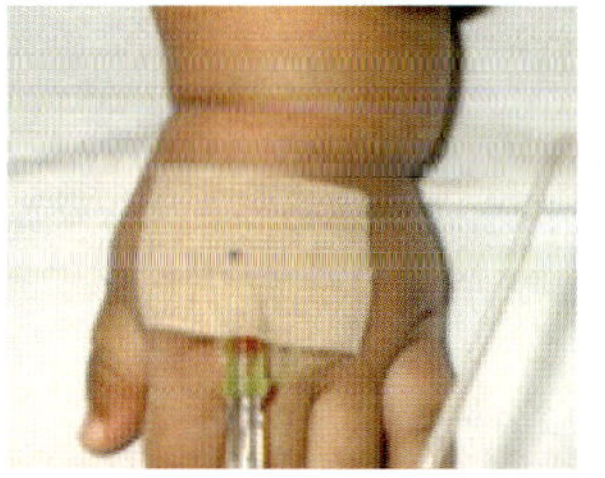

2

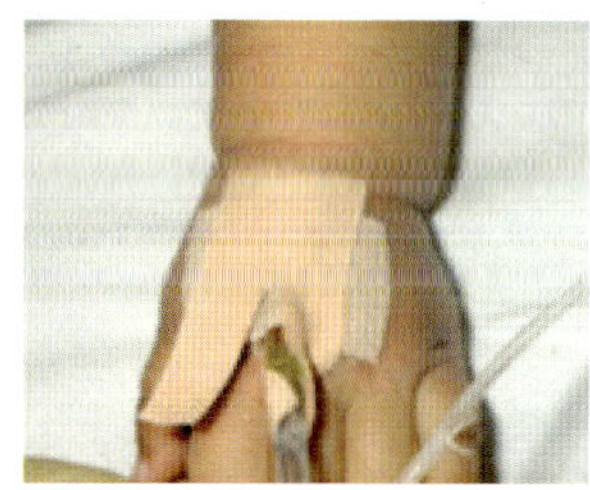

3

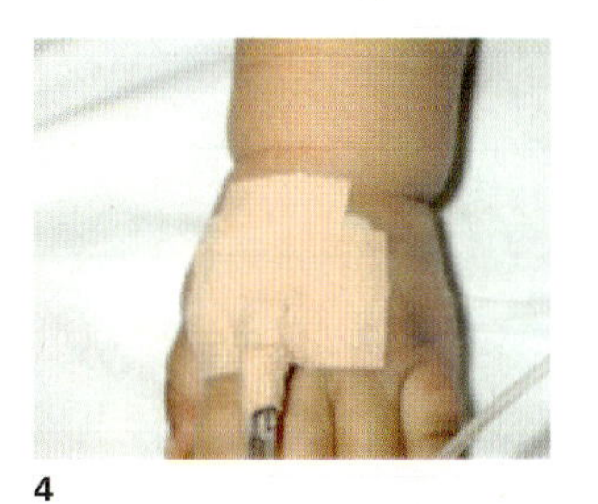

4

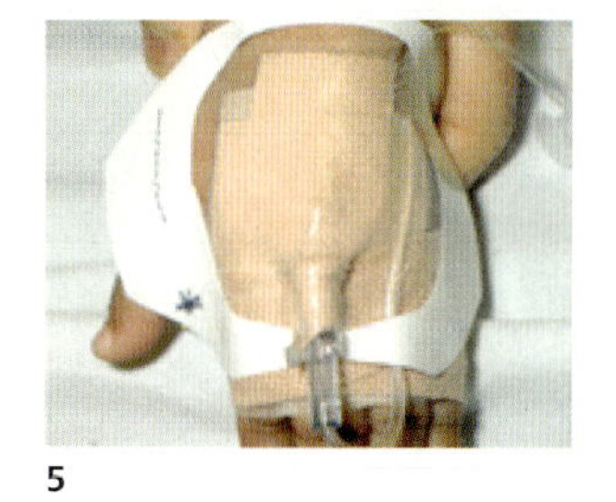

5

b：刺入部が見える固定

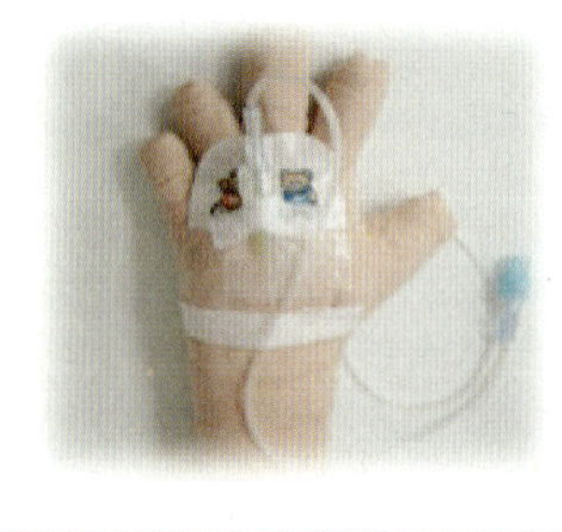

3M™ テガダーム™I・V トランスペアレント
ドレッシングを使用した固定

図4-12 輸液時の固定方法（聖路加国際病院の例）

剤，投与時間を厳守したい薬剤を投与する際には輸液ポンプやシリンジポンプを使用する。

ただしポンプを使用する際には，皮下に薬剤が漏れていてもアラームが鳴らない場合もあり，挿入部の腫脹や浮腫・疼痛の有無を定期的に観察する。

5 挿入部の固定

静脈留置針を刺入したのち，小児の成長発達に合わせて，自己抜去がないように固定する。挿入部の異常を早期発見するために透明フィルムドレッシングを用いたり，安全・確実に挿入部を保護するためにシーネを用いることが多い。各施設によって，様々な固定方法が検討されている（図4-12）。

6 挿入後の観察と管理

挿入部周囲の観察は薬剤投与ごとに行う。シーネは1日に1回は交換し，指間部の清拭とともに水疱や発赤が生じていないか確認を行う。

静脈留置針が留置されている際には，シーネなどの固定具を触ったり，口に運ばないよう小児と家族に説明を行う。体動が激しい場合には，輸液ラインの接続部のゆるみや屈曲，三方活栓の向きが変わっていないかの確認も必要である。

入浴の際にはビニール袋で保護し，防水する。遊びや食事がいつもと同じようにできない場合もあるため，遊びや食具の工夫を行う。

3. プレパレーションと看護

輸液療法を行うことは小児にとって，点滴挿入には疼痛を伴い，さらに挿入後にも遊びや食事などに制限がくわわるため大きなストレスとなることが予想される。

輸液療法の必要性を小児の理解に合わせて伝えるとともに，点滴を大切にしてほしいこと，輸液療法中でもできること･できないこと，移動の際には点滴台と共に移動すること，痛みや異常が生じた場合にはすぐに伝えてほしいことなど，具体的に説明をすることで小児の協力を得る。

Ⅷ 吸引

吸引とは，体内に貯留している分泌物・滲出液・血液などを吸引器を用いて除去することをいう。小児は，大人に比べて気道が細いため，分泌物などで気道が狭くなりやすい。また，十分な咳嗽や喀痰ができず，容易に閉塞を引き起こす可能性がある。肺炎や低酸素状態が生じないように，効果的な吸引を行う必要がある。

1. アセスメント

小児の病態と全身状態，呼吸数と呼吸様式，SpO_2，酸素投与の有無，肺雑音，過去の吸引の経験とそのときの対処方法，家族の吸引に対する理解度を確認する。また，気道感染や飛沫感染を防ぐために，感染の有無を確認するとともに，PPE（personal protective equipment: ガウン・ビニールエプロン・アイシールド付きマスク・ディスポーザブル手袋などの防護具）を適切に用いる準備を行う。

哺乳や食事の際には換気が必要であるため，哺乳・食前に呼吸状態のアセスメントを行い，適切なタイミングで吸引が行えるようにする。また哺乳・食直後は悪心を誘発するため，極力吸引は避ける。

入浴後は分泌物が軟化し除去しやすくなっていることも多いため，吸引を行うことも多い。効果的に分泌物を除去できるように，吸引前に肺理学療法（体位ドレナージ，スクイージング，タッピング），カフアシスト®やコンフォートカフ®などの排痰補助装置を使用したうえで吸引を行うとよい。

喉頭蓋炎，クループの場合や，凝固障害・出血傾向がある場合は，吸引は避ける。

2. 診療に伴う技術と看護

1 吸引カテーテルと吸引圧

❶口腔・鼻腔吸引

吸引カテーテルと吸引圧の選択は年齢や体格，さらには痰や鼻汁の性状・量によって選択する。吸引時間は1回当たり10秒以内とする（表4-3）。

❷気管内吸引

吸引カテーテルの外径が気管チューブの内径の1/2以下のものを選択する。

2 吸引カテーテル挿入の長さ

❶口腔・鼻腔吸引

咽頭・口蓋部までの長さを目安とする。口角から耳朶までの長さが参考になる。新生児で8～10cm，乳幼児で10～14cm，学童で14～16cmが挿入長の目安となるが，体格に合わせて適宜変更する。

❷気管内吸引

気管チューブの先端から，カテーテルが1cm程度出る長さを目安とする。吸引の前に，カテーテルを挿入する長さを確認しておくとよい。

3 必要物品

吸引器，吸引カテーテル，カテーテル洗浄用の水道水と容器，PPE（アイシールド付マスク，ビニールエプロンまたはガウン，ディスポーザブル手袋），アルコール綿，パルスオキシメーター，聴診器，必要に応じて抑制の道具（バスタオルなど），酸素流量計，バッグバルブマスク（アンビューバッグ®），ジャクソンリース。

気管内吸引の際には，カフ圧計，予備の挿管チューブも準備する。

表4-3 口腔・鼻腔吸引カテーテルサイズと吸引圧の目安

対象	吸引カテーテルのサイズ（Fr）	吸引圧（mmHg）	吸引圧（kPa）
新生児	5～7	80～90	12
乳幼児	7～10	100～200	13～26
学童	10～12	200～300	26～40
成人	12～14	200～300	26～40

4 手順

❶口腔・鼻腔吸引（図4-13）

①小児の呼吸状態をアセスメントし，吸引を行うことを伝える。手洗い，手指消毒を済ませ，PPE を装着する。
②吸引圧を調整し，吸引カテーテルを接続する。
③吸引カテーテルの接続部をクランプさせ，吸引圧がかからないようにしながらカテーテルを挿入する。
④接続部のクランプを開放し，圧をかけ吸引を行う。
⑤吸引操作を繰り返す場合にはカテーテル周囲をアルコール綿で拭き取りながら内腔をミルキングし，内腔を開通させる。
⑥吸引を終了したらカテーテルを破棄し，吸引器接続チューブに水道水を通水させる。
⑦呼吸音を確認し，分泌物（ぶんぴつぶつ）の除去を確認する。
⑧吸引のバルブを閉めるか，または，中央配管アウトレット接続部をはずす。
⑨ PPE を破棄し，手指消毒を行う。

❷気管内吸引

①，②は口腔・鼻腔吸引と同じ。
③口腔・鼻腔吸引，カフ上部吸引を行う。
④一度カテーテルを破棄し，接続チューブに水道水を通水する。
⑤再度カテーテルを接続し，吸引カテーテルの挿入長を確認する。
⑥非利き手で，人工呼吸器や酸素療法のアダプター（人工鼻含む）をはずし，紙膿盆などに置いておく。
⑦カテーテル挿入時は陰圧をかけないために，カテーテル連結部付近を指でクランプしながら，利き手で素早く吸引カテーテルを挿入する。
⑧カテーテル内を陰圧に開放するため，クランプしていた指を離し，カテーテルをゆっくり引き抜きながら，吸引を行う。低酸素状態を防ぎ，苦痛を最小限にするため，1 回の吸引は，1 回の操作で終了できることが望ましい。
⑨吸引後，速やかに人工呼吸器や酸素療法のアダプター（人工鼻含む）を接続する。
⑩気管吸引操作を繰り返す必要がある場合には，カテーテルの外側を基部から先端に向かって，カテーテル周囲をアルコール綿で拭（ふ）き取りながら指でミルキングし，内腔を開通させる。再吸入は患者の全身状態が安定したことを確認してから試みる。
⑪気管吸引後に，口腔・鼻腔吸引を行う場合は，同じカテーテルを使用してもよい。
　一連の吸引終了後は吸引カテーテルを破棄し，吸引器接続チューブに水道水を通水する。
⑫呼吸音のアセスメントを行い，分泌物が除去されたかどうか確認する。
⑬吸引のバルブを閉めるか，または，中央配管アウトレット接続部をはずす。
⑭ PPE を速やかに破棄し，手指消毒または手洗いを行う。

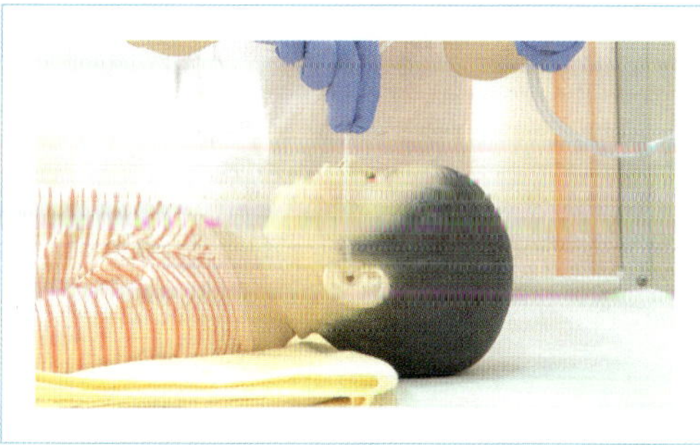
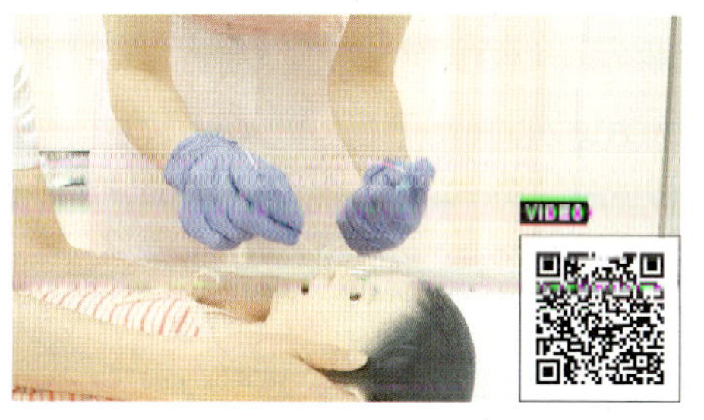

図4-13 鼻腔内吸引の手順

5 吸引後の観察ポイント

呼吸数と呼吸様式，SpO_2，肺雑音の変化，Air入りの変化，痰の性状（色，粘稠度，量），顔色，小児の表情や声掛けに対する反応を確認する。

3. プレパレーションと看護

小児にとって吸引は，疼痛（とうつう）を伴い，からだを固定されたうえで目の前で繰り広げられる処置であり，苦痛が大きい。恐怖や不安を抱く小児が多いため，小児の理解に合わせた吸引の必要性を説明し，協力を得ることが必要である。処置中には体動が激しい小児も多いため，安全を確保しつつ，ディストラクションを行いながら声掛けを行う。小児が経験すること（例：ブーンという音がすること，鼻に管が入るときに少し痛いこと，おえっとなるかもしれないこと）を伝えたうえで，がんばってほしいこと（例：頭を動かさないこと，咳をすること）を具体的に伝えて，小児のがんばる力を引き出す。また看護師に押さえられることに抵抗を示す小児も多いため，「うまくできるように，お手伝いするね」と伝え，許可を得る。

処置が終了した後には，小児のがんばりを褒め，変化を共有する（「息を吸いやすくなったね」など）。

IX 酸素療法

酸素療法（図4-14）とは，からだの各組織への酸素供給が正常でない場合や，酸素需要が増加して酸素が欠乏した小児に対して，高い濃度の酸素を供給することによって組織の低酸素を改善することである。

低酸素状態に陥ると，生理的に過換気が起き，努力性呼吸となる。その結果，呼吸筋疲労が生じるため酸素投与により呼吸仕事量の軽減を図ることが可能である。

また呼吸不全の状態では低酸素血症による組織への酸素供給の低下を補うために心拍出量が増加する。その結果，心筋の仕事量が増大し，この状態が長く続けば心不全が起きるため，酸素投与により心筋の仕事量を減らすことにもつながる。

酸素療法には，低流量システムと高流量システムがある。

❶低流量システム

流量酸素を投与する。大気中酸素とのブレンドは厳密ではなく，酸素濃度は患者の１回換気量に左右される。酸素流量と吸入酸素濃度の目安は表4-4のとおりである。

①鼻カニューレ（図4-15）：鼻腔にカニューレを当てて酸素を吸入するものであり，酸素吸入をしながら食事や会話もできる。口呼吸や鼻腔閉塞の際には効果がない。６Ｌ/分以上の場合には乾燥により痛みを生じる場合もあるため推奨されない。

②簡易酸素マスク（フェイスマスク；図4-16）：鼻と口を覆うことで酸素を投与する。鼻カニューレよりも高濃度の酸素を投与できるが，マスクを密着していないと漏(も)れが多くなる。また呼気がマスク内に貯留すると二酸化炭素を再呼吸しないよう，流量は５Ｌ/分以上にする必要がある。

❷高流量システム

①リザーバー付酸素マスク（図4-17）：酸素マスクにリザーバーバッグが付いているもので，高濃度の酸素投与が可能である。二酸化炭素の蓄積予防と十分な酸素を投与するため６Ｌ以上の酸素流量が必要である。

②ベンチュリーマスク：ベンチュリー効果により，安定した酸素濃度を吸入できる。必要とする酸素濃度のダイリューターを接続し，指示された酸素流量を投与することで，酸素濃度を規定する。

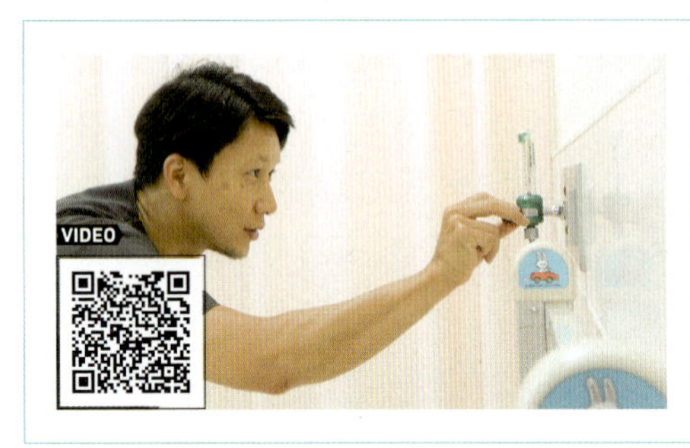

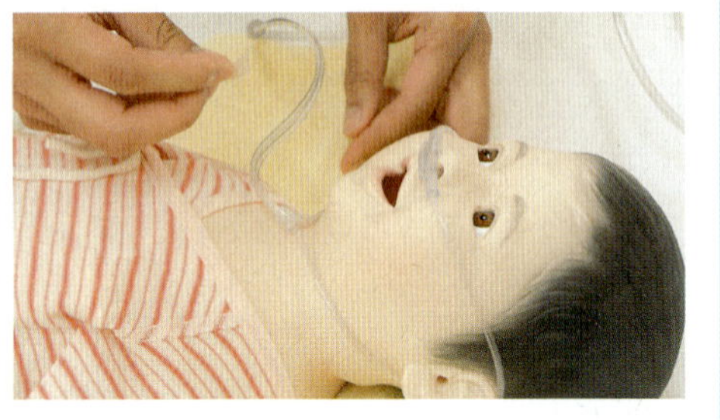

図4-14 酸素療法

表4-4 酸素流量と吸入酸素濃度の目安

酸素投与方法	酸素流量（L/分）	吸入酸素濃度の目安（%）
鼻カニューレ	1	24
	2	28
	3	32
	4	36
	5	40
	6	44

酸素投与方法	酸素流量（L/分）	吸入酸素濃度の目安（%）
簡易酸素マスク	5～6	40
	6～7	50
	7～8	60

出典／日本呼吸器学会肺生理専門委員会・日本呼吸管理学会酸素療法ガイドライン作成委員会編：酸素療法ガイドライン，メディカルレビュー社，2006，p29，31，41，より引用改変．

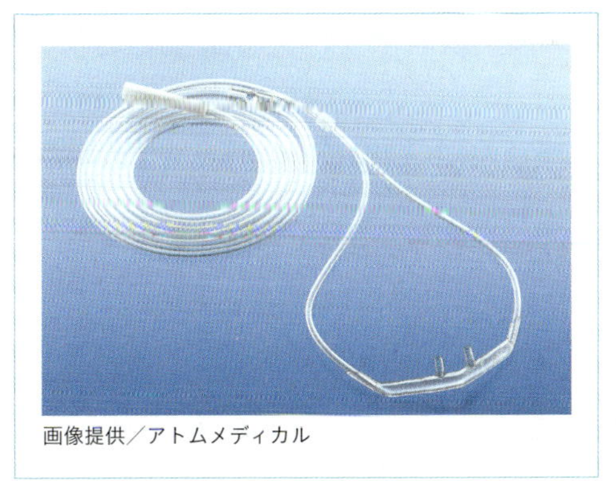
画像提供／アトムメディカル

図4-15 鼻カニューレ

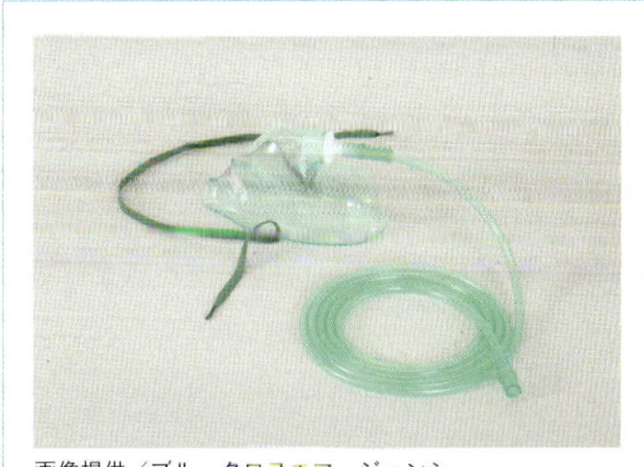
画像提供／ブルークロスエマージェンシー

図4-16 簡易酸素マスク（フェイスマスク）

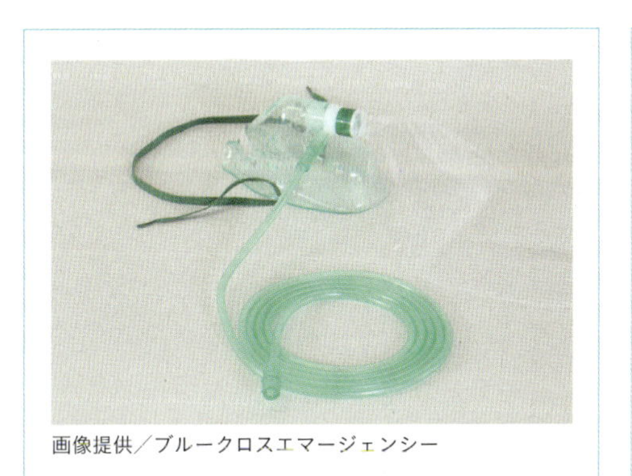
画像提供／ブルークロスエマージェンシー

図4-17 リザーバー付酸素マスク

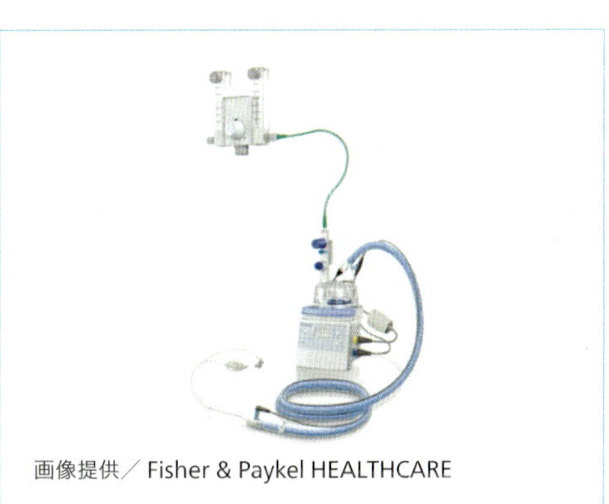
画像提供／ Fisher & Paykel HEALTHCARE

図4-18 ネーザルハイフロー

③ネーザルハイフロー（図4-18）：加温，加湿した高流量の酸素を鼻カニューレから投与する酸素療法である。2～4cmH_2Oの軽度な陽圧（PEEP効果）をかけることができる。

1. アセスメント

酸素療法時には，呼吸状態（呼吸回数，深さ，呼吸音，狭窄音の有無，努力呼吸の程度，咳嗽・喀痰の有無）や鼻汁の量と質，全身状態（末梢冷感，顔色，自覚症状，不穏状態など），血液ガス値，SpO_2値，小児と家族の酸素療法への理解度のほか，酸素投与が確実に行われているか（酸素流量，濃度，適切に装着されているか，接続部のはずれやチューブの屈曲）や酸素投与に伴う皮膚トラブルの有無（鼻腔，頬など）を確認・評価する。

2. 診療に伴う技術と看護

1 酸素療法の合併症

❶ CO_2ナルコーシス

正常な呼吸機能の場合，動脈血中の酸素濃度が低下すると呼吸中枢は呼吸を促す。しかし，慢性呼吸不全などにより常に二酸化炭素分圧が上昇している小児は，低酸素刺激で換気をコントロールしているため，高濃度の酸素を投与することで低酸素刺激がなくなり，呼吸中枢は酸素が足りていると錯覚を起こしてしまう。自発呼吸が抑えられ，呼吸抑制や呼吸停止につながる。

❷酸素中毒

高濃度の酸素を長期間吸入することで，活性酸素によって肺組織が障害される。

❸先天性心疾患児の循環不全

肺血流の増加を伴う先天性心疾患児は，酸素投与により肺血管抵抗が低下し肺高血流状態を招くため，高濃度の酸素投与は禁忌である。高濃度の酸素は動脈管を収縮させる作用があるため，肺動脈閉鎖や狭窄を伴う心疾患児に高濃度酸素を投与すると循環不全に陥る可能性がある。

2 酸素療法中の苦痛緩和

酸素投与は，慣れないカニューレやマスクを装着し続け，風やにおいが常にあるため小児にとっては苦痛を伴う処置である。

小児に必要な酸素流量・濃度をアセスメントしつつ，小児にとっての不快の体験を理解し，デバイスの選択肢を与え小児自ら決定させたり，食事や遊びの際にはデバイスを変更したりする，マスクにバニラエッセンスなどのにおいを付けるなどの工夫で小児の苦痛を和らげることが可能である。

3. プレパレーションと看護

小児の発達段階や体調によって，酸素療法の方法や必要性について説明を行う（図4-19）。酸素投与が予定されている場合（手術前など）は，体調の良いときに実際のデバイスを触ってもらったり，お気に入りの人形やキワニスドールに酸素投与すること，酸素投与の際の写真を見てもらうことで心の準備をしてもらう。また，酸素投与によって，からだが楽になることや，体調が戻れば酸素投与が終了することを伝え，小児ががんばる内容や期間を具体的に説明することが必要である。

X 経管栄養

経管栄養とは，呼吸・意識状態の悪化，開口・咀嚼（そしゃく）・嚥下（えんげ）機能の悪化，食道・口腔内・喉頭などの障害や手術などで経口摂取が困難なとき，極度の衰弱や低栄養，拒食など経口摂取困難，鎮静薬使用中の際に，栄養カテーテルを用いて栄養剤を注入することである。経鼻経管栄養法と経瘻孔法がある。

手術前に行う酸素療法のプレパレーションツール。

VIDEO

図4-19　ぬいぐるみを用いた酸素療法のプレパレーション

1. アセスメント

栄養カテーテルの挿入長，胃残の量と性状，口腔内・鼻腔内の分泌物の性状，むせ，咳こみの有無，呼吸状態，固定部分の皮膚の性状，瘻孔周囲の皮膚の性状。

2. 診療に伴う技術と看護

1　経鼻経管栄養法（図4-20）

❶準備する物品

栄養カテーテル（表4-5），聴診器，メジャー，固定用絆創膏，シリンジ，潤滑剤，油性ペン，栄養バッグ

❷手順

①必要物品を準備し，手指消毒を行う。
②カテーテル挿入を行うことを説明する。
③栄養カテーテルの挿入長を確認し，油性ペンでマーキングする。
④小児を半座位または仰臥位にする。頭部が後屈しないように支える。
⑤栄養カテーテルの先端に潤滑剤を塗布する。
⑥栄養カテーテルを挿入する。嚥下を促しながら静かにチューブを進め，マーキング部位まで挿入し固定する。
⑦栄養カテーテルの先端が胃内にあるか確認する。聴診器を胃部に当て，シリンジで空気を入れ胃泡音を確認する。また，シリンジの内筒をゆっくり引き，胃内容物の有無を確認する。X線撮影を行い，先端が胃内にあるか確認する場合もある。
⑧栄養剤を体温程度に温め，栄養バッグの先端まで栄養剤を満たす。

⑨小児の体勢を半座位もしくは挙上した右側臥位にし，嘔吐や逆流を防止する。
⑩注入速度や量を確認し，栄養剤を注入する。顔色，咳，悪心（おしん）や嘔吐の有無を観察する。
⑪注入終了後は栄養カテーテルに微温湯を流した後に空気を入れる。

2 経瘻孔法

胃瘻（いろう）とは，直接胃内に栄養剤を注入するために造設する瘻孔（ろうこう）である。側彎（そくわん）で経鼻栄養カテーテルが挿入困難な場合，経鼻栄養カテーテルの管理が難しい場合などに選択される。また胃瘻からは栄養剤だけでなくミキサー食も注入可能である。

胃瘻カテーテルには，カテーテルを固定する方法が4種類あり，体内側ではバルーン型とバンパー型，体外側ではボタン型とチューブ型がある。

❶準備する物品

エクステンションチューブ，シリンジ，栄養バッグ

❷手順

①経鼻経管栄養法の手順⑧～⑨と同じ。
②胃瘻ボタンの蓋を開け，エクステンションチューブに接続する。
③エクステンションチューブおよび栄養カテーテルに接続する。

3. プレパレーションと看護

栄養カテーテル挿入は疼痛（とうつう）や悪心を伴うため，苦痛の大きい処置である。小児がどんな経験をするのか（鼻を通るときに痛くなるかもしれない，のどのところにきたらゴックンしてね）を伝え，小児の協力を引き出す。また年少児にとっては，鼻の周辺にあるカテーテルを「触

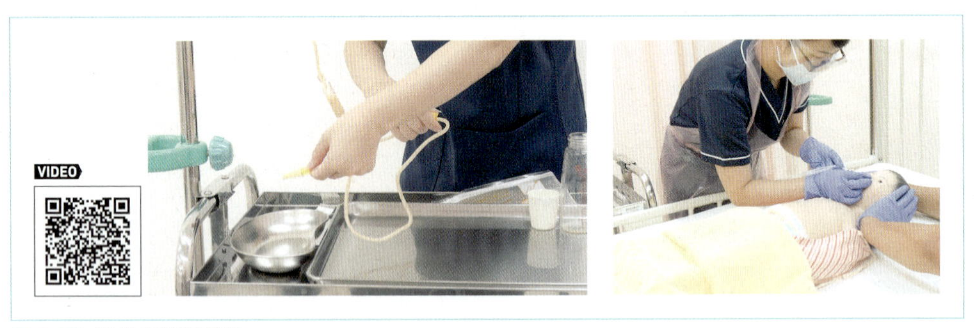

図4-20 経鼻経管栄養法

表4-5 経鼻経管栄養法の栄養カテーテルのサイズと挿入の長さの目安

対象	栄養カテーテルのサイズ（Fr）	挿入の長さの目安
低出生体重児・早産児	5	眉間から胸骨剣状突起＋1cm
乳児	6～7	
幼児	7～10	
学童	8～14	耳介から鼻先端＋胸骨剣状突起先端まで

りたい」「抜きたい」という興味の対象になる。睡眠時など無意識のうちに自己抜去をする可能性もある。小児の生活の様子をアセスメントしながら，適切な固定がされているかを確認していく必要がある。また自己抜去を防ぐために抑制を行わざるを得ない際も最小限となるようにする。小児に注意を払える時間帯では遊びやディストラクションを行い，カテーテル以外に興味をもてるよう環境を整えていく。

XI 画像検査

1 単純X線検査

単純X線検査はレントゲン写真ともよばれる。からだを透過したX線を撮影し，画像とすることで，胸部，腹部，頭部，関節，四肢などの疾患の有無や治療の効果判定に使われる。検査前には，金属（心電図モニターやボタンなど）をはずし撮影に臨むようにする。

乳幼児の場合には体位を確実に保持し安全に撮影をできるように，小児を支える。幼児には，「ばんざいしててね」「風船を膨らませるみたいにしてみて」など声を掛けながら撮影を行う。小児の検査への不安を払拭するため，必要に応じて図4-21のようにぬいぐるみなどを使いながらプレパレーションを行うとよい。

2 CT

CTとはcomputed tomography（コンピューター断層撮影）の略であり，X線を用いて輪切りの画像を撮影する検査である。造影剤を使用しない単純CT，造影剤を使用する造影CTがある。疾患の有無や治療の効果判定のために用いられる。

検査前に金属の付いていない服や検査着に着替える。造影剤を使用する際には，造影剤アレルギーの有無，喘息の既往，腎機能，最終飲食の時間を確認する必要がある。

3 MRI

MRIはmagnetic resonance imaging（磁気共鳴画像）の略語で，磁気と電波を利用して画像を撮像する。X線を使用しないので放射線による被曝はない。

MRI検査室では常に強力な磁場が発生しているため，からだに金属が付いていないか入念な確認が必要となる。洋服のラメやボタン，ヒートテック®素材も持ち込み不可である。ペースメーカーや植込み型除細動器を使用している場合は検査を受けることができない。人工関節，シャント留置をはじめとした体内金属がある場合は確認が必要となる。酸素ボンベや点滴ポンプもMRI検査室では使用できないため，準備を行う必要がある。

MRIにも造影剤を使用しない単純MRIと造影剤を使用する造影MRIがある。造影剤を使用する場合には，造影剤アレルギーの有無，喘息の既往，腎機能，最終飲食の時間を

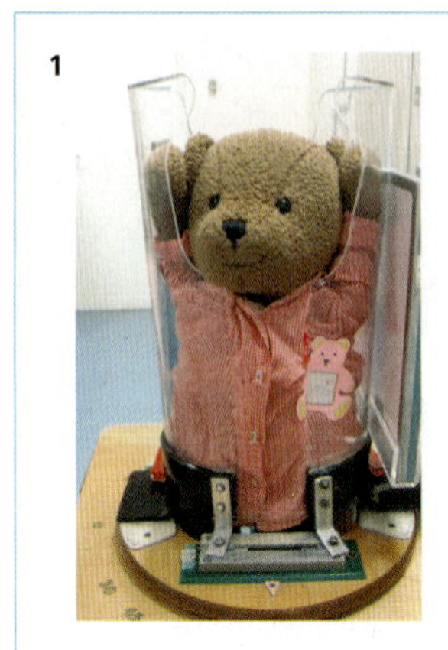
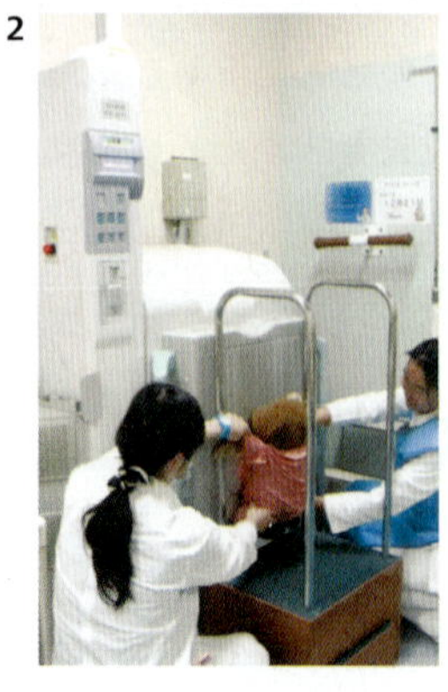
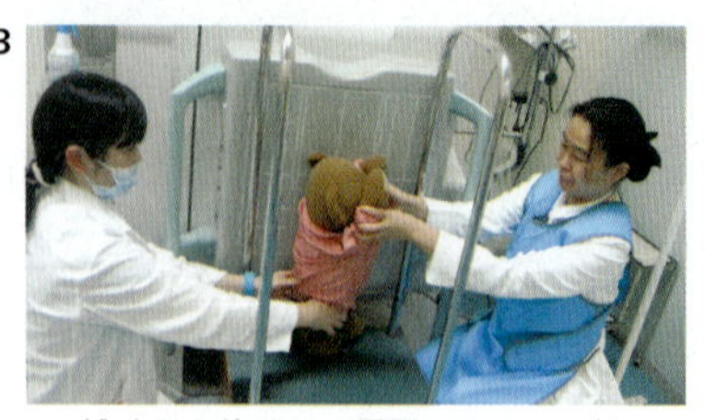

1：補助具を使用して撮影をしている様子
2・3：看護師に支えられながら撮影をしている様子

図4-21 単純X線検査時のプレパレーションの様子

確認する。MRIでは大きな音がするため恐怖心を抱く小児も多い。あらかじめ大きな音がすることや，録音した音を聞かせることで心の準備を行い，必要に応じて耳栓を準備する。またMRIはCTに比べ長時間にわたって同一体位を保つ必要がある。そのため，乳幼児や，閉所恐怖症のある小児には鎮静薬を用いて寝た状態で撮影を行う場合もある。

参考文献

・日本小児科学会：小児に対するワクチンの筋肉内接種法について（改訂第2版），https://www.jpeds.or.jp/uploads/files/20220125_kinchu.pdf，2022.（最終アクセス日：2022/11/2）

Column

MRIアドベンチャーツアーの試み

子どもにとってMRIは，音，姿勢保持，閉所，暗さなど様々な体験をする。

そこで聖路加国際病院では，起きたままでMRI撮影に挑戦しようとする子どもたちを対象に，本物のMRI検査室に入り，本物のスタッフに会い，本物の機械に触り，横になり，本物の音を聞く機会を設ける「MRIアドベンチャーツアー」を企画している。

実際の検査を体験することで，不安表出の機会になったり，自分なりの対処方法（お気に入りのタオルを持っていく，音楽を聴くなど）を検討したりする機会にもなる。

第5章 指導・教育技術

この章では

- 教育的支援の目的を理解する。
- 教育的支援のための理論を学ぶ。
- 教育的支援を提供するためのアプローチ方法を学ぶ。

I 教育的支援とは

教育的支援は，情報に基づいた意思決定，療養上のセルフケアの必要性，注意点，技術の習得など，健康状態の維持・向上のために重要である。教育的支援は，看護師にとっても患者と臨床対話をする機会となり，より個別的な看護の提供を促進するものとなる。

A 教育的支援の目的

患者教育のゴールは，個人･家族･地域の最適な健康状態の達成を支援することである[1]。このゴールの達成に向かうプロセスでは，患者が自己管理能力を高め，適切な行動をとれることへの自己管理の変容があり，自己管理とは，個人の症状，治療，身体的・心理的な影響を管理し，生来の生活スタイルを健康の状態と共に変えていく能力である[2]。それには，単に知識を提供するのではなく，自己効力感を上げることが大切である。

健康状態，医療的処置，治療選択などについてより良い状態になるように支援することで，健康の維持･増進と疾病予防（事故予防，スクリーニング，予防接種など）や健康の回復（病態や生理，検査や治療，長期ケアなど），機能障害へのコーピング（在宅ケア，合併症予防，リハビリテーションなど）が促進される。

健康の維持・増進と疾病予防は，病院，保健センター，学校，保育所など様々な場で行われる。子どもの事故予防のための集団教育や，健康診査のような個別のスクリーニングと教育的支援が一緒に提供されることもある。ヘルスリテラシーやヘルスプロモーションを促進する場合もある。

健康の回復では，病気に罹患（りかん）した状態から，回復することや健康レベルを改善させるための知識・技術・情報を提供する。病態や生理，検査や治療，長期ケア，病気の予後などの情報を提供する。

機能障害へのコーピングは，病気をもちながら日常生活をつくり上げていくことを目的とした教育である。食事制限や服薬・投薬，運動制限，四肢の切断などといった機能の不可逆的変化に対して，単に医療的ケアやリハビリテーションそのものについての教育的支援ではなく，小児とその家族が医療的ケアや服薬などを個別的な成長発達とその子・その家族らしい生活に合わせて組み込んでいくことを支援するものである。

小児の場合，親が子どものケアを担（にな）っていることが多く，日常生活へのケアの組み込みの主導的役割を親が行っていることが多い。また，治療の意思決定も親にゆだねられることが多いため，すべての教育的支援において何らかの形で親を巻き込むことが必要である。乳児であれば，教育的支援は親に向けて行われることが通常で，幼児期から子どもの成長発達に合わせた教育的支援を提供しつつも，親への支援が欠かせない。学童期以降には徐々に小児が予防行動や病気の症状マネジメントに主体的な役割をもつことが期待されていくため，親には，子どもの成長発達に合わせた親の役割の移行，セルフケアの主体の移行についての教育的支援を提供する必要がある。

小児は成人と異なり，からだのしくみや疾病についての知識や認識，価値判断が成熟していない。小児がセルフケアの主体となっていくためには，基本的なからだの知識を得たり，健康に対する価値判断をつくり上げたり，医療システムを理解していくといった，ヘルスリテラシーを身に付けることへの支援が必要である。**ヘルスリテラシー**とは，健康や医療に関する情報を得て，これを理解したうえでその内容を評価し，適切に意思決定する能力をいう[3)]。看護師は子どもの個別のヘルスリテラシーの能力をアセスメントし，教育的支援を提供する。

B 教育的支援の理論

教育的支援で役立つ理論には，受容に関する理論・行動変容ステージモデル・健康信念モデルなどがある。受容は疾病をもつ人に適用され，行動変容ステージモデルは慢性疾患をもつ人や予防行動などのあらゆる健康のステージで適用される。健康信念モデルは予防的保健行動の実行を予測するために開発されたが，疾病をもつ人へも適用できる。

1. 受容

小児と家族に教育的支援を実施する際には，小児と家族が病気を受容し，それに対する対処への動機付けができる状態にあるかをアセスメントする。病気の現実を受け入れていない場合や受け入れることができないとき，病気や病気への対処について学習することができない。小児と親の受容のプロセスは異なっている場合もある。単に身体的状態だけでなく，病気受容の段階をアセスメントし，適切な時期に教育的支援を導入していく（表5-1）。

2. 行動変容ステージモデル（トランスセオリティカルモデル）

慢性疾患のマネジメントや予防行動では，教育により，行動変容がなされ，患者・家族の行動がより良い方向へ変化することが重要である。行動変容までの過程を図5-1に示した。このプロセスは，学び，自分のなかに吸収し，行動するというプロセスで，特に小児では，成長発達段階に合った学びがあるとき，吸収と行動が可能になるため，小児の成長発達をとらえた教育的支援が鍵である。また，自己効力感（self-efficacy）が低いと達成できるという思いも低く，自己効力感が高い場合は積極的な対処が可能になるといわれ，日々のケアのなかで子どもの自己効力感をはぐくむためのポジティブなフィードバックを行い成功体験の積み重ねを支援する。

表5-1 受容と教育的支援

受容の段階	小児と家族の態度	小児と家族の状態	学習
否定もしくは不信	病気を真正面から考えることを避け，これまでどおりで大丈夫と信じようとする時期 情報を自分にとって良いものに歪曲して受け取ることもある	• 病気とその影響への対処の準備状態にない • この時期に対処や受容を説得することは，怒りや引きこもりなどを招くおそれがある • 子どもと家族が求める情報と現在の状態の情報をていねいに伝える	• 共感とていねいな説明 • 状況を説明する • 現在の治療やケアを説明する • いつでも話ができるという姿勢の提示
怒り	愚痴や怒りが看護師に向けられる時期	• 怒りなどを表現する機会が必要で，現在も闘っているため，将来のことに直面するのは難しい	• 患者・家族との議論は避け，傾聴する • 現在の治療やケアの説明をする • 今の状態は異常なことではないことを伝える
交渉	状態が良くなるなら注意した生活をすると考える時期	• 元に戻ることを期待しており，変化を受け入れていない	• 現在の治療やケアの説明をする
決意	感情の表出がなされる時期 病気が変化をもたらしたことを認識し，質問するようになる	• 支援の必要性を感じ始め，学びの主体的な思いが形成され始める	• 感情の表現をサポートする • 将来に関する情報の提供を患者・家族の反応を観察しながら提示し始める • きちんとした話し合いの時間をもつ
受容	現実を認識し，情報を積極的に求める段階 自立的なマネジメントを望む時期	• ニーズが認識されており，動機付けの強化で対処が進む	• 現在の治療やケアを継続しつつ，将来必要になる対処について説明する • 退院に備えた話し合いと教育的支援の提供

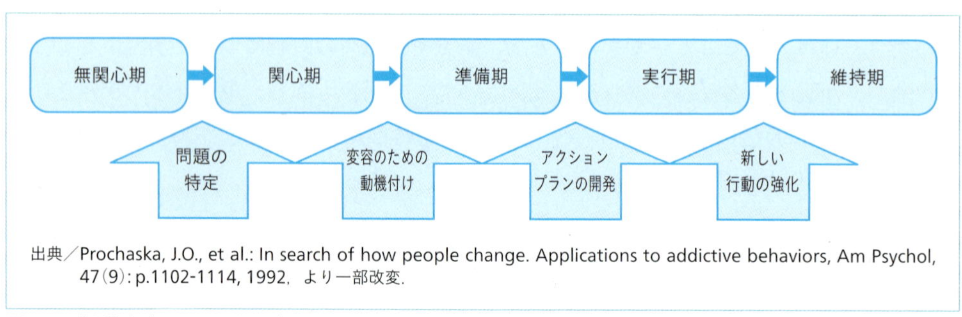

出典／Prochaska, J.O., et al.: In search of how people change. Applications to addictive behaviors, Am Psychol, 47(9): p.1102-1114, 1992. より一部改変.

図5-1 行動変容ステージモデル

健康行動（health behavior）は，健康の保持，増進，病気からの回復を目的として行われる行動と定義され，健康行動の変容ステージは，①無関心期（健康行動を行おうとしない），②関心期（健康行動に関心はあるが，実行するに至っていない），③準備期（健康行動を実践する用意ができている），④実行期（健康行動を実際に行っている），⑤維持期（健康行動を継続している）の5つがある[4), 5)]。5つのステージは一方通行なものではなく行ったり来たりを繰り返すプロセスである。

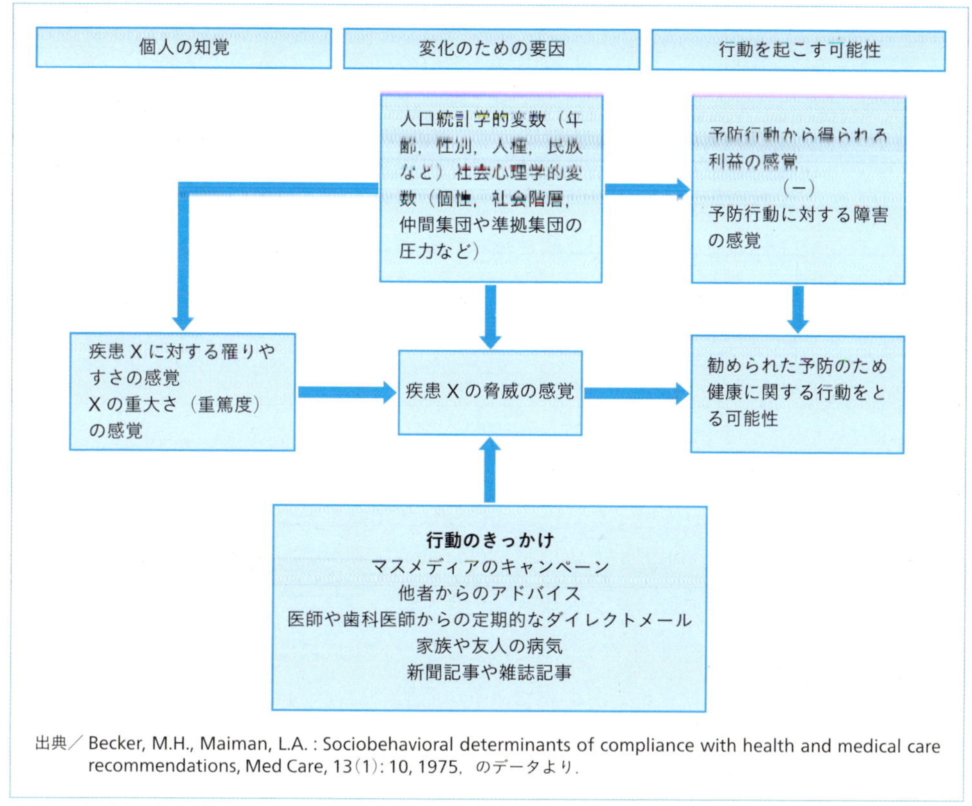

出典／Becker, M.H., Maiman, L.A. : Sociobehavioral determinants of compliance with health and medical care recommendations, Med Care, 13(1): 10, 1975. のデータより.

図5-2 健康信念モデル

3. 健康信念モデル（ヘルスビリーフモデル）（図5-2）

健康信念モデルとは健康や疾病についての個人のイメージ，確信，態度のことで，健康信念モデルは人の信念と行動に着目し，人の健康に関する行動を予測しようとするモデルである。健康信念モデルは，①問題の起こりやすさ（疾患の起こりやすさ），②問題の重大性（疾患が脅威であるか），③予防行動によるメリット，④予防行動によるデメリット・障害（バリア），の4つの要素が個人の行動（意思決定）に影響を与えるという考え方である。小児やその家族への教育的支援の際には，このようなモデルを活用し，それぞれに必要な教育内容をアセスメントする[6]。

C 教育的支援の実際

1. 初期（入院時・入院中）教育

教育的支援は診断時から子どもの病気の状態の変化，病気の受容，家族の生活の変化に合わせて継続的に提供されなければならない。入院時であれば，入院病棟のオリエンテーション（入院生活に必要な情報：病棟のスタッフ，看護提供方式，諸設備の場所と使い方，日課，週間行事，諸手続きなどを提供すること）[7]，治療内容，治療の有害作用，入院生活で子どもと家族が体験すること，予後などの教育的支援によって，子どもと家族が早期に入院生活に慣れること，治療に前向きに取り組めること，心理的準備をすることを目指す。入院して，退院が予測されるとき，またはそれ以前でも子どもと家族のニーズがあるとき，退院後に家庭で生活する場合や治療やケアが引き続き行われる場合は，治療やケアを家庭で継続するための教育的支援を提供し，退院後の不安をできるだけ軽減し，家庭での療養生活への自信と意欲をもてるように支援する。

1　教育的支援の原則と準備

小児と家族への教育的支援の原則と準備として，看護師は，小児と家族はそれぞれ健康に対する個別の信念をもっていること，信念は社会文化の影響を受けること，効果的な教育的支援提供のためには，小児・家族に動機付けがなされていることが必要であることを理解し，これらについてアセスメントする。

教育的支援は，通常の看護過程のなかで常に，小児・家族の個別的なアセスメントの結果から個別計画を立てておくことが必要である。看護師は,小児·家族が教育的支援によって学習が可能であるかを教育的支援に対するニーズ，受容の段階と動機付けの状態によってアセスメントする。次に，小児と家族への教育的支援の方法は個別的なものである。小児と家族に適した教育的支援計画を立案するため，発達段階，身体状態のアセスメントをする。発達段階は，学習能力に影響する重要な要素であるため，アセスメントが欠かせない。

教育的支援の提供においては，小児・家族に合ったコミュニケーション方法，理解できる言葉や方法を用いることが必要で，支援は繰り返されることで効果を高める。

2　アセスメント

小児・家族の身体・心理・社会的状態，生活と発達の側面からの教育的支援のニーズをアセスメントする。教育的支援のニーズは，小児・家族と現在・将来の状態に対する理解度，セルフケアに必要な情報と技術習得についての質問の聞き取りや話し合いをもつ。小児と家族の表情や言動を観察し，疑問のある表情などをキャッチしてニーズを明らかにしていく。このとき，優先順位についてもアセスメントする。さらに，同定した教育的支援ニーズに対する小児・家族の動機付けの状態をアセスメントする。

教育的支援の具体的な計画立案で検討しなければならない小児の発達段階をアセスメントする。認知発達や言語発達など，小児・家族の状態をアセスメントする。小児が教育的支援によって得た学習は，経験や成長の結果として行動が変化したときに実を結ぶ。そのため，小児の成長発達をアセスメントして，それぞれに合った支援と子ども自身が実施してみてできるようになっていく過程を支えることが大切である。また，教育的支援を提供するに適した環境，タイミング，リソースとして使用する絵本やパンフレットなどの視聴覚教材を検討する。

3 計画立案

教育的支援の計画立案で重要なことは，小児とその家族に合わせた個別的な計画を立案することである。具体的にリソース，提供する場，教育的支援の明確な目標を計画する。目標は短期的目標と長期的目標があり，いずれも小児と家族が達成する事柄を明示しておく。多くの場合，教育的支援はステップ・バイ・ステップのもので，短期的目標を達成しながら長期的目標を達成していくため，小児と家族の負担も考慮しながら教育的支援の優先順位を検討したうえで，継続的で複数回の支援を提供して長期的目標を達成していく。教育的支援の方法は，①説明型アプローチ，②販売方式アプローチ，③参加型のアプローチ，④信託型のアプローチ，⑤強化，の5つがあり，小児と家族の状態によって適したものを選択する（表5-2）。

看護師は，支援提供ごとに小児・家族の反応をアセスメントし，短期的目標が達成されたか，小児・家族にとって適切な支援方法であったかを評価し，必要に応じて計画を修正する。

4 実施

立案した計画を実施する。ただし，教育的支援は小児・家族との相互作用であるため，実施の間，絶えず小児・家族の反応をキャッチしながら実施する。実施に際しては，計画した適切な教材，タイミング，アプローチ方法を用いて実施する。小児への教育的支援の実施では，小児が興味をもつこと，集中できること，主体的な参加を実現したり維持したりすることに工夫が必要である。認知発達の成長度合いを考慮しつつ好きなおもちゃやキャラクターなどを用いて興味をもてるようにしたり，発達段階に合った教育的支援の内容と時間的な長さで子どもが集中して臨(のぞ)んだりできるようにする。また，実際に器具に触れたり，遊びを取り入れたりすることで主体的な参加を促す。そして，一度に話さず，わかりやすい言葉で，具体的に，ゆっくり話すことが原則である。

そのほかに，日々の看護ケアに教育的支援を組み込むことも大切である。教育的支援の

表5-2 教育的支援提供のアプローチ方法

説明型アプローチ	小児・家族がすべきことを伝え，指示を与える。
販売方式アプローチ	小児・家族の反応に合わせて実施する（医療的ケアを，手順を伝えながら看護師と家族が実施し，家族の反応から理解の度合いを確認しながら進めるなど）。
参加型のアプローチ	小児・家族と看護師が協働で目標を設定して行う。小児と家族が自らのニーズに気づくことを支え，看護師はガイド・相談役となる。
信託型のアプローチ	説明のうえ，理解が得られているセルフケアについて小児・家族にやってもらい，小児・家族の実施を支持的に見守ったり，フィードバックをしたりする（服薬管理など）。
強化	小児・家族のセルフケアを褒めるなど。

時間として設けていなくても，服薬時に服薬する薬剤について説明する，小児の吸引を行う際に手順や注意するポイントを家族に説明しながら実施するなど，様々な日常の看護ケアのなかに教育的支援を提供する機会があることを忘れない。

教育的支援の実施方法には，ベッドサイドで小児や家族と実施する 1 対 1，講義・集団教育，オリエンテーションのような説明が目的の事前説明，ケアの技術をデモンストレーションする演示，ロールプレイなどがある。いずれも教育的支援の目的，対象となる子ども・家族の状態のアセスメントによって適した方法を検討して実施する。

2. 退院指導

退院指導とは，患者教育の一つで，退院後に起こり得る健康問題の解決や社会生活に必要な知識･技術･態度の習得を助けること[7]である。退院指導は入院時から始まるもので，看護師は入院時から退院時を予測しておくことが求められる。肺炎や感染症などで，急性期を脱すれば比較的すぐに罹患(りかん)以前と同様の生活に戻れる場合では，退院直後の入浴や食事，服薬などを指導することで小児・家族が不安なく家庭に戻り，療養できる。一方，長期間にわたり入院していた場合や不可逆的な機能の変化を伴って退院となる場合は，症状マネジメント，セルフケア，リソースの導入などに関する意思決定と実施のための教育的支援が必要である。この場合には特に多職種での支援が重要で，可能な限り早い段階から多職種でかかわり，小児・家族の生活に合致した療養生活を実現し，小児・家族が在宅で高い QOL を維持して生活できることを目指す。

3. 集団教育

集団教育は，同様の教育的支援ニーズをもつ集団に提供する教育である。集団教育は，効率よく情報や知識の伝達ができる，同じニーズをもつ小児・家族が集まり交流の機会となる可能性があるなどの利点がある一方，個別性への対応がしにくい。予定手術の入院オリエンテーションについての集団講義，予防接種に関する集団講義など，講義形式の教育方法で，講義には演繹的(えんえきてき)講義法，経験を重視した講義，習熟度別の教育，映像を活用した指導などがある。演繹的講義法は，知識を教示するもので，ガイドラインや決まりがある事柄の教育に適している。経験を重視した講義は，慢性疾患の症状マネジメントについてセルフケアの経験をもつ小児が集まり，それぞれの経験をもとに，疑問や改善点，より強化された対応方法を学ぶなどといった，これまでの経験を生かした内容に適している。習熟度別の教育をそれぞれの支援の受け手の習熟度に合わせて提供する教育的支援内容を調整しながら行うものである。映像を生かした教育は，喘息(ぜんそく)の子どもの吸入薬の吸入方法の映像を視聴してもらう，配布して小児・家族に都合の良い場所で視聴してもらうなどで，技術や手順などを学ぶための教育的支援に適した方法である。

文献

1） Edelman, C.L., Mandle, C.L. : Health Promotion Throughout the Lifespan, 5th ed, Mosby, St. Louis, 2002.
2） Barlow, J., et al. : Self management approaches for people with chronic conditions: a review. Patient Educ Couns, 48（2）: 177-187, 2002.
3） Effing, T.W., et al. : Health literacy: how much is lost in translation?, Chron Respir Dis, 10（2）: 61-63, 2013.
4） Prochaska, J.O., et al. : In search of how people change. Applications to addictive behaviors, Am Psychol, 47（9）; 1102-1114, 1992.
5） 厚生労働省：E-ヘルスネット．https://www.e-healthnet.mhlw.go.jp/information/exercise/s-07-001.html
6） Becker, M.H., Maiman, L.A. : Sociobehavioral determinants of compliance with health and medical care recommendations, Med Care, 13（1）: 10-24, 1975.
7） 日本看護科学学会．https://www.jans.or.jp/

本章の参考文献

・パトリシア・A・ポッター，アン・グリフィン・ペリー：ポッター&ペリー看護の基礎；実践に不可欠な知識と技術，エルゼビア・ジャパン，2007.
・中村美鈴，江川幸二監訳：高度実践看護；総合的アプローチ，へるす出版，2017.

国家試験問題

1 手術を受ける子どもへのプリパレーションの目的でないのはどれか。 (98回PM70)

1. 心理的準備を促す。
2. 正しい知識を提供する。
3. 医療者の労力を軽減する。
4. 情緒表現の機会を与える。

2 入院中の4歳児への倫理的配慮として適切なのはどれか。 (101回AM65)

1. 採血を行う際は「痛くないよ」と励ます。
2. ギプスカットの際は泣かないように伝える。
3. 骨髄穿刺の際は親を同席させないようにする。
4. エックス線撮影をする際は事前に本人に説明する。

3 排泄が自立していない男児の一般尿を採尿バッグを用いて採取する方法で正しいのはどれか。 (106回AM79)

1. 採尿バッグに空気が入らないようにする。
2. 採尿口の下縁を陰茎の根元の位置に貼付する。
3. 採尿バッグを貼付している間は座位とする。
4. 採取できるまで1時間ごとに貼り替える。
5. 採取後は貼付部位をアルコール綿で清拭する。

4 乳児への散剤の与薬について，親に指導する内容で適切なのはどれか。 (107回PM54)

1. ミルクに混ぜる。
2. はちみつに混ぜる。
3. 少量の水に溶かす。
4. そのまま口に含ませる。

第1章
小児医療・小児保健の役割と特性

この章では

- 小児医療の概論を学ぶ。
- 小児医療のもつ特殊性を理解する。
- 小児保健の対象と役割を学ぶ。

I　小児医療

 小児医療の分野

小児医療は，大きく2つの分野，すなわち，子どもの疾病の診断・治療・予防を扱う**小児病学**の分野と，子どもの健康を社会で守る**小児保健学**の分野から構成される。

なお，健康とは，WHO（世界保健機関）憲章によれば，“からだだけではなく，心理的にも社会的にも良好な状態であり，単に疾患に罹患していないということではない”と定義されている。

B 小児医療の歴史的展望

小児医療は，先進諸国においても古くは内科医療に含まれており，小児科が内科からしだいに分離・独立したのは20世紀以降とされる。それは，小児医療の特殊性，たとえば，成長・発達を伴う，成人の場合と疾病構造が異なる，迅速な医学的介入が必要である，社会的環境に密接に関係する，などが理解されたことによる。

その国の医療状況を端的に示すとされる**乳児死亡率**（生後1歳未満の死亡率）については，わが国では戦後1947（昭和22）年の76.7（出生千対）から急激に改善し，さらに1960年代後半からも緩やかな改善が続き，2022（令和4）年では1.8となり，世界有数の低率を誇るまでとなった。わが国の小児医療を，乳幼児の死亡率・死因などの統計をもとに振り返ると，1960年代までには重篤な感染症を克服する取り組みの成果が表れ，1970年代からは重篤あるいは難治の疾患への取り組みが続き，この30～40年は難治性疾患における生命予後の著しい改善が見てとれる。

急性疾患が減少する一方で，不登校や肥満については，それぞれ小中学生のおよそ1～4%，5～10%と無視できない数へと増加している。また医療機関がかかわる被虐待児数も増加し，小児の虐待への対応は小児医療における日常診療の一部となりつつある。また，小児医療の発展により，医療的ケア児（日常生活を送るうえで医療的なケアと医療機器を必要とする小児）が増加しており，近年，その子どもおよび親に対する心理的支援を含む小児の在宅医療への取り組みも注目されている。

すなわち，小児医療はその目覚ましい発展の結果，救命や治療を目標としていた時代から，健康の維持・増進，さらには生活の質（QOL）の向上を目標とする時代へと変化している。

C 小児医療の発展と小児慢性疾患の成人期移行

小児医療の発展に伴い，難治性疾患の患者の多くが成人期に達するようになった。また一方で，小児期～思春期に生活習慣病（肥満症など）や発達障害と診断される患者も多くなっている。こうした背景から，小児慢性疾患をもちながら成人期を迎える患者が増加している。

2014（平成26）年，日本小児科学会は「小児期発症疾患を有する患者の**移行期医療**に関する提言」において，慢性疾患をもつ個々の患者が，小児医療から成人に相応しい医療に円滑に移行できることが望ましいことを明確にした。近年，疾患や領域ごとの移行プログラムが作成されるなどの移行支援の努力が行われ，小児医療機関と成人医療機関の連携も地域や領域を単位として進みつつある。またこうした移行支援の取り組みに伴い，「自立（independence）・自律（autonomy）のための患者支援」が円滑な移行のための最重要課題と認識されるようになり，小児医療が取り組むべき課題の一つになっている。

D 小児医療の特殊性

小児の最大の特徴は，成長・発達を伴うことである。また小児では，本人と家族・学校・地域社会との関係が大きな影響を及ぼす病態が数多く存在する。近年，小児医療において**家族に焦点を当てた治療**（family-centered care）の必要性が一層認識されていることも，それと関連する。したがって，小児医療においては，疾患の診断・治療・予防にかかわる**小児病学的視点**に加えて，子どもをその成長・発達に合わせて**biopsychosocial**（身体・心理・社会的）な面から支援し，子どもの家庭生活，学校生活，社会活動へのより良い復帰を促す**小児保健学的視点**が必要である。小児看護においても，その子ども本人だけでなく親あるいは家族の特性，さらにはその背景にある社会環境の特性や相互作用の理解を含めたアプローチが必要である。

E 小児医療におけるインフォームドコンセント

すべての患者は，十分な情報提供とわかりやすい説明を受け，理解したうえで，自由な意思に基づき，自己の受ける医療行為に同意し，選択し，拒否する権利を有する。この原則は，患者の「**自己決定権**」に由来するものであるが，**インフォームドコンセント**はこうした権利に基づく合意のプロセスともいえる。また，子どもの権利条約（児童の権利に関する条約）が保障するように，そもそも子どもは独立した人格と尊厳をもち，個人として最大限に尊重されるべきであることに加え，意見を聞かれる権利である「**意見表明権**」を有している。

しかしながら，実際にその子どもにおいて医療行為に関する説明への理解能力および判断能力が不十分な場合には，その子どもに対して医療行為についての同意能力を認めることはできない。だがその場合でも，「意見表明権」の趣旨から，患者本人である子どもが，その年齢・成熟度に応じた説明を受け，その説明に基づきその医療行為についての意見を表明する機会を保障されるべき，かつ，表明された意見は相応に考慮されるべきである。すなわち，子どもが理解できる範囲でわかりやすい説明を行い，子どもの賛意を得る手続き（**インフォームドアセント**）が行われるべきである。

子どもの「自己決定権」および「意見表明権」と，それらの前提としての説明を受ける権利を実質的に保障するためには，子どもの理解を助け，自ら決定に参加するための支援が必要である。小児看護においては，その子どもの発達，さらには治療環境などを考慮しながら，子ども自身を十分に尊重し，意思決定を支援すること，すなわち，子どもの**権利の擁護**（**アドボカシー**）の役割が求められる。

II 小児保健

A 小児保健の対象と役割

小児保健の対象は時代に伴い変化するが，主たる対象は，疾患の有無によらないすべての小児，および妊娠期から子育て期にある親である。2018（平成 30）年に成立した**成育基本法**（通称）は，こうした対象への**切れ目のない支援**を保障することを目的とし，その健康を社会で守るという視点をもつ法律である。

小児保健の役割は，子どもの健康を保持・増進するために必要な方策を考え実践するというところにある。わが国の小児保健の具体的な実践としては，母子健康手帳の交付・両親教育・乳幼児健康診査などの母子保健，乳児家庭訪問・子育て支援などの児童福祉事業，新生児マススクリーニング，予防接種，学校保健などがある。近年ではこうした予防医学的な実践だけではなく，少子化，核家族化が進み，育児不安を抱える親が増加する時代に見合った，子どもの発達や行動の問題への対応を中心とする実践が重要視されている。すなわち，すべての子どもと家族を **biopsychosocial**（身体・心理・社会的）な面から支援し，子どものリスクに対応すること，子どもを取り巻くより良い環境の整備を行うことが，小児保健の新たな課題といえる。

B 乳幼児健康診査

乳幼児健康診査（**乳幼児健診**）は，乳幼児の健康状態を調べ，種々の疾病（しっぺい）や障害を発見することにより，治療や療育などにつなげるためのものである。近年では，こうした「疾病スクリーニング」だけでなく「**子育て支援**の必要性の評価」もその目的とされている。

乳幼児健診には，自治体から委託された医療機関で個別に行う個別健診と，保健所や地域の保健センターなどで同月齢・年齢の乳幼児を集めて行う集団健診がある。特に，医師・歯科医師，保健師，看護師，助産師，衛生士，管理栄養士・栄養士，心理職，保育士などの**多職種の従事者**がサービスを提供する集団健診は，乳幼児健診特有のスタイルといえる。

乳幼児健診は，戦前・戦後における発育や栄養の改善のための保健指導・栄養指導（三次予防）から，股関節脱臼など疾病に対する早期発見と治療，および脳性麻痺（まひ）や視覚・聴覚異常などの運動・精神発達，および感覚の問題に対する早期発見と療育（二次予防），さらには，肥満やう歯の予防から，社会性の発達や親子の関係性，および親のメンタルヘルスへの支援，虐待の予防などの，いわゆる子育て支援（一次予防）に至るまで，時代とともに大きく変化してきた。これらの課題の多くは現在に通じるが，乳幼児健診ではこうした変化に呼応する形で多職種の従事者の協力が不可欠になっている。

わが国の乳幼児健診は，主に1歳6か月児および3歳児に対して行われる。さらに市町村により3～4か月児，6～7か月児，9～10か月児，1歳児，5歳児などを対象にした健診が追加されている。2018（平成30）年,「乳幼児健康診査事業実践ガイド」および「乳幼児健康診査身体診察マニュアル」が，乳幼児健診の標準化，すなわち健診にかかわる医師や看護師などの技量による結果の差を減少させることを目的として作成，公開された。

C 学校保健

学校保健とは，幼稚園の幼児，小学校の児童，中学校と高等学校の生徒，大学の学生，およびこれらの学校の教職員を対象として，教育の場で行われる保健管理と保健教育，および保健組織活動を示し，養護教諭・栄養教諭・スクールカウンセラーなどを含むすべての学校教職員，学校医・学校歯科医・学校薬剤師などの専門職非常勤職員の連携，協力により推進される。学校保健の要ともいえる**養護教諭**は，教育職員免許法に定める教育職員である。養護教諭免許状は，養護教諭養成課程のある大学・短期大学で取得できるが，看護師免許や保健師免許を有する場合には，指定教員養成機関で所定の単位を修得することで取得できる。

学校保健の現場では，その中核をなす学校健康診断の実施のほか，麻疹（ましん）・風疹（ふうしん）・インフルエンザなどの学校感染症対策，食物アレルギー事故の予防と管理，スポーツ障害の予防対策，さらには不登校，摂食障害，いじめなどの心の問題への対応，スマートフォンなど情報端末の不適切な利用による健康障害への対策など，様々な課題に対応している。学校の**保健室**は学校保健のセンターとしての役割をもつ。保健室では，近年の児童·生徒のニーズの多様化に対応し，こうした①組織活動のセンター，および②健康情報センターとしての機能，また③健康診断・発育測定，および④けがや病気などの児童・生徒などの救急処置や休養の場としての機能だけでなく，⑤個人・集団の健康課題の把握，⑥心身の健康に問題のある児童生徒などの保健指導・健康相談・健康相談活動，⑦疾病(しっぺい)や感染症の予防と管理，⑧健康教育推進のための調査および資料などの活用・保管，⑨児童・生徒による委員会活動の場としての機能が求められている。

D 子育て中の親への包括支援

わが国では，母子保健法に基づき，妊娠前から妊娠，出産，育児に至るまでの一連の過程で，母親とその子どもの健康を保ち，さらに増進するための様々な**母子保健施策**が行われてきた。たとえば，**母子健康手帳**は，妊娠が判明した時点で居住地の市区町村長に妊娠届を提出することにより交付される。妊娠・出産・育児に関する一貫した健康記録（妊婦・乳幼児の健診などにおける保健指導および訪問指導の内容と評価，出産・出生時・生後退院までの状況，予防接種などの記録）であるとともに，妊婦・乳幼児に関する行政情報，保健・育児情報を提供するものである。

しかし近年，少子化，核家族化，地域のつながりの希薄化などが重なることで，子育てに孤立感や不安，負担，ストレスが増加し，そうした育児困難感が小児の虐待を引き起こす可能性も指摘されている。これらの状況に対し，2016（平成28）年の母子保健法の改正により，妊娠・出産から子育て期に至るまでの**切れ目のない支援**を目的とした，**子育て世代包括支援センター**の市区町村への設置が努力義務とされた。市区町村が受け持つ様々な母子保健業務をセンターの事業としてまとめるというだけでなく，センターの全国展開による一貫性・整合性のある支援の実現を目指している。すなわち，どの市区町村に居住しても，妊産婦および乳幼児などが安心して健康な生活ができるよう，利用者目線の支援が期待されている。センターの必須業務としては，①妊産婦・乳幼児などの実情把握，②妊娠・出産・子育てに関する各種相談と必要な情報提供・助言・保健指導の実施，③支援プランの策定，④保健医療または福祉の関係機関との連絡調整の実施があげられている。

E 小児虐待増加への対策

児童相談所での虐待相談対応件数は，増加の一途をたどっており，厚生労働省の報告によれば，1990（平成2）年の1101件から2021（令和3）年には20万7660件と200倍近くにまで急増している。わが国では，これまでも虐待防止対策として，児童虐待の防止等に関する法律（児童虐待防止法）と児童福祉法に則り，虐待を受けた子どもを不適切な養育から守り保護するだけでなく，困難な状況にあり何らかの援助を必要とする子どもとその家族に対して支援する取り組みが行われてきた。市区町村レベルの自治体に設置された，**要保護児童対策地域協議会**が児童相談所と連携・協力しながら，要保護児童（被虐待児），要支援児童（不安定な養育環境などにより何らかの支援が必要な子ども）および特定妊婦（若年妊娠や望まない妊娠など支援が必要な妊婦）などを支援するためのネットワークを調整する役目を担っている。

しかし，さらなる虐待事例の増加により，2018（平成30）年，国は小児の虐待防止対策の強化に向け，厚生労働省をはじめ関係省庁が一丸となって対策に取り組む「児童虐待防止対策の強化に向けた緊急総合対策」を公表した。緊急に実施する具体的な重点対策として，①転居した場合の児童相談所間における情報共有の徹底，②子どもの安全確認ができない場合の対応の徹底，③児童相談所と警察の情報共有の強化，④子どもの安全確保を最優先とした適切な一時保護や施設入所などの措置の実施・解除，⑤乳幼児健診未受診者・未就園児・不就学児などの緊急把握の実施，⑥児童虐待防止対策体制総合強化プランの策定をあげている。これにより国は年齢や居住地に関わらず，すべての子どもが地域におけるつながりをもち，虐待予防のための早期対応から，虐待発生時の迅速な対応，虐待を受けた子どもの自立支援などに至るまで，**切れ目のない支援**を受けられる体制の構築を目指している。小児の虐待防止には，子育て世帯が地域で孤立せず生活できるよう，地域全体で子どもを見守り育てる社会環境の構築が必要とされている。

本章の参考文献

・国立研究開発法人国立成育医療研究センター：平成29年度子ども・子育て支援推進調査研究事業　乳幼児健康診査のための「保健指導マニュアル（仮称）」及び「身体診察マニュアル（仮称）」作成に関する調査研究，平成30年3月.

第2章 染色体異常・先天異常

この章では

- 先天異常の考え方を学ぶ。
- 代表的な先天異常の特徴と治療法を理解する。

I 染色体異常・先天異常とは

1. 先天異常の考え方

本節では，遺伝子と染色体およびその異常について概説した後，代表的な先天異常について学ぶ。なお，**先天異常**という言葉は，2つの異なる意味で使用されているので注意を要する。すなわち，出生前から発症する疾患全般を指す場合と，形態の異常を伴う疾患を指す場合である。医療者間あるいは家族と話をする場合に，どちらの意味で「先天異常」という言葉が使われているのか，意識する必要がある。

2. 遺伝子と染色体

1 遺伝子（gene）

人間のからだは約60兆個の細胞から成り立っている。各細胞は各種のたんぱく質の働きによって維持されている。ここでいうたんぱく質とは，栄養素としてのたんぱく質ではなく，筋肉成分や血液凝固因子など，特殊な役割を果たす物質を指す。たんぱく質は数百から数千に及ぶアミノ酸から成り立っており，1つのアミノ酸は核酸塩基3個の配列により決められる。核酸塩基はアデニン，チミン，グアニン，シトシンの4種類から成り立っている。1つのたんぱく質の合成にかかわる数千～数万個の核酸塩基の配列を**遺伝子**とよぶ。ヒトがもつ**遺伝子**の総数は約2万個である。

2 染色体（chromosome）

数百～数千の遺伝子が数珠(じゅず)玉のように連なった物質を**染色体**とよぶ。1つの細胞は46本の染色体を含む。先に述べた2万個の遺伝子は23対46本の染色体上に規則正しく配列され，46本のうち23本は父親から，23本は母親から受け継がれている。

46本のうちのX染色体とY染色体は，性染色体とよばれる特殊な染色体である。男性の細胞はX染色体とY染色体を1本ずつ，女性の細胞はX染色体を2本含む。性染色体を除く残りの44本は常染色体とよばれ，22種類存在する。22種類の染色体は大きいほうから順に第1番染色体，第2番染色体，……第22番染色体とよばれている（ただし、現在では22番染色体は21番染色体よりも大きいことがわかっている）。染色体の中心部付近はくびれており，2つに分けられる。短い部分が短腕，長い部分が長腕とよばれる。

3 ゲノム（genome）

すべての遺伝子とすべての染色体を総称して**ゲノム**とよぶ。全24種類の染色体に2万個の遺伝子が含まれているので，1本の染色体に数百～数千の遺伝子が含まれている計算になる。また，全24種類の染色体に含まれる核酸塩基の総数は30億個である。「ヒトゲノム計画」により，30億個すべての塩基の順序が明らかにされた。

4 染色体・遺伝子異常

精子や卵子がつくられる際に，ゲノム全体，すなわち23対の染色体，30億個の塩基が複製される。複製の際に不具合が起きると，染色体ないし遺伝子に異常をもった精子や卵子がつくられ，遺伝性疾患の原因となる場合がある。

遺伝性疾患の原因を調べる目的で，染色体検査や遺伝学的検査が実施される。

染色体検査は白血球を特殊な染色で処理した後，顕微鏡により観察する検査法であり，染色体の数の異常や構造の異常を検出する。1回の検査で調べられる染色体は46個すべてである。一方，**遺伝学的検査**は核酸配列の異常を検出する方法である。遺伝子は染色体よりはるかに小さく、数が多い。以前は1回の検査で調べ得る遺伝子は2万個の遺伝子のうちただ1個であったが、現在では次世代シーケンサーという2万個の遺伝子を同時に調べられる技術が実用化されている。

染色体検査の結果が正常であっても，染色体よりさらに小さな遺伝子に異常がないとは判定できない。逆に遺伝子に異常があっても，染色体検査の結果は正常であることが多い。

3. 遺伝性疾患

遺伝子や染色体の異常により発症する疾患を総称して**遺伝性疾患**とよぶ。メンデル遺伝病，染色体異常症，ミトコンドリア遺伝病，多因子遺伝病などに分類される。

1 メンデル遺伝病

メンデル遺伝病は**単一遺伝子病**ともよばれ，特定の遺伝子の異常（遺伝子変異とよぶ）により発症する疾患である。先に述べたように，常染色体は細胞に2本ずつ含まれている。したがって，常染色体上の遺伝子は細胞に2本含まれている。

2本のうち1本でも異常があれば発症する遺伝性疾患を**常染色体顕性（優性）遺伝病**，両方に異常があるときに発症し，1本のみの異常では発症しない疾患を**常染色体潜性（劣性）遺伝病**とよぶ。

X染色体上の遺伝子に異常が起きると，男児はX染色体を1本しかもたないため正常な遺伝子がなくなってしまう。こうして発症する遺伝性疾患を**X連鎖性遺伝病**とよぶ。

2 染色体異常症

染色体数の異常（46本より多い，または少ない）と染色体の構造の異常により発症する疾患を**染色体異常症**とよぶ。新生児における染色体異常症の発生頻度は200人に1人であり，まれな疾患ではない。異常の種類により様々な臨床症状を呈する。精神発達遅滞や発育遅延を伴うものが多いが，伴わないタイプもある。

特定の染色体が1本過剰である場合を**トリソミー**，特定の染色体部分が3コピーとなっている場合を**部分重複**とよぶ。特定の染色体が部分的に失われている場合を**部分欠失**，特定の染色体部分が本来の場所とは異なる場所へ移ってしまっている場合を**転座**とよぶ。

原則として，すべての細胞が同じ染色体異常をもつ。なお，一部の細胞のみが染色体異常をもつ場合を**モザイク**とよぶ。

第21番染色体が1本過剰である病態は**ダウン症候群**（**21トリソミー**）とよばれ，広く知られている。なお，染色体異常といえばダウン症候群を指すと誤解されている場合があるため，注意を要する。

3　ミトコンドリア遺伝病

ミトコンドリアは細胞質の中にあり，エネルギー産生の場所である。1つの細胞に数百～数千個のミトコンドリアが存在する。

ミトコンドリアの中に含まれる遺伝子はすべて母から子に伝えられ，父から子には伝えられない。これを**母系遺伝**とよび，メンデルの法則に従わない。ミトコンドリアの障害は多彩な疾患（脳症・筋疾患・心筋症・難聴・糖尿病など）の原因となる。ただし，ミトコンドリアの障害には，染色体上の遺伝子（核遺伝子）によりつくられるミトコンドリア内で働くたんぱく質の異常によるものもある。これらの遺伝子の異常は母系遺伝ではないので注意が必要である。

4　多因子遺伝病

多因子遺伝病とは，複数の遺伝子の異常と環境要因が重なって起こる疾患である。家族のなかに2人以上が同じ症状をもつ場合もあるが，その頻度は高くない。親あるいは子どもが罹患している場合，次子が罹患する確率は数％程度である。高血圧や糖尿病，唇裂・口蓋裂，先天性心疾患，二分脊椎などが多因子遺伝病と考えられている。

4. 遺伝カウンセリング

小児が染色体異常症や遺伝性疾患に罹患しているとき，両親は次子が同じ疾患に罹患する可能性や健康なきょうだいが発症する可能性について情報を求めている。疾患についての遺伝学的な情報を家族に提供し，家族の意思決定を援助することを**遺伝カウンセリング**とよぶ。

常染色体顕性（優性）遺伝病の患者の子どもが同じ疾患に罹患する確率は50％である。しかし，患児の親が同じ疾患に罹患しているとは限らない。常染色体顕性（優性）遺伝病が，精子ないし卵子がつくられる際の突然変異により発症することもあるためである。患児の親に症状がなければ，次子が同じ疾患に罹患する可能性は低い。常染色体潜性（劣性）遺伝病の患児の両親の次子が同じ疾患に罹患する可能性は25％である。患児自身は自分と血縁関係にない人と結婚すれば，その子どもが同じ疾患に罹患する可能性は低い。患児のきょうだいのうち無症状の者は血縁関係にない人と結婚すれば，その子どもが同じ疾患に罹患する可能性は低い。常染色体潜性（劣性）遺伝病は両親が血縁関係にある場合にその子どもに認められることが多いが，血縁関係にない者どうしの結婚においても認められることがある。

第1子がX連鎖性遺伝病の場合，次子の罹患率は，母親が保因者であるかどうかにより異なる。母親が保因者のとき，次子が男児の場合は同じ疾患に罹患する確率は50%である。第1子が染色体異常症の場合，次子が染色体異常症に罹患する可能性は，患児の染色体異常のタイプにより大きく異なる。詳細は他書に譲るが，次子のリスクが非常に低い場合も少なくない。

遺伝性疾患に対しては，一般社会や患児・家族自身の誤解・偏見が存在する点に留意する必要がある。たとえば，「患児が遺伝病なら，どちらかの両親が同じ病気をもっているはずだ」と漠然と考えている両親が少なくない。正確な情報を提供することを心がけたい。また，看護師は家族に対する精神的なサポートを与え得る立場にあり，遺伝性疾患の患児やその家族に対して常に共感をもって接するようにしたい。知り得た情報に対する守秘義務を遵守することは言うまでもない。

5. 先天代謝異常症とマススクリーニング

すべての細胞は代謝活動を行っている。代謝は酵素の働きにより媒介される。酵素の働きが低下したり失われたりすると，酵素が本来産生すべき物質が産生されず，本来分解すべき物質が蓄積して，先天代謝異常症を発症する。

酵素の働きにより様々な臨床症状を呈するが，発見が遅れた場合には，進行性の中枢神経障害による発達遅滞などの不可逆的な影響が残ってしまう疾患が多い。

早期に発見し，特殊ミルクを使用すれば治療が可能な先天代謝異常症もあり，マススクリーニングが実施されている。①発生頻度が高いこと，②早期発見により治療が可能であることなどの条件を満たす疾患について，新生児全員を対象とするスクリーニング検査が行われている。ガスリー法とよばれる検査法で，濾紙（ろし）に血液を染み込ませ，生化学的検査を行う。従来，わが国ではフェニルケトン尿症・メープルシロップ尿症・ホモシスチン尿症・ガラクトース血症・先天性甲状腺機能低下症・先天性副腎皮質過形成症のスクリーニングが行われてきた（先天性甲状腺機能低下症・先天性副腎皮質過形成症については，本編-第4章-XII「内分泌・代謝疾患」を参照）。2014（平成26）年4月よりタンデムマス法が全国に導入され，新たに二十数種類の疾患（有機酸血症・尿素サイクル異常症・脂肪酸β酸化異常症など）が診断されるようになった。

6. 形態異常

受精卵からヒトの形がつくられるまでの発生過程は非常に複雑であり，各種の形態異常が起こり得る。個々の疾患の発生頻度は高くないが，形態異常をすべて含めるとその頻度は比較的高く，出生児の２～３％を占める。小児病棟の入院患児のうちかなりの数が何らかの形態異常をもっており，形態異常についての基本的な理解が不可欠である。また，形態異常に対しては多くの誤解や偏見があり，家族の気持ちに配慮しつつ看護にあたることが大切である。なお，形態の異常を指す「奇形」という用語が差別用語であると考える人が多く，使用を避けるべきである。

一般人のみならず医療関係者の間でもしばしば「形態異常＝遺伝病である」と誤解されているが，実際にはメンデル遺伝病に属する形態異常は少ない。また，形態異常児が生まれた場合，母親に原因があるという誤った考えが一般に広まっているため，母親が自責の念にかられたり，配偶者あるいは親戚から責められたりする場合がある。

胎生３か月の間（胎芽期）は，臓器の分化形成が急速に行われる時期である。この時期に外部からの影響が原因で発症する場合を胎芽病とよぶ。アルコール（本章 - II -C-1「胎児アルコール症候群」参照）や風疹・サイトメガロウイルス・トキソプラズマなどのウイルスも感染の時期によって先天異常の原因となり得る。動物実験により胎児発生毒性が証明されている薬剤は多数あるが，ヒトにおける胎児発生毒性が証明されている薬剤は少ない。ワルファリンカリウム・ACE 阻害薬・アンジオテンシン II 受容体拮抗薬・抗てんかん薬（バルプロ酸ナトリウム）・エトレチナート（ビタミンＡ誘導体）などは注意を要する。詳細についての相談があれば、妊娠と薬情報センター（国立成育医療研究センター内に設置）への問い合わせを行う。

先天異常のある子どもの母親が感冒薬などを内服していたことがわかったとき，不用意に両者を結びつけるような発言をすべきでない。両者に因果関係がないにもかかわらず，母親に無用の精神的負担を強いる結果になる。同様に，診断的な単純Ｘ線撮影であれば胎芽に対する影響はないと考えてよい。

II　先天異常の代表的疾患

 メンデル遺伝病

1　軟骨無形成症（achondroplasia）

▶ 特徴　**軟骨無形成症**は，常染色体優性遺伝病で，原因遺伝子は線維芽細胞増殖因子３型 FGFR3 である。低身長，四肢の短縮，前頭部の突出，上顎の低形成を主徴とする。通常，知的発達は正常である。発生率は１万 5000 人に１人であり，患児の 80％が突然変異である。

▶ 治療　低身長に対して成長ホルモン投与が行われる。脚延長術が試みられる場合がある。

2 マルファン症候群 (Marfan syndrome)

▶ **特徴** **マルファン症候群**は，常染色体優性遺伝病で，フィブリン1遺伝子 *FNB1* の変異により結合組織の異常をきたす。高身長，細長い指，大動脈弁の異常，大動脈の拡張・解離，水晶体亜脱臼，側彎，漏斗胸を主徴とする。

▶ **検査** 定期的な心臓超音波検査，眼科検査，椎体の検査が必要である。大動脈弁輪が拡張した場合，解離予防の観点から手術を行う。

3 フェニルケトン尿症 (phenylketonuria)

▶ **特徴** **フェニルケトン尿症**は，常染色体劣性遺伝病で，アミノ酸フェニルアラニンからチロシンへの代謝にかかわるフェニルアラニン水酸化酵素の欠損により，体内にフェニルアラニンが蓄積する。近年，テトラヒドロビオプテリンによる治療法が開発された。

▶ **治療** フェニルアラニン制限食で治療する。新生児マススクリーニングにより発見し，早期に治療すれば予後は良好であるが，治療が遅れた場合は知的障害や痙攣を認める。

B 染色体異常症

1 ダウン症候群 (Down syndrome) [21トリソミー (21 trisomy)]

ダウン症候群では第21番染色体が1本過剰である。特異顔貌 (眼瞼裂斜上，鼻根部平坦，内眼角贅皮，舌の突出)，手掌単一屈曲線，筋緊張低下 (哺乳力の低下など) を主徴とする。染色体検査により確定診断する。出生600人に1人の発症率で，染色体異常のなかでは最も頻度が高い。心疾患 (心室中隔欠損や心房中隔欠損が多い) の合併率は50%と高い。ほかにも甲状腺機能低下症，白血病の合併が認められるので，注意が必要である。知的障害はほとんどすべての症例で認められ，定期的なフォローが必要である。視力低下や難聴にも注意する。

2 18トリソミー (18 trisomy)

18トリソミーでは第18番染色体が1本過剰である。特異顔貌 (前頭部が平坦で長い，眼瞼裂が短い)，特徴的な手指の握り (第2・5指が第3・4指を覆う)，胸骨短小を主徴とする。

染色体検査により確定診断する。出生4000人に1人の発症率である。重篤な先天性心疾患を伴うことが多く，生命予後，知能予後は限定的だが個人差もある。心臓手術を含めた侵襲的な手術の実施に際しては，家族と十分に意見交換を行う必要がある。

3 13トリソミー (13 trisomy)

13トリソミーでは第13番染色体が1本過剰である。特異顔貌 (眼間狭小，単眼症)，唇裂・

口蓋裂，手指屈曲奇形，先天性心疾患を主徴とする。染色体検査により確定診断する。出生 6000 人に 1 人の発症率である。重篤な心奇形を伴うことが多く，生命予後，知能予後は限定的だが個人差もある。心臓手術を含めた侵襲的な手術の実施に際しては，家族と十分に意見交換を行う必要がある。

4 ターナー症候群 (Turner syndrome)

▶ **特徴** **ターナー症候群**の女性は X 染色体を 1 本しかもたない。後頸部の皮膚のたるみ，翼状頸，手背･足背の浮腫（特に新生児期に強い），胸郭が広く乳頭間距離が開大，心奇形（特に大動脈の縮窄），低身長を主徴とする。染色体検査により確定診断する。女児出生 3000 ～ 7000 人に 1 人の発症率である。精神発達は正常である。卵巣機能不全があり，2 次性徴の発達が不良である。

▶ **治療** 成長ホルモン，女性ホルモンによる治療を行う場合がある。

5 クラインフェルター症候群 (Klinefelter syndrome)

クラインフェルター症候群の核型は 47,XXY であり，正常の男性よりも X 染色体が 1 本多い。発症頻度は男児出生 750 人に 1 人である。小児期では臨床症状は乏しく，思春期に正常な精巣の発育が起こらない，小陰茎，女性化乳房などの症状により発見されることが多い。身長は高い傾向があり，下肢が長い。

C 先天性形成異常 (先天奇形)

1 胎児アルコール症候群

米国において原因のはっきりしている精神発達遅滞のなかでは，**胎児アルコール症候群**は第一の原因とされている。わが国でも女性のアルコール消費の拡大とともに重要な疾患になりつつある。

妊娠期間中の最低安全アルコール摂取量は不明である。したがって，妊娠期間中の母親は飲酒を避けることが望ましい。ただし，母親が妊娠初期に少量のアルコール摂取を 1 ～ 2 回程度行って出生した児に何らかの先天異常が発症した場合に，原因を母体のアルコール摂取と決めつけることは適切ではない。

症状としては，子宮内発育不全と生後の低身長，発達遅滞があり，眼裂狭小，平滑な上口唇，平滑で長い人中（鼻と唇の間の溝）を特徴とする。先天性心疾患を合併することもある。新生児期に出生前のアルコール曝露の影響の有無を判断することは困難である。

低出生体重児の場合，妊娠中のアルコール摂取の有無について問診する必要がある。乳幼児期の発達が正常であっても，小学校入学以降に学習障害や多動症を呈することもあり，経過観察が必要である。

第3章

新生児の特徴と疾患

この章では

- 新生児の特徴と異常徴候について理解する。
- 新生児の主な疾患を学ぶ。

I 新生児の特徴と異常徴候

A 新生児の特徴

新生児期は「子宮内生活」から「子宮外生活」へ適応する時期である。その適応過程を概説する。

1. 呼吸・循環の変化（胎児循環から新生児循環への変化）

呼吸と循環の変化は児にとって最も大きな変化である（図 3-1）。胎児期のガス交換は経胎盤的に母体が担(にな)っているが，出生後は新生児の肺呼吸で行われるため，自発呼吸，肺でのガス交換，新生児循環の三者の確立が必要である。

1 胎児循環

胎児循環（図 3-1 a）に不可欠な四要素は，胎盤・卵円孔(らんえんこう)・動脈管・静脈管である。

胎盤で栄養と酸素を受け取った血液は臍帯静脈(さいたいじょうみゃく)から児の体内に入り，下大静脈→右心房(うしんぼう)→卵円孔→左心房(さしんぼう)へと進む。その後は新生児循環と同様に，左心室→大動脈へと流れ，冠動脈，脳，上肢へと供給される。つまり最も酸素を多く含んだ血液は，重要臓器である心臓と脳に供給される。一方，上大静脈からの血流は，上半身で酸素を供給した後の血流で酸素分圧は低く，右心房→右心室→肺動脈へと進む。血管抵抗は肺動脈で高く体動脈では低いため，肺に流れるのは約 15％のみで，残りは動脈管を通り下行大動脈に流入する。下行大動脈からの血流の約半分は，総腸骨動脈→内腸骨動脈→臍帯動脈→胎盤へと戻り，ガス交換される。残りの血流は腹部臓器・下肢に供給され下大静脈に還流する。

2 新生児循環

出生後，呼吸が始まると血液の酸素分圧が急速に上昇，肺血管抵抗が減少し，肺動脈圧が低下，肺血流量は増加する（**新生児循環**；図 3-1 b）。肺血流量が増加すると，左心房に還流する血液量が増加し，左心系の圧が上昇する。左心房圧が右心房圧より高くなり，卵円孔が機能的に閉鎖する。動脈管は出生後の酸素分圧の上昇により収縮し，血中のプロスタグランジンの減少などにより閉鎖する。早産児では，これらの変化への動脈管の反応が未熟で，動脈管閉鎖が遅延する場合がある。

出生と同時に胎盤も切り離されるため，胎盤血行が停止する。児の体血管抵抗が上昇し，体血圧が上昇する。出生時にはカテコラミンを含む複数のホルモン濃度が上昇し，心収縮力が増加する。静脈管は数日で自然閉鎖する。

こうして胎児循環で不可欠だった四要素はすべて機能を停止し，体循環と肺循環が確立

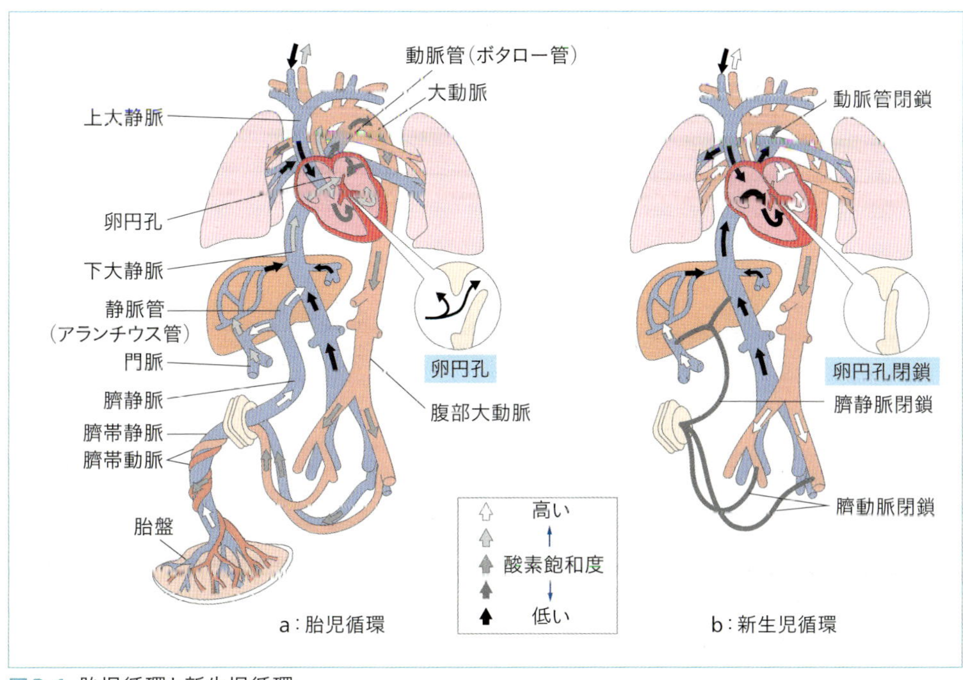

図3-1 胎児循環と新生児循環

する。呼吸障害などで，酸素分圧の上昇が制限されると，肺循環の確立が進まず，出生後も胎児循環と同じ血行動態が持続する（本章 -II-3-2「新生児遷延性肺高血圧症」参照）。

2. 栄養代謝の変化

胎児期では栄養の供給や老廃物の排泄の多くは胎盤を介して母体との間で行われている。出生と同時に児はこのプロセスを自分で行うようになる。低血糖，黄疸，低カルシウム血症などの症状はこの変化の過程で発症する。

3. 環境の変化

胎児は羊水と子宮に守られている。羊水は血清や海水と似た組成の弱アルカリ性の液体で，胎児の尿や気道からの分泌液と羊膜表面細胞からの分泌液で構成される。羊水により，胎児は「保温と保湿が整い，四肢の自由な運動が可能な，最適な環境」で成長できる。出生により，胎児は潤沢にあった水分と塩分を失い，寒さに晒される。また，臍帯からの栄養供給が絶たれ，飢餓状態にも晒される。出生時に胎児の内分泌系は急激に活性化し，大気内での生活の準備をする。甲状腺ホルモンや副腎皮質ホルモンの分泌が増加し，熱産生やストレス対応，水分・塩分保持に対応する。

表 3-1 新生児の分類

分類		概要
在胎週数による分類	早産児	在胎 37 週未満で出生した児。在胎 28 週未満の児を超早産児，在胎 34 週以降の児を後期早産児ともいう。後期早産児は，臓器形成はほぼ完成しているが，機能的には未熟性が残っているため，低体温や哺乳不良，無呼吸発作を起こしやすい。
	正期産児	在胎 37 週以降 42 週未満で出生した児。
	過期産児	在胎 42 週以降で出生した児。胎盤機能が低下し，死産や新生児仮死（本章 -II-1「新生児仮死」参照）のリスクが上昇する。
出生体重による分類	超低出生体重児	出生時体重 999 g 以下の児。
	極低出生体重児	出生時体重 1499g 以下の児。狭義では 1000g 以上 1499g 以下の児を指す。
	低出生体重児	出生時体重 2499g 以下の児。
	巨大児	出生時体重 4000g 以上の児。

表 3-2 在胎週数ごとの早産児の予後

在胎週数	予後
22 週	生育限界。
24 週	救命率が上がる。
26 週	後障害発生率が下がる。
28 週	新生児早期脳室内出血と皮膚脆弱性による感染症のリスクが下がる。
30 週	治療を要する未熟児網膜症（本章 -III-C-4「未熟児網膜症」参照）の発症率が下がる。
32 週	サーファクタント補充が必要な呼吸窮迫症候群（本章 -II-2-1「呼吸窮迫症候群」参照）の発症率が下がる。
34 週	各臓器の形態的形成はおおむね完成している。

4. 新生児の分類

新生児は在胎週数や出生時体重により分類される（表 3-1，在胎週と出生体重の両方からみた分類は本章 -IV「成熟異常」参照）。在胎週数は児の予後を左右する大きな因子であり，早産児の予後は，在胎約 2 週ごとに良くなる（表 3-2）。児の成熟度は出生時体重よりも在胎週数に依存するが，同じ在胎週数では体重が低いほど，より慎重な対応を要する。一方で巨大児は，背景に管理不良の母体糖尿病などの基礎疾患が存在する可能性がある（本章 -II-11-1「糖尿病母体児」参照）。

B 新生児の異常徴候

新生児の異常は，胎児から新生児への適応が適切に進捗しない場合と胎児期から始まっている疾病（しっぺい）が存在する場合がほとんどである。状態によっては，新生児集中治療室（neonatal intensive care unit; NICU）での集中治療を要する。

1. 何となく元気がない (not doing well)

文字どおり「何となく元気がない」「何となく様子がおかしい」状態を指す。出生直後の急性期をすぎ，本来なら児が安定している時期の異常を指す。主観的で漠然とした表現だが，すべての新生児疾患の初期症状となり得る状態である。具体的には，「寝てばかりいる」「いつもより動かない」「いつもより泣かない」「哺乳しない」などである。

2. 形態異常（奇形）

外表形態異常は内臓の異常を伴う全身性疾患の一所見の可能性がある。新生児の初回診察時には，頭部から四肢末梢まで注意深く診察する。単一臍帯動脈のように，出生後時間がたつと判断できなくなる所見もある。

3. 呼吸障害

呼吸は胎児期には行われておらず，呼吸の安定は子宮外環境への適応の主要部分である。呼吸障害の本態は肺胞拡張障害や機能的残気量減少で，肺水の排泄吸収遅延，肺胞の未熟性，胎内で吸い込んだ胎便混濁羊水などにより生じる。下記のような努力性呼吸を認める。呼吸が停止する無呼吸とは区別される。

- **陥没呼吸**：肺胞の拡張障害による。胸腔に陰圧をかけて肺胞を広げようとしており，吸気に努力が必要な状態である。肋間や鎖骨上窩・剣状突起窩が陥没する。
- **鼻翼呼吸**：吸気に努力が必要な状態である。吸気のたびに鼻翼が広がる。
- **呻吟**：呼気時に声門を締め，気道内圧を維持して，肺胞の虚脱を防ごうとしている状態である。呼気が延長し，ウーウーとうなるような呼吸となる。
- **多呼吸**：1回換気量が小さいときに，呼吸数増加で代償している状態である。60回/分以上となる。

4. チアノーゼ

チアノーゼは皮膚色が青黒い状態を指す。皮膚色の異常としては，ほかに蒼白（貧血や代謝性アシドーシス，ショック低血糖など），紅潮（多血），色素沈着（先天性副腎過形成など）もある。チアノーゼは中心性チアノーゼ（顔面，体幹）が臨床的に重要である。四肢末梢性のチアノーゼは生後数時間，健常児にもみられる。チアノーゼの原因疾患の多くは呼吸器疾患である。呼吸障害がないのに中心性チアノーゼが持続する場合は，チアノーゼ性心疾患や重度の貧血を鑑別する。

5. 哺乳障害・哺乳不良

哺乳障害には，哺乳意欲はあるが飲めない場合と哺乳意欲がない場合がある。あらゆる病態の初期症状となりうる。新生児は乳首が口腔内に入れば吸啜するが（**吸啜反射**），哺乳意欲がない場合は持続しない。経口哺乳能力は在胎34～35週には確立するとされているので，これ以上の修正週数で，吸啜が持続しなければ，哺乳意欲がないと判断する。飲み始めは意欲があっても，苦しかったり疲れたりすると，意欲が減退する場合もある。母の乳房からの直接授乳は不調でも，哺乳瓶からの哺乳が順調な場合は哺乳障害としない。

6. 痙攣・易刺激性

新生児の痙攣(けいれん)は，中枢神経系の未熟さのため非定型的であり，年長児にみられる全身性強直間代性痙攣(きょうちょくかんたいせい)を呈することはほとんどない。正常な動きと区別が困難な場合や，無呼吸やバイタルサインの変動のみが主症状となる場合もある。呼吸が抑制される場合が多く，気道の確保など呼吸サポートが重要である。

7. 下血や吐血などの消化管出血（メレナ）

メレナとは黒色便，タール便を意味するが，**新生児メレナ**はビタミンK欠乏による消化管出血を指し，真性メレナともよぶ。成人や年長児では，上部消化管出血は黒色便，下部消化管出血は鮮血便（下血）となるが，新生児では上部消化管出血でも鮮血便を認める場合がある。

吐血(とけつ)も下血も発症時期が原因病態を判断する手がかりとなる。吐血は生後24時間以内であれば出生時に嚥下(えんげ)した母体血の可能性が高く，それ以降であれば，児自身の出血の可能性が高い。

8. 嘔吐・腹部膨満

早期新生児は嘔吐(おうと)することが多く，半数以上の児が生後48時間以内に2～3回嘔吐する。生後48時間を超えて嘔吐を反復する場合，羊水様以外の性状の吐物がみられる場合は治療を要する病的な嘔吐であることが示唆される。緊急手術を要する消化管通過障害は，胎児期に診断されている場合が多いが，食道閉鎖および鎖肛(さこう)に関しては胎児超音波検査での診断は困難である。

9. 体温の異常

新生児の適切な体温は通常36.5～37.5℃である。深部温（直腸温，食道温）は皮膚温に比べ安定しており，環境温度に左右されにくいため，深部温が37.5℃を超えている場合を高体温，35.5℃以下を低体温と評価する。高体温よりも低体温のほうが重篤な病態を反映している可能性が高い。

環境温度が新生児の体温に与える影響は大きく，高体温も低体温も起こり得る。体温の変動はほかのバイタルサインに影響を与え，呼吸障害や無呼吸発作，循環不全，哺乳不良(ほにゅうふりょう)，活気不良などの全身症状を起こす。

Ⅱ 新生児の主な疾患

1. 新生児仮死

▶ **概念・定義**　**新生児仮死**とは出生時に自発呼吸が弱く，患児がぐったりしている状態である。新生児仮死の大部分は，胎児期の低酸素虚血（ていさんそきょけつ）が原因である。患児の基礎疾患や，母体に投与された薬剤なども出生時の自発呼吸の確立を遅らせる可能性がある。出生時，全出生の約15%の児が皮膚刺激を含む何らかの蘇生処置を，約5%の児は人工陽圧換気を，約2%の児で気管挿管以上の高度な心肺蘇生を必要とする。胎便吸引症候群や新生児遷延性肺高血圧症を合併する場合がある。

▶ **アプガースコア**　1952（昭和27）年に麻酔科医のアプガー（Apgar, V.）が考案した，出生時の活気度を評価するスコアである（第4編　第1章-VII「出生直後から集中治療が必要な小児と家族への看護」参照）。生後1分，5分で評価する。新生児仮死児では，神経学的予後との関連が示唆されている生後10分値も評価し，アプガースコアが8点になるまでにかかった時間を記録する。アプガースコアが≦6点を軽症（第1度）新生児仮死，≦3点を重症（第2度）新生児仮死とする。

▶ **病態生理**　胎児が何らかの原因で低酸素虚血に陥ると，心臓・脳に血流が優先され，骨格筋や平滑筋（へいかつきん）は虚血になる。その結果，出生時に四肢の筋肉や呼吸筋は弛緩（しかん）状態となり，体動が乏しく，呼吸運動もできなくなる。重症仮死では，心臓や脳も高度の低酸素虚血となる。**低酸素虚血性脳症**（hypoxic ischemic encephalopathy；**HIE**）では神経細胞の壊死（えし）や機能障害が生じ，最重症例では「寝たきり」の状態となる。

▶ **症状**　自発呼吸の消失や筋緊張低下，原始反射（吸啜（きゅうてつ）反射やモロー［Moro］反射）の減弱がみられるほか，痙攣が生じる。

▶ **検査・診断**

- **血液ガス検査**：臍帯（さいたい）動脈血液や生後1時間以内の児血でアシドーシス。
- **血液検査**：逸脱酵素（AST，LDH，CKなど）の上昇。
- **脳波**：基礎波の活動性低下，睡眠時の周期性脳波の消失。
- **頭部MRI**：短時間で重度の障害の場合には基底核・視床・海馬などに両側対称性の異常信号域（図3-2），遷延性の軽〜中等度の障害の場合には大脳動脈の境界領域，皮質下白質の異常信号がみられる。

▶ **治療**　新生児仮死の治療では，出生時に心肺蘇生を行い，入院後は呼吸管理や循環管理，適応がある場合は低体温療法を行う。

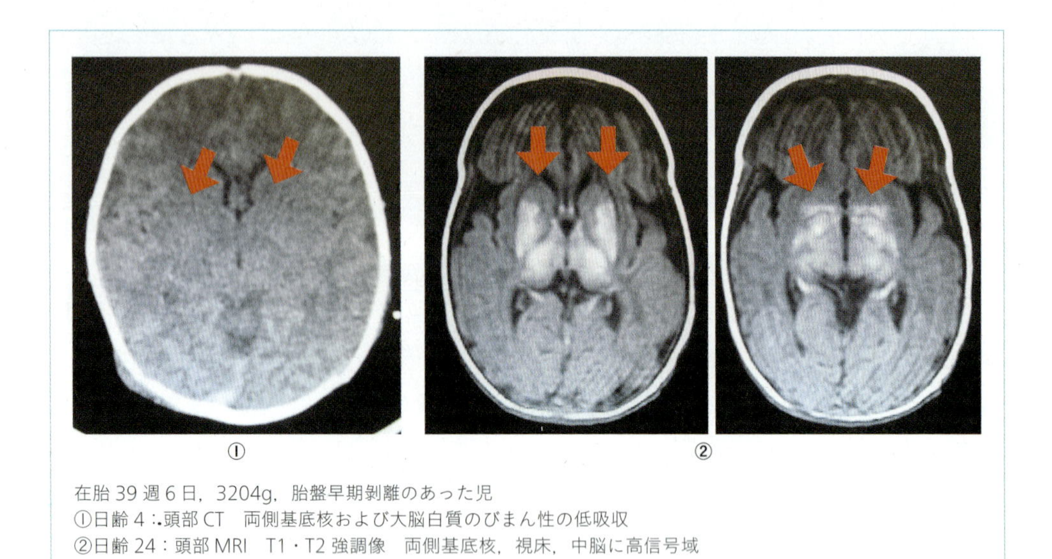

在胎 39 週 6 日，3204g，胎盤早期剝離のあった児
①日齢 4：頭部 CT　両側基底核および大脳白質のびまん性の低吸収
②日齢 24：頭部 MRI　T1・T2 強調像　両側基底核，視床，中脳に高信号域

図 3-2　重症新生児仮死児の頭部画像

2. 呼吸器疾患

1　呼吸窮迫症候群（respiratory distress syndrome；RDS）

▶ **概念・定義**　肺サーファクタントの欠乏により，肺胞拡張障害・肺胞虚脱を生じ，酸素化と換気が障害される状態で，在胎 32 週以下の早産児に多い。在胎 37 週以上の胎児でも肺水，胎便，血液などで，肺サーファクタントが二次的に失活した場合は同様の状態となる。

肺サーファクタント：肺胞上皮細胞で産生されるリン脂質とたんぱく質で構成される物質。肺胞内の空気の表面に吸着し，肺胞を内側から広げる。妊娠 20 週頃から胎児肺で産生されるが，最初は少なく，妊娠 36 週頃に急速に増加する。母体へのステロイド投与，子宮内炎症や胎児発育遅滞などの胎児へのストレスはサーファクタント産生能を成熟させる。母体高血糖や羊水量過少などは産生能成熟を妨げる。

▶ **病態生理**（図 3-3）　肺サーファクタント不足により，肺胞のコンプライアンス（膨らみやすさ）が低下している状態である。肺胞が膨らめず虚脱し，強い呼吸障害を呈する。部分的に拡張できた肺胞では過剰に空気が入り，その空気が漏出して，気胸を発症することもある。

▶ **症状**　努力性呼吸とチアノーゼ，聴診で呼吸音の減弱がみられる。

▶ **検査・診断**　胸部単純 X 線写真（ボムセル［Bomsel］分類：表 3-3）のほか，血液ガス検査（呼吸性アシドーシスの有無）やマイクロバブルテスト*，アポたんぱく（サーファクタントの主成分）

* **マイクロバブルテスト**：羊水や児の胃液を泡立たせてできる，マイクロバブル（小さな泡）の数を評価する。サーファクタントが欠乏していると，マイクロバブルが少なくなる。

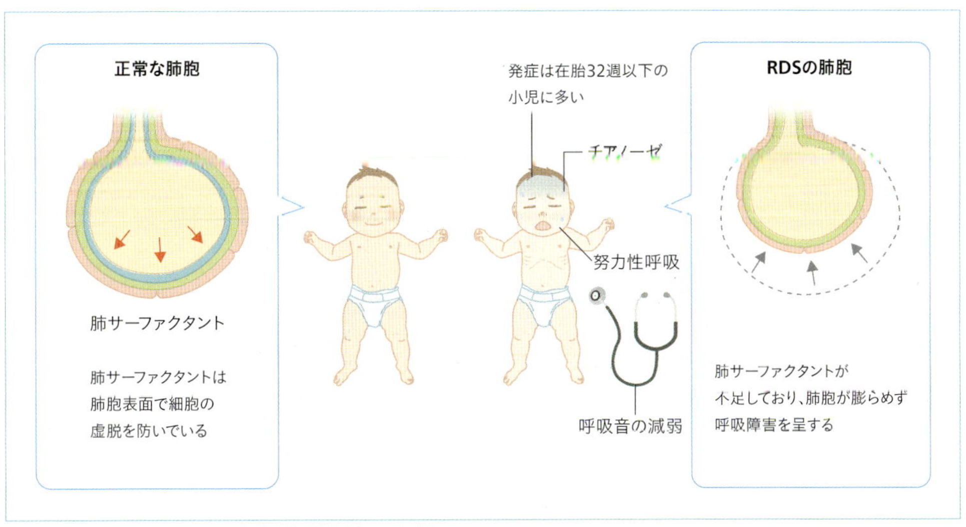

図3-3 新生児呼吸窮迫症候群（RDS）の病態

表3-3 胸部X線所見による呼吸窮迫症候群の重症度分類（Bomsel分類）

X線所見	網粒状陰影	肺野透過性	中央陰影輪郭	air bronchogram
Ⅰ度	肺野末梢に極軽度	正常	鮮明	不明瞭 中央陰影の範囲
Ⅱ度	全肺野	軽度低下	鮮明	明瞭 中央陰影を超える
Ⅲ度	全肺野	強度低下	不鮮明	明瞭 気管支の第2・3分岐まで
Ⅳ度	全肺野 均等，濃厚に透過性低下		消失	明瞭

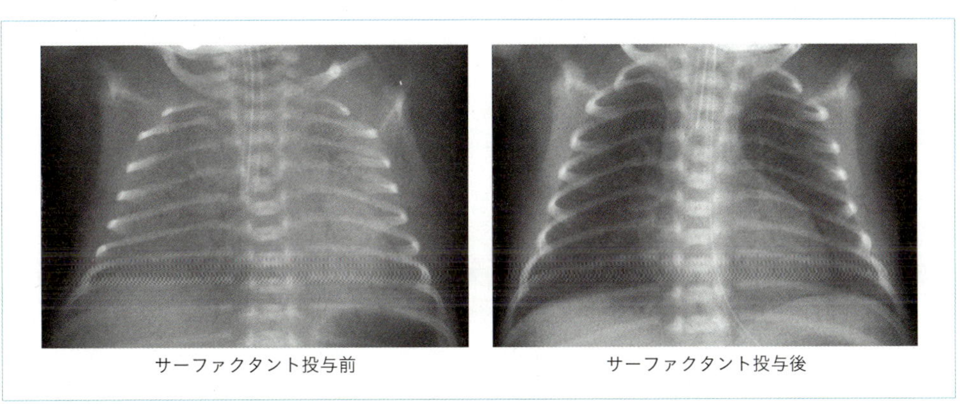

図3-4 呼吸窮迫症候群におけるサーファクタント補充の効果

定量を行い，肺サーファクタントの欠乏を確認する。

▶ **治療** 酸素投与・気管挿管・人工換気・肺サーファクタントの補充（図3-4）・輸液など循環管理などを行う。

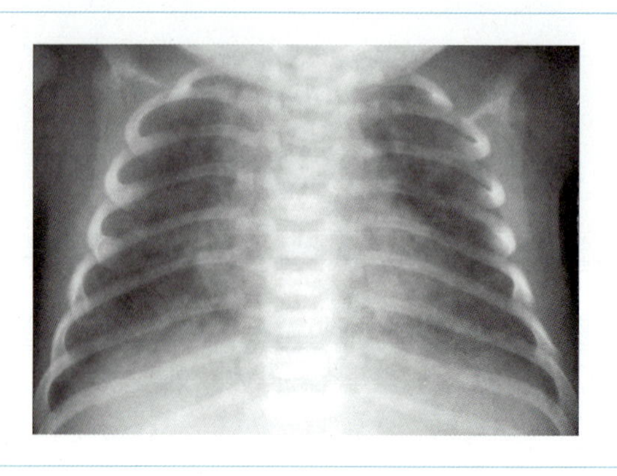

図3-5 胎便吸引症候群

2 胎便吸引症候群（meconium aspiration syndrome；MAS）

▶ **概念・定義・病態生理** 新生児仮死児がとる臨床経過の一つ。胎児が子宮内で何らかの原因により低酸素になると（本章-II-1「新生児仮死」参照），新生児は代謝性アシドーシスになる。その結果，正期産以上の胎児では迷走神経が刺激され，腸管蠕動運動と肛門括約筋弛緩が起こり，胎便が羊水中に放出される。胎児は，通常は出生前に呼吸をしないが，低酸素状態になり代謝性アシドーシスになると，あえぎ呼吸様の呼吸運動をして，胎便混濁羊水を吸い込んでしまう。MASは，その胎便が溶け出した羊水を気管内に吸引することにより起こる呼吸障害を指す。なお，早産児ではこれらの一連の機序が十分には成熟していないため，MASを起こしにくいとされる。正常の羊水はサラサラしているが，胎便が溶け出すとドロドロになる。その羊水を吸い込むと，気道の閉塞・肺サーファクタントの失活・炎症が起こる。

▶ **症状** 出生時に羊水混濁や羊水中の胎便を認める。出生児の症状としては，仮死状態・努力性呼吸・チアノーゼを認める。胎児の爪・臍帯が混濁羊水で黄染している場合がある。

▶ **検査・診断** 診断の主体は臨床経過である。

- **胸部単純X線写真**（図3-5）：気道に詰まった胎便による索状，斑状の粗大陰影とエアトラップによる過膨張所見が混在（まだら状）。気胸を認めることもある。
- **血液ガス**：混合性アシドーシスがみられる。

▶ **治療** 呼吸と循環を含む全身管理を行う。呼吸障害の程度により，気管挿管下人工換気・サーファクタントを用いた気管洗浄・サーファクタント補充を行う。新生児仮死や呼吸障害の原因として，細菌感染の存在が検査結果で否定できるまで，抗菌薬を投与する。新生児遷延性肺高血圧を発症した場合には，一酸化窒素（NO）吸入療法を併用する。

3 新生児一過性多呼吸（transient tachypnea of the newborn；TTN）

▶ **概念・定義・病態生理** 胎児の肺は肺水で満たされているが，陣痛発来後，分娩の進行と

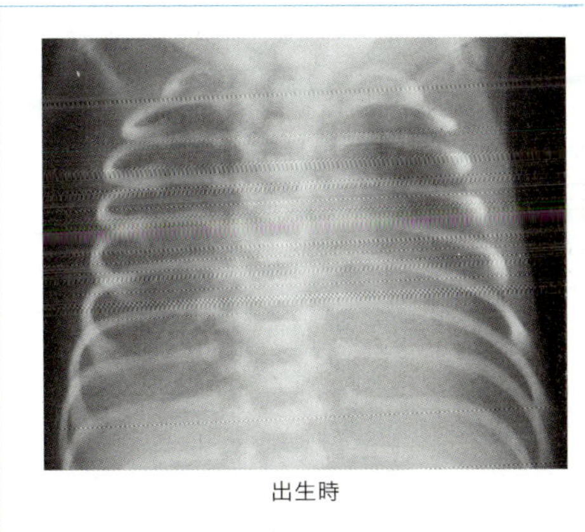

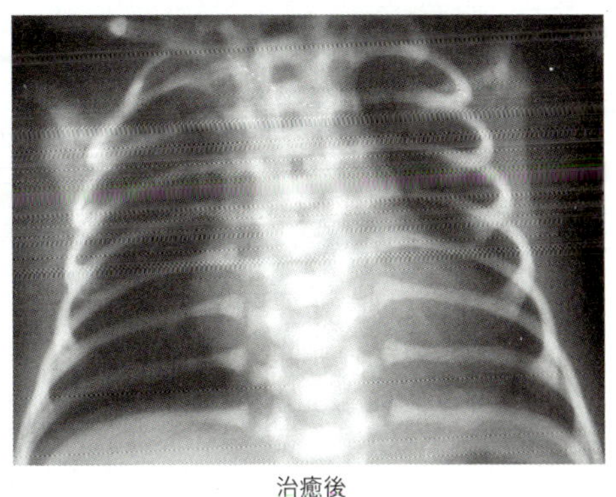

RDSのように両肺の透過性は低下しているが，肺容量は保たれている。

図3-6 新生児一過性多呼吸

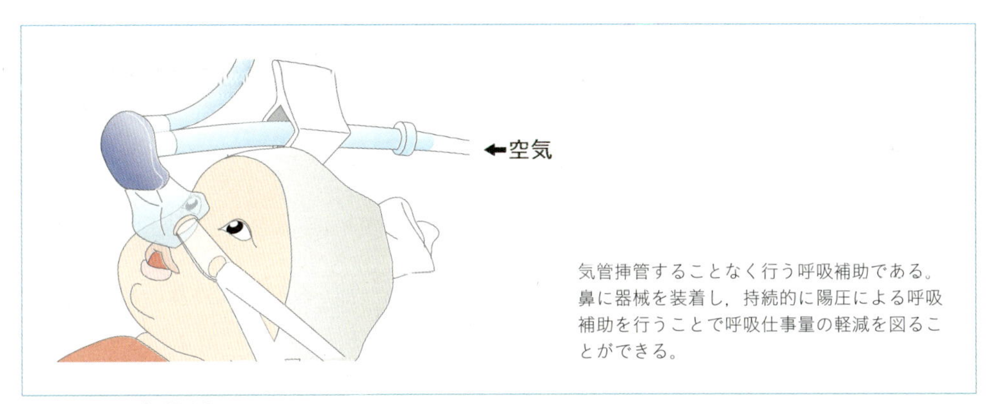

気管挿管することなく行う呼吸補助である。鼻に器械を装着し，持続的に陽圧による呼吸補助を行うことで呼吸仕事量の軽減を図ることができる。

図3-7 nasal-CPAP

ともに，肺水は肺胞壁や気管支壁にある水チャンネルから肺胞外に移動する。この肺水の排泄（はいせつ）吸収が遅延すると，間質に水が残り，間質の浮腫（ふしゅ）を起こす。TTNは，この間質が肺胞や気道を圧迫することにより発生する呼吸障害を指す。軽症例では自然に症状が消退するが，重症例では肺胞内の残存肺水が肺サーファクタントを失活し，人工換気を要する。ほかの呼吸障害疾患を否定し，症状改善後再燃しない（一過性であった）ことが確認できたときに，初めて確定診断できる。特に37週台で選択的帝王切開によって出生した小児に多い。

▶ **症状**　努力性呼吸がみられる。おおむね72時間以内に症状が消退し，再燃しない。

▶ **検査**　胸部単純X線写真は，胸郭（きょうかく）の広がりは良好で，肺野の透過性が低下，肺門部から放射状に広がる線状影，葉間胸水を認める（図3-6）。また，血液ガス検査では呼吸性アシドーシスを認める。

▶ **治療**　経鼻高流量カニューレによる呼吸補助，経鼻持続陽圧呼吸法（nasal-continuous

positive airway pressure; nasal-CPAP；図 3-7）や気管挿管下での人工換気，重症例ではサーファクタント補充などを行う。

4 無呼吸発作

▶ **概念・定義** **無呼吸発作**（apnea：アプニア）とは 20 秒以上持続する呼吸停止，または徐脈やチアノーゼを伴う呼吸停止を指す。未熟性による無呼吸は在胎 35 週以下の早産児に多く，在胎週数が短いほど，その頻度は高くなる。頭蓋内出血，重症細菌感染症，代謝疾患などの全身性疾患の一症状の場合もあり，正期産児の無呼吸発作や，早産児でも急に増悪した無呼吸発作については，原疾患の検索，治療を行う。

▶ **病態生理** 呼吸中枢の未熟性に起因するもの（中枢性），気道の脆弱性に伴う閉塞によるもの（閉塞性），この両者が混在するもの（混合性）がある。

▶ **治療** 背景となる全身性疾患がある場合はその治療を行う。

未熟性による無呼吸発作にはキサンチン製剤（テオフィリン，カフェイン，アミノフィリン水和物），ドキサプラム塩酸塩水和物が有効である。薬物療法に抵抗性の場合や，無呼吸発作の程度が強く，回復に用手換気を要する場合には，nasal- CPAP や気管挿管下で人工換気を行う。

5 先天性横隔膜ヘルニア（congenital diaphragmatic hernia；CDH）

▶ **概念・定義・病態生理** 横隔膜の欠損孔から腹腔臓器の一部が胸腔内に入り込んでいる状態を指す。肺が圧迫され，拡張が制限され呼吸困難となる。発生頻度は 2000 ～ 5000 出生に 1 人である。後方の欠損（ボホダレック［Bochdalek］孔）が 70％と多く，左側発生が 90％と多い。右側発生では，肝臓も胸腔内に入り込み，肺への侵襲がさらに重篤となる。ヘルニアの発生が妊娠早期の場合は，肺の成長や発達が障害され，肺低形成となる。肺低形成では，強い呼吸障害や PPHN をきたす。ほかの臓器（心・腎・筋骨格）の形態異常や染色体異常を合併している症例が 30％程度存在する。出生時から集中治療が必要となる。

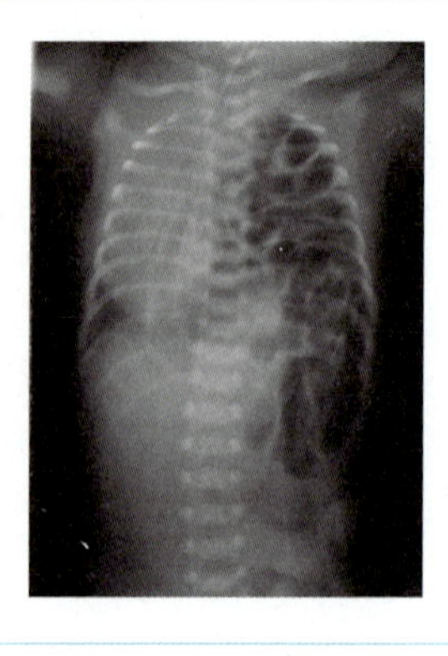

図 3-8 横隔膜ヘルニア

現在約70％の症例が胎児診断される。染色体異常などの基礎疾患のない症例の場合，わが国の生存退院率は84％と報告されている。

▶ **症状**　努力性呼吸・チアノーゼ・循環不全がみられる。

▶ **検査**　胎児超音波検査・胎児MRI・生後の単純X線写真（図3-8）で胸腔内の腸管像を認める。

▶ **治療**　生後早期に手術治療が行われる。呼吸障害が強ければ体外式膜型人工肺（extra corporeal membrane oxygenation；ECMO）での呼吸循環管理が，PPHNに対しては一酸化窒素吸入療法が必要となる。

3. 循環器疾患

1　未熟児動脈管開存症（patent ductus arteriosus；PDA）

▶ **概念・定義**　動脈管は胎児循環に不可欠な血管で生後数日以内に閉鎖する。未熟児の動脈管開存症は，早産児における動脈管の閉鎖遅延を指す。

▶ **病態生理**　生後，肺血管抵抗が低下し，肺動脈に血液が流れやすくなると，動脈管を介して大動脈から肺動脈に血液が流入する（本章-I-A-1「呼吸・循環の変化」参照）。肺血流量が増加し，左心系の容量負荷を起こす。早産児の心機能は成熟児に比べて脆弱なため，この容量負荷により心不全状態となりやすい。結果として肺うっ血による肺出血や呼吸障害を，体循環血流減少により末梢臓器の循環障害を起こす。たとえば腎血流の低下は乏尿を，腸管血流の減少は，腸管の運動障害や穿孔・壊死性腸炎を，脳血流の減少と再灌流は頭蓋内出血を起こす。

▶ **症状**　心拍数増加，拡張期血圧の低下，心雑音（胸骨上部左縁で連続性雑音），bounding pulseの触知。

▶ **検査・診断**　胸部単純X線写真で肺血流の増加がみられる。また超音波検査では動脈管の血流が描出され，左肺動脈拡張期血流の増加などがみられる。

▶ **治療**　呼吸管理や投与水分量の管理，貧血の是正（Hb値≧12g/dLを目標）のほか，薬物治療や手術治療を行う。

- **薬物治療**：プロスタグランジン（動脈拡張作用がある）の体内での合成を低下させる薬剤（インドメタシン・イブプロフェン）を投与する。約90％の症例に有効。ほかの臓器の動脈血流も減少し，腎不全，腸管血流障害，脳血流障害などの有害作用がある。ほかの有害作用として低血糖や血小板減少もある。
- **手術治療**：薬物治療に抵抗性の症例，有害作用が強く出て薬物投与が困難な症例には動脈管の血流を遮断する手術を行う。

2　新生児遷延性肺高血圧症（persistent pulmonary hypertension of the newborn：PPHN）

▶ **概念・定義・病態生理**　PPHNは，出生後に新生児の肺動脈の血管抵抗が下がらず，肺に血液が流れにくくなる状態を指す。胎児循環と同じように，右心系血流の大部分が動脈管や卵円孔（らんえんこう）を介して，体循環に流れる。肺での酸素化，ガス交換が行われない状態の血液がからだを循環し続けるため，重度のチアノーゼ，換気不良を呈する。肺低形成（胎児胸水（たいじきょうすい）・先天性横隔膜ヘルニア・長期破水などによって生じる），新生児仮死，MAS，肺出血，敗血症などによる低酸素血症によって引き起こされる。

▶ **症状**　100％酸素を投与しても解消しない，重度のチアノーゼがみられる。通常右上肢（pre-ductal）の酸素飽和度（さんそほうわど）が下肢（post-ductal）に比べて高くなる（differential cyanosis）。

▶ **検査**　超音波検査で動脈管や卵円孔を介する右心系から左心系への短絡血流，三尖弁逆流（さんせんべんぎゃくりゅう），心室中隔（しんしつちゅうかく）の右室から左室への張り出しを認めるほか，血液ガスでは混合性アシドーシス，酸素分圧低値を認める。

▶ **治療**　高濃度酸素での人工呼吸管理を行う。

- **非侵襲的管理**：鎮静薬，鎮痛薬（麻薬など）を投与する。処置など児への侵襲（しんしゅう）も最小限とする。
- **一酸化窒素吸入療法**：一酸化窒素（いっさんかちっそ）には血管拡張作用がある。人工呼吸器の回路に一酸化窒素投与回路を接続し，使用する。
- **血管拡張薬**：塩酸トラゾリン，プロスタグランジンなどを投与する。
- **そのほか**：体外式膜型人工肺（ECMO）を用いる。

4. 血液疾患

1　新生児出血性疾患（ビタミンK欠乏症）

▶ **概念・定義・病態生理**　ビタミンK欠乏のため消化管出血や頭蓋内出血（とうがいないしゅっけつ）をきたす状態を指す。ビタミンKは凝固因子の産生に必須の脂溶性ビタミンで，腸内細菌により産生される。新生児では①腸内細菌叢が確立していない，②母乳のビタミンK含有量が少ない，③新生児のビタミンK吸収能が低いため，ビタミンKが欠乏し，出血症状を示す。

▶ **症状**　新生児早期の主な出血部位は消化管（80％），頭蓋内（10％）である。生後1～2か月後に発症する症例では80％が頭蓋内出血し，予後不良である。主な症状は吐血・下血・不機嫌・嘔吐（おうと）・痙攣（けいれん）・哺乳障害（ほにゅうしょうがい）である。

▶ **検査・診断**　血液検査ではプロトロンビン時間（PT）や活性化部分トロンボプラスチン時間（APTT）が延長する。新生児早期の症例では，ビタミンK投与で症状が改善することで診断する場合もある。母体血嚥下（えんげ）との鑑別が必要。生後1～2か月後に発症する場合には，血中のビタミンK依存性凝固因子の前駆体（PIVKA-II）上昇がみられる場合がある。

▶ **治療**　ビタミンK投与。ビタミンK_2シロップの予防投与を出生後，産科退院時または生後1週間，生後1か月に行う。生後3か月までの週1回投与方法も普及が進んでいる。

2　多血症

▶ **概念・定義・病態生理・診断**　新生児多血症は，静脈血ヘモグロビン（Hb）22g/dL以上，ヘマトクリット（Hct）65％以上を指す。胎盤機能不全により胎児が低酸素傾向となると，造血を促進する胎児エリスロポエチンの産生が増加し，赤血球産生が亢進する。また，出生時に臍帯結紮が遅れると，胎盤血が児に流入し，児が多血となる。重症例では過粘度症候群をきたす。

▶ **症状**　無症状の場合もあるが，頻度の高い症状としてチアノーゼ・低血糖がある。過粘度症候群では血液の粘稠度が高く，下記の症状がみられる。

- **呼吸・循環器系**：呼吸障害，無呼吸，心不全
- **中枢神経系**：易刺激性・振戦・痙攣・脳梗塞
- **消化器系**：哺乳障害・嘔吐・壊死性腸炎
- **腎・尿路系**：急性尿細管壊死・乏尿・たんぱく尿・血尿
- **代謝系**：低カルシウム血症
- **血液系**：高ビリルビン血症・血小板減少

▶ **治療**　軽症例では，授乳や輸液で水分を投与する。有症状の過粘度症候群ではHct値55～60％を目標に脱血と生理食塩水輸液（部分交換輸血）を行う場合もある。

3　双胎間輸血症候群（twin to twin transfusion syndrome；TTTS）

▶ **概念・定義・病態生理・診断**　一絨毛膜双胎では胎盤で双胎両者の血管が吻合している場合がある。TTTSは，この吻合血管を介して，双胎の片方から他方に輸血が起こり，循環血液量やホルモン量に不均衡が発生した状態を指す。一絨毛膜双胎の10～15％に合併する。胎児超音波検査で双胎両者の推定体重や循環動態を評価し，総合的に診断する。重症度は両者の羊水量や膀胱内の尿，血流異常から判断する。

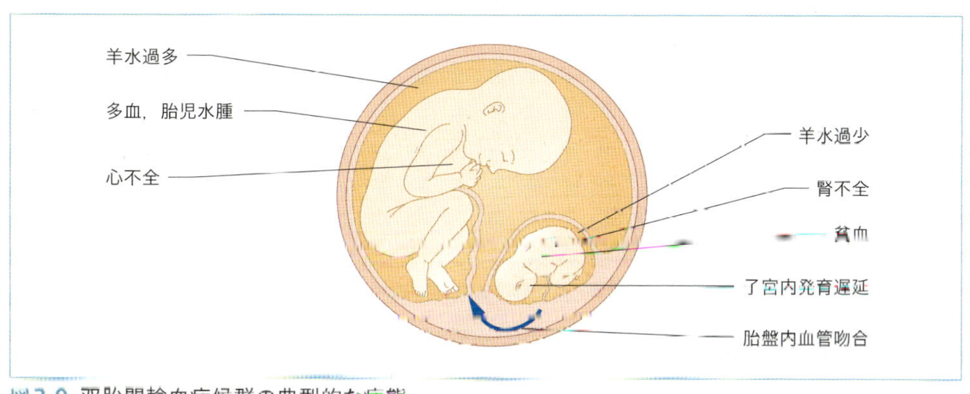

図3-9　双胎間輸血症候群の典型的な病態

▶ **症状**（図 3-9） 初期は，受血児が多血，供血児が貧血となる。体重は前者が大きく後者が小さくなる。羊水量は前者が多く後者は少なくなるが，症状が増悪すると両者共に心不全状態となり，尿量が減少する。羊水量低下は肺低形成を，新生児の貧血や心不全は胎児水腫をきたす可能性がある。重症例では胎児死亡に至る。

▶ **治療** 胎盤吻合血管のレーザー凝固術や羊水穿刺が行われる。

5. 代謝疾患

1 低血糖

▶ **概念・定義・病態生理** 母体から胎児への持続的ブドウ糖供給は分娩で遮断，児の血糖値は生後約1時間で最低となる。その後グリコーゲンからブドウ糖が産生されるが，グリコーゲンも生後10時間以内に消費される。早産・低出生体重，内分泌・代謝疾患，哺乳不良，巨大児，糖尿病母体児，多血症，呼吸障害，新生児仮死，敗血症などは低血糖ハイリスクである。

▶ **診断・症状** 無呼吸，低体温，易刺激性，振戦，痙攣，活気不良，顔色不良など非特異的な症状がみられる。ハイリスク児は生後24～48時間まで頻回に血糖測定する。治療抵抗例には基礎疾患が存在する可能性がある。新生児低血糖は中枢神経系に後遺症をきたす可能性があり，背景疾患の可能性を念頭に迅速に治療を開始する。

▶ **治療** 早期授乳やブドウ糖静注を行う。基礎疾患治療を並行して行い，重症例ではグルカゴンやステロイドなどの薬剤を投与する。

2 低カルシウム血症

▶ **概念・定義・病態生理・診断** 血清カルシウム値が正期産児で8.0mg/dL以下，早産児では7.0mg/dL以下を指す。胎児は胎盤を介して150mg/kg/日ものカルシウムを母体から吸収する。生後のカルシウム血中濃度は，腸管からの吸収，骨からの放出，腎尿細管からの再吸収などで調節され，ビタミンD，副甲状腺ホルモン，リン，マグネシウムなどが関与する。正期産の新生児仮死児，糖尿病母体児，多血症児では血清カルシウム低値が生後早期からみられるが一過性である。早産・低出生体重児では生後早期から慢性的に認められる。背景疾患の検索が重要である。

▶ **症状・治療** 症状は非特異的で，易刺激性，痙攣，活気不良などであるが，無症状の場合もある。重症例ではカルシウムを経静脈投与する。慢性的に経過する症例では，栄養管理（低リンミルクなど），ビタミンD・カルシウムの投与を行う。

6. 消化器疾患

1 新生児壊死性腸炎（Neonatal necrotizing enterocolitis：NEC）

▶ **概念・定義・病態生理** NECは重症腸管疾患で，消化管における様々な程度の壊死性病変を呈する。新生児症例では症例の約9割は早産，低出生体重児である。早産児の腸管はバリアとしての上皮細胞の機能も粘膜の免疫機能も整っていない。そのため，血圧の変動による腸管の虚血や粘膜損傷，蠕動運動の低下，腸管内容物の停滞が起こると，腸内細菌が異常増殖し，重症の炎症を引き起こす。発症後の死亡率は30％程度とされ，腸管穿孔や切除になった症例の予後は不良である。救命できても，残存腸管が短いと短腸症候群（重症下痢・栄養吸収障害・成長障害）を合併する。

▶ **症状・診断** 腹部膨満・腹部皮膚色の悪化・嘔吐・胃残の増加・血便がみられる。重症例ではショック状態となる。血液検査では，炎症反応の上昇や代謝性アシドーシスを認める。腹部X線写真では腸管拡張・腸壁内気腫・門脈内ガスを呈する。

▶ **治療** 禁乳・抗菌薬投与・胃管による減圧・循環管理を行う。腸管穿孔が生じた場合には，児の全身状態が許せば手術を行う。

2 メレナ

本章-Ⅰ-B-7「下血や吐血などの消化管出血（メレナ）」，本章-Ⅱ-4-1「新生児出血性疾患（ビタミンK欠乏症）」参照。

7. 黄疸

1 新生児生理的黄疸

▶ **概念・定義・病態生理** 黄疸は，血中のビリルビン濃度が高値になったときにみられる皮膚の黄染を指す。ビリルビンは皮膚や強膜に親和性が高い。新生児では，血清ビリルビン値が5～7mg/dLで可視的黄疸となる。治療を要さない範囲のビリルビン値上昇を新生児生理的黄疸とよぶ。ビリルビンは，ヘモグロビンが代謝され産生される。肝臓でグルクロン酸抱合を受け，胆汁に排泄され，便と一緒に排泄される。新生児はビリルビン生成速度が成人の約2倍と高く，腸管から再吸収されやすい。

▶ **診断・検査** ビリルビン値評価を生後毎日行う。国内で最も普及しているのは，コニカミノルタジャパンの黄疸計で，端子を皮膚に押し当てることで，侵襲なく皮膚と皮下組織に分布するビリルビン濃度を測定することができる（経皮ビリルビン値）。経皮ビリルビン値が治療開始基準に至る，または≧15mg/dLを呈す，前回測定値より5mg/dL以上上昇する場合には採血し，血清ビリルビン濃度を評価する。

2 病的黄疸

▶ **概念・定義・病態生理**　血清ビリルビン値が高値の場合は，ビリルビン脳症（核黄疸）予防のために治療を行う。病的黄疸とは，①治療を要する高ビリルビン血症，②早発黄疸（生後24時間以内に発症），③急激に増悪する黄疸（24時間で総ビリルビン値が5mg/dL以上上昇），④遷延黄疸（生後2週間以上遷延），⑤高直接型ビリルビン血症（2mg/dL以上）などを指す。病的黄疸では，基礎疾患，背景病態の評価が重要である（表3-4）。

▶ **治療**

- **光線療法**：波長が450nm付近の青色光を児の皮膚に当てると，ビリルビンが光学異性体となり便や尿中に排泄されやすくなる。便や尿の排泄ができない状態（消化管狭窄など）では，再吸収されてしまう。
- **交換輸血**：血液型不適合などの重症黄疸で必要となることが多いが，循環動態が不安定な場合は行えない。児の循環血液量の約2倍の量の血液を準備し，動脈ラインから児の血液を瀉血し，静脈ラインから準備した血液を輸血する。

3 ビリルビン脳症

▶ **概念・定義・病態生理**　ビリルビン脳症とは高ビリルビン血症によって引き起こされる中枢神経症状を指す。大脳基底核が最も障害を受けやすい。本来，脳は血液脳関門（blood brain barrier；BBB）により，有害物質から守られている。早産・仮死・アシドーシス・高

表3-4 病的黄疸の背景にある病態

ビリルビンの代謝異常	原因
産生過剰	• 母児間血液型不適合（ABO不適合，Rh不適合） • グルコース-6-リン酸脱水素酵素欠損症（G6PD欠損症） • 血管外への出血（帽状腱膜下出血，脳室内出血） • 遺伝性疾患（遺伝性球状赤血球症，αサラセミアなど） • 多血症（母体の耐糖能異常合併など）など
排泄低下	• 母乳性黄疸 • 胆道系の閉塞，肝炎 • 腸管の通過障害，閉塞 • 甲状腺機能低下症 • 遺伝性疾患（クリグラー - ナジャ症候群など） • そのほか
産生過剰と排泄低下	• 早産児 • 感染

表3-5 Van Praaghによる病期分類

病期	症状
第1期	モロー反射減弱，筋緊張低下，嗜眠傾向，哺乳不良
第2期	後弓反張，痙攣，発熱，硬直，甲高い泣き声，落陽現象
第3期	痙性症状の消退
第4期	痙性症状，アテトーゼ，難聴，上方凝視麻痺，歯牙形成異常

二酸化炭素血症・敗血症・髄膜炎（ずいまくえん）などでは，BBBを通過し脳内に移行するビリルビンが増加する。神経細胞内に入ったビリルビンは，細胞のATP（アデノシン三リン酸，重要なエネルギー源）産生を抑制する。細胞はエネルギーを使えなくなり，細胞死に至る。ビリルビン脳症を発症する血清ビリルビン値には，未だ不明な点が多く，早産児は治療開始基準以下でも脳症発症のリスクがあることが報告されている。

▶ **症状**　病期ごとに表3-5のような症状を呈する。

8. 分娩外傷

分娩時（ぶんべんじ）に新生児に生じた外傷を指す。

1　皮膚・皮下組織の浮腫・出血（図3-10）

- **産瘤**：児頭が産道を通過する際に先進部に生じた浮腫（ふしゅ）である。骨縫合を越えて分布し，生後数日で自然に消退する。
- **頭血腫**：頭蓋骨の骨膜が部分的に剝離し，骨と骨膜の間に生じた出血を指す。骨縫合を越えることはなく，無制限に広がることもない。数か月かけて消退する。

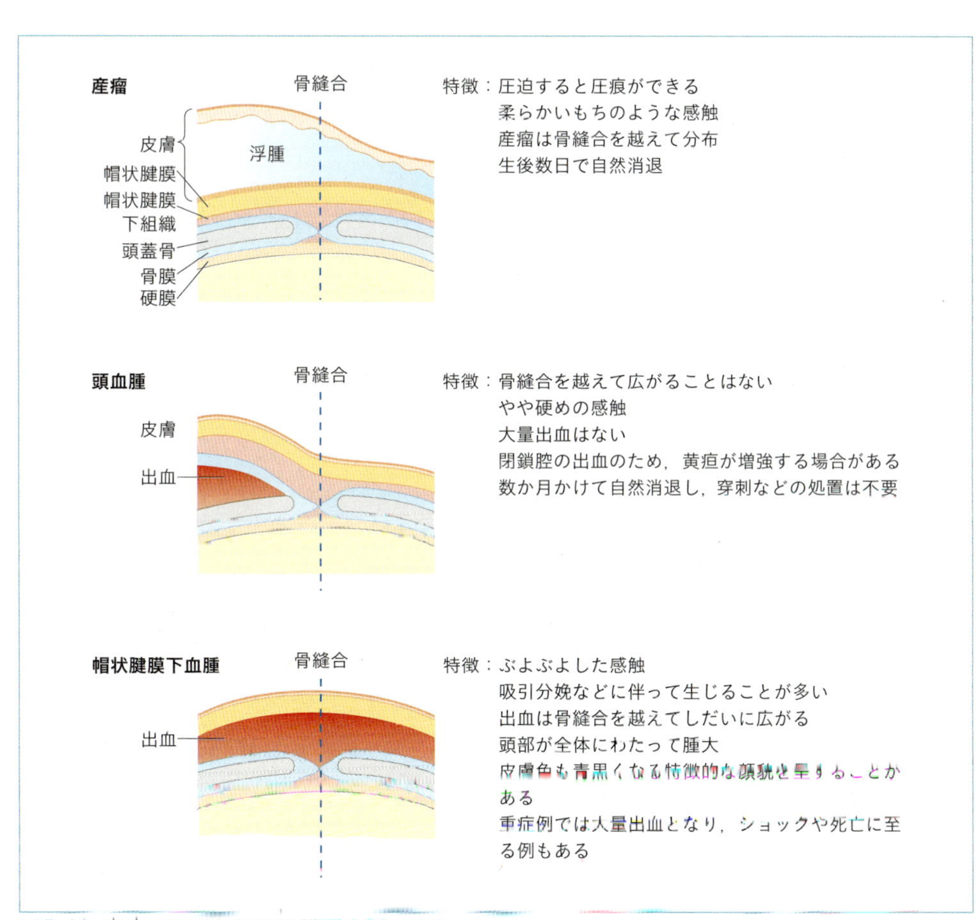

図3-10 産瘤，頭血腫，帽状腱膜下血腫の比較

- **帽状腱膜下血腫**：頭蓋骨の骨膜とその外側の帽状腱膜の間に出血が生じた出血を指す。頭血腫と異なり血腫の広がりが制限されないため，大量出血となりショックや死亡に至る可能性がある。

2 頭蓋内出血

分娩時に頭部に過度の牽引が加わると，脳表静脈，架橋静脈，導出静脈，上衣下胚層などの血管が破綻し，硬膜下出血，クモ膜下出血，脳室内出血などが生じる。正常分娩においても発生する可能性があるが，産道の狭窄，器械分娩，児頭骨盤不均衡，低出生体重，出血傾向などは危険因子である。

3 骨折

疼痛のため，患児が受傷肢をあまり動かさなくなるので，分娩麻痺との鑑別が必要となる。骨折部の治癒が進まない場合や生後も骨折を反復する場合は，先天性の骨系統疾患を鑑別する。

- **鎖骨骨折**：分娩外傷での骨折の 90％を占める。触診で軋轢音を感知し，視診では骨折部位の腫脹を認める。患側上肢の動きが減弱し，モロー反射に左右差を認める。2 週間程度で自然治癒し，固定などの治療は通常不要である。
- **頭蓋骨骨折**：児頭の圧迫により線状骨折を，鉗子分娩により陥没骨折を認めることがある。脳実質への損傷の有無の確認が必要である。
- **大腿骨骨折**：ギプス固定，牽引などの治療で大腿骨を固定し，安静を図る。

4 分娩麻痺

分娩時の外力により神経根が損傷を受けたために起こる麻痺を指す。

- **腕神経叢麻痺**：巨大児では，産道で肩部位の娩出が困難となり（肩甲難産），児の頸を側屈させるようにして肩を引き出すが，その時頸部が過伸展となり麻痺が発症する。損傷部位により症状が異なる。第 5 ～ 6 頸神経の損傷が多く，患側上肢の外転・外旋，肘の屈曲が障害され，上肢は伸展・内転し，上肢の挙上ができなくなる（エルプ［Erb］型麻痺）。第 7 ～ 8 頸神経も損傷すると手関節背屈ができなくなる（クルンプケ［Krumpke］型麻痺）。
- **横隔神経麻痺**：腕神経叢麻痺と合併する場合が多い。横隔膜の運動障害が起こり，呼吸障害を呈する。胸郭の呼吸運動に左右差がある場合には胸部 X 線写真で横隔膜の挙上の左右差の有無を確認する。通常 3 ～ 4 か月で自然治癒するが，改善が乏しい場合は手術療法を行う。
- **顔面神経麻痺**：啼泣時の顔面運動（口角の運動がわかりやすい）の左右差で気づかれる。通常 2 ～ 3 週間で自然治癒する。

9. 感染症

1 新生児細菌感染症

▶ **概念** 新生児の細菌感染症には以下の特徴がある。

- 易感染性がある（特に早産児）。
- 感染経路：①胎内感染（前期破水などにより子宮内で細菌感染が起こる），②産道感染（経腟分娩中に腟内の細菌に感染する），③出生後感染。
- 症状が非特異的：無呼吸・哺乳不良・活気不良・黄疸・嘔吐・出血傾向など。
- 検査データの変化が遅れる，変化に乏しい。
- 急速に重篤化：髄膜炎・敗血症性ショック・播種性血管内凝固を発症しやすい。
- 起因菌が比較的限定されている：ブドウ球菌・大腸菌・B群溶血性レンサ球菌（group-B streptococcus; GBS）・腸球菌など。

▶ **治療** 抗菌薬投与を行う。症状が非特異的なため，細菌感染症を否定できる検査結果がそろうまでは，抗菌薬を経静脈投与する。患児の在胎週数や重症度に合わせて免疫グロブリン製剤も投与する。特に早産低出生体重児においては予防として腸内細菌叢の早期確立が重要であり，母乳の早期投与・ビフィズス菌投与などが広く行われている。

2 新生児早期発疹性疾患

▶ **概念・定義・病態生理** **新生児早期発疹性疾患**（neonatal toxic-shock-syndrome-like exanthematous disease；NTED）は新生児早期に発熱，発疹，血小板減少を主症状とした黄色ブドウ球菌感染症である。黄色ブドウ球菌が産生する外毒素が細胞を障害し発症する。主にメチシリン耐性黄色ブドウ球菌（MRSA）で発症する。

▶ **症状** 発疹，発熱，血小板減少，炎症反応軽度陽性。最も特徴的なのは発疹で，全身性の紅斑が数時間で急速に増加し，24時間の内に消退，表皮剥離を伴わない。

▶ **治療** 正期産児では比較的軽症で経過し，必ずしも加療を必要としない。早産児では重症化し，抗MRSA薬投与や血小板輸血が必要な場合がある。循環不全や無呼吸発作が初期症状の場合は，循環管理，呼吸管理を含めた全身管理が必要となる。

10. 新生児ウイルス感染症

1 TORCH症候群

トキソプラズマ（Toxoplasma）・風疹（Rubella）・サイトメガロウイルス（Cytomegalo-virus；CMV）・単純ヘルペスウイルス（Herpes simplex：HSV）・そのほか（Others）による先天性感染を指す。子宮内胎児死亡・胎児発育遅滞などの多彩な臨床像を呈する。

①先天性風疹症候群（congenital rubella syndrome：CRS）

妊娠初期（3か月以内）に妊婦が風疹に罹患すると，新生児に先天異常を起こす。先天性心疾患・眼症状（白内障・緑内障・色素性網膜症）・感音性難聴が主要症状である。肝脾腫・血小板減少・発育遅滞・精神遅滞・小眼球などが知られている。男女共にワクチン接種で生殖年齢期の風疹罹患を予防することが重要だが，わが国では1994（平成6）年まで小児期のワクチン接種が徹底されていなかったため，2012（平成24）年頃からCRSの発生報告が続いている。

②サイトメガロウイルス感染症

通常幼少期に不顕性感染し，一生潜伏感染する。潜伏していたウイルスが再活性化し発症する場合もある。妊婦が発症すると胎児感染を起こす。CMV抗体陰性妊婦は近年増加傾向であり，その1～2%が妊娠中に初発感染を起こし，その内の20%の胎児が症候性の先天性CMV感染症となる。CMVは母乳などの母体の体液中に分泌されるため，母体が感染していると，児は後天的に感染する可能性が高い。正期産児では不顕性感染であることが多いが，早産児の場合には敗血症様症状を呈する場合がある。

胎児の症状は感染時期により様々であり，小頭症，脳内石灰化，白質障害，難聴，血小板減少などをきたす。先天性CMV感染症の診断には，生後3週間以内の新生児尿中CMV核酸検出検査を行う。

2 レトロウイルス感染症

①ヒトT細胞白血病ウイルス1型（human T-leukemia virus 1：HTLV-1）

成人T細胞白血病やHTLV-1関連脊髄症の原因ウイルスである。キャリアの約5%が60歳前後で発症し，発症後の予後は不良である。ウイルス感染は母乳を介した母児感染が主な経路である。予防策として母乳摂取の制限が有効とされ，厚生労働省は2016（平成28）年に，ウイルスキャリア妊婦には完全人工栄養での育児を勧奨するようにとしたが，完全人工栄養でも数%の新生児が罹患することが知られている。妊婦は妊娠30週頃までにHTLV-1抗体スクリーニング検査などで感染の有無を確認される。新生児が早産で，人工乳での栄養管理が困難な場合には，家族の同意を得て，冷凍や低温殺菌処理をした母乳（ウイルス感染細胞が死滅する）を投与する。

②ヒト免疫不全ウイルス（human immunodeficiency virus：HIV）

後天性免疫不全症候群（エイズ）の原因ウイルスである。主な感染経路は性交渉，母児感染（経胎盤，経産道，経母乳），輸血・血液製剤感染である。母児感染の予防には，①母体への抗ウイルス薬投与，②選択的帝王切開での分娩，③完全人工栄養，④児への短期間抗ウイルス薬治療，の4点を行うことで，母児感染率を約25%から1%以下に下げられる。周産期管理は，HIV感染妊娠に関する診療ガイドライン第2版（2021年）にのっとり，定められた拠点医療機関で行われる。

11. 合併症妊娠母体産児

母体に全身的な合併症がある場合に，胎児や新生児もその影響を受ける可能性がある。新生児に影響を与える可能性が比較的高い合併症として，糖尿病と自己免疫性疾患（甲状腺疾患・血小板減少性紫斑病(けっしょうばんげんしょうせいしはんびょう)・膠原病(こうげんびょう)）について記載する。

1 糖尿病母体児（infant of diabetic mother；IDM）

▶ **概念・定義・病態生理**　母体が高血糖状態にあると，胎児も高血糖となり，反応性に高インスリン状態となる。IDMはこの高血糖，高インスリン状態により引き起こされる新生児の病的状態を指す。したがって母体の血糖コントロールが良好であれば，新生児の症状も軽微となる。

▶ **症状**　以下の症状を呈する。

- **低血糖**：母体からのブドウ糖の過剰な流入により，胎児のインスリン分泌が過多となる。生後，高インスリン状態のまま，母体からのブドウ糖供給がなくなるため低血糖となる。母体の血糖コントロールが良好でも発生する可能性がある。
- **高出生体重**：インスリンはたんぱく合成を促し，脂質分解を抑制する。胎児期には成長因子として作用するため，胎児の成長が促進される。
- **多血症**：糖化ヘモグロビンは酸素親和性が低い。母体に糖化ヘモグロビンが増加すると胎盤への酸素供給が低下し，胎児が低酸素傾向となる。胎児のエリスロポエチン分泌が亢進(こうしん)し，胎児は多血となる（本章-Ⅱ-4-2「多血症」参照）。
- **高ビリルビン血症**：多血症に由来する。
- **低カルシウム血症**：母体が副甲状腺機能亢進状態となることが多く，母体の高カルシウム血症により胎児の副甲状腺機能が抑制され，出生後に低カルシウム血症となりやすい。
- **呼吸障害**：高インスリン状態は肺の成熟を抑制し，サーファクタント産生を阻害する。
- **肥厚性心筋症**：心筋への脂肪とグリコーゲンの蓄積で心筋が一過性に肥大する。生後数週間で改善するが，頻度は低いが死亡例もある。
- **先天奇形**：器官形成期（胎児の臓器が形成される時期，妊娠4～9週）に母体の血糖コントロールが不良な場合，奇形の発生率が高くなる。大奇形（生命や日常生活に影響を与える可能性がある奇形）合併率は3～4%（正常新生児の3～5倍）で，四肢・指・骨形成異常，外性器・肛門異常，頭頸部(とうけいぶ)・脊椎(せきつい)異常などが多い。
- **子宮内発育遅延**：糖尿病による微小血管病変が強い妊婦や妊娠高血圧性腎症を合併する妊婦では，胎盤機能が低下し，胎児の発育遅延が起こる。

2 自己免疫性疾患母体産児

母体の疾病(しっぺい)の原因となっている血中の自己抗体（IgG抗体）が，胎盤を通過して胎児に移行すると，児も母体に類似した症状を発症する。

①甲状腺機能亢進症の母体から出生した児

▶ **抗体**　甲状腺刺激ホルモン（TSH）受容体抗体（TRAb）。

▶ **症状**　甲状腺機能亢進症状（頻脈，易刺激性，多呼吸，振戦など）がみられる。母体のTRAb（第3世代）が70～80％以上，甲状腺刺激型抗体（TSAb）が陽性の場合に起こる可能性が高い。母体が抗甲状腺薬を内服している場合は，その薬剤が児に移行し，児の甲状腺機能を抑制する場合もある。移行したTRAbの影響が消退するのに約2か月かかる。

②血小板減少性紫斑病（idiopathic thrombocytopenic purpura：ITP）の母体から出生した児

▶ **抗体**　抗血小板抗体。

▶ **症状**　血小板低下（生後数日で最低値となり回復に約2か月かかる），紫斑，止血困難がみられる。母体血小板が5万/μL未満の場合，母体に脾臓摘出術（脾摘）の既往がある場合に起こる可能性が高い。

③全身性エリテマトーデス（SLE）の母体から出生した児

▶ **抗体**　抗SS-A抗体，抗SS-B抗体。

▶ **症状**　ループス様皮疹，汎血球減少などがみられる。抗SS-A抗体，抗SS-B抗体が移行した場合には，新生児に先天性房室ブロックを発症する可能性がある。高度な徐脈の場合には，心不全，胎児水腫*となり，ペースメーカー治療を要する不整脈となる。

III 超低出生体重児の特徴

わが国では1975（昭和50）年以降，出生数が減少してきている（2022［令和4］年は約77万人），一方低出生体重児の割合は上昇している。2021（令和3）年度の厚生労働省人口動態統計によると，低出生体重児率は約9.4％である。なかでも，出生時体重が1000g未満の超低出生体重児の割合は男女共0.3％であり，年間約2400人となる。周産期医療の進歩により，超低出生体重児の救命率は上がっており，わが国の超低出生体重児の生存退院率は約90％である。

以下，超低出生体重児を救命するための医療管理について述べる。

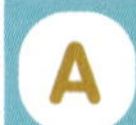 一般管理

1. 体温管理

超低出生体重児を含む早産・低出生体重児は健常新生児に比べて，熱産生する褐色脂肪

＊ **胎児水腫**：全身性の浮腫（胸水・腹水・皮下浮腫など）。胸水が胎児肺を圧迫し成長を阻害するため，低形成肺となり，生後重篤な呼吸障害となる可能性がある。浮腫の原因は，貧血・心不全・胸管の破綻・リンパ系循環の障害などがある。胎児が死亡する場合もある。

が少なく，低体温になりやすい。皮膚も薄く，蒸散により体温が下がりやすい。保育器を用いて，出生直後から環境温と湿度を調節し，体温が36℃台後半～37℃台前半に維持できるようにする。体温を適切に調節することで，児の酸素消費量や基礎代謝量も必要最低限となり，順調な成長が得られるようになる。

2. 急性期管理

呼吸管理では，呼吸窮迫症候群，気胸，新生児一過性多呼吸などの呼吸器合併症の管理を行う。循環管理では未熟児動脈管開存症の治療，新生児脳室内出血の予防が重要である。

3. 感染防止，スキンケア

超低出生体重児の免疫機能は極めて未成熟である。また防御壁となる皮膚が脆弱であり，病原体が侵入しやすい。特に，在胎24週以下の児では，絆創膏やモニターセンサーを剝がした部位や，処置のために圧力がかかった部位では，容易に皮膚が剝離し，びらんを形成する。皮膚の損傷が体内留置物（気管内チューブ，血管内カテーテル）の近傍で発生すると，さらに感染が起こりやすくなる。皮膚損傷を防止するスキンケアは，超低出生体重児の看護において最も重要である。

4. 栄養管理

胎児は経胎盤的に栄養を母体から供給されており，順調な妊娠経過であれば，栄養を蓄積し，脳をはじめからだが十分に発育してから出生する。早産児では，その期間が短くなるため，生後の栄養管理が身体発育には重要である。ところが超低出生体重児では消化管の蠕動運動が弱く，構造的にも壁も薄く内径も狭いため，経消化管栄養の確立が困難である。特に生後早期は，腸管虚血や胎便による塞栓症から，腸管穿孔を起こす可能性が高くなる。腸管虚血は壊死性腸炎を起こす契機となり，その後の栄養管理に大きな影響を及ぼす。

超低出生体重児では，生後早期から積極的に経静脈栄養を併用し，生後の体重減少を最小限とし，体重復帰期間を短縮する栄養管理を行う。母乳やミルクの投与量が十分に増やせない状態の場合は，経静脈栄養が長期にわたる場合もある。体重当たりの必要栄養量が正期産児・正常体重の児に比べて多く，栄養素の相対的な不足が起こりやすい。母乳は，超低出生体重児の未熟な消化管にとって，栄養のみならず感染防御の面からも最適な食物である。母乳のみで不足する成分を補う母乳強化パウダー（カルシウム，リン，ナトリウム，たんぱく，脂肪を含む）を母乳に添加することが一般的となっている。

5. 黄疸管理

本章-Ⅱ-7「黄疸」参照。早産・低出生体重児では黄疸が重症化しやすい。血清ビリルビン値が治療開始基準以下であってもビリルビン脳症を発症する症例があるため，超低出生体重児では予防的に光線療法を行うことが一般的である。

6. 母子関係

超低出生体重児の親は，児を早産・低体重で産んだことに罪悪感を覚えると同時に，自分が想像していた赤ちゃんの状態と現実が乖離（かいり）しているために，わが子を「怖い」と感じることも少なくない。さらに超低出生体重児は入院期間も 90 日以上と長く，処置や治療で面会時間が制限されることも頻回にあり，親子の分離期間が長期となる。無事に退院した後も，育児自体がより煩雑となることが多いうえに，「早くみんなと同じように大きくなってほしい」という気持ちを抱く親も多く，親が育児の困難さを感じる場合がある。早産，低出生体重，NICU 入院既往は児童虐待のハイリスク因子でもある。NICU では面会時間帯の拡張や児の全身状態が安定した後のカンガルーケア*の実施など，親子のアタッチメントの確立を妨げないよう工夫が図られている。また，近年では患児の家族も児のケアにかかわるチームの一員として，児のケアや治療方針の決定に参加するファミリーセンタードケア（FCC）の重要性も着目されている。NICU 入院中から，退院後の生活に向けて医療従事者・地域行政担当者など多職種連携による切れ目ない育児支援が重要である。

B 生育限界, 成育限界

生育限界は児が胎外で生きることができる生存限界を意味し，母体保護法第 2 条第 2 項「胎児が，母体外において，生命を保続することのできない時期」との境目を指す。現在の生育限界は 1990（平成 2）年に周知され，人工妊娠中絶の時期を規定している。

一方で**成育限界**という概念もあり，これは出生した児が成長・発達できる時期を指しており，医学，経済，社会性，法律，倫理など複数の観点から生存限界を考えた概念である。

C 超低出生体重児の後障害

超低出生体重児は，急性期を安全に乗り切っても引き続き慎重な医療管理を要する。ここでは，亜急性期から慢性期にかけての課題について記載する。

1 未熟児貧血

▶ **概念・病態生理**　在胎 32 週未満で出生した児の慢性期に発症する正球性正色素性の貧血を指す。原因として①赤血球寿命が 35 ～ 50 日と短い（正期産児は 60 ～ 90 日），②頻回の採血など医原性の失血を避けられない，③ヘモグロビン低下に対するエリスロポエチンの

* **カンガルーケア**：ここでのカンガルーケアは，母や父の素肌の胸に，児もおむつ 1 枚の状態で寝かせて過ごすことを指す。児にとっては，呼吸・循環の安定や正常細菌叢の獲得に，両親にとってはアタッチメントの確立に有用とされる。

分泌反応が低い，④在胎期間が短く鉄貯蔵量が少ない，などがあげられる。

▶ 症状・治療　症状は非特異的で，無呼吸・頻脈・体重増加不良・酸素化低下などである。治療は，エリスロポエチンの皮下注射や鉄剤投与を行う。感染を契機に急に増悪する場合もあり，慢性期であっても輸血が必要となることがある。

2　未熟児骨減少症

▶ 概念・病態生理　カルシウム（Ca）やリン（P）が骨から血液中に動員されることによる骨密度低下状態を指す。胎児期には母体から胎児へ大量のCa（120～160mg/kg/日）とP（60～75mg/kg/日）が供給される。しかし骨への蓄積の約80％は妊娠28週以降に起こるため，早産児はCaとPの蓄積がもともと少ない状態で出生する。さらにビタミンD不足による腸管でのCaやPの吸収不良が起こると，血中濃度を維持するために骨からCaとPが動員される。成長に伴う需要の増大に供給が追いつかないと，骨の脱灰が進み，成長障害や骨折をきたす可能性がある。

▶ 症状・診断・治療　頭蓋癆・骨の変形・骨折などがみられる。単純X線写真で，前腕骨遠位端の骨化不良像を認める。治療は母乳への強化パウダーの添加，低出生体重児用調整粉乳の使用，Ca・P・ビタミンDの内服投与などを行う。

3　慢性肺疾患（chronic lung disease；CLD）

▶ 概念・病態生理　**慢性肺疾患**は，新生児期からの呼吸補助治療（人工換気や酸素投与）が生後28日以上の時点で継続して必要である状態を指す。修正週数36週以降も必要な場合を重症例とする。未熟な肺に，胎児期・出生後の炎症，人工呼吸器関連肺損傷，酸素毒性などの侵襲がくわわり，正常な肺胞や血管の発育発達停止，間質の線維化が起きている。

▶ 症状・治療　酸素化不良・換気不良が起こる。結果として成長障害や下気道感染の反復，気管支喘息などをきたす。根本的な治療法はなく，酸素投与や人工換気を年単位で継続する。

4　未熟児網膜症（retinopathy of prematurity；ROP）

▶ 概念・病態生理　**未熟児網膜症**は未熟な網膜血管の異常増殖を指す。網膜血管は，胎生14週頃から発生し，妊娠36週頃まで低濃度酸素環境下で成長する。生後高濃度酸素に曝露されると収縮し，細い異常血管となる。最重症例では，増殖した異常血管により網膜剝離に至る。超低出生体重児にはほぼ不可避の病態で約85％が発症するが，悪化傾向がなければ慎重な観察のみで経過し，治療を要する症例は約30％である。成長後に斜視や視力障害，最重症例では失明に至る可能性がある。盲学校学生の視覚障害の原因疾患の約20％がROPと報告されている。

▶ 管理・治療　原則的に在胎34週未満，出生時体重1800g未満の早産児を対象として眼科医による眼底の診察を行う。診察時は呼吸抑制や徐脈をきたす可能性がある。在胎週数が短いほど発症しやすいが，生後の高濃度酸素や徐脈を伴う無呼吸発作，炎症もリスク因子であり，特に投与酸素量の調節は重要である。治療はレーザーによる光凝固術，抗VEGF（血管内皮増殖因子）抗体眼内投与，重症例で硝子体手術を行う。

5 脳室周囲白質軟化症（periventricular leukomalacia；PVL）

▶ **概念・病態生理** 脳室周囲の深部白質に起こる脳細胞の壊死性変化や成長障害。側脳室の後角周辺が好発部位で，同部位を運動野からの皮質脊髄路が通るため，乳児期以降に痙性麻痺（脳性麻痺の病型の一つ）を呈する。原因は周産期における脳の血流低下や炎症と考えられている。胎児期の前置胎盤，胎盤機能不全，双胎間輸血症候群，絨毛膜羊膜炎，生後の徐脈を伴う無呼吸発作，未熟児動脈開存症，敗血症や副腎機能不全などである。

▶ **診断・予後** 入院中は定期的な頭部超音波検査を行う。頭部超音波検査で脳室周囲の高エコー輝度が持続する場合はPVLを発症する可能性がある。最終診断は頭部MRI（図3-11）により行う。NICU退院時にPVLが明確でなくても，修正7か月，修正18か月の再検MRIで診断に至る場合もある。早期の理学療法導入は有用だが効果には個人差がある。

6 脳室内出血（intraventricular hemorrhage；IVH）

▶ **概念・病態生理** 脳室周囲，または脈絡叢の血管の破綻により生じる脳室内の出血を指す。

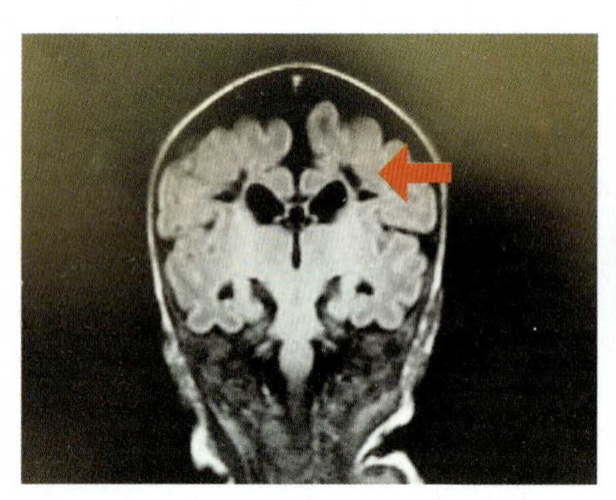
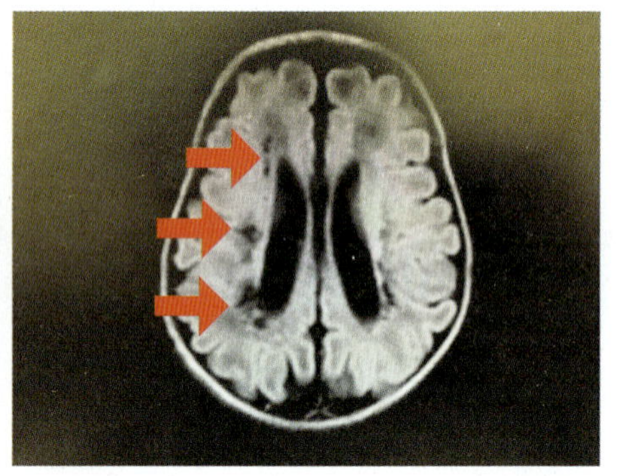

在胎30週，出生時体重1603 g。絨毛膜羊膜炎による胎児機能不全があった。矢印で示すように広範囲に嚢胞性の白質壊死がみられる。

図3-11 PVL児のMRI

表3-6 脳室内出血のPapile分類と発達予後

定義		正常発達	脳性麻痺	精神発達遅滞	境界域
Grade Ⅰ	脳室上衣下層に限局した出血	70.2%	7.2%	10.3%	12.1%
Grade Ⅱ	脳室拡大を伴わない脳室内出血	62.4%	17.3%	6.8%	13.5%
Grade Ⅲ	脳室拡大を伴う脳室内出血	38.5%	23.1%	26.9%	11.5%
Grade Ⅳ	脳実質内出血	15.4%	71.2%	9.6%	3.8%

出典／早川昌弘：超低出生体重児の頭蓋内病変と予後，周産期医学，37（4）：511-514，2007．一部改変．

在胎28週以下の早産児に起こりやすく，90％の症例が生後72時間以内に発症している。重症度は出血が波及した範囲で分類され，VolpeやPapileの分類（表3-6）が一般的に用いられている。早産低出生体重児でIVHを起こしやすい理由には，①脳室周囲動脈血管は大脳動脈分枝の末端で循環動態の変化を受けやすい，②超低出生体重児の脳血管は血管壁が脆弱（ぜいじゃく）で破綻しやすい，③脳静脈も循環動態の変化を直接受けやすい，などがあげられる。

▶ **管理** IVHの予防には循環動態の安定が重要である。母体の妊娠管理，分娩時の適切な蘇生，新生児へのストレスを最低限とするミニマルハンドリング*，動脈管開存などへの速やかな対応が重要である。発症時はショックやアシドーシス，貧血に対し，対症療法を行う。水頭症（すいとうしょう）を発症し，改善傾向が見られない場合には，脳室―腹腔シャント術（ventriculo-peritoneal shunt；VP shunt）を行う。体格が小さい場合は，VPシャント術に移行できるまで，頭皮下に脳室と交通するリザーバーを留置して，穿刺（せんし）排液を行う。

Ⅳ 成熟異常

胎児の成長は胎児因子と環境因子（胎盤・臍帯（さいたい）因子，母体因子）によって規定される。在胎週数と児の出生時体重の両者から，出生児の発育状況を分類する。病態や症状は，その胎児の発育異常の原因によって異なる。

1 Heavy-for-date児（Heavy-for-date infant；HFD）

在胎週数に比し，出生時体重が大きい状態で，90thパーセンタイル（＋1.28SD）を超えている場合。Heavy-for-gestational-age（HGA）が使われる場合もある。

▶ **臨床経過・症状** 分娩（ぶんべん）停止や娩出困難となる可能性が高く，帝王切開での分娩や器械分娩（吸引分娩や鉗子（かんし）分娩）が必要となる。鎖骨骨折（さこつこっせつ）などの分娩外傷の危険性も高くなる。胎児因子での過成長の場合は，その基礎疾患により症状や経過が異なる。母体が耐糖能異常（たいとうのういじょう）合併の場合は糖尿病母体児症状（本章-II-11-1「糖尿病母体児」参照）の発症頻度が上がる。

2 Light-for-date児（light-for-date infant；LFD）

在胎週数に比して，出生時体重のみが小さい状態で，10thパーセンタイル（－1.28 SD）未満を指す。身長も共に10thパーセンタイル（－1.28 SD）未満であれば，small-for-date児（SFD）と定義する。Small-for-gestational-age（SGA）が使われる場合もある。さらに，体重や身長に比し頭囲の成長は保たれている場合はasymmetrical SGA，頭囲も小さい場合はsymmetrical SGAとよぶ。LFD/SFDはHFDよりも，背景となっている病態が多岐にわたっ

* **ミニマルハンドリング（minimal handling）**：新生児へのストレスが最小限になるように処置やケアを行うこと。回数を必要最低限とし，1回の処置の時間も長くならないように心がける。検査も侵襲性の低いものを優先し，視診やモニタリングから最大限の情報を得て，新生児の安静をなるべく妨げないようにする。小児医療の基本である。

ている。

▶ 原因

①**胎児因子**：胎児発育不全をきたす症候群。身長も小さいSFDとなる場合が多い。

- 染色体異常症：21トリソミー・18トリソミー・13トリソミーなど。
- 低体重となる症候群：Russel Silver症候群など。
- 先天性ウイルス感染症：TORCH症候群。
- 体質性：もともと小柄な家族に出生した児。

②**環境因子**：胎盤から児への循環が制限されうる病態。

- 母体因子：年齢（高年齢・若年齢）・喫煙・妊娠高血圧性腎症・低栄養
- 胎盤・臍帯(さいたいいんし)因子：胎盤が小さい，胎盤の梗塞(こうそく)，前置胎盤，臍帯の胎盤辺縁付着，臍帯の結節など。

▶ 臨床経過・症状　妊娠経過中には胎児機能不全を呈し，緊急帝王切開での出生となる場合が多い。生後の経過は，原因因子による。基礎疾患がある場合は疾患に伴う症状を呈す。環境因子による発育障害では，低循環であったことの結果として以下の症状の頻度が高い。

- **低血糖**：肝臓でのグリコーゲン貯蔵が乏しく，ブドウ糖が枯渇しやすい。またインスリン（成長を促す作用がある）の分泌(ぶんぴつ)が相対的に多く，急性期以降も遷延する場合がある。
- **多血**：胎児期の軽度の虚血(きょけつ)状態に対し，エリスロポエチンの分泌が亢進(こうしん)する。
- **胎便塞栓**：胎便が硬く，排泄困難(はいせつこんなん)となる。
- **血清カルシウム低値**：胎児期の貯蔵が乏しい。

本章の参考文献

- Hayakawa, M., et al.：Incidence and prediction of outcome in hypoxic-ischemic encephalopathy in Japan, Pediatr Int, 56(2)：p.215-221, 2014.
- 平成26年度厚生労働科学研究費補助金事業「小児呼吸器形成異常・低形成疾患に関する実態調査ならびに診療ガイドライン作成に関する研究」における新生児先天性横隔膜ヘルニア研究グループ：新生児先天性横隔膜ヘルニア（CDH）診療ガイドライン（第1.2版），2016.
- 日本未熟児新生児学会・標準化委員会 J-Prepガイドライン作成チーム：根拠と総意に基づく未熟児動脈管開存症治療ガイドライン，2010, http://plaza.umin.ac.jp/~jspn/PDAkirokusyuu.pdf（最終アクセス日：2022/11/02）
- 新生児臨床研究ネットワーク編：周産期母子医療センターネットワークデータベース10年間のまとめ事業成果報告書，http://plaza.umin.ac.jp/nrndata/reports/10YearReport.pdf（最終アクセス日：2022/11/02）
- 太刀川貴子，他：超低出生体重児における未熟児網膜症；東京都多施設研究，日眼会誌，122(2)：p.103-113, 2018.
- 柿澤敏文，他：全国小・中学校弱視特別支援学級及び弱視通級指導教室児童生徒の視覚障害原因等の実態とその推移；2010年度全国調査を中心に，弱視教育，49(4)：p.6-17, 2012.

第4章 系統臓器別疾患

この章では

- 系統臓器別に疾患の特徴や種類を理解する。
- それぞれの疾患の検査・診断方法や治療の概要を学ぶ。

I 皮膚疾患

A 小児皮膚の特徴

皮膚は外観を成す臓器であり，本人のみならず両親やほかの人々だれしもが見ることができるため，その変化や異常に関して医療者への相談が多い傾向がある。一方で，新生児における皮膚症状は，その多くが一過性で治療を要さない。そういった一般的な皮膚症状から，治療など対応が必要な皮膚症状まで多岐にわたるため，小児医療にかかわる看護師，小児科医はある程度の臨床的知識の習得が求められる。

小児皮膚は，成人における皮膚の構造と大きく変わることはないが，機能的には未熟で不完全であり，そのため年齢ごとに異なる箇所がある。

皮膚の厚さは，成人での平均値が 2.1mm とされているが，新生児においては 1.2mm ほどとされている。成人における皮膚の厚さは部位ごとにも異なっており，手掌・足底で厚く，眼瞼（がんけん），陰嚢などで薄い。新生児・乳児においては部位ごとの差があまりない。

皮膚付属器である毛包脂腺や汗腺，神経，血管については，新生児期から 3 歳頃までは変化がみられる。脂腺は母体からのアンドロゲンの影響で分泌（ぶんぴつ）が起こっているが，その後は男児で活発化がみられ，新生児痤瘡（ざそう）の原因となる。発汗はエクリン汗腺より出生後 2 ～ 4 日ほどで始まるため，それまでは体温調節がうまくできない。アポクリン汗腺は思春期以降に発達する。

B 血管腫と母斑症

1 ポートワイン母斑（単純性血管腫）

▶ **概念・定義** 生まれつきの赤い斑で，平らで大小様々である。

▶ **病態生理** 真皮の毛細血管増加と拡張による。原因は不明である。

▶ **症状** 出生時より平坦な赤色斑を認める。自覚症状はない。加齢に伴い隆起するなど変化することがある。

▶ **検査・診断** 臨床像より診断が可能である。

▶ **治療** レーザー治療により色調を軽減させることが可能である。

2 サーモンパッチ

▶ **概念・定義** ポートワイン母斑のうち，顔面正中部に生じるものを**サーモンパッチ**という。2 ～ 3 歳頃までに自然消退することが多い。

▶ **病態生理**　真皮の毛細血管増加と拡張による。原因は不明である。

▶ **症状**　出生時より顔面正中部に平坦な赤色斑を認める（図4-1）。自覚症状はない。

▶ **検査・診断**　臨床像より診断が可能である。後頭部に生じるものをウンナ母斑とよぶが，これは消退しないことが多い。

▶ **治療**　自然消退することが多いため，治療は特に行わない。

3　苺状血管腫

▶ **概念・定義**　乳児期に最も多くみられる血管腫で，初期に増殖性変化がみられるが，年を経るごとに消退することが特徴的な疾患である。

▶ **病態生理**　血管内皮細胞の増殖により生じる。血管腔の拡大と間質の増加により増大する。その後に増大が止まり，縮小し始める。

▶ **症状**　出生時，平坦または軽度隆起した赤色斑として生じ，1か月ほどで増大し始める。数か月～1歳まで増大し続け，結節または腫瘤状になることが多い（図4-2）。自覚症状は伴わない。その後縮小し始め，多くは学童期までに消退する。病変が大きい場合など，皮膚のたるみとして残ることがある。

▶ **検査・診断**　臨床像より診断可能である。

▶ **治療**　自然消退するため，積極的な治療を行わないことが多い。一方で，眼などで血管腫の増殖性変化による2次性障害が問題になる場合には，プロプラノロール塩酸塩（ヘマンジオル®［シロップ製剤］）による早期治療を行う。

4　蒙古斑

▶ **概念・定義**　出生時もしくはまもなく認められる殿部の青色斑で，自然消退することが特徴である。

▶ **病態生理**　病因は不明である。真皮色素細胞による色素斑である。

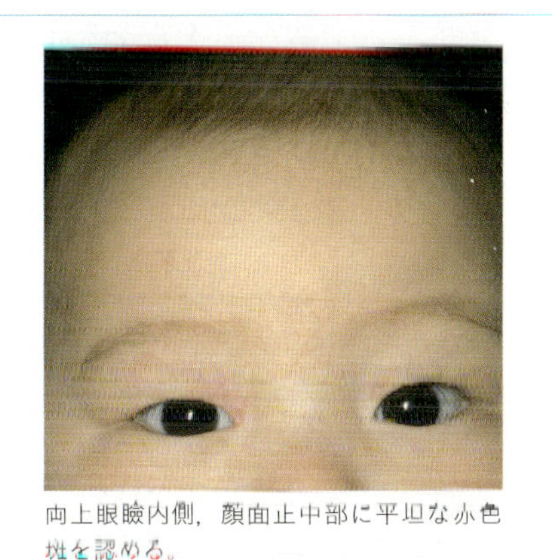

両上眼瞼内側，顔面正中部に平坦な赤色斑を認める。

図4-1　サーモンパッチ

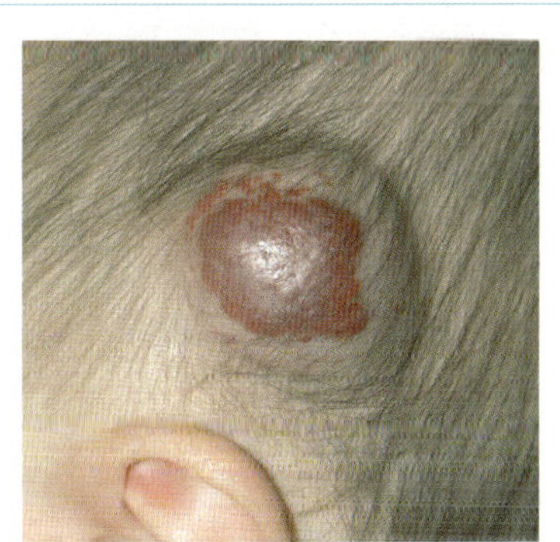

顔面，頭部などに結節または腫瘤状を呈する赤色病変を認める。

図4-2　苺状血管腫

▶ 症状　殿部に数 cm の青色斑がみられ，自覚症状は伴わない。背部に生じることもしばしばあり，そのほかに四肢，頭頸部，胸腹部に生じることもある（図 4-3）。

▶ 検査・診断　特徴的な臨床像から診断可能である。好発部位でない四肢などに生じた場合には，皮膚生検により診断することもある。

▶ 治療　治療は不要で，ほとんどが思春期までに自然消退する。残存することはまれであるが，残存する場合にはレーザー治療を行うこともある。

5 脂腺母斑

▶ 概念・定義　**類器官母斑**ともよばれ，脂腺のほか表皮や付属器などから成る母斑で，2 次的に皮膚がんを生じることがある。

▶ 病態生理　病因は不明である。

▶ 症状　生後まもなく頭などの脱毛斑として気づかれることが多く，10 歳代頃より疣状の局面を形成するようになる（図 4-4）。成人後に基底細胞がんなどが発生することがある。

▶ 検査・診断　臨床的に診断可能であるが，組織の部分生検または切除生検で確定診断されることが多い。

▶ 治療　成人期以降に悪性腫瘍を生じることがあるため，予防的に切除することが多い。

6 先天性巨大色素性母斑

▶ 概念・定義　生まれつきみられる色素性母斑（ほくろ）のうち，最大径が 20cm 以上のものを**先天性巨大色素性母斑**とよぶ（図 4-5）。頻度は 1 万人に 0.5 人ほどで，出生時に 10cm ほどである場合，成長して 20cm に至ると予想される。

▶ 病態生理　病因は不明である。表皮・真皮から皮下脂肪にかけて色素細胞の増加がみられる。

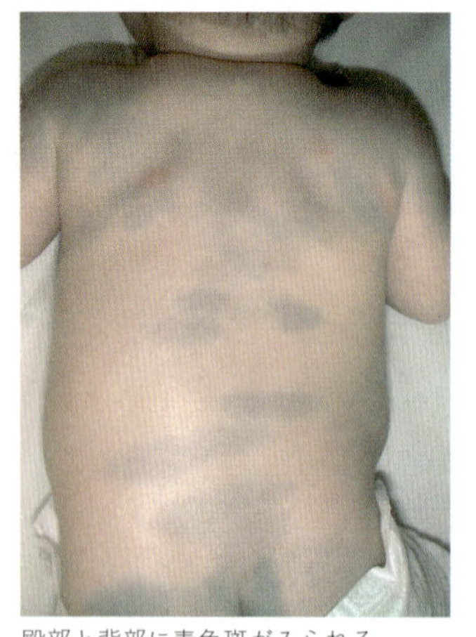

殿部と背部に青色斑がみられる。

図 4-3 蒙古斑

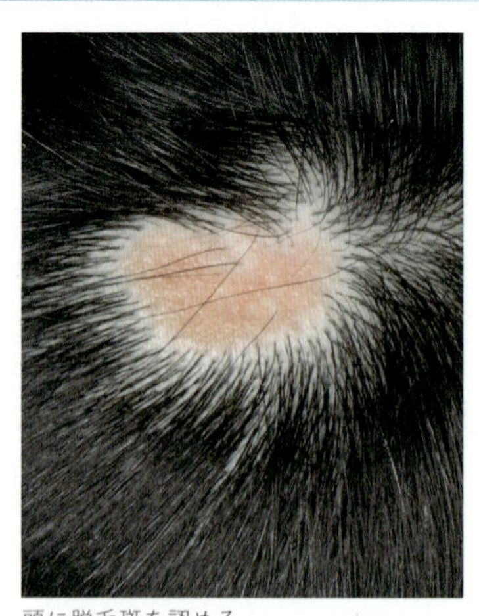

頭に脱毛斑を認める。

図 4-4 脂腺母斑

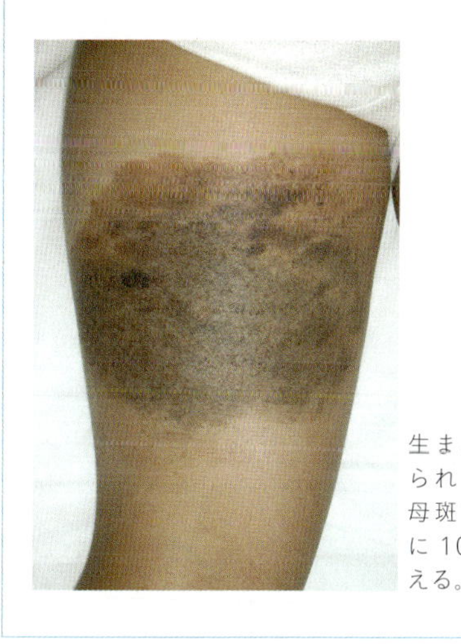

生まれつきみられる色素性母斑で出生時に10cmを超える。

図4-5 先天性巨大色素性母斑

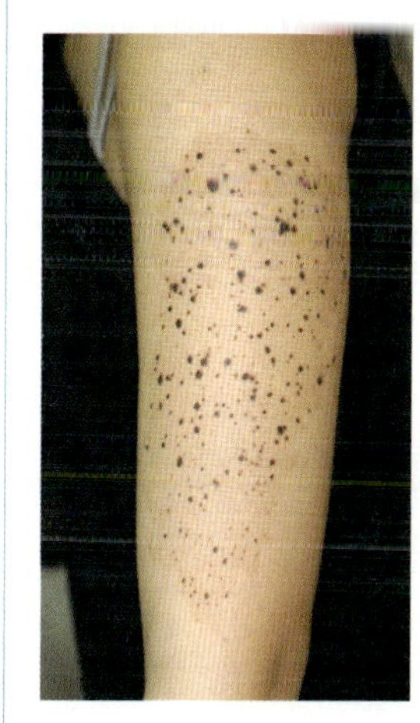

淡い褐色斑の中に濃い小褐色斑がある。

図4-6 扁平母斑

▶ **症状** 黒色から褐色の色素斑で多毛であることが多い。しばしば隆起性で，多発することもある。自覚症状は伴わない。

▶ **検査・診断** 診断は視診・触診のみで可能であるが，皮膚生検を行うことで組織学的に確定診断が可能である。頭痛や痙攣など，中枢神経症状を伴うことがあるため，脳MRIを行う。

▶ **治療** 悪性黒色腫を続発することがあるため，全切除を行う。治療時期は1歳以降から就学時になる。

7 扁平母斑

▶ **概念・定義** 出生時，または生後早期に出現する褐色斑である。

▶ **病態生理** 病因は不明である。色素細胞はなく，メラニン色素の増加がみられる。

▶ **症状** 褐色で平らな斑で，境界は明瞭，自覚症状を伴わず，生涯不変である。淡い褐色斑の中に濃い小褐色斑があるものもある（図4-6）。

▶ **検査・診断** 臨床像で診断が可能である。皮膚生検により組織学的に確定診断することもある。

▶ **治療** 悪性化もなく，変化しないため，多くは無治療である。レーザー治療を行うこともあるが，しばしば再発する。

8 太田母斑

▶ **概念・定義** 主に前額部から頰部に生じる青色斑である。三叉神経領域に生じることが多い。

▶ **病態生理** 病因は不明である。真皮の色素細胞の増加とメラニン増加による。

▶ **症状** 生後に額・眼瞼・頰などに褐色から青色の小さな斑点を生じ，多発して局面を形

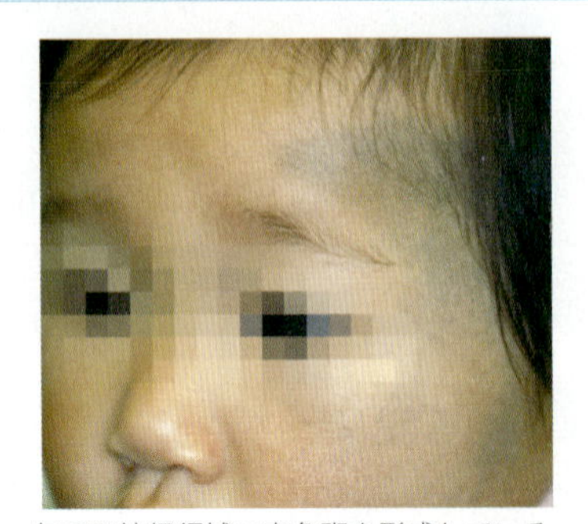

左三叉神経領域に青色斑を形成している。

図4-7 太田母斑

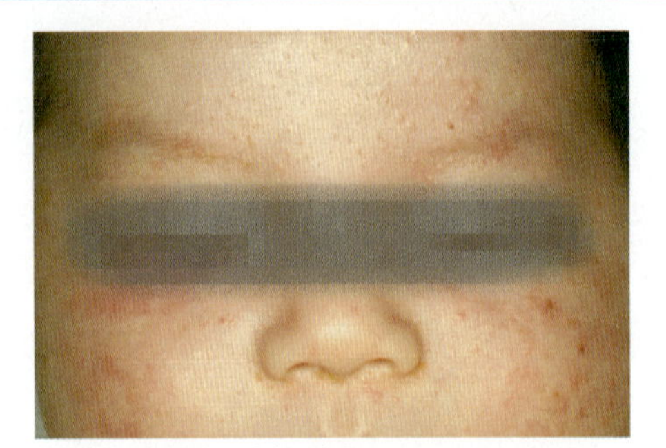

前額部，鼻周囲に丘疹が多発している。

図4-8 新生児痤瘡

成する（図4-7）。思春期にさらに色が濃くなることが多い。

▶ **検査・診断** 特徴的な臨床像から診断可能である。皮膚生検を行うこともある。

▶ **治療** ルビーレーザーなどによる反復照射を行うことで，色素を軽減し目立たなくすることが可能になっている。

C 湿疹皮膚炎群

1 新生児痤瘡

▶ **概念・定義** 生後2～4週間ほどで男児の顔面に生じる痤瘡（にきび）のことである。

▶ **病態生理** 男性ホルモンの産生による皮脂腺の肥大と皮脂の増加によって生じる。男性ホルモンは出生時に多い。

▶ **症状** 皮脂腺の多い前額部・鼻周囲・下顎部に，面皰・丘疹・膿疱が多発・集簇する（図4-8）。

▶ **検査・診断** 特別な検査はなく，臨床像や発症時期より診断する。

▶ **治療** 自然経過でよくなるため，治療を要さないことが多い。

2 乳児脂漏性湿疹

▶ **概念・定義** 脂漏部位に一致して生じる皮膚炎で，新生児期・乳児期に生じるものである。

▶ **病態生理** 生後6か月までの新生児期・乳児期は，脂腺の活動が活発であり，分泌された皮脂が細菌のもつ酵素や酸化，紫外線により変化し，皮膚に刺激となり皮膚炎を生じる。

▶ **症状** 被髪頭部や前額部・眉間部などに紅色丘疹を生じる。鱗屑がみられ，かゆみを伴う。

▶ **検査・診断** 臨床像で診断可能であるが，アトピー性皮膚炎との鑑別が重要である。

▶ **治療** 脂腺の活動が収まることで改善するため，洗浄と保湿のみを行う。かゆみにより搔破が目立つ場合には，ステロイド外用剤での治療を行う。

3 接触皮膚炎（かぶれ）

▶ **概念・定義**　接触源となる原因物質が皮膚に作用して生じる湿疹反応で，様々なもので生じる。

▶ **病態生理**　刺激物質による表皮障害やアレルギーにより炎症が惹起されることによる。

▶ **症状**　接触源の曝露部位と一致して湿疹を生じる。軽微なものから水疱を形成するもの，潰瘍化するものまで様々である。

▶ **検査・診断**　問診と臨床像でおおむね診断可能であるが，原因の証明には貼付試験（パッチテスト）が必要である。

▶ **治療**　原因の除去と，ステロイド外用剤での治療を行う。

4 アトピー性皮膚炎

▶ **概念・定義**　軽快と悪化とを繰り返す湿疹で，多くはアトピー素因を有する（図4-9）。多くは乳幼児期～小児期に発症する。慢性に経過することが特徴である。

▶ **症状**　かゆみを伴う湿疹性病変で，乳幼児期には顔面や頭部に生じることが多い。しだいに体幹・四肢にも拡大する。小児期には四肢関節部や頸部に生じることが多い。

▶ **検査・診断**　慢性的に繰り返す湿疹病変とその分布，アトピー素因より診断する。乳幼児期は2か月以上，そのほかでは6か月以上続くものを慢性とする。アトピー素因として気管支喘息，アレルギー性鼻炎，結膜炎が併存することが多く，家族歴も診断の参考になる。そのほか，血液検査でIgEの上昇や，ダニ，ハウスダストに対する特異抗体が認められることが多い。

▶ **治療**　皮膚の清潔保持やスキンケアを基本とし，湿疹部位には適切な外用治療を行う。外用治療は部位や症状に合わせたランク・量のステロイドやタクロリムス水和物（2歳以上），デルゴスチニブを用いる。ダニ・ハウスダストへの曝露で増悪する場合は，住環境の改善も効果的である。

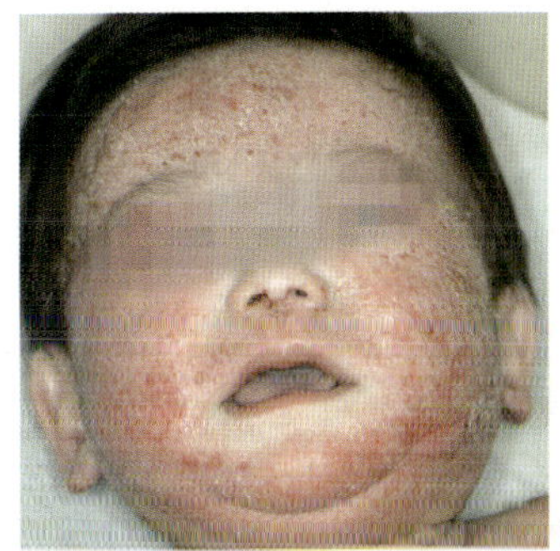

顔面に湿疹が生じている。

図4-9 アトピー性皮膚炎

D 紅斑・紫斑・蕁麻疹

1 IgA血管炎（アナフィラクトイド紫斑病）

▶ **概念・定義** 小児の下肢に好発する血管炎で，細菌感染に続発することが多い（図4-10）。腎臓や腸管に異常を伴うことがある。

▶ **病態生理** 毛細血管に炎症を生じ，赤血球などが血管外に漏れ出すため，臨床的に紫斑（しはん）を呈する。血管壁にIgAの沈着がみられることから，IgA血管炎といわれるがIgAが腎臓や消化管の血管に沈着すると，これらの臓器障害を生じることが知られている。

▶ **症状** 皮膚症状のみであれば紫斑を認めるのみで，痛みなどの自覚症状は伴わない。浮腫（ふしゅ）を伴うこともある。そのほか，腹痛や関節痛などを伴うことがある。

▶ **検査・診断** 紫斑部からの皮膚生検により診断する。腹痛・下血・たんぱく尿・血尿の有無を調べるため，便や尿などの検査を行う。

▶ **治療** 皮膚症状のみであれば，安静指示と血管強化薬の投与を行う。腎障害や腸管症状を伴う場合には，入院のうえでステロイド治療が必要になることがある。

2 蕁麻疹

▶ **概念・定義** 数分～数時間持続する膨疹（ぼうしん）を生じる疾患で，強いかゆみを伴う。まれに気道浮腫による呼吸苦を生じることがある。

▶ **病態生理** ヒスタミンにより血管の透過性が亢進（こうしん）し，皮膚に膨疹を生じる。ヒスタミンの遊離は，IgEを介したアレルギー機序のものがよく知られているが，非アレルギー性のものもある。

▶ **症状** かゆみを伴う紅斑（こうはん）が膨隆（ぼうりゅう），多発・融合し，地図状を呈する。個々の皮疹は24時間以内に消退する。

▶ **検査・診断** 診断は比較的容易であるが，診察時に消失しており，紅斑が確認できない

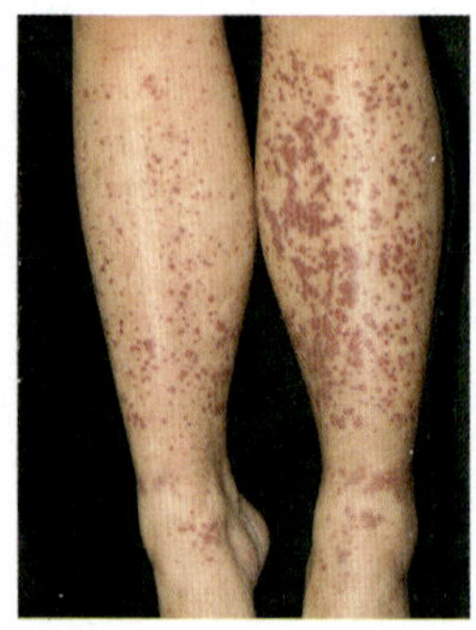

両下肢に紫斑を認める。

図4-10 IgA血管炎

こともある。

▶ **治療**　抗アレルギー薬が奏効することが多い。重症例ではステロイド治療や抗 IgE 抗体を用いた治療を行う。

3　急性痒疹

▶ **概念・定義**　夏季を中心に乳幼児の四肢などにかゆみを伴う皮疹を生じる。

▶ **病態生理**　虫に対するアレルギーが関連するとされており，露出部位を中心に丘疹（きゅうしん）・小水疱（しょうすいほう）・膨疹などを生じる。小児期になるにつれ，生じにくくなる。

▶ **症状**　虫刺され様の膨疹や丘疹に始まり，水疱・膿疱（のうほう）・びらんを生じる。

▶ **検査・診断**　臨床像より診断可能である。

▶ **治療**　ステロイド外用治療が奏効する。

E 薬疹・中毒疹

1　粘膜皮膚眼症候群

▶ **概念・定義**　急性に発症し，発熱とともに眼，口腔内（こうくうない）などに粘膜びらんを生じ，皮膚には滲出性（しんしゅつせい）紅斑・水疱・びらんを生じる疾患である（図 4-11）。

▶ **病態生理**　ウイルスや細菌などによる感染症，薬剤などにより生じるアレルギー反応の一つと考えられている。このうち，ヒト単純ヘルペスウイルス，マイコプラズマ，薬剤により生じることが知られている。

▶ **症状**　発熱などの全身症状を伴い，皮膚には水疱とびらんを，眼・口腔内などにびらんを生じ，急速に拡大する。眼のびらんは失明や眼球癒着などの後遺症を生じることがある。

▶ **検査・診断**　臨床像に加えて，皮膚・粘膜からの生検による病理組織像により診断する。

▶ **治療**　速やかにステロイドの全身投与を行う。重症例ではガンマグロブリンの大量静注療法を行う。

2　中毒性表皮壊死症（TEN）型薬疹

▶ **概念・定義**　主に薬剤の摂取が原因で生じる重症疾患。広範囲に生じると致死的である。

▶ **病態生理**　表皮の壊死（えし）を生じ，皮膚・粘膜の上皮が脱落する。

▶ **症状**　全身の皮膚に紅斑・水疱を生じ，そののちに表皮剝離・びらんとなる。全身に広がり，気道粘膜や消化管粘膜が侵されることもある。

▶ **検査・診断**　臨床像で診断可能であるが，ニコルスキー（Nikolsky）現象（皮膚に機械的刺激を加えることにより容易に水疱やびらんを生じる現象）がみられることも特徴的である。

▶ **治療**　原因薬剤の中止とともに，速やかにステロイドの全身投与を行う。重症例ではガンマグロブリンの大量静注療法を行う。感染症などにより致死的になる。

F 物理的皮膚障害

1 熱傷

▶ **概念・定義** 熱湯など高熱のものによって生じる皮膚損傷で，幼児や小児に生じやすい。

▶ **病態生理** 熱源は熱湯や油，炎やストーブなど様々で，その温度や接触時間などにより壊死（えし）する皮膚の深さが異なる。

▶ **症状** 皮膚は発赤し，痛みを伴い，さらに深達すると水疱（すいほう）やびらんを生じる（図4-12）。熱傷（ねっしょう）が皮下組織にまで達すると疼痛（とうつう）を感じない。

▶ **検査・診断** 診断は容易である。熱傷深度と熱傷範囲で重症度が分けられる（表4-1）。

▶ **治療** 中等度熱傷以上の場合には，ショックの可能性があるため全身管理が必要になる。小児の場合には，受傷範囲が5%以下でもショックの可能性がある。

受傷部位は洗浄し清潔に保ち，軟膏（なんこう）などにより湿潤環境を保つことで，創傷治癒を促す。深達性・広範囲の熱傷では，壊死組織の除去や植皮術が必要になる。

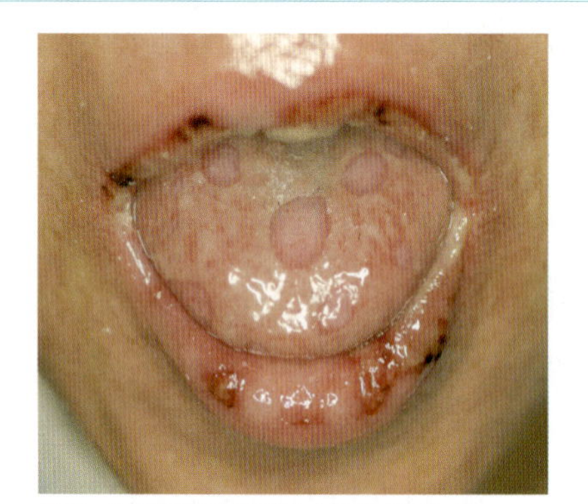

口唇，口腔内に粘膜びらんを生じている。

図4-11 粘膜皮膚眼症候群

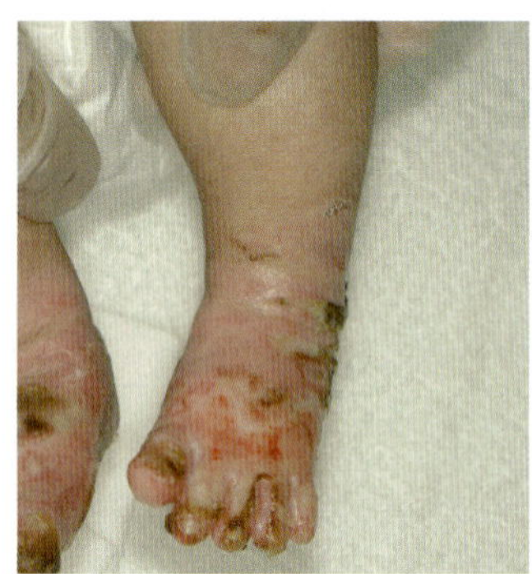

熱湯によって生じた皮膚損傷で，潰瘍化している。深達性第2度熱傷。

図4-12 熱傷

表4-1 熱傷の分類

分類		概要
熱傷深度による分類	第1度熱傷	表皮熱傷ともよばれ，発赤するが，水疱・びらんの形成はない。
	第2度熱傷	真皮熱傷ともよばれ，水疱・びらんを形成する。多くは2週間ほどで瘢痕を残さず治癒するが，深達性で治癒に2週間以上を要し，瘢痕を形成するものもある。
	第3度熱傷	皮下熱傷ともよばれ，表面は白色となり，痛覚が消失するため痛みもない。壊死組織の除去が必要で，治癒までに時間を要する。
熱傷範囲による分類	軽度熱傷	第2度熱傷で10%以下，第3度熱傷で2%以下のものを指す。
	中等度熱傷	第2度熱傷で11～30%未満，第3度熱傷で3～10%未満のものを指す。
	重症熱傷	第2度熱傷で30%以上，第3度熱傷で10%以上のものを指す。

2 凍瘡

▶ **概念・定義** 俗にいう**しもやけ**のことで，寒冷刺激が反復することにより滲出液が組織中に漏れ出ることで生じる。

▶ **病態生理** 寒冷刺激により動静脈の収縮が起こり，加温により動脈の血流改善が起こるものの静脈の収縮が継続することで滲出液が組織中に漏出する。浮腫を生じ，さらに寒冷刺激を繰り返すことで色調変化や水疱，びらん，潰瘍を形成するようになる。

▶ **症状** 露出部位である耳介・鼻・手足などに紅色調変化や浮腫・水疱・びらん・潰瘍などを生じる。発症早期は加温によりかゆみを生じる。

▶ **検査・診断** 季節性に発症することや，発生部位や症状により診断は容易である。

▶ **治療** 保温，マッサージのほか，ビタミンEの内服や外用が用いられる。

G 伝染性皮膚疾患

1. 細菌性皮膚疾患

1 癤

▶ **概念・定義** 単一毛包を中心として生じる細菌感染症である。

▶ **病態生理** 掻破などをきっかけに毛包内に黄色ブドウ球菌をはじめとした細菌が侵入し，毛包を中心とした炎症が周囲に波及することで生じる。

▶ **症状** 単発の有痛性の結節性病変で，発赤，熱感，疼痛を伴う。中央に毛孔が確認され，膿の貯留を伴う。

▶ **検査・診断** 膿からの培養検査により，黄色ブドウ球菌の感染が確認される。

▶ **治療** 排膿のみで軽快することが多いが，腫れが強い場合には抗菌薬の投与を行う。

2 ブドウ球菌性熱傷様皮膚症候群（SSSS）

▶ **概念・定義・病態生理** 皮膚などに黄色ブドウ球菌の感染が生じた際に，黄色ブドウ球菌が産生する表皮剝脱毒素（exfoliative toxin；ET）が，血流に乗って全身の皮膚に至ることで，水疱形成や表皮の剝離を生じる。

▶ **症状** 主に間擦部や顔面に水疱形成と表皮剝離を生じる（図4-13）。皮疹部の疼痛や，全身の発熱を伴うことが多い。

▶ **検査・診断** 特徴的な臨床像に加えて，皮疹部とは別の感染巣が確認され，同部位における黄色ブドウ球菌の感染が確認されることで診断する。

▶ **治療** 抗菌薬治療が有効である。

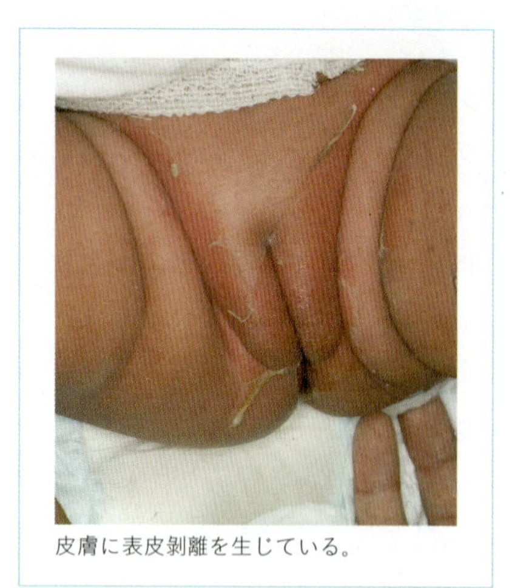
皮膚に表皮剝離を生じている。

図4-13 ブドウ球菌性熱傷様皮膚症候群

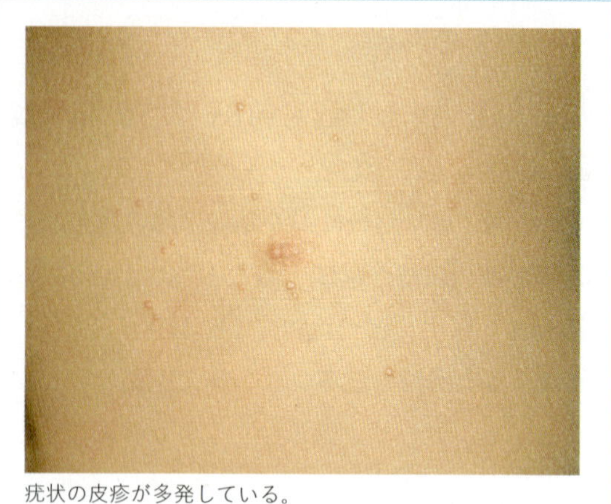
疣状の皮疹が多発している。

図4-14 伝染性軟属腫

2. ウイルス性皮膚疾患

1 伝染性軟属腫

▶ **概念・定義** 伝染性軟属腫ウイルスによる皮膚感染症で，小児期に発症しやすく，疣状(いぼじょう)の皮疹が多発するという特徴がある（図4-14）。俗にいう**みずいぼ**のこと。

▶ **病態生理** 伝染性軟属腫ウイルスが表皮細胞に感染し，表皮細胞の増殖により丘疹(きゅうしん)を生じる。搔破(そうは)や接触などにより伝染する。

▶ **症状** 数mmほどの丘疹で，中央部が軽度陥凹し，臍(へそ)のようにみえることが特徴である。多発することが多く，自覚症状はないか，軽度のかゆみがある程度である。

▶ **検査・診断** 特徴的な臨床像のため，視診のみで診断が可能であるが，診断が難しい症例では皮膚生検により組織学的に確定診断する。

▶ **治療** 個数が少ない場合には摘除することがある。自然治癒が見込めるため，放置してもよい。

2 尋常性疣贅

▶ **概念・定義** ヒトパピローマウイルス（human papillomavirus；HPV）が感染して生じる角化性丘疹である。年齢を問わず発症するが，学童期に発症することが最も多い。

▶ **病態生理** HPVが表皮細胞に感染し，腫瘍性増殖(しゅようせいぞうしょく)を引き起こすことによる。

▶ **症状** 主に手足に表面が粗造な角化性丘疹を生じる（図4-15）。点状出血がみられることも特徴である。

▶ **検査・診断** 特徴的な臨床像のため，視診のみで診断が可能であるが，診断が難しい症例では皮膚生検により組織学的に確定診断する。

▶ **治療** 液体窒素による凍結療法が汎用されている。

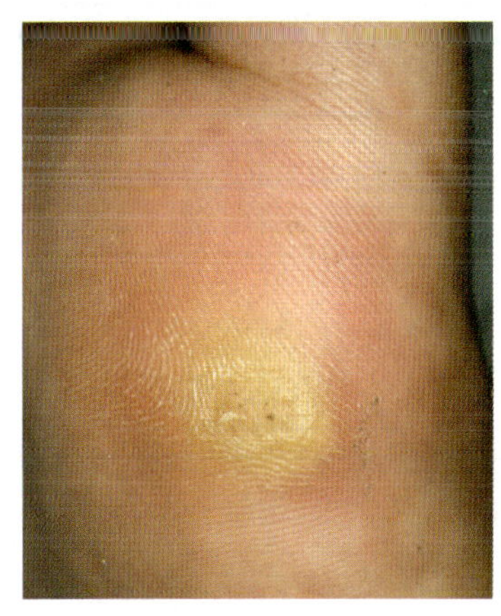
足底の角化性丘疹で，点状出血がみられる。

図4-15 尋常性疣贅

3 伝染性紅斑

▶ **概念・定義** パルボ B19 ウイルスによる感染症で，小児に好発する。感染初期は感冒様症状がみられ，その後に特徴的な頬部の紅斑がみられる。俗にいう**りんご病**のこと。妊婦が感染することで胎児に胎児水腫を生じる可能性があり，注意が必要である。

▶ **病態生理** パルボ B19 ウイルスの飛沫による感染で，感染後 1 週間ほどでウイルス血症となり，感冒様症状が出現する。感染から 2 週間ほどで発疹が出現するが，この頃には感染性はない。

▶ **症状** 両頰の紅斑で，平手打ちをされたような色調・範囲としてみられる。そのほか，上腕に網目状の紅斑を生じる。

▶ **検査・診断** 特徴的な臨床像に加えて，急性期に血中 IgM 抗体価の上昇を確認することで診断が可能である。

▶ **治療** 皮膚症状は 1 週間程度で軽快するため，基本的に治療の必要はない。

3. 真菌感染症

1 頭部浅在性白癬

▶ **概念・定義** 俗にいう**しらくも**で，頭皮に生じる真菌感染症である。頭部白癬ともいわれる。

▶ **病態生理** 真菌による感染症である。頭皮や毛包内に感染するため，紅斑や鱗屑を伴うだけでなく，脱毛を伴う。

▶ **症状** 10 歳以下の小児の頭皮に脱毛斑として生じることが多い。原因となる菌種により紅斑や鱗屑の程度に差がある。患部にかゆみを伴う。

▶ **検査・診断** 直接顕微鏡により診断可能で，菌種の同定のため真菌培養を行う。

▶ **治療** 抗真菌薬の内服治療を行う。

H 動物寄生性疾患

1 疥癬

▶ **概念・定義**　疥癬虫（ヒゼンダニ）が角質内に寄生することによる皮膚感染症である。性感染症としての位置付けのほか，家族内発生，施設内集団発生などが問題となる。年齢を問わない。

▶ **病態生理**　角質内で1～2か月生息する疥癬虫が，産卵し増殖する。

▶ **症状**　夜間のかゆみが特徴で，線状の丘疹，紅色丘疹，結節などが手指や陰部，腋窩などに生じる（図4-16）。

▶ **検査・診断**　皮疹部の角質を採取し，顕微鏡下に疥癬虫を確認することで診断する。

▶ **治療**　イベルメクチンの内服治療が保険適用となっており，単回投与で奏効することが多い。1週間以上空けて再投与することもある。

2 シラミ症

▶ **概念・定義**　小児に発生するのは主にアタマジラミで，頭髪に寄生する疾患である。

▶ **病態生理**　アタマジラミが頭髪に寄生し，頭皮から吸血しながら産卵・増殖する。

▶ **症状**　アタマジラミが頭皮から吸血することによる皮膚のかゆみや皮膚炎を生じる。

▶ **検査・診断**　頭髪に寄生したアタマジラミを確認することで診断するが，虫体は肉眼でも確認可能である。

▶ **治療**　以前は頭髪をすべて剃毛していたが，現在はフェノトリン（スミスリン®シャンプー）などで治療することで治療可能である。

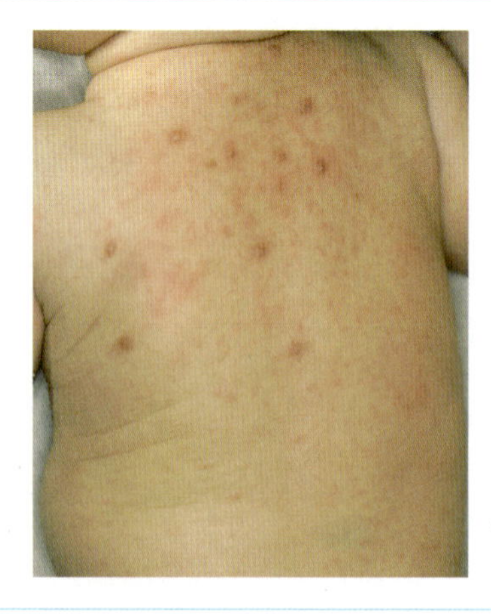

背部に紅色丘疹，結節などが多発している。顕微鏡により疥癬虫を確認する。

図4-16 疥癬

I 腫瘍性疾患

1 悪性黒色腫

▶ **概念・定義** 表皮内に局在するメラニン細胞ががん化することで生じる皮膚悪性腫瘍である（図4-17）。日本人では手足に生じる割合が多い。

▶ **症状** 自覚症状はなく，ほくろに似ており，シミのような色素斑から初発することがある。

▶ **検査・診断** ダーモスコピーという拡大鏡を用いた補助診断も行われるが，切除または生検による組織検査が診断上必須である。

▶ **治療** リンパ節や臓器への転移がない場合には，手術による治療が原則となる。転移がある場合には，免疫チェックポイント阻害薬であるニボルマブ（オプジーボ®）などを用いた薬物治療を行う。

J そのほか

1 汗疹

▶ **概念・定義** 俗にいう**あせも**で，多汗と汗管の閉塞により生じる。

▶ **病態生理** 汗管が閉塞することにより，汗管内の汗が汗管周囲の組織中に漏出して炎症が惹起されることに起因する。汗の蒸散しにくい部位や，皮膚どうしが接触する部位に生じやすい。

▶ **症状** かゆみを伴う紅色丘疹より生じ，湿疹化を伴うことが多い（図4-18）。乳幼児期

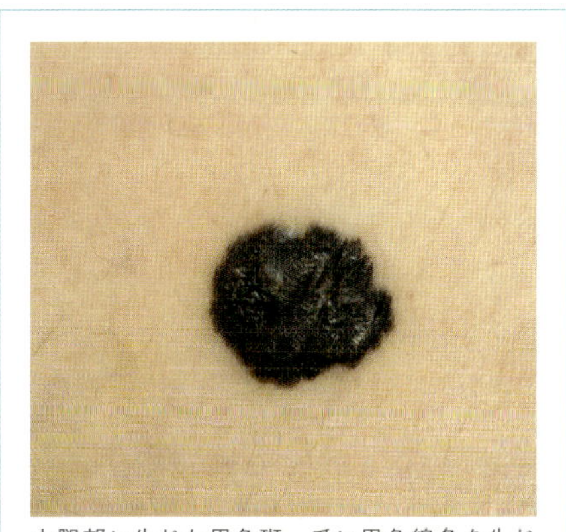

大腿部に生じた黒色斑。爪に黒色線条を生じる例もある。

図4-17 悪性黒色腫

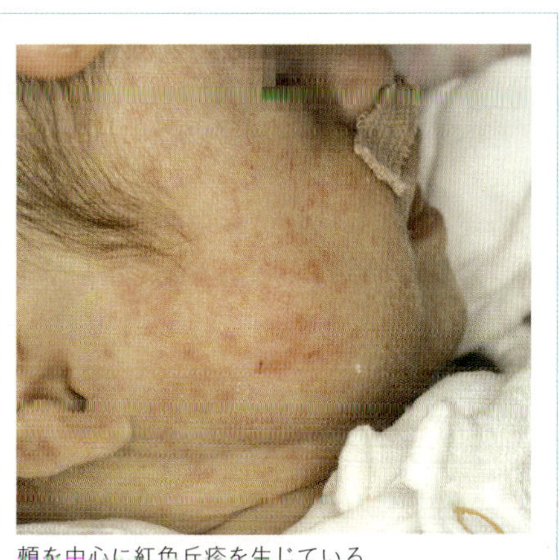

頬を中心に紅色丘疹を生じている。

図4-18 汗疹

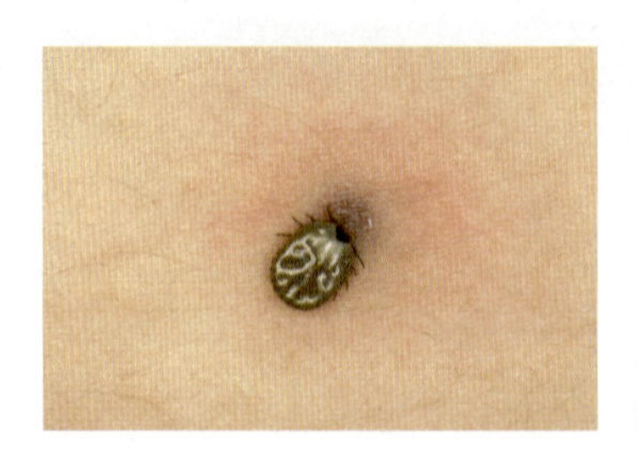

マダニ虫体が確認できる。刺し口部に紫斑を認め，周囲に紅斑が広がっている。

図4-19 虫刺症

には前額部のほか，頸部・腋窩などの関節部に生じやすい。

▶ **検査・診断**　症状から診断が可能であり，特別な検査はない。

▶ **治療**　汗を吸い取りやすいよう，衣類の工夫や頻回に汗を拭くことなどで対応する。亜鉛華軟膏やベビーパウダーも予防に効果的であるが，湿疹化した場合にはステロイド外用剤を併用する。

2 虫刺症

▶ **概念・定義**　蚊やブユ，蜂，ノミ，ダニなどに刺されることによる皮膚疾患のことである。

▶ **病態生理**　虫による吸血や毒針で刺されることにより，かゆみを伴う紅斑を生じる。

▶ **症状**　発赤・丘疹から紅斑・腫脹など様々で，かゆみを伴うことがほとんどであるが，痛みを生じることもある。痒疹結節を生じることもある。マダニ刺症では，無理に除去すると刺し口が残存してしまい，異物肉芽腫を形成するため注意が必要である（図4-19）。

▶ **検査・診断**　虫体が確認できる場合には診断は容易であるが，確認できない場合には臨床症状と問診から診断する。

▶ **治療**　主に対症療法となり，抗アレルギー薬の内服やステロイド外用剤での治療を行う。アナフィラキシーを生じている場合には，ショックの治療を優先する。

II 眼疾患

眼科における小児診療には，以下のような特徴がある。

❶**視力の発達期である**：視力は出生後1～2か月より急速に発達を開始し，1～2歳でピークを迎え，8～10歳で完成する。この時期に視力発達を妨げる疾患が存在したまま放置すると，視力が発達不良のまま成人となってしまう危険性がある。

❷**自覚症状を訴えない**：眼科疾患は視力低下が主訴になることが多いが，患児がどのように見えているのかは，本人以外わからない。このため，言葉によるコミュニケーションがとれない乳幼児では，疾患の発見が難しい。特に，片眼のみの視力低下は日

常生活に支障をきたすことが少なく，発見が遅れることもある。

❸診療への理解が不十分である：視力や斜視の検査は患児の理解・同意なしでは難しい。乳幼児は検査や治療を嫌がり暴れることも多く，抑制や全身麻酔下で検査する場合もある。外来では，検査中に患児の注意を引く，抑制するなど，コメディカルの協力が重要である。

 眼瞼疾患

1 睫毛内反症（ciliary entropion）

睫毛内反症とは，俗にいう**逆まつげ**のことである。眼瞼皮下組織の発達不良により，睫毛が内側に倒れて眼球に接触する（図4-20）。

▶ 症状　流涙，眼脂，結膜充血，角膜上皮障害を生じる。

▶ 治療　乳児の睫毛は細くて柔らかいため，重篤な角膜障害を起こすことは少ない。顔面の成長に合わせて自然治癒する場合もあり，3～4歳くらいまでは経過観察することも多い。角膜障害や自覚症状が強ければ，手術（通糸埋没法，ホッツ［Hotz］法など）で睫毛を外に向かせるようにする。

2 眼瞼下垂（blepharoptosis）

眼瞼下垂とは，片眼または両眼の上眼瞼が垂れ下がり，開瞼が不十分となる疾患である。小児の眼瞼下垂は上眼瞼挙筋の発達障害による先天眼瞼下垂（図4-21）が多いが，動眼神

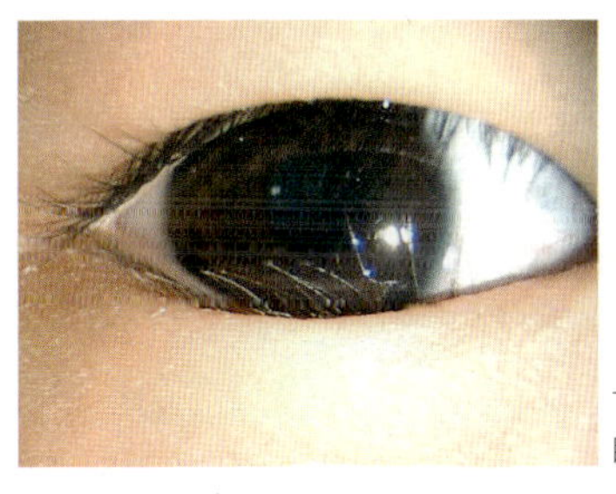

下眼瞼の睫毛が内側に倒れて眼球に接触している。

図4-20 睫毛内反症

左眼の上眼瞼が垂れ下がっている。

図4-21 先天眼瞼下垂

経麻痺や交感神経麻痺，重症筋無力症などを原因とする眼瞼下垂もある。下垂の程度が強いと瞳孔が隠れてしまって見ることができない。そのため，顎を上げて下目使いで見ていることも多い。片眼のみの眼瞼下垂では，見えにくい患眼をあまり使わなくなるため，形態覚遮断弱視の原因となる。

▶ **治療**　原因疾患があればその治療を行う。先天眼瞼下垂では眼瞼挙筋（眼瞼を吊り上げる筋）短縮術や，大腿筋膜を前額部に埋め込んで眼瞼を吊り上げる手術（吊り上げ法）などを行う。

B 結膜疾患

1 流行性角結膜炎（epidemic keratoconjunctivitis；EKC）

流行性角結膜炎とは，アデノウイルス8型の感染による結膜炎である。感染力が強く，眼脂や涙液の付いた手などを介して流行しやすい。学校保健安全法で学校感染症に指定されており，感染のおそれがなくなるまで出席停止が定められている。

▶ **症状**　5～12日の潜伏期ののちに結膜充血，眼脂，眼瞼腫脹，角膜炎，耳下腺リンパ節腫脹を生じる。眼瞼結膜表面に膜様物（偽膜）が現れる場合もある。

▶ **治療**　特効薬はない。混合感染の予防として抗菌薬の点眼，消炎薬の点眼を行う。接触感染するので家族に伝染しないよう，手をよく洗う，家族で同じタオルは使わないなど，周囲への感染予防を徹底することを家族に説明する。

2 咽頭結膜熱（pharyngoconjunctival fever）

咽頭結膜熱とは，アデノウイルス3型による結膜炎である。夏にプールなどを介して流行的に発症することもあるため，**プール熱**ともよばれる。感染力が強く，流行性角結膜炎と同様，学校保健安全法で出席停止が定められている。

▶ **症状**　5～6日の潜伏期を経て，咽頭炎・発熱・結膜充血・眼脂を生じる。

▶ **治療**　流行性角結膜炎と同様に感染予防を行う。

C 涙器疾患

涙液は涙腺で産生され，余分な涙液は涙小管・涙嚢・鼻涙管を通じて鼻腔に排出される（図4-22）。

1 先天性鼻涙管閉塞（congenital nasolacrimal duct obstruction）

先天性鼻涙管閉塞は，粘膜の膜様物が鼻涙管内腔を閉塞し，涙液の流れが阻害されて発症する。

▶ **症状**　出生時より流涙，眼脂がみられる。抗菌薬点眼にて一時的に眼脂が減少するが，

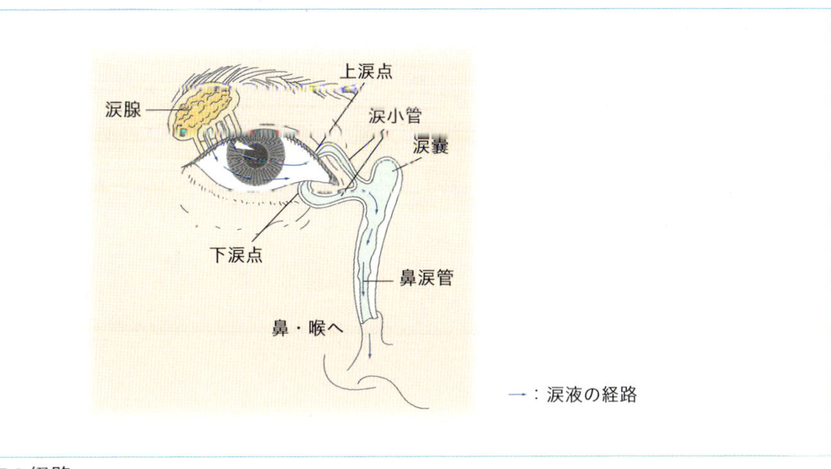

図4-22 涙液の経路

点眼を中止すると再発する。

▶ **治療** 半数の症例で生後6か月までに自然治癒する。治癒しなければブジー（直径1mm程度の棒状の金属製器具）を鼻涙管に挿入し，閉塞している膜様物を破って開通させる。閉塞が重篤な場合はシリコンチューブを留置，あるいは成長してから涙嚢鼻腔吻合術（るいのうびくうふんごうじゅつ）を行う。

2 新生児涙嚢炎（dacryocystitis in infant）

新生児涙嚢炎は涙嚢に細菌が感染したものである。鼻涙管閉塞を有する小児は涙液の流れが滞っているため，細菌が繁殖しやすくなり発症しやすい。

▶ **症状** 涙嚢部の発赤（ほっせき）・腫脹・疼痛（とうつう）がみられる。

▶ **治療** 抗菌薬の点眼・全身投与を行う。重症例では涙嚢切開を行い，重症な鼻涙管閉塞があれば，炎症が治まってからその根本治療を行う。

D 水晶体疾患

1 白内障（cataract）

白内障とは，水晶体（すいしょうたい）が混濁した疾患である。遺伝，子宮内感染（風疹（ふうしん）など）などが原因の先天白内障と，代謝性疾患などの全身疾患，ぶどう膜炎などの眼疾患，ステロイド薬など薬剤の副作用，外傷などが原因の続発白内障がある。加齢による白内障とは異なり，小児の場合は視力の発達に影響する可能性がある。

▶ **症状** 混濁が進行すると視力低下を生じる。先天白内障では，乳幼児は自覚症状を訴えないため，瞳孔領の白濁に家族が気づいてから眼科受診となることも多い（図4-23）。視力の発育期間に起こる小児の白内障は，形態覚遮断弱視（本節-H「機能「医学」弱視」参照）の原因となるため，診断後は早期の手術が必要である。

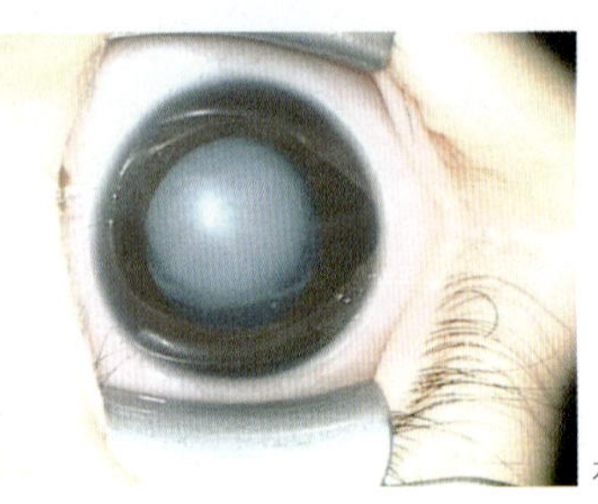
水晶体が白く混濁している。

図4-23 先天白内障

▶ **治療** 手術（水晶体切除術）を行い，混濁した水晶体を取り除く。水晶体を切除したままだと強度遠視になり，視力が発育しない。このため，術後の屈折矯正（眼鏡，コンタクトレンズ，眼内レンズ）や弱視訓練（健眼遮蔽など）が重要である。

2 緑内障（glaucoma）

緑内障は，眼圧*上昇により視神経や網膜の神経線維が圧迫されて視神経乳頭が陥凹し，視野欠損や視力低下などの視機能障害をきたす疾患である。小児の緑内障は成人と臨床像が異なる。原因として，隅角の発達異常に伴う先天緑内障と，前眼部（角膜から水晶体・毛様体にかけての部位）の先天異常，ぶどう膜炎，ステロイド薬の使用などによる続発緑内障が大部分を占める。

▶ **症状** 高度の眼圧上昇であれば角膜浮腫を生じ，角膜が白濁する。結膜充血がみられる場合もある。先天緑内障では，角膜径が拡大することもある。眼圧上昇が軽度であればこれらの症状は現れず，小児で視野検査は難しく，視力低下が起こるのは末期なので，発見可能なのは眼圧検査と眼底検査による視神経乳頭観察のみである。そのため，ネフローゼ症候群や膠原病などステロイド薬を多用する疾患を有する患児については，自覚症状がなくとも定期的に眼科を受診し，眼圧を測定する必要がある。放置すると視神経や網膜の神経線維が障害され，最終的には失明に至る。

▶ **治療** 緑内障の治療は，眼圧を下降させて視神経障害の進行を防止することである。眼圧下降の手段としては，薬物（点眼・内服・静脈注射）と手術（隅角切開術・線維柱帯切開術・シャント手術）がある。先天緑内障に薬物は無効であり，早期手術が必要である。

* **眼圧**：眼球は風船のような中空構造であり，眼内の圧力によりつぶれずに形態が保たれている。圧力は10～21mmHgが基準値である。眼圧が高いと緑内障を発症して眼内の神経線維が障害され，低ければ網膜浮腫を生じる。眼内を循環する房水の量が眼圧に最も影響を与える。緑内障のほとんどは隅角における房水の流出障害によって起こる。

E 網膜疾患

1 網膜芽細胞腫 (retinoblastoma)

網膜芽細胞腫は網膜に原発する悪性腫瘍である。生後1～2年の発症が多い。

▶ **症状** 網膜上に白色の腫瘤(しゅりゅう)が認められる。腫瘍が大きくなると網膜剝離や緑内障を合併する。白色瞳孔*，斜視などを主訴として来院する。脳腫瘍の合併や脳・髄液への浸潤(しんじゅん)，血行性転移により死亡することもある。

▶ **治療** 治療目標は，まず腫瘍を根絶して患者を生存させること，次にできるだけ視力を温存することである。腫瘍が大きく，視力予後が望めなければ眼球摘出を行う。ある程度の視力が望めそうであれば，眼球保存療法（化学療法，放射線療法，腫瘍の冷凍凝固・光凝固）により腫瘍の縮小・瘢痕化(はんこんか)を図る。以前は原則的に眼球摘出を行っていたが，近年，眼球保存療法が発達し，眼球保存率が向上しつつある。5年生存率は90％以上と生命予後は良好な腫瘍である。

2 未熟児網膜症

網膜血管の発達が未熟な状態で出生したために，病的血管増殖が起こって網膜が障害され，重篤であれば網膜剝離になる。

▶ **症状** 網膜の障害に応じて低視力となり，重篤であれば失明する。

▶ **治療** 光凝固や抗血管新生因子抗体の眼内注射で病的血管増殖を抑える。網膜剝離には網膜硝子体手術を行う。

❶網膜剝離

網膜と眼球壁側から内側の硝子体腔へ剝がれる疾患である。原因によって3種類がある。

- **裂孔原性**：外傷や網膜の変性などで網膜に孔が開いて，硝子体側から網膜下（眼球壁との間）に水分が入る。
- **牽引性**：未熟児網膜症などで硝子体内に血管増殖が起こり，その収縮によって網膜が牽引される。
- **滲出性**：網膜の血管腫や血管異常（コーツ病など），腫瘍では異常血管から水分が漏出する。

▶ **症状** 網膜は眼球壁側の脈絡膜から酸素や栄養の半分の供給を受けるので，剝がれる範囲に応じて視力や視野が障害される。

▶ **治療** 裂孔原性は網膜硝子体手術を行う。牽引性は病的血管新生を光凝固，抗血管新生

* **白色瞳孔**：眼球内に白色の病変があると，眼内に入った光が反射して瞳孔が白く見える。網膜芽細胞腫以外にも，網膜剝離や未熟児網膜症など重篤な眼疾患の所見として現れるため，発見しだい，直ちに治療を開始する必要がある。

因子抗体の眼内注射で抑え，網膜剝離に対しては網膜硝子体手術を行う。滲出性は腫瘍や血管異常の原因病変の治療を行う。

❷網膜変性・ジストロフィ

先天異常，遺伝，外傷など，様々な原因で網膜の構造や機能が障害される。遺伝性で両眼に起こり，障害が進行するものをジストロフィという。暗所で働く網膜杆体細胞のジストロフィで夜盲がある網膜色素変性症，明所で働く錐体細胞のジストロフィなどがある。

F 眼位の異常

1 斜視（strabismus）

眼位のずれに眼球運動異常や弱視などを伴った症候群である。

斜視でまず目立つのは容姿面であるが，問題になるのは容姿だけではない。斜視弱視（本節-H「機能（医学）弱視」参照）や立体視障害など視機能に悪影響を与える場合がある。この原発性の斜視とは別に，脳腫瘍や甲状腺疾患などの全身疾患や，白内障や網膜芽細胞腫などの眼科疾患の合併症として，続発性に斜視が発症する場合もある。したがって，早期発見とともに正確な診断が重要である。

▶ **分類**　以下に代表的な原発性斜視を説明する。

❶間欠性外斜視：日常で眼位がまっすぐ（正位）な場合と外斜視の場合がある（図 4-24）。最も多くみられる斜視である。日中は正位であることが多いが，疲れたときや眠いときなどに外斜視になりやすい。ある程度正位の時間があるため，視力や立体視などの発達は一般的に良好である。

❷乳児内斜視：生後 6 か月以内に発症する内斜視である。視覚発達のピーク時に眼位異常が生じるため，斜視弱視や両眼視機能異常を合併しやすい。視覚発達のためには早期に弱視訓練を行う。眼位の矯正には手術が必要である。

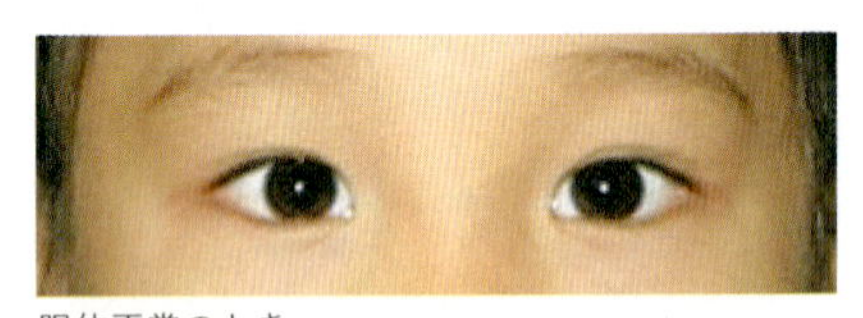

眼位正常のとき。

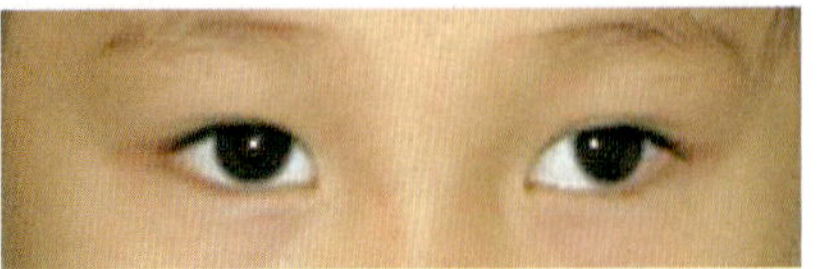

外斜視のとき：ふだんは眼位正常だが，疲れたときなどに左眼が外斜視になる。

図 4-24　間欠性外斜視

右眼の内斜視がみられる。

遠視用の眼鏡を装用すると斜視が改善する。

図 4-25　調節性内斜視

❸**調節性内斜視**：ヒトの眼は近くを見るときに寄る（**輻輳**（ふくそう）という）ようになっているが，それが過剰に働くことが原因の斜視である。遠視眼に発症しやすく，遠視用の眼鏡装用で眼位が改善する（図4-25）。

❹**先天上斜筋麻痺**：上斜筋の発達障害や付着部異常により生じる。片眼または両眼が上方に偏位するが，特に側方視で著明である。麻痺（まひ）が強いと複視を自覚し，それを防止するために頭を傾けて見る（眼性斜頸（がんせいしゃけい））場合もある。

▶ **治療**　遠視を原因とする調節性内斜視では，眼鏡による屈折矯正で眼位を矯正する。ほかの斜視では外眼筋の手術（眼筋短縮法や後転法など）により眼位矯正を行う。眼位矯正以外の治療では，プリズム眼鏡による視機能の育成や，斜視弱視に対する弱視訓練がある。

2 眼球振盪

眼球振盪（しんとう）は両方の眼球が水平方向にリズムをもって揺れる異常眼球運動である。先天性では，眼球運動の中枢異常による運動欠如型と両眼の視力不良による感覚欠如型があり，前者は眼球の動きに急速相と緩徐（かんじょ）相があり（律動眼振（りつどうがんしん））視力障害を伴わないが，後者は相の区別がつかず（振り子様眼振）重篤な視力障害疾患が存在する。後天性のものは，脳幹部（のうかんぶ）腫瘍や多発性硬化症などによって起こる。

G 屈折異常

眼に入った光線が網膜上に明確な像を結ばない状態。日常生活に不便を生じるだけでなく，強い屈折異常であれば小児では視力発達に影響を及ぼすこともある。

屈折異常の眼は網膜に映る像が不明瞭なために裸眼視力不良であるが，眼鏡やコンタクトレンズで矯正することによって明確な像が結ばれ，矯正視力は良好となる。しかし，幼少時に強い屈折異常があると，視力の発達が障害され，機能弱視となって矯正しても視力は得られなくなる。

1 近視（myopia）

▶ **症状**　**近視**とは，主に眼球の前後軸が長く，眼内に入った光線が網膜より前方に像を結ぶ状態である。近くはよく見えるが遠くは見づらい。近方を見ることに問題はないため，強度近視でなければ弱視の原因となることは少ない。成長とともに近視は進行することが多い。

▶ **治療**　凹（おう）レンズの眼鏡による屈折矯正を行う。眼鏡を装用するかどうかは，裸眼視力，日常生活の不便さなどを考慮に入れ，総合的に判断する。就学期以降では，学校の黒板の文字がはっきり見えるかどうかが眼鏡を装用する一つの基準となる。

2　遠視（hyperopia）

▶ **症状**　**遠視**とは，主に眼球の前後軸が短く，眼内に入った光線が網膜より後方に像を結ぶ状態である。軽度の遠視であれば，調節により近方も遠方もはっきり見えるが，強い遠視では調節の能力を超えてしまい，近方も遠方も不明瞭な像しか見えない。このため，遠視は非正視弱視（本節 -H「機能（医学）弱視」参照）の原因となりやすい（近視眼では，遠方は見づらくても近方ははっきり見えるため，強度でないと弱視にはなりにくい）。また，物を見るには常に調節する必要があるため，眼精疲労の原因となる。

小児はピントを合わせる能力（調節力）が高く，強度の遠視が存在しても調節することにより，ある程度近方までピントを合わせることができる。そのために視力検査ではそれなりの視力が出てしまい，遠視の発見が遅れることがある。

また，遠視の小児は常に調節をしているため，通常の検査では屈折度数を正確に測りにくい。調節麻痺薬を点眼して度数をしっかり測る必要がある。

▶ **治療**　凸（とつ）レンズの眼鏡による屈折矯正を行う。弱視や調節性内斜視が存在する場合は早急に眼鏡装用が必要である。視力が良好であっても，眼精疲労や日常生活での不便さな

屈折と調節

眼に入った光はレンズの役割をしている角膜・水晶体を通過する際に曲がり（屈折という），網膜の中心部にある黄斑部に像を結ぶ。光の曲がる度合い（屈折力）はジオプトリー（diopter，略して D）で表す。

正視の人間の眼は，リラックス時には無限遠にピントが合うようにできているため，そのままでは近方はぼやけて見えてしまう。近方をはっきり見る際には，水晶体の厚みを増し，眼の屈折度数を変化させてピントを合わせている。この働きを調節という。図で示した距離や範囲は大まかな目安であり，個人により大きく異なることに注意する。調節をしていない場合，正視は無限遠にピントが合う。近視は屈折度数に応じた近方でピントが合う。遠視は無限遠より遠方にピントが合っており，調節しても近方にはピントは合わない。

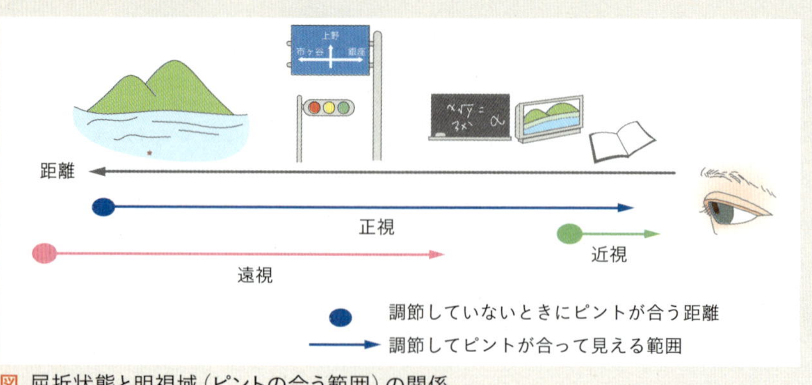

図　屈折状態と明視域（ピントの合う範囲）の関係

どをみながら眼鏡装用を検討する。幼児期以前はコンタクトレンズの管理が難しいため，コンタクトレンズの装用は学童後期になってから検討する。

3 乱視（astigmatism）

▶ **症状** **乱視**とは，主に角膜のカーブの違いで縦方向と横方向で屈折が異なる状態である。横方向と縦方向の光が同時に焦点を結ぶことがないため，距離に関係なく網膜上の像が不明瞭な状態となる。強度乱視は非正視弱視の原因となる。

▶ **治療** 円柱レンズ（かまぼこ型のレンズ）による屈折矯正を行う。弱視に対しては積極的に眼鏡処方を行う。

4 不同視（anisometropia）

不同視とは，屈折度数に左右眼で差がある状態である。差が大きいと不同視弱視の原因となる。

▶ **治療** 左右眼の視力がそろうように屈折矯正を行う。屈折度数の差が大きい場合，眼鏡では見え方に違和感が出て矯正しにくくなる。コンタクトレンズを用いると違和感が出にくい。

H 機能（医学）弱視

人間は出生直後から良好な視力を得ているわけではなく，出生直後の視力は 0.01 程度である。いろいろなものを見ていくなかで視性刺激を受け，大脳の視覚中枢が発達し，視力が発達していく。その後，4 歳前後で視力 1.0 に到達，10 歳頃に発達が終了する。この視力の発達期に十分な視性刺激を受けられない患児は，視覚中枢の発達障害による視力不良を生じる。これを機能（医学）弱視*（amblyopia）という。

乳幼児は「見にくい」という自覚症状を訴えないため，少々視力が不良でも家族が気づくことは少ない。そのため，3 歳児健診や就学時健診での視力検査で視力不良を指摘され，眼科受診・弱視治療となる患児が多い。

▶ **分類** 弱視は原因により以下のように分類される。

❶**斜視弱視（strasbismic amblyopia）**：斜視患児はまっすぐ見ている眼（固視眼という）を主に使い，斜視でずれている眼（非固視眼）はあまり使わない。そのため非固視眼への視性刺激が弱くなり，弱視になる。

❷**非正視（屈折）弱視（ametropic amblyopia）**：強度の屈折異常が存在すると，網膜に不明瞭な像しか映らない。不明瞭な像から得られる情報量は少ないため，視性刺激が減

＊ **弱視**：弱視には様々な定義がある。白内障や網膜剥離などの器質疾患による低視力は「器質弱視」とよばれる。外傷や器質疾患を含めて，治療不能で日常生活に支障をきたすものは「社会的弱視」とよばれる。小児眼科領域では「弱視」といえば一般的に機能弱視を指し，その原因を除去して視力発育を促す訓練をすれば，治療可能であることが特徴である。

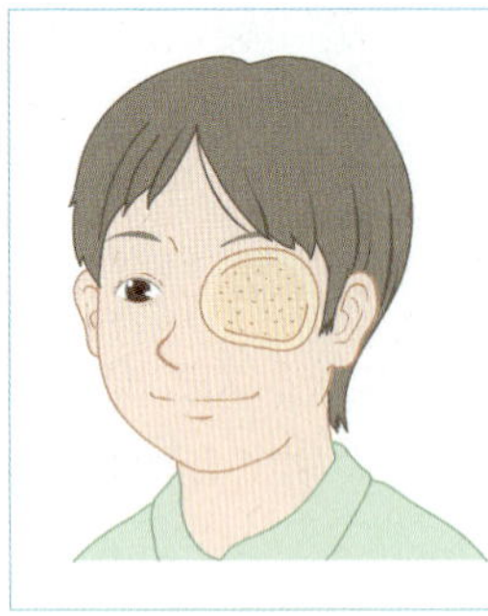

健常眼にアイパッチを貼り，弱視眼を使わせて視力を発達させる。アイパッチは裏に接着剤が付いている。隙間からのぞかないように，しっかり貼ることが重要である。

眼鏡に装着するタイプのアイパッチもある。

図 4-26 健眼遮蔽

少し弱視となる。遠視や強い乱視によって起こることが多い。

❸不同視弱視（**anisometropic amblyopia**）：屈折異常に左右差がある場合，屈折異常の強いほうの眼が使われずに弱視となる。特に遠視性の不同視で起こりやすい。

❹形態覚遮断弱視（**form vision deprivation amblyopia**）：網膜の前に遮断物があり，十分な視性刺激がない状態（目隠しをしたような状態。たとえば眼瞼下垂，白内障など）が原因で起こる重篤な弱視である。乳幼児は形態覚遮断により視機能が影響を受けやすく，たとえば片眼のみ眼帯を装着すると，数日程度で眼帯をした眼の視力が下がってしまうこともある。

▶ 治療　まず，原因を除去して弱視眼に正常な視性刺激が入力される状況をつくることが治療の基本である。片眼性の弱視に対しては，原因除去のみでは十分な治療効果が出ないことが多く，健眼遮蔽（視力良好な眼を 1 日数時間覆って弱視眼を強制的に使わせ，多くの視性刺激を入力する治療法）を併用する（図 4-26）。原因除去としては，非正視弱視や不同視弱視に対しては，眼鏡による屈折矯正を行う。形態覚遮断弱視に対しては原因疾患の手術治療を行う。斜視弱視は斜視手術で眼位を矯正するが，まずは健眼遮蔽を優先する。

I 色覚異常

網膜の視細胞（赤・緑あるいは青錐体と杆体）のうち錐体の視物質の欠損による**先天色覚異常**と，疾患による**後天色覚異常**がある。先天性色覚異常は，赤錐体あるいは緑錐体の視物質が欠損する赤緑色覚異常，青錐体の視物質が欠損する青黄色覚異常があり，生来のものなので自覚症状に乏しい。また，色を判別するには少なくとも 2 種の錐体が必要であるので，3 種類の錐体すべてが欠損する杆体 1 色覚異常と，赤錐体と緑錐体が欠損する青錐体 1 色覚異常は，全色盲となり，前者は視力障害が強い。後天色覚異常は網膜・視神経・中枢の疾患や心因性によって起こり，色の見え方の異常を自覚する。

 心因性視力障害

心理的ストレスによって，視力低下や視野狭窄が起こる。学校でのトラブル，引っ越しや転校，過度な勉強やトレーニングなどによって起こり，ストレスを自覚しないことも多い。事故など明確な精神的ショックによって起こる場合もある。視力検査で不安定な値を示し，視野検査で求心性やらせん状視野を示す。原因となるストレスを除くことによって回復する。

 眼窩異常

1 横紋筋肉腫（rhabdomyosarcoma）

横紋筋肉腫とは，眼窩内に発生する悪性腫瘍である。小児の眼窩悪性腫瘍のなかで最も多く，極めて悪性度が高い。

▶ **症状**　腫瘍が増大すると眼球が圧迫され，眼球突出や眼球偏位を生じる。

▶ **治療**　化学療法・放射線療法・手術（眼窩内容除去術）で腫瘍の根絶を図る。

III 耳鼻咽喉疾患

 耳疾患

1. 中耳炎

1 急性化膿性中耳炎

▶ **概念・定義・病態生理**　急性に発症した中耳の感染症で，耳痛・発熱などの急性期症状と鼓膜の発赤・腫脹・耳漏などの急性期所見を伴う状態と定義される。好発年齢は2歳未満で，生後3歳までに80％以上が罹患する。肺炎球菌，インフルエンザ菌およびモラクセラ・カタラーリスが三大原因菌である。通常ウイルス性の上気道炎が先行し，次いで鼻咽腔から耳管経由で中耳に原因菌による感染が生じる。

▶ **症状**　炎症の程度により，耳痛や発熱・耳漏を伴うが，耳痛を訴えることの難しい低年齢小児では不機嫌，耳を触る，啼泣などの症状に注意を払う必要がある。重症例では頭蓋内合併症を併発することもまれにある。

▶ **検査・診断**　鼓膜所見が最も重要で，鼓膜の発赤・膨隆（ぼうりゅう）・耳漏などの有無を観察する（図4-27）。原因菌の同定には，鼻咽腔培養を行う。

▶ **治療**　「小児急性中耳炎診療ガイドライン」が作成されており，その治療アルゴリズムに準じて治療するが，アモキシシリン水和物が第一選択抗菌薬であり，重症例・無効例では鼓膜切開や鼓膜チューブ留置術などの外科的治療を行う場合もある。

2　滲出性中耳炎

▶ **概念・定義・病態生理**　鼓膜に穿孔（せんこう）がなく，中耳腔に貯留液をもたらし難聴の原因となるが，急性炎症症状すなわち耳痛や発熱のない中耳炎と定義されている。急性中耳炎との鑑別は必ずしも容易ではない。就学前に90％が一度は罹患する。約半数は急性中耳炎からの移行である。そのほか，中耳貯留液からはRSウイルスなども検出される。滲出性中耳炎（しんしゅつせいちゅうじえん）の遷延化（せんえんか）・難治化には耳管機能障害が大きく関与する。

▶ **症状**　小児に難聴を引き起こす最大の原因疾患である。「聞き返しが多くなった」「返事をしなくなった」など聞こえに関する変化に家族が気づき，来院する例が多い。

▶ **検査・診断**　中耳貯留液による鼓膜の変化（陥凹（かんおう）など）を確認する（図4-28）。ティンパノメトリー検査の所見も特徴的である。年齢に応じた聴力検査も行う。

▶ **治療**　周辺臓器の治療が推奨されており，併発する副鼻腔炎やアレルギー性鼻炎などの治療を行う。3か月以上改善しない場合，鼓膜切開や鼓膜チューブ留置術を考慮する。

3　慢性中耳炎

▶ **概念・病態生理**　繰り返す急性中耳炎の後遺症や鼓膜チューブ留置術後の鼓膜穿孔などに起因する。難治性の急性中耳炎・滲出性中耳炎からの移行あるいは治療に伴う合併症であり，感染の継続，あるいは中耳の不可逆的な変化（耳小骨の破壊など）を伴う。

▶ **症状**　鼓膜穿孔の大きさ，耳小骨（じしょうこつ）の状態などにより，難聴や耳漏をきたす。

▶ **検査・診断**　鼓膜所見が最も重要である。聴力検査，CTなどの画像検査により，病態の重症度を把握する。

▶ **治療**　耳漏停止・聴力改善のために鼓室形成術や鼓膜形成術などを施行する。

4　真珠腫性中耳炎

▶ **概念・定義**　大きく先天性と後天性に分けられる。上皮が中耳腔に迷入（先天性），あるいは後天的に陥凹した鼓膜の一部が中耳腔に進展（後天性）して生じる。

▶ **病態生理**　内陥した鼓膜上皮あるいは迷入した上皮が袋状になり，その内部に皮膚からの剝脱物が堆積していくことで，周囲の骨破壊を生じる。

▶ **症状**　感染に伴う耳漏，耳痛を生じる。耳小骨破壊による難聴・顔面神経麻痺・内耳障害（感音難聴とめまい）を生じ得る。さらには頭蓋底への進展から髄膜炎（ずいまくえん）などの重篤な合併症も起こし得る。

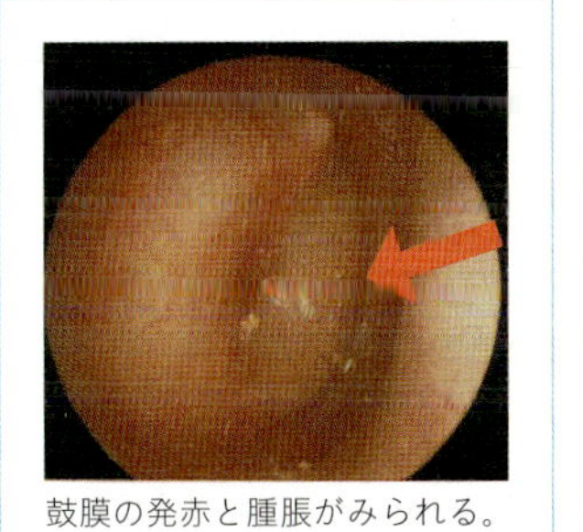
鼓膜の発赤と腫脹がみられる。
図4-27 急性化膿性中耳炎

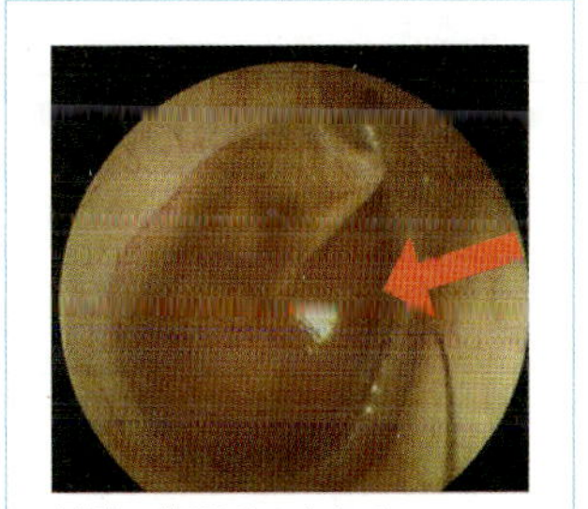
鼓膜の陥凹がみられる。
図4-28 滲出性中耳炎

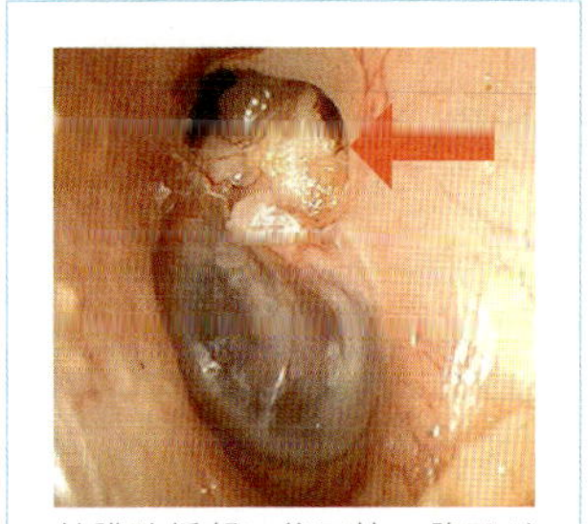
鼓膜弛緩部に後天性の陥凹がみられる。
図4-29 真珠腫性中耳炎

▶ 検査・診断　後天性真珠腫は，典型的には鼓膜弛緩部（しかんぶ）の陥凹を認める（図4-29）。先天性真珠腫は，鼓膜越しに白色腫瘤（はくしょくしゅりゅう）が透見され発見される。側頭骨CTにて中耳病変の進展範囲を確認する。

▶ 治療　全身麻酔下の鼓室形成術を行う。成人よりも再発率が高い。

2. 先天性難聴

▶ 概念・定義　出生1000人に約1人の発生頻度で，小児期に発症する難聴をくわえると，およそ600人に1人と高率にみられる。約60～70％が**遺伝性難聴**，残りの30～40％が**非遺伝性**（薬物，感染，外傷などによるもの）**難聴**である。

▶ 病態生理　遺伝性難聴の約70％は，難聴のみが症状である非症候群性難聴であり，内耳性難聴である。非遺伝性難聴では，先天性ウイルス感染（サイトメガロウイルス・風疹（ふうしん）など）や低出生体重児出生などが危険因子としてあげられる。

▶ 症状　両側性難聴では，難聴の程度により言語発達への影響が出る。一側性難聴や軽度の両側性難聴では，発見が遅れることがある。

▶ 検査・診断　出生直後に行う新生児聴覚スクリーニングで要検査となった場合，聴性脳幹反応（ABR）や聴性定常反応（ASSR）などの聴覚精密検査を行う。小児期発症の進行性難聴では，年齢に応じた聴力検査を行う。

▶ 治療　両側の中等度難聴では，補聴器を装用する。両側の高度難聴では，人工内耳挿入を行う場合もある。言語発達遅延が認められれば，言語聴覚士による言語訓練も並行して行う。一側性難聴では，高度であっても補聴器装用には至らない場合がほとんどである。

3. ムンプス難聴

▶ 概念・定義　流行性耳下腺炎の起因ウイルスであるムンプスウイルスによって生じる急性感音難聴である。ムンプスの不顕性感染に伴う場合もある。

▶ 病態生理　ムンプスウイルスの内耳感染による内耳障害である。

▶ 症状　ほとんどの症例が高度難聴から聾を呈する。多くは一側性であるが，5％程度は両側性に発症する。めまいを伴うこともある。

▶ **検査・診断**　小児が自ら難聴を訴えることができれば聴力検査を行い，難聴を確定させるが，一側性難聴（聾）の発症に気づかれない場合もある。耳下腺腫脹，顎下腺腫脹がみられる明らかなムンプス症例で，腫脹出現4日前〜出現後18日以内の急性感音難聴である場合，もしくは急性感音難聴発症後から2〜3週間かけて血清抗体価が有意に上昇した場合に，確定診断となる。

▶ **治療**　突発性難聴に準じたステロイド治療を行うが，多くは治療に無反応である。

4. 外耳の先天異常

1　小耳症，外耳道閉鎖症

▶ **概念・定義**　先天性の外耳疾患で，耳介が低形成な状態を**小耳症**，外耳道が狭窄あるいは閉鎖した状態を**外耳道狭窄（閉鎖）症**と定義される。1万〜2万人に1人の発症頻度とされ，両者の合併する例も多い。

▶ **病態生理**　症候群性の遺伝子疾患として，第一第二鰓弓症候群やトリーチャー・コリンズ症候群（Treacher-Collin syndrome）に合併する。非症候群性では散発性に起こり，原因遺伝子は明らかではない。

▶ **症状**　小耳症は審美面での影響が大きい（図4-30）。外耳道閉鎖症は伝音難聴を呈する。

▶ **検査・診断**　小耳症は出生時に診断される。外耳道狭窄・閉鎖の診断は難しい場合もあるが，耳内所見・側頭骨CTなどにより診断する。

▶ **治療**　小耳症に対する耳介形成術は通常10歳頃に行う。両側の外耳道閉鎖症では早期から骨導補聴器を使用する。外耳道閉鎖症に対する外耳道形成術，人工聴覚器埋め込み術，軟骨伝導補聴器装用などの治療の選択肢がある。

2　先天性耳瘻孔

▶ **概念・定義**　外耳の先天異常で，耳介およびその周囲に瘻孔が存在する状態を指す。発生頻度は1〜2%とされている。

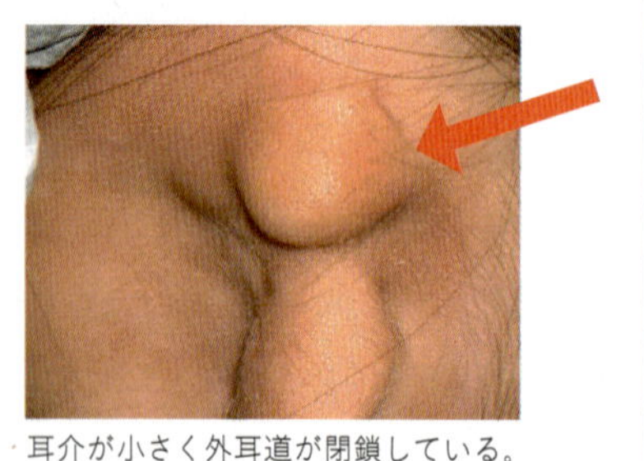

耳介が小さく外耳道が閉鎖している。

図4-30 小耳症

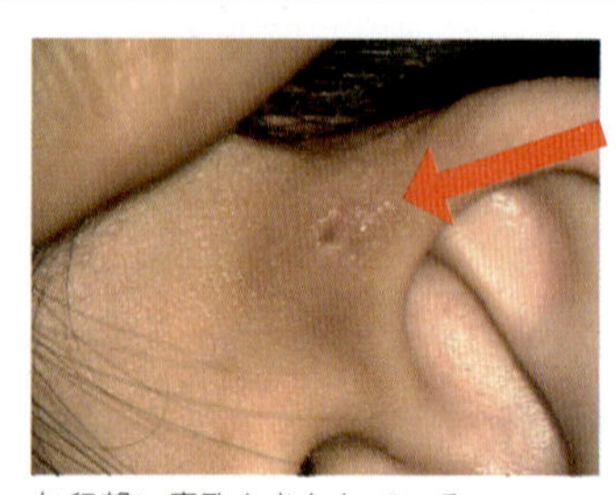

矢印部に瘻孔をきたしている。

図4-31 先天性耳瘻孔

▶ **病態生理**　耳介を形成する耳介結節の融合が発生過程で不完全であると生じる。感染を伴わなければほぼ無症状であるが，感染をきたすと瘻孔周囲の発赤・腫脹を生じる。

▶ **症状**　感染が増悪すると，膿瘍が自壊し，貯留した膿の排出がみられる。感染を繰り返すことにより，皮膚の不可逆的変化をきたす。

▶ **検査・診断**　耳介周囲の瘻孔を確認する。耳前部瘻孔が最も多い（図4-31）。

▶ **治療**　感染のない耳瘻孔は治療を要しない。感染をきたした場合，まずは抗菌薬の全身投与を行うが，感染を反復する例では根治的に摘出術を行う。

B 鼻疾患

1 鼻アレルギー

▶ **概念・定義**　くしゃみ・水様性鼻漏・鼻閉を三主徴とするⅠ型アレルギー疾患である。季節性のスギ花粉症，通年性のダニ・ハウスダストアレルギーなどが多く，有病率の増加と低年齢化がみられる。

▶ **病態生理**　吸入アレルゲンに対する感作が成立には必須である。くしゃみおよび水様性鼻漏は，ヒスタミンによるH_1受容体を介した即時型反応であり，鼻閉（鼻粘膜腫脹）は即時相・遅発相の両者で生じる。

▶ **症状**　上記三主徴のほか，鼻いじり・鼻こすり・鼻出血などをきたしやすく，いびきの増悪因子でもある。

▶ **検査・診断**　典型的には下鼻甲介粘膜が蒼白・浮腫状になる。鼻汁好酸球検査，血清特異的IgE抗体価検査などが診断確定のために行われる。

▶ **治療**　アレルゲンの除去・回避，抗アレルギー薬の内服やステロイド点鼻，アレルゲン免疫療法（舌下免疫療法など）などが行われる。

2 鼻出血

▶ **概念・定義**　鼻中隔前方の血管に富んだキーゼルバッハ部位からの出血が最も多い。発症のピークは3～8歳で，2歳までの鼻出血は全身疾患の合併を常に考慮する。

▶ **病態生理**　キーゼルバッハ部位を触る・ほじることによる出血が誘因として最多である。アレルギー性鼻炎や副鼻腔炎の合併例が多い。

▶ **症状**　就寝中に無意識に鼻を触ることにより出血する例もある。後方からの出血である場合，凝血塊によって気道狭窄をきたさないように注意が必要である。

▶ **検査・診断**　まずは鼻内所見，特にキーゼルバッハ部位に出血点がみられないかどうかを確認する。同部が出血点でない場合，内視鏡検査などにより鼻腔後方からの出血，腫瘍性病変の有無などを確認する。出血量などに応じて血液検査やCTなどの画像検査を行う。

▶ **治療**　出血部位や出血量に応じて，ピンチ法（鼻翼をつまんで下を向かせる）・母指圧迫止血法（片側の鼻翼を圧排する）・ガーゼ留置・電気凝固などを行う。

3 小児副鼻腔炎

▶ **概念・定義** **副鼻腔炎**は急性および慢性に分類され，一般に発症1か月以内に症状が消失するものを**急性副鼻腔炎**，3か月以上症状が持続するものや6回以上反復するものを**慢性副鼻腔炎**とよぶ。

▶ **病態生理** ウイルス感染が発端になり，数日後にはほとんどの例で細菌感染に移行する。インフルエンザ菌，肺炎球菌，モラクセラ・カタラーリスが主要な起因菌である。

▶ **症状** 鼻漏・不機嫌・湿性咳嗽（しっせいがいそう）の程度により重症度を判断する。中等症・重症例では膿性鼻汁が増加し，さらには発熱・顔面腫脹（がんめんしゅちょう）・発赤（ほっせき）などを認める。眼窩蜂巣炎（がんかほうそうえん）（眼窩蜂窩織炎（がんかほうかしきえん））の合併や頭蓋内合併症（とうがいないがっぺいしょう）を生じ得る。

▶ **検査・診断** 上記の臨床症状と鼻内・咽頭所見（いんとうしょけん）（鼻汁と後鼻漏の確認）から診断する。顔面腫脹などを認める例や反復例では，副鼻腔X線撮影やCT撮影を行う。

▶ **治療** 急性期には重症度に応じた抗菌薬投与を行う。眼窩蜂巣炎や頭蓋内合併症例では手術を考慮する。

4 後鼻孔閉鎖症

▶ **概念・定義** 鼻腔後方で上咽頭との境界にあたる後鼻孔が閉鎖している状態を指す。

▶ **病態生理** 後鼻孔の骨性と膜性閉鎖が最も多い。後鼻孔閉鎖を伴う症候群としてはCHARGE症候群があり，40％に合併するとされている。

▶ **症状** 新生児期からの鼻呼吸障害・チアノーゼ・経鼻栄養チューブ挿入不可例では後鼻孔閉鎖症を疑う。両側の後鼻孔が閉鎖していると，出生直後より呼吸困難を生じる。片側性の後鼻孔閉鎖では一側性の難治性鼻漏・鼻閉が診断のきっかけとなる。

▶ **検査・診断** 鼻腔内視鏡検査が必須であり，副鼻腔CTにおいて閉鎖状況を判断する。

▶ **治療** 両側性では気道確保のうえ，早期に手術が検討されるが，片側性であれば十分に成長を待ってから手術を行う。

C 咽頭疾患

1 睡眠時無呼吸症候群

▶ **概念・定義・病態生理** 睡眠中の**無呼吸低呼吸指数**（apnea hypopnea index；AHI）が1時間当たり1以上であり，いびきや睡眠中の努力性呼吸，行動異常などの臨床症状がみられる場合に，**睡眠時無呼吸症候群**と定義される。アデノイド・口蓋扁桃肥大（こうがいへんとうひだい）による上気道閉塞（じょうきどうへいそく）が原因として最多である。そのほか，顎顔面形態異常・アレルギー性鼻炎や副鼻腔炎による鼻呼吸障害・肥満などが原因となり得る。

▶ **症状**　いびき，睡眠中の努力性呼吸，奇異呼吸，閉塞性呼吸のほか，眠気，多動行動，学習などへの影響がみられる。

▶ **検査・診断**　終夜睡眠ポリグラフィ検査が推奨されているが，小児では携帯型モニターによる簡易検査が施行される例が多い。

▶ **治療**　アデノイド，口蓋扁桃肥大が認められれば手術が推奨される。ステロイド点鼻，ロイコトリエン受容体拮抗薬(じゅようたいきっこうやく)の投与，副鼻腔炎の治療なども行われる。

2　アデノイド増殖症，口蓋扁桃肥大

▶ **概念・定義**　咽頭粘膜下の豊富なリンパ組織はワルダイエル咽頭輪とよばれ，その中の肥大した組織が口蓋扁桃および咽頭扁桃（**アデノイド**）である。病的に肥大した状態を**アデノイド増殖症**，および**口蓋扁桃肥大**とよぶ。

▶ **病態生理**　アデノイドは6～7歳をピークに生理的肥大がみられ，10歳頃には通常自然消退(しょうたい)する。口蓋扁桃は2～3歳頃より生理的肥大がみられ，7～8歳でピークになる。

▶ **症状**　いびき，無呼吸のほかに，日中の口呼吸，胸郭変形，顎顔面発育への影響，寝相の悪さ，摂食障害，夜尿など多岐にわたる。

▶ **検査・診断**　口蓋扁桃肥大は咽頭の視診により判断する（図4-32）。アデノイド増殖性は頭部側面単純X線写真により，閉塞の程度を判断する。さらに鼻咽腔ファイバーによって後鼻孔閉鎖の状態および咽頭狭窄(きょうさく)の状態を判断する。

▶ **治療**　臨床症状が軽度であれば治療の対象とはならない。無呼吸，炎症の遷延化(せんえんか)，成長障害などの臨床症状に応じて摘出術を施行する。

3　扁桃炎，咽頭炎

▶ **概念・定義・病態生理**　細菌およびウイルスによる感染症である。咽頭炎が先行する川崎病もみられる。原因菌で重要なものはA群β溶血性レンサ球菌であり，そのほか肺炎球菌やインフルエンザ菌などによる。原因となるウイルスはアデノウイルス，パラインフルエンザウイルスなどであり，小児ではウイルス性の比率が高い。

▶ **症状**　不機嫌や活動性の低下，咽頭痛による摂食量の低下，発熱の各項目により重症度

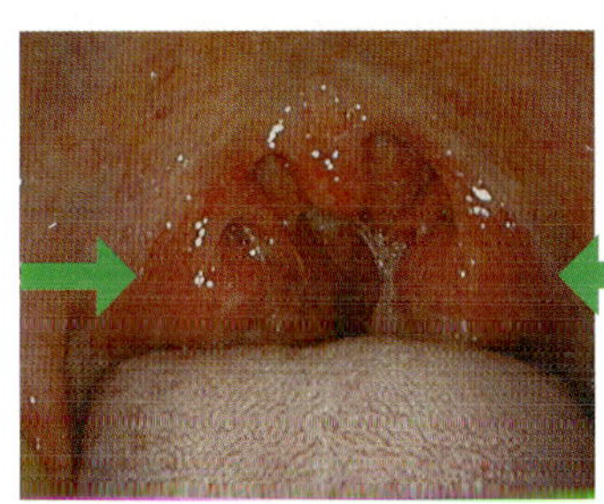

口蓋扁桃が肥大している。

図4-32　口蓋扁桃肥大

を判断する。A群β溶血性レンサ球菌咽頭炎（GAS咽頭炎）の特徴として突然の咽頭痛，年齢5～15歳，発熱・頭痛・嘔吐，頸部リンパ節腫脹などがあげられる。ウイルス性炎症の特徴として，鼻炎・咳・下痢などがあげられる。

▶ **検査・診断**　GAS咽頭炎が疑わしい場合は積極的に迅速検査を行う。アデノウイルスによる扁桃炎や咽頭炎は5歳以下に好発し，著明な咽頭所見や持続する高熱などの特徴があり，迅速検出キットが使用可能である。

▶ **治療**　GAS咽頭炎の場合はペニシリン系抗菌薬を10日間投与する。ウイルス性咽頭炎では対症療法となる。咽頭炎・扁桃炎が重症化すると咽後膿瘍へと発展する場合もある。

D 喉頭疾患

1　小児声帯結節

▶ **概念・定義**　声の乱用などが原因となり，両側声帯の前方に生じる隆起性病変である。

▶ **病態生理・症状**　活発に大声を出す男児に発症する傾向にあり，ピークは小学校低学年頃である。声の乱用や誤った発声方法による機械的な刺激により，声帯粘膜が肥厚する。

▶ **検査・診断**　喉頭内視鏡検査が必須である。若年発症型喉頭乳頭腫などの喉頭腫瘍疾患との鑑別が重要である。

▶ **治療**　多くは中学生前に自然軽快し，積極的治療は不要であるが，嗄声が高度な場合，学内外の活動に支障をきたすような場合には，外科的治療も考慮される。

2　急性声門下喉頭炎・急性喉頭蓋炎

▶ **概念・定義**　**急性声門下喉頭炎**は，**ウイルス性クループ**ともよばれ，ウイルス感染に由来する声門下部の炎症によって，急性に気道狭窄症状をきたす。急性喉頭蓋炎は，細菌感染によって喉頭蓋の腫脹をきたし，急速に進行する呼吸困難の原因となり得る。

▶ **病態生理**　急性声門下喉頭炎の原因ウイルスは，パラインフルエンザウイルス・アデノウイルスなど多岐にわたり，好発年齢である乳幼児の気道内腔は狭いため炎症性狭窄をきたしやすい。急性喉頭蓋炎の原因菌は，インフルエンザ菌b型(Hib)が最も多いとされ，数時間単位で重症化が起こり得る。

▶ **症状**　声門下喉頭炎は犬吠様咳嗽・吸気性喘鳴・嗄声が三徴である。好発年齢は3か月～3歳で，12～48時間で気道狭窄症状が出現する。喉頭蓋炎は高熱とともに強い咽頭痛に起因する嚥下障害や流涎・嗄声などがみられ，重症感が強い。

▶ **検査・診断**　全身状態・喘鳴・チアノーゼ・呼吸音などにより評価する。喉頭内視鏡検査は，症状が増悪する可能性もあり，慎重に行う。比較的症状が落ち着いていたら，頸部側面X線写真が診断の一助になる。

▶ **治療**　重症例では気管内挿管を含めた気道確保が重要である。声門下喉頭炎では薬物療法としてアドレナリン吸入とステロイドの全身投与を行う。喉頭蓋炎では気道確保後に，人工呼吸器管理・抗菌薬投与・ステロイドの全身投与などを行う。

3 喉頭脆弱症

▶ **概念・定義** 吸気時に脆弱な声門上部が声門方向へと陥凹し，声門上部の狭小化による上気道狭窄から吸気性喘鳴が出現する。喉頭に起因する新生児・乳幼児の喘鳴として最も多い原因疾患である。

▶ **病態生理** 声門上部が脆弱である原因は多岐にわたるとされ，生後2～4週に喘鳴が顕在化することが多い。約10％程度に重症例がみられ，重症例ではほかの喉頭先天異常や神経筋疾患が合併していることが多い。胃食道逆流症は原因の一つとされる。

▶ **症状** 出生後早期より始まる吸気性喘鳴で発症し，哺乳時や体位により増悪する。呼吸困難・哺乳障害・体重増加不良などの原因となる。

▶ **検査・診断** 喉頭内視鏡検査により診断する。

▶ **治療** 多くの症例が生後2年以内に自然軽快する。喘鳴の増悪時には体位変換による症状の軽減がみられるかどうかを確認する。呼吸障害・哺乳障害が重症な例では気管内挿管や外科的治療が行われることがある。

4 気管カニューレ抜去困難症

▶ **概念・定義** 気管切開孔を閉鎖すると呼吸困難感が自覚され，長期に気管カニューレが抜去できない状態を指す。

▶ **病態生理** 気管内挿管による声門下の瘢痕狭窄や気管切開の後遺症としての声門下狭窄が原因の最多を占める。気管切開孔閉鎖への恐怖心から来る機能的原因もあり得る。

▶ **症状** 気管カニューレの入り口をテープで塞ぎ，呼吸を練習させて呼吸困難を生じるかどうかを確認する。

▶ **検査・診断** 気管切開孔周囲の観察・喉頭内視鏡による声門周囲の観察・気管カニューレから内視鏡を挿入して気管内の観察などをていねいに行う。

▶ **治療** 器質的疾患の多くは外科的治療を要する。

E 異物

1 外耳道異物

▶ **概念・病態生理・症状** 乳幼児がプラスチックのBB弾・豆類・粘土・ボタン型電池などを自ら入れてしまう場合と昆虫の侵入による場合とがあり得る。プラスチックのBB弾などはしばらく無症状のまま経過しやすい。ボタン型電池は早期に外耳道炎を生じる。昆虫は外耳道内で動くことにより激痛・異音などを生じる。

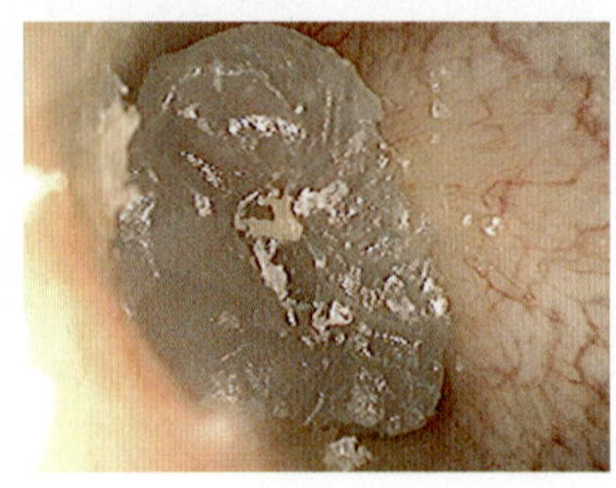

外耳道に挿入されたロウソク。

図4-33 外耳道異物

▶ **検査・診断**　拡大耳鏡により外耳道内を観察する（図4-33）。

▶ **治療**　顕微鏡下に摘出を行うが，外耳道は痛みを生じやすいため，リドカイン（キシロカイン®）の局注やキシロカイン®ゼリーの点耳などを適宜行う。BB弾が外耳道に嵌頓したような症例では全身麻酔下で摘出する場合もある。

2　鼻内異物

▶ **概念・病態生理**　乳幼児が自ら鼻内に物を入れてしまう場合が多く，一側性の鼻閉から副鼻腔炎などをきたして見つかる場合がある。外耳道異物と同様に，プラスチックのBB弾，豆類，粘土，ボタン型電池などが異物としてあり得る。ボタン型電池は鼻中隔穿孔の原因ともなり得る。

▶ **検査・診断**　前鼻鏡検査や鼻内内視鏡検査で異物を確認する。一定期間留置された異物は，周囲に膿性鼻汁などを伴うことが多い。

▶ **治療**　異物の摘出と，合併する周囲の炎症の治療が必要である。鼻腔後方では異物の気道への移行に注意が必要である。

3　咽頭異物，食道異物

▶ **概念・定義**　口蓋扁桃および舌根部の魚骨異物が多い。特定の食材（こんにゃくゼリー，餅など）による咽頭異物は，窒息の危険性がある。食道異物は硬貨，ボタン型電池，おもちゃなどが多くみられる。

▶ **病態生理**　乳幼児では咀嚼力・嚥下反射などが弱く，こんにゃくゼリーなどの咽頭異物による死亡事故の報告が年に数件程度ある。食道異物で注意が必要なのはボタン型電池であり，局所粘膜に早期に高度の炎症を起こすため，4時間以内の摘出が推奨されている。

▶ **症状**　小児では明確な訴えがないことが多く，異物の疑いがある場合には親への問診が最も重要である。異物の箇所により咽頭痛，流涎，呼吸困難などを生じる。

▶ **検査・診断**　咽頭異物は直視ないし内視鏡下の観察を行う。ボタン型電池や硬貨などの異物は，X線検査で診断がつく。

▶ **治療**　魚骨異物は年齢，部位によって外来処置台での摘出や全身麻酔下の摘出を要する。

咽頭異物による気道狭窄は，後述の喉頭異物と同様の対応が必要になる。食道異物はすべて全身麻酔下の摘出となる。

4 気道異物

▶ **概念・定義** 喉頭・気管・気管支異物に分けられる。完全閉塞によって窒息死の可能性があり，緊急の対応を要する。

▶ **病態生理** 異物の性状により喉頭（声門）や気管の完全閉塞を生じる可能性がある。気管・気管支異物は5歳以下の乳幼児に多く，ピーナッツなどの豆類が最も多い。

▶ **症状** 瞬時の窒息状態が起こり得る。気管内に異物が侵入すると，直後に気道粘膜の刺激による激しい咳嗽発作が起こる。閉塞の状態により，喘鳴やクループ様の犬吠様咳嗽・チアノーゼ・嘔吐などの症状がみられる。

▶ **検査・診断** 小児の呼吸状態の観察が重要である。吸気・呼気で胸部X線写真を撮影する。聴診での呼吸音減弱などを確認する。

▶ **治療** 喉頭異物では背部叩打法，指によるハイムリック法を行う。気管・気管支異物では全身麻酔下に内視鏡下の摘出術を行う。緊急時には気管切開を行う。

IV 呼吸器疾患

 気道の疾患

1. 先天異常

1 先天性後鼻孔閉鎖症

▶ **定義** 先天的に後鼻孔が骨性，または膜性に閉鎖した状態で，両側性と片側性がある。最近では，純粋な膜性閉鎖はない（骨性狭窄を合併）として，骨性と混合性に分類されることが多い。発症頻度は7000～8000人に1人とされる。

▶ **症状** 新生児は鼻呼吸に依存しているため，後鼻孔閉鎖が呼吸障害に直結する。両側性の場合には，出生直後から重度の症状（頻呼吸や陥没呼吸）を呈し，速やかな処置（気管挿管による気道確保）を必要とすることが多い。片側性では，鼻漏がみられる程度で済む場合もある。

▶ **診断** 内視鏡により後鼻孔の閉鎖を確認する。内視鏡検査が困難な場合や治療方針の決定にはCTが有用であるが，検査のための鎮静による呼吸状態の増悪に注意する。後鼻孔閉鎖はCHARGE症候群の主要症状の一つであり鑑別は必須である。

▶ **治療**　後鼻孔開放術を行う。術後再狭窄の予防のため，鼻中隔後端（鋤骨）の切除やステント留置を行うことがある。

2　喉頭軟化症（喉頭軟弱症）

▶ **定義**　喉頭蓋や披裂部が吸気時に声門側に引き込まれ，気道狭窄をきたす状態である。構造異常により吸気に対する抵抗性が弱くなること，声門より上部の気道が狭いこと，喉頭を支配する神経の未熟性，などの複合的な要因で発症する。

▶ **症状**　哺乳不良や体重増加不良，気道狭窄の程度により，種々の症状を呈する。

- **吸気性喘鳴**：吸気時に気道が狭窄するために喘鳴が出現する。啼泣時に増悪するタイプでは喉頭の構造異常が，安静時（睡眠時）に増悪するタイプでは声門上部の狭窄が主因であることが多い。

▶ **診断**　喉頭内視鏡検査により，吸気時に喉頭蓋や披裂部が声門側に引き込まれ，その際に吸気性喘鳴が聴取された場合に診断する。

▶ **治療**　成長・発達に伴い，1歳～1歳半で自然に治癒する症例が多いので，成長・発達を阻害する因子を除去することが治療の基本である。多くの場合，内科的治療の徹底で症状は改善する（表4-2）。

3　気管狭窄，気管軟化症

▶ **定義**　年齢・体格から推測される気管内腔径と比較して，固定性（呼吸性の変動をほとんど認めない）の狭窄を気管に認め，かつそれに伴う症状を呈する状態を**気管狭窄**，気管内腔径が呼吸性に大きく変動し（吸気時には内腔が保たれるが，呼気時には狭窄や閉塞をきたす），かつそれに伴う症状を呈する状態を**気管軟化症**という。原因として，気管の脆弱性と外部からの圧迫がある。

▶ **症状**　重症例を除き，出生直後からではなく生後1～3か月頃に症状が出現することが多い。以下に列挙する症状は両疾患に共通であるが，気管軟化症は気管狭窄に比し安静時（睡眠時）と体動時（啼泣時）の症状の差が大きいことが特徴である。すなわち，安静時には落ち着いていても，咳嗽や啼泣などにより狭窄症状が進行し，強いチアノーゼから呼吸停

表4-2　喉頭軟化症の治療法

治療法		概要・留意点
内科的治療	呼吸管理	腹臥位にすることで症状が軽減することが多い（ただし，乳幼児突然死症候群の発症に留意する）。改善しない場合には，低酸素血症に対しては酸素投与を，二酸化炭素の貯留が許容できない場合には陽圧換気（可能な限り非侵襲的な方法を選択）を検討する。
	栄養管理	経口摂取に伴うむせが目立つ場合には，人工乳に増粘剤を加える。経口摂取が困難な場合には積極的に経管栄養を検討する。
外科的治療	喉頭形成術	吸気時に被裂部が吸い込まれるタイプや，披裂喉頭蓋ひだが短縮しているタイプに行う。
	喉頭蓋吊り上げ術	吸気時に喉頭蓋が倒れ込むタイプに行う。
	気管切開術	上記手術の適応がない場合や実施した結果，改善が不十分な場合に検討する。

表4-3 気管狭窄・気管軟化症の治療法

治療法		概要・留意点
内科的治療	呼吸管理	低酸素血症に対しては酸素投与を，二酸化炭素の貯留が許容できない場合には陽圧換気を検討する。ただし，気管挿管での人工呼吸管理は抜管困難となる危険が高いのでなるべく避ける。
	感染予防	狭窄部で分泌物が貯留し，下気道炎を反復する場合には，予防的抗菌薬の使用で症状が軽減されることが多い。
	栄養管理	成長・発達が症状の改善に必須である。経口摂取が困難であれば，積極的に経管栄養を検討する。
外科的治療	気管形成術	狭窄が気管全長の 1/3 までの症例では狭窄部切除＋端々吻合術，気管全長の 1/3 以上に及ぶ広範囲の症例ではスライド気管形成（slide tracheoplasty）が行われることが多い。
	大動脈胸骨固定術（大動脈吊り上げ術）	狭窄・軟化症の原因が大動脈による圧迫である場合に，無名動脈や大動脈弓を前方に吊り上げることで気管内腔を拡大する。
	気管切開術	上記手術の適応がない場合や実施した結果，改善が不十分な場合に検討する。

止・意識消失（dying spell）まで進行することがある。

- **喘鳴**：通常，吸気性喘鳴である。狭窄が高度・広範囲の場合には往復性（吸気・呼気にわたる）喘鳴となる。安静時に軽減し，啼泣時などに増悪する。
- **呼吸困難**：頻呼吸（多呼吸）・努力呼吸（陥没呼吸，鼻翼呼吸）を認める。
- **咳嗽**：感染などを契機として湿性咳嗽が出現する。狭窄部位・程度によっては犬吠様，アザラシの鳴き声様といわれる独特の咳嗽となりクループと間違われることがある。
- **体重増加不良・経口摂取不良**：気道狭窄の程度により，種々の症状を呈する。

▶ **診断**　症状および各種画像検査（胸部X線写真・CT）で疑い，気管支内視鏡検査により診断する。以下に，各種検査のポイントを述べる。

- **胸部X線写真**：気管空気像が細い，確認しにくい場合には気管狭窄を疑う。
- **胸部（造影）CT**：安静呼吸時の気管径・形態を評価する。気管が丸くて細ければ，輪状軟骨による気管狭窄を疑う。周囲の大血管との位置関係，リンパ節腫大の有無なども評価する。呼吸性の変動は確認できないので，気管軟化症の診断はCTではできない。
- **気管支内視鏡検査**：気管を直接観察して狭窄の程度，呼吸性の変動を確認する。

▶ **治療**　成長による症状の改善が期待できるので，可能な限り内科的治療を徹底し，どうしても管理が困難な症例でのみ外科的治療を検討する（表4-3）。

2. 感染症

1 急性上気道炎

▶ **定義**　主にウイルス感染により鼻腔から咽頭・扁桃付近の炎症をきたし，種々の上気道炎症状（主に鼻症状）を呈する状態である。

▶ **症状**　くしゃみ・鼻汁・鼻閉が主症状である。副鼻腔炎まで進展すれば，後鼻漏から咳嗽が目立つようになり，咽頭・扁桃の炎症症状が強い場合には咽頭痛・嚥下痛を伴うこともある。発熱の程度は様々である。

▶ **診断**　臨床症状・身体所見から判断する。上記の症状があり，比較的全身状態が保たれている場合に診断されることが多い。地域の流行も参考にするとよい。咽頭痛・嚥下痛が強く，咽頭粘膜・口蓋扁桃の発赤が強い場合には溶レン菌感染症を疑う（迅速抗原検査が有用）。咽頭の所見が強い場合には，頸部リンパ節腫脹や皮膚病変の有無も確認する。EB ウイルス感染や川崎病の初期症状は急性上気道炎と鑑別困難な場合がある。また乳幼児では，発熱のみで上気道炎症状が目立たない場合には，尿路感染症の鑑別は必須である。

▶ **治療**　急性上気道炎の多くはウイルス感染であり，対症療法が中心となる。溶レン菌感染症では，ペニシリン系抗菌薬が第一選択である。リウマチ熱の予防のために，決められた内服期間を守るように指導する。

2　急性喉頭蓋炎

▶ **定義**　細菌感染により喉頭蓋が腫脹して上気道閉塞をきたす状態である。2～6 歳が好発年齢で，原因菌の多くはインフルエンザ菌 b 型である。

▶ **症状**　発症，進行が急激なことが特徴である。突然の咽頭症状（咽頭痛，嚥下痛），発熱に引き続き，上気道閉塞症状（吸気性喘鳴，呼吸困難，流涎）が急激に進行する。前傾気味の座位で両手を殿部の横につけ，下顎を前方に突き出して開口した状態で気道を確保しようとする姿勢（tripod position）が特徴的である。

▶ **診断**　発熱を伴う急激に進行する上気道閉塞症状がある場合には必ず疑う。否定されない限り急性喉頭蓋炎として対応する。頸部 X 線写真や喉頭内視鏡検査は診断に有用ではあるが，適応は慎重に判断する。急性喉頭蓋炎は生命に直結する疾患なので，確定診断よりも気道確保を優先する。重症例では，気道確保時の喉頭蓋の所見から診断すれば十分である。

▶ **治療**　不必要な処置・検査を行わず，気道確保を優先する。安静が保たれるように，可能な限り家族と一緒にいられるように配慮する。

- **気道確保**：理想的には人員を確保し（耳鼻科，麻酔科とも連携），手術室で吸入麻酔管理下に気管挿管を行う。喉頭蓋腫脹が高度なために気管挿管が困難な場合には，ためらわずに気管切開を行う。
- **抗菌薬**：気道確保後に，血液培養を採取し抗菌薬を開始する。耐性インフルエンザ菌に有効性のある抗菌薬を選択する。
- **家族への予防投与**：インフルエンザ菌による重症深部感染症では家族への予防投与が推奨されているが，急性喉頭蓋炎では必須ではない。ただし，4 歳未満の乳幼児，特にワクチン接種が完全に行われていない者に対しては予防投与を検討する。また，家族内の発熱者に対しては，喉頭蓋炎の発症に注意が必要である。

表4-4 上気道閉塞をきたす疾患

感染性の疾患	非感染性の疾患	
①クループ	①痙性クループ	⑤血管神経性浮腫
②喉頭蓋炎	②声門下狭窄	⑥外傷
③細菌性気管炎	③喉頭異物	⑦熱傷
④咽後膿瘍	④喉頭腫瘍（血管腫）	

3 クループ（急性喉頭気管気管支炎）

▶ **定義** 主にウイルス感染により喉頭付近の炎症をきたし，様々な程度の上気道閉塞症状をきたす状態である。クループ症候群という用語も存在するが，こちらは上気道閉塞症状をきたす疾患群の総称で，より広範囲の疾患を内包している。

▶ **症状** 好発年齢は7か月～3歳で，男児にやや多い。典型例では，2～3日間の上気道炎症状に引き続き，特徴的な咳嗽（犬吠様咳嗽），嗄声・吸気性喘鳴などの症状が出現する。多くは軽症例で，吸気性喘鳴を伴わずに犬吠様咳嗽と嗄声のみで1週間以内に軽快する。一方で，上気道閉塞が進行して強い呼吸困難に陥り，気管挿管を必要とする重症例もある。

▶ **診断** 好発年齢の年少児が，犬吠様咳嗽や嗄声を急性に発症した場合に疑い，同様の症状を呈する上気道閉塞疾患（表4-4）が除外された場合に診断する。経過が典型的でない（年齢が低い，前駆症状がなく発症が突然など）場合や，短期間に症状を反復する場合には注意が必要である。特に，急性喉頭蓋炎との鑑別は重要である。

なお，不用意な診察や検査によって急激に呼吸状態が悪化することがあるので以下の①～③に注意を要する。

①無理に咽頭診察を行わない。
②頸部側面のX線写真は有用であるが，その読影は難しい。
③内視鏡検査は典型的なクループでは不要である。喉頭異物を疑う場合には，気道確保の準備を整えてから実施する。

▶ **治療** 重症度に応じて以下の治療を組み合わせて実施する。

- **アドレナリン吸入**：喉頭付近の炎症を抑える目的で吸入を行う。速効性があり，軽症例や痙性クループは，吸入だけで改善することが多い。
- **ステロイド薬内服（または吸入）**：アドレナリン吸入と同様に，喉頭付近の炎症を抑える目的で内服（または吸入）を行う。速効性はない（効果発現までに3時間程度必要）。
- **気管挿管（気管切開）**：上記薬物治療に反応せず症状が増悪する場合には，気管挿管・人工呼吸管理を行う。抜管時期は，挿管チューブの周囲からの空気漏れを参考に決める。抜管時にステロイド薬を併用することもある。

4 急性気管支炎

▶ **定義** 気管支に急性炎症を起こし，咳嗽や喘鳴などの下気道炎に由来する症状を呈する状態である。

▶ **症状**　咳嗽（病初期には乾性でも，経過中に湿性に変化することがある）や喘鳴（乳幼児での呼気性喘鳴）が主症状である。発熱を伴うことが多い。胸部聴診所見は，明らかな異常がない場合，副雑音（crackles，rhonchi，wheeze）を聴取する場合など様々である。局所の空気入りの低下や気管支呼吸音化を認める場合には，積極的に肺炎を疑うべきである。

▶ **診断**　急性に上記の症状を発症し，胸部X線写真で明らかな肺炎像を認めない場合に診断される。なお，全身状態が保たれている場合には，胸部X線写真を撮影せずに診断されることもある。血液検査，各種ウイルス抗原検査などと併せて総合的に病原体の同定，重症度の判定を行う。

▶ **治療**　本節-B-2-1「急性肺炎（感染性肺炎）」参照。

5　急性細気管支炎

▶ **定義**　主にウイルス感染による炎症が細気管支レベルに及び，浮腫，粘液，細胞の破壊物などにより気道の閉塞が起こり，呼吸困難，呼気性喘鳴を呈する状態であり，気道径が細い乳幼児に独特の疾患である（移植後などに観察される閉塞性細気管支炎とは病態が異なる）。

▶ **症状**　くしゃみ，水様鼻汁といった一般的な感冒症状から始まり，数日以内に呼気性喘鳴（wheeze），呼吸困難が出現する。新生児・乳児期早期には，無呼吸（気道症状を伴わない）が初発症状のこともある。

▶ **診断**　気道の炎症が細気管支までに及んでいるか否かは確認することができないため，臨床的に診断する。気管支喘息との鑑別が問題となるが，気管支拡張薬吸入が奏効しない場合には，急性細気管支炎の可能性が高い。代表的な原因ウイルスとしてRSウイルス，ヒトメタニューモウイルス（hMPV）が知られており，これらのウイルスの迅速抗原検査が陽性で，呼気性喘鳴や呼吸困難を呈する場合に診断されることが多い（これらの迅速抗原検査が陰性でも否定されるわけではない）。典型例では，胸部X線で両側の過膨張（無気肺を伴うこともある）を呈するので参考とする。

▶ **治療**　対症療法が中心となる。低酸素血症に対しては酸素投与，気道分泌物貯留に対しては呼吸理学療法，経口摂取の低下に対しては輸液療法を行う。以前はステロイド薬の全身投与がよく行われたが，有効性に疑問があるため近年では使用されなくなってきている。近年RSウイルス感染症に対しては，抗RSウイルスヒト化モノクローナル抗体による予防が行われている。慢性肺疾患や先天性心疾患をもつハイリスク群に対し積極的に投与が行われ効果をあげている。

3. そのほかの気道疾患

1　気管異物，気管支異物

▶ **定義**　気管，または気管支に異物を吸引した状態である。

▶ **症状**　異物吸引直後のむせ込み，咳き込みが最も重要な症状である。しばらくすると咳き込みが治まり無症状となることがあることに留意する（咳き込みが治まっても異物は否定されない）。異物が気管や気管支内に残存すれば，喘鳴が出現したり，肺炎を起こしたりする場合もある。

▶ **診断**　小児，特に2歳以下では気道異物を疑うことが診断の第一歩である。問診では発症が急激ではないか，むせ込みや咳き込みがなかったか，診察では胸部聴診で空気入りの左右差を確認する。気管・気管支異物を否定できない場合には，以下の検査を行う。

- **胸部X線写真（呼気・吸気）**：典型例では，聴診で異物がある側の空気入りが減弱し，X線写真では呼気時にair trappingを認める。吸気性喘鳴が主体で，X線写真で異常を認めない場合には気管異物を疑う。
- **胸部CT・MRI**：異物が確認された場合にのみ意味がある。異物が確認できなくても，否定する根拠にはならない。
- **気管支内視鏡検査**：診断は内視鏡検査により異物を確認することでのみ確定する。実施可能な施設は限られるが，異物が否定できない場合には必ず実施する。

▶ **治療**　気管支内視鏡で異物が確認された場合には，硬性気管支鏡などで異物除去を行う。

2　気管支拡張症

▶ **定義**　様々な原因で気管支壁が破壊されて膨隆（ぼうりゅう）し，気管支内腔が拡張した状態である。内腔に膿性の痰が充満し，感染を反復する。

▶ **症状**　慢性の湿性（しっせい）咳嗽，労作時呼吸困難が主症状であり，感染を繰り返しているうちに血痰・喀血（かっけつ）を伴うようになる。身体所見では，バチ状指を認めることがある。

▶ **診断**　CTで気管支拡張像を認めた場合に診断する。

▶ **治療**　確立された治療法はないが，慢性炎症を抑えることが目標となる。抗菌薬治療（内服や吸入），排痰を目的とした吸入および肺理学療法が主体となる。大量の喀血を起こした場合には，血管の塞栓術（そくせんじゅつ）や出血部分の肺切除を行う。

B 肺の疾患

1. 先天異常

1　肺嚢胞症（先天性嚢胞性肺疾患）

▶ **定義**　肺嚢胞症（はいのうほうしょう）は，正常の気管支肺胞系に一致しない，気体あるいは液体内容をもつ嚢胞あるいは嚢胞様構造をもつ疾患であり，原因の明らかな空洞（結核・寄生虫など）を除くものである。臨床的には，胸部画像検査で嚢胞状陰影を呈する状態である。表4-5のように様々な疾患が含まれる。

▶ **症状**　無症状のものから重度の呼吸障害をきたすものまで様々である。嚢胞に感染を起

表4-5 嚢胞性肺疾患をきたす疾患

先天性の疾患	後天性の疾患
• 肺外気管支原性嚢胞 • 肺葉外肺分画症 • 肺葉内肺分画症 • 先天性嚢胞性腺腫様奇形（CCAM） • 気管支閉鎖	• 一時的 pneumatocele（気瘤） • 感染性嚢胞 • 持続的気腫性嚢胞（ブラ・ブレブ）

こせば肺炎となり，気管や気管支に隣接して圧排すれば気管・気管支狭窄（軟化症）の症状を呈する。嚢胞が多発性で領域が広範囲にわたる場合には，正常肺を圧排し呼吸障害をきたす。

▶ **診断** 診断の第一歩は嚢胞状陰影を見つけることである。嚢胞の位置（肺内・肺外），数（単胞性，多胞性），壁の性状（厚み），周囲の病変（炎症所見，過膨張など）などを参考に鑑別診断を進めていく。画像（X線・CT，必要時MRI），気管支内視鏡などの所見を総合的に判断して診断する。

▶ **治療** 単発性で無症状の場合には，悪性疾患が否定的であれば経過観察でよい。気管・気管支に隣接し圧排症状を呈する場合，病変が広範囲にわたり正常肺の成長や機能を障害する場合には，外科的切除術の適応となる。肺外の場合には嚢胞切除術を行う。肺内の場合には嚢胞切除術は困難であり，肺葉切除が行われることが多い。

2. 肺炎

1 急性肺炎（感染性肺炎）

▶ **定義** 発熱・咳嗽などの呼吸器症状を伴い，胸部X線写真やCTなどの画像検査において肺に急性の異常陰影を認める状態である。

▶ **症状** 発熱・咳嗽が主症状である。乳幼児では喘鳴を伴うこともある。胸部聴診所見は，副雑音だけではなく，局所の空気入りの低下や気管支呼吸音化を認めることがある。

▶ **診断** 上記の症状と発熱があり，胸部聴診所見で異常を認めるか，典型的な上気道炎らしくない症例に対して，胸部X線写真で急性の変化を認めた場合に診断する。

▶ **治療** まず，細菌性（細菌性肺炎・マイコプラズマ肺炎など），ウイルス性のいずれの可能性が高いかを判断し，抗菌薬治療の適応を検討する（図4-34）。臨床経過や検査所見（胸部X線写真・血液炎症反応・各種迅速抗原検査）を参考に総合的に判断する。

2 嚥下性肺炎（誤嚥性肺炎）

従来は**誤嚥性肺炎**とよばれていたが，近年では**嚥下性肺炎**とよばれている。

▶ **定義** 食物や胃内容物を下気道に吸引することで肺炎を起こした状態である。

▶ **原因** ①ミルクや食物を経口摂取時に直接下気道に吸引する，②胃食道逆流により胃内容物が喉頭より上部に逆流したものを下気道に吸引する，などの病態がある。

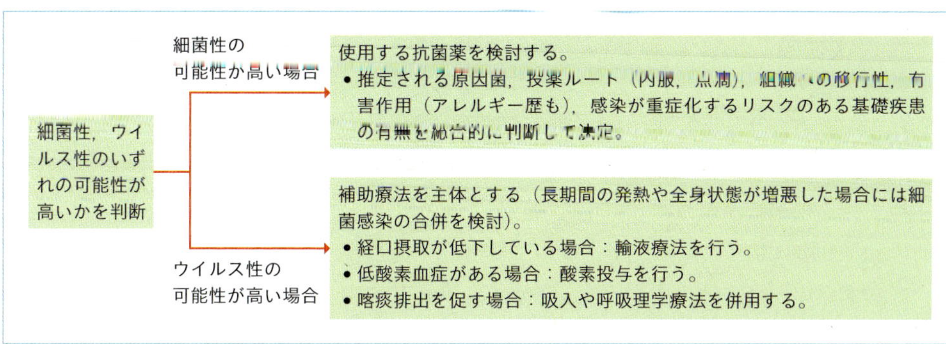

図4-34 急性肺炎（感染性肺炎）の治療法

▶ **臨床症状** 経口摂取（時に経管栄養）と関連のある発熱が特徴であり，咳嗽（むせ込み）や嘔吐（おうと），時として喘鳴を伴う。

▶ **診断** 経口摂取による直接の吸引は嚥下造影により，また胃食道逆流の影響が疑われる場合には24時間pHモニタリングにより診断される。

▶ **治療** 急性期には，口腔内常在菌（じょうざいきん）に有効な抗菌薬治療を行う。経口摂取（経管栄養）を中止したり，減量したりすることもある。長期管理では，下気道への吸引を予防するために，授乳，食事の工夫（体位，水分に増粘剤を加えるなど）を徹底する。重症例では経管栄養や，胃食道逆流に対する外科的治療（噴門形成術）が必要となることもある。

C 胸膜・縦隔・横隔膜の疾患

1 胸膜炎，膿胸

▶ **定義** 胸膜に炎症をきたした状態が**胸膜炎**である。胸膜炎によって胸腔内に胸水（きょうすい）が貯留し，そこに細菌感染を合併した状態が**膿胸**（のうきょう）である。細菌やウイルスによる肺炎が原因であることが多い。

▶ **症状** 肺炎から進展する場合には，発熱，咳嗽などの症状が先行する。胸膜炎を発症すると，壁側（へきそく）胸膜には知覚神経が分布しているので，胸痛（腹痛となることもある）を訴える。さらに胸水が貯留し肺容量が減少すると，陥没（かんぼつ）呼吸，頻呼吸，チアノーゼなどが出現する。

▶ **診断** 胸水貯留を疑わせる症状（発熱，胸痛など）と胸部聴診所見（空気入りの減弱，胸膜摩擦音の聴取）などから胸膜炎を疑い，各種画像検査（胸部X線，超音波，造影CT）を組み合わせて胸膜の炎症の有無を判定する。胸水貯留を認めた場合には可能な限り胸腔穿刺（きょうくうせんし）を行う。胸水が膿性であれば膿胸と診断される。

▶ **治療** 胸膜炎，膿胸の原因疾患の治療が優先される。細菌性肺炎であれば抗菌薬加療を行う。多くの場合，その治療が奏効すれば胸膜炎，膿胸ともに改善する。胸水貯留量が多く呼吸困難が強い場合には胸腔穿刺，ドレナージを併用する。適切な抗菌薬加療によっても効果が不十分な場合には，胸膜剝皮（はくひ）術や開窓術を行う場合もある。

2 先天性横隔膜ヘルニア

▶ **定義** 横隔膜の発生異常により腹部臓器が胸腔へと脱出した状態である。患側肺（かんそくはい）が直接圧排されるだけではなく，縦隔の偏位によって健側肺（けんそくはい）も圧排されることで両側の肺低形成をきたすことが問題である。

▶ **症状** 両側肺低形成のため，出生後の肺呼吸が十分に確立できず，強い呼吸障害を呈する。低酸素血症，高二酸化炭素血症，およびそれに伴うアシデミアのために肺血管抵抗が増大し（遷延性肺高血圧症（せんえんせいはいこうけつあつしょう）），さらに強い呼吸障害を呈する。

▶ **診断** 近年では，多くの症例が胎児診断で発見されている。胎児エコーやMRIで心臓が健側へと偏位（へんい）し，腹部臓器が患側の胸腔に脱出していることで疑われる。出生後には，胸部X線写真で胸腔内に多発性のガス像があり，縦隔が偏位している場合に疑い，胸腔内のガス像が消化管由来であることを証明することで診断する。

▶ **治療** 出生後速やかに呼吸管理（低酸素血症と高二酸化炭素血症を可能な限り許容し，最低限の陽圧管理とする）を開始し，高血圧に対して積極的な薬物治療（NO吸入療法など）を開始する。そして，最適な時期に外科的根治術を行う。近年では，重症例に胎児治療（胎児鏡下バルーン気管閉塞（へいそく）術）も行われるようになってきている。

3 横隔膜挙上症（横隔膜弛緩症）

▶ **定義** 横隔膜の一部，または全体の異常（欠損や形成異常）により，胸腔内で挙上（きょじょう）している状態である。

▶ **症状** 横隔膜の部分的な異常の場合には，症状を呈さないこともある。より広範囲の異常では，横隔神経麻痺（おうかくしんけいまひ）と同様の症状を呈する。

▶ **診断** 胸部X線写真で横隔膜が挙上している場合に疑う。X線透視，または超音波検査により横隔膜の動き（吸気時に低下）が確認されれば挙上症と考えられる。横隔膜の動きがはっきり確認できない場合には，横隔神経麻痺との鑑別が困難である。

▶ **治療** 本項-4「横隔神経麻痺」参照。

4 横隔神経麻痺

▶ **定義** 横隔神経が麻痺することで，横隔膜の動きが不良となった状態である。特に新生児・乳児では，横隔神経麻痺によって容易に呼吸障害が出現する。原因は先天性と後天性に分類される。後天性では胸腔内操作を伴う手術，特に先天性心疾患のうち動脈管付近の操作を伴う手術で合併しやすい。

▶ **症状** 麻痺の程度，奇異性運動（吸気時に下がるべき横隔膜が挙上する）の有無に応じて，種々の程度の呼吸困難，努力呼吸を呈する。吸気時に腹部が陥没する奇異性運動が特徴的である。

▶ **診断** 胸部X線写真で横隔膜が挙上している場合に疑う。X線透視，または超音波検査

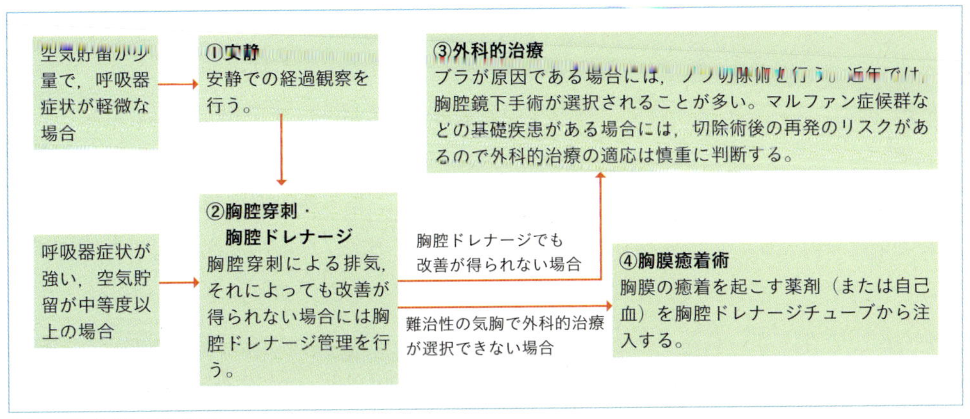

図4-35 気胸の治療法

により横隔膜の呼吸性運動が確認できず，横隔神経麻痺の原因となるような病態がある場合に診断する。原因となるような病態がない場合には，横隔神経挙上症との鑑別が困難な場合もある。横隔膜の動きを確認する際には，奇異性運動の有無についても注意する。奇異性運動がある場合には症状が重症化しやすい。

▶ **治療**　横隔神経麻痺を根本的に改善することは難しい。横隔膜以外の呼吸筋・呼吸補助筋が発達すれば症状は軽減するので，可能な限り保存的な治療が好ましい。抜管できない場合や，気道感染などにより容易に呼吸状態が増悪する場合に，非侵襲(しんしゅう)的陽圧呼吸療法や外科治療（横隔膜縫縮術）を検討する。

5 気胸

▶ **定義**　壁側胸膜と臓側胸膜の間の胸膜腔に空気が貯留した状態である。その原因として，人工呼吸管理（陽圧管理），体質（マルファン症候群，ブラ・ブレブ）などがある。

▶ **症状**　年齢，原因により様々である。新生児・乳幼児では頻脈(ひんみゃく)や不機嫌などの非特異的な症状のみの場合がある。年長児の典型例では，胸痛を訴える。胸膜腔への空気の貯留が急激で大量な場合には，呼吸不全が進行する。一方で，胸部X線写真で偶然診断される無症状例もある。

▶ **診断**　胸部X線写真で肺血管陰影を欠く透過性亢進領域(とうかせいこうしんりょういき)を認めれば診断できる。仰臥位(ぎょうがい)での撮影が多い新生児や，空気貯留が少量の場合には診断は難しい。確定診断や治療方針の決定には，超音波検査やCTが有用である。

▶ **治療**　図4-35を参照。

D 乳幼児突然死症候群

▶ **定義**　**乳幼児突然死症候群**（sudden infant death syndrome；SIDS）とは，「それまでの健康状態および既往歴からその死亡が予測できず，しかも死亡状況調査および解剖検査によってもその原因が同定されない，原則として1歳未満の児に突然の死をもたらした症候群」と定義される（2005［平成17］年厚生労働省研究班）。生後2～6か月に多く，主として睡眠中に突然死亡状態で発見される。日本での発症頻度は約6000～7000出生に1人と推定されている。

▶ **原因**　原因は不明である。睡眠中の覚醒反応の低下，先天性代謝異常症などが病因候補としてあげられたが，いまだ解明に至っていない。一方で，発症のリスク因子として妊婦および養育者の喫煙・うつぶせ寝・非母乳保育などが知られており，これらのリスクを避けることによって死亡者数の減少という効果が得られている。

▶ **診断**　原因不明の乳幼児の突然死に対して，剖検および死亡状況調査により診断される。すなわち，やむを得ず解剖がなされない場合には診断することはできない（死因は不詳となる）。なお，乳幼児突然死症候群以外の乳幼児に突然の死をもたらす疾患群，および窒息や虐待などの外因死の鑑別が確実に行われる必要があることに留意する。

V　循環器疾患

A　小児循環器疾患の特徴

小児の循環器疾患は，先天性のものが多い。先天性心疾患は生まれつきの心臓の構造異常で，発生頻度は約1%と高い。先天性心疾患では，家族性のもの，染色体・遺伝子異常があるもの，風疹ウイルスなどの胎内感染によるもの，およびアルコールなどの催奇形因子によるものが全体の15%前後を占める。しかし，これらを除く大部分の症例は，遺伝的素因と環境因子の相互作用（**多因子遺伝**）によると考えられ，通常，原因を特定できない。

先天性心疾患には，生命に直結する疾患が多く含まれる。そのため生後早期に内科的診断・治療にくわえて，外科手術が必要な場合も多く，小児の予後改善には**チーム医療**が重要である。近年，多くの小児が外科手術により救命され，学校生活を送り，成人することができるようになった。しかし，手術後も運動制限や，再手術を必要とする場合がある。外科手術のほかにも心臓カテーテル検査などで入院回数が多くなるので，日常生活・学校生活に支障をきたしやすい。さらに，染色体異常などを合併している場合もあり，心疾患以外の異常，精神運動発達などにも目を向け，生涯にわたり包括的ケアを行う必要がある。

小児の後天性心疾患では，川崎病の後遺症である冠動脈瘤が多い。感染性心内膜炎は，診断・治療とともに器質的心疾患の合併症として発症予防も重要である。そのほか，感染症やリウマチ熱に伴う心疾患，不整脈などいずれの場合にも先天性心疾患と同様，急に容態が悪化することや，生命に直結する可能性があることを念頭に置く必要がある。

B 胎児循環と新生児循環

胎児循環では肺が機能しておらず，ガス交換は胎盤で行われる。出生とともに肺が拡張して肺呼吸が始まると，肺血管も拡張し，肺血管抵抗は低下する。肺に流れる血液は増加し，肺胞でガス交換が行われるようになる。一方，臍帯(さいたい)の結紮(けっさつ)により胎児循環は終了する。肺循環の成立により左心房に戻る血液が増加するとともに，左心房圧が上昇し，卵円孔(らんえんこう)が閉鎖する。さらに，血中酸素含量の上昇により動脈管が機能的に閉鎖する。

上記の過程により，体循環と肺循環が分離した，すなわち酸素含量の多い動脈血と酸素含量の少ない静脈血が混ざり合わない**新生児循環**が成立する（図4-36）。また，肺血管抵抗の低下に伴い肺動脈圧が下がることにより，動脈血が流れる左心系（左心房－左心室－大動脈）と静脈血が流れる右心系（右心房－右心室－肺動脈）の間に内圧の差が発生する。この胎児循環から新生児循環への移行は，先天性心疾患の病態において重要である。

C 先天性心疾患

先天性心疾患では，左心系の動脈血と右心系の静脈血が混ざり合ってしまう異常（短絡，シャントともいう）がしばしば認められる。左心系の血液が右心系に流入する場合を**左右短絡**(ひだりみぎ)，右心系の血液が左心系に流入する場合を**右左短絡**(みぎひだり)という。先天性心疾患の血行動態（短絡の方向）を理解するうえでは，左心系と右心系の内圧の差を考えるとよい。多量の左右短絡があると肺血流量の増加に伴う**うっ血性心不全**が，右左短絡があると動脈血の酸素含量低下に伴う**チアノーゼ**が認められる。

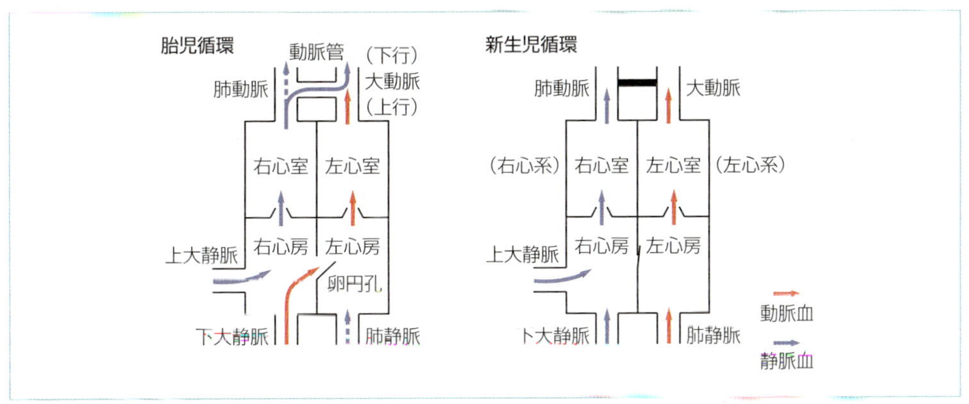

図4-36 胎児循環から新生児循環へ

1. 主な症状と治療

1 心不全

年長児，成人の心不全の代表的な症状は，易疲労感，運動時の息切れ，頻脈，浮腫などであるが，乳児の心不全の三大症状は，**頻脈・多呼吸・哺乳不良**である。重症例では**体重増加不良**を伴う。不機嫌であることが多く，肺うっ血のため咳・喘鳴などの呼吸器症状もしばしば認められる。呼吸器感染症にかかりやすく，また重症化しやすいので注意する。

心不全の小児は，仰臥位から半起座位になると下半身に血液が停滞して心臓や肺の負担が軽減され，楽になることが多い。乳児では抱いているとよいが，寝かせると咳をする。

▶ **治療**　内科的治療は，食事療法（減塩食）と利尿薬により心臓の負担を軽減し，ジギタリス製剤などの強心薬によって心臓のポンプ機能を補助する。心負荷軽減のため，末梢血管拡張作用を有する薬剤を用いることもある。ジギタリス製剤を用いる場合，毎回投与前に必ず脈拍を調べ，徐脈，不整脈のないことを確かめる。嘔吐もジギタリス中毒の症状である。心不全の治療効果判定には，毎日同一の条件下で体重を測定することが重要である。

2 末梢循環不全

疾患を問わず高度の心機能障害により，心臓から大動脈へ拍出される血液量（心拍出量）が著しく低下すると，全身の臓器に十分な血液を循環することができなくなり，血圧が低下し，ショック状態に陥る。先天性心疾患では心機能自体が障害されていなくても，体循環を動脈管に依存する疾患（大動脈縮窄症［複合型］など）で，生後動脈管が閉鎖した場合（ductal shock，動脈管性ショック）や多量の左右短絡を有する疾患（非常に大きな心室中隔欠損など）で，心臓から拍出された血液の大部分が肺に流れてしまい，体血流を維持できない場合（white spell，蒼白発作）に体血流が維持できなくなり，末梢循環不全に陥り，緊急治療が必要である。

動脈管依存性の先天性心疾患とその初期治療

動脈管は正常では出生後不要となり閉鎖するが，一部の先天性心疾患では，生後の肺血流[1]，または体血流[2]が動脈管を介して保たれるため，出生後も動脈管を開存させておく必要があり，プロスタグランジン製剤[3]の持続点滴静注を行う。この場合，動脈管は命綱なので，点滴管理が特に重要である。無呼吸，発熱，下痢，浮腫などの有害作用に注意する。また，酸素には動脈管を閉鎖する作用があり，酸素投与は原則禁忌とする。

1）肺血流を動脈管に依存する疾患：高度肺動脈狭窄または肺動脈閉鎖を伴うファロー四徴症，完全大血管転位症，三尖弁閉鎖症など。
2）体血流を動脈管に依存する疾患：大動脈縮窄症（複合型），大動脈弓離断症など。
3）PGE1（アルプロスタジル　アルファデクス：プロスタンディン®など）ないしリポPGE1（アルプロスタジル：パルクス®，リプル®など）。

▶ **治療**　心停止，呼吸停止をきたした場合には，人をよび集めるとともに，直ちに心肺蘇生を図る。静脈ルートを確保し，重炭酸ナトリウムにより代謝性アシドーシスを補正し，カルシウム製剤により心筋の収縮力低下を抑える。心機能を補助するため，カテコラミンなど強力な強心作用をもつ薬物を投与する。動脈管性ショックには，何よりもプロスタグランジン製剤（column）による動脈管再開存治療が優先される。蒼白発作には，麻薬などで鎮静し，体血管抵抗を下げて体循環血流量を増やす治療が必要である。

3　チアノーゼ（無酸素発作）

ファロー四徴症などの右左短絡がある先天性心疾患では，酸素含量の少なくなった血液が大動脈から全身に送られ，チアノーゼが認められる。**チアノーゼ**は，口唇・爪床・口腔内・眼瞼などの皮膚・粘膜で観察されやすく，肺血流量が減少したり，右左短絡量が増加した場合に増強する。低酸素血症が強いと易疲労性がみられ，運動耐容能が低下する。また，長期間続くと2次性に赤血球増多症をきたし，臓器障害にもつながる。

ファロー四徴症・三尖弁閉鎖症などでは無酸素発作（anoxic spell，チアノーゼ発作）を起こすことがあり（図4-37），その予防と治療が重要である。無酸素発作は常在するチアノーゼの程度とは無関係で，平素はチアノーゼが軽度でも，重症の発作を起こす例がある。

▶ **誘因**　激しい啼泣，排便，哺乳，気管内吸引，麻酔の覚醒時，発熱，脱水。

▶ **病態**　上記誘因により，肺動脈狭窄が一過性に増強し，肺血流が極度に低下する（図4-37左）。血液の酸素化が行われなくなる。

▶ **症状**　多呼吸，不穏，チアノーゼの増悪が起こり，収縮期心雑音が減弱する。発作が遷延した場合には，代謝性アシドーシス・痙攣・意識障害が起こり，死亡することもある。

▶ **治療**　股関節と膝関節を屈曲させて膝を胸に強く押しつける膝胸位（knee-chest position）（図4-37右）の体位にする。そうすることで体血管抵抗が上昇し，肺血流が増加する。100％酸素を吸入する。鎮静薬としてペチジン塩酸塩（オピスタン®1mg/kg）またはモルヒネ塩酸塩（0.2mg/kg）を皮下注（筋注・静注も可）する。

発作が持続する場合は，プロプラノロール塩酸塩0.05mg/kg（最大0.5mg）を10分以上

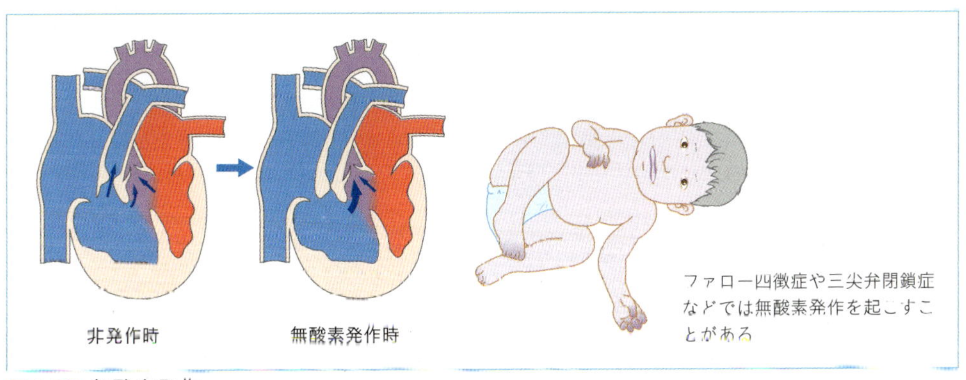

図4-37　無酸素発作

かけて静注する。炭酸水素ナトリウム 1 ～ 2 mEq/kg をゆっくり静注し，血液ガス分析の結果により追加する。さらに発作が遷延する場合には，緊急短絡手術も考慮する。

2. 左右短絡のある先天性心疾患の病態・血行動態

1 心室中隔欠損症（ventricular septal defect；VSD）

心室中隔欠損症は，左心室と右心室を隔てる心室中隔に欠損があり，その孔を通じて内圧の高い左心室から内圧の低い右心室へ血液が流れ，左右短絡を生じる病態である（図4-38）。先天性心疾患のなかで最も頻度が高い。20 ～ 30％の症例で自然閉鎖が認められる。

欠損が小さく左右短絡量が少ない場合，心臓の負荷も小さく無症状である。欠損が大きく左右短絡量が多い場合，肺血流量が著しく増加し，乳児期からうっ血性心不全に陥る。欠損が中等度の大きさの場合や，乳児期に心不全がない場合でも肺血流量の増加に起因する肺高血圧や心不全がしだいに進行することがある。心不全が重症な症例では，肺血流量の増加や肺動脈の拡張により下気道感染症，気道圧迫などの呼吸器症状を起こしやすく，死亡する例もある。原因不明の発熱を認めた場合には，感染性心内膜炎の合併も念頭に置く。

▶ **治療**　欠損が小さい場合，手術の必要はなく，感染性心内膜炎を予防する。乳児期に心不全を合併する場合，人工心肺装置を用いて外科的に欠損を閉鎖する。乳児期に心不全がない場合や，内科的治療でコントロールできた場合でも，肺高血圧の進行があれば乳児期に手術を行う。また，無症状でも左右短絡量が中等量以上で，心不全が徐々に進行する可能性がある場合には，小児の精神面・社会生活面を考慮して小学校入学前に手術を行い，通常の学校生活を送ることができるよう管理するのが一般的である。術後，欠損が完全に

Column

パリビズマブによるRSウイルス感染重症化抑制

先天性心疾患をもつ乳幼児は，身体的予備力が少ないので，感染症を合併すると，しばしば重篤な状態になる。RS ウイルス（respiratory syncytial virus）感染は小児の代表的な呼吸器感染症で，年長児や成人では鼻かぜ程度の症状だが，乳幼児では急性細気管支炎を発症する。特に先天性心疾患の乳幼児では入院管理が必要で，死亡例がみられ，根本的な治療法はない。RS ウイルス感染を発症した乳幼児だけでなく，軽微な症状の家族や医療従事者も感染源となり，接触感染や飛沫感染により感染が拡大する。

したがって，標準予防策（スタンダードプリコーション）と，徹底した接触・飛沫感染予防策が必要である。これらにくわえて，「RS ウイルス感染流行初期において 24 か月齢以下の血行動態に異常のある先天性心疾患の小児」には，抗 RS ウイルス抗体（パリビズマブ：シナジス®）による感染重症化抑制が保険適用となっている。パリビズマブの投与は自己免疫（めんえき）形成が促進されるものではないため，RS ウイルス感染流行期の間，月 1 回，15mg/kg を筋注して血中濃度を維持する。

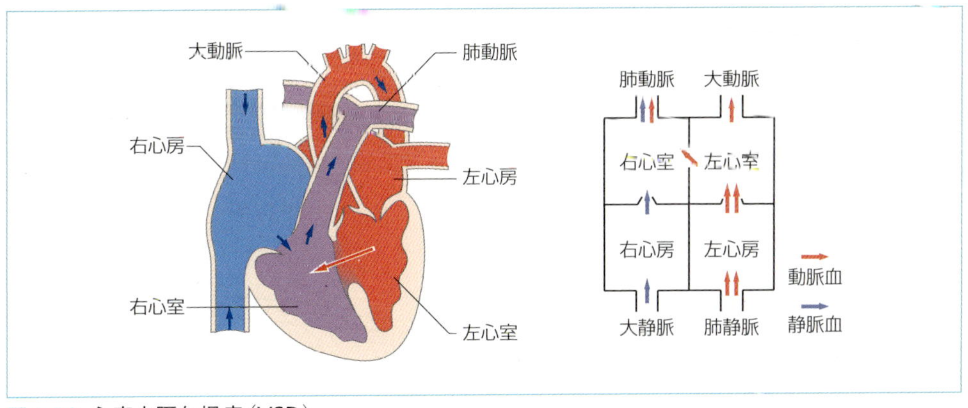

図4-38 心室中隔欠損症（VSD）

閉鎖され，肺高血圧などの合併症がない場合，生活，運動の制限はまったく必要ない。

2 動脈管開存症（patent ductus arteriosus，PDA）

胎児循環に不可欠な動脈管は，出生後不要となり自然閉鎖する。動脈管が閉鎖せずに開存することを**動脈管開存症**といい，内圧の高い大動脈から内圧の低い肺動脈へ血液が流れ，左右短絡となる（図4-39）。動脈管が太く左右短絡量が多い場合，肺血流量が増加し，心不全，呼吸器症状を起こす。

▶ **治療** 動脈管の切断術，あるいは結紮術により根治する。乳児期に心不全をきたす場合，手術を行うと劇的に改善する。手術は心臓外の血管に行うもので，人工心肺装置を必要としない。手術の安全性と有効性，および放置した場合には感染性心内膜炎などの合併症の危険性があることから，全例が手術適応となる。比較的細い動脈管開存症の場合には，心臓カテーテルによる治療が可能である。

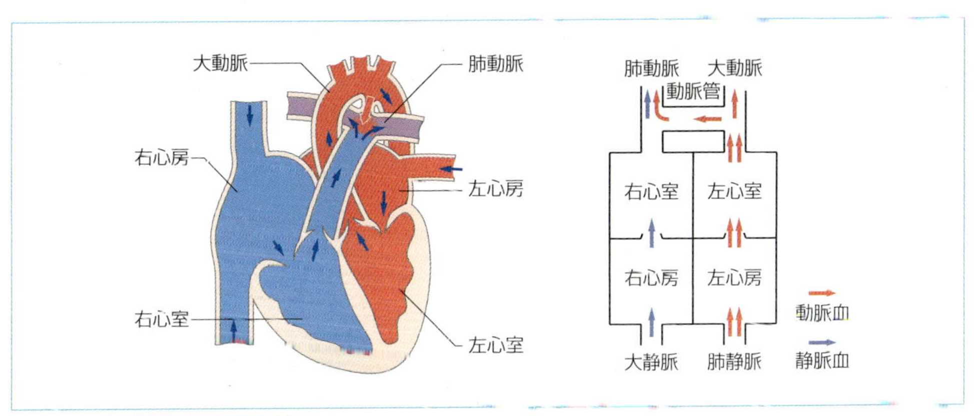

図4-39 動脈管開存症（PDA）

3　心房中隔欠損症（atrial septal defect；ASD）

心房中隔欠損症とは，左心房と右心房を隔てる心房中隔に欠損があり，その孔を通じて左心房から右心房へ血液が流れ，左右短絡を生じる病態である（図 4-40）。通常は無症状で，幼児期，学童期に健診などで発見されることが多い。小児期に心不全に陥ることはほとんどないが，大きな欠損を放置した場合，成人期に易疲労性，運動時の息切れなどの心不全症状や不整脈を示す。

▶ **治療**　小さい欠損は治療の必要はない。感染性心内膜炎の合併も少ない。中等度以上の欠損の場合，成人後の心不全，不整脈を予防する目的で，人工心肺装置を用い外科的に欠損を閉鎖する。手術は小学校入学までに行い，小児が通常の学校生活を送ることができるよう配慮する。学校検診で発見された場合は 20 歳までには治療を行うことを検討する。近年，体重 15kg 以上でカテーテル治療を行う例が増加している。

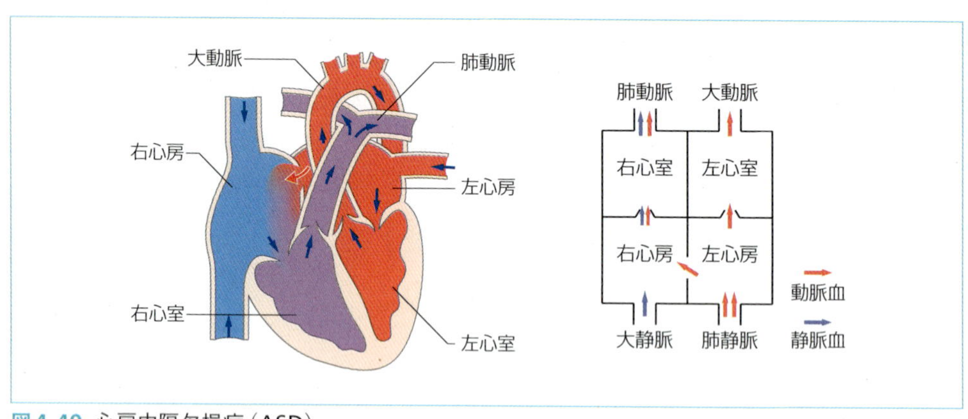

図 4-40　心房中隔欠損症（ASD）

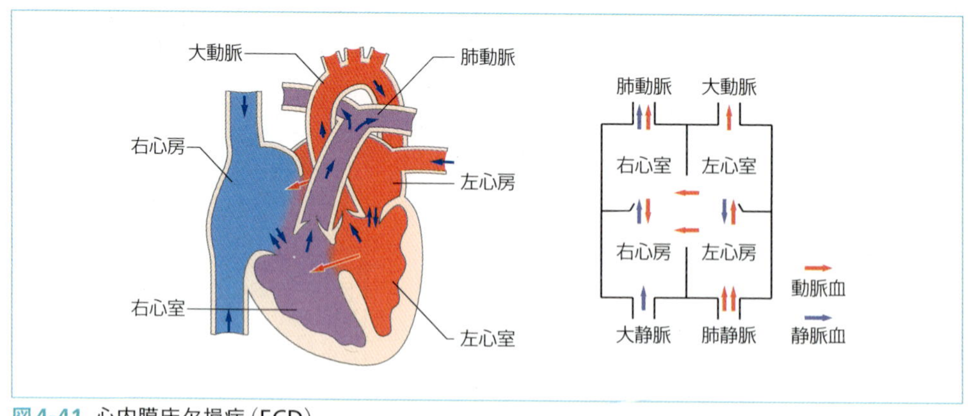

図 4-41　心内膜床欠損症（ECD）

4 心内膜床欠損症（endocardial cushion defect；ECD），房室中隔欠損症（atrioventricular septal defect；AVSD）

心内膜床は胎生期に両心房・心室の間に発生し，中隔と房室弁の形成に関与する。**心内膜床欠損症，房室中隔欠損症**には，大きな心房心室中隔欠損により左右心房・心室が交通し，房室弁の逆流を伴う「完全型（図4-41）」，心房中隔（1次口）欠損に僧帽弁閉鎖不全を伴う「不完全型」がある。「完全型」は肺血流量増加のため乳児期に心不全に陥り，肺高血圧をきたす。ダウン症候群（Down syndrome）との合併が多い。乳児期に欠損閉鎖・房室弁形成手術を行う。一方，「不完全型」は心房中隔欠損症の病態に似ている。

3. 右左短絡のある複雑先天性心疾患の病態・血行動態

1 ファロー四徴症（tetralogy of Fallot；TOF）

ファロー四徴症は，**心室中隔欠損**，**肺動脈狭窄**，**大動脈騎乗**，**右心室肥大**の四徴をもつもので，チアノーゼを認める先天性心疾患のなかで最も頻度が高い。染色体22q11欠失に合併することも多い。右心室に還流した静脈血は，肺動脈狭窄があるために肺動脈に流れにくく，心室中隔欠損を介して大動脈へ流入する右左短絡を生じる（図4-42）。

主な症状は，肺血流量の減少と右左短絡によるチアノーゼ，低酸素血症で，無酸素発作に注意が必要である。年長児では歩行時に疲れると深々としゃがみ込む（"蹲踞"姿勢）。

▶ 治療　1歳前後を目安に，肺動脈狭窄解除と心室中隔欠損閉鎖による修正手術が行われる。肺血流量の減少が著しく，肺動脈の成長が悪い症例では，修正手術の前に**ブラロック手術**（鎖骨下動脈から肺動脈へ人工血管をつなぎ血液を流す手術）で肺血流量を増加させ，肺動脈の成長を待ってから修正手術が行われる。

▶ 極型ファロー四徴症　ファロー四徴症に肺動脈閉鎖を伴う異常で，**心室中隔欠損を伴う肺動脈閉鎖症**ともよばれる（図4-43）。肺動脈への血流は，大動脈から動脈管開存を介して供

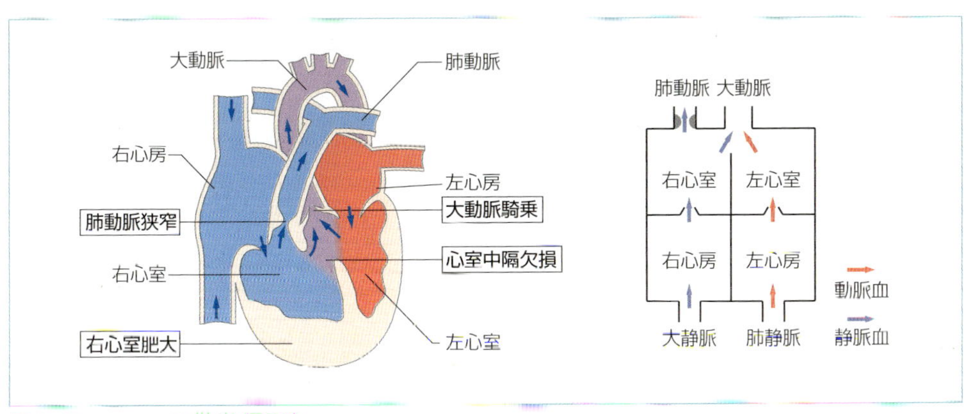

図4-42 ファロー四徴症（TOF）

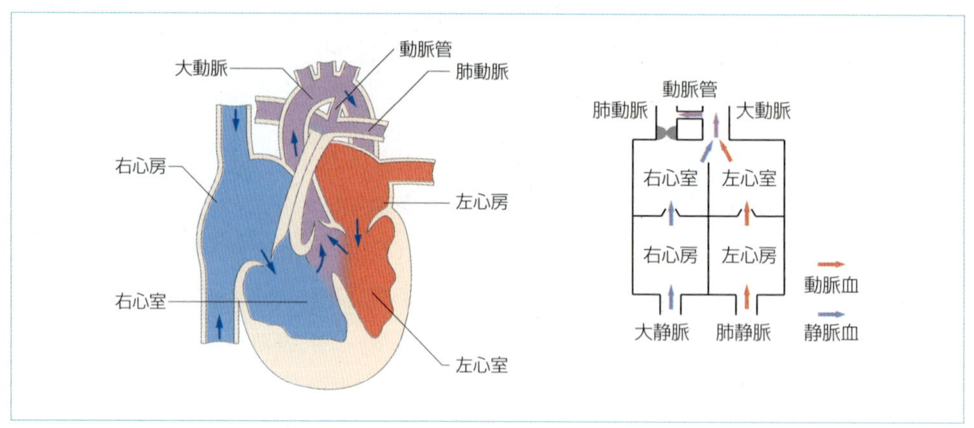

図4-43 極型ファロー四徴症（ext. TOF）

給される場合が多く，動脈管が閉鎖すると肺血流が途絶し死に至る。プロスタグランジン製剤による動脈管開存療法を行い，早期にブラロック手術により肺血流を確保する。修正手術では，右心室と肺動脈を心外導管で接続する方法がある。また、肺動脈への血流が，大動脈からの異常側副血管（major aortopulmonary collateral arteries；MAPCA）を介して供給される場合もある。この場合，MAPCAをまとめて人工的に肺動脈を形成する方法があるが，修正手術が困難なこともある。

2 完全大血管転位症（complete transposition of the great arteries；TGA）

完全大血管転位症とは，右心室から大動脈が，左心室から肺動脈が起始し，心室と大血管の関係が正常とはまったく逆になる異常である。右心室から大動脈へ送り出された血液は，体循環を経て大静脈から右心房へ戻り，再び右心室，大動脈へ流れる。左心室から肺動脈へ送り出された血液は，肺循環を経て肺静脈から左心房に戻り，再び左心室，肺動脈へ流れる。したがって，肺で酸素化された血液が，体循環に流れるために心房中隔欠損，

Column

アイゼンメンジャー症候群（Eisenmenger syndrome）

心室中隔欠損症，動脈管開存症，心房中隔欠損症などで，大量の左右短絡による肺血流量の増加が続くと，肺動脈の障害が徐々に進行し，肺血管抵抗が増大する変化が起こり肺高血圧になる。心室中隔欠損症の場合，肺高血圧により右心室圧が上昇し，左心室圧を上回るようになると，欠損を通じて右心室から左心室へ血液が流れる右左短絡が始まり，チアノーゼが認められるようになる。動脈管開存症では，肺動脈から大動脈への右左短絡が，心房中隔欠損でも右心房から左心房への右左短絡が起こり，チアノーゼが認められる。このように肺高血圧を発症し，右左短絡をきたして不可逆性になった状態を，**アイゼンメンジャー症候群**とよぶ。本症候群には手術適応がなく，このような状態に至る前に手術を行うことが必要である。近年、肺血管拡張薬による内科的治療が行われるようになった。

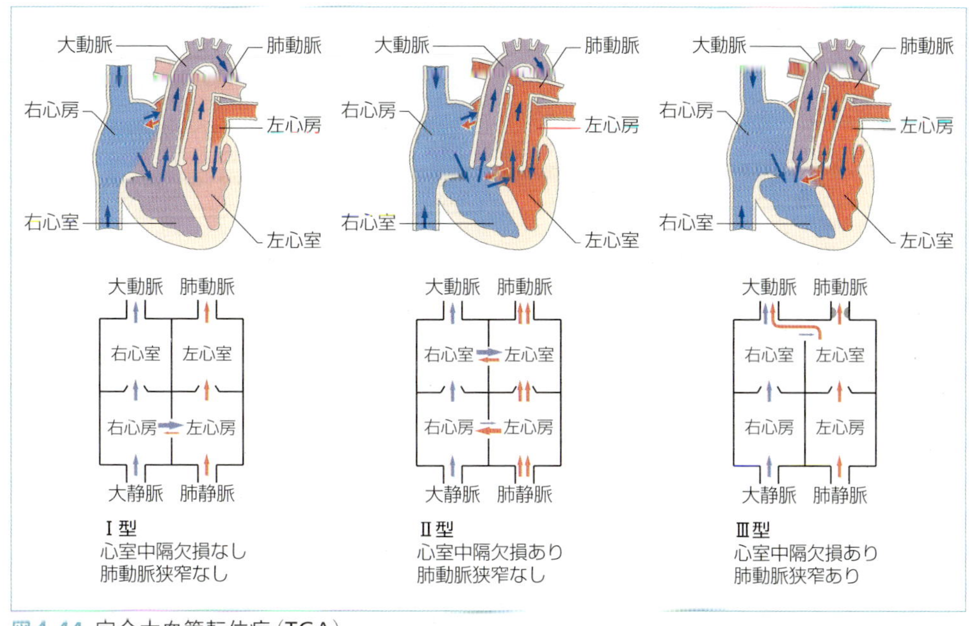

図4-44 完全大血管転位症（TGA）

心室中隔欠損，動脈管開存のいずれかが存在し，体循環と肺循環の血液が混ざり合わなければ生存できない（図4-44）。

▶ **症状**　I型・II型ではチアノーゼと心不全（肺血流は増加する）を認め，特にI型ではチアノーゼが強い。III型ではチアノーゼのみで，心不全を認めない（肺血流は減少する）。

▶ **治療**　動静脈血混合が悪く，低酸素血症が著しい場合，まず心房中隔裂開術（ballon atrio-septostomy；BAS）を行う。I型では新生児期に，II型では乳児期早期までに，大動脈を冠動脈とともに左心室に，肺動脈を右心室に付け換え，正常の心室－大血管関係に修正する**ジャテーネ手術**を行う。ジャテーネ手術が困難な症例には，心房レベルで右心房から左心室へ，左心房から右心室へ血流を転換する**セニング手術**，または**マスタード手術**が選択されることがある。III型では成長を待って，心内導管で左心室より心室中隔欠損経由で大動脈へ血流路を，心外導管で右心室より肺動脈へ血流路をつくる**ラステリ手術**が行われる。

3　三尖弁閉鎖症（tricuspid atresia；TA）

右心房と右心室の間の三尖弁（さんせんべん）が先天的に閉鎖した異常を，**三尖弁閉鎖症**という。右心房に戻った静脈血は，心房中隔欠損または卵円孔（らんえんこう）開存を介して左心房に流入し，動脈血と混ざる（右左短絡）。さらに，左心房から左心室に入った血液は，大動脈へ送り出されると同時に，心室中隔欠損を介して肺動脈に送り出される（左右短絡）。

▶ **治療**　症例によって様々な病型，血行動態を示し（図4-45），それぞれに応じた治療が必要となる。心房間の交通が悪い場合，右心系のうっ血をきたすので，BASを行い右左短絡を増やす。心室間の交通が悪いか，肺動脈狭窄（はいどうみゃくきょうさく）を合併する場合，肺血流量が減少しチ

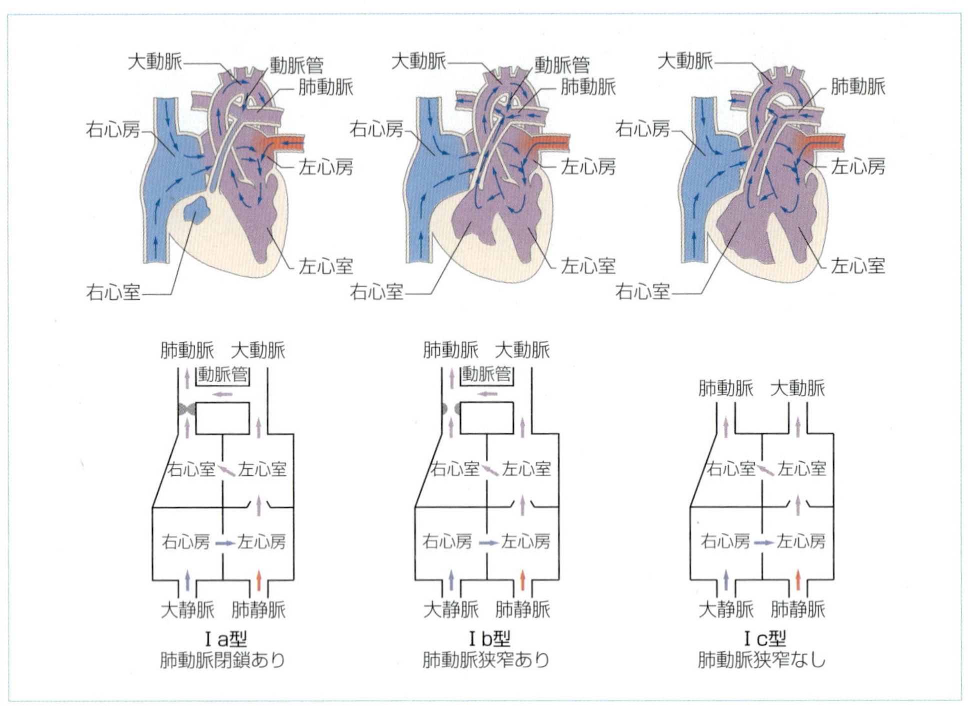

図4-45 三尖弁閉鎖症（TA）

アノーゼが目立つ。肺血流を増加させる目的で**ブラロック手術**，**グレン手術**（上大静脈を肺動脈につなぎ血液を流す手術）を行う。肺動脈狭窄がない場合，肺血流量は増加し，チアノーゼとともに心不全をきたす。姑息（こそく）手術として**肺動脈絞扼術（こうやくじゅつ）**が行われる。いずれの場合も最終的な修正手術として，グレン手術に加え，さらに下大静脈と肺動脈を吻合（ふんごう）し，全静脈血が心臓を介さずに肺動脈に流れ，肺静脈から心臓に戻った動脈血がすべて大動脈に流れるようにする**フォンタン手術**を行う。肺動脈狭窄を伴う三尖弁閉鎖症ではファロー四徴症と同様に，無酸素発作に注意する。

4 単心室症（single ventricle；SV）

単心室症は，通常左右いずれかの心室の発育が悪く痕跡（こんせき）程度に残っているが，心室として機能していない場合が多い。心房，心室で静脈血と動脈血が混合し，大動脈と肺動脈に流れる。肺動脈狭窄がない場合，肺血流量が増加して心不全が，肺動脈狭窄が強い場合，肺血流量が減少してチアノーゼが主症状となる。治療として**フォンタン手術**を行う。

5 大動脈縮窄症（複合型）（coarctation of aorta complex type；Co/Ao complex），大動脈弓離断症（interrupted aortic arch；IAA）

大動脈縮窄（しゅくさく）に心室中隔欠損と動脈管開存を合併した異常を**大動脈縮窄症**（**複合型**）という。上行大動脈の発育が悪い場合が多く，血液が流れにくいため，左心系の血液は心室中隔欠損を介して大量に右心室に流入し（左右短絡），肺血流量が増加し，心不全に陥る（図4-46左）。

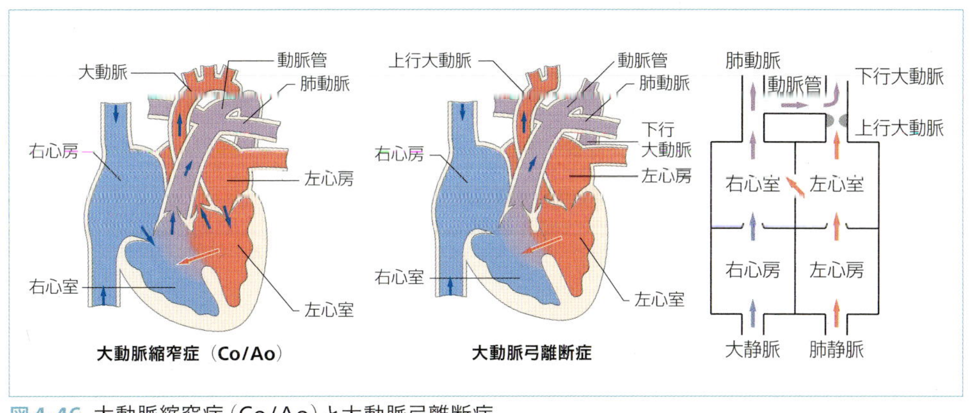

図4-46 大動脈縮窄症（Co/Ao）と大動脈弓離断症

縮窄部より末梢の下行大動脈には，肺動脈から動脈管開存を介して血流が供給されるため（右左短絡），下半身にだけチアノーゼが認められる（differential cyanosis）。動脈管が閉鎖すると下半身の血流が途絶え，下肢の脈拍（大腿動脈・足背動脈など）が触れにくくなり，放置すれば死亡する。修正手術を行うまでの間，プロスタグランジン製剤により動脈管を開存させることが必須である。外科的には，新生児期に大動脈縮窄部の形成術と肺動脈絞扼術を，その後乳児期に心室中隔欠損閉鎖術を行う。

大動脈弓離断症は，大動脈弓が離断して上行大動脈と下行大動脈の連続性が途切れた異常である（図4-46右）。発生学的には異なるが、病態・血行動態および症状は大動脈縮窄症（複合型）と同様である。プロスタグランジン製剤により動脈管を開存させ，新生児期に大動脈弓形成および心室中隔欠損閉鎖手術を行う。状態が悪く，新生児期の修正手術が困難な場合，左右両側肺動脈絞扼術を行い，乳児期に大動脈弓形成・心室中隔欠損閉鎖手術を実施する。

6 総肺静脈還流異常症（total anomalous pulmonary venous connection；TAPVC）

総肺静脈還流異常症では，左心房へ戻るべき肺静脈からのすべての血流が右心房，上大静脈または下大静脈などの右心系に還流するため，生後まもなく肺血流量の増加を認め，多呼吸・心不全に陥る。右心房と左心房の間に心房中隔欠損または卵円孔（らんえんこう）開存による右左短絡があり，左心系に血液が流れる（図4-47）。緊急治療を要することが多く，生後早期に肺静脈が左心房へ還流するように修正手術を行う。

7 総動脈幹遺残症（persistent truncus arteriosus；PTA）

胎生期の総動脈幹は大動脈と肺動脈に二分され，それぞれ左心室と右心室から別々に起始する。**総動脈幹遺残症**ではこの分割が起こらず，心臓から1本の太い血管が出た後，大動脈と肺動脈に分かれる。左右心室の血液は心室中隔欠損を介して混ざり合い，1本の大血管（総動脈幹）に駆出される（図4-48）。チアノーゼにくわえて，肺血流量の増加と総動

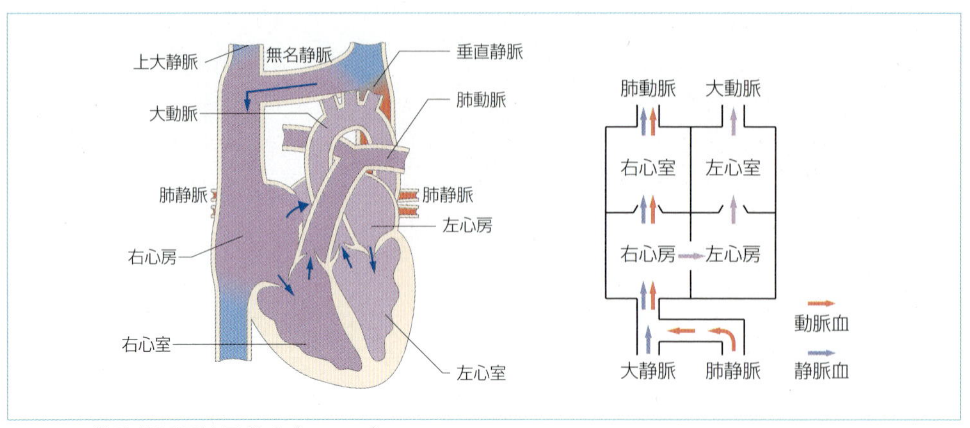

図4-47 総肺静脈還流異常症（TAPVC）

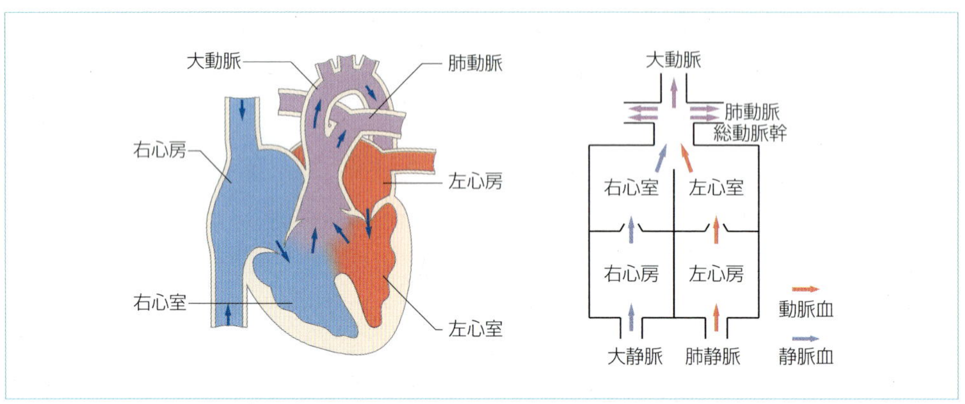

図4-48 総動脈幹遺残症（PTA）

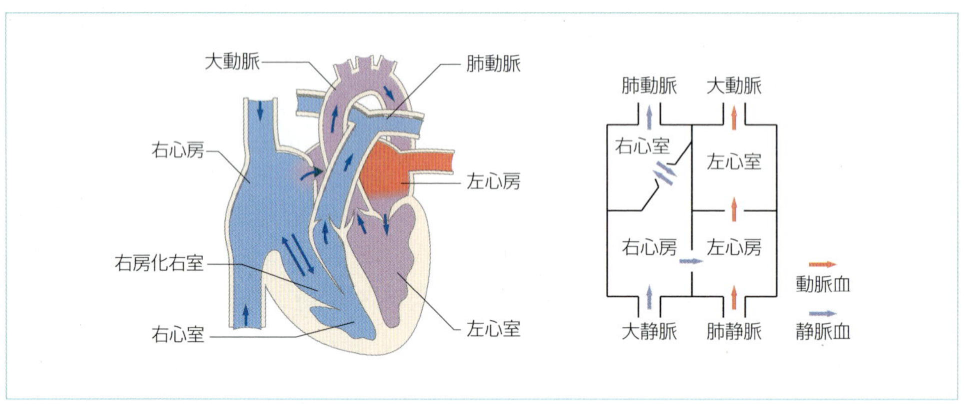

図4-49 エプスタイン病

脈幹弁の逆流により心不全に陥る例が多い。総動脈幹から肺動脈を切り離し，右心室から心外導管を用いて肺動脈への血流路をつくり，心室中隔欠損を閉鎖する修正手術を行う。

8 エプスタイン病（Ebstein's anomaly）

エプスタイン病とは，三尖弁の弁尖が正常の位置よりも右心室内に偏位し，右心室の一部が右心房化（右房化右室）する異常（図4-49）である。三尖弁閉鎖不全を伴うことが多く，重症例では，拡大した右心房から心房中隔欠損または卵円孔開存を介する右左短絡がある。三尖弁を正常な弁輪の位置に形成する外科的治療（**コーン手術**など）を考慮する。

4. 短絡のない先天性心疾患

1 大動脈狭窄症（aortic stenosis；AS）

左心室から大動脈への出口に狭窄のあるもので，大動脈弁の狭窄が多い。大動脈弁の弁尖が，通常の三尖ではなく二尖弁になっていることも多い。狭窄が強度の場合，運動時の胸痛，時に失神発作をきたし，突然死する例もある。新生児，乳児期重症大動脈弁狭窄は，高度の心不全，末梢循環不全を呈し予後不良である。

▶ **治療**　軽度の狭窄の場合，無症状で治療の必要はないが，年齢を重ねると狭窄が進行する例があり，定期的な経過観察が必要である。中等度以上の狭窄がある場合，たとえ無症状でも運動制限が必要である。治療は，人工心肺装置を用いて外科的に狭窄を解除するか，人工弁（通常，機械弁）を用いる弁置換手術を行う。

Column

先天性心疾患の手術とカテーテル治療

先天性心疾患の手術には，症状の一時的改善のためや，一期的に修正手術を行うことが困難な場合に行われる姑息手術と，血行動態を正常にする，つまり短絡血流をなくし動脈血と静脈血が混ざり合わないようにする修正手術（根治手術）がある。姑息手術では心臓内部には手をくわえないので，手術による侵襲が比較的小さいという利点があり，肺血流を増加させる手術としてブラロック手術・グレン手術が，肺血流を減少させる手術として肺動脈絞扼術がある。修正手術で心臓内部の手術を行う際は，心臓内に血液がない状態にして，心臓を使わずにからだを維持しなければ手術ができないため，人工心肺装置を用いて，右心房へ戻る静脈血を一時的に体外に流し，酸素を与え（人工肺），さらにポンプで大動脈へ戻して全身に循環させる（人工心）必要がある。

外科手術のほかに，カテーテルを用いた経皮的治療法がある。完全大血管転位症，三尖弁閉鎖症などで心房間交通不良の場合，心房中隔裂開術（BAS）が行われる。カテーテルによる弁形成術や血管拡張術が可能な疾患もある。最近，血管塞栓術やアンプラッツアー（Amplazter）などの閉塞栓を用いた動脈管閉鎖術および心房中隔欠損閉鎖術の適応も増え，開胸せずに低侵襲の治療が行われている。

2　肺動脈狭窄症（pulmonary stenosis；PS）

肺動脈弁狭窄が大半を占め，ほとんどの例で無症状である。まれな重症例では，狭窄部をとおして血液を送り出す右心室の内圧が上昇し，心不全（右心不全），肝腫大が起こる。

▶ **治療**　軽度の狭窄の場合は経過観察のみ，中等度以上の狭窄には，カテーテル治療が第一選択で，治療抵抗例に人工心肺装置を用いた手術が行われる。

3　大動脈縮窄症（単純型）（coarctation of aorta simple type；Co/Ao simple）

大動脈（通常は動脈管の付着部付近）に限局した縮窄部を認める異常で大動脈二尖弁，ターナー症候群（Turner syndrome）の合併をしばしば認める。通常は無症状だが，縮窄部を境に中枢側の血圧が高く，末梢側の血圧が低くなり，小児期高血圧の原因となり得る。橈骨動脈拍動がよく触れるのに大腿動脈拍動が触れにくい場合には，本症が疑われる。

▶ **治療**　縮窄部を外科的に切除し，中枢側と末梢側を端々吻合して下行大動脈への血流を改善する。バルーンカテーテルを用いた縮窄部拡大術が適応になる場合もある。

D　主な後天性心疾患

1　川崎病（Kawasaki disease；KD）（小児急性熱性皮膚粘膜リンパ節症候群［mucocutaneous lymphnode syndrome；MCLS］）

川崎病（小児急性熱性皮膚粘膜リンパ節症候群）は，4歳以下の乳幼児に好発する原因不明の全身性の炎症・血管炎で，症候の組み合わせから診断される（図4-50）。これらの症候は通常1～2週間で回復するが，心臓の冠動脈の血管炎により冠動脈瘤を発症すると（発症率約3%），冠動脈狭窄や血栓形成に起因する冠動脈閉塞，心筋梗塞をきたし，生命に危険が及ぶ場合がある（致死率0.3～0.5%）。現在の小児の後天性心疾患のなかで最も重要な疾

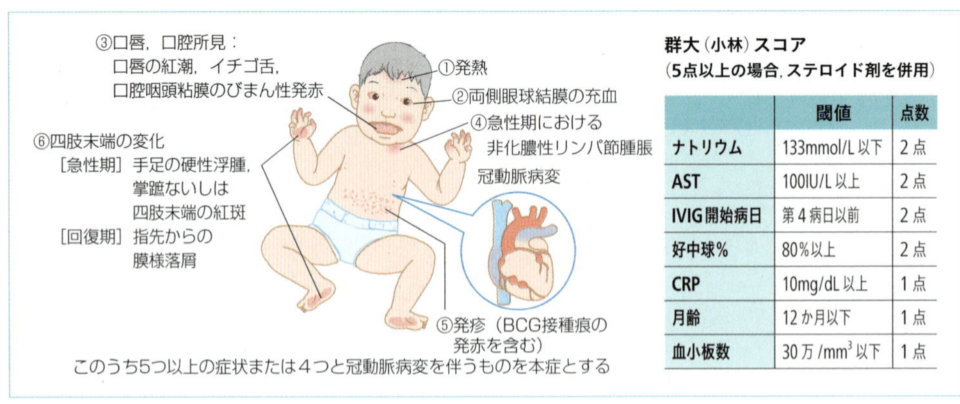

群大（小林）スコア
（5点以上の場合，ステロイド剤を併用）

	閾値	点数
ナトリウム	133mmol/L以下	2点
AST	100IU/L以上	2点
IVIG開始病日	第4病日以前	2点
好中球%	80%以上	2点
CRP	10mg/dL以上	1点
月齢	12か月以下	1点
血小板数	30万/mm^{3}以下	1点

図4-50　川崎病の診断

患である。

川崎病は日本をはじめとするアジアに多く，第1報告者の名前をとって命名された。日本では年間約1万人の発症があり，年々増加している。6つの診断基準のうち5つ以上を認めた場合，または4つと冠動脈病変を認めた場合に診断されるが，症状が4つ以下でも，ほかの疾患を除外して**不全型川崎病**と診断される。BCG接種部位の発赤，腫脹，胆嚢腫大，白血球増多，血小板増加，CRP上昇，肝機能異常，白血球尿などがしばしば認められ，診断の参考となる。

冠動脈瘤は第10～20病日に発症することが多く，症状の改善と同時に，冠動脈病変を起こさないことを目標に治療する。免疫グロブリン大量静注療法（IVIG：2g/kg）により，第10病日までに解熱すると冠動脈病変の発生頻度は低下する。IVIGは血液製剤なので，未知の感染症やアナフィラキシーなどの有害作用に注意する。また，約15～20％の症例は初回IVIGに対して不応で，IVIG追加やステロイド剤，免疫抑制剤などの治療が考慮される。最近では，診断時にIVIG不応が予測される例（「群大（小林）スコア」［図4-50右］が高い例）には，初めからステロイド剤を併用し，冠動脈病変の発生を予防する。有熱期には抗炎症薬としてアスピリン高用量（30～50mg/kg/日）の経口投与が併用され，解熱後は抗血小板薬としてアスピリン低用量（3～5mg/kg/日）の経口投与が2～3か月間継続される。

冠動脈瘤を残さずに改善した川崎病は予後良好で，アスピリン低用量の2～3か月内服後は投薬も運動制限も必要ない。心電図，心エコー検査で，冠動脈病変がないことを5年間確認し，管理不要とする。冠動脈瘤を残した場合，生涯にわたりアスピリンを継続し，瘤の大きさや狭窄の程度によってワルファリンカリウムなどの抗凝固療法を追加する。心臓カテーテル，CTないしMRI検査，および運動負荷，心筋シンチグラフィ検査による冠動脈病変の経過観察が必要で，心筋虚血が明らかな場合にはカテーテル治療やバイパス手術により改善を図る。

2 リウマチ性心炎（rheumatic carditis），弁膜症（valve disease）

リウマチ熱は近年著しく減少しているが，5歳以上の学童期の小児に好発すること，急性期に心炎を起こし，**弁膜症**に進展することから，小児の代表的な後天性心疾患の一つである。**リウマチ性心炎**では心雑音を聴取し，重症例では心不全を呈する。弁膜症は小児では僧帽弁閉鎖不全が最も多く，大動脈弁閉鎖不全がこれに次ぎ，僧帽弁狭窄はまれである。

リウマチ熱の活動性は，安静にしてある期間を経過すれば収束する。しかし，心炎を呈する症例では，早期からステロイド剤を含む強力な抗炎症薬を用いて悪化を抑え，ペニシリン系抗菌薬を生涯投与してリウマチ熱の再発を予防し，弁膜症への進展を防ぐことが重要である。小児ではまれだが，重症の弁膜症は人工弁による弁置換術の適応となる。

3　急性心筋炎（acute myocarditis）

小児の心筋炎は比較的まれだが，**急性心筋炎**は突然死の原因の一つである。原因として，特発性またはウイルス性（特にコクサッキーウイルス）心筋炎が多く，感冒様症状などの前駆症状を認めた後 10 日以内に胸痛・不整脈・心不全症状が出現するが，病初期の診断は困難なことが多い。また，川崎病の急性期に心炎・心筋炎・心膜炎を合併することがある。治療は，利尿薬・強心薬を用いた抗心不全療法，および抗不整脈薬による対症療法が主体である。重症例の救命には，補助循環装置（人工心肺装置）を用いる。

最近では，新型コロナウイルス感染症（COVID-19）に関連する心筋炎が注目されており，COVID-19 の合併症として急性心筋炎（軽症なことが多い）が報告されているほか，10 歳前後の小児に好発する COVID-19 感染後 2 ～ 6 週間後に発症する COVID-19 関連多系統炎症性症候群（MIS-C）では，ショックを伴う重症心筋炎に注意する必要がある。また，まれではあるが，COVID-19 ワクチン接種後の心筋炎も問題となっている。

4　急性心膜炎（acute pericarditis）

小児の**急性心膜炎**は，特発性またはウイルス性のものが代表的で，通常予後良好である。細菌性心膜炎は予後不良で，抗菌薬にくわえて外科的に排膿処置を必要とする。しばしば慢性収縮性心膜炎に移行するので注意を要する。また，膠原病など種々の疾患の合併症として，心膜炎を認めることがある。

主症状は胸痛で，心筋と心膜の間に血液や滲出液などが心嚢液として貯留する。多量の心嚢液が貯留すると心臓が圧迫され，心室が拡張できずに心機能障害（心タンポナーデ）を起こす。放置すれば致命的なので，超音波ガイド下で心嚢穿刺により心嚢液を排出する。

E　小児に特徴的な不整脈

1　発作性上室性頻拍（paroxysmal supraventricular tachycardia；PSVT）

発作性上室性頻拍は小児に最も多い頻拍症であり，心拍数が 1 分間に 200 回以上になる。脈拍数または心拍数を触診または聴診で正確に数え得る限界は，160 ～ 170 回 / 分であるから，それ以上のときには心電計を用いて正確な心拍数を測定する。

乳児では成人の場合と異なり，頻拍発作が 24 時間以上持続すると心不全に陥るので，入院のうえ，頻拍発作の停止と同時に心不全に対する治療が必要となる。ジギタリス製剤は，心不全と頻拍発作の両方に有効である。アデノシン三リン酸二ナトリウム水和物（ATP）の急速静注，抗不整脈薬により発作を止める治療を行う。薬物治療に反応しない場合，直流電気刺激により頻拍を停止させる。迷走神経刺激法は，年長児には用いられるが，乳幼児には危険が伴うので適応は限定される。

2 期外収縮（premature beat）

期外収縮は小児で最も多い不整脈である。多くは無症状で心配ないが，心室性期外収縮のなかで，心電図上，期外収縮のQRS波に多種類の形態が認められる多源型，期外収縮の連発型，期外収縮のR波が正常収縮のT波の上に重なるR on T型は，発作性心室性頻拍に移行する場合があり，突然死の原因にもなり得るので注意を要する。

3 先天性完全房室ブロック（congenital complete heart block）

新生児の心拍数が1分間に80回以下の場合，**先天性完全房室ブロック**を疑う必要がある。心電図により診断される。高度徐脈（50回/分以下）の場合，低拍出性心不全に陥るため，イソプレナリン塩酸塩により心拍数の増加を図り，ペースメーカーの適応となる。

4 先天性QT延長症候群（congenital long QT syndrome）

心電図上のQT時間の延長を認める異常で，発作性心室性頻拍を起こし，失神発作，突然死の原因になることがあるので注意を要する。遺伝性の場合，心筋イオンチャネル遺伝子の異常が検出される場合が多い。失神などの症状や，突然死の家族歴がある場合，致死性心室性頻拍が起こらないように，抗不整脈薬，ペースメーカーなどにより管理する。

F 小児心疾患の主な合併症

1 感染性心内膜炎（infectious endocarditis；IE）

感染性心内膜炎は，器質的心疾患の合併症として発症する場合が多く，正常心臓に起こることはまれである。先天性心疾患の小児で，明らかな原因が認められないにもかかわらず発熱が続くときには，感染性心内膜炎の可能性を必ず考える。心室中隔欠損症，動脈管開存症，ファロー四徴症（しちょうしょう）などの右左短絡（みぎひだり）を有する疾患で頻度が高く，特にブラロック手術

Column

小児循環器疾患の検査

小児循環器疾患の診断には，胸部X線，心電図，心エコーが用いられる。特に心エコー検査は，非侵襲（しんしゅう）的で得られる情報も多く，またベッドサイドで実施可能であり，中心的な役割を担（にな）っている。そして詳細な病態の把握や治療方針決定のための精密検査として，心臓カテーテル・心血管造影に加え，胸部CT，心臓MRI，運動負荷試験，電気生理学的検査などが行われる機会が増えている。しかし，幼少児では，これらの検査を適応することが困難な場合や，鎮静を要する場合が多く，各検査の特徴を理解したうえで，安全に検査を実施するために細心の注意を払う必要がある。

を行った症例に起こりやすい。大動脈弁狭窄症・閉鎖不全症や，リウマチ性弁膜症でも頻度が高い。

これらの基礎心疾患のある小児では，う歯の治療を早期に行う必要がある。う歯を放置して歯肉炎などを起こし，細菌が血流中に入ると，心臓の器質的異常のある部位に感染巣をつくり，感染性心内膜炎を起こす。歯科治療・口腔内手術などの際には，処置前に抗菌薬を投与し，一過性に血流中に入った細菌が感染巣をつくるのを予防する。治療は，血液培養で検出された細菌の薬物感受性に基づいて抗菌薬を選択し，大量長期投与を行う。

2 脳膿瘍（brain abcess）

肺は一種の濾過装置の役目も果たし，静脈系に混入した気泡，細菌などを処理している。チアノーゼを伴う右左短絡のある先天性心疾患では，静脈血の一部は肺循環をとおらずに大動脈に流入する。したがって，静脈系に混入した細菌が，血流に乗って直接大動脈から脳へ運ばれ，感染巣をつくり**脳膿瘍**を発症することがある。右左短絡のある心疾患の小児では，静脈注射の際，無菌操作，あるいは気泡が混入しないように細心の注意を払う必要がある。

3 脳塞栓（brain embolism）

チアノーゼを伴う先天性心疾患では，低酸素血症が続くと 2 次性に赤血球増多症をきたし，血液の粘稠度が上昇する。したがって，血管内血栓を形成しやすく，脳血管内で起こると**脳塞栓**をきたす。赤血球増多症のある小児が，下痢・発熱・発汗などによって体内の水分を失うと，さらに血液が濃縮され粘稠度が上昇する。血栓形成を防ぐために，水分の補給に気を配る。塞栓症状が明らかな高度な赤血球増多症には，瀉血を行う場合がある。

VI 消化器疾患

A 口腔の疾患

1. 下顎低形成（mandibular hypoplasia）

下顎低形成は下顎の小さい独特の顔貌を呈する。ピエール・ロバン症候群（Pierre-Robin syndrome）やトリーチャー・コリンズ症候群（Treacher-Collins syndrome）が有名である。口腔が広く展開できないため，気管内挿管が難しい。

2. アフタ(aphtha), 口内炎(stomatitis)

アフタは口腔粘膜の浅い潰瘍で，多くは軟膏塗布などにより1～2週間程度で治癒する。**口内炎**，特に歯根口内炎は多数のアフタと歯肉の腫脹があり強い口内痛で食欲低下，摂食障害を呈する。**鵞口瘡**は新生児，乳児に好発する口腔内の真菌感染で，治療はピオクタニン色素や抗真菌薬の塗布を行う。授乳後の口腔内ケアによる本症の予防，鵞口瘡患児がくわえた乳首の消毒や共用の禁止などの看護管理が重要である。

3. 歯や歯根の異常，う歯

う歯とは，ストレプトコッカス・ミュータンス菌を中心とした口腔内レンサ球菌により歯垢（プラーク）が形成され，細菌の産生する乳酸によって歯が溶解されて，欠損が生じた状態である。予防の第1はプラークコントロールで，歯垢がたまらないように歯みがきを適切に行い，時には歯科で歯垢除去を受けることが望ましい。

そのほか，小児でしばしば問題となる歯科的異常として，不正咬合や小児期のテトラサイクリン系抗菌薬使用による歯の変色，抗痙攣薬のフェニトイン使用による歯根肥大などが有名である。

4. 唇裂(cleft lip), 口蓋裂(cleft palate)

▶ **概念・疫学**　先天性の口唇，口蓋の癒合不全で，頻度は500人に1人といわれ，両者を合併することも多い。

▶ **症状・診断**　外観から診断されるが，加えて授乳，言語の発達が問題になる。

▶ **治療**　特殊な乳首の使用などで栄養管理を行い，唇裂は乳児期前半，口蓋裂は1歳すぎ頃に手術による修復が行われることが多い。数回に分けて手術を行うこともある。術後は創部を保護するため，肘関節抑制帯などを用いて児の手が創部に触れないよう管理する。

B 食道の疾患

1. 先天性食道閉鎖症(esophageal atresia)

▶ **概念**　**先天性食道閉鎖症**とは，先天性に食道の連続性が断たれている疾患である。発生学的に食道と気管は共に前腸から分かれてゆく。このため食道閉鎖症は気管と食道の間の瘻孔を伴うことが多い。気管食道瘻のパターンによりA型からE型の5型に分けた**Gross分類**（図4-51）がよくに用いられる。

▶ **疫学**　頻度は出生1400～4500人に1人の頻度とされる。Gross分類では，上部食道が閉鎖して下部食道が気管につながるC型が最も多く約85～90%を占める。

▶ **症状**　出生直後より口から泡を吐く，ミルクを飲むとむせて呼吸が苦しくなるといった

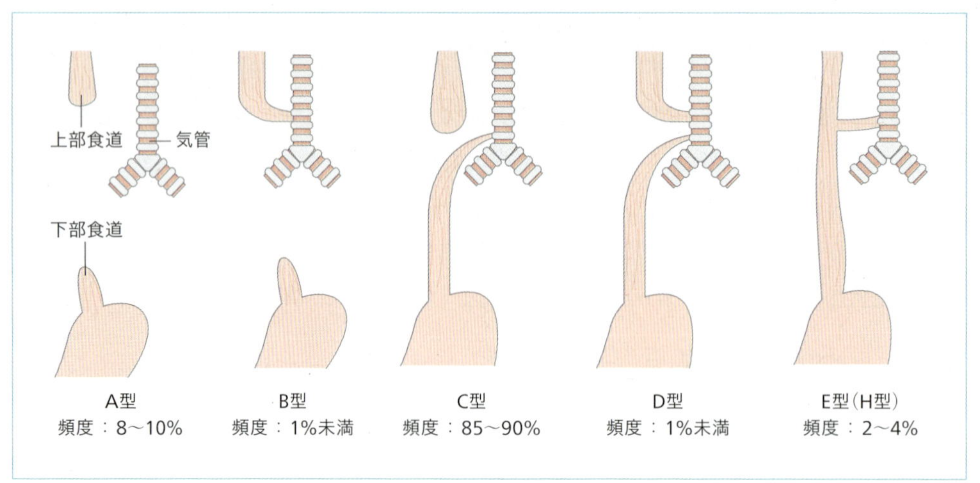

図4-51 先天性食道閉鎖症の分類（Gross分類）

症状を呈する。E型（H型ともいう）では食道は閉鎖しておらず高い位置に気管食道瘻があるため，乳児期以降まで診断のつかないこともある。脊椎・直腸肛門・心大血管・腎・四肢（橈骨〈とうこつ〉）などの奇形を合併することが多く，これら多発奇形を伴うものはVA（C）TER連合とよばれる。今日では重症心奇形や染色体異常の合併の有無が先天性食道閉鎖症の生命予後に大きく影響している。

▶ **診断**　E型以外では，胸部単純X線写真で口から挿入した胃管が胃内に入らず，途中で上に折り返す**コイルアップ**（coil up）**像**が特徴的である（図4-52）。心奇形や直腸肛門奇形などの合併奇形の有無を評価しておく必要がある。

▶ **治療**　外科手術により気管食道瘻を切断して上下の食道端を吻合する。一期的に手術をする場合と，胃瘻を置いていったん全身状態を安定させてから根治手術をする場合がある。胸腔鏡下に手術されることもある。

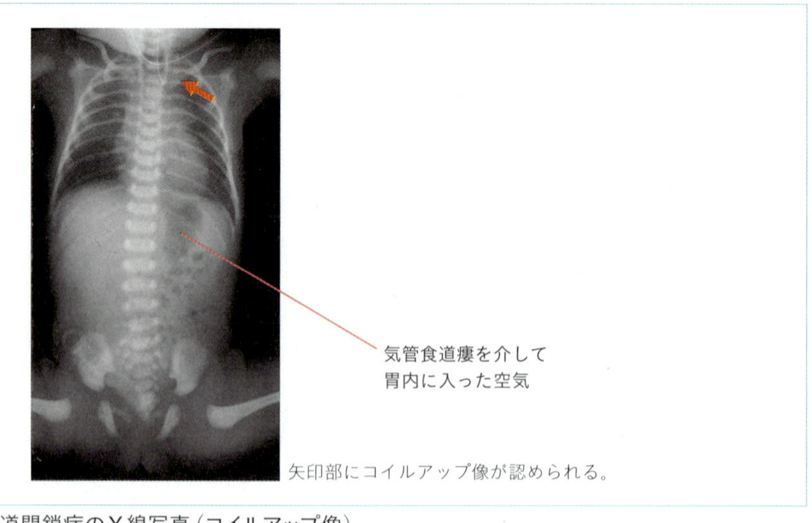

矢印部にコイルアップ像が認められる。

図4-52 C型食道閉鎖症のX線写真（コイルアップ像）

2. 食道裂孔ヘルニア

横隔膜の食道裂孔(しょくどうれっこう)から主に胃が胸腔内に脱出した状態をいう。胃食道逆流防止機構が損なわれ胃食道逆流症を呈する。傍食道型では胃が食道周囲に脱出し，胃穿孔(いせんこう)や壊死(えし)など危急的な病態を呈することもある。症状の強い場合には外科的に圧出臓器の腹腔内還納と食道裂孔の縫縮を行う。

3. 食道アカラシア

食道下部の内圧は高くなっており括約機能により胃食道逆流を防止しているが，同部の弛緩不全により噴門の通過障害と食道拡張をきたす疾患である。多くは学童期から成人期に発症し，特発性のものが多い。治療はまずバルーン拡張を試み，さらに無効例には外科的に下部食道の外膜筋層切開を行う。

4. 胃食道逆流症 (gastroesophageal reflux disease；GERD)

▶ **疫学**　脳性麻痺(のうせいまひ)を含む神経・筋疾患や側彎(そくわん)などに合併することが多い。

▶ **症状**　頻回嘔吐(ひんかいおうと)・吐下血・哺乳不良(ほにゅうふりょう)・体重増加不良・腹痛・反復性肺炎などを起こす。

▶ **診断**　上部消化管造影検査による胃内容逆流の描出，24 時間食道 pH モニタリング検査や食道インピーダンス検査による pH4.0 未満の時間率増加（4.0％未満は正常とされる），逆流性食道炎の内視鏡所見，食道シンチグラフィーによる逆流描出などで診断される。

▶ **治療**　軽症のものは体位療法や H_2 受容体拮抗薬，プロトンポンプ阻害薬などの薬物療法で保存的に治療される。保存的治療の無効例では開腹もしくは腹腔鏡下に逆流防止機序を強化する噴門形成術を行う。胃穹窿部(いきゅうりゅうぶ)を下部食道に巻き付ける Nissen 噴門形成術は最も多く行われる。術後に経口摂取はできるが，げっぷがしにくくなることがある。

5. 先天性食道狭窄症

▶ **疫学**　約 2.5 万～ 5 万人に 1 人とされ，先天性食道閉鎖症に合併することもある。

▶ **症状**　固形物の摂取が始まる離乳期に嚥下困難(えんげこんなん)や食物残渣の嘔吐(おうと)・誤嚥(ごえん)による呼吸器感染の反復・発育不良などで発症することが多い。

▶ **診断**　粘膜がウェッブ状に張る膜様狭窄(まくようきょうさく)・筋線維肥厚型・器官原基迷入型に分類され，上部消化管造影検査・食道内視鏡検査などにより診断される。

▶ **治療**　バルーン拡張術が有効な症例もある。膜様狭窄では内視鏡的膜切開が行われる。外科手術として狭窄部切除・端々吻合術や，筋線維肥厚型では外膜・筋層切開，器官原基迷入型では迷入原基摘出が行われることもある。

C 胃の疾患，十二指腸の疾患

1. 胃十二指腸潰瘍（gastro-duodenal ulcer），胃穿孔（perforation）

小児においても**胃十二指腸潰瘍**がみられる。年長児ではストレスなど成人と同様の原因もみられる。新生児では周産期の産道における低酸素血症などの侵襲により胃潰瘍を形成し，穿孔（**胃穿孔**）を起こすことがある。症状は血性嘔吐，黒色便などで，穿孔した場合は穿孔性腹膜炎の症状を呈する。

2. 肥厚性幽門狭窄症（hypertrophic pyloric stenosis）

▶ 概念　**肥厚性幽門狭窄症**とは，生後 1 か月前後で幽門筋層の肥厚により幽門部の通過障害を起こす疾患である。

▶ 疫学　出生 1000 人に 1 人の頻度で，男女比は 4 ～ 5：1 で男児に多く，特に第 1 子に多いとされる。

▶ 症状　生後 2 ～ 4 週間頃に嘔吐を頻回に認めるようになり，しだいに飲んだミルクを噴水のように吐くようになる。吐物に胆汁成分は混じらない。

▶ 診断　筋層の肥厚した幽門部を腫瘤（オリーブとよぶ）として触知することで診断できる。超音波検査では腫瘤状に幽門が延長し，幽門壁の肥厚がみられる。胃は拡張して蠕動が亢進するが胃内容は幽門を通過しない。これらの所見により診断が確定する。反復する嘔吐により脱水，電解質異常やアルカローシスを伴うことが多いので，注意して評価する。

▶ 治療　水電解質失調があればまず輸液によりそれを補正する。治療の選択肢には，ミルクを与えるたびにアトロピン硫酸塩水和物を飲ませて幽門筋層を弛緩させる保存的治療と，幽門の筋層のみ切開する粘膜外幽門筋層切開術（ラムステッド［Ramstedt］手術）（図4-53）がある。手術後は比較的短時間で経口摂取が再開できる。

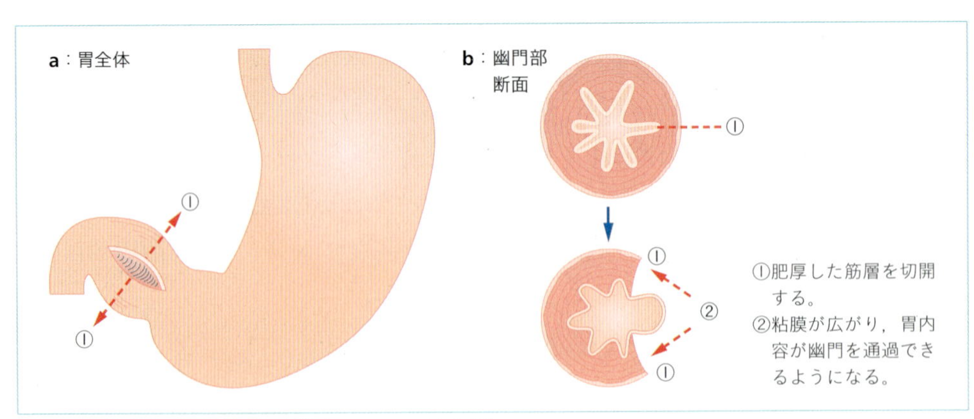

図4-53 粘膜外幽門筋層切開術（ラムステッド手術）

3. 胃軸捻転症

胃の支持組織の脆弱性により胃の一部または全体が180°以上回転した状態をいう。胃内容は嘔吐する一方，ガスは下部腸管に流れて腹部膨満を呈する。組織の脆弱な新生児期や乳児期に多くみられる。一方，年長児では急性型，重症例が多く，強い捻転や胃の絞扼・穿孔などを呈することもある。慢性型や軽症例は体位療法など保存的に治療し，新生児期，乳児期早期のものは体重増加とともに生後6か月以降に自然軽快するものが多い。急性型では胃管を挿入して捻転を修復するが，開腹手術を要することもある。

4. 新生児胃穿孔・胃破裂

新生児胃穿孔・胃破裂は新生児消化管穿孔の約10%を占めるとされるが近年，減少傾向にある。胃破裂は大彎側が大きく裂けることが多く，周産期の低酸素血症などのストレス，先天的な胃壁の脆弱性，胃内圧の上昇などの要因が指摘されている。胃穿孔は小彎寄りの前庭部でパンチアウト状のことが多く，潰瘍が要因とされる。症状は突然の腹部膨満，活動度の低下，頻脈・末梢循環不全・乏尿などのショック症状，腹部膨満による呼吸困難などがみられる。腹部単純X線写真では大量の腹腔内遊離ガス像がみられ，臥位ではfootball sign，立位ではsaddle bag signとよばれる。治療はまずショックや呼吸不全に対して呼吸循環の安定を図り，外科的に腹腔内を洗浄・ドレナージのうえ，破裂部または穿孔部を修復する。

5. 先天性十二指腸閉鎖・狭窄症

▶ **疫学**　出生6000～1万人に1人の頻度で，1/3の症例に21トリソミーを認める。

▶ **症状**　出生前には約半数の症例で羊水過多を認め，生後は嘔吐や上腹部膨満を認める。間接型ビリルビンの上昇もしばしばみられる。粘膜がウェッブ状に張る膜様閉鎖もよくみられる。膜様狭窄では新生児期や乳児期早期には症状がはっきりしない場合もある。

▶ **診断**　腹部単純X線写真では拡張した胃と十二指腸球部を認め，double bubble signとよばれる。約60%に何らかの合併奇形を認める。

▶ **治療**　まず胃管により胃・十二指腸の減圧を行い，手術は十二指腸－十二指腸吻合が行われる。

D 腸の疾患

1. 先天性腸閉鎖症（intestinal atresia）

▶ **概念**　**先天性腸閉鎖症**は空腸や回腸の先天性の閉鎖で，閉鎖部位が複数か所の場合もある。腸管発生過程の細胞増殖により腸管内腔がなくなった後の再開通過程の障害や，胎生

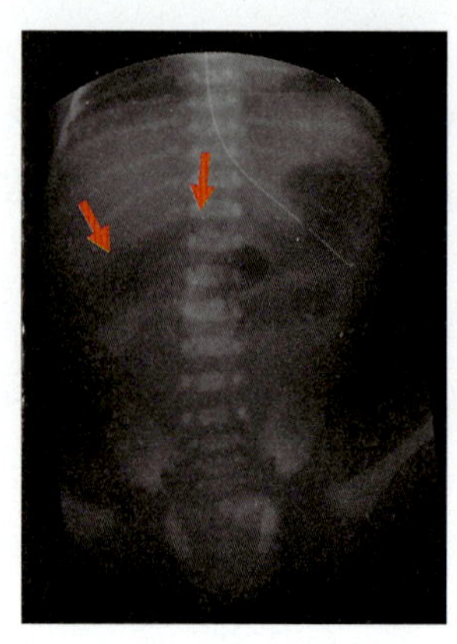

図 4-54 先天性腸閉鎖症

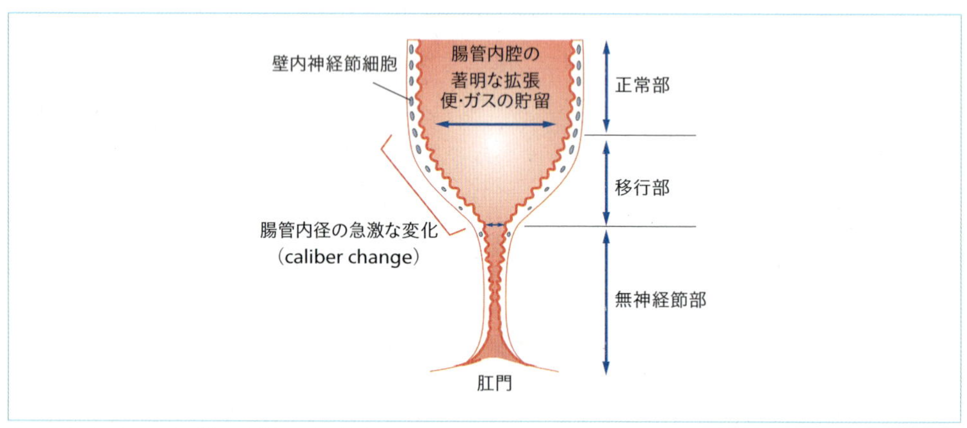

図 4-55 ヒルシュスプルング病の模式図

期における腸重積，腸管血流障害などが原因と考えられている。

▶ **疫学**　発生頻度は 5000 ～ 1 万人に 1 人とされる。

▶ **症状**　嘔吐(おうと)と腹部膨満(ふくぶぼうまん)がみられる。生後まもなくからの胆汁性(たんじゅうせい)嘔吐が特徴的で，下部小腸の閉塞(へいそく)ほど腹部膨満が著明である。

▶ **診断**　消化管の先天的な閉塞では羊水過多を認めることが多い。臥位(がい)の腹部単純 X 線写真では閉鎖部より近位の腸管ループの拡張がみられ，一般的に下部腸管のガス像はみられない（図 4-54）。立位の単純 X 線写真では，閉鎖部が下部であるほど多くの拡張した腸管ループによる鏡面像ができる。

▶ **治療**　多くは閉鎖部の切除・吻合手術が行われる。膜様閉鎖では膜切除を行う。

2. ヒルシュスプルング病 (Hirschsprung disease)

▶ **概念**　消化管壁内には粘膜下層のマイスナー（Meissner）神経叢(しんけいそう)と固有筋層間のアウエルバッハ（Auerbach）神経叢があり，腸管蠕動(ぜんどう)の制御に働いている。**ヒルシュスプルング病**は，直腸より口側に向かって連続性にこれらの腸管壁内神経叢の神経節細胞が先天的に欠落するため，機能的に閉塞して重症便秘を呈する疾患である。無神経節部の口側は便やガスが貯留して拡張する（図4-55）。

ほかにも重篤な腸管運動の障害を呈する一群の症例がみられ，ヒルシュスプルング病類縁疾患とよばれている。

▶ **疫学**　約3/4の症例では，神経節細胞の欠落した病変部はS状結腸以下にある。こうした典型的なヒルシュスプルング病は男児に多く，病変部の長い症例は女児に多いとされる。

▶ **症状**　胎便排泄（はいせつ）が生後24時間以降に遅れ，著明な腹部膨満，胆汁性嘔吐，重症便秘を呈する。腸炎を併発しやすく，悪臭のある下痢便（げりべん）が貯留して容易に敗血症へ移行する。

▶ **診断**　注腸検査による腸管内径の急激な変化（caliber change像），肛門内圧測定による直腸肛門内圧反射の欠如，直腸粘膜生検による粘膜内の異常な神経線維の増生所見などにより診断される。

▶ **治療**　まず腸管内容の排出を図る。無神経節部が長い症例では正常神経節部の遠位に人工肛門を造設する。根治手術では正常神経節部の腸管を肛門に引き下ろす，ソアヴェ（Soave）変法，ドゥハメル（Duhamel）変法などの手術が行われる。腹腔鏡下，開腹，または無神経節部が直腸に限局する場合などには経肛門的に，手術が行われる。

3. 直腸肛門奇形

▶ **概念**　**直腸肛門奇形**（**鎖肛**：imperforate anus）とは，直腸が盲端で終わり肛門が閉鎖している先天奇形である。直腸盲端は会陰部皮膚や尿道に瘻孔（ろうこう）をつくっていることが多い。直腸盲端の高さによって，盲端が肛門挙筋より上にある高位型，ほぼ肛門挙筋の高さにある中間位型，肛門挙筋の下まで達している低位型に大別され，一般的には盲端が低いところまで下りているほど，手術後の排便機能は良いとされる。泌尿器系や心臓，脊椎の合併奇形を伴うことが比較的多い。食道閉鎖症に合併することもある。

▶ **疫学**　すべての病型を合わせると，出生5000人に1人の頻度とされる。性別は3：2で男児に多い。男児では高位型・中間位型が多く，女児では低位型が多いとされる。

▶ **症状**　正常の肛門窩は閉鎖していて孔がない。低位型では肛門窩前側の会陰部や腟前庭部に瘻孔（ろうこう）があったり，肛門窩に張った薄い膜が破れて，それらから排便がみられることがある。便の排出される瘻孔がない中間位や高位の病型では，時間とともに腹部膨隆（ふくぶぼうりゅう）が進行する。総排泄腔*遺残のような複雑な病型では会陰から肛門にかけて一孔しか認めない。

▶ **診断**　肛門外観の観察で診断される。病型診断のために，ガスが直腸に到達する生後12時間以降に倒立位で骨盤部側面X線写真を撮影する（ワンゲンスティーン－ライス［Wangensteen-Rice］法）。直腸盲端より様々な部位に瘻孔をもつことがあり，瘻孔造影，

* **総排泄腔と直腸肛門の発生**：直腸は後腸より発生する。胎生4週頃，後腸は泌尿生殖系とともに総排泄腔（cloaca）という共通の腔に開いているが，胎生12週頃までに隔壁が形成されて前方の泌尿生殖系と後方の肛門に分かれる。直腸肛門の先天異常に泌尿器，生殖器の異常を伴うことが多いのはこのためである。

尿道造影，人工肛門からの遠位結腸造影が詳細な病型診断に役立つ。

▶ **治療**　低位型で瘻孔より排便があれば手術は待機的に行えるが，中間位，高位型ではまず人工肛門を造設し，体重 6 kg 前後で後方矢状断直腸肛門形成（PSARP 法，ペナー［Pena］手術）や仙骨会陰式肛門形成術を行う。腹腔鏡下の手術が行われることもある。低位型では新生児期に瘻孔を背側まで広げて肛門を形成するカットバック手術を行うか，乳時期早期に瘻孔部をくりぬいて肛門部へ移植するポッツ（Potts）手術を行う。

4. 腸回転異常症（malrotation）

胎生期の腸管は急速に延長し，腹壁の形成がこれに追いつかないため，いったん臍帯内に脱出して生理的ヘルニアになる。この後腸管は上腸間膜動脈を軸に反時計方向に 270° 回転しつつ腹腔内に還納され，幅広い腸間膜根部が形成される。この腸回転が異常な場合（**腸回転異常症**）には，結腸と後腹膜との間のラッド（Ladd）膜による十二指腸の通過障害や，腸間膜根部が狭小のために中腸軸捻転症を呈することがある。中腸軸捻転では全小腸の絞扼（こうやく）が起こり，手術が遅れると大量の腸管を失う。緊急性の高い病態である。

治療は，ラッド膜を切開して十二指腸の通過障害を解除するラッド手術を行う。この際，さらに腸間膜根部の幅を広く形成して，中腸軸捻転を起こしにくくする。

5. メッケル憩室（Meckel's diverticulum）

胎生期の臍腸管瘻の遺残により，回腸の腸間膜の反対側に憩室がみられる。この憩室を**メッケル憩室**という。憩室内の異所性胃粘膜が潰瘍（かいよう）を形成して乳幼児期に突然多量の下血をきたしたり，腸重積を起こすことがある。治療は憩室を外科的に切除する。

6. 腸重積症（intussusception）

▶ **概念**　**腸重積症**とは，腸管の中に口側の腸管が潜り込んで重積する疾患である。腸管壁の不整が原因で起こるとされる。重積の始まる先進部にポリープやメッケル憩室など原因のあるものと，原因の同定されない特発性のものがある。特発性腸重積は，かぜなど先行する感染により腸管壁内リンパ組織が増生することが原因であると考えられている。

▶ **疫学**　特発性の腸重積は乳児期後半～ 2 歳に多く，男児がやや多い。年長児の腸重積は先進部病変があることが多いが，特発性のものも少なくない。

▶ **症状**　突然の不機嫌と甲高い声の啼泣（ていきゅう）を間欠的に反復する。特発性のものはしばしば感冒症状が先行している。進行するといちごジャム様の血便が出る。腹部に腫瘤（しゅりゅう）を触れ，回盲部は空虚（ダンス［Dance］徴候）である。さらに進行すれば重積部腸管の壊死（えし）から腹膜炎，敗血症に至ることもある。

▶ **診断**　超音波検査で重積腸管のターゲット像，偽腎臓像を描出する。注腸検査ではかに爪所見がみられる（図 4-56）。

▶ **治療**　空気または造影剤の注腸により重積腸管を押し戻して整復する。これが無効の場

a：超音波検査

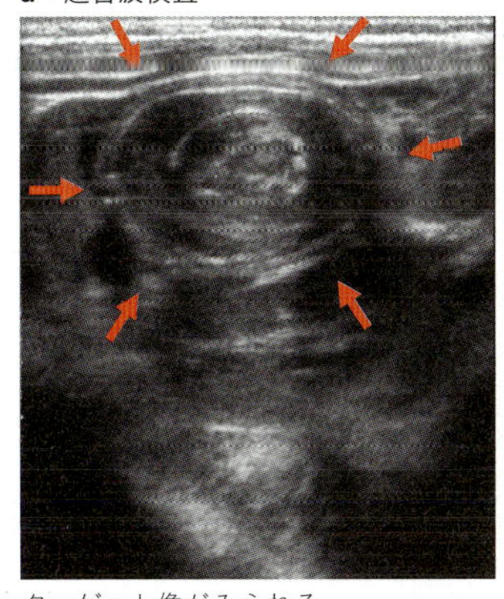

ターゲット像がみられる。

b：注腸検査

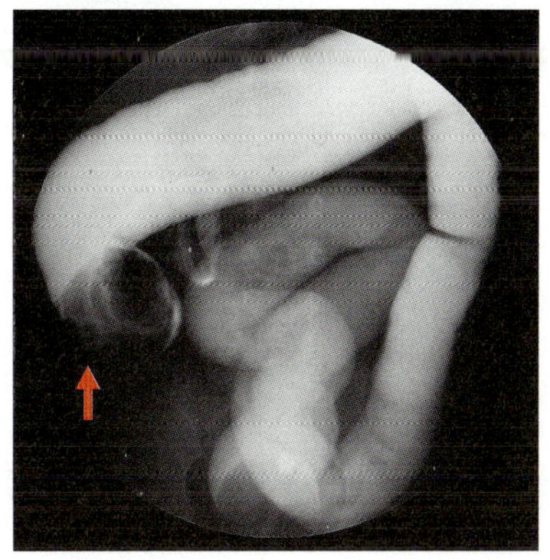

先進部陰影欠損（かに爪所見）がみられる。

図4-56 腸重積症

合は，開腹により観血的整復手術（ハッチンソン［Hutchinson］手技）を行う。

7. 腸閉塞（イレウス；ileus）

▶ **概念** **腸閉塞**（**イレウス**）とは消化管の通過が障害された病態で，以前の手術による癒着など機械的な原因による腸閉塞と，腸蠕動の麻痺による麻痺性（または機能性）腸閉塞がある。機械的腸閉塞は，さらに腸捻転など腸管の動脈血流の障害を伴う絞扼性腸閉塞と，動脈性血行障害を伴わない単純性腸閉塞に分けられる。絞扼性腸閉塞は敗血症から致死的な経過をたどることがある危険な病態で，見逃してはならない。

▶ **疫学** 開腹手術後の癒着による腸閉塞は2～5％程度に起こるとされる。一方で手術の既往のない腸閉塞もみられる。これらはメッケル憩室などに関連した腹腔内の先天性の索状物や，内ヘルニア*が原因のことが多い。麻痺性腸閉塞の原因は汎発性腹膜炎や腸管の絞扼など腹腔内の重大事象のことが多く，原疾患を見逃さない注意が必要である。

▶ **症状** 腸閉塞の典型的な症状は，強い腹痛と胆汁性嘔吐である。単純性腸閉塞では腹痛は間欠性の疝痛であるが，絞扼性腸閉塞では痛みは持続性となり，危険な症状として注意を要する。麻痺性腸閉塞では腹痛がない場合もある。

腸閉塞では，大量の水分が腸管内に貯留して吸収されないため，脱水が進行する。絞扼性腸閉塞では，進行すれば敗血症性ショック症状を呈し，治療が遅れれば死に至る。

▶ **診断** 多くの場合は，腹部単純X線写真で，小腸ループの拡張，立位での鏡面像（ニボー［niveau］像，図4-57）がみられることと，下部消化管のガス像がみられないことで診断される。絞扼の有無を評価する目的で超音波検査・造影CTによる腸管血流の評価を行うこ

* **内ヘルニア**：腹腔内で非生理的な部位へ腸管が脱出・陥入しているものを内ヘルニアとよぶ。腸間膜の先天的あるいは後天的な裂隙に腸管が陥入して捻転していたり，腸回転異常症があって十二指腸わきの通常はないスペースへ腸管が入り込んでいる場合などがある。

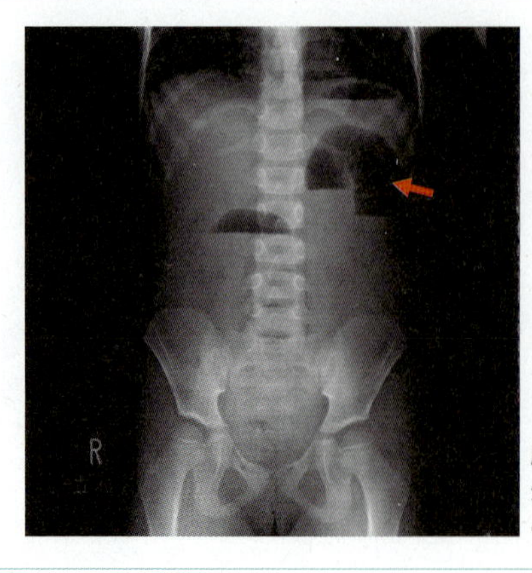

腹部の立位での単純X線写真。矢印部に鏡面像（ニボー像）がみとめられる。

図4-57 腸閉塞（イレウス）

ともある。

▶ **治療**　治療は以下のとおりである。

①輸液療法による脱水の改善

②消化管の減圧：イレウスにおいては腸内容の停滞が第1次の病態であり，胃管やイレウスチューブ挿入による腸内容のドレナージ，消化管の減圧が基本である。

③抗菌薬治療

④その他の内科的治療：腸管壁内筋の攣縮（けいしゅく）による疼痛（とうつう）を緩和する目的でブチルスコポラミン臭化物を使用することもある。また，浣腸も適宜行われる。

⑤開腹手術：絞扼性腸閉塞の症状がある場合は，速やかに開腹手術が必要となる。また，上記①～④の保存的治療のみによるイレウスの解除率は40～69％と報告されている。保存的治療で腸閉塞が解除されない場合には開腹手術を行う。術式は，単純な癒着剝離（ゆちゃくはくり）のみの場合と，絞扼による壊死（えし）腸管があれば腸切除を行う場合がある。

8. 乳児下痢症（infantile diarrhea）

▶ **概念・疫学**　乳児の下痢（げり）は腸管感染，乳糖不耐症，食物アレルギー，食事・養護の過誤，短腸症候群，内分泌（ないぶんぴつ）疾患，炎症性腸疾患など様々な原因で起こる。**乳児下痢症**のほとんどはウイルス性である（表4-6）。

▶ **症状・診断**　下痢による水分・電解質喪失で脱水症状を示す。電解質失調は痙攣（けいれん）の原因となる。ウイルス抗原の検出や，アレルギー機序による下痢の場合，好酸球増多，IgE RIST値高値などに加えて，アレルゲンに対する皮膚プリックテストで診断を確定する。

▶ **治療**　乳児下痢症の治療の原則は，禁乳・禁食による消化管の安静とその後の食事の管理，脱水に対する輸液療法および止痢（しり）薬，整腸薬などの薬物療法である。近年では経口補水療法（ORT）も普及しつつある。抗菌薬はそれ自体正常細菌叢（そう）を破壊して下痢の原因となるので使用に注意を要する。食物アレルギーによる難治性の下痢ではアレルゲンとなる

表4-6 乳児の下痢の原因

感染症			
ウイルス性	ロタウイルス（冬季白色便下痢症），小型球状ウイルス，腸管系アデノウイルス，エンテロウイルスなど		
細菌性	感染型	赤痢菌，サルモネラ（腸チフス，パラチフス），大腸菌，エルシニア，カンピロバクターなど	
	毒素型	コレラ菌，病原性大腸菌（O157株など），腸炎ビブリオ，ブドウ球菌，クロストリジウム（偽膜性腸炎），緑膿菌など	
原虫性	アメーバ赤痢，ジアルジア，アニサキスなど		
寄生虫性	回虫，線虫，条虫，鉤虫など		
真菌性	カンジダなど		
非感染性			
食事過誤性	食べ過ぎなど	腫瘍性	カルチノイドなど
アレルギー性		中毒・代謝性	薬剤（抗菌薬など），心不全，肝硬変など
消化吸収障害	乳糖不耐症など	免疫不全	
養護過誤性	腹を冷やすなど	栄養失調	
炎症性腸疾患		解剖学的異常	短腸症候群，ブラインドループ症候群など
内分泌疾患	甲状腺機能亢進症，副腎性器症候群など	心因性	
その他			

食物を検索同定し，これを除いた食事の投与・指導を行う。

9. ロタウイルス感染症

急性胃腸炎の約70％がウイルス性で，なかでもロタウイルスは最も頻度の高い原因ウイルスの一つである。**ロタウイルス性胃腸炎**は冬季に多く，小児で白色の下痢便（げりべん）を特徴とする重篤な下痢を引き起こし，**冬季白色便下痢症**とよばれる。ウイルス検出のキットが市販されており，便検査により確定診断される。ロタウイルスでは脱水の評価と管理が重要で，軽症に対しては経口補水液を少量ずつ頻回に投与していく。皮膚のツルゴール低下や眼窩（がんか）の落ちくぼみ，爪床の毛細血管refilling時間の遅延など中等度以上の脱水症状，所見のある場合には入院・点滴治療を行う。下痢自体は7～14日以内に改善する。近年ではロタウイルスに対するワクチンが開発され，予防効果も強いがまれに腸重積症を起こすことが報告されている。多くの研究では腸重積症のリスクを勘案してもワクチンの接種を勧めている。

10. ノロウイルス感染症

ノロウイルスは，同じく小児の急性胃腸炎を起こす代表的なウイルスである。経口補水療法や対症療法を行い，多くは良好な経過をとる。しかしながらノロウイルスは感染力が非常に強く，家庭，保育施設，学校など半閉鎖施設の中で爆発的流行を起こす危険がある。排便や吐物の処理，手洗いなどを厳重に行う必要がある。

11. 乳児難治性下痢症

2週間以上遷延する下痢症を**難治性下痢症**とよび，慢性・遷延性の下痢症，栄養障害，体重増加不良・減少を呈する。わが国ではウイルス性腸炎などの後に小腸粘膜の損傷が原因で下痢が遷延する腸炎後症候群と，食物残渣への遅発性アレルギーによる食物過敏性腸症が比較的頻度が高い。機能的に禁食で症状が軽減する浸透圧性，改善のない分泌性に分けることもある。治療は原因疾患により異なるが，経静脈栄養，経腸栄養を含む栄養療法はいずれの疾患でも重要である。薬物療法として，細菌性腸炎が否定されれば止痢薬を用い，またプロバイオティクスによる腸内細菌叢の是正も試みられる。

12. 炎症性腸疾患 (inflammatory bowel disease)

炎症性腸疾患は急性期には発熱，粘血便などがみられ，経静脈栄養管理や経腸栄養剤による管理，ステロイド薬の使用，手術的治療など，多様な治療法がとられる。小児では長期の治療，成長障害や栄養管理に対する看護支援が重要となる。後述の**潰瘍性大腸炎**と**クローン病**は共に腸管の非特異性炎症を呈し，臨床症状や治療に類似点も多いため特発性炎症性腸疾患と総称される。20歳代の発症が多いが，近年発症の若年化が指摘されている。

13. 潰瘍性大腸炎 (ulcerative colitis)

▶ **疫学**　わが国では近年増加傾向にあり，2013（平成25）年度末の医療受給者証および登録者証交付件数は合計16万6000人あまりで，人口10万人当たり100人程度である。16歳未満の発症頻度は約6％で，8歳以降に頻度が高まる。遺伝的素因，環境因子，免疫因子など多因子背景で免疫機構が障害され発症すると考えられている。

▶ **症状**　持続性・反復性の血便，粘血便が多い。発熱，食欲不振，体重減少，全身倦怠感などの全身症状もみられる。腹痛，下血，便の性状と回数，夜間排便，活動度などから活動性を評価する。

▶ **診断**　直腸で浅い潰瘍性病変が連続性に形成され，下部消化管内視鏡検査で潰瘍形成や血管透見性消失・易出血性などがみられる。生検組織では活動期には粘膜全層のび漫性炎症性細胞浸潤や陰窩膿瘍などの所見がみられる。臨床症状に加えて内視鏡所見，生検所見を併せて診断される。

▶ **治療**　小児では重症化・広範化しやすく積極的な治療が行われる。薬物療法として5-アミノサリチル酸製剤，ステロイド薬の全身投与や坐剤など局所投与，さらにアザチオプリンやメルカプトプリン水和物（6MP），タクロリムス水和物やシクロスポリンなどカルシニューリン阻害薬，インフリキシマブなど抗TNF-α抗体といったが免疫抑制剤が用いられる。顆粒球吸着療法も行われる。保存治療無効例やステロイド離脱を図る症例で手術療法として大腸全摘術が行われる。

14. クローン病（Crohn's disease）

▶ **疫学**　わが国では潰瘍性大腸炎同様，増加傾向にあり 2019（令和元）年度の医療受給者証保持者は 4 万 4000 人余りで，人口 10 万人当たり 27 人程度である。好発年齢は 20 ～ 30 歳代とされるが，わが国で 16 歳未満の発症は 10% を超えており，欧米では全体の 25% に上るとされる。若年では回腸結腸型が最も多く 4 ～ 6 割を占めるとされ，特に大腸の罹患が多い。男性で多くみられる。

▶ **症状**　腹痛，下痢，体重減少，発熱がよくみられ，腸閉塞，痔瘻など腸管外瘻や腸管どうしの内瘻形成，大出血で発症することもある。成長障害もみられる。

▶ **診断**　炎症反応増加，貧血，低たんぱく血症がみられ，消化管内視鏡では非連続性病変で縦走性・全層性潰瘍が特徴的である。正常部が敷石状にみえる敷石像（cobblestone appearance）がよく知られる。造影検査によりこれらの所見を描出する場合もある。生検では非乾酪性類上皮肉芽腫が特徴的とされる。

▶ **治療**　完全経腸栄養法により約 85% の症例で寛解に入ることが知られている。薬物療法は潰瘍性大腸炎と同様の薬物が用いられる。顆粒球吸着療法，手術療法も行われる。合併する難治性痔瘻に対してはシートン法などの手術が行われる。

15. 急性虫垂炎（acute appendicitis）

▶ **概念**　**急性虫垂炎**は虫垂の感染性炎症性疾患で，炎症は虫垂の粘膜側から進行し，虫垂壁全層性の壊疽性炎症から穿孔に至る。進行に伴い，急性腹膜炎の症状・理学所見を呈する。穿孔後，腹部全体に腹膜炎が広がった状態を汎発性腹膜炎という。

▶ **疫学**　就学年齢以降に多いが，幼児など低年齢でも少なからずみられる。

▶ **症状**　悪心，心窩部痛，微熱で発症し，痛みはしだいに右下腹部に移る。痛みの性状は持続性で，初期には強い腹痛や高熱をみることは少ない。汎発性腹膜炎となれば，腹部全体の強い腹痛と高熱を呈する。

▶ **診断**　右下腹部に圧痛が強く，同部に筋硬直（defense）など腹膜炎所見を呈する。超音波検査，CT が診断に有用である。

▶ **治療**　治療の基本は虫垂切除術である。近年は小児でも腹腔鏡下に切除が行われることが多い。汎発性腹膜炎となっている場合は，虫垂を切除し，腹腔内洗浄，ドレナージを行う。膿瘍を形成して腹膜炎が限局している場合，抗菌薬治療を先行させて感染の鎮静を図り，後日虫垂切除を行うこともあり，interval appendectomy とよばれている。

16. 乳児痔瘻，肛門周囲膿瘍，裂肛，痔核

肛門周囲膿瘍とは肛門歯状線上の肛門陰窩から細菌が侵入し，内外括約筋間や肛門周囲に膿瘍を形成するもので，乳児では肛門周囲皮下に膿瘍を形成する場合が多い。膿瘍部の発赤，腫脹，痛みがあり，自潰して膿を排出することもあるが，適切な時期に外科的に切

開ドレナージを行う。その後，肛門陰窩と皮膚の排膿部の間に瘻孔(ろうこう)を形成して，皮膚側に膿の排出を反復するものが痔瘻(じろう)である。乳児期にできた痔瘻は再燃・寛解を繰り返し1歳以降には自然に治癒するものが多く，**乳児痔瘻**とよばれて成人痔瘻とは区別される。**裂肛**は便の通過で肛門が12時または6時方向で裂けたもので，鮮血便や排便時出血，排便時傷を伴う。慢性化すると皮膚がとさか状に盛り上がる。便性の管理と痔疾患用外用剤による炎症，痛みの管理を行う。**痔核**とは直腸肛門の皮膚・粘膜下の静脈叢が拡張したもので，排便後に青黒い腫瘤(しゅりゅう)が肛門からみえたり，出血することがある。小児では比較的まれで，痔疾患用外用剤などによる保存的治療がまず行われる。

17. 慢性便秘症

便が滞った，または出にくい状態を**便秘**といい，そのうち原因となる器質的疾患や全身疾患がなく2か月以上（4歳未満では1か月以上）便秘症状が現れて治療を要するものを**慢性機能性便秘症**という。排便回数が減り排便間隔が延びると，これにより便性が固くなるために排便時痛や裂肛がみられるようになり，排便を我慢することでますます排便間隔が開くという悪循環を呈する。下剤や浣腸の使用のみならず，裂肛に対する肛門洗浄や痔疾患用外用剤の使用など排便に関連する痛みを緩和する。神経筋疾患合併例などで保存的に管理できない慢性便秘に対しては，盲腸部や下行結腸に腸瘻を造設して定期的に順行性に浣腸や腸内洗浄を行って管理する方法もある。

18. 過敏性腸症候群

過敏性腸症候群は反復性の腹痛や便通異常を呈するものの器質的な原因疾患が同定できない機能性消化管障害である。器質的な疾患を否定して除外診断される。腹腔鏡のような侵襲的(しんしゅうてき)検査が行われる場合もある。治療として対症的に抗コリン薬，消化管蠕動(ぜんどう)改善薬，H_2受容体拮抗薬，漢方薬などが用いられる。児童精神科的なアプローチも試みられる。

E 肝・胆道の疾患

1. 新生児肝炎 (neonatal hepatitis)

新生児期から乳児期早期に胆汁(たんじゅう)うっ滞をきたして原因が明らかでないものを**新生児肝炎**と総称しており，文字どおりの肝の炎症ではない病態も含まれる。胆道閉鎖症など，はっきりした原因のある胆汁うっ滞性疾患との鑑別が問題になる。治療は胆汁排泄(はいせつ)促進薬などによる保存的治療と栄養管理で，一般的に予後は良好である。

2. 体質性黄疸

明らかな溶血性疾患や，肝細胞障害がない遺伝的な高ビリルビン血症を，**体質性黄疸(おうだん)**と総称する。**クリグラー－ナジャール症候群**（Crigler-Najar syndrome）や**ドゥビン－ジョンソン症候群**（Dubin-Johnson syndrome）が有名である。一部のクリグラー－ナジャール症候群の症例では新生児期の核黄疸のため予後不良であるが，そのほかは黄疸以外の症状は進行せず，致死的にはならない。

3. ウィルソン病（Wilson disease）

ウィルソン病とは，銅結合たんぱくセルロプラスミンの先天的な欠乏により，肝などの組織に銅が沈着する疾患で，6～15歳頃の発症が多い。肝障害のほか，錐体外路症状など中枢神経症状を呈することもあり，肝硬変に移行するものもある。

4. ウイルス性肝炎（A型・B型・C型）

▶ **概念**　肝細胞内で増殖する肝炎ウイルスにより肝細胞に炎症性病変をきたすもので，原因となるウイルス型によりA型・B型・C型などに分類される。このうちA型は経口感染であるが，B型，C型は血液を介した感染であり，臨床像は異なる。急性肝炎の1～2%が重症化もしくは劇症化する。一部のB型とC型肝炎は慢性化しやすい。

▶ **疫学**　A型肝炎の流行には季節性があり2～5月が多い。B型肝炎では乳幼児期までの垂直・水平の母児感染が多い。C型肝炎のほとんどは輸血などの医療行為による。

▶ **症状**　急性肝炎は2～8週間の潜伏期を経て，前駆期にはインフルエンザ様の症状を呈し，これに続く黄疸期では黄疸と肝脾腫（かんひしゅ）が現れ，その後回復期へ向かう。劇症化した場合，高度の肝機能障害・肝性昏睡を呈し，救命率は低い。慢性肝炎では肝硬変や肝がんを併発する。

▶ **診断**　血液生化学検査で黄疸や肝逸脱酵素値（AST・ALTなど）の上昇があり，肝炎ウイルス抗体価の上昇やウイルス抗原値の上昇により診断される（A型；抗HA抗体価，B型；HBs抗原・抗体，HBe抗原・抗体，HBc抗体，HBV-DNA，C型；HCV-RNA値［PCR法］など）。

▶ **治療**　急性肝炎では安静と栄養療法を行う。重症化が予測される症例では，B型肝炎の場合は抗ウイルス薬，C型肝炎の場合はインターフェロンαが用いられる。劇症肝炎の場合，加えて肝補助療法として血漿交換，ステロイド薬治療，さらに緊急肝移植などが行われる。慢性肝炎に対しては，肝庇護療法とインターフェロン治療，抗ウイルス薬の投与などが行われる。

5. 胆道閉鎖症（biliary atresia）

▶ **概念**　**胆道閉鎖症**は，肝外胆道の閉鎖による胆汁（たんじゅう）うっ滞性肝硬変と，それに伴う代謝異常を主な病態とする。肝外胆管や肝門部の形態により3型に分類されるが（図4-58），肝外胆道がすべて索状になったⅢ型が多い。病因はわかっていない。

▶ **疫学**　出生1万～1万2000人に1人の発生頻度とされ，人種による発生頻度の差はない。約10%に心臓や脾臓などの合併奇形を伴うとされる。

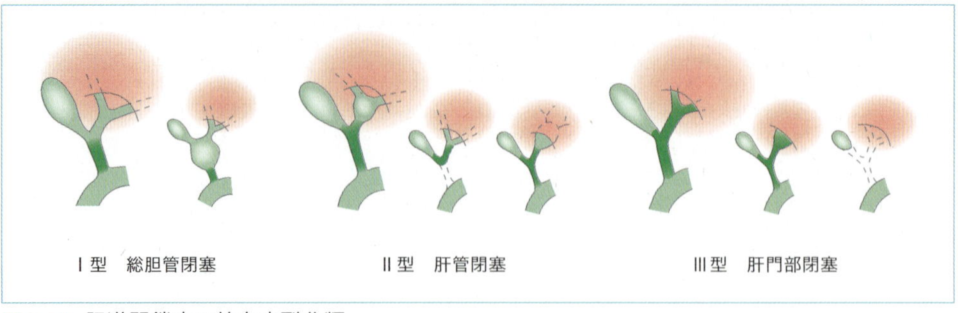

図4-58 胆道閉鎖症の基本病型分類

▶ **症状**　灰白色便・新生児黄疸の遷延(せんえん)や肝腫大(しゅだい)による腹部膨満(ふくぶぼうまん)もしばしばみられる。胆汁が消化管へ流れないために，脂溶性ビタミンであるビタミンKの吸収障害が起こり，頭蓋(とうがい)内出血(ないしゅっけつ)などの出血傾向で発症する症例もある。さらに手術後に黄疸が消失しても，脾腫・汎血球減少症・食道静脈瘤(しょくどうじょうみゃくりゅう)などの門脈圧亢進症状(もんみゃくあつこうしん)や，肺シャント*による息切れ，成長障害などの症状が進行する場合もある。

▶ **診断**　血清直接型ビリルビン高値・十二指腸液検査でビリルビン低値・胆道シンチグラフィによる腸管内胆汁排泄の欠如・超音波検査による胆嚢萎縮(たんのういしゅく)や肝門部結合織の描出などにより診断される。最終的に開腹胆道造影検査により診断を確定する。

▶ **治療**　本症の多くは肝門部胆管も線維性組織で閉塞(へいそく)しており，これを切除して肝門部と空腸を吻合(ふんごう)する葛西手術が行われる。まれに肝門部で開いている肝管と空腸を吻合できることもある。術後は定期的に上部消化管内視鏡検査を行い，食道静脈瘤があれば内視鏡的治療が行われる。葛西手術後も多くの症例では肝硬変が進行し，成人期も含むいずれかの時点で肝移植を要する症例が少なからずある。

6. 先天性胆道拡張症（biliary dilatation）

▶ **概念**　**先天性胆道拡張症**では，膵管(すいかん)と胆管の合流形態の先天的な異常により逆流防止機構が失われ，膵液が総胆管に流入して拡張が起こると考えられている。

▶ **疫学**　乳幼児期の発症が多い。東洋人に多く，3～4：1で女児に多い。

▶ **症状**　黄疸や腹痛のほか，拡張した胆管を腫瘤(しゅりゅう)として触知する。

▶ **診断**　超音波検査，CTなどの画像診断による拡張胆管の描出や胆道シンチグラフィが行われる。

▶ **治療**　拡張した総胆管を切除し，肝管空腸吻合による再建が行われる。

7. 急性膵炎

小児の**急性膵炎**（acute pancreatitis）は外傷・ステロイド薬治療・ウイルス感染のほか，

* **肺シャント**：肺血流がガス交換を行う肺胞まで流れずに，ここをバイパスして肺静脈へ流れ込むこと。酸素化されない全身血流が増えるために低酸素血症となる。

先天的な膵胆管合流異常などが原因になる。血中，尿中のアミラーゼ値が上昇する。多くは保存的に治療される。

 そのほかの消化器疾患

1. 臍帯ヘルニア (omphalocele)，腹壁破裂 (gastroschisis)

▶ 概念　**臍帯ヘルニア**と**腹壁破裂**は共に先天性の腹壁形成不全で，腹腔内臓器が皮膚に覆われずに腹腔外へ脱出する。近年では出生前診断されることも多い。

▶ 疫学　臍帯ヘルニアの頻度は出生 4000 ～ 5000 人に 1 人といわれるが，出生前診断では頻度はさらに高いとされる。

▶ 症状・診断　臍帯ヘルニアは先天的な臍帯基部の腹壁の形成不全により腸管などの腹部臓器が羊膜に覆われて腹腔外へ脱出するもので，腹壁破裂では多くの場合，臍帯の右寄りの腹壁の裂隙より主に小腸が脱出する。外観より診断は容易であるが，臍帯基部で羊膜が破れた臍帯ヘルニアは腹壁破裂との鑑別が難しいことがある。腹壁形成不全が臍上部寄りのもの，臍下部寄りのものはそれぞれ胸部・心奇形や泌尿器系奇形を合併することが多い。

▶ 治療　外科的に脱出臓器を腹腔内に還納し，腹壁を閉鎖する。しかしながら腹壁形成不全の強い症例では，無理に腹壁を閉鎖すると腹腔内圧が過度に上昇し，呼吸障害，循環障害や消化管などの血流障害をきたす。このため，生下時には臍帯ヘルニアや脱出臓器を腹壁に固定した袋で覆って，袋を吊ることにより徐々に臓器の還納を図るアレン－レン（Allen-Wrenn）法や，人工布を用いて腹壁を閉じる方法がとられる場合もある。

2. 鼠径ヘルニア (inguinal hernia)

▶ 概念　鼠径部で先天的に腹膜鞘状突起が大きく開存・遺残してヘルニア嚢となり，この中に内へ腸管や卵巣などが脱出して鼠径部が膨れる疾患である。陰嚢水腫は遺残した腹膜鞘状突起の遠位側に水が貯留したものである。**鼠径ヘルニア**と**陰嚢水腫**の違いを図 4-59 に示す。

▶ 疫学　小児では非常に多く 50 人に 1 人の頻度といわれる。約 10%は両側性とされる。

▶ 症状・診断　強い啼泣時や入浴時に鼠径部が膨隆し，しばらくすると腫れがなくなる。膨隆に伴う痛みはないことが多い。脱出臓器が非還納性となって血行障害をきたした場合を嵌頓といい，緊急に還納する必要がある。嵌頓では鼠径部は有痛性に硬く腫れ，容易に還納されず，時に嘔吐がみられる。

▶ 治療　鼠径ヘルニアの治療は手術が必要で，一般に小児では，ヘルニア嚢をできるだけ高い位置で結紮するのみのポッツ手術が行われる。腹腔鏡的に手術することもある。

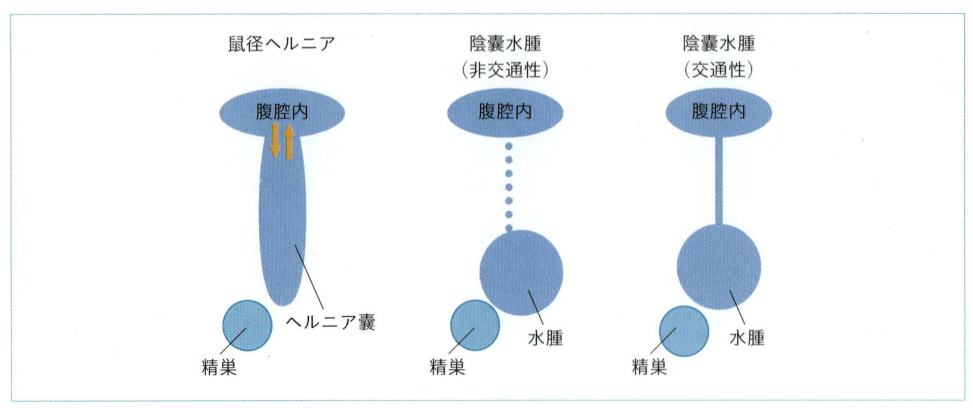

図4-59 鼠経ヘルニアと陰嚢水腫の違い

3. 消化管異物 (foreign body)

酸やアルカリの誤飲による食道腐食は急性期を過ぎると食道狭窄を起こす。固形異物のほとんどはそのまま便中に排泄されるため，胃まで落ちている尖っていない異物はそのまま経過をみてよい。一方,食道に引っかかった異物は取り出すか胃内に落とす必要がある。特にボタン電池は電流を流して食道壁を壊死させるために，緊急に取り出す必要がある。

消化管異物の取り出しには内視鏡が有用であるが，胃管を挿入しながら食道異物を胃に落としたり，逆にバルーンカテーテルを異物の肛門側にまで挿入してからバルーンを膨らませて異物を口のほうへ引き出す方法も行われる。

4. 反復性腹痛，再発性臍疝痛 (recurrent abdominal pain)

原因が同定されず，急性の腹痛を繰り返す症候を**反復性腹痛・再発性臍疝痛**とよぶ。心理的な背景をもった腹痛と器質的疾患の鑑別が問題になる。

5. 寄生虫疾患

小児の蟯虫症は現在も感染率が5～10％とされ，肛門周囲や会陰部の瘙痒を呈する。近年，有機栽培野菜の摂取による小児の回虫，鞭虫感染の増加も報告される。回虫は感染初期に肺炎症状（レフレル症候群［Löffler syndrome］）を呈し，成虫が小腸に寄生すると消化器症状を呈することがある。一方，ペットの増加により，トキソプラズマ症やイヌ・ネコ回虫症も小児で頻度が増えている。トキソプラズマ症は胎児期に感染した場合，胎内発育遅延，頭蓋内石灰化，水頭症，さらに痙攣や知能発育障害などを起こすことがあり，TORCH症候群の一つとして知られている。

6. 腹膜炎

急性虫垂炎や消化管穿孔などにより腹腔内に重篤な感染巣があったり，腹腔内臓器の絞扼があった場合には腹膜に炎症が波及し持続性の強い痛みを呈する。消化管蠕動は麻痺し，腹水も貯留するため腹部は膨満する。緊急に外科的治療を要する場合が多く，小児外科医と速やかに連携する必要がある。

7. 消化管腫瘍

小児の原発性消化管腫瘍は稀少である。回盲部付近に発症した悪性リンパ腫やカルチノイドは，時に急性虫垂炎と鑑別が必要になる。上皮性腫瘍では思春期頃より若年性大腸がんの発生を認めることがある。また消化管間質腫瘍（gastrointestinal stromal tumor；GIST）もまれにみられる。

Ⅶ 腎・泌尿器疾患

A 腎疾患

1. 糸球体疾患

糸球体は，糸玉様に丸まった毛細血管どうしをメサンギウムという結合組織が結びつけ，ボウマン嚢の中に収まる形をとり，ボウマン嚢から尿細管につながる。糸球体基底膜を介して血液が濾過され原尿になる。

糸球体疾患は，組織学的な特徴を示す疾患名が多い。基底膜が肥厚している場合には膜性，メサンギウムが増殖している場合には増殖性の腎炎とされる。また，特徴的な染色（IgA・C3）や，ボウマン腔内に形成される半月体から病名が付けられる場合がある。

各糸球体腎炎に特有の症状はなく，たんぱく尿による低たんぱく血症や腎機能障害による尿量減少に伴う浮腫や高血圧に伴う頭痛などがあり得る。

1 急性糸球体腎炎

▶ **概念・定義**　血尿やたんぱく尿が突然に出現（＝急性）して発症する糸球体腎炎であり，尿所見とともに高血圧や腎機能低下，浮腫をきたす症候群（**急性腎炎症候群**）である。小児で最も頻度が高いのは，溶レン菌（A群β溶血性レンサ球菌）による急性咽頭炎や膿痂疹罹患後に発症する**溶レン菌感染後急性糸球体腎炎**であり，潜伏期はそれぞれ約10日と約20日である。6～10歳，男児に多く，一般的に数週間で自然に治癒する予後良好な疾患である。以下，溶レン菌感染後急性糸球体腎炎について記載する。

▶ **病態生理**　溶レン菌抗原と対応する抗体によって作られる免疫複合体が尿を作る糸球体に沈着し，さらに補体が関与することで糸球体の血管に炎症が生じ，腎機能が低下し，腎炎様症状といわれる下記の諸症状を呈する。

▶ **症状**　**肉眼的血尿**（ワインレッドともコーラともいわれる暗濃赤色），浮腫（眼瞼・脛骨前面など），高血圧，頭痛，尿量低下（乏尿），全身倦怠感など。

▶ **検査・診断**　尿検査では血尿，たんぱく尿が出現する。血尿には，肉眼的血尿から検査して初めてわかる顕微鏡的血尿まで様々なものがある。顕微鏡では，赤血球の塊である赤血球円柱や，変形した赤血球が認められることが多い。たんぱく尿も軽度から血液のたんぱく（アルブミン）の値が低下するほど大量のものまで様々である。

血液検査では，腎機能や血清たんぱく，補体，抗ストレプトリジンO（ASO），抗ストレプトキナーゼ（ASK）などに異常値を認める。腎機能障害は血清クレアチニン（Cr）値（表4-7）の上昇で判断し，同時に尿素窒素（BUN），シスタチンCも上昇する。高カリウム血症を伴うこともある。血清たんぱく（血清総たんぱく；TP，血清アルブミン；Alb）は尿たんぱくが大量の場合に低下する。ASO，ASKは溶レン菌（ストレプトコッカス）に対する抗体であり，ASO，ASKの上昇は溶レン菌感染を意味するため，補体（C3または補体価CH50）の低下とともに，溶レン菌感染後急性糸球体腎炎の診断に有用である。

確定診断に重要な検査所見は，①先行溶レン菌感染の証明（菌の培養，ASO・ASK高値），②血清補体価の著しい低下（C3，CH50）と8～12週以内に正常化することである。低補体血症を伴う疾患（膜性増殖性糸球体腎炎，全身性エリテマトーデス）では，補体の正常化まで鑑別が困難なことがある。また，IgA腎症などで上気道炎などを契機に肉眼的血尿を生じることがあるが，感染とほぼ同時であることから鑑別が可能である。臨床的に診断できる

表4-7　血清クレアチニン基準値

■3か月以上12歳未満（男女共通）　（mg/dL）

年齢	2.5パーセンタイル	50パーセンタイル	97.5パーセンタイル	年齢	2.5パーセンタイル	50パーセンタイル	97.5パーセンタイル
3～5か月	0.14	0.20	0.26	5歳	0.25	0.34	0.45
6～8か月	0.14	0.22	0.31	6歳	0.25	0.34	0.48
9～11か月	0.14	0.22	0.34	7歳	0.28	0.37	0.49
1歳	0.16	0.23	0.32	8歳	0.29	0.40	0.53
2歳	0.17	0.24	0.37	9歳	0.34	0.41	0.51
3歳	0.21	0.27	0.37	10歳	0.30	0.41	0.57
4歳	0.20	0.30	0.40	11歳	0.35	0.45	0.58

■12歳以上17歳未満（男女別）　（mg/dL）

年齢	2.5パーセンタイル		50パーセンタイル		97.5パーセンタイル	
性別	男児	女児	男児	女児	男児	女児
12歳	0.40	0.40	0.53	0.52	0.61	0.66
13歳	0.42	0.41	0.59	0.23	0.80	0.69
14歳	0.54	0.46	0.65	0.58	0.96	0.71
15歳	0.48	0.47	0.68	0.56	0.93	0.72
16歳	0.62	0.51	0.73	0.59	0.96	0.74

体格によって血清クレアチニン基準値は異なる。50パーセンタイルが中央値で，97.5パーセンタイルより高いようであれば異常（腎機能が低下している）と判断する。
基準値は，中央値を中心に95％の範囲で下限（2.5パーセンタイル）から上限（97.5パーセンタイル）までとした。

出典／Uemura O, et al.：Age, gender, and body length effects on reference serum creatinine levels determined by an enzymatic method in Japanese children: a multicenter study., Clin Exp Nephrol, 15：694-699, 2011.

表4-8 年齢による血圧基準値

年齢	収縮期(mmHg)	拡張期(mmHg)
1歳	98	52
3歳	101	55
7歳	106	68
10歳	108	72
13歳以上	120	80

精査をする必要がある血圧の基準値であり，正常値ではないことに注意。
数値は男児のものだが，女児もほぼ同等。

出典／Flynn, J.T., et al.: Clinical Practice Guideline for Screening and Management of High Blood Pressure in Children and Adolescents. Pediatrics, 140 (3) : e20171904, 2017. 一部改変.

場合，腎生検を行うことは少ない。

▶ **治療** 溶レン菌感染症が活動性であれば，リウマチ熱（心臓の弁膜症）を予防するためペニシリン系抗菌薬で治療する。腎炎に対する特異的な治療法はなく，また腎炎は自然と改善することから，それぞれの症状に対する支持療法が中心である。乏尿，無尿の場合には透析療法，高血圧（年齢による基準値：表4-8）には利尿薬や降圧薬，高カリウム血症にはカリウム吸着薬や利尿薬，グルコース・インスリン療法などを行う。乏尿・浮腫（ふしゅ）・高血圧が著しい場合には，塩分・運動を制限するが，利尿期になり浮腫が消失したら塩分制限は解除する。これらの症状がなければ，血尿，たんぱく尿が数か月続くこともあるが，外来での経過観察も可能である。

2 慢性糸球体腎炎

❶IgA腎症

▶ **概念・定義** 血尿，たんぱく尿が慢性に持続する糸球体腎炎で，組織学的には免疫（めんえき）グロブリンの一つ **IgA** が糸球体に沈着することが特徴である。小学校高学年から中学生にかけて学校検尿で判明する慢性糸球体腎炎のなかで最も多い。

▶ **病態生理** 異常IgAが関与する。糸球体メサンギウム部分が増殖し，血尿やたんぱく尿が出現する。糸球体の硬化（潰れた状態）や周囲間質の炎症が生じ，腎機能が悪化する。

▶ **症状** 学校検尿で発見されることが多いが，20～30%は肉眼的血尿，10%は急性腎炎症候群（高血圧や腎機能低下を伴う）やネフローゼ症候群（高度たんぱく尿と低アルブミン血症を伴う）として発症する。経過中に上気道炎に伴って肉眼的血尿を呈することがある。

▶ **検査・診断** 尿検査で血尿，たんぱく尿を認めるが，その程度は様々で，病初期には血尿だけの場合もある。血液検査では腎機能障害や低アルブミン血症（たんぱく尿が多量の場合）を認めることがある。血清IgAは異常値を示す症例がおよそ半分であり，正常であっても否定できない。

確定診断は腎生検で行う。光学顕微鏡所見でメサンギウムが増殖し，蛍光抗体法でIgAが最も強く沈着しているのが特徴である。同様の所見にIgA血管炎（アレルギー性紫斑病（しはんびょう），ヘノッホ-シェーンライン紫斑病［Henoch-Schönlein purpura；HSP］）に伴う紫斑病性腎炎があり，紫斑病の病歴の有無で鑑別する。

▶ 治療　たんぱく尿が多く，メサンギウム増殖が高度な重症例には，ステロイド（プレドニゾロン）と免疫抑制剤（アザチオプリンやミゾリビン）などによる多剤併用療法を2年間行う。成人では扁桃(へんとう)摘出術とステロイド大量療法を組み合わせた治療も行われている。

小児IgA腎症全体では，20年後には約20%が末期腎不全になり，特にたんぱく尿が多くネフローゼ症候群を呈する症例は予後が悪い。

❷膜性増殖性糸球体腎炎（membranoproliferative glomerulonephritis：MPGN）

▶ 概念・定義　**膜性増殖性糸球体腎炎**は，基底膜の肥厚とメサンギウム細胞増殖と基質の増加を示す腎炎である。補体成分や免疫グロブリンの沈着の部位によりⅠ～Ⅲ型に分類される。小児では原因が不明な特発性が多い。蛍光抗体法でC3がほかに比べて有意に強く沈着する場合，**C3腎症**という新たな疾患概念が提唱された。

▶ 病態生理　持続的な抗原刺激による免疫複合体生成・沈着と，補体系の活性化の関与が考えられているが，不明な部分が多い。C3腎症の一部は補体系の遺伝子異常など，補体制御因子の機能異常が原因であることが判明している。

▶ 症状　わが国では学校検尿により無症状のうちに発見されることが多いが，急性糸球体腎炎のように浮腫(ふしゅ)・肉眼的血尿などで発症することもある。

▶ 検査・診断　尿異常とともに，血清補体価，特にC3の持続的低下を認める場合（本項-1-1「急性糸球体腎炎」参照）に本疾患を強く疑う。確定診断は腎生検で行い，前述の光学顕微鏡所見とともに，蛍光抗体法でC3が糸球体毛細血管壁に沿って顆粒状に染まる所見や，電子顕微鏡で沈着物を認めることが特徴である。

▶ 治療　ステロイド治療を行う。ステロイド大量療法の後に1～2年プレドニゾロン隔日内服を行うが，内服だけで治療されることもある。C3腎症は治療の反応性が悪い。

❸膜性腎症（membranous nephropathy：MN）

▶ 概念・定義　**膜性腎症**は，糸球体毛細血管壁の肥厚を伴う腎症である。特殊染色（PAM染色）により，基底膜の外側にある上皮細胞の下に特徴的な免疫複合体の沈着物が認められる。蛍光抗体法では免疫グロブリンIgGが基底膜に沿って顆粒状に沈着する。電子顕微鏡所見による沈着物の性状と基底膜の肥厚の度合いを基に，Ⅰ～Ⅳ期の病期に分類される。小児では膜性腎症はまれである。

▶ 病態生理　免疫複合体が基底膜上皮下に沈着し，補体系を活性化させることにより惹起(じゃっき)される。特発性膜性腎症の一部では，ホスホリパーゼA2受容体（PLA2R）に対する抗PLA2R抗体が原因になる。成人では陽性例が多く，小児膜性腎症の一部でも同抗体が原因とされる。

▶ 症状　わが国では学校検尿で無症状のうちに発見されることが多いが，ネフローゼ症候群（＝浮腫）として発症する場合もある。

▶ 検査・診断　浮腫を伴う場合には低アルブミン血症を伴う。確定診断は腎生検で行う。

▶ 治療　ネフローゼ症候群を呈する場合は，腎不全に進行する可能性があるため，ステロイドや免疫抑制剤（シクロスポリン・シクロホスファミド水和物）などの治療を行う。無症候性たんぱく尿の予後は良好であるため，アンジオテンシン変換酵素阻害薬（angiotensin converting enzyme inhibitor；ACEI）やアンジオテンシン受容体拮抗薬（angiotensin receptor blocker；ARB）などのたんぱく尿軽減効果を有する降圧薬を用いる。

❹アルポート症候群（Alport syndrome）

▶ **概念・定義**　糸球体基底膜のⅣ型コラーゲンの異常による遺伝性慢性糸球体腎炎である。難聴や眼合併症を伴うことが多い。X染色体連鎖型が85％を占め，成人期（20～40歳）に腎不全に進行する。

▶ **病態生理**　基底膜のコラーゲンが異常なため，基底膜の網目状構造を維持できない。進行すると基底膜変化だけでなく，メサンギウムの増加，糸球体の硬化（機能する部分の消失）をきたす。

▶ **症状**　病初期には無症状で，血尿が唯一の異常所見であり，検尿異常で発見されることが多い。発熱時に肉眼的血尿を伴うことが多い。

▶ **検査・診断**　尿・血液検査異常は，本項-1-2-❶「IgA腎症」を参照。3歳児健診に潜血検査が必須だった時代には，血尿で発見されることが多かった。

確定診断は腎生検で行う。電子顕微鏡所見で糸球体基底膜の特徴的な変化や，蛍光抗体法でⅣ型コラーゲンの染色異常により診断される。遺伝学的検査による診断も行われるが，現段階では研究室レベルの検査である。

▶ **治療**　ACEIやARBによる腎保護作用が期待されるが，根本的な治療法は現時点で存在しない。

3　紫斑病性腎炎

▶ **概念・定義**　全身の毛細血管に免疫（めんえき）グロブリンIgAが沈着することにより発症するIgA血管炎に合併する糸球体腎炎である。小児の2次性糸球体腎炎のなかでは最も頻度が高い。IgA血管炎は，（触知できる隆起性の）紫斑（しはん）・腹痛（60％）・関節痛（80％）を特徴とし，3～7歳に多い。50％の症例が紫斑病性腎炎を合併し，発症時期は血管炎から3か月以内である。IgA血管炎と同様に紫斑病性腎炎も自然寛解する割合が高く，基本的に予後良好な疾患である。IgA血管炎は近年よばれるようになった病名であり，かつてアレルギー性紫斑病，**ヘノッホ-シェーンライン紫斑病**（**HSP**）とよばれたため，紫斑病性腎炎は**HSPN**と記載される。

▶ **病態生理**　病因は不明だが，一部の症例で異常IgAが報告されている。IgA免疫複合体がメサンギウムに沈着し，メサンギウム細胞や補体系が活性化して腎障害を進展させる。

▶ **症状**　尿検査異常のみの症例から，腎機能障害を伴う腎炎症候群（乏尿・浮腫（ふしゅ）・高血圧など）や，低たんぱく血症を伴うネフローゼ症候群を呈する症例（浮腫）まで様々である。

▶ **検査・診断**　確定診断はIgA血管炎の病歴と，腎生検によるIgA腎症類似の病理所見による。自然軽快することから，後述する積極的な治療をしない場合には，侵襲的（しんしゅうてき）な検査である腎生検は通常行わない。

▶ **治療**　血尿単独もしくは軽度～中等度たんぱく尿（1g/日未満）の軽症例では，無治療かACEI・ARB・抗血小板薬（ジピリダモール）などを投与し，半年～1年間同様のたんぱく尿が続く場合に腎生検を行う。

ネフローゼ症候群や高血圧・腎機能低下を認める場合には，腎生検で重症度を確認して治療方針を決める。重症の場合にはステロイドと免疫抑制剤などを併用した多剤併用療法やステロイド大量療法，ステロイド・ウロキナーゼ大量療法などを行う。

4　ネフローゼ症候群（nephrotic syndrome）

▶ **概念・定義**　高度の持続性たんぱく尿により低たんぱく血症を呈する疾患群である。小児では，高度のたんぱく尿は早朝に尿たんぱくクレアチニン比*2.0（g/gCr）以上，低たんぱく血症は血清アルブミン2.5（g/dL）以下の基準を用いる。浮腫や脂質異常症を伴うことが多い。基礎疾患のない原因不明のものを特発性，全身性疾患に伴うものを2次性と分類する。特発性には**微小変化型**や**巣状分節性糸球体硬化症**，そのほかの糸球体腎炎（膜性増殖性糸球体腎炎・膜性腎症）などが含まれる。小児のネフローゼ症候群の80％が微小変化型で，3～6歳，男児に多い。たんぱくは尿に漏れるが，老廃物を尿に捨てる機能（＝腎機能）は基本的に保たれる。

▶ **病態生理**　基底膜外側の上皮細胞障害が重要な要因である。高度のたんぱく尿により血清のアルブミンが減少し，血漿浸透圧が維持できなくなり，全身性の著明な浮腫をきたす。

▶ **症状**　眼瞼（がんけん）や下肢の浮腫で発見されることが多い。腸管浮腫に伴う腹痛・腹水貯留によ

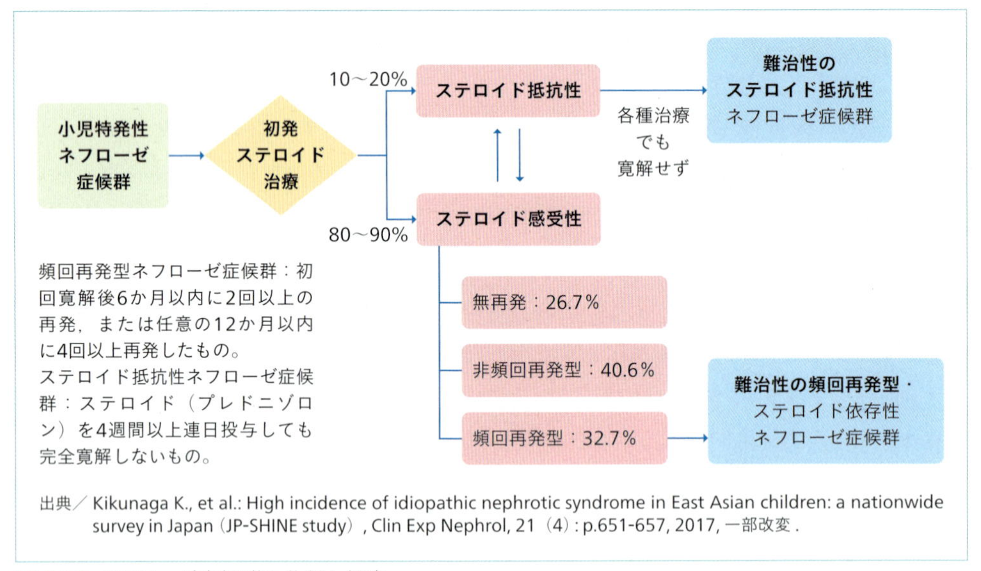

図4-60　ネフローゼ症候群の分類と頻度

＊ **尿たんぱくクレアチニン比**：尿中たんぱく濃度は尿の濃縮・希釈の影響を受けるため，毎日一定量が排泄される尿中クレアチニン値との比を取ることで補正する方法。蓄尿による1日排泄量との相関は良好であり，基準値は0.15g/gCr未満。

る腹部膨満を伴うこともある。一時的な腎機能障害や，血管内脱水によるショック・腹膜炎・血栓症などを合併することがある。

▶ **検査・診断**　尿・血液検査によって前述の高度たんぱく尿と低たんぱく血症の基準から診断する。小児では微小変化型が主体で，ステロイド治療により多くの症例が寛解するため，腎生検は診断に必須ではない。血尿・腎機能障害・低補体血症・高血圧を伴う1歳未満の小児など，微小変化型としては非典型的な場合に腎生検で組織診断を行う。

▶ **治療**　ステロイド治療の反応性により，ステロイド感受性とステロイド抵抗性に分類される（図4-60）。ステロイド治療により80～90%が反応し，尿たんぱくが消失して完全寛解するが，70%が再発する。また再発する症例の半数は，再発回数が多い頻回再発型ネフローゼ症候群（1年に4回，もしくは初回寛解から半年以内に2回），ステロイドを中断できないステロイド依存性ネフローゼ症候群になるが，ステロイド感受性ネフローゼ症候群では，腎不全に進行することはまれである。

標準的な初発治療は，プレドニゾロン60mg/m^2（体表面積）/日（もしくは2mg/kg/日，共に最大量60～80mg）を1日3回に分けて4週間内服後，40mg/m^2/回（もしくは1.3mg/kg）を隔日朝1回，4週間内服する。再発治療も第一選択薬はステロイド療法だが，再発を繰り返すことにより，成長障害・肥満・高血圧・骨粗鬆症・白内障・緑内障など多岐にわたるステロイドによる有害作用が出現しやすくなる。頻回再発型ネフローゼ症候群では，免疫抑制剤（シクロスポリン・シクロホスファミド水和物）や分子標的薬（リツキシマブ［抗CD20モノクローナル抗体］）で再発を抑制し，ステロイドの有害作用の予防・緩和を行う。

尿たんぱくが消失しない**ステロイド抵抗性ネフローゼ症候群**では，10年で50%が腎不全に進行するため，免疫抑制剤（シクロスポリン・シクロホスファミド水和物），ステロイド大量療法の併用などの積極的な治療を導入することで，完全寛解を得られるようになっている。

小児期発症のネフローゼ症候群症例が，成人期に達しても再発を繰り返すか，何らかの免疫抑制剤治療を行っている症例が多いことが近年判明している。治療継続にあたり，成人合併症やライフスタイルを考慮すると，様々な準備をして成人診療科へ移行することが望ましいが，患者の病気の認識不足，未自立，成人診療科と小児科の治療方針・診療スタイルの違いから，時に問題となることがある。

2. 急性腎障害（AKI）

▶ **概念・定義**　**急性腎障害**（acute kidney injury；**AKI**）は急速（数時間～数日）に腎機能が低下する病態である。その結果，老廃物を十分に排泄することができなくなり，体液量や電解質のホメオスタシス（恒常性）を維持できなくなる。定義が曖昧だった「急性腎不全」という用語に対し，AKIは血清クレアチニン（Cr）値の変化と尿量で診断・病期分類を行う（表4-9）。急性血液浄化療法を必要とする症例の原疾患は変化している。1980年代には溶血性尿毒症症候群や急速進行性腎炎症候群などの糸球体腎炎が主体だったが，近年，腎臓疾患は1～2割に過ぎず，循環器疾患，血液・腫瘍疾患，敗血症・多臓器不全が過半数を

表4-9 AKIの診断基準と病期分類

Stage	血清Cr値	時間尿量
1	基準値の 1.5 倍以上（7 日以内）， または 0.3mg/dL 以上の増加（48 時間以内）	<0.5mL/kg/ 時，6 時間以上
2	基準値の 2 倍以上	<0.5mL/kg/ 時，12 時間以上
3	基準値の 3 倍以上，または 4mg/dL 以上の増加， または腎代替療法開始， または eGFR<35mL/ 分 /1.73m^2（18 歳未満）	<0.3mL/kg/ 時，24 時間以上， または 12 時間以上の無尿

Cr：クレアチニン
eGFR：estimated glomerular filtration rate，推算糸球体濾過量
血清 Cr 値と尿量による重症度分類では，より高い重症度を採用する。
出典／ Kidney Disease: Improving Global Outcomes（KDIGO）Acute Kidney Injury Work Group: KDIGO Clinical Practice Guideline for Acute Kidney Injury, Kidney Int, 2（Suppl 1）, p.1-138, 2012, 一部改変 .

占める。特に集中治療分野では腎機能障害は生命予後に大きく影響することが知られ，腎機能・尿量の変化を AKI としてとらえることで，より適切に対応可能になった。原因の部位により腎前性 / 腎性 / 腎後性，尿量により乏尿性 / 非乏尿性に分類することができる。この古典的な分類は，原因を判断し，診断・治療方針を決めるために有用である。

▶ 病態生理

❶**腎前性**：循環血流の変化などにより，腎血流量が減少することによって生じる機能的な腎機能低下である。出血，高度の脱水，ネフローゼ症候群などによる有効循環血液量の低下・心不全・敗血症などが原因になる。

❷**腎性**：糸球体や尿細管・間質の障害によって生じる。その原因は多岐にわたる。新生児期には出血性ショック，乳幼児期では**溶血性尿毒症症候群**が多い。

❸**腎後性**：尿管・尿道などの尿路閉塞（にょうろへいそく）が原因であり，定義上厳密には AKI には含まれない。両側性の腎盂（じんう）尿管移行部狭窄や膀胱尿管移行部狭窄（きょうさく）とともに，後部尿道弁・神経因性膀胱・結石・尿路感染症・腫瘍などで生じる。

▶ 診断　診断には病歴が大切である。基礎疾患，過去の尿検査結果，先行感染，旅行歴，川遊びや井戸水の摂取，食事，下痢（げり）・血便の有無，使用薬剤，体重・尿量の変化などが参考になる。体重・血圧・心拍数や，浮腫（ふしゅ）などの身体所見も重要である。

▶ 検査　尿検査ではたんぱく尿・血尿・円柱とともに，尿浸透圧・ナトリウム（Na）・クレアチニン（Cr）・尿酸を，血液検査では Cr・尿素窒素・総たんぱく・アルブミン・ミオグロビン・電解質・尿酸・血液ガスなどを測定し，原因検索，腎前性と腎性の鑑別や体液の恒常性を検討する。胸部 X 線による**心胸郭比**の測定や肺野の評価，心臓超音波による心機能評価も行う。腎後性腎不全では，超音波検査により診断が比較的容易である。

▶ 治療　原因除去と合併症の対応に分けることができる。

腎前性では，心不全の場合とそのほかで対応が異なる。心不全以外では生理食塩水や外液などで輸液することにより循環血液量を増加させ，腎血流量を増やす。一方，心不全では輸液は心機能の一層の破綻を来し，利尿薬や強心薬などによる循環動態の安定化で腎血流量が増加する。**腎後性**では，**尿路閉塞**の解除が基本である。閉塞部位により膀胱留置カテーテル・尿管ステント・腎瘻などが必要である。閉塞機転の解除後には 1 日数リットル

もの多尿になる。腎性では，糸球体腎炎に伴うものであればステロイド療法とともに，合併症（血管内水分過剰，電解質異常，アシドーシス）の治療を行う。**溢水**（いっすい）（**血管内水分過剰**）に伴う高血圧で，意識障害・心機能障害などの臓器障害を呈する高血圧緊急症は，利尿薬とともに降圧薬の持続静注などによる積極的な降圧療法を行う。**高カリウム血症**は致死的になり得る。血清カリウム値が7.0（新生児では7.5）mEq/L以上，T波増高などの心電図異常を認める場合には治療対象である。グルコン酸カルシウムの静注，β刺激薬の吸入，カリウム吸着樹脂の投与，グルコース･インスリン療法などを行う。尿毒症症状が出現した場合，溢水や高カリウム血症・アシドーシスが各種治療でも改善しない場合，無尿が持続する場合には，透析療法が適応になる。

3. 慢性腎臓病（chronic kidney disease；CKD）

▶ **概念・定義**　**慢性腎臓病**は，腎障害（形態的もしくは機能的）が3か月以上継続するか，腎機能低下（糸球体濾過量が60mL/分/体表面積1.73m^{2}未満）が3か月以上持続する場合と定義される。透析療法では心血管合併症など様々な全身合併症を伴うことから，腎機能障害の進行を抑制するために，早期からの管理を目的とし，幅広い疾患を包括する概念である。ここでは特に腎機能障害を伴った，慢性腎不全について記載する。

▶ **病態生理**　糸球体障害（＝腎機能障害）による老廃物・カリウム・リンの蓄積や尿細管障害による水分・塩分・重炭酸イオンの喪失，腎臓におけるホルモンの産生・代謝障害に伴うエリスロポエチン産生低下・ビタミンD活性化障害が生じる。

小児期に末期腎不全（透析もしくは移植療法が必要な腎機能）になるCKDの原因疾患は，**先天性腎尿路異常**（congenital anomalies of the kidney and urinary tract：CAKUT）が大半を占める。代表的な疾患である低形成腎・異形成腎は，腎機能障害（老廃物の除去の障害）の程度に比して尿細管間質障害が強く，尿濃縮力障害，塩類喪失（尿にナトリウムが漏（も）れる）が病態の特徴であり，水分・塩分の補充が必要になる。新生児期から無尿の症例もあるが，透析を導入する腎不全でも多くの症例で多尿が続くのが特徴で，浮腫（ふしゅ）・高血圧が主体である成人の腎不全とは病態が異なり，管理法も違う。

▶ **症状**　無症状から，多尿・多飲・易疲労・成長障害・貧血などの腎不全の症状まで様々である。

▶ **検査・診断**　血液・尿検査で腎機能や腎機能障害による貧血・電解質異常・代謝性アシドーシス・骨ミネラル代謝異常（CKD-mineral and bone disease：CKD-MBD）などを評価する。超音波検査で腎・尿路の形態学的評価，腎シンチグラフィで機能的評価をする。

▶ **治療**　尿濃縮力障害に伴う多尿に対し，乳児ではナトリウム含有量を増やした特殊ミルク（明治8806H®）を利用する。腎不全乳児では哺乳量（ほにゅうりょう）が少ないこともあり，必要水分量を補えないため，胃管による注入を併用することが多い。

腎機能障害による諸検査異常に対しては，対症療法を行う。すなわち，高カリウム血症や高リン血症では，食事で過剰に摂取している場合には食事内容を変更し，それでも不十分な場合には，高カリウム血症に対してカリウム除去イオン交換樹脂（ポリスチレンスルホン酸カルシウム［カリメート®］），高リン血症に対しては炭酸カルシウムやリン吸着薬を用いる。小児において，たんぱく制限食に腎機能障害進行抑制のはっきりしたエビデンスがないこと，成長障害や学校などの社会生活の阻害など大きな弊害が生じることから，極端なたんぱく制限は行わないが，過剰に摂取している場合には是正する。2 次性副甲状腺機能亢進症に対してはビタミン D 製剤を用いる。

貧血に対しては鉄剤とともに，腎臓の間質からの産生が低下しているエリスロポエチン製剤を注射で補う。酸血症（アシデミア）に対して炭酸水素ナトリウムを内服する。成長障害に対しては成長ホルモンを用いる。

腎機能が通常のおおよそ 1/6 ～ 8（推算糸球体濾過量* <15mL/ 分 / 体表面積 1.73m^2）に低下した場合や，上記検査値異常がコントロールできない場合には，腎代替療法（透析療法，腎移植）を考慮する。

4. 末期腎不全

▶ **概念・定義**　腎機能が低下し，腎代替療法が必要な状態を指す。以前は慢性糸球体腎炎と CAKUT がほぼ同じ頻度だったが，最近は CAKUT が大半を占める。

▶ **症状・検査・診断**　本節 -A-3「慢性腎臓病」参照。

▶ **治療**　**腎代替療法**として，透析（血液透析・腹膜透析）と腎移植がある。通常の生活に近く，より制限の少ない治療法は腎移植であることから，可能であれば腎移植を目指す。

- **血液透析**：動脈と静脈を吻合して作成した内シャントを利用するが，体格が小さい小児では頸部の静脈に血液透析用カテーテルを留置して行うことが多い。栄養源がミルクのための摂取水分が多い乳幼児では，透析間の水分摂取量が多くなるため，透析回数・時間が多く必要になる。
- **腹膜透析**：腹部に腹膜透析用カテーテルを留置して，透析液を腹腔に入れることで老廃物を捨てる。血液透析ほど単位時間当たりの効率は良くないが，緩徐な透析であることから，血圧の変動なども少なく，乳児でも在宅で行うことが可能である。5 歳未満の小児の 87%，5 歳以上 15 歳未満でも 55% が腹膜透析で腎代替療法を開始している。
- **腎移植**：移植する腎臓によって，家族から腎臓を提供される**生体腎移植**と，亡くなった方から提供される腎臓を移植する**献腎移植**がある。日本では献腎が少ないため，生体腎移植が腎移植の主体である。小児では両親から提供されることが多いが，提供者（ドナー）の心身の健康状態によっては希望があっても提供することはかなわないこともある。

透析をせずに移植を行う先行的腎移植では長期透析療法の合併症を回避でき，良好な

＊ **推算糸球体濾過量**：腎機能を正確に測定することは特殊な薬剤を点滴して行う必要があり，煩雑であるため，臨床では推算式（eGFR）が多用される。小児では，性別，身長と血清クレアチニン値を用いる。2 歳以上の基準値は 110mL/ 分 1.73m^2 である。

移植成績が知られるとともに，増加し，最近は5歳以上15歳未満の30％前後が先行的腎移植を行っている。

5. そのほかの腎疾患

1 溶血性尿毒症症候群（hemolytic uremic syndrome；HUS）

▶ **概念・定義**　**溶血性尿毒症症候群**は，病理学的所見から血栓性微小血管症（thrombotic microangiopathy；TMA）の一部に分類され，溶血性貧血，血小板減少，急性腎障害を三徴候とする症候群である。**O-157**など，**志賀毒素**（Shiga toxin）を産生する**腸管出血性大腸菌**（*E. coli*）によるSTEC-HUSが最も多く，乳幼児の急性腎不全の原因として最も多い。

補体制御因子の異常に伴って生じる**非典型HUS**（atypical HUS；aHUS）やほかの感染症，薬剤性など，様々なことがTMAの原因となる。

▶ **病態生理**　細小血管の障害による溶血性貧血，破壊性血小板減少による血球系の変化と，血小板血栓による急性腎障害をはじめとした多くの臓器障害を呈する。

▶ **症状**　STEC-HUSでは，下痢（げり）・血便・顔色不良・活気低下・点状出血・乏尿・浮腫（ふしゅ）・傾眠などを認める。腸管出血性大腸菌感染症の1～10％がSTEC-HUSを合併し，20～60％が透析療法を必要とし，脳症・痙攣重積障害（けいれんじゅうせきしょうがい）などの中枢神経合併症や高血圧，膵炎，消化管・循環器合併症など多くの重大な合併症を伴う。非典型HUSでは，腹部症状を認めるのは1/3程度である。

▶ **検査・診断**　STEC-HUSの診断基準の項目は，①溶血性貧血：破砕状赤血球を伴う貧血，ヘモグロビン（Hb）10g/dL未満，②血小板減少：血小板数15万/μL未満，③AKI：血清クレアチニン値が年齢・性別基準値の1.5倍以上である。

溶血性貧血を支持する所見として，LDH上昇，ハプトグロビン低下を認め，AKIとして，尿素窒素上昇を伴う。

原因検索として，病原大腸菌検出のための便培養，毒素検出や，食事内容などの生活歴・病歴・流行歴の確認は非常に大切である。

aHUSでは，遺伝学的検査を行うが，原因遺伝子が判明するのはおよそ半分である。

▶ **治療**　STEC-HUSに対する特異的療法はなく，治療の基本は支持療法である。

血管内の水分量を過不足なく適切に保つことを目標にするが，ほかの疾患で指標になる体重，血圧，Hb，血清アルブミンなどの数値は，先行する消化管症状やHUSの検査値異常の影響のため，参考にならないことが多い。心胸郭比や下大静脈径の評価などを組み合わせて臨床的に判断する。

極度の貧血は心臓に負担がかかるが，赤血球輸血は容量負荷になるため，過剰にならないように通常よりも低いHb値（6g/dL以上）を目標にする。血小板輸血は，血栓形成を促す可能性があるため，侵襲的（しんしゅうてき）・外科的処置や出血傾向が問題になるとき以外は行わない。

AKIや血管内の水分過多に伴い，20～60％で透析療法を必要とする。痙攣重積・脳症は難治性のことも多く，人工呼吸管理を併用しながらの管理を要する。急性期死亡率は 2 〜 5%であるが，自然治癒する特徴を有し，多くの症例で予後は良好である。

aHUS は，血漿交換療法が主体だった時代には予後不良であったが，補体 C5 に対する抗 C5 抗体（エクリズマブ［ソリリス ®］）により，生命予後・腎機能予後が格段に向上した。

2 ウィルムス腫瘍（Wilms tumor）（腎芽腫（nephroblastoma））

▶ 概念・定義　**ウィルムス腫瘍**（しゅよう）は神経芽腫，肝芽腫に次いで多く，小児三大固形悪性腫瘍であり，腎臓に発生する小児腎腫瘍の 90%を占める。幼児期に多く，合併奇形を伴うことが多い。

▶ 病態生理　がん抑制遺伝子の *WT1* 遺伝子や *WT2* 遺伝子の異常を伴うことがある。

▶ 症状　腹部腫瘤（しゅりゅう），腹部膨満（ぼうまん）。血尿を認めることがある。

▶ 検査・診断　特異的な腫瘍マーカーはない。超音波検査，CT，MRI で腫瘍の大きさ，局在，周囲への進展やリンパ節転移，肺転移などを検査する。

合併奇形としての泌尿器科的合併症（停留精巣，尿道下裂，水腎症など），筋・骨格系合併症（半身肥大），無光彩症などの評価も行う。

▶ 治療　手術で腎臓を摘出し，腫瘍の進展度と病理組織分類から治療方針（化学療法，放射線療法）を決定する。術前に化学療法で腫瘍を小さくしてから手術を行うこともある。

3 多発性嚢胞腎

▶ 概念・定義　**多発性嚢胞腎**（たはつせいのうほうじん）は両側の腎臓に無数の嚢胞が生じる遺伝性疾患で，**常染色体顕性（優性）多発性嚢胞腎**（autosomal dominant polycystic kidney disease；ADPKD）と**常染色体潜性（劣性）多発性嚢胞腎**（autosomal recessive polycystic kidney disease；ARPKD）がある。

▶ 病態生理　ADPKD は *PKD1* や *PKD2* の遺伝子変異が原因で，年齢とともに集合管，尿細管に大小様々な嚢胞が多発する。ARPKD は *PKHD1* の遺伝子変異により集合管が拡張して小嚢胞が腎臓を埋め尽くす。

▶ 症状　ADPKD では腹部腫瘤・嚢胞の出血に伴う肉眼的血尿や腰背部痛（ようはいぶつう）を認めるが，成人期が主体であり，透析を要するのは 40 〜 50 歳代のことが多い。半数の症例で肝臓の嚢胞を伴い，新生児期から高血圧を合併することもある。

典型的な ARPKD では，羊水過少を伴い，新生児期に呼吸障害，腎機能障害を伴う。門脈域を中心とした肝臓の線維化と胆管の拡張による難治性の胆管炎を伴うこともある。

▶ 検査・診断　ADPKD では透析の家族歴，ARPKD では血族婚の有無が重要な情報である。超音波検査や CT，MRI による嚢胞の性状や肝臓所見も参考になる。

▶ 治療　ADPKD では腎容積の拡大スピードを抑制するトルバプタンを用いる。

4 ネフロン癆（nephronophthisis；NPH）

▶ 概念・定義　**ネフロン癆**（ろう）は，一次繊毛（せんもう）の異常により尿細管が嚢胞化する遺伝性疾患である。

責任遺伝子により末期腎不全に至る時期や影響を受ける臓器が異なる。

▶ **病態生理**　一次繊毛の異常により，尿細管が数 mm ～ 10mm 程度の小嚢胞になり，尿細管間質の硬化，腎機能障害へと進行する。

▶ **症状**　尿細管障害による尿濃縮力低下や多尿・多飲を認める。夜間遺尿が続くことで発見されることもある。腎機能障害が進行するとともに成長障害，貧血を伴ってくる。

腎外症状として，網膜色素変性症・小脳失調・肝線維症などを伴うことがある。

▶ **検査・診断**　濃縮力障害や腎機能障害を血液・尿検査で評価する。腎外症状や腎機能障害の程度から病型を推測するが，確定診断は遺伝学的検査による。

▶ **治療**　根本的治療はなく，対症療法である。透析や移植が必要になる時期は，最も頻度の高い若年性ネフロン癆（NPH1）で中学生頃,乳児ネフロン癆（NPH2）は乳幼児期である。

5　体位性たんぱく尿

▶ **概念・定義**　**体位性たんぱく尿**は，立位では尿たんぱくを認めるが安静臥床では陰性を示し，**起立性たんぱく尿**ともいう。

▶ **病態生理**　立位や前彎負荷をかけることにより生じる，腎臓の血行動態の変化が，たんぱく尿の原因と考えられている。

▶ **検査・診断**　前彎負荷試験が知られているが，早朝第 1 尿と運動後の尿（来院時尿）の尿たんぱくの変化で推測できる。

▶ **症状・治療**　症状は特になく，治療も不要である。

B 泌尿器疾患

1. 尿路疾患

1　尿路感染症（urinary tract infection：UTI）

▶ **概念・定義**　尿路（腎臓・膀胱）の感染症であり，乳児の発熱の 7％を占める。乳幼児では，腎盂腎炎と膀胱炎が症状・検査で区別できないため，両者を区別せずに**尿路感染症**として扱う。基礎疾患を認めない単純性と，尿路奇形や機能的な問題が感染の誘因となる複雑性に分類する。

▶ **症状**　学童期では，成人と同様な症状（腎盂腎炎：腰背部痛・叩打痛，膀胱炎：排尿時痛・頻尿など）を認めるが，乳幼児では，発熱・不機嫌・嘔吐など非特異的な全身症状を呈する。

▶ **検査・診断**　尿沈渣で尿中白血球が 5 個以上 / 高視野（HPF），もしくは機械測定で 10 個以上 / μ L ある場合は膿尿であり，尿路感染症を疑わせる所見である。尿培養で一定量以上の細菌（中間尿：10^5 以上 /mL，カテーテル尿：5×10^4 以上 /mL）が検出されたら起因菌と判断する。80％前後が大腸菌であり，そのほかにクレブシエラや腸球菌などの腸内細菌が多い。複雑性では，大腸菌以外の割合が増える。単純性の場合，通常は単一菌であり，複数菌が検出された場合には検体が不十分であることが考えられる。

▶ **治療**　頻度が高い起因菌に有効な抗菌薬による治療を行い，培養結果・感受性を参考に抗菌薬を変更する。乳幼児では通常，静注抗菌薬から開始し，内服と合わせて 7 ～ 10 日間治療を行う。反復する上部尿路感染症（腎盂腎炎）は，腎瘢痕から将来的に腎機能低下の原因になり得るため，再発を防ぐ必要があり，抗菌薬の予防内服や手術を行う。

2　水腎症（閉塞性尿路疾患）

▶ **概念・定義**　水腎症は，尿路の通過障害によって腎盂・腎杯が拡張した状態である。胎児超音波検査で診断されることが多い（図 4-61）。

▶ **病態生理**　閉塞機転は，腎盂尿管移行部狭窄，膀胱尿管移行部狭窄，後部尿道弁があり，後者 2 つは，尿管の拡張（巨大尿管，水尿管症）を伴う。軽度の水腎症では自然消失することが多いが，高度の場合には腎臓に圧の負荷がかかり，腎機能障害の原因になる。

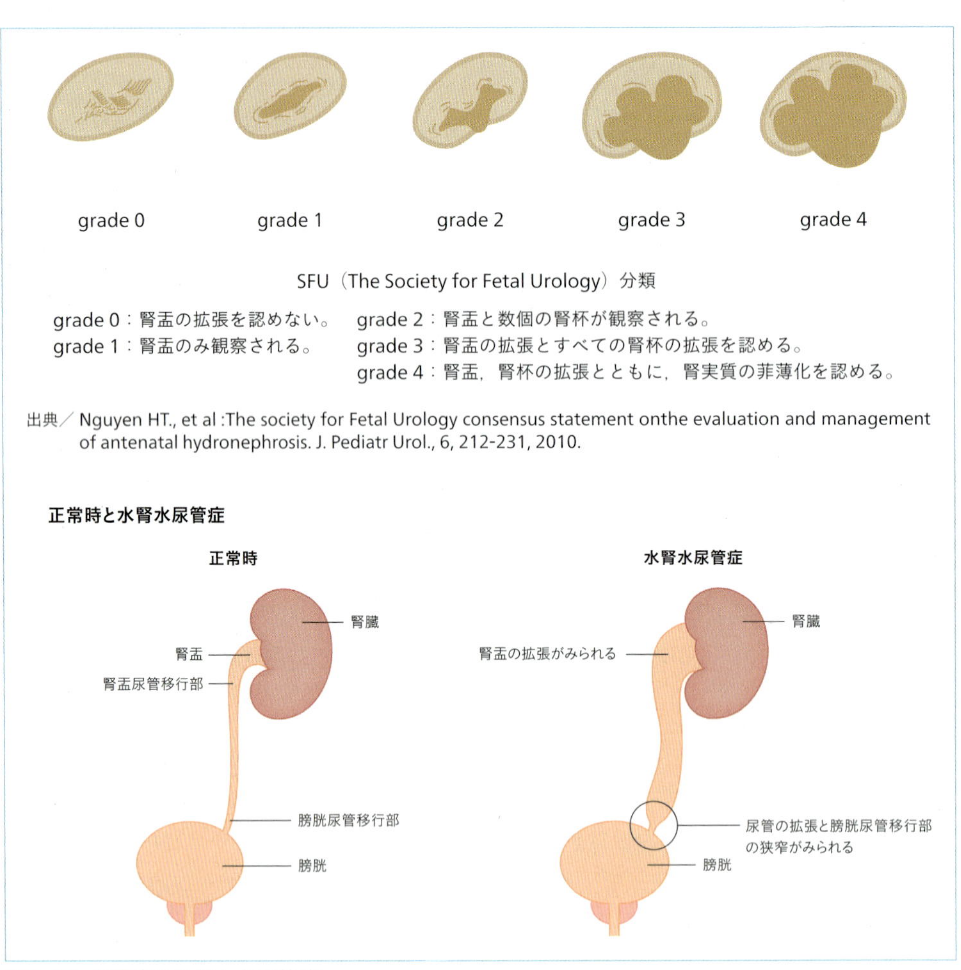

図 4-61　水腎症の分類と水尿管症

▶ **症状** 無症状のことが多い。間欠的水腎症は，水腎症増悪期に腹痛を訴えるが，急性期を過ぎると水腎症が軽度になるか消失することを特徴とする。

▶ **検査・診断** 超音波で水腎症の程度（腎盂・腎杯の拡張により分類）と，尿管の状態，閉塞機転を検索する。利尿レノグラムで，閉塞性か単なる拡張（非閉塞性）か確認する。膀胱尿管移行部狭窄と，膀胱尿管逆流による尿管拡張を区別するため，排尿時膀胱尿道造影（voiding cystourethrography；VCUG）を行う。

▶ **治療** 軽症の水腎症では経過観察するが，高度の場合や腎機能障害を伴う症例などでは手術の適応になる。

3 膀胱尿管逆流症（vesicoureteral reflux；VUR）

▶ **概念・定義** **膀胱尿管逆流症**は，尿が膀胱から尿管・腎臓へ逆流する病態であり，尿路感染症の原因になる。尿管膀胱移行部の逆流防止機構が弱いために生じる先天性のものが多く，一部腎形成異常を伴う。尿道弁や膀胱機能障害に伴い機能的に生じるものもある。

▶ **病態生理** 通常，膀胱壁の筋層を尿管が斜めに通るため，膀胱に尿がたまると尿管は圧迫され，膀胱から尿管に尿が逆流できないようになる。低年齢の症例では，軽度の逆流ほど年齢とともに自然と消失する可能性がある。

▶ **症状** 合併する尿路感染症の症状を呈する。

▶ **検査・診断** VCUGにより，逆流の程度（図4-62）と下部尿路の機能を判断する。超音波検査により，尿管から膀胱への尿の流入角度から逆流の有無を予測することもできる。

▶ **治療** 程度が低ければ，自然消失を期待し，少量の抗菌薬で尿路感染症を予防する。尿路感染症がコントロールできない場合や，自然消失が期待できない場合には手術療法を行う。

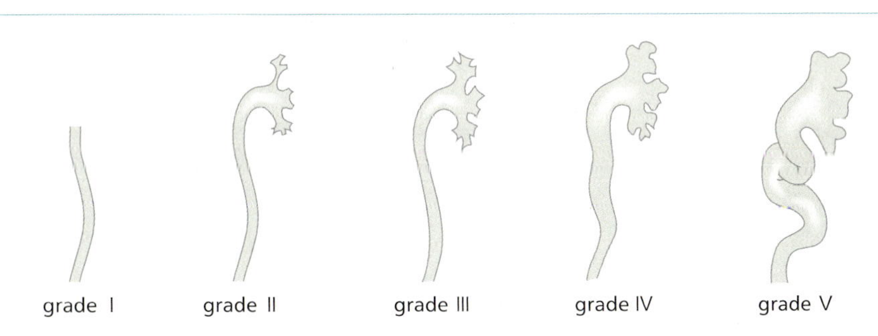

grade Ⅰ：尿管のみへ逆流がみられる。
grade Ⅱ：尿管，腎盂，腎杯までの逆流が認められるが，尿路系の拡張はない。
grade Ⅲ：尿管，腎盂，腎杯の中等度の拡張が認められる。
grade Ⅳ：尿管の中程度の拡張や蛇行が認められ，腎盂腎杯の中程度の拡張も認められる。
grade Ⅴ：尿管の高度拡張や蛇行が認められ，腎盂腎杯の高度の拡張も認められる。大部分の腎杯乳頭部分の構造が破壊されている状態にある。

図4-62 膀胱尿管逆流症の国際分類

手術療法は尿管を膀胱に吻合(ふんごう)し直す方法が一般的である。内視鏡で尿管近傍膀胱壁にデフラックス®を注入することで逆流を防止する方法もある。

4 尿路結石症

▶ **病態生理** 先天性尿路異常や代謝異常などの基礎疾患を認める頻度が高い。

▶ **症状** 乳幼児では発熱や嘔吐(おうと)などの消化器症状を呈することがある。結石が反復性・難治性の尿路感染症の原因になることがある。

▶ **検査･診断** 血清電解質，尿中カルシウム･クレアチニン，血液ガス，副甲状腺ホルモン，尿中アミノ酸などを測定する。結石・結晶が排出されれば成分分析を行う。

画像評価では，被曝(ひばく)のない超音波が小児では第一選択である。尿路異常による尿流の停滞が原因となることがあるため，尿路の評価も大切である。

▶ **治療** 10mm 程度までであれば自然排石が期待できる。

代謝異常のなかで最も頻度の高いシスチン結石では尿のアルカリ化で溶解が期待できる。カルシウム結石や尿酸結石でもアルカリ化のためクエン酸カリウム・クエン酸ナトリウム水和物錠（ウラリット®）を投与する。

腎内の結石で尿路感染症の合併などがなければ経過観察することもあるが，摘出が必要な場合には，経皮的結石破砕(はさい)術，経尿道的結石破砕術，体外衝撃波結石破砕術など，成人と同様の治療を行うが，可能な施設は限られる。

基礎疾患に合わせた再発の予防が大切である。

5 神経因性膀胱

▶ **概念・定義** 神経系（脳や脊髄）の何らかの障害により，膀胱の働き（尿を貯留し，しっかりと排尿させる）が障害される疾患である。

▶ **症状** 尿失禁のほか，尿の過貯留による腹部膨満や合併する尿路感染症症状をきたす。

▶ **検査・診断** 排尿習慣（排尿回数・尿失禁など）や排尿の様子（尿の勢い，尿線，腹圧をかける排尿）の問診などは有用である。二分脊椎(にぶんせきつい)は神経因性膀胱の主要な原因疾患であり，外見でわかる嚢胞性(のうほうせい)二分脊椎だけでなく，潜在性二分脊椎を示唆(しさ)する先天性皮膚洞（殿裂付近の皮膚の陥凹(かんおう)や限局性多毛など）は見逃さない。

神経因性膀胱には，尿流動態検査が有用であり，尿貯留量と排尿筋・尿道括約筋(かつやくきん)の活動を観察することができる。VCUG により，高圧蓄尿・高圧排尿に伴う膀胱変形や膀胱尿管逆流の程度を評価する。神経因性膀胱に伴う尿路感染症，腎機能障害などの評価が必要である。

▶ **治療** 治療の目的は，膀胱の低圧環境を維持して腎機能を保護することである。2～4時間ごとの排尿もしくは導尿を行う。抗コリン薬（オキシブチニン塩酸塩，プロピベリン塩酸塩）で高圧環境の改善を図る。コントロールできない場合には，腸管を利用した膀胱拡大術を行う。

2. 生殖器・外性器疾患

1 停留精巣

▶ **概念・定義** 精巣が陰嚢内に下りていない状態である。通常，妊娠7か月頃から胎児の精巣は腹腔内から陰嚢に下降するが，その途中（腹腔内・鼠径管内・鼠径管外）でとどまっている状態である。正期産児では生後3か月以降の自然下降はまれである。

▶ **症状** 妊孕性が低下（精子形成異常）し，停留精巣の腫瘍化の頻度が増加する。

▶ **検査・診断** 身体診察で触知できない非触知精巣の場合には，超音波検査やMRIを行う。

▶ **治療** 手術により陰嚢内に精巣を下ろす精巣固定術を行う。手術により妊孕性は改善し，手術時期が遅いほど父性獲得率は低下することから1歳までに手術を行う。一方，悪性化への効果については，精巣固定術によって悪性化の危険性を軽減できるかは不明だが，陰嚢内に固定してあれば，異常が早期に発見できる可能性がある。

陰嚢底部への固定不良のため鼠径部に挙上する移動性精巣は，手で陰嚢内に引き下ろすことが可能で，精巣の大きさや陰嚢の発達は良好であり，妊孕性も正常である。

2 陰嚢水腫

▶ **概念・定義** 精巣が下降する経路である腹膜鞘状突起の閉鎖が不十分なため，陰嚢内に液体が貯留した状態である。

▶ **症状** 陰嚢腫大。

▶ **検査・診断** 透光性の確認・超音波検査を行う。鑑別診断として鼠径ヘルニアが重要であり，同様に透光性を示すこともあるため，超音波検査が重要である。

▶ **治療** 乳児期までの陰嚢水腫では95％が1年以内に自然治癒する。痛みを伴う場合や鼠径ヘルニアを合併する場合には手術（腹膜鞘状突起の結紮）を行う。

3 尿道下裂

▶ **概念・定義** 外尿道口が本来の亀頭部先端ではなく，陰茎の腹側や陰嚢，時に会陰部に開口する状態である（図4-63）。陰茎は腹側に屈曲する。

▶ **症状** 立位排尿・性交が不可能になる。

▶ **検査・診断** 陰茎の診察で診断するが，軽度の場合にはわかりづらいことがある。

▶ **治療** 陰茎の屈曲の修正と尿道形成を行う。小児への精神的な影響を考慮し1歳前後に行う。

4 亀頭包皮炎

▶ **概念・定義** 陰茎先端の亀頭部位および包皮の細菌による感染症。

▶ **病態生理** 年少児では包皮と亀頭が癒着し，亀頭が完全に露出できない状態が通常の状

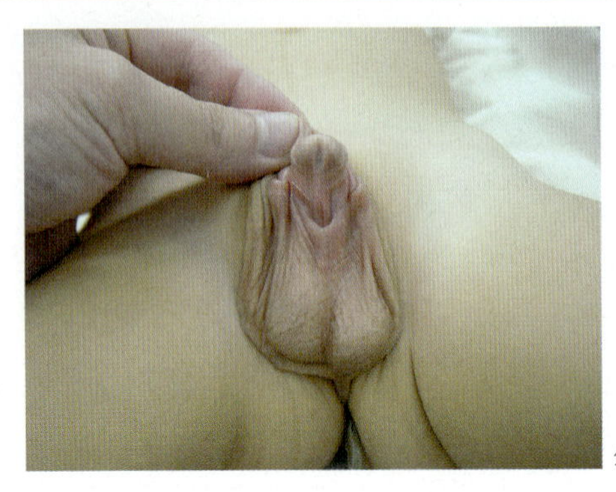

外尿道口が陰茎の腹側に開口している

図4-63 尿道下裂

態である。亀頭包皮炎は触って傷つけたことにより生じる。

▶ **症状** 同部位の発赤（ほっせき），腫脹（しゅちょう），疼痛（とうつう）や，排尿時痛が生じる。膿性や血性の分泌物（ぶんぴつぶつ）がおむつに付着することで気づかれることもある。

▶ **検査・診断** 膿の培養を行うが，通常，起因菌は局所の常在菌である。

▶ **治療** 抗菌薬入り軟膏（なんこう）の塗布（とふ）を行う。炎症が陰茎全体に及んでいる場合には抗菌薬の内服治療を行う。包皮が反転可能であれば，洗って清潔にするが，反転しないようであれば無理に行わない。

5 陰門腟炎（外陰腟炎）

▶ **概念・定義** 外陰部から腟にかけての細菌による感染症。

▶ **症状** 外陰部の発赤・腫脹，排尿時痛が生じ，おむつ・パンツに膿性分泌物が付着する。

▶ **検査・診断** 膿の培養を行うが，尿路感染症と同様大腸菌が多い。

▶ **治療** 局所の清潔，抗菌薬入り軟膏塗布，抗菌薬の内服治療を行う。

6 尿道上裂，膀胱外反症

▶ **概念・定義** 外尿道口が陰茎の背側に開口する状態が尿道上裂であるが，単独で生じることはまれである。膀胱外反症は膀胱粘膜が腹壁に露出（外反）する状態で，非常にまれ（数十万人に1人）とされる。尿道上裂は膀胱外反症の軽症型と考えられている。

▶ **症状** 膀胱外反症では恥骨結合の離開（独特な歩行）や骨盤底筋群の脆弱性（ぜいじゃくせい）を伴う。放置することで膀胱粘膜の障害，長期にわたると悪性化の原因になるとされる。

▶ **検査・診断** 診察所見で診断されるが，胎児超音波検査で診断されることもある。

▶ **治療** 手術により膀胱機能の獲得と腎機能の保護，外性器外観の獲得を目指す。

Ⅷ 運動器疾患

A 先天性疾患

1 漏斗胸，鳩胸

▶ **概念・定義** 漏斗胸は前胸部が陥凹し，鳩胸は前胸部が突出している胸郭変形である。先天性と考えられているが，生まれたときは軽度でも成長期に進行することが多い。漏斗胸は男児が女児よりも4倍多く，鳩胸は漏斗胸の1/10程度の発生頻度である。

▶ **病態生理** 原因については明らかではないが，先天的に胸骨や肋骨の過成長や脆弱性があり，それが原因で起こるという説が有力である。漏斗胸が起こりやすい代表的疾患にマルファン（Marfan）症候群がある。

▶ **症状** 主に思春期以降における整容面やそれに伴う心理的な問題として取り上げられるが，漏斗胸の重症例では胸の中央部が凹むことにより心臓，肺，気管などの臓器が圧迫され，心機能や呼吸機能に影響を与えたり，胸部圧迫感を生じることがある。

▶ **検査・診断** 視診や問診，胸部CTで変形の程度，左右のバランス，臓器への影響を評価する。漏斗胸では，単純X線検査で心臓の位置異常や，呼吸機能検査で換気障害，心エコー検査で僧帽弁閉鎖不全がみられることがある。

▶ **治療** 漏斗胸に対しては従来，胸骨翻転術・胸骨挙上術が行われてきたが，近年は胸郭の内壁側に金属のロッドを用いて低侵襲で胸郭形成手術を行うナス法（Nuss法）が普及している。比較的軽度の漏斗胸に対してはバキュームベルという吸引器を用いた矯正法も行われている。鳩胸に対しては重度の場合，胸骨翻転術・胸郭形成術などが行われる。

2 筋性斜頸

▶ **概念・定義** 耳の後ろにある乳様突起と，鎖骨・胸骨をつなぐ胸鎖乳突筋の拘縮により生じる斜頸で，典型的には，患側に頸部が傾き健側に顔を向ける姿勢となる（図4-64）。

▶ **病態生理** 分娩時の外傷などで新生児期に胸鎖乳突筋が腫れ，その後，瘢痕組織に置き換えられ硬くなっていく。硬くなった筋は柔軟性が失われているため伸長できず，乳様突起と胸骨が近づく典型的な患側側屈・健側回旋位となり，さらに頸部の動きも制限される。

▶ **症状** 斜頸姿勢による整容面とそれに伴う心理面の問題以外にも，2次性に脊柱側彎症や，顔面側彎・不正咬合・頭部変形・眼瞼の左右差・頸部可動域制限を生じる。また成人期まで放置すると，耐え難い頸部痛を訴えることもある。

▶ **検査・診断** リラックスした姿勢での頸部側屈角度・回旋角度を計測する。次に他動的な頸部可動域を計測し重症度を評価する。顔面側彎については同側の外眼角と口角の距離

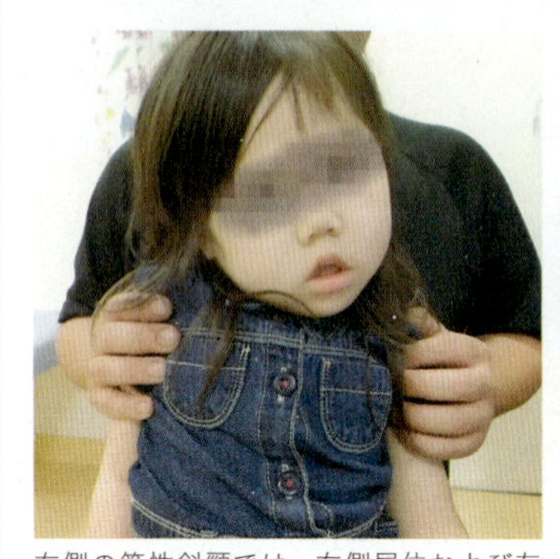

右側の筋性斜頸では，右側屈位および左回旋位となる。

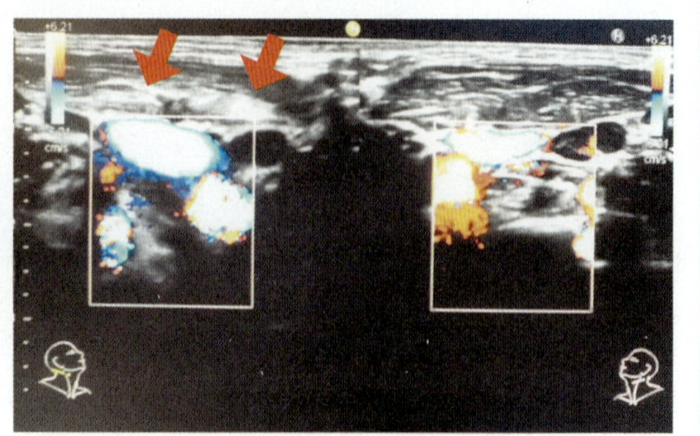

右胸鎖乳突筋内に筋線維化を反映した高輝度領域を認める。

図4-64 筋性斜頸

を測定し，左右差 5mm 以上で陽性とする。眼性斜頸と鑑別するために Bielschowsky 頭部傾斜試験を行い，内斜視などの眼球運動異常に伴う調節性の斜頸と鑑別する。単純 X 線検査で頸椎癒合症などの骨性斜頸や側彎症の有無を確認する。超音波検査は極めて有用で，患側胸鎖乳突筋に変性と腫大の所見があれば確定診断となる。筋の変性が強いほど超音波検査では高輝度かつ広範囲となる。

▶ **治療**　新生児期に筋性斜頸と診断されてもそのうち約 90% の症例は 1 歳頃までに自然に改善するため治療は不要だが，2 歳頃まで斜頸が残っている場合は，その後の改善は期待しにくいため，就学前までに手術を行ったほうがよい。手術は胸鎖乳突筋の上下端 2 か所での筋切り術・胸鎖乳突筋中央部の筋腹筋切り術・胸鎖乳突筋切除術などがある。術後は頸椎装具による矯正位の維持や理学療法を併用し再発を予防する。

3 発育性股関節形成不全

▶ **概念・定義**　成長の過程で股関節が脱臼したり，臼蓋形成不全といわれる股関節の骨盤側の発育が不十分である状態などを総じていう。以前は先天性股関節脱臼とよばれていたが，生後に脱臼してくる症例もあるため発育性という呼称に変更された。

▶ **病態生理**　冬生まれの乳児や横抱き用のスリングを使用した乳児に多いこと，昭和 40 年代におむつの股関節肢位をそれまでの伸ばす姿勢から開排する姿勢に改良したことで股関節脱臼の児が激減したことなどから，現在では生後，股関節が未発達な時期に，横抱きなど股関節がはずれやすい肢位で育児したり，冬場に重い布団などで下肢の自然な動きが妨げられることが，股関節脱臼の主な発生原因ではないかと考えられている。また女児や関節が軟らかい乳児，家族性に発生することが多いことから関節弛緩などの遺伝的素因も指摘されている。一方，臼蓋形成不全は，臼蓋が低形成で大腿骨頭の被覆が浅い状態のため，成人期までに改善しないと関節軟骨が摩耗しやすく，成人期に変形性股関節症を発症する可能性がある。

▶ **症状** 股関節脱臼は，患肢の短縮やそれに伴う大腿部皮膚溝の左右差や股関節の開きが硬い（開排制限）ことで気づかれることが多い。しかし両側例では左右差に乏しいため，歩行開始後に跛行や姿勢異常で初めて気づかれることもある。

▶ **検査・診断** 乳児健診では日本整形外科学会が推奨する股関節の検査項目があり，股関節開排制限，クリックサイン，下肢の左右差，性別，家族歴などを点数化し，基準点に満たない乳児については，小児整形外科専門医に紹介する。身体所見としてはアリスサインによる患肢短縮の評価，クリックサインによる脱臼感もしくは整復感の触知，テレスコーピングサインによる股関節の後方不安定性評価，開排位で大転子の位置異常を触知する検査がある。股関節脱臼が疑われたら，超音波検査（Graf 法）を行い診断する。超音波検査は非侵襲的に脱臼の有無や臼蓋形成不全の評価が可能なため，有用である。単純 X 線検査は，臼蓋形成不全の評価には向いているが，股関節脱臼に関しては判別が困難な偽陰性の症例があるため注意が必要である。

▶ **治療** 股関節脱臼と診断されたらリーメンビューゲル装具で治療を行う（図 4-65）。順調であれば 1 週間以内に整復される。リーメンビューゲル装具の整復率は 70 ～ 80％程度だが，整復されても数か月間装具治療を継続し，装具がなくても股関節が整復位を保っていることが確認できれば，装具治療は終了となる。この装具で整復が得られない場合や，患児がすでに寝返りをうつ時期に達していて，装具による治療が困難な場合には，牽引治療を行う。牽引治療は，股関節周囲の筋肉を段階的に緩めておいてから最終段階で自然整復を誘致する治療である。徒手的に整復すると骨頭壊死が起こりやすいため行ってはならない。牽引治療の成功率は 90% 程度であり，牽引治療でも整復されない場合は，観血整復術を行う。観血整復術は，股関節を包む関節包を切開して，整復を妨げている軟部組織を切除し，反転した関節唇を修復した後で，大腿骨頭を臼蓋の正しい位置に戻して，体幹ギプスで整復位を維持する手術である。いずれかの治療法で整復が得られても，その後の成長の過程で，亜脱臼や臼蓋形成不全が残る場合は，成人期に股関節の軟骨が摩耗して変形性股関節症になりやすいため，就学前に骨盤骨切り術や大腿骨骨切り術などの補正手術を行うことがある。

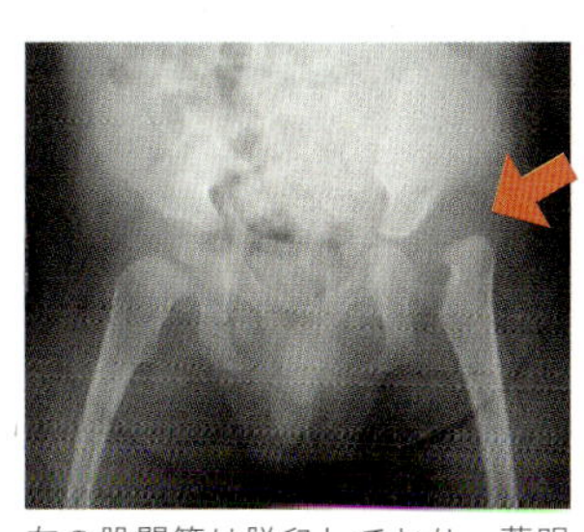
左の股関節は脱臼しており，著明な臼蓋形成不全を認める（X 線）。

リーメンビューゲル装具により整復と整復維持を行う。

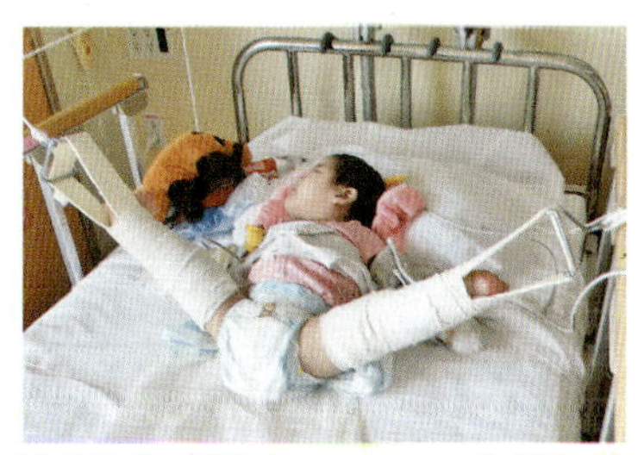
牽引治療の様子（オーバーヘッド牽引の第 4 段階）。

図 4-65 発育性股関節形成不全

4 先天性内反足

▶ **概念・定義** 生まれたときから足が内側に曲がっていて硬く，徒手的に矯正ができない先天性の足部変形である。ほかの病気を合併していない特発性内反足が最も多いが，そのほかに何らかの疾患に合併する症候性内反足や麻痺性内反足がある。

▶ **病態生理** 距骨と，距骨に接している舟状骨および踵骨との間で足根骨の配列異常がある。踵骨の前方が距骨の下にもぐり込み（roll-in），内旋した状態で拘縮しているために通常は徒手的に正常な位置まで矯正できない。逆に徒手的に矯正できるものは，単なる胎内肢位の名残であって本物の内反足ではない可能性がある。踵骨が roll-in すると同時に，舟状骨は距骨に対して内転位に，前足部は内反内転位に，足関節は尖足位になる。すなわち，内反足は内転・内反・尖足・内旋の 4 つが複合した変形である。さらに凹足という母趾の底屈変形を認める症例もある。

▶ **症状** 足部が内反位や尖足位であると，足底が地面に接地できず，立位および歩行が困難となる。また踵部以外の荷重割合が増えると，立位が不安定になるだけでなく，足底に胼胝が発生し疼痛の原因となる。

▶ **検査・診断** まずは徒手矯正が十分にできるか確認する。矯正ができない場合や硬い場合は内反足を疑い，単純 X 線検査を行う。距踵角を測定し，正常値以下の場合に内反足と診断する。内反足の場合，内転・内反・尖足・内旋の程度を指標に重症度を判定する。この 4 つの指標を時系列で計測しておくと，治療効果判定や再発の発見に役立つ。

▶ **治療** 診断がついたら矯正ギプスによる治療を行う（図 4-66）。矯正ギプスの方法はいくつかあるが，わが国ではポンセチ（Ponseti）法といわれる矯正方法が主流である。ポンセチ法は，1 週間に 1 回程度の間隔で石膏ギプスによる矯正を 5 回ほど繰り返し，まずは尖足以外の矯正を行うものである。徒手的に外転・外反・外旋が十分にできる柔軟な足になった時点で，尖足の評価を行い，足関節の背屈が 30° 以下であった場合は，引き続いてアキレス腱の皮下切腱を行い，尖足を矯正する。内反足は再発しやすい疾患であり，ギプス治療後も装具で矯正位を維持する必要がある。矯正維持はデニス・ブラウン（Denis Browne）型の足部外転装具を 4 歳頃まで使用する。再発する場合は，再度矯正ギプスを

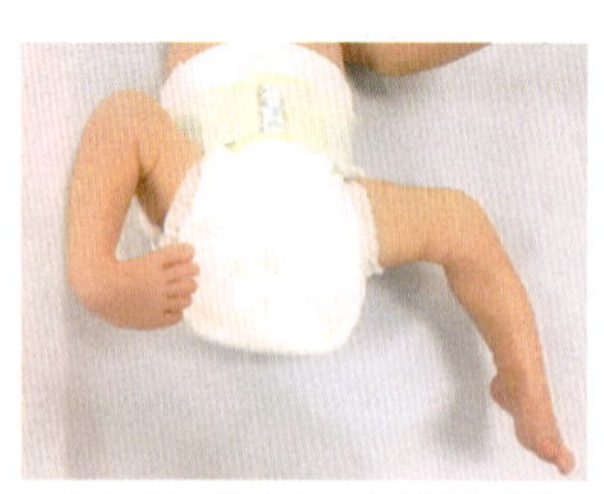

右内反足の新生児。右足が内側に曲がっている。

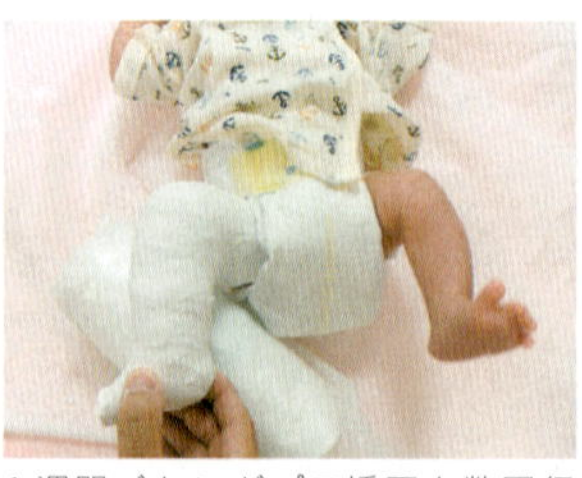

1 週間ごとにギプス矯正を数回行う。

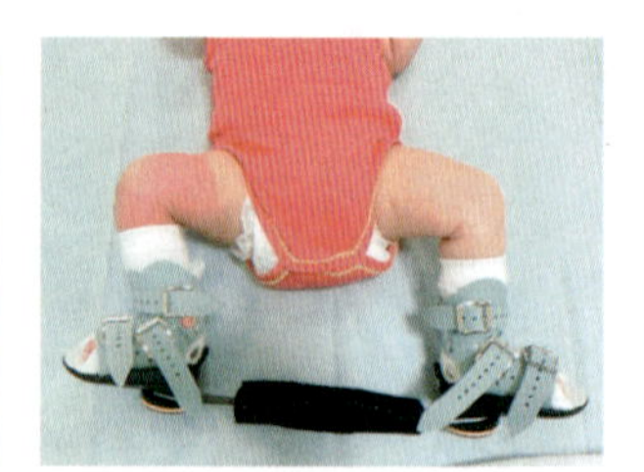

足部外転装具で矯正位を維持し，再発を予防する。

図 4-66 先天性内反足

行うか，手術治療を行う。手術は後内側解離術や，前脛骨筋腱移行術，重症例では足根骨の二関節／三関節固定術などが行われる。

5 非進行性ミオパチー症候群

▶ 概念・定義　**非進行性ミオパチー症候群**は，骨格筋の先天的な構造異常により，生まれたときより筋緊張低下や，運動発達の遅れなどを呈す遺伝性筋疾患であり，症状が緩徐に進行する症例もあることから，最近では先天性ミオパチー症候群とよばれることも多い。

▶ 病態生理　現在までに多くの原因遺伝子が特定されており，常染色体優性遺伝または劣性遺伝，まれにX染色体劣性遺伝形式をとる。これらの遺伝子異常により，骨格筋を構成するたんぱく質が蓄積したり，機能がうまく働かずに発症すると考えられている。病理学的特徴に基づいて主に4つ（ネマリンミオパチー，セントラルコア病，中心核ミオパチー，先天性筋線維タイプ不均等症）に分類されるが，症状が似ているため臨床的には鑑別が困難である。

▶ 症状　筋緊張低下，運動発達遅延，高口蓋，呼吸障害，心疾患（心筋症，不整脈など），関節拘縮，脊椎変形（側彎症など），栄養障害などのほか，知的障害やてんかんを合併することもある。

▶ 検査・診断　筋力評価，深部腱反射の評価（減弱の有無），骨格筋の画像評価（MRIなど）を行う。血清クレアチンキナーゼ（CK）値は正常ないし軽度上昇，筋電図は正常ないし筋原性所見を示す。確定診断には筋生検や遺伝子検査が行われる。

▶ 治療　根治的な治療はなく，筋力低下や拘縮に対してはリハビリテーション，側彎症などの変形に対しては装具治療や手術，呼吸障害に対しては気管切開や人工呼吸器管理，心疾患に対しては内科的治療が必要となる。

6 筋強直症候群

▶ 概念・定義　筋肉を収縮させると，筋緊張が持続して弛緩しにくくなる状態を**筋強直**（**ミオトニア**）といい，ミオトニアが病的に持続する疾患の総称を**筋強直症候群**という。ミオトニアを生じる疾患に，筋緊張性ジストロフィーと非ジストロフィー性ミオトニアがある。

▶ 病態生理　筋緊張性ジストロフィーはミオトニンキナーゼ遺伝子の異常，非ジストロフィー性ミオトニアは筋の変性を伴わず，骨格筋にあるイオンチャネル遺伝子の異常で発症する。

▶ 症状　筋緊張性ジストロフィーは筋強直現象，進行性の筋力低下および筋萎縮が主な症状であり，白内障や耐糖能異常など多くの合併症を生じる特徴がある。一方，非ジストロフィー性ミオトニアは筋強直現象が主な症状であり，非進行性で筋肉量は正常か逆に発達（筋肥大）していることが多い。寒い時期や動き始めなどに筋肉がこわばって動かしにくい，繰り返し同じ運動をすると症状が軽くなる（ウォームアップ効果），筋肉痛が生じやすいなどの特徴がある。また，筋強直現象による呼吸不全，嚥下障害や，全身麻酔の際に悪性高熱を発症することもあるため注意が必要である。

▶ **検査·診断**　手を強く握ると開くまで時間がかかる把握ミオトニア（グリップミオトニア）や，筋腹を強く叩くと持続的な筋収縮が生じる叩打ミオトニア（パーカッションミオトニア）がある。筋緊張性ジストロフィーは，針筋電図で特徴的なミオトニア放電と筋原性変化を認める場合に疑い，遺伝子検査によりミオトニンキナーゼ遺伝子のCTGリピート数の異常な伸長が検出されることで診断される。一方で，非ジストロフィー性ミオトニアは，針筋電図ではミオトニア放電がみられるが筋原性変化に乏しく，遺伝子検査によりイオンチャネル遺伝子に異常が検出されることで診断する。

▶ **治療**　根治療法はなく対症療法が中心で，筋緊張を緩和するために抗痙攣薬や抗不整脈薬が使われる。筋力低下や四肢拘縮に対しては理学療法や装具治療が行われる。

B 後天性疾患

1　O脚，X脚

▶ **概念·定義**　膝の内外反や，大腿骨もしくは脛骨の変形によって起こる下肢のアライメント異常である。

▶ **病態生理**　通常，乳児期は生理的O脚があり，その後3〜4歳をピークに徐々にX脚になっていく。さらに骨格が形成されるにつれてX脚は解消され，成人のアライメントに至る。このように，成長の過程でみられる生理的O脚やX脚は病的なものではなく，自然経過で改善が見込める。一方，下肢のアライメント異常をきたす疾患としては，くる病，ブラウント病（Blount's disease），骨系統疾患，化膿性骨髄炎，外傷などがある。

▶ **症状**　幼少期は，姿勢異常，歩容異常，転倒しやすい，疲れやすいなどの症状を認めるのみで，大きく困ることはないが，成人期以降では下肢荷重軸の異常により関節軟骨に負担がかかり変形性膝関節症の原因となり得る。また，X脚では足部の内側に荷重が集中し，外反扁平足になりやすい。

▶ **検査·診断**　まずは単純X線検査を行う。骨幹端中央の杯状変形（cupping）や，骨幹端部の横径増大（flaring），骨端線の拡大や刷毛状不整像（fraying）を認めればくる病の疑いがあり，血液検査（Ca，P，ALP，血清25水酸化ビタミンD）で診断を確定する。脛骨近位の骨端もしくは骨幹端の内側だけに異常がある場合は，ブラウント病である可能性が高い。

▶ **治療**　くる病では内科的治療だけで劇的にアライメントが改善することが多い。重度の場合や，内科的治療で改善しない場合は長下肢装具やインソールを用いた装具治療や手術を行う。変形矯正手術については，成長の余力を利用した骨端軟骨発育抑制術が広く行われているが，骨幹部での変形，成長が終了した症例では矯正骨切り術を行う。

2　ペルテス病（Perthes disease）

▶ **概念·定義**　小児期に大腿骨頭への血行が障害されることで骨壊死が起こり，骨の強度が著しく低下することで圧潰や変形をきたす原因不明の疾患である。

▶ **病態生理**　3～9歳の男児に好発し，両側例も10％ほどある。大腿骨頭骨端核への栄養血管はこの時期には外側骨端動脈のみとなるため，何らかの原因でその血管に血行障害が起こるとペルテス病を発症すると考えられている。ペルテス病の病期には，滑膜炎期・壊死期・修復期・遺残期があるが，成人の大腿骨頭壊死症とは異なり，発症から1～2年で血行が再開通し，徐々に修復されることが特徴である。骨頭が修復される前の脆弱な時期に荷重をかけると，圧潰・変形し，股関節の球関節としての適合性が失われるため，股関節に機能障害や疼痛が生じ，成人期に変形性股関節症になりやすくなる。

▶ **症状**　発症初期は，軽微な疼痛や跛行のみであり医療機関への受診が遅れることも多い。股関節痛がなく膝痛を主訴に受診されることもあるため注意が必要である。骨頭に変形を残すと，疼痛や可動域制限・歩行障害を呈する。

▶ **検査・診断**　初期の滑膜炎期には単純X線検査で大腿骨頭骨端核の異常所見に乏しく，関節腔の開大所見のみであることも多く，単純性股関節炎と誤診しやすいため，症状が持続する場合はMRIで確認する。MRIではT1強調像で骨端核が低信号となり診断的価値が高い。続いて壊死期に入ると，単純X線検査で骨壊死を反映した骨端核の硬化像・分節像・萎縮像・骨頭軟骨下の骨折線（クレセントサイン）を認め，診断は容易となる。

▶ **治療**　3歳以下では予後が良いため経過観察のみを行うこともあるが，4歳以上では装具治療が原則となる（図4-67）。MRIや超音波検査で関節水腫を認める滑膜炎期は，入院させて下肢を牽引し安静とする。関節水腫が改善したら関節可動域訓練を開始し，十分に股関節の可動域が得られてから装具歩行訓練を開始する。装具治療の目的は骨頭への免荷（荷重をかけないこと）とコンテイメント（包み込み効果）で骨頭を圧潰させないようにすることである。荷重を骨頭の代わりに坐骨で受けることで骨頭への負荷を減らし，さらに骨頭の脆弱部を股関節の受け皿側（臼蓋）に深く入れ込む外転姿勢をとることで，骨頭への荷重を面で受け，負荷を分散させるコンテイメント効果が得られる。装具は外転免荷型装具（タヒジャン型・ポゴスティック型）が主流であるが，年少児には扱いづらいため外転荷重型装

a

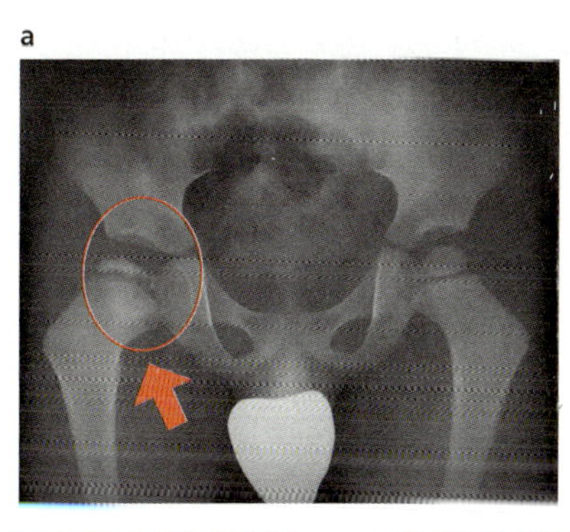

b

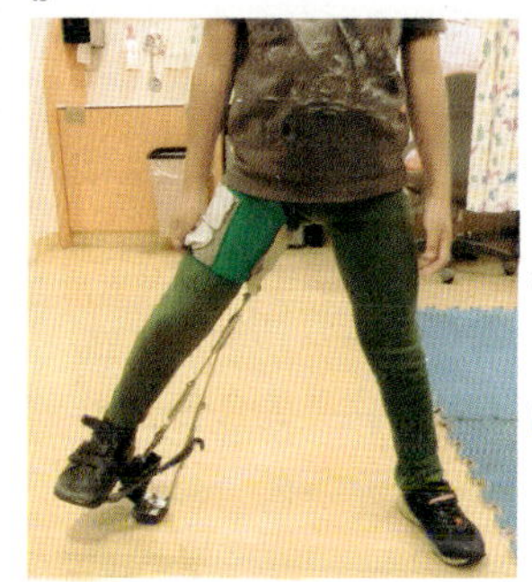

a：右大腿骨頭の骨端核が骨硬化・分節化している。
b：タヒジャン型外転免荷型装具。坐骨部で荷重を受けることで大腿骨頭の圧潰を防ぐ。

図4-67　ペルテス病

具（アトランタ型）を用いる。9歳以上の症例や圧潰が進行している症例は予後が悪いため手術治療を選択する。手術には大腿骨内反骨切り術や骨盤骨切り術でコンテイメントを獲得する方法や，大腿骨回転内反骨切り術や大腿骨屈曲骨切り術で，非圧潰部を荷重部に移動させることにより関節適合性を改善させる方法がある。

3　特発性脊柱側彎症

▶ **概念・定義**　脊柱は頸椎・胸椎・腰椎，そして仙骨と尾骨から成り，側彎は，前後方向からみて背骨が側方に彎曲している状態を指す。側彎症は大きく，原因不明に発症する特発性，生下時より発症する先天性，マルファン症候群や麻痺性疾患などに合併する症候性に分けられる。特発性脊柱側彎症は，文字どおり本来健康な小児において原因不明に背骨が彎曲してくる疾患であり，側彎症全体の80～85%を占める。また特発性側彎症は，その発症時期から乳児期側彎症，学童期側彎症，思春期側彎症に分けられるが，そのなかでは思春期側彎症が最も多く，ほとんどがやせ型の女児である。発症の原因は不明であるが，同胞の発症率が高いため近年は遺伝子の関与も指摘されている。

▶ **症状**　主に外見上の変形や姿勢異常，さらにそれに伴う心理的な問題がある。痛みを生じることはまれであるが，80°以上に進行すると胸郭が圧迫され拘束性換気障害が発生することもある。

▶ **検査・診断**　肩やウエストラインの左右非対称，前屈による背部肋骨隆起の左右差（rib-hump）を調べる。検査はまず，脊柱全長の単純X線検査を行い，半椎や癒合椎などの脊椎奇形がないか確認する。また下肢長差・斜頸・腰痛などに起因する機能性側彎症もあるため注意が必要である。特発性側彎症はほとんどがS字状のカーブであり，最も傾斜している上下の椎体どうしの成すコブ角（cobb角）を計測する。

▶ **治療**　側彎症の治療には装具治療と手術治療がある。装具治療は，側彎症の進行を防ぐ目的で行われ，コブ角が25°以上に達する場合に行う。上位胸椎にメインカーブがある場合は，下顎部から固定するミルウォーキー型装具の適応であるが，外から見えてしまうため継続が困難になりやすい。一方，第6胸椎以下のカーブではアンダーアーム型装具の良い適応である。長さは腋窩より下までで服の上から目立ちにくく，比較的継続しやすい構造である（図4-68）。装具治療は成長が終わるまで継続するが，成長の残存期間が長い若年発症例ではより治療の必要性が高い。成長終了時期の判断は，初経開始から2年，もしくは骨盤の単純X線像で腸骨翼の骨端線が閉鎖する時期を指標（リッサーサイン）とする。成長終了期に40°以上の側彎が残存していると，その後も進行することが多いため，40°以上に達する場合には手術が推奨される。手術は主に脊柱矯正固定術（growing rod法）が行われており，成長に合わせて定期的に伸長する追加手術が必要である。

4　小児の骨折

▶ **特徴**　小児の骨膜は厚く強靱なため，骨折しても骨膜の連続性が保たれることが多く，

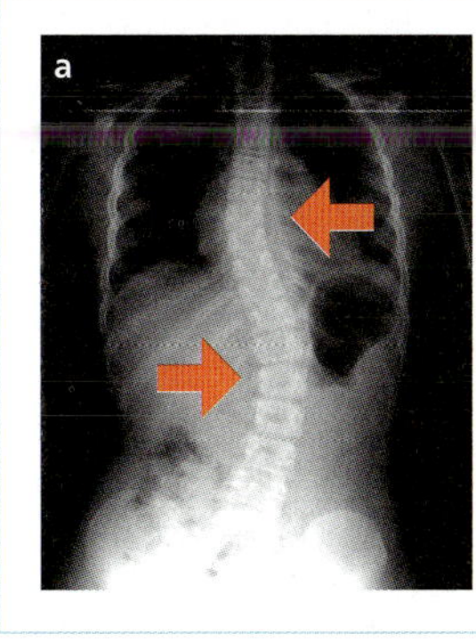

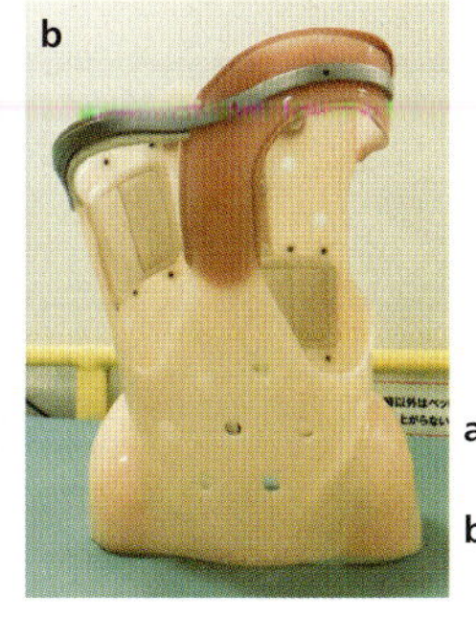

a：側彎症の女児の単純X線写真。脊柱にS字状のカーブを認める。
b：第6胸椎以下の側彎症ではアンダーアーム型装具で進行を防ぐ。

図4-68 特発性脊柱側彎症

若木骨折，竹節状骨折とよばれる不全骨折を起こすことが多い。また小児の骨折は変形した状態で骨癒合しても，成長の過程である程度は変形が自家矯正（リモデリング）され変形を残しにくいが，回旋変形や関節内骨折は自家矯正されにくい。治癒過程では骨膜の血行が豊富なため骨膜性仮骨形成能が旺盛で骨癒合しやすく，偽関節（骨癒合不全）や関節拘縮（こうしゅく）を起こしにくい。小児期は成長軟骨とよばれる骨端線が残存しており，力学的に弱い部分であるため骨端線損傷を起こしやすく，ソルターハリス分類で骨端線離開を起こすⅠ型と，骨折線が骨端線を通過し骨幹端に骨片がみられるⅡ型が多い（図4-69）。また骨端線損傷は，成長障害による変形を生じる可能性があるため長期の経過観察が必要である。乳児期の骨折は発見されにくく，泣きやまない，手足を動かさない，腫れている場合は骨折の存在を疑う。また小児期の多発骨折は虐待の可能性もあるため親の言動にも注意を払う。

▶ 治療

❶**小児骨折の治療原則**：小児の骨折は，骨癒合が良好で自家矯正が旺盛なため，保存的治療が選択されることが多い。保存的治療はギプスによる治療と牽引治療があり，転位

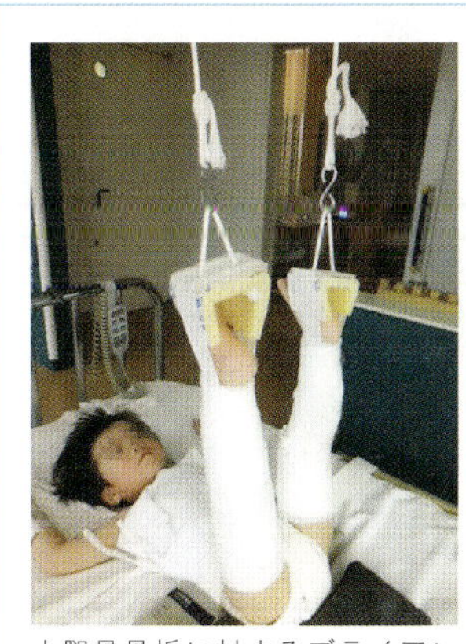

大腿骨骨折に対するブライアント牽引の様子。

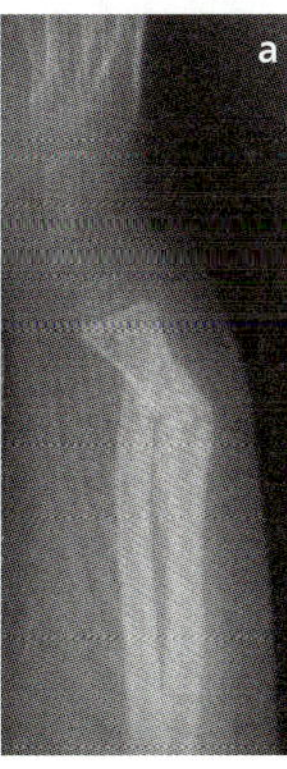

受傷後3週（a）と1年（b）の単純X線写真。小児の骨折は自家矯正が旺盛で変形を残しにくい。

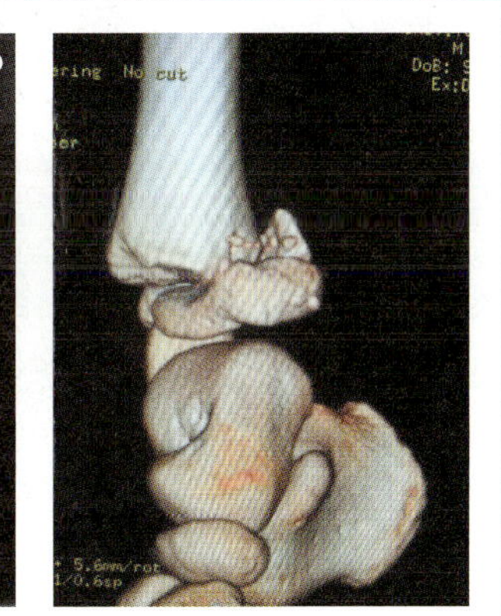

脛骨遠位骨端線損傷（ソルターハリスⅡ型）。

図4-69 小児の骨折

のない骨折や転位があっても徒手整復後にギプスで整復維持が可能な骨折は，ギプス治療を行う。徒手整復やギプス治療が困難な骨折は，牽引治療あるいは手術を行う。神経血管損傷を合併している骨折や，転位しやすい上腕骨外側顆骨折，大腿骨頭壊死を起こす可能性のある大腿骨頸部骨折は手術が必要なことが多い。

❷牽引治療：小児の骨折では，短縮・変形が強くても牽引することで許容範囲の変形に整復されることが多く，成人に比べより短期間に骨癒合が得られやすいことや，変形や短縮が残っても，その後に起こるリモデリングや過成長により自家矯正が期待できるため，牽引治療が広く行われている。特にギプス固定が困難な大腿骨骨幹部骨折は良い適応である。牽引は安静や挙上効果もあり骨折後の腫脹に伴う循環障害などの合併症が起こりにくいが，一方で，圧迫による腓骨神経麻痺の発生や，長期臥床による筋力低下，学業の問題がある。大腿骨骨折に対しては，3 歳頃までは両下肢を垂直に吊るブライアント（Bryant）牽引，3 歳以降は膝を曲げて大腿部を牽引する 90° − 90° 牽引，大腿骨遠位骨折や脛骨骨折に対してはラッセル（Russell）牽引が行われる。そのほかには，上腕骨顆上骨折に対する垂直牽引法があるが，近年は手術が行われることが多い。

5 骨肉腫

▶ **概念・定義**　骨肉腫は，骨に発生する非上皮細胞由来の悪性腫瘍で，骨原発性悪性腫瘍の約 20% を占める。若年者の長管骨骨幹端部に多く，75% は 25 歳未満で発症する。早期に肺転移を生じ，悪性度が高いため早期発見・早期治療が重要である。

▶ **病態生理**　化学物質・ウイルス・放射線などが原因で遺伝子変異を起こし発症すると考えられており，組織学的には類骨とよばれる未熟な骨を形成していることが特徴である。

▶ **症状**　腫れや持続する疼痛を認めるが，自覚症状に乏しいことも多く，ほかの目的で撮影した単純 X 線検査で偶然にみつかったり，進行してから発見されることも多い。長管骨の骨幹端部が好発部位で，大腿骨遠位・脛骨近位・上腕骨近位の順に多いため，膝や肩に持続する痛みがあれば積極的に検査を行ったほうがよい。

▶ **検査・診断**　単純 X 線検査の所見として，皮質骨の破壊像や溶骨性変化・骨硬化像・コッドマン（Codman）三角などの骨膜反応がある。造影 MRI は，単純 X 線検査では判別しにくい病変の広がりやほかの疾患との鑑別に役立つ。少しでも骨肉腫が疑われる場合は生検術を行い，病理組織学的に診断する。また CT や骨シンチグラフィーで，肺転移などの遠隔転移の有無を検索することも重要である。

▶ **治療**　広範切除術と化学療法が標準的治療であり，術前化学療法で腫瘍を縮小してから，広範切除術を行い，術後化学療法を行うことが一般的である。化学療法や画像診断技術の進化で，遠隔転移のない骨肉腫の 5 年生存率は現在 70% まで改善している。広範切除術は，腫瘍の完全切除が大原則であるが，腫瘍用人工関節や自家処理骨・血管柄付き腓骨移植術などを用いて可能な限り患肢温存が図られている。

IX 神経・筋疾患

小児神経疾患のうち特に重要なものは，痙攣（けいれん）や意識障害を主症状とする発作性疾患と発達遅滞をきたす慢性疾患である。前者の代表的疾患はてんかん症候群と熱性痙攣であり，後者の代表的疾患は脳性麻痺（のうせいまひ），脳変性疾患，神経筋疾患などである。本節ではこれらの疾患の特徴，病態，治療などについて述べる。くわえて，初期の診断・治療が重要となる急性疾患（髄膜炎，脳炎・脳症），脳外科的治療の対象となる疾患として，水頭症・もやもや病・脳腫瘍・頭部外傷，また神経系病変以外の問題を併せもち，長期にわたる包括的な医療を必要とする疾患群として，神経皮膚症候群（母斑症）についても述べる。また，頭部外傷の項では，虐待を見逃さないためのポイントについても触れる。

A 発作性疾患

痙攣や意識障害の原因となる神経疾患は数多くあるが，ここでは頻度が高い疾患であるてんかんと熱性痙攣について学ぶ。そのほかの神経疾患としては，虚血性脳障害・脳出血・脳炎・髄膜炎・代謝異常などがあり，これらの疾患では，直ちに適切な対処を行わないと重い後遺症を残す場合がある。なお，痙攣や意識障害をきたす疾患には，不整脈・低血糖といった神経疾患以外の疾患も含まれるので，注意が必要である。

1. てんかん（epilepsy）

▶ **定義**　**てんかん**とは，脳神経細胞（ニューロン）の異常な電気的興奮により，意識障害，痙攣，知覚異常などの発作を反復する慢性疾患である。脳は生体機能のほとんどを制御しているため，てんかん発作の症状も様々である。筋緊張の発作的異常（**強直・間代性痙攣**や**脱力発作**など）や，一時的な意識消失（**欠神発作など**）をきたすことが多い。通常，無熱性痙攣発作が2回以上繰り返された場合にてんかんと診断される。発熱，不整脈，脳炎，低血糖などによる一時的な痙攣や意識障害は，てんかんとは異なる。

▶ **診断**　脳波は，脳の異常な電気活動をとらえる電気生理学的検査であり，てんかんの診断に最も重要な検査の一つである。しかし，脳波異常があったからといって，すぐにてんかんと診断できるわけではない。定義で述べたように，原則として無熱性痙攣発作を2回以上認めることが目安となる。また，脳波が正常であっても，発作が繰り返され，それが臨床的に脳の異常な電気的興奮によって起こっていることが明らかであれば，てんかんと診断する。すなわち，詳細な病歴聴取が最も重要である。

▶ **発作型分類**　発作の開始時点から脳全体が同時に異常興奮していると考えられる場合は，**全般始起発作**（全般発作）とよぶ。一方，てんかん発作の原因となる異常な電気的興奮の始まる場所（てんかん焦点）が脳の一部にあると想定される場合には，**焦点始起発作**（焦点発作）とよぶ。たとえば，焦点が運動野の一部に限局していればからだの一部に痙攣が起こり，視覚野に限局していれば視覚症状が起こる。側頭葉や前頭葉の一部に焦点を有するてんかんでは，意識障害や異常行動が主症状となる。

焦点発作のうち，発作時に意識障害を伴うものを**複雑焦点発作**，伴わないものを**単純焦点発作**とよぶ。発作が起こったときの状況（右手だけが痙攣したのか，全身痙攣で始まったのかなど）を詳しく問診することが発作型分類をするうえで，非常に重要である。また，脳波所見も発作型分類の参考になる。発作型分類は，抗てんかん薬の選択・予後の予測・治療期間の推定などに有用である。全般発作の予後は様々であるが，神経学的な異常を認めず，なおかつ発達遅滞を認めない場合には予後良好のことが多い。一方，発達遅滞，神経学的異常を伴う例では予後不良の場合も多い。

焦点発作の治療は全般発作に比べ長期にわたることが多い（2～5年程度）。大脳の一部に限局した器質的疾患，すなわち先天奇形や脳腫瘍（しゅよう），脳血管奇形（脳動静脈奇形など）が原因となっている場合には，MRI・CTなどの画像検査が診断に有用である。一方，焦点発作であっても，神経学的に異常を認めず，画像検査も正常で，抗てんかん薬によく反応し，なかには治療を必要としない場合もある。これらは**良性部分てんかん**とよばれる。

▶ 予後による分類　治療によっても発作がなかなか抑制されない場合，**難治性てんかん**とよぶ。長期間放置されると進行性の発達遅滞をきたす場合もある。難治性てんかんの代表はてんかん性脳症，**レノックス－ガストー症候群**（Lennox-Gastaut syndrome）である。逆に，大きな発作や頻回の発作を認めたとしても，治療によく反応し比較的短期間で治療を終了することができ，その後に知能障害などの後遺症を残さない**予後良好のてんかん**も多い。予後良好のてんかんの代表には，**小児欠神てんかん**や良性部分てんかんなどがある。

▶ 治療　現在のところ，てんかん治療に用いられる薬物（抗てんかん薬）は，焦点切除のようにてんかんの原因そのものを取り除く治療とは異なり，てんかん発作を抑制するものである。発作型に合わせて抗てんかん薬を正しく選択し，規則正しく内服することが重要である。合併症，随伴症（知能障害，脳性麻痺など）に対する治療も必要に応じて追加される。数年以上にわたる治療が必要な場合がほとんどであり，日常生活に関する的確な指導，精

抗てんかん薬の副作用

肝機能障害，消化器症状，眠気など抗てんかん薬に共通した非特異的なもの以外に，バルプロ酸ナトリウムによる急性肝不全と脳症（ライ様症候群），膵炎，カルバマゼピンによるスティーブンス－ジョンソン症候群，血小板減少，ベンゾジアゼピン系薬物（ジアゼパムなど）による呼吸抑制，気道分泌の亢進などが重要である。複数の抗てんかん薬を併用する場合には，血中濃度の変動など薬物の相互作用にも気をつける必要がある。長期間，安全に内服するためには，定期的な血液検査を行い，副作用がないこと，血中濃度が適正域にあることを確認する必要がある。

神面でのサポート，抗てんかん薬の内服を徹底させること（コンプライアンスの維持）など，慢性疾患に共通した配慮が必要となる。

▶ **日常生活の指導**　発作頻度，発作の起こる状況（活動中，睡眠中など），合併症の有無などを十分に考慮して行う。基本的には，できるだけ制限をくわえないようにすることが重要である。一般に，水泳は十分な監視下であれば許可される。発作が起こった場合に重大な危険を伴う場合（高所での作業など）を除けば，ほとんどの生活活動は行えることが多い。

1　点頭てんかん

乳児期に発症する予後不良の難治性てんかんで，特徴として四肢・頸部(けいぶ)を素早く屈曲または伸展するスパズム発作を繰り返す（シリーズ形成）ことや，脳波所見にヒプスアリスミアとよばれる多巣性棘波や高振幅徐波が無秩序に出現する背景活動の異常を認める。治療には，副腎皮質刺激ホルモン（adrenocorticotropic hormone：ACTH）・バルプロ酸ナトリウム・ビガバトリンなどが用いられる。発症前に発達遅滞・神経疾患（脳奇形など）があった場合には**症候性点頭てんかん**とよばれ，特に治療抵抗性であることが多く，予後不良である。

2　全身性強直間代発作

いわゆる**大発作**とよばれていたものである。全身を突っ張らせる（強直）発作とガタガタと四肢を震わせる（間代）発作を主症状とする。治療には，バルプロ酸ナトリウム，フェノバルビタール，フェニトインなどが用いられる。予後は比較的良好である。

3　小児欠神てんかん

小児期に発症し，数十秒程度の短時間の意識消失発作を頻回に認める。過呼吸によって発作が誘発される。発作時に脳波で全般性の3ヘルツ棘徐波(きょくじょは)複合を認める。バルプロ酸ナトリウム，エトスクシミドが著効することが多い。予後良好てんかんの代表である。

2. 熱性痙攣（febrile seizure）

熱性痙攣(けいれん)は，遺伝的素因を背景とする良性疾患である。生後半年から6歳ぐらいまでに好発する。日本人における頻度は7～10％と，欧米人に比して数倍高い。両親，兄弟姉妹に熱性痙攣の既往がある者がいる場合，その頻度はさらに数倍上昇する。

▶ **診断**　正常発達の乳幼児において，発熱後24時間以内に，短時間（通常1分以内）の全身性強直間代痙攣を認め，後に神経症状を残さなかった場合には熱性痙攣の可能性が高い。熱性痙攣の既往がある場合，熱性痙攣の家族歴がある場合などは，熱性痙攣である可能性がさらに高くなる。初めての痙攣発作である場合や好発年齢からはずれている場合（特に新生児期）には，細菌性髄膜炎，脳炎・脳症，虐待による頭蓋内出血(とうがいないしゅっけつ)などの重大な疾患を鑑別する必要がある。加えて，発作が長時間（15分以上）続いた場合，全身対称性の痙攣ではなく，非対称あるいはからだの一部のみに痙攣を認めた場合，もともと精神運動発達に遅れがあった場合なども注意が必要である。

▶ 治療　発作回数が少なく，短時間であれば治療は不要なことが多い。日本人に多くみられる良性の痙攣であることを説明し，保護者の漠然とした不安を取り除くことも重要である。発作が頻回の場合には，発熱時に**ジアゼパム坐薬**を挿入するように指導する。

B 慢性疾患

発達途上の乳児において，それまでできていたことができなくなる現象，すなわち，**退行現象**の有無について病歴を聴取することが鑑別診断において極めて重要である。退行を認めない場合は脳性麻痺（のうせいまひ）と診断されることが多く，退行を認める場合には脳変性疾患・神経筋疾患などである可能性を考慮する。

1. 脳性麻痺 (cerebral palsy)

▶ 定義　**脳性麻痺**は，「受胎から新生児期（生後４週以内）までの間に生じた，脳の非進行性の病変に基づく，永続的な，しかし変化し得る運動および姿勢の異常である。その症状は満２歳までに発現する。進行性疾患や一過性運動障害，または将来正常化するであろうと思われる運動発達遅延は除外する」と定義されている（厚生省脳性麻痺研究班会議，1968［昭和43］年）。定義中に含まれるキーワードについて正しく理解することが重要である。以下にキーワードごとに説明する。

- **脳の**：脊髄疾患（脊髄性筋萎縮症など）や筋疾患（先天性ミオパチー，進行性筋ジストロフィーなど）は除外される。小脳失調を主徴とする脳性麻痺が存在することから，病変を大脳（大脳皮質，大脳基底核，視床）に限定する必要はないと思われる。
- **非進行性の**：非進行性とは，退行を認めないことである。前述のように，退行を認める場合には脳変性疾患や神経筋疾患を疑う必要がある。
- **運動および姿勢の異常**：運動麻痺（四肢の随意運動が少ない，筋力が弱い，四肢・顔面の不随意運動など）と姿勢の異常（上肢を屈曲させて手を握っている，下肢を硬く突っ張っている，など）が主症状である。ごく軽症で日常生活にほとんど支障をきたさない程度のものから，重度心身障害に至るまで，その程度は様々である。一部の症例では，てんかん発作，知能障害，聴力・視力などの知覚障害を合併する。

これらの病態は日常生活活動（activities of daily living；ADL），生活の質（quality of life；QOL）に大きく影響し，治療上も重要であるが，脳性麻痺の定義には含まれておらず，その本態ではない。

▶ 治療　根気強い**機能訓練**（理学療法・作業療法・言語療法）が治療の中核である。また，合併したてんかんなどの治療にも長期間を要する場合が多い。医療従事者が病態を正しく理解し，養育者に明確に説明する必要がある。無用な精神的負担をかけることなく，必要な治療を根気強く続けるよう指導することが最も重要である。

2. 変性疾患 (degenerative diseases)

代謝疾患，自己免疫（めんえき）疾患のなかに進行性の神経症状をきたすものがあるが，それらの疾患を**変性疾患**という。神経系以外に，顔貌の異常，肝脾腫(かんひしゅ)などの身体症状を伴う場合がある。一般に，乳児期早期に発症する場合は重症で予後不良である。主な変性部位によって特徴的な症状をきたす。以下に代表的な疾患を変性部位別に一つずつあげる。

1 テイ-サックス病（Tay-Sachs disease）

ヘキソサミニダーゼAの欠損により，主に**大脳灰白質**が障害される。生後2か月頃から音刺激によってピクツキ発作（ミオクロニー）を起こすようになり，その後，筋緊張が低下，知能・運動発達が停止して，寝たきりとなり，数年以内に死亡する。重篤な進行性の経過をたどる代表的な脳変性代謝疾患である。

2 異染性白質ジストロフィー

アリルスルファターゼの欠損により，主に**大脳白質**が障害される。出生時は正常である。生後3か月頃から筋緊張が亢進(こうしん)し，痙性麻痺をきたす。知能も低下する。

3 ウィルソン病（Wilson's disease）

銅の代謝異常により，銅が肝臓などに蓄積する。**大脳基底核**に変性が起こる5歳以降に肝障害で発症することが多い。後にアテトーゼなどの錐体外路症状を認める。

3. 神経筋疾患（neuromuscular diseases）

▶ **概念**　骨格筋が障害されることによって，筋力低下，筋強直などの症状をきたす遺伝性，慢性進行性の疾患群を**神経筋疾患**という。骨格筋に問題のある場合（筋原性）と神経に問題のある場合（神経原性）がある。筋原性が大半を占め，筋ジストロフィー・先天性ミオパチー・筋強直性ジストロフィーなど多くの疾患が知られている。神経原性としては，脊髄前角細胞が障害される脊髄性筋萎縮症が重要である。

▶ **症状**　発症時期によって症状が異なる。乳児期までに発症した場合は，粗大運動発達の遅れで発症する。幼児期以降では，転びやすいなど筋力低下で気づかれることが多い。重症例は新生児期から全身の筋肉が弛緩しており，フロッピーインファント（floppy infant；floppy は柔らかい布で作られた人形をたとえている）とよばれる。骨格筋だけではなく心筋の障害（心筋症）を合併するものもあり，注意が必要である。また，福山型筋ジストロフィーでは大脳の脳回形成異常を伴うため，筋力低下による運動発達遅滞にくわえて重度の知能障害を認めるのが特徴である。

▶ **診断**　臨床症状から神経筋疾患を疑うことが第一歩である。筋細胞が破壊されるため，血中クレアチンキナーゼが高値となることが多い。神経伝導速度の測定など電気生理学的検査も有用である。骨格筋の一部を採取し（筋生検），特徴的な形態異常やたんぱく質の欠損を確認することで確定診断に至ることも多い。本疾患は以前は根本的な治療法が存在しなかったが，2020年からは，エクソン53のスキッピングによる場合には，欠失している塩基数によってはビルトラルセン静注（ビルテプソ）による治療が可能となった。治療適応の判断のために，早期にMLPA法による遺伝子検査が推奨される。一方で，本疾患はX連鎖性疾患であるため，家族への負担や倫理的側面も考慮して，十分なカウンセリングとともに検査を行うことが必要である。

▶ **代表的な疾患**　筋原性疾患の代表として筋ジストロフィー，神経原性疾患の代表として脊髄性筋萎縮症がある。

1　筋ジストロフィー

▶ **原因・症状**　デュシェンヌ（Duchenne）型とベッカー（Becker）型筋ジストロフィーが代表的疾患で，ジストロフィンというたんぱく質の欠損や質的異常による。これらはX連鎖性遺伝形式をとり，男児に発症する。ジストロフィンたんぱくの異常は，デュシェンヌ型，ベッカー型以外にも多くの筋ジストロフィーの原因となっている。

デュシェンヌ型筋ジストロフィーではジストロフィンたんぱくが欠損している。1歳頃までは無症状であり，歩行開始が遅れることが初発症状のことが多い。ベッカー型筋ジストロフィーではジストロフィンたんぱくに質的・量的異常がある。発症年齢は遅い（多くは10歳すぎ）。重症度にばらつきがあり，重症例ではデュシェンヌ型と同様の経過を示す場合がある。いずれの型でも，呼吸機能障害による呼吸不全，呼吸器感染症が死因となることが多い。そのほかにも，心筋症，不整脈，自律神経障害の合併も重要である。

▶ **治療**　欠失している塩基数により，エクソン53のスキッピングを誘導するビルトラルセン静注（ビルテプソ）による治療が可能となる場合がある。長期にわたるQOLの維持，合併症の予防・治療など，慢性進行性の神経疾患に共通した介入が重要である。患児や家族への十分な病態説明・精神的支援も重要である。歩行可能な時期には関節拘縮（こうしゅく）の予防・作業療法・理学療法など，車椅子（いす）が必要となった時期には心肺機能の維持・合併症（不整脈・心不全・脊椎の側彎（そくわん）など）の予防・早期発見が重要である。呼吸管理が必要となった場合には，気道分泌（ぶんぴつ）物の除去，呼吸器感染症の予防・治療が重要となる。

2　脊髄性筋萎縮症（ウェルドニッヒ−ホフマン病〔Werdnig-Hoffmann disease〕）

▶ **原因・症状**　*SMN1*遺伝子の異常により脊髄前角細胞が変性し，進行性の筋力低下をきたす。2歳頃までに発症する。早期に発症するものほど重症で急速に進行する。最重症例では，出生時にフロッピーインファントの状態である。手指，足関節など末梢の筋力は比較的保たれるが，体幹の筋緊張低下，筋力低下が著しく，胸郭（きょうかく）の麻痺によりシーソー型呼吸を呈する。嚥下（えんげ）も障害され誤嚥による肺炎を繰り返し，経口摂取は困難となる。重症例の多くは3歳頃までに死亡する。

一方，1歳すぎに発症した場合には，進行は比較的緩徐である。近年，呼吸管理，栄養管理が進歩し，重症例であっても在宅で生活できる例も増えつつある。

▶ **治療**　近年，本疾患に対する特異的な治療が行われるようになり，本疾患の予後が大きく変わりつつある。わが国でも2017（平成29）年からヌシネルセンナトリウム（スピンラザ®）として承認されている。本疾患は，*SMN1*の機能が低下あるいは失われることにより発症するが，生体内には*SMN1*のほかに，*SMN2*という*SMN1*に似た遺伝子が存在する。しかし，通常では，*SMN2*の転写産物は分解されるため，機能を有しない。ヌシネルセンナトリウムは，*SMN2*の転写産物分解を阻止することで，失われた*SMN1*の機能を代替させ，本疾患患者の筋力を改善しようとするバイオ医薬品である。2021（令和3）年からは経口治療薬であるリスジプラム（エブリスディ®）が承認され，治療選択肢が広がっている。また，2020（令和2）年からは，体外から*SMN*遺伝子を導入する遺伝子治療薬，オナセムノゲンアベパルボベク（ゾルゲンスマ®）が承認され，臨床現場で使われるようになっている。

3 先天性ミオパチー

乳幼児期早期からの筋力低下，筋緊張低下などを認める。多くの場合，独歩は可能だが，筋力低下は持続する。以前は，本疾患は予後良好であると考えられ，先天性「非進行性」ミオパチーとよばれていたが，長期的には緩徐に進行するものが多く，現在は単に，先天性ミオパチーとよばれている。本疾患は，筋生検の顕微鏡的所見から，セントラルコア病，ネマリンミオパチーなどに分類されるが，臨床症状に関しては大きな差は認められない。

4 先天性筋強直性ジストロフィー

▶ **原因・症状**　筋強直（収縮した筋肉が弛緩しにくいこと）を特徴とする常染色体優性疾患のトリプレットリピート病である。デュシェンヌ型筋ジストロフィーとはまったく異なる疾患であることに注意する。*DMPK*遺伝子の3' 非翻訳領域にあるCTG（シトシン，チミン，グアニンの塩基）の繰り返し配列は，健常人では5～30回程度だが，本疾患患者では50～2000回にも達する。繰り返し回数と臨床症状の重症度は相関し，世代を経るごとに繰り返し回数が増加し，より重症化する表現促進現象（anticipation）がみられる。筋強直性ジストロフィーの母親から生まれた子どもが本疾患に罹患している場合，新生児期から重い筋肉および中枢神経症状を認めることが多い。胎児水腫，右横隔膜の挙上を呈することもある。成人では，胆石，不妊，白内障，糖尿病，禿頭，不整脈といった多彩な症状を認め，これが診断の手がかりとなる。成人患者では，手をしっかりと握った後に速やかに手を開くように命じると，急には開くことができず，ゆっくりと開く現象（把握性筋強直；grip myotonia）や，母指球筋を打腱器で叩くと，母指が内転した後，筋強直が続く現象（叩打性筋強直；percussion myotonia）を認める。

▶ **診断**　*DMPK*遺伝子の3' 非翻訳領域のCTG配列の繰り返し回数を検査する。

▶ **治療**　現時点では，特異的な治療法は存在しない。

5 ミトコンドリア病

▶ **原因・症状** 細胞内でのエネルギー産生の場であるミトコンドリアの異常により，細胞がエネルギー不足に陥り機能障害をきたす病気の総称である。ミトコンドリア遺伝子の異常が原因のものと核遺伝子の異常が原因のものとに大別される。ミトコンドリアは，ほぼすべての細胞に存在するため，ミトコンドリア病の病態も多くの臓器に認められる。ミトコンドリアは全身のほとんどの臓器に存在するため，多くの臓器に症状が現れるのが特徴である。一般に，エネルギーを多く必要とする臓器ほど影響を受けやすい。すなわち，中枢神経・骨格筋・心筋などが影響を受けやすく，脳梗塞（のうこうそく）・てんかん・発達遅滞，不整脈・心不全といった症状を認めることが多い。そのため，ミトコンドリア脳筋症とよばれることもある。また，体内に乳酸が蓄積すること（アシドーシス）による症状（意識障害や大きくて速い呼吸など）も生じる。さらに，肝機能障害・視力障害・糖尿病・低身長など多くの症状をきたし得る。これら一見関連性のない多彩な症状が1人の患児に相次いで起こることがミトコンドリア病の特徴ともいえる。また，乳幼児期から成人期まで，どの年齢でも発症し，重症度にも差がある。心不全・腎不全・肝不全・アシドーシスなどが急激に進行して短期間で死亡することもあれば，ゆっくりと症状が進行することもある。

▶ **治療** 現在，有効性が確立されている治療法はない。

6 重症筋無力症

▶ **原因・症状** 神経筋接合部のシナプス後膜上の受容体に対する自己免疫（めんえき）疾患である。易疲労性，朝よりも夕方に症状が悪化する日内変動のある眼瞼下垂（がんけんかすい），複視，筋力低下が特徴であり，反復運動後に筋力低下を認める。胸腺腫や胸腺過形成などを高率に認める。成人の本疾患患者では，抗ニコチン性アセチルコリン受容体（AChR）抗体が85％，抗筋特異的受容体型チロシンキナーゼ（MuSK）抗体が5～10％とされているが，小児では，自己抗体陰性例が少なくない。

▶ **治療** 抗コリンエステラーゼ薬が治療の第一選択である。

C 急性疾患

1. 髄膜炎（meningitis）

▶ **概念** **髄膜炎**は，髄膜に炎症をきたす疾患で，細菌感染，ウイルス感染，結核などの感染症によるものがほとんどである。なお，肺炎球菌，インフルエンザ桿菌に対する予防接種がわが国でも導入された結果，これらの菌による細菌性髄膜炎は大きく減少した。

▶ **症状** 頭痛，発熱が主症状である。項部硬直，大泉門の緊満・膨隆（ぼうりゅう）（新生児，乳児）などが重要な徴候といわれるが，特に乳児では，不機嫌など非特異的な症状のみが認められることもあり，診断は必ずしも容易ではない。細菌感染による髄膜炎（**細菌性髄膜炎**）では，脳実質にも感染，炎症が波及するため，痙攣（けいれん），意識障害などを伴うことが多い。

▶ **診断** 髄液検査により診断する。白血球数の増加，たんぱく質濃度の上昇，細菌性の場合には糖の低下を認める。髄液の培養検査により原因菌を特定することも重要である。起炎菌としては，肺炎球菌，インフルエンザ桿菌，新生児期にはB群溶血性レンサ球菌などが重要である。髄液中のウイルスを検出することも可能である。

▶ **治療** 安静・補液など。細菌性髄膜炎が疑われる場合には抗菌薬の投与が行われる。

2. 脳炎（encephalitis），脳症（encephalopathy）

▶ **症状** **脳炎，脳症**では意識障害，痙攣などの脳機能障害が主症状となる。

▶ **診断** 痙攣などに加えて「遷延（せんえん）する意識障害」を認めた場合には脳炎，脳症を疑う。原因検索のために髄液検査，頭部画像検査（MRI），脳波検査などを迅速に行う。

▶ **原因** 多岐にわたる。新生児では，低酸素虚血や細菌感染，ウイルス感染などである。年長児の脳症では，ウイルス感染に伴うもの（インフルエンザ脳症やライ様症候群など）に加えて，感染以外の原因によるもの，たとえば薬剤の有害作用としての脳症（バルプロ酸ナトリウムによる脳症，テオフィリン関連脳症など），肝不全に伴う肝性脳症などが重要である。

▶ **治療** 呼吸・循環の維持が最も重要である。原疾患に基づいて，低体温療法，痙攣に対する治療，抗菌薬，抗ウイルス薬（ヘルペスウイルスに対するアシクロビルなど）の投与を行う。致死的経過をとることや，重大な神経学的後遺症（発達遅滞，水頭症，てんかんなど）を残すことがあり，直ちに適切な治療を行う必要がある。

3. そのほかの疾患

1 急性小脳失調症

▶ **症状** 感染症の回復期あるいは予防接種の数日後に，突然，ふらつき，振戦（しんせん），構音障害，眼振などの小脳失調症状で発症する。ほとんどの場合で何らかのウイルス感染症が先行する。特に，水痘ウイルスが有名であるが，そのほかのウイルスでも起こり得る。ウイルス感染あるいはワクチン接種によって，小脳細胞と交叉反応を起こす自己抗体が産生されることが発症機序と考えられているが，抗体はまだ特定されていない。

▶ **治療** 一般に経過観察で軽快するため，治療は不要である。

2 ギラン-バレー症候群（Guillain-Barré syndrome）

▶ **原因・症状** 脊髄後根神経節に対する自己抗体により，脊髄運動神経が障害され，脱力，筋力低下をきたす疾患である。重症の場合には，呼吸不全をきたす。半数以上で，何らかの先行感染が認められる。特に，カンピロバクターによる下痢（げり）が最も多く，マイコプラズマ，サイトメガロウイルスなどによる上気道炎，EBウイルスなども原因となる。感染症のほかにもワクチン接種後の発症も報告されている。診断上，上行性の神経障害（手足の末端から体幹に向けて筋力低下が進行する），深部腱反射の減弱ないし消失，神経伝達速度検査による所見が重要である。

▶ **治療**　免疫グロブリン大量療法，血漿交換療法，免疫吸着療法が行われる。

3　脳虚血性疾患

▶ **原因**　心原性塞栓，動脈解離，血管炎，水痘，血管走行の異常，もやもや病，鎌状赤血球貧血など多岐にわたる。

▶ **症状**　急に一側の，顔面，上肢，下肢の脱力を認める。新生児では，片側の四肢の痙攣で発症することが多い。

▶ **診断**　頭部画像検査（MRI）の拡散強調画像で脳虚血領域を検出する。

▶ **治療**　成人の脳梗塞急性期ではt-PA製剤の有効性が確立されているが，小児では，上記のように原因が多岐にわたるため，t-PA製剤の有用性は確立していない。リハビリテーションを積極的に行う。

D　外科治療の適応疾患

1. 脳腫瘍（総論）

▶ **概念**　小児の腫瘍としては，白血病，リンパ腫に次いで多い。小児の**脳腫瘍**（brain tumor）の特徴は，成人に比して，小脳や脳幹などテント下，正中線上に多く発生することである。また，成人の場合，からだにできた悪性腫瘍による転移性脳腫瘍が圧倒的に多いが，小児では，もともと脳の組織から発生した原発性脳腫瘍が多い。腫瘍組織の種類としては，星膠細胞腫・髄芽腫・上衣腫・胚細胞腫瘍・頭蓋咽頭腫などが多くみられる。

▶ **症状**　一般に脳腫瘍に伴う症状としては，頭蓋内圧亢進によるものと，脳の局在症状によるものとに分けられる。前者としては，早朝の頭痛，悪心・嘔吐，頭囲拡大が多い。しかし，ゆっくりと頭蓋内圧亢進が進行すれば症状が軽い場合もある。腫瘍が発生する部位によって特異的な症状は異なり，腫瘍のできた部位の本来の脳の機能が損なわれることで起こる。たとえば，運動領野にあれば，手足の動かしにくさが主な症状となる。小脳にあれば，歩行障害，姿勢のふらつきなどの症状が出現する。しかし発生する部位によっては，物が二重に見える，耳の聞こえが悪い，意識がおかしい，人格が変化した，物覚えが悪くなったといったわかりにくい症状を呈することもあるので注意が必要である。

▶ **治療**　手術療法，放射線療法，化学療法を適宜組み合わせて行う。脳は非常に多くの機能が集約されている臓器であり，部位によっては切除が困難なことも少なくない。

2. 脳腫瘍（各論：代表的な疾患）

1 星膠細胞腫

小児の脳腫瘍のなかで最も多く，1～5歳では**小脳星膠細胞腫**が半数以上を占める。小脳に好発するため，歩行障害，姿勢のふらつき，水頭症などをきたす。年長児では大脳に発生するものが多くなる。小脳や大脳に発生したものは悪性度が低く，摘出手術を行えば完治することが多い。

2 髄芽腫

小児脳腫瘍の20～25％を占め，4～5歳に好発する。急速に増大し，非常に悪性度の高い脳腫瘍である。小脳中央部に発生し，頭蓋内圧亢進症状に加えて，歩行や姿勢の障害を認める。しばしば髄液を介した頭蓋内への播種を認める。しかし，未分化なため，放射線療法や化学療法に対する感受性が比較的高い。

3 上衣腫

5～10歳に好発し，小児脳腫瘍では3番目に多く，約8～10％を占める。乳幼児ではさらに多い。脊髄も含めて脳室壁を構成する上衣細胞のある部位であればどこからでも発生する。髄液の流路となる脳室壁に発生し，通過障害をきたして水頭症や悪心・嘔吐，頭痛といった頭蓋内圧亢進症状で見つかることも少なくない。第4脳室から脳幹部に進展すれば，錐体路徴候や多彩な脳神経症状をきたす。腫瘍の増大速度は比較的遅く，かなり大きくなるまで無症状のことも多い。小脳や脳幹に発生したものは予後不良である。

4 頭蓋咽頭腫

トルコ鞍上部に発生する良性腫瘍であり，嚢胞を形成し（図4-70），石灰化を伴うのが特徴である。小児脳腫瘍の約1割を占め，5～10歳に好発する。下垂体を圧迫すること

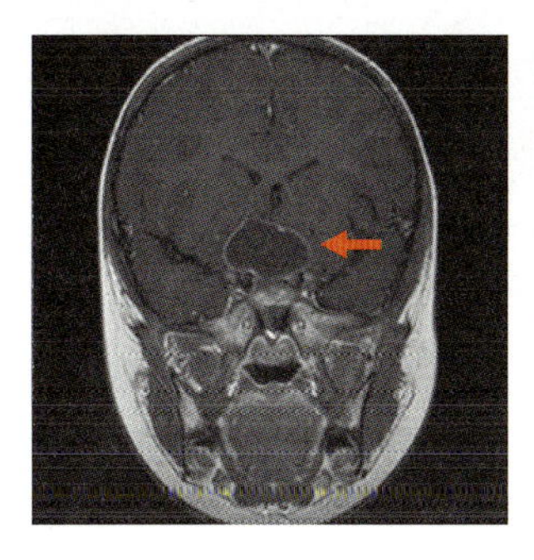

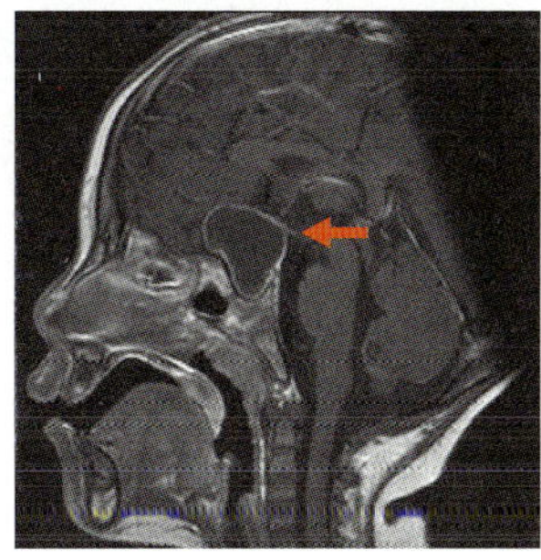

頭部MRIの所見。
矢印部に腫瘍がみとめられる。

図4-70 頭蓋咽頭腫

による多彩な内分泌症状（成長ホルモン分泌不全による成長障害など）や，視神経圧迫による視野狭窄や複視で気づかれることもある。基本的には良性腫瘍であるため全摘できれば治癒可能だが，副腎皮質ホルモンや甲状腺ホルモンの補充療法が必要となることがある。

5 胚細胞腫瘍

松果体やトルコ鞍上部に発生する良性腫瘍である。10 ～ 20 歳に好発し，小児脳腫瘍の約 1 割を占める。松果体に発生した場合は，中脳水道が閉塞し，水頭症や頭蓋内圧亢進症状で発症することが多い。トルコ鞍上部に発生すれば，下垂体の圧迫による内分泌症状や視神経圧迫により視野狭窄を生じる。治療は放射線療法が主体となる。

6 視神経膠腫

視神経に発生し，3 ～ 7 歳頃に好発する。腫瘍増大はゆっくりであることが多く，視力障害，眼球突出などで気づかれることが多い。神経線維腫症 I 型（レックリングハウゼン病）に伴って発生することが知られている。

3. 頭部外傷

小児の特徴として，頭部が体部に比して相対的に大きく重く，全体重の 20 ～ 25％を占める。いわゆる**あたまでっかち**な体型であり，重心が高く不安定なこと，また運動能力が未発達であることから，転倒や転落などを起こしやすく，頭部外傷のリスクが高い。

乳幼児の頭蓋骨は薄いが，成人のそれと比べると弾性に富むため，明瞭な骨折を生じにくい。そのため，明瞭な骨折を伴わない場合でも，脳の損傷を考える必要がある。さらに，生後半年から 1 歳くらいの乳幼児では，正常でもクモ膜下腔が広い。そのため，頭部に衝撃がくわわった場合，脳表と硬膜の間にずれが生じ，硬膜下腔を通過する架橋静脈（bridging vein）（図 4-71）が引きちぎられて急性硬膜下血腫を起こすことがある。

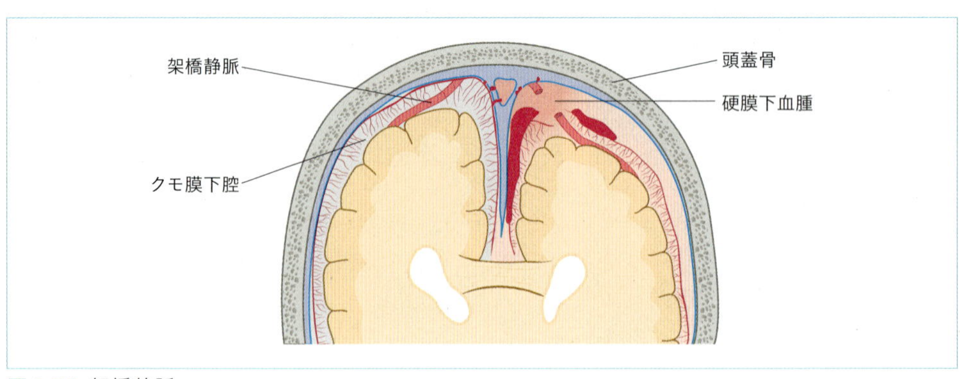

図 4-71 架橋静脈

1 救急時の対応

頭部外傷における初期対応で最も重要なのは，まず呼吸・循環動態の安定を確保したうえで，脳の機能がどの程度障害されているかを迅速に把握することである。具体的には，すぐに寝てしまう，言動がいつもと異なるといった何気ない訴えや，瞳孔の左右差，四肢の一部が動かないなどの局所的な神経症状，徐脈を伴う高血圧（クッシング現象）といった頭蓋内圧亢進症状を見逃さないことである。可能であれば，本人からどのようにして受傷したかを聴取し，頭痛，視力障害，物が見にくかったり二重に見えたりしないか，聞こえが悪くないかなどを確認する。以上のような症状・所見が認められた場合には，すぐに頭部CT検査や頭頸部の単純X線検査を行い，脳神経外科医に相談することが必要である。

くわえて，全身をくまなく診察することも重要である。頭部からの出血のみならず，たとえば鼻からの髄液の漏出がないかについても観察する。皮下血腫や陥没骨折の有無など，視診でわかりにくい所見については触診で確認する。

2 事故と虐待の判別

▶ **事故と虐待**　小児の頭部外傷では，特に3歳以下の場合は，事故と虐待の可能性を常に考える必要がある。多くの場合，乳幼児は自ら正確な受傷機転を述べることができないので，親から状況の確認を行う。その際，つじつまの合わない点がないか見きわめることが重要である。すなわち，親の説明と，症状・身体所見の矛盾，受診の遅れの有無，その理由について確認する。一般に，家庭内における乳幼児の事故では，生命にかかわるような頭部外傷はまれである。虐待を積極的に疑う所見としては，多発性頭蓋骨骨折，陥没骨折，縫合解離などにくわえて，全身の新旧混在した多発性の外傷や熱傷・低栄養・成長障害などがある。

▶ **乳幼児揺さぶられ症候群**　網膜出血・両側性慢性硬膜下出血・肋骨骨折を認めた場合には，**乳幼児揺さぶられ症候群**（shaken baby syndrome；SBS）を考える必要がある。揺さぶられると重篤な網膜出血を伴うが，ぶつけただけでは網膜出血はほとんど起きない。乳幼児揺さぶられ症候群による脳出血を疑う根拠の一つとなる。従来は親の過失（「たかい，たかい」などの遊び）により起こると思われていたが，現在ではそのほとんどが故意の虐待によるものであると考えられている。重篤な乳幼児揺さぶられ症候群では，早期に意識障害が起こり，しばしば痙攣や呼吸停止を伴う。しかし，重篤でない場合には，哺乳不良，嘔吐，元気がないなどの症状のみであることがあり，診断が遅れる危険がある。

3 虐待への対応

一般に，虐待が疑われる場合には入院が必要である。全身の骨について骨折の有無をチェックすることが重要である。単純な線状骨折は事故によるものである場合が多いが，多発骨折，複雑骨折，陥没骨折などは虐待による場合が多い。虐待に似た病像を呈する疾患には，先天性代謝疾患や出血性疾患があるので，決めつけは禁物である。虐待を強く疑った場合には，子どもの居住地域の児童相談所か福祉事務所に通告することが義務づけられている。

4. そのほかの疾患

1 水頭症

▶ 発症の機序　**髄液**は，側脳室，第三脳室壁にある脈絡叢で産生され，モンロー（Monro）孔（側脳室と第三脳室を結ぶ），中脳水道（第三脳室と第四脳室を結ぶ）を通過して第四脳室に達し，そこから脳表に出る。その後，脊髄，大脳表面を包むように循環し，最後に大脳正中の上矢状洞に沿ったクモ膜顆粒から血中に再吸収される。その髄液の産生が，異常亢進するか，上記の髄液循環がどこかで停滞すれば，脳室あるいは大脳表面に髄液が貯留して**水頭症**（hydrocephalus）となる。

▶ 分類　胎児期の発生異常に起因する**先天性水頭症**と，生後に発症した中枢神経疾患に続発して起こる**後天性水頭症**がある。胎児期 MRI によって先天性水頭症が出生前診断されることも珍しくない。

▶ 原因　先天性水頭症の原因としては，胎内感染（TORCH 症候群），アーノルド－キアリ（Arnold-Chiari）奇形，ダンディー－ウォーカー症候群（Dandy-Walker syndrome）などが重要である。後天性水頭症の原因としては，細菌性髄膜炎，脳室内出血，脳腫瘍（のうしゅよう）による圧迫などがある。

▶ 病状　急速に進行した場合には頭蓋内圧亢進により頭痛，意識障害をきたす。緩徐に進行した場合には頭囲拡大と眼位の異常などをきたす。

▶ 診断　MRI・CT により比較的容易に診断できる。

▶ 治療　原因となった疾患にかかわらず，髄液循環の異常に対しては外科的治療が有効である。広く用いられている外科的治療は脳室腹腔シャント術である。側脳室と腹腔をチューブで結び，髄液を腹腔に排泄（はいせつ）する。脳室腹腔シャント術の合併症で腹腔に感染が生じると，腸管が麻痺（まひ）して便秘を招く。髄液の逆流を防ぐバルブと，腹膜に癒着しない特殊なチューブが開発されたことにより，この術式が安全かつ有効な治療法として確立された。合併症を予防し，患児の正常な発達を促すために，的確な診断と治療が重要である。

2 二分脊椎

▶発症の機序　本来，脊髄を覆うはずの椎弓が背面正中で癒合せず分離しているものを**二分脊椎**（にぶんせきつい）（spina bifida）という。これは胎生期における神経管閉鎖不全によるものである。

▶ 分類　以下のように分類される。

①**脊髄髄膜瘤**：腰背部正中に隆起した胞状の病変で，脊髄が脱出しているもの。

②**髄膜瘤**：脊髄の脱出はなく，硬膜，クモ膜および髄液が脱出しているもの。表面は正

常皮膚に覆われている。

③**脊髄脂肪腫**：皮下脂肪組織が脊柱管内に入り込み，脊髄末端と連続しているもの。

④**先天性皮膚洞**：皮膚から脊柱管内に連続する皮膚トンネル。腰背部正中の皮膚陥没や瘻孔（ろうこう）がみられる。

▶ **原因**　多くは原因不明であるが，母体の葉酸欠乏，バルプロ酸ナトリウム内服，アルコール中毒，糖尿病などの関与が報告されている。

▶ **症状**　椎弓欠損部位以下の脊髄神経症状（下肢の運動障害，感覚障害，膀胱直腸障害など）をきたし，水頭症を合併することがある。

▶ **治療**　脊髄が露出している場合，脊髄を保護し感染を防ぐために生後早期に手術を行う。先天性皮膚洞は感染の原因となるため外科的に切除する。脊髄脂肪腫が脊椎を圧迫・牽引している場合，外科的に解除する。

3　もやもや病

小児では脳血管障害は比較的まれである。**もやもや病**（moya-moya disease）は，内頸（ないけい）動脈終端，前・中大脳動脈起始部の狭窄（きょうさく）・閉塞（へいそく）と，続発する脳梗塞（のうこうそく）を呈する慢性進行性の疾患である。10歳以下の発症が多く，過呼吸によって脳血管が収縮した際に神経症状が誘発される。狭窄部を避けて側副血管が形成されると，細い血管が造影写真でたばこの煙のように見えるため，もやもや病とよばれる。外科的治療の対象となる場合もあるので，早期診断が重要である。

E　神経皮膚症候群（母斑症）

皮膚と神経系は，ともに外胚葉から発生するため，両者に特徴的な異常をきたす疾患群がある。それらをまとめて**神経皮膚症候群**（**母斑症**，neurocutaneous syndrome）とよぶ。多くは遺伝子異常による。これらの疾患群においては，特徴的な皮膚所見から神経合併症，さらに心臓や腎臓などの重要臓器の異常を検索することが重要である。

これらの疾患を正しく診断することは，長期予後を予測し，重大な合併症（脳腫瘍（のうしゅよう）の発生，てんかん・水頭症・腎臓など他臓器の奇形・腫瘍性病変など）が進行する前に診断，治療を行うことができる点，遺伝カウンセリングに役立つ点で重要である。ここでは代表的な母斑症として神経線維腫症Ⅰ型（neurofibromatosis type 1）と結節性硬化症（tuberous sclerosis），スタージ－ウェーバー症候群について簡単に説明する。

1　神経線維腫症Ⅰ型

▶ **遺伝形式**　常染色体優性遺伝，発生頻度は約1/3000である。

▶ **皮膚症状**　カフェオレ斑（6個以上）がみられる。

▶ **神経症状**　末梢神経腫瘍（神経線維腫）：大きな神経線維腫は整容上の問題から患者にとっ

て大きな負担となる。視神経腫瘍，大脳過誤腫などの腫瘍性病変，てんかん，知能障害，学習障害がみられる。

▶ **そのほか**　側彎症（そくわんしょう）や偽関節などの骨格異常がみられる。虹彩にできた過誤腫はリッシュ（Lisch）の結節とよばれ，診断上重要である。

2　結節性硬化症

▶ **遺伝形式**　常染色体優性遺伝，ただし大半は突然変異，発生頻度は約 1/1 万である。

▶ **皮膚症状**　白斑，顔面の特徴的皮疹（血管線維腫）がある。

▶ **神経症状**　知能障害，種々のてんかん（点頭てんかんの原因となることもある），水頭症，大脳皮質・皮質下の脳室壁に発生する腫瘍がある。

▶ **そのほか**　心臓腫瘍，腎腫瘍がみられる。

3　スタージ－ウェーバー症候群（Sturge-Weber syndrome）

▶ **遺伝形式**　*GNAQ* 遺伝子の体細胞モザイク変異による疾患であり，非遺伝性である。

▶ **皮膚症状**　顔面の三叉神経第一枝領域に血管腫を認める。

▶ **神経症状**　血管腫と同側に脳軟膜血管腫を認める。これにより，同側大脳半球が慢性的な低酸素虚血に陥り，進行性脳萎縮（しんこうせいのういしゅく），知的障害，血管腫と対側の不全麻痺（ふぜんまひ），症候性てんかんなどをきたす。

▶ **そのほか**　顔面血管腫と同側の緑内障を認める。静脈還流圧の上昇が原因と考えられている。

F　言語障害

1　言語発達遅滞

一般に定型発達児は，1～1歳半で有意語を獲得し，2歳で2語文を話す。言語発達遅滞は，小児科において最も多い訴えの一つであり，その原因は多岐にわたる。言語以外の運動発達にも遅滞を認めるか，髄膜炎などの既往歴，言語遅滞以外に何らかの先天奇形を有するか，自閉傾向や注意欠如・多動などの症状を認めるか，適切な環境で育児が行われているかなどといった情報を集めつつ，鑑別診断を絞り込んでいく。言語獲得には，聴力が重要であるため，先天性難聴を除外する必要がある。治療は，その原因による。たとえば，難聴がある場合には耳鼻咽喉科と連携し，必要に応じて補聴器などを考慮する。

2　構音障害

口唇，舌，軟口蓋（なんこうがい）などの形態的あるいは機能的な異常が原因で，発語が正しく行われない状態のことである。言語理解は正常であることが，言語発達遅滞や失語症とは異なる点である。構音障害（いわゆる「滑舌が悪い」）なのか，「言い間違え」なのか，年齢相当の言語理解ができているのかなどを確認する。構音障害の原因は多岐にわたるが，口蓋裂など口腔内や顎の異常，脳血管障害や神経筋疾患，構音獲得の遅れや誤った発語習慣などが鑑別にあがる。急性に発症した場合には脳血管障害を考慮する。治療は，原疾患による。言語聴覚士による構音訓練を考慮する。

X 血液疾患と腫瘍

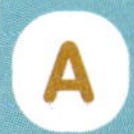 血液疾患

1. 貧血

赤血球は骨髄の造血幹細胞から分化し，骨髄を出て成熟赤血球になる。赤血球産生の調節を担う最も重要な因子は腎臓で産生されるエリスロポエチンである。約120日の寿命ののちに，脾臓で処理される。赤血球の約90％を占めるヘモグロビンは肺で酸素を受け取り，組織に運搬する。

貧血とは体内の赤血球総量が減少し，組織への酸素供給が不足する病態である。ヘモグロビン濃度またはヘマトクリット値により貧血の程度を規定するが，乳幼児の正常値下限は成人よりも低いので注意が必要である。貧血の原因は，①赤血球産生の低下，②赤血球寿命短縮または破壊亢進（溶血），③失血に分けられる（表4-10）。貧血により組織が酸素欠乏に陥ると，代償機構が働く。貧血の症状は，酸素欠乏による頭痛，めまい，倦怠感，易疲労感，代償機構としての心拍数増加による動悸，呼吸数増加による息切れ，血管収縮による蒼白などがあげられる（表4-11）。

表4-10 貧血の原因，病態と疾患

原因	病態	疾患
赤血球産生障害	造血因子の欠乏	鉄欠乏性貧血など
	骨髄低形成	再生不良性貧血など
	先天異常による産生障害	ファンコニ貧血など
	異常細胞の増殖	急性白血病など
溶血	赤血球が原因による溶血	遺伝性球状赤血球症など
	赤血球以外の原因による溶血	自己免疫性溶血性貧血 溶血性尿毒症症候群など
失血	体内への出血	新生児頭血腫など
	体外への出血	消化管出血など

表4-11 貧血の身体所見

貧血に共通する身体所見					
発熱，頻呼吸，頻脈，皮膚・爪床の蒼白色調，眼瞼結膜や口腔粘膜の蒼白色調，頸静脈コマ音，心雑音など					
疾患に特徴的な身体所見					
身体所見		**疾患**	**身体所見**		**疾患**
皮膚	**色素沈着**	ファンコニ貧血	**浮腫**		腎不全など
	出血斑	再生不良性貧血・急性白血病など	**胸郭**	**楯状胸**	ダイアモンド - ブラックファン貧血
	黄疸	溶血性貧血など	**手指**	**手指奇形**	ダイアモンド - ブラックファン貧血 ファンコニ貧血など
顔貌	**前額部突出**	先天性溶血性貧血など		**さじ状爪**	鉄欠乏性貧血
口腔	**舌炎**	ビタミン B_{12} 欠乏症など	**脾臓**	**脾腫**	先天性溶血性貧血・急性白血病など
	口角炎	鉄欠乏性貧血など			

1 鉄欠乏性貧血（iron deficiency anemia）

▶ **病態** 生体内の鉄の 2/3 は赤血球ヘモグロビンを合成している。鉄欠乏性貧血は，ヘモグロビン合成に必要な鉄が不足することによって生じる。鉄欠乏の原因としては，偏食や吸収障害による摂取不足，出血や成長による需要の増加などがあげられる。特に小児では成長が盛んで摂取不足になりがちな乳児期,月経が開始した思春期の女児にみられやすい。

▶ **症状** 一般的な貧血症状に加え，舌炎・口角炎・嚥下痛（えんげつう）（食道粘膜萎縮による）・さじ状爪・異食症（氷や土などを好んで食べる）が特徴的である。

▶ **検査・診断** 小球性低色素性貧血を呈する。血清鉄・貯蔵鉄（フェリチン）は減少し，総鉄結合能（TIBC）・不飽和鉄結合能（UIBC）は増加する。

▶ **治療** 出血が原因の場合はその治療とともに，経口鉄剤を貯蔵鉄が正常化するまで継続する。吸収障害がある場合は，注射薬を用いる場合がある。偏食による場合は，食生活の指導も重要である。

2 巨赤芽球性貧血（megaloblastic anemia）

▶ **病態** ビタミン B_{12} または葉酸の欠乏により DNA 合成障害が生じ，巨赤芽球が産生される貧血である。ビタミン B_{12} や葉酸の摂取不足や吸収障害，薬剤性の DNA 合成障害により生じる。ビタミン B_{12} の吸収には胃の壁細胞から分泌（ぶんぴつ）される胃酸および内因子が必要であり，胃切除後に合併しやすい。通常の食生活では葉酸欠乏は起こりにくいが，妊娠やアルコール中毒はリスク因子となる。

▶ **診断** 大球性貧血を呈し，血清ビタミン B_{12} 低値，血清葉酸低値，骨髄における巨赤芽球の有無により診断を行う。好中球の形態異常，ビタミン B_{12} 欠乏では運動失調，精神症状を伴うこともある。

▶ **治療** ビタミン B_{12} の吸収障害に対しては注射薬による補充が行われる。葉酸欠乏に対しては原因に対する治療，経口による補充が行われる。

3 再生不良性貧血（aplastic anemia）

▶ **病態** 骨髄の低形成により貧血・白血球減少・血小板減少（汎血球減少）が生じる。原因が明らかでない特発性が約80%，薬剤あるいは肝炎に関連する2次性が約10%，ファンコニ（Fanconi）貧血などの先天性は約10%の頻度である。赤血球のみの産生障害を赤芽球癆，先天性赤芽球癆をダイアモンド−ブラックファン（Diamond-Blackfan）貧血とよぶ。

▶ **診断** 低形成骨髄など，ほかの疾患の除外により診断する。

▶ **治療** 血球減少の程度により軽症・中等症・重症などに分類される。軽症に対しては経過観察，対症療法，中等症・重症に対しては同種造血細胞移植，あるいは免疫抑制療法（抗胸腺細胞グロブリン，シクロスポリンなどによる）が行われる。

4 溶血性貧血（hemolytic anemia）

▶ **病態** 赤血球の破壊の亢進による貧血である。赤血球膜の異常（遺伝性球状赤血球症など），ヘモグロビンの異常，赤血球酵素の異常など先天性の原因，自己免疫，血管障害など後天性の原因により生じる。

▶ **診断** 網状赤血球の増加を伴う貧血，黄疸（血清間接型ビリルビン高値），血清LDH高値，血清ハプトグロビン低値などにより診断する。骨髄では赤芽球の増加がみられる。遺伝性球状赤血球症，サラセミアなどの先天性溶血性貧血では，家族歴，新生児期の黄疸などの病歴が診断に重要である。自己免疫性溶血性貧血では直接クームス（Coombs）試験が陽性である。

▶ **治療** 原因により治療は異なる。遺伝性球状赤血球症における無形成発作（伝染性紅斑に合併）では赤血球輸血や脾臓の摘出が行われることがある。頻回輸血を要する重症型サラセミアでは，血縁ドナーからの造血幹細胞移植が勧められている。自己免疫性溶血性貧血に対してはステロイド薬の投与が行われる。

2. 出血性疾患

体内では止血機能と線溶機能がバランスよく作用している。止血には，血小板・凝固因子・線溶因子・血管が関与する。これらの因子の量的（産生障害，破壊・消費の亢進），あるいは質的な異常により出血傾向を生じる（表4-12）。出血性疾患では，止血困難な鼻出血と皮膚の出血斑，抜歯など止血に問題ない処置後の出血遷延，乳幼児の関節・筋肉内出血などの症状が生じる。

1 特発性血小板減少性紫斑病（idiopathic thrombocytopenic purpura；ITP）

▶ **病態** 血小板が産生されているにもかかわらず，免疫機序により血小板の減少を生じる。ウイルス感染，ワクチン接種後などに血小板減少が生じ，皮膚の出血斑などの症状が生じる。小児では6か月以内に回復する急性型が80%以上である。

表4-12 出血傾向の原因，病態と疾患

原因	病態	疾患
血小板減少	免疫性血小板減少	特発性血小板減少性紫斑病など
	血小板産生障害	急性白血病，再生不良性貧血など
	血小板消費亢進	播種性血管内凝固など
	先天性血小板減少症	ウィスコット - アルドリッチ（Wiskott-Aldrich）症候群など
血小板機能異常	先天性血小板機能異常	血小板無力症など
	薬剤性血小板機能異常	アスピリンなどによる薬剤性血小板機能異常
凝固因子異常	先天性凝固因子異常	血友病，フォン・ウィレブランド病など
	ビタミンK欠乏	新生児，肝障害など
	凝固因子消費亢進	播種性血管内凝固
	薬剤性凝固・線溶障害	L-アスパラギナーゼなど
	免疫性凝固・線溶障害	抗凝固因子自己抗体
血管異常	後天性血管異常	ヘノッホ - シェーンライン紫斑病（Henoch-Schölein purpura）など

▶ **診断**　血小板数の減少のほかに末梢血に異常を認めない。骨髄における巨核球の増加，ほかの疾患の除外により診断する。

▶ **治療**　軽症に対しては経過観察が選択される。血小板数が著しく低値（<2万/μL）で，重篤な出血症状を伴う場合には，γ-グロブリン・ステロイド薬の投与が行われる。慢性例に対しては脾臓（ひぞう）の摘出が行われることがある。ステロイド治療抵抗性で脾臓摘出が困難な難治例では，巨核球の成熟を促進し血小板産生を亢進（こうしん）させるトロンボポエチン受容体作動薬が用いられている。

2　先天性凝固異常症

❶血友病（hemophilia）

▶ **病態**　血友病Aは第Ⅷ因子，血友病B（血友病Aの約1/5の頻度）は第Ⅸ因子の量的あるいは質的な異常により生じる。いずれもX染色体連鎖性遺伝疾患であり，男性に発症し，女性は保因者となる。重症例では，乳児後期（歩行開始時）の関節·筋肉内出血などの症状，軽症例では，抜歯後の止血困難などの症状を契機に診断に至る。

▶ **診断**　活性化部分トロンボプラスチン時間（APTT）の延長，第Ⅷ因子（血友病A），あるいは第Ⅸ因子（血友病B）の活性低下により診断する。

▶ **治療**　凝固因子製剤を，止血に必要な活性を目標とした量・方法により投与する。重症例においては，自己注射療法，出血の予防を目的とした定期補充療法が行われる。血友病Aに対しては，抗血液凝固第IXa/X因子ヒト化二重特異性モノクローナル抗体の定期投与も適応となる。生涯にわたり出血の管理が必要である。

❷フォン·ウィレブランド病（von Willebrand disease）

▶ **病態**　フォン・ウィレブランド病は血小板の粘着，および第Ⅷ因子の安定に必要なフォン・ウィレブランド因子（vWF）の量的あるいは質的な異常により生じる。常染色体遺伝疾患である。皮膚，粘膜からの出血症状が主である。

▶ **診断**　出血時間の延長，APTT の延長，フォン・ウィレブランド因子の抗原量や活性の低下により診断する。

▶ **治療**　フォン・ウィレブランド因子含有第Ⅷ因子製剤の補充が行われる。抗利尿ホルモン製剤（DDAVP）が有効な病型もある。

3　後天性凝固異常症

❶ビタミンK欠乏症

▶ **病態**　肝臓においてビタミンKに依存して合成される凝固因子（第Ⅱ・Ⅶ・Ⅸ・Ⅹ因子）の低下により生じる。低栄養，胆道閉鎖症による胆汁分泌低下，下痢，抗菌薬の長期投与による腸内細菌叢の破壊などが原因となる。新生児メレナは新生児期の生理的なビタミンK欠乏により生じる。

▶ **診断**　プロトロンビン時間（PT）の延長，APTT の延長，ヘパプラスチンテストの延長，ビタミンK欠乏性たんぱくⅡ（PIVKA-Ⅱ）陽性により診断される。

▶ **治療**　ビタミンK製剤の補充が行われる。

❷播種性血管内凝固（disseminated intravascular coagulation：DIC）

▶ **病態**　播種性血管内凝固では何らかの原因により凝固機能が亢進し，全身の微小血管に血栓が形成され，血小板と凝固・線溶因子の消費により出血傾向を生じる。感染症・悪性腫瘍・外傷・熱傷・循環不全・胎盤早期剝離などの産科疾患などを契機に発症する。

▶ **診断**　血小板減少，PT の延長，APTT の延長，フィブリノゲン減少，フィブリン分解産物（FDP）の増加，Dダイマーの増加により診断する。

▶ **治療**　DIC に対する治療として，凝固機能亢進の抑制（トロンボモジュリン製剤，ヘパリン製剤，アンチトロンビンⅢ製剤，たんぱく分解酵素阻害薬などの投与），血小板製剤，凝固因子（新鮮凍結血漿）の補充が行われる。基礎疾患の治療は必須である。

3. 白血球の異常（非腫瘍性）

好中球は白血球の30～60％（乳幼児期は30～40%，学童期は50～60%）を占める細胞で，生体内に侵入した細菌などの病原体を遊走，貪食，殺菌する機能を担う。

1　好中球機能異常症（disorders of granulocyte function）

好中球機能異常症は遊走能，貪食能，殺菌能の機能異常による疾患が知られている。細菌，および真菌による感染症を繰り返す。

❶慢性肉芽腫症（chronic granulomatous disease：CGD）

▶ **病態**　慢性肉芽腫症は，好中球の殺菌能の障害による先天性免疫不全症である。活性酸素の生成障害が原因となる。乳児期より皮膚化膿症，頸部リンパ節炎，肛門周囲膿瘍，中耳炎，肺炎など難治性感染症を反復する。

▶ **診断**　活性酸素産生能の欠損，遺伝子解析により診断される。

▶ **治療**　根治療法は造血細胞移植である。

❷好中球減少症（neutropenia）

▶ **病態**　好中球数の減少により易感染性を生じる。一般に好中球数が 500/μL 以下になることを好中球減少症とする。感染症，薬剤，白血病などの原因により生じる。先天性好中球減少症であるコストマン症候群は，乳児期早期から難治性感染症を反復する。免疫機序（めんえき）による好中球減少症である自己免疫性好中球減少症は幼児期までに回復する。

▶ **診断**　好中球数の低下により診断される。原因の診断が重要である。

▶ **治療**　効果が期待される病態には，顆粒球コロニー刺激因子（G-CSF）が投与される。コストマン症候群に対する根治療法は造血細胞移植である。

B 腫瘍（小児がん）

1. 小児がんとは

1 小児がんの頻度と種類

がんは日本人の死亡原因の第 1 位であり，成人，特に高齢者にとって生命を脅かす最大の疾患である。小児がんは国内で発生するすべてのがんのうちの 1%にすぎないが，0～

表 4-13 年齢階級別にみた小児の死因順位

年齢	1位	2位	3位	4位	5位
0歳	先天奇形等	呼吸障害等	不慮の事故	妊娠期間等の障害	乳幼児突然死
1～4歳	先天奇形等	不慮の事故	悪性新生物	心疾患	肺炎
5～9歳	悪性新生物	先天奇形等	不慮の事故	その他の新生物	心疾患
10～14歳	自殺	悪性新生物	不慮の事故	先天奇形等	心疾患

資料／厚生労働省：人口動態統計，2022.

表 4-14 年齢別にみた若年層のがんの頻度

	1位	2位	3位	4位	5位
0～14歳（小児）	白血病 [38%]	脳腫瘍 [16%]	リンパ腫 [9%]	胚細胞腫瘍・性腺腫瘍 [8%]	神経芽腫 [7%]
15～19歳	白血病 [24%]	胚細胞腫瘍・性腺腫瘍 [17%]	リンパ腫 [13%]	脳腫瘍 [10%]	骨腫瘍 [9%]
20～29歳	胚細胞腫瘍・性腺腫瘍 [16%]	甲状腺がん [12%]	白血病 [11%]	リンパ腫 [10%]	子宮頸がん [9%]
30～39歳	女性乳がん [22%]	子宮頸がん [13%]	胚細胞腫瘍・性腺腫瘍 [8%]	甲状腺がん [8%]	大腸がん [8%]

出典／国立がん研究センターホームページ：小児・AYA 世代のがん罹患．https://ganjoho.jp/reg_stat/statistics/stat/child_aya.html

14歳の死亡原因の上位を占めており（表4-13），小児にとっても生命を脅かす最大の疾患である。国内では年間に2000～2500人の小児ががんと診断されている。小児に多いがん疾患は白血病，脳腫瘍，リンパ腫，胚細胞腫瘍，性腺腫瘍，神経芽腫であり，15～19歳では骨腫瘍が増加する（表4-14）。

2　小児がんの原因

細胞は必要に応じて，性質を変化させたり（分化）分裂したりして増殖している。この過程で，細胞に異常が発生し，異常が蓄積されることにより，細胞は無秩序に旺盛に増殖する能力，および健康なからだの制御から逃れる能力を身につけることがある。この結果ががんの発症を招き，年齢を重ねるとともに，細胞に異常を生じ蓄積する機会は増加すると考えられる。放射線への被曝（ひばく）や，がんの発症に関連する生活習慣は，細胞に異常を生じさせる機会を増やすと考えられている。小児がんの原因は加齢や生活習慣とはあまり関係がなく，何らかの遺伝的素因が関係すると考えられている。染色体不安定症候群，免疫不全症においてがんの発生頻度が高いことが知られている。

3　小児がんの症状と診断

小児がんの症状の多くは特異的でなく，むしろ，より一般的な症状で発症することがしばしばである。患児自身，あるいは両親も気づかない症状を偶然に受診した医療機関で指摘され，検査の結果，がんと診断されることも少なくない。がんと診断された小児の経過をさかのぼって考え直すと，2か月以前からがんに関連する何らかの症状があったことに気づくことがある。

小児がんの診断には，どのようながんであるかの診断（病理診断）と，病変がからだのどこにどれだけあるかの評価（病期診断）が必要である。診断に必要な検査は，がんの種類により異なる。画像検査（CT，MRIなど），腫瘍マーカー検査は診断を補助する検査として有用であるが，手術により病変の一部またはすべてを摘出し（生検），病理組織診断を行うことが原則である。

4　小児がんの治療

小児がん治療は対象疾患により異なる。治療において中心的役割を担（にな）う医師は，がん治療を担当する小児科医であることが一般的である。

がんの種類によっては手術が必要であり，病変部位により小児外科だけでなく，脳神経外科，耳鼻咽喉科，眼科，整形外科など様々な専門医の協力が必要なことがある。放射線治療が必要な小児がんも少なくない。合併症の治療のために，内分泌（ないぶんぴつ），循環器などの専門医の協力が必要なこともある。また，精神的ケアや疼痛（とうつう）コントロールを専門とする緩和ケア医は，終末期のみならず初発治療から大きな役割を担う。治療に必要な専門医の協力体制は重要な要素である。

小児がん治療は長期間に及ぶことが多く，小児や家族に大きな負担を強いる治療が少なくないことから，保育士，臨床心理士，子ども療養支援士，チャイルド・ライフ・スペシャリスト*，宿泊施設，院内学校などの支援体制も大切な要素である。一般に小児がんは0〜14歳の小児が罹患するがんと定義されるが，最近は15歳〜30歳代を指すAYA（アヤ）世代（adolescent and young adult；思春期・若年成人）のがんも小児がんとして治療される機会が増えている。AYA世代に対する療養環境，心理面・社会面への配慮も重要な課題である。

5 晩期合併症と長期フォローアップ

抗がん剤による治療では，健康な細胞への障害が合併症につながる。合併症を生じる時期は治療中や治療直後だけでなく，治療から長い時間の経過後であることもある。晩期合併症の種類，リスクは，治療内容（薬剤などの種類・量・投与方法，放射線照射や造血幹細胞移植の有無），治療が行われた年齢などにより異なる。代表的な晩期合併症として，2次がん，成長障害，性腺障害（無月経，不妊など），心臓，肺，腎臓などの臓器機能障害，認知機能障害などが知られている。思春期以降の患者に対する生殖機能温存は，近年産婦人科医や泌尿器科医と連携し積極的に取り組まれる傾向にある。治療成績向上とともに小児がん生存者が増加しており，晩期合併症を適切に評価し，対応するために長期フォローアップが必要である。

2. 白血病（leukemia）

白血病は血液細胞由来の悪性腫瘍であり，小児がんのなかで最も頻度が高く30〜40%を占める。

小児白血病の大部分は，幼若な白血病細胞が急速に増殖する急性白血病である。リンパ球系細胞由来の白血病をリンパ性白血病，骨髄球系細胞由来を骨髄性白血病とよぶ。小児においては，急性リンパ性白血病が70〜80%，急性骨髄性白血病が約20%の頻度である。慢性骨髄性白血病は小児白血病の2〜3%の頻度である。フィラデルフィア染色体とよばれる染色体異常を有する。チロシンキナーゼ阻害薬による治療が行われる。骨髄異形成症候群（MDS）は重症度，染色体異常などにより分類される。進行例に対する根治的治療として造血細胞移植が行われる。

1 急性リンパ性白血病（acute lymphoblastic leukemia；ALL）

▶ **病態**　未熟な分化段階のリンパ球系細胞の腫瘍化により生じる。未熟なBリンパ球由来のB前駆細胞性急性リンパ性白血病が約80%，未熟なTリンパ球由来のT前駆細胞性急性リンパ性白血病が約15%，成熟したBリンパ球由来の成熟B細胞性急性リンパ性白血病が約5%の頻度である。B前駆細胞性急性リンパ性白血病の発症年齢のピークは2〜6

＊ **チャイルド・ライフ・スペシャリスト**：小児の不安を軽減し，医療体験をプラス体験に転じるために，小児が本来もっている力を発揮できるよう心理社会的支援をする専門職。

歳である。T前駆細胞性急性リンパ性白血病は年長男児に高頻度である。

▶ **症状** 発熱，顔色不良（貧血），出血傾向，四肢の痛み，リンパ節腫大（しゅだい），肝脾腫（かんぴ）などの症状を認める。症状は特異的でなく様々である。

▶ **検査** 白血球数（末梢血中の芽球数）の増加，ヘモグロビン値の低下，血小板数の減少，血清LDH値，尿酸値の上昇を認めることが多い。

▶ **診断** 末梢血・骨髄中に白血病細胞を確認することにより診断する。芽球の割合，形態，細胞化学染色（ペルオキシダーゼなど），細胞表面マーカー解析，染色体・遺伝子解析を行い，予後の予測，治療選択に必要な分類診断を行う。

▶ **予後因子** 年齢（1歳未満，および10歳以上は予後不良），白血球数（5万/μL以上は予後不良），染色体・遺伝子異常（フィラデルフィア染色体，*MLL-AF4* キメラ遺伝子などは予後不良），初期治療反応，微少残存病変などが予後因子として知られている。B前駆細胞性急性リンパ性白血病の長期生存率は約90%，T前駆細胞性急性リンパ性白血病は約80%であるが，初期治療反応不良例の長期生存率は約50%と不良である。

▶ **治療** リスクにより層別化した治療が行われる。化学療法は，寛解導入療法（プレドニゾロン，ビンクリスチン硫酸塩，L-アスパラギナーゼ，ダウノルビシン塩酸塩など），強化療法（シクロホスファミド水和物，シタラビン，メルカプトプリン水和物など），中枢神経予防療法（メトトレキサート，髄注など），維持療法（メトトレキサート，メルカプトプリン水和物）により構成され，2〜3年間の治療期間が標準的である。造血細胞移植の適応は，寛解導入不能，再発などに限られる。

▶ **合併症** 腫瘍崩壊症候群は，治療により急速に白血病細胞が崩壊することにより細胞内のカリウム，尿酸，リンなどが血液中に放出されることにより生じる。大量輸液，尿酸分解薬や尿酸合成阻害薬の投与などにより予防する。腎不全に対し血液透析を要することもある。T前駆細胞性急性リンパ性白血病では縦隔腫瘤（しゅりゅう）を伴うことがある。縦隔腫瘤により気道，上大静脈の圧迫症状を生じることがある。迅速な治療開始が必要である。

2 急性骨髄性白血病（acute myeloid leukemia；AML）

▶ **病態** 未熟な分化段階の骨髄球系細胞の腫瘍化により生じる。由来する細胞起源（顆粒球，単球，赤芽球，巨核球など），分化段階によりFAB分類ではM0〜M7までの8病型に細分類される。小児ではM2の頻度が高い。ダウン症候群の乳幼児にはM7の頻度が高い。発症年齢のピークは明らかでない。

▶ **症状** 発熱，顔色不良（貧血），出血傾向，四肢の痛み，リンパ節腫大，肝脾腫など症状を認める。症状は特異的でなく様々である。皮膚などに腫瘤性病変を生じることがある。

▶ **検査** 白血球数（末梢血中の芽球数）の増加，ヘモグロビン値の低下，血小板数の減少，血清LDH値，尿酸値の上昇を認めることが多い。急性前骨髄球性白血病（M3）では，DICの合併が知られている。

▶ **診断** 末梢血・骨髄中に白血病細胞を確認することにより診断する。芽球の割合，形態，細胞化学染色（ペルオキシダーゼなど），細胞表面マーカー解析，染色体・遺伝子解析を行い，予後の予測，治療選択に必要な分類診断を行う。

▶ **予後因子**　染色体・遺伝子異常，治療反応などが予後因子として知られている。長期生存率は約70％である。M3およびダウン症候群に発症したAMLの長期生存率は約80％である。しかし，いずれにおいても再発例の予後は非常に不良である。

▶ **治療**　化学療法は，シタラビン，アントラサイクリン系，エトポシドによる寛解導入療法ののちに，同様の強化療法をリスクに応じて4～6コース繰り返す。6～8か月間程度の治療期間が標準的である。中枢神経予防療法として髄注を行う。高リスク群に対して造血細胞移植が選択される。M3に対しては，化学療法にレチノイン酸（ATRA）による分化誘導療法が併用される。ダウン症候群に発症したAMLでは，治療合併症が多い一方，薬剤感受性も高いため，非ダウン症候群に比較し強度を減弱した化学療法が行われる。

3. リンパ腫

免疫機能を担うリンパ組織由来の悪性腫瘍であり，小児がんの約9％の頻度である。病理組織から，非ホジキンリンパ腫とホジキンリンパ腫に大別される。国内における非ホジキンリンパ腫とホジキンリンパ腫の頻度の比は9：1程度である。

1　非ホジキンリンパ腫（non-Hodgkin lymphoma；NHL）

▶ **病態**　バーキットリンパ腫，びまん性大細胞型B細胞リンパ腫，リンパ芽球性リンパ腫，未分化大細胞型リンパ腫が非ホジキンリンパ腫の90％を占める。リンパ組織は全身に分布するため，非ホジキンリンパ腫は全身のあらゆる組織から生じ得る。リンパ節のほか，扁桃・胸腺・腸管・骨髄・肝臓・脳・脊髄・骨などに病変を生じる。小児のNHLは成人と比較して，リンパ節以外の病変の頻度が高く，急速に進行することが多い。

▶ **症状**　主なNHLの症状は次のとおりである。

❶**バーキットリンパ腫**：腹部の腫瘤で発症することが多く，腹水を伴うこと，腸重積を合併することもある。また，急性白血病として発症することもある。扁桃・副鼻腔・末梢リンパ節・骨・皮膚・精巣・骨・骨髄・中枢神経に病変を生じることもある。

❷**びまん性大細胞型B細胞リンパ腫**：腹部の腫瘤のほか，扁桃・副鼻腔・末梢リンパ節・骨・皮膚・精巣・骨など，様々な病変を生じる。骨髄・中枢神経病変の頻度は低い。

❸**T細胞性リンパ芽球性リンパ腫**：縦隔腫瘤により呼吸困難・胸水・頭頸部の浮腫・心不全を生じることがある。

❹**リンパ芽球性リンパ腫**：リンパ節・骨・皮下組織などに病変を生じることがある。骨髄に病変が存在する場合，腫瘍細胞が25％未満であればリンパ芽球性リンパ腫，25％以上であればALLと診断することが一般的である。

❺**未分化大細胞型リンパ腫**：皮膚・骨・軟部組織（皮下・筋肉など）・肺・肝臓など，リンパ節外にも病変を認めることが多い。また，発熱を伴うことがある。消化管や中枢神経

の病変の頻度は低い。

▶ **検査** 血液検査所見は特異的でない。バーキットリンパ腫では血清LDH高値，血清尿酸高値を認めることが多い。病期の判定に，CT・PETなどの画像検査による全身の評価・骨髄検査・脳脊髄液検査が必要となる。

▶ **診断** 腫瘍の一部を手術などにより切除（生検）して病理診断を行う。生検組織の細胞表面マーカーや遺伝子診断も有用である。

▶ **予後因子** 病型により異なる。バーキットリンパ腫，びまん性大細胞型B細胞リンパ腫では，病期，腫瘍の切除，および血清LDH値が予後に関連する。リンパ芽球性リンパ腫では病期が予後に関連する。未分化大細胞型リンパ腫では，病変が存在する臓器，病理組織分類などが予後に関連する。いずれの病型も長期生存率は限局例で90%以上，進行例で70～90%である。

▶ **治療** 病型・病期により治療は異なる。バーキットリンパ腫・びまん性大細胞型B細胞リンパ腫・未分化大細胞型リンパ腫に対しては，抗がん剤による5～7日程度の短期ブロック型化学療法をリスクに応じて繰り返す。リンパ芽球性リンパ腫に対しては，ALLに対する治療と同様の維持療法を含む長期治療を行う。化学療法による成績が良好なことから，外科治療・放射線治療の役割は限定される。

▶ **合併症** バーキットリンパ腫においては腫瘍崩壊症候群のリスクが高い。T細胞性リンパ芽球性リンパ腫では縦隔腫瘤を伴う気道，上大静脈の圧迫症状を生じることがある。迅速な治療開始が必要である。

2 ホジキンリンパ腫（Hodgkin lymphoma）

▶ **病態** ホジキンリンパ腫は，Bリンパ球由来の腫瘍である。10代後半，男児に高頻度に発症する。病理組織により古典的ホジキンリンパ腫・結節性リンパ球優性型ホジキンリンパ腫に細分類される。年少児例ではエプスタイン－バーウイルス（Epstein-Barr virus；EBV）と関連することが多く，免疫の未熟性や異常が発生に関連するとされる。

▶ **症状** リンパ節腫大（しゅだい）のほか，発熱，体重減少などの全身症状を伴うことがある。リンパ節腫大は頸部の頻度が高く，痛みを伴わず，弾力があり，複数のリンパ節が連なって腫大することが特徴である。縦隔病変の頻度が高く，10cm以上の腫瘤を認めることもある。リンパ節外の病変を認めることもあるが頻度は低い。

▶ **検査** 血液検査所見は特異的でない。病期の判定に，CT・PET・超音波・MRIなどの画像検査による全身の評価が必要である。

▶ **診断** 腫瘍の一部を手術などにより切除（生検）して病理組織診断を行う。

▶ **予後因子** 治療反応性が予後に関連すると報告されている。長期生存率は90%以上と高リスクでも良好な成績が得られている。

▶ **治療** 治療強度は病期により異なるが，病理組織分類によらない。複数の抗がん剤による化学療法と初発時の腫瘍領域への低線量病変部放射線照射（LD-IFRT）の併用が標準的である。

▶ **晩期合併症**　不妊などの性腺障害・心機能障害・甲状腺障害・2次がんなどの晩期合併症は深刻な課題である。2次がんを減らすために，低リスク群への照射省略が検討される。

4. 固形腫瘍

1　神経芽腫（neuroblastoma）

▶ **病態**　神経堤由来の悪性腫瘍（あくせいしゅよう）で，小児がんのなかでは，白血病・脳腫瘍・リンパ腫・胚細胞腫瘍・性腺腫瘍に次いで頻度の高い疾患である。副腎・交感神経節に発生する。5歳までの発症が大部分で，出生前に超音波検査で胎児診断されることがある。腫瘍細胞の性質は様々であり，1歳未満に発症する神経芽腫の多くは分化，退縮する性質を伴い予後良好である。1歳以降に発症する神経芽腫の多くは進行性で，転移を伴い，強力な治療が選択されるものの予後は不良である。

▶ **症状**　腹部腫瘤（しゅりゅう）・発熱・顔色不良などにより発症する。転移病変により眼球突出・顔面の変形・病変部の痛みなどを認めることがある。脊椎の椎間孔付近に進展したdumb-bell型腫瘍では，脊髄圧迫症状として下肢麻痺（まひ）や膀胱直腸障害が出現することもある。

▶ **検査**　CT・MIBGシンチグラフィなどの画像検査により全身の評価を行う。骨髄転移の判定に骨髄検査を行う。腫瘍マーカーである尿VMA・尿HVA・血清NSEは，診断・治療効果の判定に有用である。

▶ **診断**　腫瘍の一部を手術などにより切除（生検）して病理組織診断を行う。予後の予測，治療選択に病理組織分類，染色体・遺伝子解析は重要である。

▶ **予後因子**　発症年齢，病理組織分類，染色体・遺伝子異常，病期が予後に関連すると報告されている。低リスク群の長期生存率は約90％であるが，高リスク群の長期生存率は50％未満である。

▶ **治療**　リスクにより層別化した治療が行われる。外科手術，化学療法，放射線治療が必要に応じて組み合わせられる。診断時に腫瘍の摘出が困難な場合には，化学療法による縮小後に摘出手術が行われる。高リスク群に対しては，外科手術に，シスプラチン，ドキソルビシン塩酸塩，シクロホスファミド水和物，ビンクリスチン硫酸塩，エトポシドなどによる強力な化学療法，病変部に対する放射線照射，自家造血細胞移植*が併用される。さらに，海外では抗GD2抗体を用いた免疫療法（めんえきりょうほう），ATRAを用いた分化誘導療法が行われている。予後良好であることが期待される乳児例においては無治療経過観察が選択される。

2　網膜芽細胞腫（retinoblastoma）

▶ **病態**　胎児性神経網膜を由来とする小児の眼球内腫瘍のなかで最も頻度が高い悪性腫瘍

＊ **自家造血細胞移植**：造血を犠牲にした強力な治療（大量化学療法，放射線治療など）の後に，あらかじめ患者から採取し凍結保存した造血幹細胞を輸注（移植）する治療。

である。95%が5歳までに発症する。RB1というがん抑制遺伝子の変異が原因であり，15%は家族性である。両側性の患者の子どもが発症する確率は約50%であり，出生直後から5～6歳までは定期的な眼底検査が推奨される。

▶ **症状**　初発症状で最も多いのは白色瞳孔，次いで斜視である。白色瞳孔は乳児健診の確認項目として重要である。腫瘍が小さいうちは無症状である。

▶ **検査・診断**　眼底検査により，石灰化を伴う白色隆起病変が認められる。生検は視機能障害をもたらす可能性があるだけでなく，眼球外に腫瘍を広げてしまう危険性もあるため，典型的な眼底所見を呈し，眼球温存治療を行う場合には行われない。眼球外への広がりを確認するためにはMRIが有用である。遺伝子検査は，家族が発病する可能性を把握できるので行うことが望ましい。

▶ **治療**　眼球内にとどまる小さな腫瘍の場合は，放射線，レーザー，冷凍凝固による局所治療の適応となる。局所治療で治癒が望めない大きな腫瘍の場合は，ビンクリスチン硫酸塩，カルボプラチン，エトポシドを組み合わせた化学療法により腫瘍の縮小を図り，局所治療を併用する。眼球外に進展する進行例では，眼球摘出術，化学療法，放射線照射による集学的治療が行われるが，予後は不良である。治療後も新たな網膜芽細胞腫が発生する可能性があり，また遺伝性の患者では，2次がんの発症率が特に高く，慎重な経過観察が必要である。腫瘍が眼球内にとどまる場合の長期生存率は90%以上である。

3 肝芽腫（hepatoblastoma）

▶ **病態**　肝芽腫は，主に3歳未満に発症する肝臓の悪性腫瘍であり，小児固形腫瘍の3～4%を占める。出生時体重が1500g未満，出生後の酸素投与が肝芽腫発生のリスク因子とされる。家族性腺腫性大腸ポリポーシスの家系やベックウィズ－ウィーデマン（Beckwith-Wiedemann）症候群にも好発することが知られる。

▶ **症状**　腹部腫瘤，腹痛，嘔吐（おうと）で気づかれる。

▶ **検査・診断**　画像検査で肝臓に巨大腫瘍を認める。血清α－フェトプロテイン（AFP）の上昇がみられるが，生下時は数万～数百万ng/mLと高値を示し，4～5歳頃までに成人と同程度に低下するため注意が必要である。血清AFPの上昇がみられない（<100ng/mL）症例は数%にみられ，予後不良とされる。遠隔転移は肺に多いため胸部CTも重要である。確定診断には生検による病理組織診断が推奨されるが，生後6か月～3歳の血清AFPの上昇がみられる肝腫瘍で速やかな治療開始が望まれる場合，肝生検は必須ではない。

▶ **治療**　外科的全摘出術とシスプラチンを中心とした化学療法を組み合わせて行う。腫瘍が全肝区域に広がり摘出困難な場合は，肝移植の適応となる。肝移植の際に，遠隔転移の制御は必須である。肝外病変，脈管浸潤（しんじゅん）のない完全切除可能な標準リスク群の5年生存率は90%以上である。

4 腎芽腫（nephroblastoma）

▶ **病態・症状** 胎児期の腎組織類似の構造が巣状に腎組織内に遺残したものが前がん病変となり発生すると考えられている。ベックウィズ－ウィーデマン症候群などに好発することが知られる。WT1という遺伝子の変異が関与する。腹部腫瘤で気づかれることが多いが，ほかに腹痛，発熱，血尿，高血圧などがみられる。

▶ **検査・診断** 画像診断で腎臓に腫瘍を認める。遠隔転移は肺が多いため胸部CTによる肺の評価も必要である。特異的な腫瘍マーカーは存在しないが，LDHが高値を示すことが多い。確定診断には病理組織診断が重要であるが，被膜外進展，リンパ節転移，脈管浸潤の有無などの病期判定にも有用である。

▶ **治療** アメリカ方式では，初めに腫瘍および患側腎臓の全摘出を行い，病理組織診断を基に化学療法の強度および局所放射線照射の必要性を決定する。一方，ヨーロッパ方式では，初めに化学療法により腫瘍縮小を図ってから腫瘍摘出術を行い，その病理組織診断を基に化学療法の強度および局所放射線照射の必要性を決定する。化学療法は，ビンクリスチン硫酸塩，アクチノマイシンD±ドキソルビシン塩酸塩を組み合わせて行う。予後良好な組織型の5年生存率は90%を上回る。

5 横紋筋肉腫（rhabdomyosarcoma）

▶ **病態** 未分化な間葉系細胞から発生し，骨格筋を形成または骨格筋に分化する能力をもつ悪性腫瘍である。骨格筋とは，骨格に付着し，自分の意思で動かせる筋肉である。小児の軟部肉腫で最も多く，小児がんの約3%を占める。本来横紋筋（骨格筋）組織が存在しない部位を含む全身どこからでも発生する（図4-72）。原因は不明だが，一部には遺伝子変異が関与することが明らかになってきた。病理学的に主に胎児型と胞巣型に分類される。

▶ **症状** 腫瘍による腫脹，疼痛，圧迫症状がみられる。発症部位により特徴的な症状として，眼窩に発症した場合は眼球突出，泌尿生殖器に発症した場合は血尿や排尿障害，腹部に発症した場合は便秘や腹痛がみられる。

▶ **検査・診断** 病期診断のために，胸腹部単純X線・CT・MRI・PET・骨シンチグラフィにより全身検索を行う。骨髄転移評価のために骨髄穿刺・生検も推奨される。脳神経症状がなければ髄液検査は省略可能である。病理組織検査で確定診断する。胞巣型ではキメラ遺伝子の発現を確認することが診断根拠となる。

▶ **治療** 病理組織（胎児型か胞巣型か），原発部位，腫瘍径，転移の有無，外科的に完全切除可能かなどのリスクに応じて治療が行われる。外科手術，化学療法，放射線照射を組み合わせて行われる。初発時は完全切除により整容面，機能面の障害を伴う部位（眼窩・傍髄膜・腟など）の腫瘍では，一期的切除よりも生検が勧められる。化学療法は，ビンクリスチン硫酸塩，アクチノマイシンD，シクロホスファミド水和物を組み合わせたVAC療法が標準治療である。胎児型の限局腫瘍で完全摘出できた場合を除き，放射線照射療法が併用される。高用量のシクロホスファミド水和物による不妊症や治療による2次がんが晩期合併症として問題となる。低リスク群では長期生存率が80～100%と比較的良好であり，合併症軽減を目的とし治療強度を下げた臨床試験が試みられている。

6 骨肉腫（osteosarcoma）

▶ **病態** 組織学的に腫瘍細胞が類骨を形成する悪性腫瘍である。家族性にがんを多発するリ－フラウメニ（Li-Fraumeni）症候群や網膜芽細胞腫に合併することが知られる。骨を造る「骨形成」と，古くなった骨を壊す「骨吸収」により，骨は絶えず活発に代謝されている。骨肉腫は，骨形成の中心的役割を担う骨芽細胞や，骨吸収を担う破骨細胞が悪性化した病気である。原発性悪性骨腫瘍のなかで最も多く，約30％を占める。好発年齢は10～20代で，膝・肩関節周辺に発症することが多い（図4-73）。1～2か月で巨大な腫瘤に進展するので，早期の対応が重要である。

▶ **症状** 患部の痛み・腫脹・跛行などがみられるが，年少児は無症状のこともある。運動時や軽い外傷を契機に気づかれることが多い。

▶ **検査・診断** 患部の単純X線・CT・MRIで腫瘍性病変を疑い，生検による病理組織診断で確定する。胸部CTによる肺転移の有無，骨シンチグラフィ・PETによる骨転移の有無を評価することも重要である。

▶ **治療** 根治手術の前後で化学療法を行う。放射線照射の効果は乏しい。標準的な化学療法は大量メトトレキサート，シスプラチン，ドキソルビシン塩酸塩を組み合わせて行う。化学療法が有効でも完全に腫瘍細胞が死滅することはまれであり，腫瘍の完全切除は必須である。80～90％で患肢温存手術が可能となっているが，進行例では患肢の切離断術が行われる。遠隔転移のない症例の長期生存率は60～70％である。

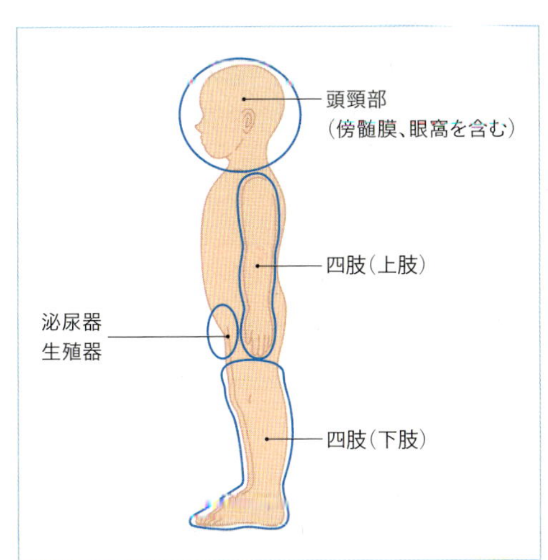

図4-72 横紋筋肉腫好発部位

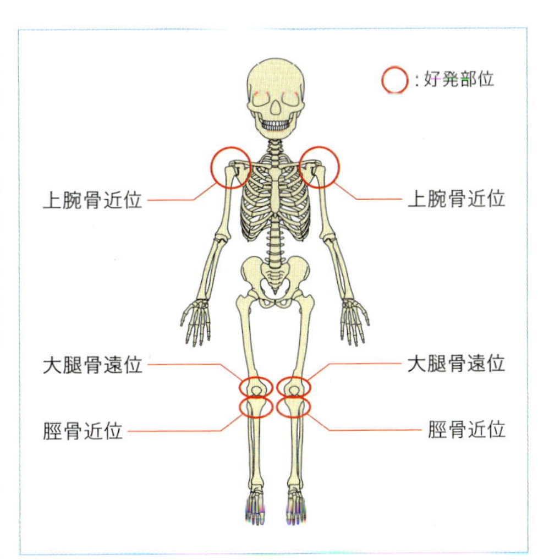

図4-73 骨肉腫好発部位

XI 感染症

本節では，ワクチンで予防できる疾患（vaccine preventable diseases；VPD）と代表的な流行性疾患について主に述べる。原因微生物としては，細菌（原核細胞：核膜がない），ウイルス（たんぱく質と核酸からなる）が多い。

ワクチンは，生ワクチンと不活性化ワクチン・トキソイドに大別される。このほか，新型コロナウイルス感染症（COVID-19）の全世界的な流行が始まって以降，国内では 2021（令和 3）年から新型コロナワクチン（mRNA ワクチン，ウイルスベクターワクチン，不活性化ワクチン）が使用されている。

生ワクチンは，病原体を弱毒化したもので体内での増殖力をもち，接種後に注射の生ワクチンを接種する場合には 4 週間空ける必要がある。一方，**不活性化ワクチン・トキソイド**は病原体の成分のみを取り出したもので体内での増殖力ももたない。小児への予防接種は，予防接種法下で国が勧奨している定期接種*と臨時接種（2022［令和 4］年 9 月現在，新型コロナワクチン），予防接種法によらない任意接種がある（表 4-15）。時々刻々と状況が変化する新型コロナワクチンについては，ここでは省略する。

表 4-15 国内で承認されている主なワクチン

	原因微生物	生ワクチン[*1]		不活性化ワクチン	
		接種方法	名称	接種方法	名称
定期接種	細菌	経皮接種	BCG ワクチン（結核）	注射	インフルエンザ菌 b 型ワクチン・13 価肺炎菌ワクチン・4 種混合ワクチン（学童期は 2 種混合ワクチン）[*2]
	ウイルス	注射	麻疹風疹混合ワクチン・水痘ワクチン	注射	4 種混合ワクチン[*2]・日本脳炎ワクチン・B 型肝炎ワクチン・子宮頸がんワクチン（ヒトパピローマウイルス；HPV）
		経口接種	ロタウイルスワクチン		
任意接種	細菌	ー	ー	注射	髄膜炎菌ワクチン・3 種混合ワクチン[*3]・破傷風ワクチン
	ウイルス	注射	流行性耳下腺炎（おたふくかぜ）ワクチン・黄熱ワクチン	注射	ポリオ単独ワクチン・A 型肝炎ワクチン・インフルエンザワクチン[*4]・23 価肺炎球菌ワクチン[*4]・帯状疱疹ワクチン・狂犬病ワクチン

＊1 生ワクチンは妊婦には禁忌である。一般に免疫不全者にも禁忌である。
＊2 4 種混合ワクチン（ジフテリア・百日咳・破傷風・ポリオ）のうち，ポリオの原因微生物はウイルスである。定期接種において，11~12 歳の第 2 期には，2 種混合ワクチン（ジフテリア・破傷風）。
＊3 4 種混合ワクチンが導入される前は，3 種混合ワクチン（ジフテリア・百日咳・破傷風）が定期接種に含まれていた。
＊4 高齢者等では定期接種。

＊ 定期接種となる年齢・時期は決まっており，それ以外の時期では任意接種となる。

 細菌感染症

1. ワクチンで予防できる細菌感染症

1 結核（tuberculosis）

▶ **概念・病態生理**　結核菌は空気感染*する。小児では家族内感染例が多い。

▶ **症状**　病初期は無症状か軽い咳嗽程度にすぎない。乳幼児では初期変化群肺結核，粟粒結核，結核性髄膜炎が多く，年長児では成人型肺結核，結核性胸膜炎が多い。

❶**初期変化群肺結核**：肺野の初感染巣と縦隔・肺門リンパ節腫大が主体の像を呈する。

❷**粟粒結核**：結核菌の血行性散布で発症する。肺野全体に細かな粒状陰影が認められる。

❸**結核性髄膜炎**：初感染結核，粟粒結核に続発する。不機嫌，嘔吐，意識障害で発症する。水頭症や脳梗塞を合併しやすく予後不良である。

❹**成人型肺結核**：肺尖部に空洞形成を伴う浸潤影が認められる。

❺**結核性胸膜炎**：発熱，胸痛，胸水貯留が急激に現れる。

▶ **診断**　①結核患者との接触歴の問診，②ツベルクリン反応陽性，③胸部X線検査，およびCT検査での所見，④喀痰・胃液・胸水・髄液などの塗抹・培養検査，結核菌DNA検査（PCR法），インターフェロンγ遊離試験を行う。

▶ **治療**　抗結核薬による化学療法（イソニアジド，リファンピシン，ストレプトマイシン硫酸塩，エタンブトール塩酸塩，ピラジナミドなどのうち3剤または4剤を併用）を6～12か月間行う。

▶ **予防**　**BCGワクチン**は乳児期に接種すると結核性髄膜炎や粟粒結核の予防に特に有効である。結核に感染していると知らずにBCGワクチンを接種すると，コッホ現象*を起こす。

2 百日咳（pertussis）

▶ **概念・病態生理**　百日咳菌が百日咳毒素を産生する。予防接種歴のない乳幼児に飛沫感染して発症することが多い。症状の軽い青年や成人が重要な感染源となっている。乳幼児期にワクチンを完了していても，免疫が持続しないため，就学前後以降に感染者が増加する。

▶ **症状**　潜伏期間は6～21日である。新生児の無呼吸発作の原因にもなる。

❶**カタル期（1～2週）**：咳嗽，鼻汁などの感冒様症状がみられる。

❷**痙咳期（3～4週）**：激しい咳き込みが息つぎなしに続き，最後にヒューッと大きな音をさせて息を吸う咳嗽発作を繰り返す（**レプリーゼ**）。咳嗽は夜間に強い。顔を真っ赤にし

＊ **空気感染**：空気感染は，空気中を浮遊する病原体によって，患児と同室であるだけで成立する感染経路である。ほかに，麻疹や水痘も空気感染する。入院中は陰圧室管理が必要となる。

＊ **コッホ現象**：接種した部位の反応が通常よりも早く（接種翌日～数日以内），強く出る。正常では，接種した10日後頃から少しずつ赤くなり，約1～2か月後に強い反応が出る。

て咳き込み，嘔吐（おうと），呼吸困難，チアノーゼ，結膜出血や顔面の点状出血を生じる

❸回復期：咳嗽（がいそう）発作の程度と回数が軽減する。

▶ **診断** 3種もしくは4種混合ワクチン接種歴と，有症状者との接触歴を確認する。

①血液でリンパ球優位の白血球増多を認める。

②百日咳抗体-IgM，PT（百日咳毒素）-IgGなどの抗体価測定を行う。

③鼻咽頭ぬぐい液の百日咳DNA・迅速抗原検査もしくは培養検査を行う。

▶ **治療** 治療は以下のとおりである。

①カタル期と痙咳期初期にはマクロライド系抗菌薬が有効である。

②無呼吸が生じやすく重症化する乳児期早期には，入院治療が必要となる。

2. 溶レン菌・ブドウ球菌感染症 (streptococcal and staphylococcal infection)

1 猩紅熱（scarlet fever）

▶ **概念・病態生理** A群β溶血性レンサ球菌（A群溶レン菌；*Streptococcus pyogenes*）が咽頭（いんとう）や皮膚から侵入し，菌が産生する発赤（ほっせき）毒素によって発疹が生じる。

▶ **症状** 潜伏期間は2～4日である。発熱，咽頭痛で発症し，咽頭発赤，扁桃（へんとう）の滲出物（しんしゅつぶつ），軟口蓋（なんこうがい）の点状出血，イチゴ舌，有痛性頸部（けいぶ）リンパ節腫脹（しゅちょう）を伴う。全身に細かい淡紅色の小紅斑が出現し，かゆみを伴う。額と頬が紅潮し，口の周りのみ蒼白にみえる（口囲蒼白）。回復期に皮膚の落屑を認める。

▶ **検査・診断** 咽頭培養またはA群溶レン菌迅速抗原検査を行う。のちに血清のASOやASK価が上昇する。

▶ **合併症** 頸部リンパ節炎，肺炎（膿胸）などの呼吸器疾患，回復期の関節炎，急性糸球体腎炎（高血圧，浮腫（ふしゅ），血尿，低補体血症など），ごくまれにリウマチ熱などがある。

▶ **治療** ペニシリン系またはセファロスポリン系抗菌薬を10日間投与する。

▶ **生活への影響** 抗菌薬投与開始後2日以内に症状は軽快する。治療が継続され解熱していれば2日ほどで，登校・登園は差し支えない。なお，発疹を伴わない咽頭炎も多く存在する。

2 伝染性膿痂疹（impetigo contagiosa）

▶ **概念・病態生理** 外傷，虫刺され，湿疹のある小児の皮膚に黄色ブドウ球菌（*Staphylococcus aureus*）またはA群溶レン菌が感染して起こる。

▶ **症状** 紅暈を伴う小水疱（すいほう），小膿疱（のうほう）が顔面や四肢に出現する。水疱，痂皮を呈する。

▶ **診断** 臨床所見と皮膚培養検査により診断される。

▶ **合併症** まれに数週後の溶レン菌感染後急性糸球体腎炎がある。

▶ **治療** 抗菌薬内服と外用薬による治療を行う。

▶ 生活への影響　手や鼻汁（びじゅう）から接触感染する。皮膚の清潔を保ち，爪の手入れをする。

3　ブドウ球菌性熱傷様皮膚症候群（staphylococcal scalded skin syndrome；SSSS）

SSSSでは，菌が産生する表皮剥脱（はくだつ）毒素によって，発熱とともに全身の皮膚が熱傷のようにはがれるニコルスキー（Nikolsky）現象がみられる。原則入院のうえ抗菌薬を投与する。

4　そのほか

A群溶レン菌は，蜂巣炎（ほうそうえん）（蜂窩織炎（ほうかしきえん）；真皮深層～皮下組織の感染症）の原因となり，小児の腟炎を起こす黄色ブドウ球菌は，蜂巣炎，感染性心内膜炎，カテーテル関連感染，化膿性骨髄炎や化膿性関節炎，毒素型の食中毒の原因となる。

3. 消化管の細菌感染症

原因菌は経口感染する。胃腸炎として発症する場合と，食中毒として発症する場合がある。症状は発熱，腹痛，嘔吐，下痢（げり），血便と非特異的である。便培養で原因菌を検出することにより診断する（毒素型では困難）。治療は食事療法，経口または経静脈的補液，整腸薬の内服である。2次感染予防のため，手指衛生を遵守することや，タオルなどの物品を共用しないことが大切である。

1　細菌あるいはその毒素による食中毒（food poisoning）

食中毒は，全例直ちに（24時間以内）保健所に届け出なければならない。食中毒は，①感染型，②毒素型，③生体内毒素型に大別できる。**感染型食中毒**の原因菌にはカンピロバクター（主に生の鶏肉），サルモネラ（生卵や食肉），腸炎ビブリオ（寿司や刺身）などがある。**毒素型食中毒**の原因菌には黄色ブドウ球菌（汚染されたおにぎり），ボツリヌス菌*，セレウス菌（嘔吐型）（チャーハンやピラフ）などがあり，感染型食中毒と比べると潜伏期間が短いという特徴がある。**生体内毒素型食中毒**の原因菌にはウェルシュ菌（大量に作り置きしたカレー），セレウス菌（下痢型）（汚染された弁当），腸管出血性大腸菌，乳児ボツリヌス症におけるボツリヌス菌*などがある。

2　腸管出血性大腸菌感染症（enterohaemorrhagic *Escherichia coli* infection）

腸管出血性大腸菌は感染後，腸管内で**ベロ毒素**を産生し，出血性腸炎を起こす。

▶ 概念・病態生理・症状　家畜便に汚染された食肉などを摂取し，潜伏期間3～5日の後に腹痛，下痢，血便，発熱で発症する。

▶ 合併症　脳症，溶血性尿毒症症候群（溶血性貧血，血小板減少，急性腎不全を主症状とする症候

* **ボツリヌス菌**：毒性の強い神経毒を産生する。缶詰・瓶詰など嫌気条件で増殖した菌が毒素を多量に産生し，それを経口摂取することにより発症するボツリヌス症（複視，構音障害，運動麻痺）と，蜂蜜やコーンシロップなどに含まれる菌の芽胞が口から入り，腸管が未熟な宿主においてボツリヌス菌が大腸で増殖して毒素を産生する乳児ボツリヌス症（便秘，哺乳低下，筋力低下など）の2つに分けられる。乳児には絶対に蜂蜜を与えてはならない。

群で，脳症を合併したり，透析を必要とすることもある）。

▶ **治療**　合併症の治療，対症療法を行う。抗菌薬の投与については賛否両論ある。

▶ **生活への影響**　**3 類感染症**であり，診断後直ちに保健所へ届け出なければならない。

3　そのほかの腸管感染症

カンピロバクター腸炎，サルモネラ腸炎は一般的である。国内発症は少ないが，サルモネラの一種であるチフス菌（*Salmonella enterica var enterica serovar Typhi/Paratyphi*）を原因菌とする**腸チフス**や**パラチフス**，赤痢菌（*Shigella dysenteriae* など）を原因菌とする**細菌性赤痢**はよく知られている。これらは，主に渡航先での食品や水の摂取が感染源となることが多い。

4. そのほかの細菌感染症

1　肺炎（pneumonia）

乳幼児では**肺炎球菌**や**インフルエンザ菌**が，学童では細胞壁を有しない**肺炎マイコプラズマ**（*Mycoplasma pneumoniae*）が肺炎の主原因となる。マイコプラズマ肺炎は，発熱，乾性咳嗽（がいそう）を特徴とし，迅速抗原（じんそくこうげん），抗体価，細菌の遺伝子検査で診断する。マクロライド系の抗菌薬で治療を行い，一般に予後は良好である。発疹，髄膜炎などの合併もある。

2　敗血症（sepsis），細菌性（化膿性）髄膜炎（bacterial meningitis）

小児の敗血症は，現在も「感染症に惹起された全身性炎症反応症候群（systemic inflammatory response syndrome：SIRS）」と定義される。菌血症や細菌性髄膜炎などの重症感染症が敗血症を呈する。

化膿性髄膜炎は乳児に多く，発熱，嘔吐（おうと）および意識障害，痙攣（けいれん）で発症する。国内の原因菌で最も多いのは **B 群溶レン菌**（主に乳児），次いで肺炎球菌（新生児期以降），大腸菌（主に新生児）である。インフルエンザ菌 b 型，および小児用ワクチンに含まれる血清型の肺炎球菌による髄膜炎は，2010（平成 22）年にワクチンが広く普及（定期接種化は 2013［平成 25］年）して以降，激減した。

B ウイルス感染症

1. ワクチンで予防できるウイルス感染症

水痘（すいとう），麻疹（ましん），風疹（ふうしん），流行性耳下腺炎（おたふくかぜ）は臨床症状と抗体価，時に遺伝子検査で診断する。ワクチンは個人予防および感染症流行阻止目的で，1 歳以上の小児に 2 回接種する。

1 麻疹（measles）

▶ **概念・病態生理**　麻疹ウイルスが主に気道粘膜から侵入し感染・発症する。2015（平成27）年～2021（令和3）年では，国内で年間6人（2021年）～744人（2019年）が発症している。

▶ **症状**　潜伏期間は10～18日である。

❶**カタル期**：約3日。発熱，鼻汁（びじゅう），咳嗽，結膜充血で発症する。しだいに頬粘膜や周囲粘膜に発赤（ほっせき）を伴う白斑（コプリック斑）が出現する。感染力が最も強い時期である。

❷**発疹期**：やや解熱した後，再度高熱となり，顔面から全身に融合傾向の強い斑丘疹（きゅうしん）が出現する。コプリック斑は消退していく。高熱はさらに3日程度続く。鼻汁，眼脂，湿性咳嗽が著明である。

❸**回復期**：発疹の赤みが減り，色素沈着と落屑を残す。

▶ **治療と合併症**　対症療法を行う。細菌の2次感染に対して抗菌薬を用いる。合併症として，肺炎，中耳炎，脳炎，数年後に発症する亜急性硬化性全脳炎（subacute sclerosing panencephalitis：SSPE）がある。

▶ **生活への影響**　空気感染・接触感染・飛沫感染によって感染し，感染力は非常に強い（入院時は陰圧室）。**5類感染症**ではあるが診断後直ちに保健所へ届け出る。解熱後3日経過するまで集団生活を休ませる。

2 風疹（rubella）

▶ **概念・病態生理**　風疹ウイルスが主に気道粘膜から侵入し感染・発症する。ワクチン接種する機会の少なかった，中年男性に多い。妊婦の感染で胎児に先天性風疹症候群*を生じることがある。

▶ **症状**　潜伏期間は14～21日である。微熱や耳介（じかい）後部・頸部などのリンパ節腫脹（しゅちょう），発疹（ほっしん）が認められる。ピンク色の細かな斑丘疹が顔面，頸部（けいぶ）から全身に広がる。融合することはなく，3日で消退する。

▶ **治療と合併症**　対症療法を行う。関節炎，脳炎，血小板減少性紫斑（しはん）病を合併することがある。

▶ **生活への影響**　**飛沫感染**し，感染力は強い。**5類感染症**ではあるが診断後直ちに保健所へ届け出る。発疹が消失するまで集団生活を休ませる。

3 水痘（varicella, chickenpox）

▶ **概念・病態生理**　水痘帯状疱疹ウイルスが主に気道粘膜から侵入し感染・発症する。

▶ **症状**　潜伏期間は10～21日である。体幹を中心に四肢，顔面，有髪頭部にかゆみのあ

＊ **先天性風疹症候群**：妊娠初期の母親の風疹ウイルス感染により胎児が感染（垂直感染）し，白内障，難聴，先天性心疾患などを呈する。1歳頃までは児の感染性が持続する。

る発疹が散在性に出現し，紅斑から水疱，痂皮へと変化する。新旧の発疹が混在し，約1週間で痂皮化する。発熱の程度は様々である。免疫不全者では重症化する。

▶ **治療**　発症早期の抗ウイルス薬（アシクロビル，バラシクロビル塩酸塩）が有効である。発疹にフェノール・亜鉛華リニメントなどの軟膏の塗布を行う。ライ症候群という特殊な脳症が発症するため，解熱薬として小児にアスピリンは用いてはいけない。

▶ **生活への影響**　空気感染，接触感染，飛沫感染によって感染し，感染力は非常に強い（入院時は陰圧室）。感染力は発疹出現2日前から全発疹の痂皮化完了まで継続するので，この間集団生活を休ませる。入院例のみ**5類感染症**であり，7日以内に保健所に届け出る。

4　帯状疱疹（herpes zoster, shingles）

水痘の治癒後，ウイルスは全身の神経節内に潜伏する。加齢や宿主の免疫低下に伴い再活性化して帯状疱疹を引き起こす。通常片側1つあるいは少数の知覚神経の分布領域（デルマトーム）に一致して，紅斑の上に均一な小水疱が多数出現し，ピリピリとした痛みを訴える。アシクロビルまたはバラシクロビル塩酸塩を投与する。小児には少ない。

5　流行性耳下腺炎（おたふくかぜ）（mumps）

▶ **概念・病態生理**　ムンプスウイルスが主に気道粘膜から侵入し感染，発症する。発症7日前〜発症後9日は唾液中にウイルスが検出される。感染者の30%は不顕性感染（感染しても症状が現れないこと）に終わる。

▶ **症状**　潜伏期間は16〜25日。両側または片側の耳下腺・顎下腺の腫脹と痛みと発熱が生じる。

▶ **治療**　対症療法を行う。

▶ **合併症**　無菌性髄膜炎（5%），感音難聴（〜1%），膵炎，思春期以降の精巣炎や卵巣炎などがある。

▶ **生活への影響**　腫れが出た後5日を経過し，かつ全身状態が良好になるまで集団生活を休ませる。

6　ロタウイルス感染症（rotavirus infection）

小児を中心に春先に流行する。下痢，嘔吐，発熱，時に白色便を呈する。対症療法を行う。まれに脳症や腎不全などの合併症を起こす。乳児早期までの**経口生ワクチン**で乳幼児の重症化を予防する。2020（令和2）年10月から定期接種対象となった。

7　急性灰白髄炎（ポリオ；poliomyelitis）

感染者の糞便との接触や咽頭分泌液の飛沫感染による。不顕性感染が大部分だが，ポリオウイルスが脊髄前角の神経細胞を侵すと末梢神経の弛緩性麻痺を起こす。麻痺の一部は非可逆的となる。**2類感染症**であり，診断後直ちに保健所へ届け出なければならない。対症療法を行う。

8 日本脳炎（japanese encephalitis）

▶ **概念・病態生理**　ブタなどの動物が日本脳炎ウイルスに感染し，その血を吸ったコガタアカイエカが人を刺すことによって感染する。

▶ **症状**　大部分は不顕性感染である。脳炎になった場合の主な症状は発熱，頭痛，嘔吐，意識障害，痙攣（けいれん）である。

▶ **治療**　特異的治療はなく，致命率が20%，後遺症率が50%と高い。

▶ **生活への影響**　**4類感染症**であり，診断後直ちに保健所へ届け出なければならない。

9 ウイルス性肝炎（viral hepatitis）

❶A型肝炎

患者の糞便や汚染された水，カキなどの食品を介した経口感染で伝播（でんぱ）する。発熱，倦怠感（けんたいかん），嘔吐，黄疸（おうだん），肝腫大（かんしゅだい），肝酵素の上昇などがみられる。対症療法を行う。劇症化しなければ生命予後は良い。**4類感染症**であり，直ちに保健所へ届け出なければならない。

❷B型肝炎

患者の血液，体液を介して感染する。A型肝炎同様に急性肝炎となるほか，慢性化，無症候キャリア（ウイルスを排出できない状態）化，キャリア母体からの母子感染（垂直感染）が問題となる。母子感染予防のための乳児へのB型肝炎ワクチンの接種以外に，2016（平成28）年から全乳児への定期接種が始まった。急性感染は**5類感染症**であり，7日以内に保健所に届け出る。

❸C型肝炎

ワクチンで予防はできないものの，便宜上ここで触れる。患者の血液，体液を介して感染し，慢性化しやすい。小児では母子感染（垂直感染）が問題となる。有効な抗ウイルス薬があるが，小児期に投与する事例は少ない。急性感染は**5類感染症**であり，7日以内に保健所に届け出る。

10 インフルエンザ（influenza）

▶ **概念・病態生理**　インフルエンザウイルスは飛沫感染し，通常，毎年冬に流行する。主なウイルスにA（H1N1）pdm09，A（H3N2）香港型，B型（2系統）の4種類がある。

▶ **症状**　潜伏期間は1～3日である。高熱，悪寒，頭痛，筋肉痛，関節痛，倦怠感が急激に現れ，咽頭痛や咳嗽（がいそう）のほか，時に消化器症状を呈する。発熱は2～5日間持続する。

▶ **検査・診断**　鼻咽頭検体を用いて，迅速抗原検査（じんそくこうげんけんさ）もしくは遺伝子検査を行う。

▶ **治療**　抗インフルエンザウイルス薬（内服薬，吸入薬，注射薬がある）を投与する。発症早期の投与開始で有熱期間を短縮できる。インフルエンザ脳症の悪化因子となるため，ジクロフェナクやメフェナム酸などの非ステロイド性抗炎症薬は用いてはいけない。また，ライ症候群という特殊な脳症が発症するため，解熱薬として小児にアスピリンは用いてはいけない。

▶ **合併症**　中耳炎・乳幼児の熱性痙攣・クループ症候群・肺炎・脳症・筋炎などがある。

▶ **予防**　毎年秋に4価（上記の4種類）の不活化**インフルエンザワクチン**を接種する。

▶ **生活への影響**　発症した後5日を経過し，解熱後2日（未就学児は3日）を経過するまで集団生活を休ませる。

11 新型コロナウイルス（COVID-19）

原因ウイルスであるSARS-CoV-2は2019（令和元）年に中国の武漢市で発見され，その後全世界に感染拡大した。症状としては，発熱，呼吸器症状，胃腸症状，味覚嗅覚異常などがあげられる。合併症として，肺炎を含めた呼吸障害，心血管系の障害，血栓塞栓症，炎症性合併症（主に学童以降の小児では，稀ではあるが川崎病に類似した多系統炎症性症候群が有名）などがある。高齢者は重症化しやすいが，乳幼児は軽症に経過しやすい。密閉・密集・密接（三密）の空間での感染拡大が広く知られている。2021（令和3）年から国内を含めて全世界で広く接種されているワクチンについては，次々に変異株が出現するため，効果の減弱が懸念されている。

2. そのほかのウイルス感染症

1 アデノウイルス感染症（adenovirus infection）

ライノウイルスやコロナウイルスと並んで，かぜ症候群の代表的なウイルスで，年間を通じて流行する。咽頭扁桃炎（いんとうへんとうえん）・気管支炎・肺炎・流行性角結膜炎・胃腸炎・出血性膀胱炎・腸間膜リンパ節炎など多彩な症状を起こし得る。初夏～夏には**プール熱**とよばれる**咽頭結膜熱**（pharyngoconjunctival fever）が流行する。咽頭結膜熱では高熱が5日程度続く。咽頭は著明に発赤（ほっせき）し，扁桃に白色の滲出物（しんしゅつぶつ）が付着する。結膜は充血し眼脂が多い。特異的な治療はなく，7日程度で治癒する。手指衛生と，タオルを共用しないことを指導する。

2 エンテロウイルス感染症（enterovirus infection）

初夏から夏に流行し，コクサッキーウイルスA型・B型・エコーウイルスなどがある。潜伏期間は通常2～7日である。手足口病・ヘルパンギーナ・急性出血性結膜炎・無菌性髄膜炎・発疹症・心筋炎など多様な疾患の原因となる。咽頭や便から排出されるウイルスが感染源となる。治療は対症療法のみで，合併症がなければ通常数日で軽快する。

❶ 手足口病（hand-foot-mouth disease：コクサッキーウイルスA6, A16，エンテロウイルス71など）

手掌・足底・口腔（こうくう）粘膜に小水疱がみられる。ほかに膝，殿部（でんぶ），体幹に鮮紅色の小丘疹（しょうきゅうしん）を呈することもある。口腔の痛みのため食欲低下・流涎（りゅうぜん）が生じる。まれに脳症を併発する。

❷ヘルパンギーナ（herpangina：種々のエンテロウイルス）

高熱，咽頭粘膜に点在する小水疱と潰瘍，咽頭痛による経口摂取不良を特徴とする。

❸急性出血性結膜炎（acute hemorrhagic conjunctivitis）

エンテロウイルス70・コクサッキーウイルスA24変異株による。極めて強い目の痛みと充血，眼脂，結膜下出血，頭痛や発熱を伴う。治療には点眼薬を用いる。手指衛生と，タオルを共用しないことを指導する。

3 RSウイルス感染症（RS virus infection）

▶ **概念**　毎年夏～冬のはじめにかけて乳幼児で流行する，呼吸器感染である。

▶ **症状**　多量の水様鼻汁と，激しい咳嗽・発熱が主症状である。新生児では無呼吸・乳児では喘鳴と多呼吸を伴う**細気管支炎**や肺炎を生じる。早産児，心疾患や慢性肺疾患の小児では重症化する。合併症として中耳炎がある。年長児や成人では軽度の感冒症状となる。

▶ **検査・診断**　鼻咽頭検体を用いて，迅速抗原検査を行う。

▶ **治療**　特異的な治療はない。新生児や乳児ではしばしば入院が必要である。

▶ **予防**　**接触感染**，**飛沫感染**するので手指衛生が大切になる。早産児や慢性肺疾患，先天性心疾患などがある小児の予防に抗RSVヒト化モノクローナル抗体（パリビズマブ）が用いられる。

4 ノロウイルス感染症（norovirus infection）

秋から冬にかけて流行し，人から人に，糞便や吐物を介して経口感染する。主症状は嘔吐で，下痢や発熱を認めることがある。治療は対症療法のみで，合併症がなければ通常数日で軽快する。**食中毒**の原因として，冬期の食中毒としても，ウイルス性食中毒としても，最多である。食中毒は全例，直ちに（24時間以内）保健所に届け出なければならない。汚染物は，次亜塩素酸ナトリウム溶液に浸し，患者診察後の手指消毒は流水と石けんで行う。

5 単純ヘルペスウイルス（HSV）感染症（herpes virus infection）

治療には，抗ヘルペス薬（アシクロビルなど）を投与する。重症例（新生児ヘルペスや脳炎），経口摂取不良時には，点滴静注を用いる。

❶ヘルペス性歯肉口内炎（herpetic gingivostomatitis）

乳幼児期の初感染で起こる歯肉口内炎である。4～7日間高熱が続くこともある。口腔内（歯肉を含め）に小水疱・びらん・潰瘍が出現し，歯肉から出血しやすい。また，痛みのため経口摂取困難となる。

❷カポジ水痘様発疹症（kaposi varicelliform eruption）

主にアトピー性皮膚炎の患者にHSVが感染して起こる。突然の高熱とともに湿疹部位に紅暈を有する小水疱が多数発生し，膿疱・潰瘍となる。リンパ節が有痛性に腫脹する。

❸**口唇ヘルペス**（herpes labialis）

初感染後，単純ヘルペスウイルスは知覚神経節に潜伏する。上気道炎や疲労に伴いウイルスが再活性化され，口唇周囲に小水疱が繰り返し出現する。

❹**新生児ヘルペス**（neonatal herpes）

新生児ヘルペスは，主に母体の性器ヘルペス（特に初感染）からの経産道感染で，生後1～3週頃に発症する重篤な疾患である。脳炎も含まれる。早期にアシクロビルの点滴静注を開始する。

❺**ヘルペス脳炎**（herpes encephalitis）

予後不良の脳炎である。疑われれば診断確定前から早期にアシクロビルの点滴静注を開始する。

❻**角膜ヘルペス**（herpetic keratitis）

通常は初感染後に神経節内のウイルスが再活性化して，角膜に感染を生じる。

6　伝染性単核球症（infectious mononucleosis）

▶ **概念・病態生理**　主に **EB ウイルス**（Epstein-Barr virus）が唾液を介して感染する。

▶ **症状**　潜伏期間は30～50日である。発熱・咽頭痛・扁桃炎（腫大し滲出物が付着）・頸部リンパ節腫脹・肝脾腫・発疹（ペニシリン系抗菌薬の投与により誘発される）が特徴である。

▶ **検査・診断**　末梢血に異型リンパ球が出現する。肝酵素値が上昇するが，通常黄疸はきたさない。EB ウイルス関連抗体で確定診断する。

▶ **治療**　対症療法を行う。全身状態に応じて入院も考慮する。まれに重症な血球貪食症候群を合併する。

▶ **生活への影響**　脾腫のあるうちは出血を防ぐために激しい運動を避ける。

7　突発性発疹（exanthem subitum, roseola infantum）

▶ **概念・病態生理**　**ヒトヘルペスウイルス**（HHV）**6，7 型**による発疹症である。

▶ **症状**　潜伏期間は7～15日である（HHV6 型）。主に無症候の家族から感染する。突然の高熱で発症する。ほかの症状に乏しい。3日程度続く高熱の後，解熱と入れ替わるように体幹を中心に斑丘疹が出現する（解熱後発疹）。発疹は2～3日で色素沈着を残さず消退する。生後初めての発熱の原因であることが多い。治療は対症療法のみで，合併症がなければ通常数日で軽快する。

▶ **合併症**　熱性痙攣，脳炎・脳症がある。

8　伝染性紅斑（erythema infectiosum）

▶ **概念・病態生理**　**ヒトパルボウイルス B19** の感染による発疹症で，**リンゴ病**ともよばれる。

▶ **症状**　潜伏期間は7～14日である。発疹出現1週間前に前駆症状として微熱や倦怠感，その後両頬の紅斑と四肢から体幹にレース状網目様紅斑が出現する。発疹は数週間にわたり出現，消退を繰り返す。

▶ **治療と合併症**　合併症がなければ，対症療法のみで軽快する。

▶ **合併症**　関節炎を生じる。妊婦の感染では流産，胎児水腫がある。球状赤血球症など溶血性貧血の患者では重度の貧血（無形成発作；aplastic crisis）を起こす。

▶ **生活への影響**　感染性は前駆症状の時期にあり，発疹の時期にはすでにない。

9　先天性サイトメガロウイルス感染症（congenital cytomegalovirus infection）

妊娠中母体がサイトメガロウイルスに感染し，胎児に感染症を起こすものをいう。初感染妊婦の40％で胎児に感染する。胎児感染例の約20％が症状を呈し（症候性），残り80％が症状なく（無症候性で）出生する。症候性の90％，無症候性の10～15％が精神発達遅滞，運動障害，難聴などを呈するようになる。正式に承認された小児への治療はない。

10　遅発性ウイルス感染症（slow virus infections）

長い潜伏期をもつ予後不良のウイルス感染症である。麻疹（ましん）ウイルス罹患（りかん）後5～10年で発症する亜急性硬化性全脳炎（subacute sclerosing panencephalitis；SSPE）は知能低下や行動異常で発症し，数年の経過で死に至る。ほかに，多くの人に潜伏しているJCウイルスが，免疫（めんえき）抑制剤や抗がん剤，HIV（ヒト免疫不全ウイルス）感染などにより免疫力が低下した状況で再活性化し発症する進行性多巣性白質脳症（progressive multifocal encephalopathy；PML）がある。

11　後天性免疫不全症候群（acquired immunodeficiency syndrome；AIDS）

日本の小児には極めて少ない。ヒト免疫不全ウイルス（human immunodeficiency virus；HIV）に感染し，ニューモシスチス肺炎，非結核性抗酸菌症や活動性結核，トキソプラズマ脳症，化膿性髄膜炎や肺炎の反復などのエイズ指標疾患が合併するとAIDSという。抗HIV薬で生涯治療する。5類感染症であり，7日以内に保健所に届け出る。

12　かぜ（感冒；common cold）

かぜ症候群の原因のおよそ9割はウイルス（ライノウイルス，コロナウイルス（COVID-19を除く）ほか）である。原因ウイルスによる季節性がある。通常抗菌薬は不要である。

13　無菌性髄膜炎（aseptic meningitis）

原因として，エンテロウイルスやムンプスウイルスが多い。発熱，頭痛，嘔吐（おうと）に加え，項部硬直などの髄膜刺激症状を呈する。髄液細胞数の増加やたんぱく質の増加で診断する。合併症がなければ対症療法のみで軽快するが，細菌性髄膜炎と区別がつかないため，細菌培養検査の結果が出るまでは抗菌薬を用いることもある。

C 特殊な細菌・真菌・そのほかの感染症

1. リケッチア感染症，スピロヘータ感染症

リケッチアはほかの生物の細胞内でしか生きられない細菌の一つで，多くはダニ，ノミ，シラミを介して感染する。早期に疑い，テトラサイクリン系抗菌薬で治療する。表 4-16 に示したものはいずれも 4 類感染症で，直ちに保健所に届け出る必要がある。

スピロヘータはらせん状の形態をしたグラム陰性の真正細菌で，生体外で長時間生存できない。梅毒（5 類感染症）はペニシリン，レプトスピラ症（4 類感染症）はドキシサイクリン塩酸塩水和物やペニシリンで治療する（表 4-17）。

2. 真菌感染症

真菌（真核細胞：核膜がある。多くの細菌と同様に細胞壁もある）による感染症である。

カンジダ症で，新生児の鵞口瘡（カンジダが頰や口腔の粘膜で増殖し，白いミルクかす様となる）が最もよくみられる。ほかにカテーテル関連血流感染の原因ともなる。

アスペルギルス症は，血液腫瘍患者や臓器移植患者など免疫抑制患者において，肺，副鼻腔，脳などを侵す。抗真菌薬で治療するが，しばしば治療に難渋する。

クリプトコックス症は，肺炎や髄膜炎を起こす。抗真菌薬を長期投与する。基礎疾患のない小児にはまれである。

ニューモシスチス感染症は，免疫不全者でみられるニューモシスチス肺炎で知られる。

3. 寄生虫感染症（原虫感染症，蠕虫感染症）

寄生性がある単細胞真核生物を原虫という。原虫が原因となる感染症には，マラリア，

表 4-16 リケッチア感染症の例

主な疾患	病原体	媒介	時期	症状
つつが虫病	*Orientia tsutsugamushi*	ツツガムシ（ダニ）	5～6 月，11～12 月	高熱・発疹・刺し口
日本紅斑熱	*Rickettsia japonica*	マダニ	5～10 月	

表 4-17 スピロヘータ感染症の例

主な疾患	病原体	感染経路	特徴
梅毒	*Treponema pallidum*	性感染症・母子感染（先天梅毒）	先天梅毒では，ハッチンソン 3 徴候（実質性角膜炎，内耳性難聴，ハッチンソン歯）
レプトスピラ症	*Leptospira spp.*	ネズミなどの尿で汚染された下水や川などから主に経皮感染 国内では沖縄でみられる	発熱，黄疸，出血傾向，腎不全

先天感染を起こすトキソプラズマ症などがある。先天性トキソプラズマ症は，妊婦の初感染（生肉を摂取，猫との接触など）によって起こる垂直感染である。児に脳内石灰化，水頭症，網脈絡膜炎，てんかん，精神運動発達遅延などを起こす。

一方，寄生性がある多細胞真核生物を蠕虫という。蟯虫や回虫などの線虫類，日本住血吸虫などの吸虫類，日本海裂頭条虫や多包条虫などの条虫類などがある。蠕虫が原因の感染症は日本の小児ではまれである。学校での蟯虫検査（セロハン法）も2016（平成28）年度に廃止された。

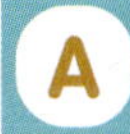

XII 内分泌・代謝疾患

A 内分泌疾患

1. 下垂体疾患

1 成長ホルモン分泌不全性低身長症

▶ **概念・定義**　下垂体前葉における**成長ホルモン**（growth hormone；GH）分泌の量が低下しているために身長成長速度の低下を伴う低身長をきたす疾患である。以前は下垂体性小人症とよばれていたが，「小人症」という言葉のもつイメージが良くないため，現在では成長ホルモン分泌不全性低身長症とよばれている。

▶ **原因**　特発性（原因不明）と器質性（脳腫瘍などの器質的疾患あり）に大別される。

▶ **症状**　身長成長速度の低下を伴う低身長が主症状である。理学的には均整のとれた低身長である。特発性の場合には骨盤位分娩，あるいは新生児仮死などの既往を有することもまれではない。これに対し器質性の場合には，頭痛・嘔吐・視野狭窄などの症状を有することが多い。

▶ **検査・診断**　成長曲線*上，身長成長速度の低下を伴う低身長が認められる。GH分泌低下を証明するためには，GH分泌負荷テストが行われる。すなわち，下垂体からのGH分泌を刺激する薬剤を投与し，経時的に採血する。2種類のGH分泌負荷テストを行い，負荷後の血中GH濃度がいずれも低値のときに成長ホルモン分泌不全性低身長症と診断する。原因を検討するために頭部MRIが重要である。器質性では腫瘍などの原疾患が見つかる。

なお，成長ホルモン分泌不全性低身長症と診断した際には，必ずほかの下垂体前葉ホル

＊**成長曲線**：日本人の健康な男女の小児期の身長および体重のグラフ。横軸は年齢で縦軸は身長および体重である。横断的標準身長・体重曲線ともよばれる。

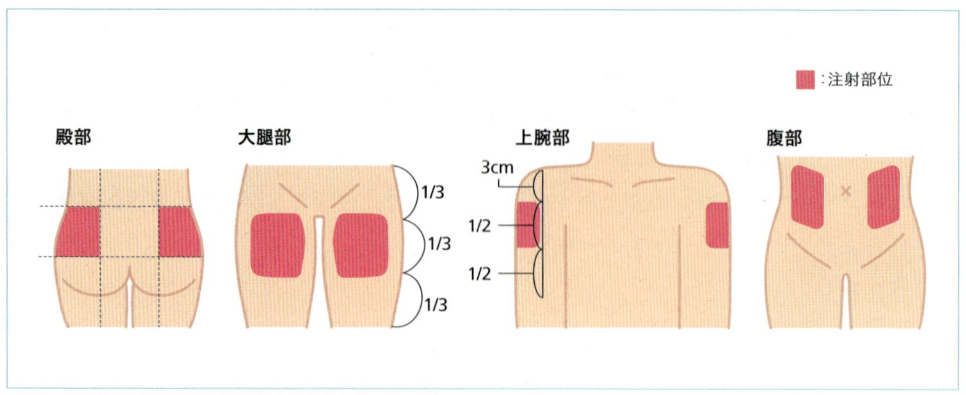

図4-74 成長ホルモン（GH）を自己注射する部位

モンの分泌についても検査し，複合型下垂体機能低下症か否かを確認する。

▶ **治療**　遺伝子工学により合成されたヒトGH投与が低身長の改善に有効である。在宅投与が認められており，家族または本人がヒトGHを6〜7回/週を就寝前に在宅で皮下注射する（図4-74）。器質性の際には原疾患治療後にヒトGH投与を開始する。成人身長に到達するまで長期間の治療を必要とする。

GH分泌が非常に弱い「重症成長ホルモン分泌不全性低身長症」は成人身長に到達したのちにも，成人成長ホルモン分泌不全症として生涯成長ホルモン補充療法を必要とする。無治療では心血管合併症が多く，寿命が短いからである。

2022（令和4）年には，長時間作用型遺伝子組み換えヒトGH製剤（週1回投与）が，2021（令和3）年には重症成長ホルモン分泌不全性低身長症に対し，長時間作用型ヒトGHアナログ製剤（週1回投与）がそれぞれ使用可能となった。

2　中枢性尿崩症

▶ **概念・定義**　下垂体後葉における**抗利尿ホルモン**（antidiuretic hormone；ADH）分泌（ぶんぴつ）の量が低下しているために多飲および多尿をきたす疾患である。

▶ **病態生理**　原因は特発性（原因不明）および器質性（脳腫瘍（のうしゅよう）などの器質的疾患あり）に大別される。発症初期には器質的疾患が見つからないいわゆる「特発性」の一部に，のちに脳腫瘍などが発見されることもあるので注意を要する。

▶ **症状**　多飲および多尿が主症状である。一度確立した夜間自立排尿（おむつが取れる）後に，再度夜尿（おねしょ）をするようになることもある。なお，入眠後，1回以上覚醒して排尿し同時に飲水する際には多飲および多尿ありと判断すべきである。

▶ **検査・診断**　尿量の測定が可能な場合は尿量≧3000mL/m^2/日で多尿と診断する。入院のうえで，水制限試験・高張食塩水負荷試験を行い診断を確定する。下垂体周辺の器質的疾患の有無の確認のため，頭部MRIを必ず行う。

▶ **治療**　デスモプレシン酢酸塩水和物を鼻腔内投与する。あるいはデスモプレシン酢酸塩水和物口腔内（こうくうない）崩壊錠を内服する。

3 複合型下垂体機能低下症

▶ **概念・定義**　下垂体前葉からは，GH・甲状腺刺激ホルモン・副腎皮質刺激ホルモン・ゴナドトロピン（黄体形成ホルモンおよび卵胞刺激ホルモン）・プロラクチンという計6種類のホルモンが分泌されている。**複合型下垂体機能低下症**とは下垂体前葉において2つ以上のホルモン分泌の量が低下しているために様々な症状を引き起こす疾患の総称である。2つ以上のホルモン分泌低下のうち，1つは必ずGHである。またADHの分泌量も低下し，中枢性尿崩症を合併していることもまれではない。

▶ **原因**　特発性（原因不明）および器質性（脳腫瘍などの器質的疾患あり）に大別される。

▶ **症状**　身長成長速度の低下を伴う低身長は必発である。ほかの下垂体ホルモン分泌低下の合併の有無により低身長以外の症状が出現する。たとえばゴナドトロピン分泌低下が合併すれば2次性徴は発現しない。

▶ **検査・診断**　GH，そのほかのホルモン分泌量の低下を証明するためには，通常各種の分泌負荷テストが行われる。すなわち，下垂体前葉からのホルモン分泌を刺激する薬剤を投与し，経時的に採血する。原因を検討するために頭部MRIを必ず行う。

▶ **治療**　分泌量の低下しているホルモンの種類により，GH・甲状腺ホルモン（レボチロキシンナトリウム水和物）・糖質コルチコイド（ヒドロコルチゾン）・ゴナドトロピンなどを投与する。中枢性尿崩症を合併している際には前述の治療も併用する。

2. 甲状腺疾患

1 先天性甲状腺機能低下症

▶ **概念・定義**　先天的に甲状腺における甲状腺ホルモンの分泌が低下している疾患群である*。

▶ **病態生理**　甲状腺自体に原因を有する原発性，および甲状腺刺激ホルモン（thyroid stimulating hormone；TSH）分泌が低下している下垂体性に大別される。原発性はさらに，甲状腺の発生異常，甲状腺ホルモン合成障害，そのほかに分類される。

▶ **症状**　現在わが国では先天性原発性甲状腺機能低下症を早期発見する**新生児マススクリーニング**が行われており，症状発現以前に新生児マススクリーニング検査を契機として診断されることが圧倒的に多い。発見が遅れると初期症状として，黄疸（おうだん）の遷延（せんえん），便秘など非特異的な症状を示す。しだいに，元気がない，哺乳不良（ほにゅうふりょう），不活発が進行し，特有の顔貌を呈するようになる。放置すれば成長障害および精神運動発達遅滞をきたす。

▶ **検査・診断**　新生児マススクリーニングで濾紙血TSH高値が見つかった際には，以下の

* 先天性甲状腺機能低下症を現在でもクレチン症とよぶことがある。しかし，クレチン症という疾患は，もともと海外の特定の地域に多く認められた甲状腺腫のなかで成長障害あるいは精神発達遅滞を伴うものであり，厳密には先天性甲状腺機能低下症とクレチン症は同義ではない。

検査を総合的に判断して診断を下す。すなわち，血中 TSH 高値の確認，血中甲状腺ホルモン低値の確認，甲状腺超音波検査による甲状腺発生異常の有無の検討などである。しかし新生児期には必ずしも確定診断に至らないことも多い。

▶ 治療　確定診断がつき次第速やかに甲状腺ホルモンの内服治療を行う。新生児期に確定診断に至らず，先天性甲状腺機能低下症の疑いにとどまる際にも原則として治療を行うべきである。必要に応じて 3 歳以降にいったん治療を中止し，再度確定診断を試み，治療継続の必要性を再検討する。早期治療が開始されれば，成長および精神運動発達を含めた予後は良好である。

2　慢性甲状腺炎（橋本病）

▶ 概念・定義　甲状腺に慢性の炎症が生じている疾患である。特に女性に多く，男女比はおおよそ 1：20 程度である。慢性甲状腺炎は自己免疫（じこめんえき）疾患であるが，自己免疫異常に至る機序は解明されていない。

▶ 症状　不活発・学業成績の低下・成長障害・便秘・そのほかの非特異的症状，あるいは前頸部の腫れ（甲状腺腫）で発症する。慢性甲状腺炎のハイリスク患者（ダウン症候群など）の経過観察中に定期検査で偶然診断されることもある。

▶ 検査・診断　臨床的に少しでも本症を疑った際には（あるいは念のために本症を否定したい際には），血中 TSH・甲状腺ホルモン・抗甲状腺自己抗体（抗サイログロブリン抗体および抗甲状腺ペルオキシダーゼ抗体）を測定する。血中抗甲状腺自己抗体陽性で診断を確定する。

▶ 治療　確定診断がついても，甲状腺機能が正常であれば治療の必要はない。血中 TSH 高値の際にはたとえ自覚症状に乏しくても治療適応であり，甲状腺ホルモンの内服治療を行う。

3　バセドウ病

▶ 概念・定義　自己免疫機序により甲状腺で甲状腺ホルモンが過剰に産生される疾患である。女性に多く，男女比はおおよそ 1：5 程度である。

▶ 病態生理　自己免疫異常に至る機序は解明されていない。

▶ 症状　落ち着きがない，学業成績の低下，動悸，急激な身長成長促進などを示す。

▶ 検査・診断　典型例では，眼球突出・頻脈（ひんみゃく）・甲状腺腫（図 4-75），甲状腺聴診上の雑音を認め，臨床診断も可能である。血中 TSH 低値・甲状腺ホルモン高値・抗 TSH 受容体抗体陽性・超音波検査における甲状腺内血流増加により診断する。

▶ 治療　抗甲状腺薬チアマゾールによる内服治療を行う。無顆粒球症・蕁麻疹（じんましん）・肝障害に注意する。過去に治療薬として用いられていたプロピルチオウラシルは第一選択とはならない。

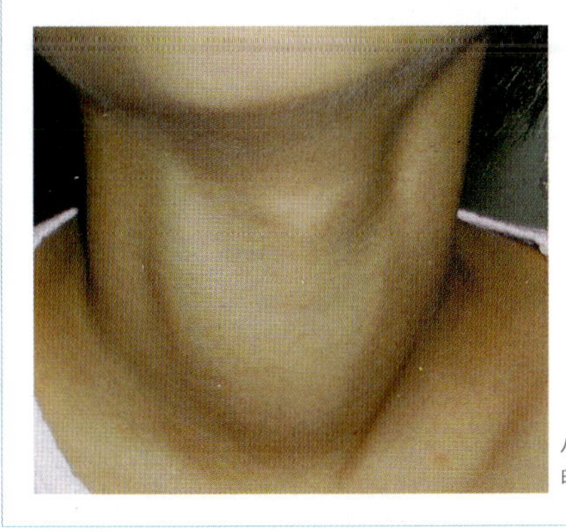

バセドウ病の11歳女児。前頸部にチョウチョの形をした腫大甲状腺を認める。

図4-75 バセドウ病の甲状腺腫

3. 骨・副甲状腺疾患

1 くる病

▶ **概念・定義・病態生理** 骨に骨塩（カルシウムおよびリン）が正常に沈着しない病態の総称である。くる病の主な原因は**ビタミンD欠乏**である。

▶ **症状** 成長障害，**O脚**（図4-76）などの症状を呈する。

▶ **検査・診断** 血中アルカリホスファターゼ上昇および骨X線（歩行開始前は手関節，歩行開始後は膝関節）上のくる病様変化を特徴とする。ビタミンD欠乏が原因の際，血中25水酸化ビタミンDは低値である。

▶ **治療** ビタミンD欠乏が原因の際は，活性型ビタミンDを投与する。再発予防のために，紫外線カットクリームを使用しないで日光浴する，などの指導が重要である。

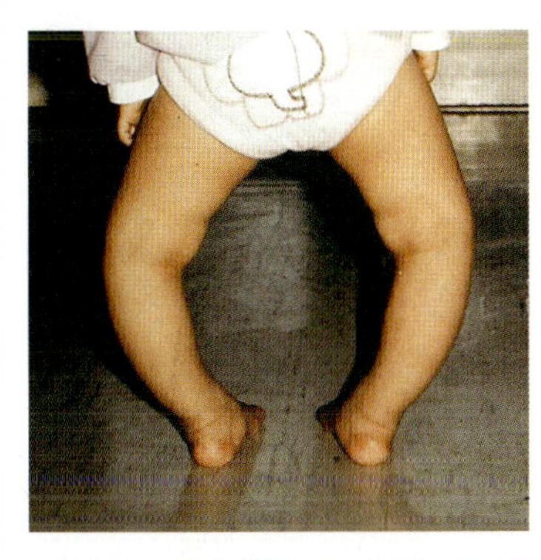

くる病の2歳男児。明らかなO脚を認める。

図4-76 くる病のO脚

2 副甲状腺機能低下症

▶ **概念・定義・病態生理**　副甲状腺における副甲状腺ホルモン（parathyroid hormone；PTH）の分泌(ぶんぴつ)量が低下しているために低カルシウム血症をきたす疾患である。副甲状腺の発生異常，副甲状腺ホルモン合成障害，そのほかに分類される。

▶ **症状**　痙攣(けいれん)が主症状である。

▶ **検査・診断**　血中カルシウム低値・リン高値・PTH 低値で診断する。

▶ **治療**　血中カルシウム値を正常に保つように活性型ビタミン D を投与する。

4. 副腎疾患

1 先天性副腎皮質過形成症

▶ **概念・定義**　副腎皮質からの糖質コルチコイド合成低下のため，下垂体から副腎皮質刺激ホルモン（adrenocorticotropic hormone；ACTH）が過剰分泌され副腎皮質過形成となる疾患群である。

▶ **病態生理**　副腎皮質における糖質コルチコイド合成障害が基本病態である。5 種類に分類されるが，21 水酸化酵素欠損症が最も多い。

▶ **症状**　21 水酸化酵素欠損症では，出生時から女児では外性器の男性化（図 4-77）を，また男児女児ともに皮膚色素沈着を認める（したがって女児の 21 水酸化酵素欠損症は性分化疾患［本節 -A-7］の一つである）。しだいに哺乳不良(ほにゅうふりょう)，嘔吐(おうと)などの症状が出現し，放置すれば**副腎クリーゼ***を起こしショックとなる。現在わが国では 21 水酸化酵素欠損症を早期発見する新生児マススクリーニングが行われている。女児における外性器男性化による法律上の性誤認，および男児女児における副腎クリーゼを予防するためには早期発見・早期治療が重要だか

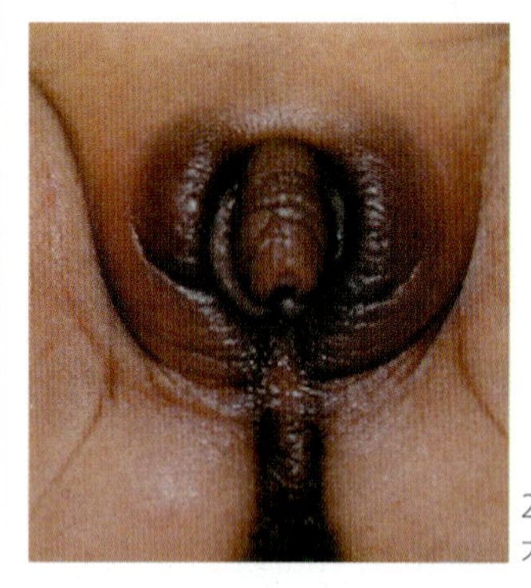

21 水酸化酵素欠損症を有する 46,XX 新生児の外陰部。明らかな陰核肥大と外陰部の色素沈着を認める。

図 4-77 21 水酸化酵素欠損症の外陰部

* **副腎クリーゼ**：副腎クリーゼは急激に糖質コルチコイドの欠乏が生じ，致命的状況に陥る病態の総称である。たとえば 21 水酸化酵素欠損症の小児が感染症を併発し，糖質コルチコイド需要量が増加した場合に発症する。急性副腎不全症ともよばれる。

らである。したがって現在では哺乳不良·嘔吐などの症状出現以前に,新生児マススクリーニング検査を契機として診断されることが圧倒的に多い。

▶ **検査・診断**　新生児マススクリーニングで濾紙血17水酸化プロゲステロン高値が見つかった際には，以下の検査を総合的に判断して診断を下す。すなわち，血中17水酸化プロゲステロン高値の確認，血中ACTHおよび尿中プレグナントリオール（17水酸化プロゲステロンの尿中代謝産物）高値の確認，副腎超音波検査による副腎過形成の有無の検討，などである。

▶ **治療**　確定診断がつき次第，副腎皮質ホルモン（糖質コルチコイドおよび鉱質コルチコイド）の内服治療を行う。外陰部異常に対して外科的治療を行う。早期治療が開始されれば，精神運動発達を含めた予後は良好である。原則として治療は生涯継続する必要がある。

5. 性腺疾患

1　思春期早発症

▶ **概念・定義・病態生理**　早期に思春期が発来する疾患群である。通常の思春期と同じ機序で思春期が発来するものの時期が早いタイプと，通常の思春期とは異なる機序で早期に思春期が発来するタイプに大別される。

▶ **症状**　思春期発来が早い。男児では，早期の精巣容積の増大や陰毛の発生，女児では早期の乳房の発育，陰毛の発生，初経の発来などを認める。男女ともに身長増加速度の上昇を伴うことが多い。

▶ **検査・診断**　血中ゴナドトロピン・テストステロン（男児の場合）・エストラジオール（女児の場合），頭部MRIなどで診断する。

▶ **治療**　通常の思春期と同じ機序で思春期が発来するものの時期が早いタイプでは黄体形成ホルモン放出ホルモン誘導体マイクロカプセル型徐放性製剤を4週に1回皮下注射する。

2　性腺機能低下症

▶ **概念・定義・病態生理**　性腺（男児では精巣，女児では卵巣）の機能が低下した疾患群である。性腺の機能とは性ホルモン（男児ではアンドロゲン，女児ではエストロゲン）分泌，および配偶子（男児では精子，女児では卵子）形成である。血中ゴナドトロピン低値あるいは高値により，低ゴナドトロピン性性腺機能低下症，あるいは高ゴナドトロピン性性腺機能低下症に大別される。

▶ **症状**　小児期性腺機能低下症では性ホルモン分泌低下の症状として2次性徴発現遅延を認める。男児では思春期年齢前から外陰部異常（小陰茎，停留精巣，尿道下裂など）を認めることもまれではない。

▶ **検査・診断**　2次性徴発現遅延という臨床症状から疑い，血中ゴナドトロピン・テストステロン（男児の場合）・エストラジオール（女児の場合），性腺の画像検査（超音波および MRI）などで診断する。

▶ **治療**　男児の低ゴナドトロピン性性腺機能低下症ではゴナドトロピン治療を行う。女児の低ゴナドトロピン性性腺機能低下症，および男児女児の高ゴナドトロピン性性腺機能低下症では性ホルモン投与を行う。女児の低ゴナドトロピン性性腺機能低下症では挙児希望の際にゴナドトロピン治療に変更する。

6. 月経異常症

▶ **概念・定義・病態生理・症状**　月経異常症は以下の3つに大別される。

原発性無月経：18歳になっても初経が発来しない。

続発性無月経：一度確立した月経が3か月以上認められない。

正常周期を有さない月経：正常な周期（周期：25～38日，変動：6日以内，出血持続：3～7日）を有さない。

▶ **検査・診断**　無月経では妊娠を必ず除外する。内分泌（ないぶんぴつ）学的検査および卵巣・子宮の画像検査を組み合わせて原疾患を診断する。

▶ **治療**　明確な誘因（ダイエット，過度の運動など）がある際はその誘因を取り除く。

7. 性分化疾患

▶ **概念・定義**　**性分化疾患**（disorders/differences of sex development；DSD）とは，性染色体，性腺，内性器（男児では副精巣など，女児では子宮および卵管），外性器のいずれかが非定型的な先天的状態の総称である。

▶ **病態生理**　DSDは，性染色体性DSD（ターナー[Turner]症候群，クラインフェルター[Klinefelter]症候群など），46,XY DSD（アンドロゲン不応症など），46,XX DSD（21水酸化酵素欠損症など）に大別される。

▶ **症状**　非定型的な外性器を認めることが多い。出生時に外陰部が非定型的であるために，

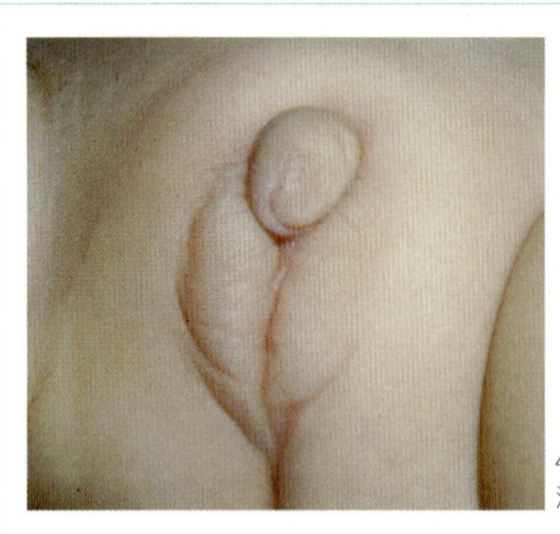

46,XX DSDの新生児外陰部。一見したのみでは，法律上の性の決定は困難である。

図4-78 DSDの外陰部

法律上の性（男性か女性か）を瞬時に決定できないこともある（図4-78）。

▶ **検査・診断**　染色体検査・遺伝学的検査・内分泌学的ホルモン検査・画像検査を適宜組み合わせて原因診断を行う。

▶ **治療**　外科的治療・ホルモン治療・心理的なサポートを組み合わせて行うことが多い。出生時に法律上の性の決定に苦慮する際には，専門施設への相談をためらうべきではない。可及的速やかに原因を確定し法律上の性を決定することが治療の第一歩となるからである。

B 代謝疾患

1. 糖尿病

1　1型糖尿病

▶ **概念・定義**　1型糖尿病は，**インスリン**を分泌する膵臓ランゲルハンス島のβ細胞（以下β細胞）の破壊によって絶対的にインスリン分泌が欠乏し，高血糖を引き起こす疾患である。

▶ **病態生理**　1型糖尿病の大部分では自己免疫機序によりβ細胞が破壊される。

▶ **症状**　多飲・多尿が初発症状であることが多い。小児の場合，入眠後翌朝覚醒するまでの間に1回以上起きて水分を摂取しかつ排尿する，という現病歴を聴取できることが多い。通常，1型糖尿病は発症1か月以内に進行し，体重減少（脱水）をきたす。さらに進行すると意識障害，昏睡をきたす。

▶ **検査・診断**　高血糖，尿糖陽性，血中グリコヘモグロビン高値，抗膵ランゲルハンス島自己抗体陽性などで診断は確定する。

▶ **治療**　インスリンが治療の中心である。遺伝子工学により作用時間の異なる様々な種類のヒトインスリンが合成されている。在宅投与が認められており，家族または本人が適切な種類のヒトインスリンを1日に2～4回皮下注射する，あるいはポンプ（図4-79）を用

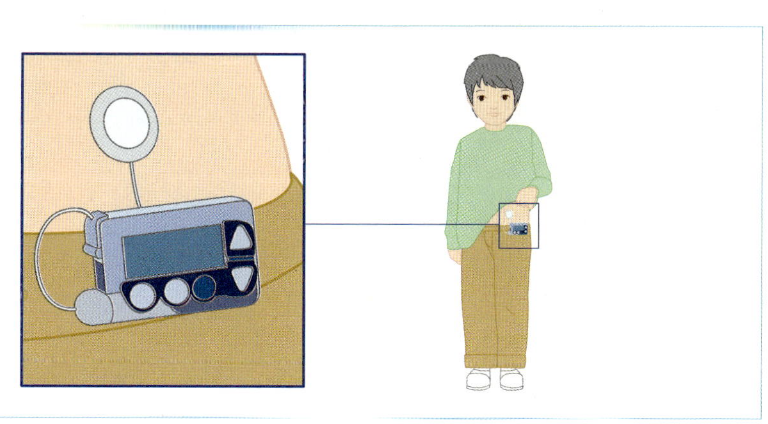

図4-79 インスリンポンプ

いて超速効型インスリンを持続皮下注射する。インスリン治療が進歩した現在では，患者一人ひとりの食生活・運動を含む日常生活に合わせた個別化インスリン治療が可能となった。しかし治療が軌道に乗らず，血糖のコントロールが悪い状態が長期間続くと糖尿病合併症（網膜症・腎症・神経障害）が出現する。

2　2型糖尿病

▶ **概念・定義**　**2型糖尿病**は，インスリン抵抗性および（あるいは）インスリン分泌（ぶんぴつ）不全の両者（どちらか）で起こる糖尿病である。

▶ **病態生理**　インスリン抵抗性とは，インスリンが標的細胞のインスリン受容体に結合したのちにインスリン作用（細胞内へのグルコースの取り込み，肝臓や筋肉におけるグルコースからのグリコーゲン合成など）が起きにくい状態である。インスリン分泌不全とは，血糖の刺激に応じてβ細胞がインスリンを適切に分泌できない状態である。小児の2型糖尿病のうち3/4は肥満を合併しており，病態の主役はインスリン抵抗性であると考えられる。

▶ **症状**　小児2型糖尿病の多くは肥満を認める。無症状のうちに学校健診の検尿で尿糖陽性であることを契機として診断されることが多い。進行すると多飲・多尿を呈する。

▶ **検査・診断**　高血糖・尿糖陽性・血中グリコヘモグロビン高値・抗膵ランゲルハンス島自己抗体陰性などで診断する。診断確定のためにしばしば経口ブドウ糖負荷テストが行われる。

▶ **治療**　食事療法・運動療法・薬物療法が治療の三本柱である。肥満を合併している2型糖尿病では食事療法および運動療法による肥満の改善が重要である。しかし肥満の改善のためには家族全体の食習慣および運動習慣を見直さなければならないことが多く，小児期の肥満治療はしばしば困難である。肥満を合併しない，あるいは食事療法と運動療法では血糖のコントロールが改善しない2型糖尿病では経口糖尿病薬が用いられる。経口糖尿病薬を用いても血糖のコントロールが改善しない際にはインスリンを使用することもある。

2. 先天代謝異常症

1　ムコ多糖症

▶ **概念・定義**　ムコ多糖と総称される物質を分解できず，細胞内にムコ多糖が蓄積することで様々な症状を引き起こす疾患群である。

▶ **病態生理**　本症ではムコ多糖を分解する複数の酵素のうちのいずれかが欠損している結果，ムコ多糖がライソゾームとよばれる細胞内の小器官に蓄積する。ライソゾームはほとんどすべての細胞に存在するため，ムコ多糖症の障害は多臓器にわたる。

▶ **症状**　精神運動発達遅滞・成長障害・角膜混濁・難聴・呼吸障害・心臓弁膜症・肝脾（かんぴ）腫（しゅ）・関節拘縮（こうしゅく），骨変形など多彩な症状を示す。

▶ **検査・診断**　臨床症状と骨X線所見から本症を疑い，尿中ムコ多糖分析・白血球中の酵素活性測定，遺伝子検査で診断を確定する。

▶ **治療**　欠損している酵素を製剤として静脈投与することによる酵素補充療法が行われる。この治療は生涯継続する必要があるが，精神運動発達遅滞には効果を有さない。

2 骨形成不全症

▶ **概念・定義**　骨形成不全症は全身の骨脆弱性（こつぜいじゃくせい）に伴う易骨折性を特徴とする遺伝性疾患である。多くは常染色体優性遺伝形式をとる。

▶ **病態生理**　骨の主要なコラーゲンである1型コラーゲンの量の不足，あるいは質の異常により発症する。

▶ **症状**　易骨折性のほかに，皮膚の過伸展・歯牙の形成不全・難聴・青色強膜・心臓の弁の異常などを示す。骨折の回数には患者ごとに幅があり，出生前から無数の骨折を示し出生直後に死亡する重症な患者もいれば，一生涯で1〜2回しか骨折しない軽症な患者も存在する。

▶ **検査・診断**　多発骨折という臨床症状と骨X線所見（図4-80）で診断する。常に虐待を鑑別する必要がある。

▶ **治療**　ビスホスホネート製剤の静脈内投与が行われる。治療の目的は骨折の予防と繰り返す骨折による骨変形の予防である。

3 軟骨無形成症

▶ **概念・定義・病態生理**　軟骨の形成異常により，低身長や四肢短縮などをきたす常染色体顕性遺伝性疾患である。全身の骨に異常を認める骨系統疾患と総称される疾患群の代表である。

▶ **症状**　四肢短縮を伴う極端な低身長，特有の顔貌（大きな頭蓋，前頭部突出，鼻根部陥凹（かんおう），下顎突出など），三叉手（図4-81）を示す。

▶ **検査・診断**　上述の臨床症状と特徴的な骨X線所見から臨床診断される。

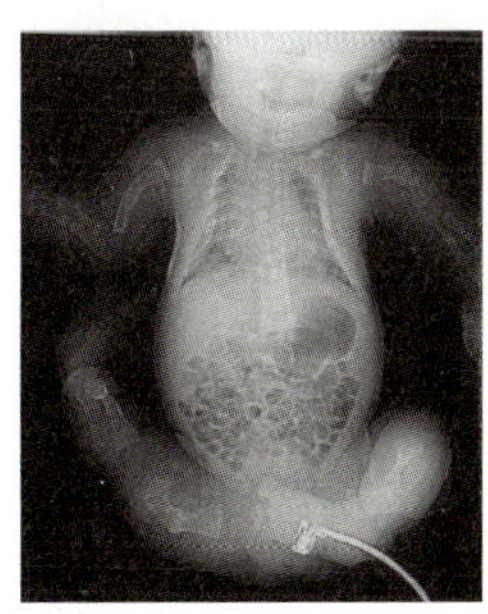

骨形成不全症新生児の全身骨X線所見。全身の多発骨折を認める。

図4-80 骨形成不全症の骨X線所見

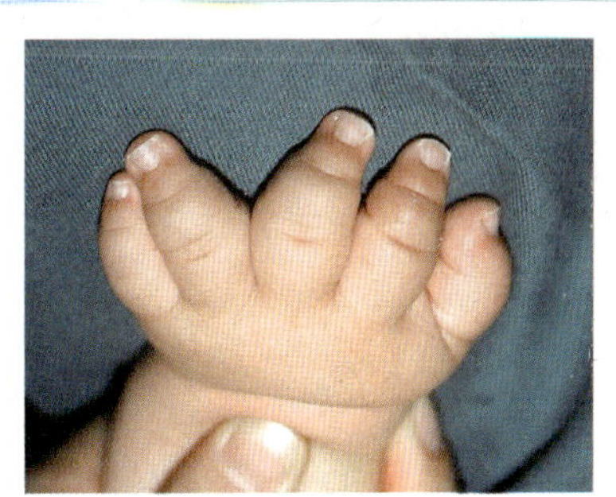

軟骨無形成症乳児の手。第2，3指および第4，5指がそれぞれ接近して一群となっている。

図4-81 軟骨無形成症の三叉手

▶ **治療**　低身長に対し，GH 治療あるいは整形外科的な骨延長術を行う。2022（令和 4）年には，新しい治療薬として，C 型ナトリウム利尿ペプチドが国内製造販売承認を取得した。

3. そのほかの代謝疾患

1　高インスリン性低血糖症

▶ **概念・定義・病態生理**　**低血糖**は血糖が異常に低下した状態である。インスリン過剰分泌（ぶんぴつ）により低血糖をきたす疾患群を高インスリン性低血糖症とよぶ。

▶ **症状**　低血糖により様々な臨床症状を示す。たとえば，空腹感・動悸・発汗過多・あるいは集中力低下・意識消失・痙攣（けいれん）などである。

▶ **検査・診断**　血糖値低下，および低血糖時の血中インスリン高値を認める。血中ケトン体は高値とはならず，結果的に低血糖時の尿中ケトン体は陰性である。

▶ **治療**　低血糖時には迅速にブドウ糖を静脈内投与する。低血糖予防のため，インスリン分泌を抑制する薬剤を投与する。

2　肥満症

▶ **概念・定義**　**肥満症**とは**肥満**に起因ないし関連する健康障害を合併し，医学的に肥満を軽減する治療を必要とする状態である。肥満に起因ないし関連する健康障害の代表は，高血圧・睡眠時無呼吸・2 型糖尿病などである。

▶ **病態生理**　肥満の程度が重症となった際に様々な健康障害を合併する病態生理は必ずしも解明されていない。

▶ **症状**　肥満，高血圧，睡眠時無呼吸，多飲多尿，黒色表皮腫・皮膚線条・またずれなどの皮膚の問題，月経異常，走行・跳躍能力の低下などをきたす。肥満に起因する不登校・いじめなどを引き起こすこともある。

▶ **検査・診断**　肥満に起因ないし関連する健康障害を認めれば肥満症と診断する。血液検査上は肝機能障害・高インスリン血症・高コレステロール血症・高中性脂肪血症・低 HDL コレステロール血症・高尿酸血症などを呈する。

▶ **治療**　肥満の解消が唯一の治療である。食事療法と運動療法を継続し，成長障害をきたさないように，緩やかな肥満軽減を目指す。しかし，肥満の解消はしばしば困難である。

XIII アレルギー疾患

A アレルギー反応

1. アレルギーとは

すべての生物は，からだに侵入してきた外来の物質を生体から排除するしくみをもっている。これを**免疫反応**という。この排除する機構，すなわち，免疫反応は細菌やウイルス，真菌など，からだにとって害をなす病原体から生体を防御するために必要である。**アレルギー**とは，この免疫反応が過剰に反応し，自分にとって不利益な症状をきたす状態である。従来，抗原特異的*な反応を指していたが，近年，抗原特異的ではないアレルギー反応もあることがわかってきている。アレルギー反応を起こす原因外来物質を**アレルゲン**という。

2. アレルギーの分類

アレルギー反応には，IgE抗体依存型と非依存型などいくつかに分類されるが，代表的な分類にクームス（Coombs）とゲル（Gel）の分類がある。クームスとゲルの分類はⅠ～Ⅳ型に分類される。この項で述べる小児の代表的なアレルギー疾患である気管支喘息，食物アレルギー，アトピー性皮膚炎の病態にかかわるのは主にⅠ型（IgE抗体を介した即時型反応）である。

1 Ⅰ型（即時型）アレルギー

アレルギー反応は大きく感作相と症状誘発相に分けられる（図4-82）。**感作相**は，自分以外の外来物質の体内への侵入と，免疫細胞（抗原提示細胞）への接触から始まる。抗原提示細胞に取り込まれたアレルゲンの情報は，リンパ節でリンパ球（ヘルパーT細胞）に伝えられる。情報を受け取ったヘルパーT細胞は，アレルゲンに特異的な抗体を産生できるB細胞を刺激しIgE抗体の産生を促す。産生されたIgE抗体は血中を流れ，マスト細胞（肥満細胞）や好塩基球の表面に付く。このアレルゲンに特異的なIgE抗体が産生された状態を**感作状態**とよぶ。

症状誘発相は，感作状態から症状が起こるまでの一連の反応である。体内に再度侵入したアレルゲンはマスト細胞や好塩基球表面のIgE抗体と結合し架橋する。するとマスト細胞や好塩基球中の顆粒内に貯蔵されていたヒスタミンやロイコトリエンが放出され，周囲の組織が反応する。この反応は数分以内に始まり，血管の拡張に伴う皮膚の発赤や膨隆・

＊ **抗原特異的**：1つの免疫細胞は，1つの抗原のみと反応すること。

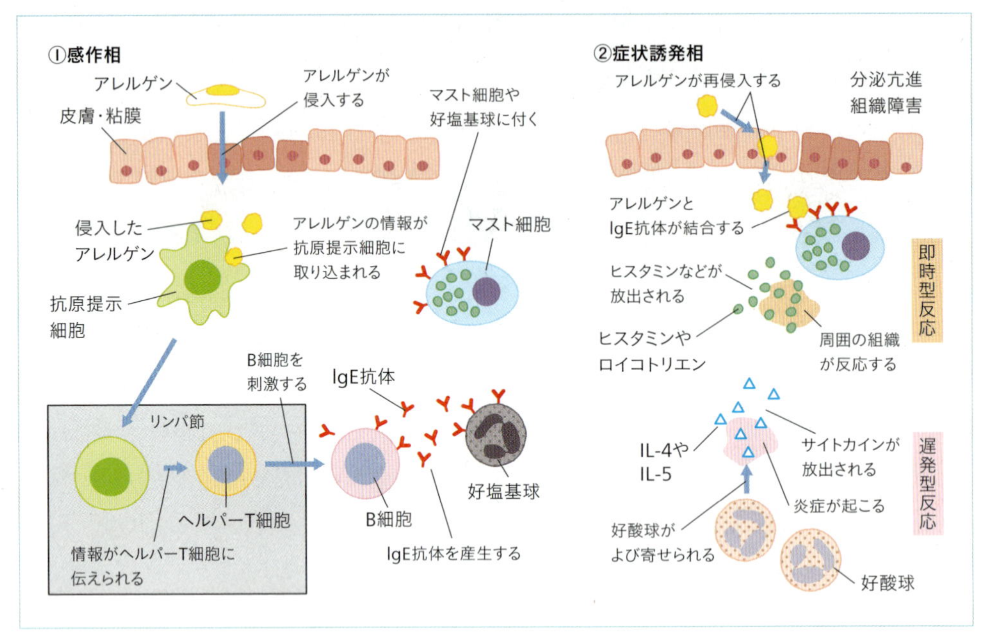

図 4-82 アレルギー反応の発生機序

かゆみ・分泌物(ぶんぴつ)の増加や平滑筋の収縮を引き起こす。これを**即時型反応**とよぶ。マスト細胞からは，さらにIL-4やIL-5などのサイトカインが放出され，好酸球がよび寄せられさらに炎症を起こす。この反応は即時型反応よりやや時間がかかるため**遅発型反応**とよぶ(図4-82)。食物アレルギー児の誤食時の蕁麻疹(じんましん)をはじめとする症状や，花粉症のくしゃみやかゆみは即時型反応による。

B 小児の主なアレルギー疾患

小児の主なアレルギー疾患には，気管支喘息(きかんしぜんそく)・食物アレルギー・アトピー性皮膚炎・アレルギー性鼻炎・アレルギー性結膜炎・花粉症・薬物アレルギー・ラテックスアレルギーなどがある。これらのうち，薬物・ラテックスアレルギー以外のアレルギー疾患は，成長するにつれて順々に出現することから，**アレルギーマーチ**と表現されることがある。特に，アトピー性皮膚炎と食物アレルギーは乳児期に発症することが多く，アレルギーマーチの最初に位置すると考えられている。

1 気管支喘息（bronchial asthma）

▶ 定義　**気管支喘息**とは，発作性に**喘鳴**(ぜんめい)（呼吸のときにゼイゼイ・ヒューヒューという音がすること）や咳，呼吸困難を繰り返す病気である。喘息の有症率は調査時期，地域，年齢により異なるが，2008（平成 20）年の ISAAC（International Study of Asthma and Allergies in Childhood）のアンケート調査では，6～7 歳の 10.2%，13～14 歳の 8.1%だった。

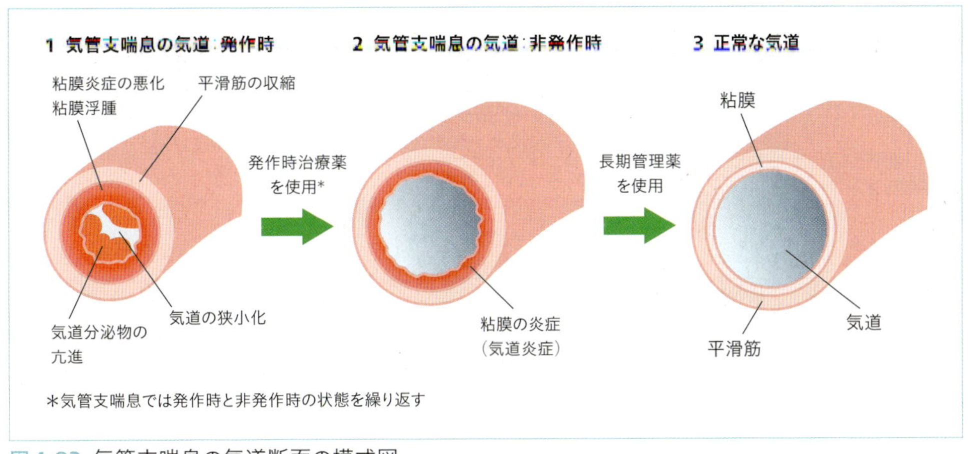

図4-83 気管支喘息の気道断面の模式図

▶ **病態** 気管支喘息では，気道の慢性炎症により気道過敏性が亢進(こうしん)しており，発作性に気道の狭窄(きょうさく)を繰り返すことで喘鳴や咳といった症状をきたす。発作性の気道狭窄は，自然にあるいは治療により軽快するが，まれに呼吸困難になり死亡することもある。慢性炎症が持続することで，**気道のリモデリング**（不可逆的に気道の構造が変化してしまうこと）が引き起こされる。気管支喘息の気道狭窄は，気管支平滑筋の収縮，気道粘膜浮腫(きどうねんまくふしゅ)，気道分泌物の亢進を主な成因とする（図4-83）。

▶ **診断** 診断は，臨床症状・臨床所見・生理学的検査（呼吸機能検査）で行うが，小児では呼吸機能検査はしばしば困難であり，臨床症状と臨床所見，アトピー素因の有無を参考にしつつ総合的に判断する。喘息の重症さは，喘息自体の重症度と，発作が起きたときの発作の大きさ（重篤度）によって分類される。

❶気管支喘息の重症度

気管支喘息の重症度は，どの程度の喘息症状が，どの程度の頻度で起こっているかで判定され，間欠型，軽症持続型，中等症持続型，重症持続型に分類される。日本小児アレルギー学会の「小児気管支喘息治療・管理ガイドライン 2020」（JPGL2020）では重症度によって治療ステップを判断し，治療導入後のコントロール状態を確認しつつ治療のステップアップ・ダウンを再評価するよう勧めている（表4-18）。

❷急性増悪時（発作時）の重篤度

喘息発作の典型的な症状は喘鳴・咳・呼気延長を伴う呼吸困難である。喘鳴は息を吐くときが主体だが，症状が進むと吸気時にも聴取するようになり，呼吸困難になると呼吸の音自体を聴取しにくくなることがある。小児では，呼吸状態の判断は呼吸状態だけでなく，話し方や生活の状態（食事，睡眠，意識）で総合的に判断する必要がある（表4-19）。

▶ **治療** 治療は，JPGL2020に沿って行う。治療には薬物療法と，喘息を悪化させる環境中の危険因子（ダニ，ハウスダスト，たばこなど）への対応，患者教育やパートナーシップの

表4-18 臨床症状に基づく小児喘息の重症度分類

重症度	症状程度ならびに頻度	開始する治療ステップ
間欠型	• 年に数回，季節性に咳や軽度の喘鳴が出現する • 時に呼吸困難を伴うが，短時間型β2 刺激薬の頓用で症状は改善し，持続しない	治療ステップ 1
軽症持続型	• 咳，軽度の喘鳴が 1 回 / 月以上，1 回 / 週未満 • 時に呼吸困難を伴うが，持続は短く日常生活が障害されることはない	治療ステップ 2
中等症持続型	• 咳，軽度の喘鳴が 1 回 / 週以上，毎日は持続しない • 時に中・大発作となり日常生活や睡眠が障害されることがある	治療ステップ 3
重症持続型	• 咳，喘鳴が毎日持続する • 週に 1～2 回，中・大発作となり日常生活や睡眠が障害される	治療ステップ 4

出典／日本小児アレルギー学会：小児気管支喘息治療・管理ガイドライン 2020，協和企画，p.38，p.126．一部改変．

表4-19 気管支喘息発作の強度

		小発作	中発作	大発作	呼吸不全
主要所見	症状 興奮状態 意識 会話 起坐呼吸	平静 清明 文で話す 横になれる	平静 清明 句で区切る 座位を好む	興奮 やや低下 一語区切り 前かがみ	錯乱 低下 不能
	所見 喘鳴 陥没呼吸 チアノーゼ	軽度 なし～軽度 なし		著明 著明 あり	減少・消失
	SpO_2（室内気）	96% 以上	92～95%	91% 以下	
参考所見	呼気延長 呼吸数	呼気時間が吸気時間の 2 倍以下 正常～軽度増加		2 倍以上 増加	不定

出典／日本小児アレルギー学会：小児気管支喘息治療・管理ガイドライン 2020，協和企画，p.149．一部改変．

向上が必要である。薬物療法はさらに，喘息の重症度に基づく発作を予防するための長期管理薬物治療と，発作が起こっているときに発作の強度に合わせて行う急性増悪時（発作時）治療に分類される。

❶喘息の重症度に基づく長期管理薬物治療

長期管理の日常の治療目標は，発作を予防すること，呼吸機能を正常化すること，QOL を改善することである。長期管理の薬には気道炎症を抑える吸入ステロイド（inhaled corticosteroid；ICS），ロイコトリエン受容体拮抗薬（leukotriene receptor antagonist；LTRA）などが含まれる。薬剤の使用量は喘息の重症度と小児の年齢によって異なり，JPGL2020 に沿って決定する。

❷急性増悪（発作）時の強度に基づく治療

急性増悪（発作）時には，小児気管支喘息治療・管理ガイドラインの薬物療法プランに基づき，発作の強度によって治療を行う[1]。

▶ **患者教育と吸入指導** 喘息の治療は，医師の処方を患者が受け入れ実行することで初めて成立する。そのため，患者教育が非常に重要である。特に小児の場合，発達段階に応じて吸入機器（吸入液，加圧式定量噴霧器［pressurized metered dose inhaler；pMDI，スプレータイプ］，ドライパウダー吸入器［dry powder inhaler；DPI，パウダータイプ］）を選択したり，吸入補助器具（スペーサー）の導入を考える必要がある。また，環境中のアレルゲン（ハウスダスト・ペットなど）も発作を誘発する原因となることがあるため，室内環境の整備（ダニ対策など）も指導する必要がある。すべての指導を家族のみならず，本人にも年齢に応じて行う必要があることも小児の特徴である。また，アドヒアランスの確認とともに，治療が適切であるかも定期的に評価し，調整する必要がある。

2 食物アレルギー／アナフィラキシー

▶ **食物アレルギーとは**　**食物アレルギー**とは，食物によって引き起こされる人体にとって不利益な症状のうち，抗原特異的な免疫学的機序を介した反応と定義される。小児期に多く，乳幼児の5～10%，学童の4.6%が食物アレルギーといわれている。原因食物は，年齢によっても異なるが，鶏卵，牛乳，小麦の3食材が原因の半数以上を占め，木の実類ピーナッツ・果物類・魚卵・甲殻類と続く。食物アレルギーは臨床症状・経過から表4-20のように分類される。

病型のうち最も多いのが即時型の食物アレルギーで，アナフィラキシーを引き起こす可能性がある。ここでは主にこの即時型の食物アレルギーについて記載する。

▶ **症状**　食物アレルギーの症状は，皮膚（かゆみ・蕁麻疹・紅斑），粘膜（眼球や眼瞼結膜の浮腫・鼻汁・口の違和感など），呼吸器（喉頭絞扼感・咳・嗄声・呼吸困難など），消化器（腹痛・嘔吐・下痢），神経（活気低下・意識障害など），循環器（血圧低下・頻脈など）と多臓器に出現する。皮膚の症状は最も多く，9割を占める。

▶ **アナフィラキシーとは**　特に多臓器にまたがり強いアレルギー症状が出て生命に危機を与えうる過敏反応を**アナフィラキシー**といい，アナフィラキシーに意識障害や血圧低下を伴う場合を**アナフィラキシーショック**という。アナフィラキシーの診断や治療の詳細は日本アレルギー学会発行の「アナフィラキシーガイドライン」に詳しく記載されている。

▶ **診断**　食物アレルギーは，特定の食物の摂取により症状が誘発され，確定診断は食物経口負荷試験で行う。特異的IgE抗体検査（血液検査）や皮膚プリックテストも併用することがあるが，血液検査で特異的IgE抗体が陽性ということは，即時型の食物アレルギーである可能性を示しているだけであり，血液検査の結果のみで食物除去をすることは，不必要な除去を患者に強いることになり避けるべきである。正確な診断のためには詳細な問診（特に，摂取した食品と症状の時間的な整合性）により原因食物を絞り込んだうえで，血液検査で抗原特異的IgE抗体の存在を確認し，リスクを考慮のうえ負荷試験で確定する。

▶ **治療**　食物アレルギーは自然経過で軽快することが多く，日本のデータでは卵では3歳で30%，6歳で66%，牛乳，小麦は3歳で60%が自然に寛解するため，不必要な除去を漫然と継続しないよう，定期的に除去の必要性を再評価する必要がある。一方，ピーナッツや甲殻類は自然寛解しにくい。

治療の基本は正確な診断に基づいた必要最低限の原因食物の除去である。同時に誤食を防ぐための生活上の注意点の指導（例：食品表示の見方）や万一症状が出たときの対処法，

表4-20 食物アレルギーの臨床型分類

臨床型	発症年齢	頻度の高い食物	耐性獲得（寛解）	アナフィラキシーショックの可能性	食物アレルギーの機序
食物アレルギーの関与する乳児アトピー性皮膚炎	乳児期	鶏卵，牛乳，小麦など	多くは寛解	（＋）	主にIgE依存性
即時型症状（蕁麻疹，アナフィラキシーなど）	乳児期～成人期	乳児～幼児：鶏卵，牛乳，小麦，ピーナッツ，木の実類，魚卵など 学童～成人：甲殻類，魚類，小麦，果物類，木の実類など	鶏卵，牛乳，小麦は寛解しやすい そのほかは寛解しにくい	（＋＋）	IgE依存性
食物依存性運動誘発アナフィラキシー（FDEIA）	学童期～成人期	小麦，エビ，果物など	寛解しにくい	（＋＋＋）	IgE依存性
口腔アレルギー症候群（OAS）	幼児期～成人期	果物・野菜・大豆など	寛解しにくい	（±）	IgE依存性

出典／食物アレルギー研究会：食物アレルギーの診療の手引き2020，p.4，一部改変．

栄養面でのサポート（代替食の提案など）も行う。学校など集団生活をしている場合は，給食での対応をどうするか，誤食を防ぐ調理・配膳方法や症状出現時の対応について事前に検討する必要がある。

▶ **即時型症状への対応**　即時型のアレルギー症状が出現したときの対応は，誘発された症状の重症度に基づき行う（表4-21）。グレード3ではアドレナリンの筋肉注射（エピペン®を含む）が治療の第一選択となるが，グレード2でも，過去にアナフィラキシーになったことがある場合や症状の進行が激烈な場合はアドレナリンを使用する（column）。グレード2とグレード1では，症状に応じ抗アレルギー薬や気管支拡張薬の吸入を用いる。

近年，乳児期のアトピー性皮膚炎が食物アレルギーの発症リスクになる可能性が複数報告されており，生後1～2か月時にアトピー性皮膚炎のある児では無い児に比べ食物アレルギーの発症が6倍程度になるという報告もある。乳児期早期の湿疹は早期に治療を開始することが推奨されている。一方，妊娠中や授乳中の母親の食事制限は食物アレルギーの発症予防に有効ではないことがわかっており，食事制限は推奨されていない。また離乳食の開始を遅らせることによる発症予防効果も確認されておらず，離乳食の開始を遅らせることは推奨されていない。

3 アトピー性皮膚炎

▶ **定義・病態**　**アトピー性皮膚炎**とは，慢性的に良くなったり悪くなったりを繰り返すかゆみを伴う湿疹であり，多くの場合，アトピー素因をもつ。アトピー素因とは，アレルギー疾患の既往歴または家族歴があること，または，IgE抗体を産生しやすい素因のことである。アトピー性皮膚炎の基本病態は皮膚のバリア障害であり，特に角層のバリア機能の低下があり，そこに炎症が起こることでアトピー性皮膚炎に特徴的な湿疹を呈すると考えら

表4-21 所見による重症度分類

		グレード1(軽症)	グレード2(中等症)	グレード3(重症)
皮膚・粘膜症状	紅斑・蕁麻疹・膨疹	部分的	全身性	←
	瘙痒	軽い瘙痒（自制内）	強い瘙痒（自制外）	←
	口唇，眼瞼腫脹	部分的	顔全体の腫れ	←
消化器症状	口腔内，咽頭違和感	口，のどのかゆみ，違和感	咽頭痛	←
	腹痛	弱い腹痛	強い腹痛（自制内）	持続する強い腹痛（自制外）
	嘔吐・下痢	嘔気，単回の嘔吐・下痢	複数回の嘔吐・下痢	繰り返す嘔吐・便失禁
呼吸器症状	咳嗽，鼻汁，鼻閉，くしゃみ	間欠的な咳嗽，鼻汁，鼻閉，くしゃみ	断続的な咳嗽	持続する強い咳き込み，犬吠様咳嗽
	喘鳴，呼吸困難	－	聴診上の喘鳴，軽い息苦しさ	明らかな喘鳴，呼吸困難，チアノーゼ，呼吸停止，SpO_2 ≦ 92%，締めつけられる感覚，嗄声，嚥下困難
循環器症状	脈拍，血圧	－	頻脈（＋15回/分），血圧軽度低下＊1，蒼白	不整脈，血圧低下＊2，重度徐脈，心停止
神経症状	意識状態	元気がない	眠気，軽度頭痛，恐怖感	ぐったり，不穏，失禁，意識消失

＊1：血圧軽度低下：1歳未満＜80mmHg，1～10歳＜［80＋（2×年齢）mmHg］，11歳～成人＜100mmHg
＊2：血圧低下：1歳未満＜70mmHg，1～10歳＜［70＋（2×年齢）mmHg］，11歳～成人＜90mmHg
出典／日本小児アレルギー学会食物アレルギー委員会：食物アレルギー診療ガイドライン2021，協和企画，2021，p.75.

れている。

▶ **診断** ここでは日本皮膚科学会の診断基準では，①かゆみがあること，②左右対称で年齢ごとに特徴的な分布であること，③慢性でくり返す経過であること，の3つをもって，

Column

エピペン®による即時型症状への対応

アナフィラキシーの既往がある場合やアナフィラキシーのリスクがあると判断した場合は，アドレナリンの自己注射薬（エピペン®）を処方する。エピペン®は常に本人が携帯し，アナフィラキシー時は，救急車をよぶと同時に，救急車の到着を待たずに直ちにエピペン®を使用する必要がある。そのため，エピペン®を処方した場合は，緊急時用のアクションプランを作成し，患者・家族に自己注射の練習・指導を行う必要がある（図）。

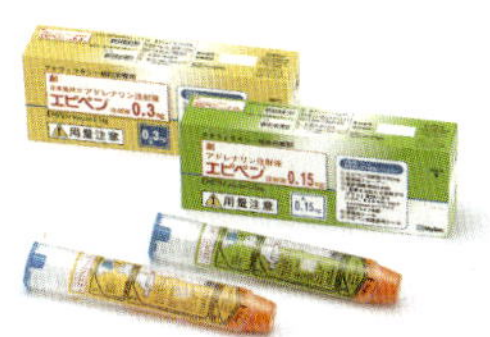

画像提供／マイランEPD合同会社

図 エピペン®

アトピー性皮膚炎と診断する。

▶ **治療**　アトピー性皮膚炎の治療は，①基本のスキンケア，②薬物療法，③原因・悪化因子への対策，の3つに大きく分類される。

❶基本のスキンケア

皮膚の黄色ブドウ球菌の増殖を抑え，表面に付着したアレルゲンや汚れを落とすため，泡立てた石けんで洗浄し，しっかりすすぐ。その後，保湿性の高い軟膏（ヘパリン類似物質含有軟膏など）や保護作用のある軟膏（白色ワセリン・亜鉛華軟膏など）で皮膚をカバーする。

❷薬物療法

皮膚の炎症の程度に合わせ，保湿や保護のための軟膏に加え抗炎症作用のあるステロイド外用薬やタクロリムス水和物軟膏を用いる。外用薬の効果を十分に引き出すためには，適切に軟膏を塗ることが必要であるが，実際には，十分量の軟膏（乳児で1回およそ4g程度，1 FTU［finger tip-unit］＝約0.5 gで大人の手のひら2枚分の面積を塗布）を塗布できていないことで治療がうまくいっていないケースをしばしば経験する。不適切なステロイド外用薬の使用により十分な治療効果が得られないことで，患者がステロイド不信に陥ることも多く，適切な塗り方の指導が，治療薬の選択と同等に重要である。

❸原因・悪化因子への対策

原因・悪化因子には，食物，汗，物理的刺激（乾燥，衣類のこすれ，髪の毛，掻くことなど），細菌・真菌，抗原（ダニやペットなど）などがある。特に乳児期では食物やダニ，ペットなどのアレルゲンや汗が原因になることが多い。悪化因子として食物を疑った場合は，除去の判断は慎重に行う必要がある。環境中のダニアレルゲンが原因の場合は，ダニを減らす環境整備を行う。発汗で悪化する場合は，シャワーで洗い流すことが有効である。

4　薬物アレルギー

薬物による副反応のうち，免疫学的機序を介する反応が**薬物アレルギー**である。抗菌薬や解熱鎮痛薬，局所麻酔薬や周術期に用いる麻酔薬や筋弛緩薬など，あらゆる薬剤が原因となり得る。薬物アレルギーは，アナフィラキシーなどIgE抗体による即時型（Ⅰ型）アレルギー反応を起こすこともあるが，スティーブンス－ジョンソン症候群，中毒性表皮壊死症などリンパ球主体の反応（Ⅳ型アレルギーなど）を呈することもある。非ステロイド性抗炎症薬（NSAIDs）による蕁麻疹（じんましん）や喘息発作，造影剤によるアナフィラキシー反応などは，免疫学的機序を介さないことが多く薬物アレルギーとは区別される。

5　ラテックスアレルギー

ラテックスアレルギーは，天然ゴムラテックスに対するアレルギーで，天然ゴムラテックスに含まれるたんぱく成分がアレルゲンとなり即時型アレルギー反応をきたす。医療現場で用いられるラテックス含有製品には，手術用手袋，カテーテル類，駆血帯などがある。ラテックスアレルギーは，医療従事者，医療処置を繰り返し受けている人（複数回の手術歴がある，カテーテルや手袋を用いた処置を受けている），アレルギー体質のある人，天然ゴムを扱う職業（食品関係，製造関係）に従事している人に多く，ハイリスクグループとして注意が必要である。

治療の基本はラテックス製品の回避である。詳細は日本ラテックスアレルギー研究会が発行している「ラテックスアレルギー安全対策ガイドライン 2018」で読むことができる。

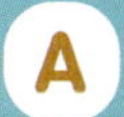

XIV 免疫疾患・リウマチ性疾患（膠原病）

A 免疫疾患とは

免疫は通常，感染症や悪性新生物とよばれる外敵から自身を守るために存在するシステムであり，本来自己を攻撃することはない。しかし，何らかの理由でこのバランスが破綻することにより，①免疫機能の一部が機能しないことにより易感染性となる（**免疫不全**），②免疫は正常に働いているが，自己を守るシステムが破綻することにより自己を攻撃するようになってしまう（**自己免疫**）という2つの問題が生じ得る。これらをきたす疾患の代表例は前者では**免疫不全症**である。免疫不全により種々の微生物に感染しやすくなるばかりではなく，悪性腫瘍の発生や自己免疫疾患にもなりやすくなることが知られている。免疫不全症は，先天的な欠陥により起こるものを**原発性免疫不全症**，ウイルス感染や薬物・栄養障害などに続発して起こるものを**続発性免疫不全症**と2つに分類される。当然ではあるが続発性のほうがはるかに高頻度である。本書は小児看護学をテーマに掲げており，本節では特に原発性免疫不全症について概説する。後者では**自己免疫疾患**があり，甲状腺疾患や1型糖尿病に代表される**臓器特異的自己免疫疾患**と**臓器非特異的自己免疫疾患**に分類される。膠原病はこれらのうち後者に該当し，全身性疾患としての特徴をもつが，自己免疫とともに①骨関節・筋の障害，②結合組織の障害の特徴をもつ疾患として理解されている。1942（昭和17）年にポール・クレンペラー（Klemperer, P.）が「フィブリノイド変性」という共通した組織所見をもとに報告した「古典的」膠原病は，①関節リウマチ，②全身性エリテマトーデス，③多発性筋炎・皮膚筋炎，④全身性硬化症（強皮症），⑤結節性多発動脈炎，⑥リウマチ熱の6疾患である。⑥のリウマチ熱はのちに感染症であることが明らかとなり，膠原病からは除外された。ここでは①成人の関節リウマチ・成人発症スティル病（Still disease）・脊椎関節症を内包する概念としての若年性特発性関節炎，②全身性エリテマトーデス（systemic lupus erythematosus：SLE），③多発性筋炎・皮膚筋炎について概説する。

B 原発性免疫不全症候群（primary immunodeficiency syndrome）

免疫系は，①B 細胞による液性免疫系，②T 細胞や NK 細胞による細胞性免疫系，③好中球やマクロファージによる食細胞系，④補体系，の 4 つに大別され，原発性免疫不全症もこれらによって分類されている。

1. X 連鎖無ガンマグロブリン血症（X-linked agammaglobulinemia）

▶ **概念・病態生理**　細菌感染をきたしやすく，すべてのクラスの血清免疫グロブリン値の低下が著しい。末梢血 B 細胞比率が 2 % 以下で，男子にみられる。ブルトン（Bruton）型 tyrosine kinase をコードする X 染色体上の BTK 遺伝子の変異によって起こるもので，骨髄での B 細胞分化が障害され，末梢血 B 細胞がみられず，抗体産生不全となる。世界で 1000 例以上の患者が存在し，わが国でも 250 例以上の患者が存在する。出生男児 10 万に対し 1 例と推測されている。

▶ **症状**　男児にのみ発症し，母親由来の IgG が消失する生後 4 ～ 6 か月以降，5 歳までに認められることがほとんどである。ブドウ球菌，肺炎球菌，緑膿菌，インフルエンザ菌，カンピロバクターなど，莢膜をもつ細菌に易感染性となる。

▶ **検査**　血清 IgG は 200 mg/dL 以下であり，すべてのクラスの免疫グロブリンが低値で合計でも 250 mg/dL 以下である。末梢血 B 細胞比率は 2% 以下に著減する。細胞質 m 鎖陽性のプレ B 細胞は骨髄において正常に存在するが，IgM 重鎖分子は可変領域を欠損している。プレ B 細胞以降の B 細胞の成熟がなく，B リンパ球は末梢血やリンパ節においてほぼ認められない。T 細胞機能は正常である。

▶ **治療**　静注用免疫グロブリン製剤を 3 ～ 4 週ごとに補充し，500 mg/dL を目標に保つことで健常人と変わらない生活が送れるが，20 歳代を超えると慢性肺疾患や悪性リンパ腫などの致命的合併症が起こり，予後は依然として不良である。

2. 重症複合型免疫不全症（severe combined immunodeficiency; SCID）

▶ **概念・病態生理**　T 細胞，B 細胞，NK 細胞の複合的な機能不全をきたすまれな遺伝性疾患で，5 万～ 10 万人の出生に対して 1 例の頻度で診断される。このためほとんどすべての微生物に対する易感染性が出現する。SCID を構成する病型は 20 種類以上存在するとされる。そのなかでも伴性 SCID（X-SCID ともいう）が最も多く（50%），常染色体劣性 SCID（20%），アデノシンデアミナーゼ（ADA）欠損症（20%），プリンヌクレオシドホスホリラーゼ（PNP）欠損症（5%），そのほか（TCR 免疫不全症，MHC 発現欠損症，IL-2 産生不全症など）（5%）で構成される。X-SCID は *IL2RG* 遺伝子の変異による共通ガンマ鎖を介するシグナル伝達不全が病因である。共通ガンマ鎖は IL-2 のみでなく IL-4，IL-7，IL-9，IL-15，IL-21 の受容体のサブユニットに共通であるため，これらのサイトカインのシグナル伝達が障害されることによって生じる。

▶ **症状**　これら疾患では生後まもなくから，種々の微生物による感染症に罹患する。通常3か月以内に持続性感染症が出現する。口腔（鵞口瘡）および皮膚でのカンジダ症，扁桃欠如，遷延性下痢，体重増加不良が特徴的である。

▶ **検査**　いずれの疾患においてもT細胞数の減少を認め，それに加えて生じる複合免疫不全を認める。たとえばX-SCIDでは検査上ではT細胞数，NK細胞数の減少（< 300/μL），B細胞数は正常である。フィトヘマグルチニン（PHA）に対するリンパ球増殖反応の低下，血清免疫グロブリン値の低下がみられる。

▶ **治療**　造血幹細胞移植による，免疫系再構築が唯一の根治療法である。根本的治療が行われないかぎり，重症感染症のため多くのケースで生後1歳までに死亡する。移植前には逆隔離，免疫グロブリン補充，抗真菌薬，抗ウイルス薬の予防投与が必要である。わが国ではX-SCIDに対する遺伝子治療は行われていないが，ADA欠損症は人に対して初めて遺伝子治療が実施された疾患である。またポリエチエングリコール－ADA酵素補充療法も行われている。

3. 分類不能型免疫不全症（common variable immunodeficiency；CVI）

▶ **概念・病態生理**　何らかの細胞性免疫不全に伴う低ガンマグロブリン血症である。IgA欠損症によくみられる原発性免疫不全症である。障害部位は多彩であり，複数の症候群から成る免疫不全症と考えられる。CVIの主な特徴は通常抗体産生に欠損が認められる点で複合免疫不全症と異なるとされるが，一方でT細胞機能不全も存在する例があり，また時にはT細胞機能不全の臨床像を呈することもある。さらにIgA欠損症，IgAおよびIgG2サブクラスの複合欠損症，IgGサブクラス欠損症と共通した特徴がCVIにも認められ，これらの疾患が免疫グロブリン欠損症のそれぞれのスペクトラムを示す疾患とも考えられる。また，これらの疾患はHLAとの関連性がCVIと極めて類似しており，CVI患者と選択的IgA欠損症はしばしば同一家系に認められ，一部でCAMLタンパク（TACI）変異が同定されている。CVIの頻度は人口100万人に6～12例である。性差はないが，発症年齢には2つのピークがあり10歳以下と15～30歳に認められる。

▶ **症状**　抗体欠損症に特有な病原菌による上・下気道の反復感染，慢性の気管支拡張症，吸収不全と下痢が主な臨床症状である。CVIの患者では悪性疾患の頻度が高く，悪性貧血や自己免疫性血球減少症などの自己免疫疾患の頻度も高い。時にはT細胞不全の特徴を示す場合がある。

▶ **検査**　CVIの病因と関連して，ほかの免疫不全症と免疫病理的に異なったサブグループと考えられる異常として，①B細胞またはT細胞数の減少，②B細胞の分化を促進するT細胞の異常，③B細胞の抗体分泌異常，④B細胞に対する自己抗体の存在があげられる。通常血清総免疫グロブリンは300 mg/dL未満で，IgGは250 mg/dL未満である。特異的抗体の産生が障害されるが，末梢血のB細胞数は正常である。T細胞数も正常であるが，細胞性免疫不全を強く認める症例では減少している。

▶ **治療**　静注用免疫グロブリン製剤を3～4週ごとに補充し，500mg/dLを目標に保つ。慢性肺疾患や悪性の血液疾患の合併がないときには予後は良好である。T細胞機能不全を伴う場合は予後が悪くなる。

4. 慢性肉芽腫症（chronic granulomatous disease；CGD）

▶ **病因・病態**　食細胞，特に好中球の殺菌能の障害による免疫不全症である。2/3は伴性劣性遺伝，残りは常染色体性劣性遺伝である。殺菌に重要な活性酸素を産生する細胞内呼吸バーストの機能的障害がすべてのタイプのCGDに共通して認められる。細胞内呼吸バーストにはNADPHオキシダーゼ（細胞膜たんぱくの$gp91^{phox}$，$p22^{phox}$と細胞内たんぱくの$p47^{phox}$，$p67^{phox}$，$p40^{phox}$からなる）がかかわるが，これら一群のたんぱくをコードする遺伝子異常による。頻度は22万人に1例で，これまで約230例が報告されている。2歳までに感染症を経験する。

▶ **症状**　典型的にはリンパ節炎，骨髄炎，皮膚膿瘍などの深部組織感染，肺炎，骨髄炎を生じる。カタラーゼ陰性の化膿菌による感染が起こりやすい。予後不良で青年期までに大半が死亡するとされていた。致死的感染症の原因菌としてアスペルギルスとセパチアが50%を占める。CGD腸炎は約半数に合併する慢性腸炎で，炎症性腸疾患に類似した機序で腹痛，下痢，血便，発熱などの症状をきたす。

▶ **検査**　好中球機能異常を反映し，NBT色素還元能試験が陰性となり，診断に有用である。病型別では$gp91^{phox}$欠損型が80%と最も多く，$p22^{phox}$欠損型が10%，$p47^{phox}$欠損型と$p67^{phox}$欠損型はそれぞれ5%である。

▶ **治療**　ST合剤とイトラコナゾールを内服し感染症に対する予防を行う。抗菌薬療法の発達やインターフェロンγの導入，日常生活管理指針の策定などで予後は改善している。根治的治療には造血幹細胞移植が必要である。近年では臍帯血移植も実施されている。

5. 選択的IgA欠損症

▶ **概念・病態生理**　4歳以上で血清IgAが7 mg/dL以下でIgGとIgMが正常である場合，選択的IgA欠損症と考えられる。北欧では700人に1例とみられ，最も頻度の高い原発性免疫不全症と考えられているが，わが国における実態は不明である。表面IgAを保有するB細胞は存在するが，IgA産生形質細胞は著明に減少あるいは欠損している。免疫グロブリンのHα鎖遺伝子は正常であり，H鎖のクラススイッチ領域にも異常は認められていない。IgA欠損症の病因は不明であるが，免疫調節機構の異常からB細胞の分化が抑制されるために生じるとする仮説を支持する証拠が存在する。すなわち表面IgA・IgM陽性細胞の段階で停止している可能性が示唆されている。

▶ **症状**　IgA欠損症は無症状で経過する場合（約2/3）と，上気道を主とする粘膜での反復性のウイルス感染症，反復性中耳炎，頻回の副鼻腔肺感染，消化管感染症を認める場合がある。症状の出現は年齢にはよらず，アレルギー疾患や自己免疫疾患（関節リウマチ・全身性エリテマトーデス・シェーグレン症候群・溶血性貧血・1 型糖尿病・自己免疫性肝炎・アジソン病，重症筋無力症，セリアック病）を合併することが多いとされる。IgA 欠損症は免疫不全の出現に多様性が存在する。IgA が欠損する場合，免疫系（めんえき）はほかのクラスの抗体産生を増強することにより代償することが考えられるため，細菌に対するほかのクラスの特異的抗体産生にも障害をもたないと，IgA 欠損症で易感染性が生じにくいことを示唆している。実際，症状を示す IgA 欠損症では，IgG2 と IgG4 サブクラスを欠損する例がしばしば認められることはこの仮説を支持している。IgG2 は特に細菌被膜などの多糖類抗原に対する抗体として重要である。

▶ **検査**　IgA1 および IgA2 サブクラス共に低下または欠損を示し，分泌型（ぶんぴつ）IgA も同様である。B 細胞・T 細胞数は正常であり，マイトジェンや抗原に対する反応性にも異常を認めない。自己抗体がしばしば認められるが，自己免疫疾患合併との関係は必ずしも明らかではない。IgA 欠損症と HLA には強い関連が存在している。

▶ **治療**　IgG および IgE クラスの抗 IgA 抗体が産生されやすいことは臨床的に重要である。輸血などの際に注入された IgA によってアナフィラキシーが生じることがある。したがってすべての IgA 欠損症患者は抗 IgA 抗体の検査を受けねばならず，陽性であれば輸血時に洗浄赤血球，IgA 欠損症患者からの血液製剤，または保存した自己血の使用が求められる。感染時には強力な治療が必要である。理論的には IgA 欠損症には免疫グロブリン補充療法は無効である。それはガンマグロブリン製剤には IgA 含有量が少ないため，分泌型 IgA の増加につながらず，逆に少量の IgA でも感作されている患者ではアナフィラキシーを生じる危険性があるからである。例外は IgG サブクラス欠損症を合併しているまれなケースであり，この場合には有効である。慢性肺疾患などの致命的な合併症を生じる前に診断された場合には予後は比較的良好である。

6. 補体欠損症（primary complement deficiencies）

▶ **病因・病態**　補体系の重要な役割は好中球による殺菌の促進と，免疫複合体の除去であるが，補体成分，あるいは補体調節性たんぱくが先天的に欠損，あるいは機能異常を示す疾患である。遺伝形式は常染色体劣性遺伝形式が多い。

▶ **検査**　補体あるいは調節性たんぱくの低下，あるいは活性の低下を認める。C1 から C8 のいずれが欠損しても CH50 は通常測定感度以下になるが，C9 欠損症では通常低値だが測定可能である。いずれもまれであるが，唯一 C9 欠損症は日本人では比較的頻度が高く，日本人のおよそ 1000 人に 1 例は C9 欠損症であると考えられる。

▶ **症状**　補体系の異常は非特異的免疫能の低下による細菌感染症と全身性エリテマトーデスに類似した免疫複合体病をもたらす。補体系は古典経路，第 2 経路，共通経路，調節性たんぱくに分けられるが，古典経路（C1q，C1r，C1s，C4，C2：C1q 欠損症で 90%，C4 欠損症の 2/3 以上で自己免疫疾患が合併し，SLE の頻度が高い）および C3 の障害（C3 の障害では約 1/5 で

SLE・血管炎・糸球体腎炎などの免疫複合体による疾患が生じる）は主に免疫複合体と易感染性の合併，第2経路・共通経路（C5・C6・C7・C8α・C8β・C9）の障害は主に易感染性（特にFactor D, properdin欠損症で特徴的なのはナイセリア感染症）が問題となる。また補体調節性たんぱくのなかではC1インヒビター欠損症が特徴的で遺伝性血管運動性浮腫（顔面，体幹，内臓，気道などの深部組織にみられる）をきたす。このたんぱくはキニン系などいくつかの血漿酵素たんぱく系の調節に関与し，常に消費されているため，ヘテロのC1インヒビター遺伝子異常に認められるような50%の低下でも需要に応えきれず，軽いストレスでも補体系とキニン系に異常な活性化が生じることにより，ブラジキニンと補体由来のC2キニンの放出を介し浮腫性病変が形成されると考えられている。

▶ **治療**　感染症の予防，合併する感染症，自己免疫疾患に対しての治療が主体である。インフルエンザ菌や肺炎球菌のワクチンは積極的に受ける必要がある。国内ではナイセリアに対するワクチンは現時点では使用できない。自己免疫疾患に対しては副腎皮質ステロイド薬や免疫抑制剤など通常の治療を行う。造血幹細胞移植の報告もあるが，通常は適応にならない。C1インヒビター欠損では急性発作時には，かつてC1インヒビターの補給のために精製された製剤を使用する。プラスミンインヒビターとしてのトラネキサム酸によりC1インヒビターの消費を抑制することが可能である。発作の頻度が高いケースや喉頭浮腫の既往がある症例では長期的な発作予防のため，プラスミンインヒビター薬，たんぱく同化ステロイド薬（C1インヒビターを上昇させる作用のある）が用いられる。

C リウマチ性疾患（膠原病）

本項では前述のとおり，①成人の関節リウマチ・成人発症スティル病・脊椎関節症を内包する概念としての若年性特発性関節炎，②全身性エリテマトーデス，③多発性筋炎・皮膚筋炎について概説する。

1. 若年性特発性関節炎（juvenile idiopathic arthritis；JIA）

▶ **概念・定義**　「16歳未満で発症し，6週間以上持続する原因不明の関節炎で，ほかの病因によるものを除外したもの」と国際リウマチ学会の小児リウマチ常任委員会が定義している。わが国の罹患率は人口10万人に対し10例前後であり，小児の慢性関節炎では最も多い。臨床的な病型として全身型，少関節型，多関節型の3つに分類される。男女比は全身型で1：1，少関節型で1：7，多関節型1：4と女児に多い傾向がある。

▶ **病態生理**　自己免疫を含む免疫反応，特にサイトカインを介した滑膜細胞の増殖，破骨細胞の活性化により，不可逆な骨破壊が誘導されると考えられている。特にサイトカインのうちIL-1，TNF-α，IL-10の産生に関与するのが単球・マクロファージである。T細胞は免疫反応の初期に関連するのに対し，マクロファージは病気の進展に関与するとされる。全身型は免疫反応が主体，少関節・多関節型は滑膜細胞，破骨細胞の活性化が強い症例と推定される。

▶ **症状**

全身型：スティル病とよばれる。成人に発症した場合を成人発症スティル病とよぶ。全身症状，特に弛張熱とリウマトイド疹が特徴的で，発熱は38℃以上を示すが自然解熱することが多い。リウマトイド疹はサーモンピンク色で一過性に出現し瘙痒感を伴わない非固定疹が比較的典型的である。関節炎の頻度は高いが軽度である。関節炎が長期に持続すると骨破壊を引き起こし強直により機能障害をきたす例も存在する。そのほか心膜炎，肝脾腫なども出現する。炎症が高度に持続進行すると，マクロファージ活性化症候群，播種性血管内凝固症候群などの重篤な合併症を引き起こすことがある。

少関節型：罹患関節が4関節以下の病型である。関節炎は早発型と遅発型に分類される。早発型は通常5歳以下の女児でしばしば抗核抗体陽性，30～50%にぶどう膜炎を伴う。遅発型は男児に多く半数はHLA-B27陽性である。付着部炎・腱炎を主体とし，主に大関節，脊椎が障害される。脊椎関節炎パターンである。

多関節型：罹患関節が5関節以上の病型である。このなかでリウマトイド因子陰性のものは8歳以上の女児に多い。リウマトイド因子陽性例は陰性例に比し関節予後が不良である。発症10年後でも約半数が関節炎をきたし，30%にX線上関節障害を残すが，そのほかは支障なく日常生活を送っている。

▶ **検査**

全身型：好中球優位の白血球増加，赤沈値，CRP，血清アミロイドAは高値を示す。リウマトイド因子，抗核抗体，ほかの自己抗体は陰性である。血清フェリチン値の上昇を示し高サイトカイン血症を反映していると推察されている。フェリチン高値はマクロファージ活性化症候群のリスク因子であることが知られている。

少関節・多関節型：炎症所見を反映し，CRPや赤沈値が上昇する。抗核抗体が30%程度に検出される。

▶ **診断**　疾患特異的な検査項目はない。不明熱の検索同様，感染症・悪性腫瘍・ほかの発熱性疾患の除外が重要である。リウマトイド疹，リウマトイド因子，虹彩毛様体炎，頸椎障害，心膜炎，腱鞘炎，弛張熱などはJIAを示唆する所見である。

▶ **治療**

全身型：軽症は中等量の副腎皮質ステロイド薬および非ステロイド性抗炎症薬（NSAIDs）より開始する。中等症は中等量から大量の副腎皮質ステロイド薬より開始する。ステロイドパルス療法を考慮する症例もある。メトトレキサート（MTX）併用も考慮する。重症であれば血漿交換を要する。臓器病変をコントロールしたのちステロイドを漸減する。漸減中に再燃を繰り返す例や，減量抵抗例ではIL-6受容体阻害薬であるトシリズマブの適応となる。

少関節・多関節型：関節炎に対してはNSAIDsとともに早期にMTXによる治療を検討する。この際，プレドニゾロン（10mg/日前後），NSAIDSsの併用も選択肢の一つである。難治例では生物学的製剤投与の適応となる。

2. 全身性エリテマトーデス（SLE）

▶ **概念・定義**　SLEは全身の自己免疫性疾患である。小児SLEは16歳未満で発症したものを指し，SLE全体の15～25%を占める。罹患率は人口10万人に対し5例とされ，男女比は1：5～6であり，成人例に比し男児の比率が高い。好発年齢は10歳以降が多い。

▶ **病態生理**　自己免疫現象を伴い抗原と抗体により形成される免疫複合体が循環血液中に増加，組織に沈着しⅢ型アレルギーが誘導される。自己抗体を介した直接障害（Ⅱ型アレルギー）も病態に寄与している。

▶ **症状**　初発症状として，発熱，全身倦怠感，皮膚紅斑，関節痛，筋痛，出血傾向，腎炎による浮腫，痙攣など多様な症状が報告されているが，いずれも特異的ではない。蝶形紅斑は本症に特徴的であり，発症早期から出現するためしばしば診断の契機となる。日光過敏症やレイノー（Raynaud）現象もみられる。

粘膜障害として無痛性口内炎を上口蓋に認めることが多くSLEに特異度の高い所見であるが，無症状のため見落とされることがしばしばある。左右対称性の関節炎が40%に認められるが，その頻度は成人ほど高くない（80%）。通常は一過性または異動性でありX線にて骨びらんなどの骨破壊像を認めない。初診時の50%，全経過で60%に腎症を発症するが，尿異常があっても通常は無症状のことが多い。

痙攣や意識障害，精神症状などの中枢神経症状は20%でみられる。心病変の多くは心外膜炎であり，心嚢液貯留を認める。そのほか網膜炎，肺胞出血，ループス腸炎，ループス膀胱炎など，成人SLEと同様に多彩な臨床像を認める。成人例と比較し発熱など全身症状が顕著であり，腎障害，中枢神経症状などの臓器障害の進行が早く重篤な経過をたどりやすい。

初発時～3年の経過で90%の症例でループス腎炎がみられ，組織学的所見も発症時からすでに進行例のことが多い。小児SLEの予後不良因子として，男児，腎組織所見がISN/RPS分類でclass III以上，中枢神経症状を有するほかのリウマチ性疾患の合併などがあげられる。

▶ **検査**

血液検査：白血球減少，ヘモグロビン低下，血小板減少を示す。CRPは陰性であることが特徴的である。抗核抗体はほぼ全例で陽性となる。抗二本鎖DNA抗体，抗Sm抗体はSLEに特異度が高く診断に有用である。血清補体価の低下は病勢を反映する。

尿検査：腎炎がある場合に尿たんぱく，血尿，尿沈渣異常を認める。

脳血流シンチグラフィ・MRI検査：中枢神経症状を欠く症例でも血流低下や皮質下の微小梗塞様所見などを認める例がある。

▶ **診断**　SLEの診断基準には成人と同じSLICC分類基準が用いられる。鑑別疾患は感染症（風疹，パルボウイルス感染など），悪性腫瘍，そのほかの膠原病（皮膚筋炎，関節リウマチなど），薬物アレルギーなどがあげられる。

▶ **治療**　副腎皮質ステロイド薬が基本になる。プレドニゾロン 0.2 〜 0.5mg/kg/ 日が目安であるが，病態の重症度に応じて中〜大量の副腎皮質ステロイド薬内服，メチルプレドニゾロンによるパルス療法を行うこともある。寛解が達成できれば寛解状態を維持しながら副腎皮質ステロイド薬を漸減していく。免疫抑制療法の併用も検討されることが多い。小児膠原病では副腎皮質ステロイド薬の有害作用による成長障害や，免疫抑制剤の影響が問題となる。

小児期から SLE で入退院を繰り返すうちに社会的に隔絶されてしまう症例もあり，配慮が必要である。

3. 多発性筋炎（polymyositis；PM），皮膚筋炎（dermatomyositis；DM）

▶ **概念**　小児の筋炎は有病率が人口 10 万人に対し 0.3 例程度とされる。ほとんどが DM であるが，最近は抗 SRP 抗体陽性の PM も注目されている。好発年齢は 3 〜 7 歳，次いで 13 〜 15 歳にピークがあるが，乳児も発症し得る。成人では 1：2 で女性が多いが，小児例では性差はないとされる。

▶ **病態生理**　DM では筋組織で血管周囲の B 細胞浸潤・免疫複合体沈着と血管炎がみられ，PM では CD8 陽性 T 細胞浸潤が主体で血管炎所見はみられないとされるが，原因不明である。

▶ **症状**　早期より皮疹が出現し，筋症状に先行することが多い。初診時にはほぼ全例に顔面や体幹に紅斑が認められる。筋症状が明確でないと SLE との鑑別が困難となる。小児では皮下や筋の石灰化が 5 〜 30% に認められ，特に難治例ほど石灰化が多く，四肢伸側や殿部の皮下や筋に生じる。成人 PM/DM と類似する経過を示す場合もあるが，血管炎，異所性石灰化，脂肪異栄養を併発するのが若年性 DM の特徴とされる。成人例でみられる悪性腫瘍の合併や間質性肺疾患はまれである。臨床経過からは①単周期型，②多周期型，③慢性持続型に分けられる。また病型としては，①まれであるが急速かつ致死的に進行するバンカー（Banker）型（消化管潰瘍，消化管穿孔，心筋炎など），②比較的慢性的な経過をたどる予後良好なブルンスティング（Brunsting）型，③筋崩壊が急激にみられ腎不全をきたす予後不良な劇症型，がある。

▶ **検査**

血液検査：CK，アルドラーゼ，LDH，AST，ALT といった筋原性酵素が上昇する。抗 Jo-1 抗体はほとんど検出されない。

筋電図：筋原性変化（随意収縮時の多相性，短い持続時間，低電位波形および安静時の線維束攣縮，陽性鋭波）を認める。

筋生検：ほかの神経疾患による筋症状との鑑別に有用である。

MRI：T2 強調画像，STIR 画像で炎症部位が高信号となる。非侵襲的で筋炎の診断にも有用である。

▶ **診断**　小児 DM は皮疹先行という明らかな特徴から診断可能である。筋炎が先行し皮疹が後発する若年性 PM/DM ではクーゲルベルグ－ウェランダー病（Kugelberg-Welander disease），筋ジストロフィーなどとの鑑別を要する。

▶ **治療**　副腎皮質ステロイド薬が基本となる。皮下石灰化に対してはビスホスホネート製剤やカルシウム拮抗薬が有効とする報告もある。

XV 精神疾患とメンタルヘルス

人は命を授かってから生涯を終えるまで，からだは成長・発達ののち衰退し，精神は成熟し続けることが可能である（生涯発達）。世界乳児幼児精神保健学会（World Association for Infant Mental Health；WAIMH）は，「**乳幼児の権利（the Rights of Infants）**」として「乳幼児は最も重要な養育者との関係性を継続的な愛着の尊重と保護をもって認識され，理解される権利を有する」と提唱している。小児期に愛され，安心できる環境で育つことができるかどうかは，成人期に大きく影響する。つまり，小児期は生涯のメンタルヘルスの土台形成の時期といえる。エリクソン（Erikson, E.H.）は，社会との関連で乗り越えるべき固有の課題をもつ人生周期を**ライフサイクル**とよんだ。さらにその生涯を，乳児期・幼児前期・幼児後期・学童期・青年期・成人期・壮年期・老年期の 8 段階に分類し，（**エリクソンの 8 期の発達段階**）それぞれの発達段階において乗り越えるべき発達課題があり，それが達成できない場合に心理的危機状態に陥るとした。小児期における発達課題の達成には，生物学的要因・遺伝学的要因・環境要因（家庭・社会・自然環境）などの様々な要因が影響を及ぼす（**多因子説**，図 4-84）。小児精神疾患は，小児の心身の発達段階とその過程に影響を及ぼす因子により，認知・情動・行動上の問題を呈する疾患群である。

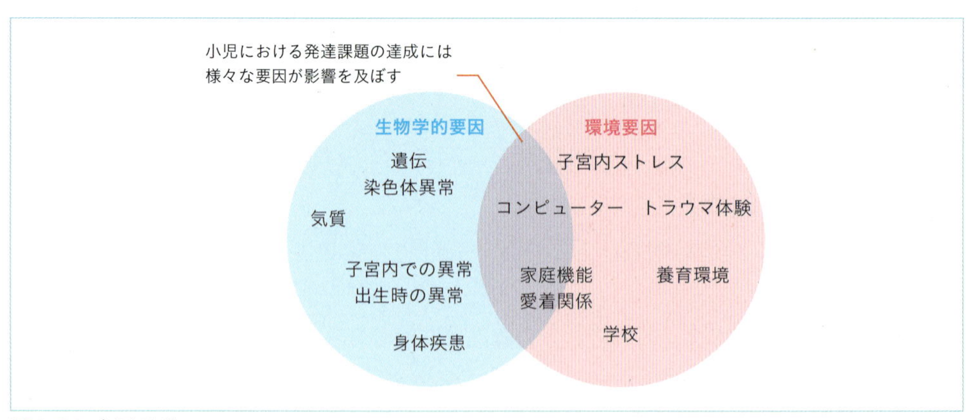

図 4-84　多因子説

A 小児の心の問題と精神疾患

核家族化・夫婦共働き・地域社会や学校の機能不全・競争社会などにくわえ，今日の急速なITの普及により，社会は大きな変容を遂げており，小児をはぐくむ家族の養育環境も大きく変化しつつある。養育環境の変化は，小児の脳とからだの発達に大きな影響を及ぼす。小児の心の問題は，時代の変化やそれぞれの国の文化の違いを十分に吟味したうえで評価していく必要がある。

1 精神病理別分類

小児の心の状態は，その反応のしかたや症状・社会適応性などを考慮して以下のように分類することができる。

❶**健常な反応**：小児の成長発達過程における自然な反応（例：人見知り・かんしゃく・反抗期）

❷**反応性障害**：ストレスの要因を解決すれば回復可能な症状（例：頻尿）

❸**心身症的障害**：ストレスを感情や言葉で伝える代わりに身体症状で表現する（例：摂食障害，身体表現性障害）

❹**神経症的障害**：神経過敏状態が定着した状態（例：強迫性障害）

❺**発達の偏り**：言語，学習，コミュニケーション，認知行動・感情調節などの偏りが極端に強い。育てにくく集団適応が悪いため，周囲との衝突が絶えず2次的に自己肯定感が育ちにくい（例：注意欠陥多動性障害［ADHD］，学習障害，自閉症スペクトラム障害）

❻**人格発達障害**：不器用な小児に否定的な体験が積み重なった結果起こる障害（例：境界性人格障害）

❼**精神病的障害**：現実適応の阻害が起こる状態（例：統合失調症，神経発達障害）

❽**脳器質障害**：身体疾患（全身性エリテマトーデス・先天性心疾患・内分泌(ないぶんぴつ)疾患など）に合併する精神病様状態，脳炎，頭部外傷に随伴する精神症状

❾**精神発達遅滞**：先天的に明らかな知能低下を呈する（知能検査でIQがおよそ70以下）

❿**そのほか**

2 小児精神疾患の多軸診断

精神疾患の診断は，アメリカ精神医学会によって作成された診断マニュアル**DSM-Ⅳ-TR**で用いられていた**多軸診断**（カテゴリー診断）を廃止し，2013（平成25）年のDSM-5への改訂により**多元的診断**（ディメンション診断）を取り入れることとなったが，今もなお多軸診断の概念は重要である。多軸診断とは，①1軸＝特徴的臨床症状・問題・障害，②2軸＝心理的領域，③3軸＝身体的領域，④4軸＝社会心理的領域，⑤5軸＝到達機能の5軸の観点から多面的・網羅的に診断するシステムであり，多軸診断評価法の目的は，全体としての小児の把握を目指すことにある。多元的診断では，各疾患のスペクトフム（連続体）

を想定し，重症レベルをパーセント（%）表示で示す。

B 小児精神疾患の診断・治療アプローチの基本

小児と家族が小児科を受診する際，メンタルヘルスのプライマリケアの観点から診療にあたることが重要である。小児診療で日常的にみられる頭痛，原因不明の発熱，腹痛，嘔吐，下痢，食欲不振，だるい，疲れやすい，眠れないなどの訴えの背景には，心の健康問題がある場合も多く，その理解は必須となる。小児領域においては，日常診療における小児のメンタルヘルスを的確に評価し，必要に応じて小児精神保健の専門機関へと連携する機能の向上が求められている。

1 初診時の神経学的診察と小児精神医学的診察

初診時は第一に小児への問診，身体診察を行ったうえで，神経学的診察・小児精神医学的診察を行う。小児の身体的成長は，母子手帳などの記録から成長曲線を作成し，適切な

家族機能

小児の診断において家族機能は心理的領域の評価として重要である。家族機能は図の3つの機能を評価する。正の世代間伝達が行われれば，健全な親離れ・子離れがなされる。

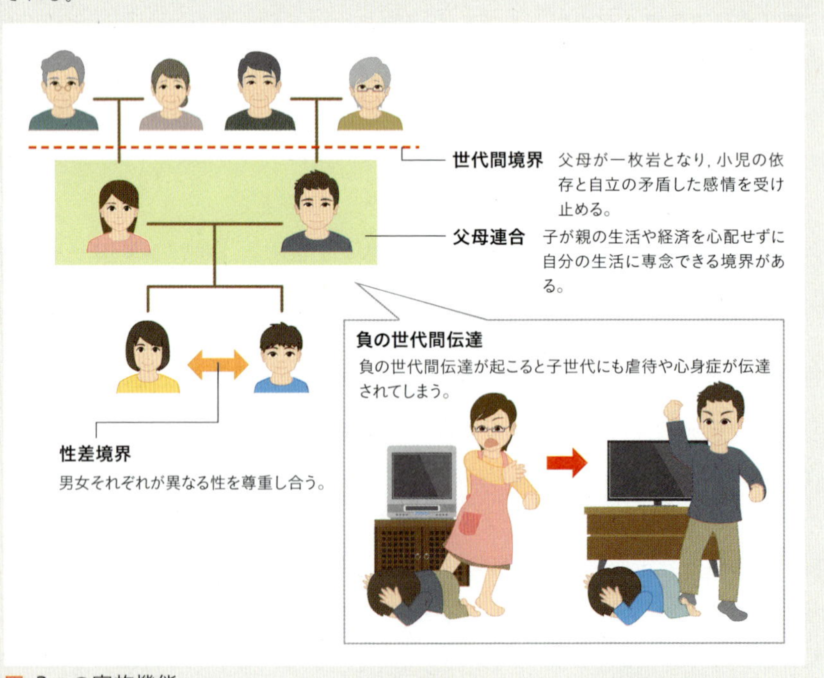

図 3つの家族機能

成長を遂げているか判断する。問診により小児の成育環境，精神運動発達の評価を行う。身体診察により器質的疾患の有無を評価する。神経学的診察では，小奇形の有無・神経反射・運動機能（粗大・微細運動）・高次脳機能の評価などを行う。小児精神医学的診察においては，まず家族への問診により小児と家族のおかれた社会的環境による小児への精神的影響を十分に吟味したうえで，小児の精神医学的診察を行う。診察においては小児が安心できる環境のもと，小児の表情・しぐさ・行動をていねいに観察する。また，親子の相互関係を観察することで親子の愛着関係を評価する。

2 親子の愛着の特徴の観察

愛着とは，小児が相互的な関係性から安全や快適さを求めるための親との間の情緒的な結びつきであり，その出発点は出生後まもなくの母親と乳児の関係より始まる（ボウルビィ［Bowlby, J］の愛着理論）。愛着には，安定した愛着と不安定な愛着がある。安定した愛着においては，親は特に小児が傷ついたり恐れたり弱っているときに安らぎを与え，怒りや悲しみといった感情を受け入れ，偽りない愛を表現し，小児は安心して親を信頼することができる。親自身の育った環境において，自らの親との関係で困難を抱えてきた場合や，困難な状況に曝されてきた場合などには，わが子との相互関係に影響が生じ，不安定な愛着となる（**愛着の世代間伝達**）。

▶ **愛着の４つの型**　この分類は，母親との分離後の再会場面における小児の行動を観察することによって母と乳児とのストレス状況における愛着行動をもとに評価する（エインスワース［Ainsworth.M.D.S］のストレンジシチュエーション法）。

❶**安定型**：母親を安全な場所（安全基地）と信じることができ，母親がいなくなると不安となり，泣いたり抵抗を示すが，母親が戻ってくると再会を喜び，安心して遊びを再開することができる。

❷**不安定・回避型**：母親と一緒にいても母親に注意を向けようとせず，母親が出ていっても抵抗を示さず，戻ってきても関心を示さない。母親が小児の感情に対して拒絶的であったり，反応が乏しい場合に起こる。

❸**不安定・両価／抵抗型**：母親が出ていくと不安や恐怖を示すが，戻ってきても母親に敵意や攻撃性を示す。身体接触を求めるが，一方で拒絶する。母親の不安が強く，過保護であったり，妨害的であったり，気まぐれであるような場合に起こる。

❹**無秩序型**：母親が出ていくと不安定となるが，再会してもぼんやりしたり，恐怖を示したり混乱する。見知らぬ者にも愛着行動を示す。母親は予測不能で，恐れていたり，敵対的であったり，怒りを抱えており，未解決の喪失やトラウマ（心的外傷）があることが多い。

3 小児精神疾患の治療に求められる視点

小児精神疾患の治療では，まず第一に小児と家族を支援する視点が求められる。①**小児**

の成長・発達の評価，②家族機能の評価，③親子の愛着の評価を行ったうえで小児の精神機能を総合的に判断し，地域・社会との連携を視野に入れた幅広い治療を展開する。薬物治療は，先天的な発達の問題や精神病的障害がある場合を除き，あくまでも対症療法として行うべきで，安易に用いるべきではない。

C 気分障害，統合失調症

1. 感情障害

気分障害には，気分の障害という特徴があり，気分が落ち込んだりいらいらしたりする**うつ状態**と，気分が高まったり開放的になったり，いらいらしたりする**躁うつ状態**がある。

1 うつ状態（depression）

DSM-5における大うつ病性障害では，うつ状態が必須症状となる。うつ状態においては，悲しみ，落ち込み，いら立ちなどを感じ，それにより物事を行うこと，集中することが困難となる。小児の場合は，日常生活の親子・家族関係において本音を出して甘えられるような環境にない状況においてうつ状態を呈することが多い。また，家族のうつ病や小児自身の病気，不測の事態（事故，死別，両親の離婚，災害）に見舞われること，受験や習い事など多忙な日常に追われることなど，日常の健康な生活が侵されることによっても起こり得る。時に繰り返す死に対する思考，自殺企図，希死念慮を認める。

▶ **症状**　遊びへの興味や喜びの減退，食欲低下や睡眠障害などを認める。幼児においては，かんしゃくを起こしやすいなどの症状を認めることもある。学童期においては，頭痛，腹痛，倦怠感（けんたいかん）などの身体症状を訴えることもある。

▶ **治療**　軽症の場合には，小児，両親とよく話し合い，小児が安心できる環境整備を行うことで症状は快方に向かう。深刻な睡眠障害，摂食障害，希死念慮，精神症状を認める場合は入院治療，精神療法，薬物療法を行う。薬物投与は小児の脳が発達段階にあることを十分に考慮し，初期投与量は最小限とし，少しずつ増量して慎重に観察する。

2 躁うつ状態（manic-depressive psychosis）

双極性障害とよばれる。好発年齢は思春期・青年期である。双極Ⅰ型障害は，少なくとも1つの躁病エピソードがあり，双極Ⅱ型障害は，1回以上の軽躁病エピソードと1回以上の大うつ病エピソードがみられる。

▶ **症状**　躁病エピソードとは，ふだんみられないような幸福感（高揚），熱狂（誇大），またはいらいら感が少なくとも1週間，ほぼ1日の大半に存在する。軽躁病エピソードでは，同様の状態が少なくとも4日間存在する。躁状態においては，注意散漫，ふだんしないような活動（散財，ギャンブル，性的逸脱など）を認め，友人関係，学業，学校生活などの社会生活に支障をきたす。

▶ **鑑別** 躁病の症状を引き起こす精神障害（ADHD，反抗挑戦性障害，心的外傷後ストレス障害［PTSD］，自閉症スペクトラム障害，境界性人格障害など），身体疾患（神経障害，内分泌（ないぶんぴつ）疾患，感染症，腫瘍（しゅよう）など），薬物治療などとの鑑別を要する。

▶ **治療** まず，心理教育と，家族および学校とのかかわりが重要である。家族が安定かつ前向きな結びつきをつくることが有益となることが多い。薬物治療は安全性と有効性を確保し，小児・家族の理解を得て行う。

2. 統合失調症

統合失調症の主な症状は，陽性症状として思考障害，まとまりのない話し方，まとまりのない行動，幻覚，妄想が，陰性症状として感情鈍麻，社会的引きこもり，意欲の喪失，認知障害などがある。成人の統合失調症の有病率は1％といわれている。小児の統合失調症も成人と同じ診断基準が適応される。好発年齢は思春期後期から成人期初期であり，それ以前の発症は非常にまれだが，幼児期の発達遅滞や通常とは異なる感覚過敏性，発症前に引きこもり，破壊的行動，発達遅滞，言語障害などの不適応を示すことがある。多くの統合失調症の小児で聴覚的な幻覚を認める。妄想と思考形式の障害は，思春期中期以降に現れることが多い。

▶ **鑑別** 思春期以降に発症すること，知能指数が高いこと，周産期合併症が少ないことなどで自閉症と鑑別できる。また，のちに双極性障害，うつ病，ほかの精神病性障害と診断されるなかに，経過中に統合失調症と誤診される場合がある。

▶ **治療** 家族支援，学校・地域社会の連携，薬物療法によって多面的にアプローチすることで日常生活を安定させ，長期的な支援を行っていく。

D 神経症性障害，ストレス関連障害，身体表現性障害

1. 不安障害

不安障害は，不安によって社会的相互作用，発達，目標達成，QOLに支障をきたし，その結果，自尊心の低下，引きこもり，学習面の障害がみられるなど病的に不安な状態を特徴とする。小児期によくみられ，あらゆる年齢で起こり得る。不安障害の発現には，遺伝的因子（親の不安障害など），気質的因子（乳児期に過剰に親にまとわりつく，落ち着きがないなど），環境的因子（愛着の問題，分離体験，災害など）が密接に関連している。

1 心的外傷後ストレス障害（post traumatic stress disorder：PTSD）

自然災害，人的災害，交通事故，身近な人の死，暴力など，身の安全を脅かされるような恐ろしい体験をしたり，メディアにより衝撃的な映像に曝露（ばくろ）されるなどのトラウマによ

り心理的苦痛を体験し，様々な症状を引き起こすことがある。一般に症状が，1か月以下のときには急性ストレス反応（acute stress disorder；ASD），1か月以上続くときには心的外傷後ストレス障害と診断する。ASDは，心的外傷から1か月以内に発症する。PTSDは3か月以内に発症するが，外傷後何年もたってから発症することもある。外傷曝露の直後には，小児は不眠・食欲不振・頭痛・下痢（げり）・夜尿などの身体症状のほか，赤ちゃん返り，恐い夢を見る，いらいらするなどの症状を認める。楽しく遊ぶことができなくなったり，遊びのなかで外傷体験を再現（フラッシュバック）したりすることもある。

▶ **治療**　小児が心的外傷に曝されたとき，親や周囲が「大丈夫」と「あなたのせいではない」と言葉にして伝え，温かく安心できる環境のもと小児を守る必要がある。そのような対応ができない場合，PTSDとなっていくことがある。

2　強迫性障害（obsessive-compulsive disorder；OCD）

強迫性障害では，ほとんどまたはまったく制御できない繰り返す儀式的行動を認め，その結果日常生活に支障をきたす。

▶ **症状**　強迫観念（望んでいない考え・衝動・光景などが心にこびりつき逃れられない）・強迫行動（「大丈夫」と感じるために何度も確認・清掃・整理をするなど）がある。小児では洗浄清浄強迫を多く認める。

▶ **治療**　小児および青少年で症状が中等症から重症の場合には認知行動療法単独，もしくは薬物療法を併用する。

3　不登校

不登校は，先進諸国に共通する問題であり，日本の小児科一般診療において散見される精神保健疾患の一つである。文部科学省は，不登校を「何らかの心理的，情緒的，身体的，あるいは社会的要因・背景により，児童生徒が登校しないあるいはしたくともできない状

トラウマ・インフォームド・ケア

トラウマ・インフォームド・ケアとは，その人が体験したトラウマとなる出来事やトラウマ反応について十分理解することによってシステム全体の変革を目指すケアのことをいい，精神保健の領域のみならず，医療・教育・福祉・司法など様々な領域においてトラウマを念頭においた支援を行う。短絡的に問題行動を減らそうとするのではなく，背景にあるトラウマを理解する。支援者とサバイバー双方の身体面・心理面・感情面の安全が重視され，サバイバーがコントロール感を取り戻し，エンパワーされる機会を提供する。3つのE（①Event［トラウマとなる出来事］，②Experience［トラウマへの曝露体験］，③Effects［トラウマによる影響］）を念頭に，4つのR（①　Realize［理解する］，②Recognize［認識する］，③Response［実践する］，④Resist re-traumatization［再被害の予防］）をケアの前提とする。

況にある者（ただし，「病気」や「経済的な理由」によるものをのぞく。）」と定義している。不登校児童の割合は，小学校から中学校にかけて学年の上昇とともに増加していく傾向にある。不登校の要因として，小学生では「家庭にかかわる状況」が，中学生では「友人関係」が多くみられる。

家庭にかかわる状況として，精神不安定な家族の存在，家庭機能不全などによって家を離れることが不安となったり，家庭内暴力を起こして引きこもる場合もある。思春期に向かうにつれ体内のホルモン動態が急激に変化するなか，集団や対人関係に対して不安や不快感を感じる小児も多い。また，幼稚園から小学校，小学校から中学校という環境の劇的な変化にとまどったり，大人の理不尽なかかわりに納得がいかずに不登校となる小児も少なくない。

▶ **症状・治療**　不登校の初期症状として，腹痛・下痢・頭痛・睡眠障害などの身体症状を認めることが多い。診療においてはていねいに身体診察を行ったうえで，小児と家族へのていねいな問診を行っていく。小児は病院を受診できずに親のみが受診する場合もある。その場合には親へのカウンセリングを根気強く継続していくことで家庭機能が改善した結果，小児が安定し，再登校につながることもある。不登校の小児の背景には不安・うつ状態を認める場合も多く，適切な介入が必要となる。登校を再開するにあたっては，学校と家庭が連携して小児に対する最善の配慮をし，無理がなく安心できる環境・ペースで臨む。

2. 分離不安障害

分離不安障害は，よくみられる小児期の不安障害の一つである。分離不安は，生後10か月頃から18か月頃までにみられる小児の正常な発達上の症状だが，以降徐々に一時的な親の不在を受け入れられるようになる。分離不安障害では，ふだん一緒にいる家族から離れることに対し，非現実的かつ継続的に心配をする。その結果，不登校に至る場合も多い。分離不安障害の小児の母親の背景には，不安障害・うつ状態などがみられることが多く，問診による家族歴のスクリーニングが必要である。

3. 適応障害

適応障害では，ある特定の状況や出来事が耐え難く感じられ，そのために憂うつになったり，不安・怒り・焦り・緊張などの気分の症状，学校を欠席する，攻撃的になるなどの行動を認める。小児においては赤ちゃん返りがみられることもある。適応障害ではストレス要因から離れると，症状は改善する。

4. 解離性障害

人の記憶や感覚，知覚や自我は本来1つに統合されている。**解離性障害**は，過去の記憶の一部が抜け落ちたり，知覚の一部がなくなったり，感情が麻痺(まひ)するなどの症状を認め，日常の生活に支障をきたすような状態をいう。背景にはストレスや心的外傷が関係しているといわれており，心的外傷には災害・事故・暴行や虐待（特に性的虐待）・長期にわたる監禁や戦闘体験などがある。それらの耐え難い体験から自分を守るために，精神の機能の一部を停止させる。

▶ 治療　治療の基本は，家族と連携し安心できる治療環境を提供することである。

5. 身体表現性障害

身体表現性障害は，DSM-5 では身体症状症および関連症群（somatic symptom and related disorders）とよばれるようになった。患児は，苦痛を伴い，日常生活に著しい支障をきたす身体症状や訴えをもつが，身体所見が不十分であることが特徴である。背景には心理学的要素があり，心の苦痛から自らを守り，その代わりに身体症状が出現する。リスク要因として，家族や社会からの過大な期待や家族機能不全，家族や近しい人の病気などがある。

▶ 症状　**身体症状症**は，痛みや胃腸症状などの身体症状を認めるもので，**変換性／転換性障害**は，機能性神経症状症ともよばれ，運動・感覚に関する症状（歩けない，見えない，聞こえないなど）や，痙攣（けいれん）（偽発作），意識障害，声が出ないなどの症状を認める。

▶ 治療　家族は身体疾患の存在を強く信じている場合が多い。家族歴，成育歴，小児の気質について十分に聴取し，身体所見をていねいにとったうえで，診断を確定し，家族へのていねいな説明を行い，治療への協力を得る。家族機能不全への面接によるアプローチ，小児への心理的介入を行い，小児が身体症状ではなく，自分の気持ちを感情や言葉で表現できるよう促していくことが重要である。

E 生理的障害・身体的要因に関連した障害

1. 摂食障害（eating disorder）

摂食障害は，身体機能に深刻な障害を引き起こし，死に至る可能性もある重症な心身症の一つである。現代のスリム指向や学歴志向などの社会的環境要因・夫婦の不和・嫁姑問題などの家族機能障害による心理的要因・本人の気質的要因などの様々な要因が絡み合って発症する。強迫性障害・人格障害・うつ病などほかの精神疾患の合併を認めることもある。

1　神経性食欲不振症（anorexia nervosa）

神経性食欲不振症は，心のストレスによってやせを呈する疾患である。食べない，吐く，下剤を用いる，過度の運動をするなどして意図的にやせを呈する場合と，ストレスにより食べ物がのどを通らない，食べられない結果やせに至る場合とがある。

DSM-5 の診断基準は，①必要量と比べてカロリー摂取を制限し，年齢･性別･成長曲線･

身体健康状態に対して期待される最低体重を下回る有意に低い体重に至る，②有意に低い体重であるにもかかわらず，体重増加または肥満になることに対する強い恐怖，または体重増加を妨げる持続した行動がある，③自分の体重または体型の体験のしかたにおける障害，または現在の低体重の深刻さに対する認識の持続的欠如，となっている[2)]。

▶ **症状**　体重減少は大別して，体重が①成長に応じて増加せずに停止する，②緩徐に減少する，③急激に減少する，という3つのパターンがある。特に①・②は，横軸に年齢，縦軸に身長，体重をプロットした小児成長曲線を作成することによって早期発見をすることができる。

体重減少は，身体機能に深刻な影響を引き起こす。脳容積は萎縮し，認知機能のゆがみ・思考力の低下・麻薬様物質エンドルフィンの分泌によるダイエットハイを呈する。心臓容積の縮小による心機能の低下・甲状腺機能の低下・自律神経機能異常（副交感神経優位）による徐脈・低血圧を呈する。生殖器（子宮・卵巣・男性における性腺機能）機能は低下し，女性においては月経停止を認める。長期の性腺機能障害は，不妊症のリスクにつながる。そのほか，体毛の増生・便秘・電解質異常など多彩な身体機能障害を呈する。

▶ **治療**　重症のやせでは身体回復に長期間を要する。まずからだをしっかりと休ませ，身体機能の危機を脱することから始まる。その間に家族面接を行い，家族機能不全の治療を併行して行う。小児の身体機能が回復し，本音を言い合える健全な家族機能を取り戻した段階で慎重に社会復帰を目指す。

2　神経性過食症

神経性過食症は，心のストレスによって過食を呈する疾患である。DSM-5では，①反復する過食エピソードを認める，②体重増加を防ぐための反復する不適切な代償行動（例：自己誘発性嘔吐・緩下剤・利尿薬の乱用・過剰な運動）を認める，③過食と不適切な代償行動が3か月にわたって少なくとも週1回起こる，④自己評価が体型および体重の影響を過度に受けている，⑤神経性食欲不振症のエピソードの期間のみに起こるものではないとされる[3)]。神経性食欲不振症が難治化すると，のちに神経性過食症を合併する場合が多い。

2. 睡眠障害

小児の**睡眠障害**の要因には，年齢に適切ではない睡眠時間や必要とする睡眠時間の多さ（睡眠量の問題）と，途中覚醒や睡眠リズムの乱れ（睡眠の質の低下）がある。これらは，寝付きの悪さや睡眠の持続困難など小児の個々の素因もあるが，生活環境（多忙な生活，夜更かしなど）や体調（過労）により起きるものがあり，これらは，就寝・起床時間の設定や生活環境の調整によって改善し得る。就学前から小学校低学年にかけては，この年齢に徐波睡眠段階が多いことより睡眠時遊行症や睡眠驚愕症といった部分的覚醒を伴う睡眠時随伴症を認めることがある。そのほか，上気道の解剖学的あるいは機能的狭窄によって起こる閉塞性睡眠時無呼吸（obstructive sleep apnea；OSA）や，思春期の自律神経機能異常による睡眠相後退症候群，日中の過度な眠気により機能的な問題が生じるナルコレプシーなどがある。

F 小児・青年期の代表的な精神・心身医学的疾患

1. 知的障害（精神発達遅滞）

精神発達遅滞は，現在では**知的障害**とよばれる。18歳以前に発症し，標準より極めて低い知的機能，重度な適応機能障害を呈するものをいう。重症度はIQスコアにより分類される（軽度：IQ 50～55からおよそ70，中等度：IQ35～40からおよそ50～55，重度：IQ20～25からおよそ35～40，最重度：IQ20～25以下）。軽度知的障害は遺伝的素因や社会経済学的要因によるものが多い。重度知的障害は生物学的要因によるものが多く，それらには染色体異常（例：ダウン症候群）やそのほかの遺伝的障害（例：脆弱（ぜいじゃく）X症候群），脳発生異常（例：滑脳症），先天性代謝異常や先天性神経変性障害（例：ムコ多糖症）などがある。個々の小児の特性をよく理解し，医療，教育，行政など地域社会の連携により小児とその家族を継続的，包括的に支援することが重要である。

2. 選択性緘黙（場面緘黙）

選択性緘黙（かんもく）は**場面緘黙**ともいわれる。家庭では正常に話すことができるが，話すことが期待されている特定の社会的場面（学校など）において話すことができなくなることをいう。根底には家族への葛藤などによる強い不安があり，その不安を緘黙という症状で表している。家庭以外の場で会話によるコミュニケーションができないため，孤立しがちで，学習面においては成績不振となることが多い。

▶ **治療**　緘黙症状のみに焦点を当てるのではなく，家族療法や遊戯療法により不安を和らげることが重要である。

3. 発達性協調運動障害（運動能力障害）

運動能力障害は，DSM-5では**発達性協調運動障害**としている。知的能力が正常で，運動に影響を与えるような神経疾患がないにもかかわらず，運動を行うことが年齢や機会において明らかに劣っている。生活場面において不器用であったり，はさみを使う，自転車に乗る，スポーツに参加するなどがうまくできず，日常生活や学校生活，遊びにおいて大きな妨げとなる。

家族や学校が小児の状況をよく理解し，楽しんで動けるような環境への配慮が大切である。

4. コミュニケーション障害

コミュニケーション障害とは，コミュニケーションの障害により，学業，職業，対人的コミュニケーションが妨害される状態のことをいう。言語障害は，言語の習得および使用が困難で語彙が少なかったり，意味のある文章を組み立てることに支障がある。語音障害は，言語的なコミュニケーションによる意思伝達を阻むような語音の表出が妨害される障害である。小児発症流暢障害（吃音）は，話し言葉の流れが不随意に中断されることを特徴とする。社会的コミュニケーション障害は，言語的・非言語的コミュニケーションを社会で使用することが妨害される障害である。いずれも，小児発達期の早期より出現し，聴覚そのほかの感覚障害や，知的能力障害・神経障害・全般性発達遅延などによらない。

▶ **治療**　家族指導を含めた言語療法や，吃音の場合にはどもることに対する不安や緊張を伴っていたり，抑うつ的となることもあるため，心理的介入が有効な場合もある。

5. チック障害

チック障害とは，抑制しにくいが，しばらくの間は抑えることのできる突発性・急速性・反復性・非律動性・常動性の運動または発声のことである。ほとんどが小児期に発症する。

チックは，睡眠時にはほとんどみられず，心理的ストレスによって悪化しやすい。ドパミン・セロトニンおよびノルアドレナリンなど神経性伝達物質系の異常や自己免疫性機序がチックの要因に寄与していると考えられている。運動性チックは，顔・首・肩・胴・手などの筋肉に起こり，単純性チック（まばたき，首振り，肩すくみ，鼻を鳴らすなど）と，複雑性チック（顔をゆがめる，身づくろいなど）に分類される。チック障害では，強迫症状・注意欠陥・多動・衝動性・不安・抑うつなどを伴いやすい。

1　一過性チック障害

一過性チック障害は，4週間以上1年未満の運動性チックや音声性チックを認めるものである。

2　トゥレット症候群

トゥレット症候群は，数種類の運動性および音声性チックの病歴をもつことを特徴とする。多くにおいて複数のチックや，ほえる，うなるなどの複雑な発声を認め，汚言（卑猥な単語を発声する：コプロラリア）は約10％にみられる。数種類の運動性および音声性チックが1年以上続くこと，チックがみられない期間が3か月以上続かないこと，医学的病因がないことが診断基準である。

▶ **治療**　一過性チック障害は自然に消失するため，病態への理解を家族に促し，小児の症状に対して寛容になり，心理的ストレスを軽減することが重要である。チックが社会生活の重大な妨げとなっている場合には，チック症状を軽減するための薬物治療を行う場合もある。

6. 排泄障害

排泄障害は，意図的であってもなくても，不適切な場所に繰り返し排泄をする障害である。**遺尿症**（enuresis）は5歳以上，遺糞症は4歳以上とされる。遺尿症は，目が覚めている間に起こるお漏らし（**昼間遺尿症**）と，睡眠中に起こる**夜尿症**がある。遺尿症の要因は，心理社会学的ストレス（心的外傷・家族の問題など），家族性，尿路異常，神経因性膀胱，身体疾患（尿路感染症，慢性腎疾患，糖尿病，二分脊椎など），薬剤性，抗利尿ホルモンの分泌低下など様々であり，その要因に応じた対応を心がける必要がある。遺糞症は，緩下剤などの使用や，便秘をきたす機序以外の全身性疾患のみによる場合を除外する。便秘と溢流性便失禁を伴う便秘型遺糞症と，これらを伴わない非便秘型遺糞症がある。遺糞症の要因は，胃腸の運動感覚異常，遺伝的素因，発達遅滞，心理社会学的要因（食習慣，トイレ習慣，家庭機能不全など）がある。

▶ 治療　便秘型においては，宿便を取り除き，緩下剤を用いて排便を促し，以降は適切な食習慣，トイレ習慣を心がけるよう指導する。心理社会学的要因として家族機能不全があると考えられる場合には，家族療法などの適切な介入を行う。

7. 愛着障害（attachment disorder）

愛着（attachment）とは，乳幼児が養育者から心地良さ，情緒的なケア，安全を探し求める人間の生得的傾向であり，小児の健全な成長発達や人格形成に必要不可欠な要素である。親との間において健全な愛着形成が困難であると**愛着障害**が起こる。回避型愛着は，ストレス下においても母親に対して愛着を示さない。母親は小児の否定的な感情に反応しなかったり，小児に対して支配的であったりする。抵抗型愛着は，ストレス下において母親に接触を求めると同時に抵抗するなど不安定な状態となる。母親は小児に関する関与が不足している。混乱型愛着はストレス下において母親に接する際に非常に動揺し，混乱し，見知らぬ者に対しても愛着行動を示す。母親は予測不能で敵対的であり，自身の未解決のトラウマを抱えていることが多い。愛着障害は落ち着きのなさやコミュニケーション上の問題を呈することから，発達障害との鑑別に注意が必要である。愛着障害は，母親自身が自らの実母との関係において愛着障害が認められ，世代間伝達すると考えられている。治療においては，親の成育歴や家族機能をていねいに聴取し，親のトラウマを共に振り返るなどのカウンセリングを行う。また母子の関係性改善にはプレイセラピーの導入などが有効である。

8. 性別違和（gender dysphoria）（性同一性障害［gender identity disorde］）

性同一性障害は，DSM-5において**性別違和**とされた。からだの性と心の性が一致せず，自分のからだの性に違和感をもつことをいう。体験される性別は，男女が反対となるのではなく，指定された性別と違うものであればよい。指定された性別の衣服を身に着けることに強い抵抗を感じたり，遊びにおいて反対の性別を演じることを望む，自分の性器の構造を強く嫌がるなどの特徴をもち，その状態によって苦痛を感じ，社会，学校などの場において不具合が生じる。最近では，その人の性的指向，性の自認を尊重され，自分らしく生きることのできる柔軟な社会の必要性が高まりつつある。

G 人格・行動障害

1. 非行

思春期・青年期において社会の決まりなどにそむく行為，法律違反およびその潜在的可能性をもつ行動をいう。非行少年とは，少年法上，①犯罪少年（刑罰法令に触れる行為をした14歳以上20歳未満の少年），②触法少年（刑罰法令に触れる行為をした14歳未満の少年），③虞犯(ぐはん)少年（将来刑罰法に触れる行為をするおそれのある少年）のことを指す。初発の非行は，万引きほかの窃盗などが多い。さらにエスカレートすると，暴行・傷害，横領，強制わいせつ，殺人・強盗・強姦に至る。非行の背景には，家庭内の暴力・虐待などが存在する可能性が高い。思春期・青年期は心の発達段階にあるために的確な判断が困難であることや，それぞれの環境を考慮し，社会の健全な支援が重要である。

2. パーソナリティ障害

1 境界性人格障害

境界性人格障害は，対人関係・自己像・感情などの不安定性および著しい衝動性を特徴とする人格障害である。思春期後期以降に発症する。自己破壊的な行動や他者への攻撃，不安定な感情が揺れ動くなどの症状を呈し，その人格改善の治療には長い時間を要する。摂食障害との合併が多くみられる。

3. 習癖異常

習癖異常とは，反復的で駆り立てられているようにみえる外見上無目的な運動行動（例：手を振る，からだを揺する，自分を叩く，自分をかむなど）によって社会的・学業的，またはほかの活動が障害される状態をいう。発症は小児発達期早期であり，発達遅滞児・発達障害児により多く認められる。

4. 虐待

児童虐待（child abuse）は近年，不適切な養育（maltreatment）という概念が定着しつつある。つまり，弱者に対するあらゆる形式の暴力的行為，脅し，無関心である。日本では

表4-22 虐待の種類

種類	例
身体的虐待	暴力（殴る・蹴る・つねる・火傷を負わせる）
性的虐待	性的行為を強要する・性的行為や写真などを見せる・性的な写真や映像を撮影する
心理的虐待	罵る・脅す・経済的虐待を行う・DVを行う
ネグレクト	食事や衣服を与えない・適切な医療を与えない・親がいない
代理によるミュンヒハウゼン症候群	小児に病気をつくり面倒をみることにより親自身の心の安定を図る

2000（平成12）年に児童虐待防止法が施行され，虐待に関心の目が向けられるようになった。児童相談所への相談件数は増加の一途をたどっており，20年間で10倍以上（2017［平成29］年，約13万件）となっている。児童虐待防止法第2条「児童虐待の定義」では児童虐待を，①身体的虐待，②性的虐待，③ネグレクト，④心理的虐待と定めた（表4-22）。

①**身体的虐待**：児童のからだに外傷が生じ，または生じるおそれのある暴行を加えること

②**性的虐待**：児童にわいせつな行為をすること，または児童をしてわいせつな行為をさせること

③**ネグレクト**：児童の心身の正常な発達を妨げるような著しい減食または長時間の放置そのほか保護者としての監護を著しく怠ること

④**心理的虐待**：児童に著しい心理的外傷を与える言動を行うこと

性的虐待は，家族内で起こることも，他者によって突然被害を受けることもある。その被害は身体的にも心理的にも侵入的かつ非常に深刻であり，トラウマからの回復には長期間を要し，被害を受けた小児の人権が守られるための繊細な配慮とケアが必要である。

心理的虐待のうち，小児の前で行われる暴力を**ドメスティック・バイオレンス**（domestic violence；DV）といい，近年増加傾向にある（本節-G-7「ドメスティックバイオレンス」参照）。そのほか，**代理によるミュンヒハウゼン症候群**のように小児に病気をつくり，かいがいしく面倒をみることにより親自身の心の安定を図るといった特殊型の虐待がある。

虐待の背景には，家族の孤立化・貧困・IT化によるコミュニケーションの変化などの社会的問題がある。乳児を育てる母親がわが子の泣き叫ぶ姿に向き合うことによって，母親自身の育ちにおけるつらかった体験がよみがえり（フラッシュバック），不安や嫌悪感やいら立ちを感じる（フライバーグ［Fraiberg S.］による**赤ちゃん部屋のお化け**；ghosts in the nursery）。その葛藤がいよいよ極限に達したときにわが子に手をあげる。虐待死が1歳以下で最も多い理由である。虐待は，親自身が成育歴において被虐待体験をもつ場合が多く，虐待は世代間伝達していく可能性が高い。その連鎖を断ち切るため，親の子育てにおける苦しみを理解し，寄り添えるような社会体制の確立が急務となっている。病院は，小児や親が虐待の悪循環から救ってほしいというサインを出し，助けを求めにくる可能性の高い場所である。病院は虐待防止委員会を設置し，小児の安全を第一に守り，さらに子育てに困難を感じる親を支えるために，行政・福祉・養育・教育機関と柔軟に連携し，家族全体を支えて

いくことが重要となる。

5. 薬物依存・乱用

薬物乱用は，社会規範から逸脱した目的のために薬物を自ら使用することをいう。未成年者においては，飲酒・喫煙(きつえん)は法により禁じられているため，1回の使用も乱用となる。そのほか，覚せい剤，麻薬（コカイン，あへん，ヘロイン，LSD，MDMAなど）は自己使用そのものが法律によって禁止されている。**薬物依存**は，薬物の効果が切れてくると薬物が欲しいという強い欲求がわき，その欲求をコントロールできずに薬物を用いる状態をいう。依存には**身体依存**と**精神依存**がある。薬物依存に基づく薬物乱用の繰り返しの結果，**慢性薬物中毒**に至る。

治療は，まず薬物の使用を断ち，欲求に打ち勝ちながら再使用しないようコントロールを続けることである。持続するためには認知行動療法を取り入れた治療プログラムで体系的に習得していく方法や，自助活動への参加などの方法がある。

6. 家庭内暴力

家庭内暴力は，小児が家庭内で暴力を引き起こすことを指す。小児は両親やきょうだいに対し，暴力を振るう，暴言を吐く，物を破壊するなどの行動を起こす。背景には，両親の不和や父親不在による父性の欠落などがある可能性が高く，両親が家庭生活をよく振り返り，家庭機能を改善することが重要である。

7. ドメスティックバイオレンス（domestic violence；DV）

ドメスティックバイオレンスは，家庭内，両親間における身体的・精神的暴力のことを指す。両親間に起こる暴力は，結果として，小児がその暴力を見る，聞くという形で曝露(ばくろ)されることとなり，このことを**面前DV**という。暴力・暴言への曝露体験は，脳の視覚野や聴覚野に影響を及ぼし，視覚障害や聴覚過敏を生じさせるほか，感情や認知機能へも悪影響を及ぼすなど，身体的虐待よりも深刻な後遺症を残すことがある。さらに両親間の暴力を見聞きして育つことにより暴力は常習的なものとして認知され，大人になった際に被害者から加害者へと移行する可能性がある。DVが改善されない場合には，小児を暴力に曝露させない新たな環境を提供することを最優先に考えるべきである。

XVI 神経発達症群（神経発達障害群）

神経発達症群は，乳幼児期から神経系の発達の遅れや偏りを認める疾患群であり，人や社会との関係，学校生活における機能の障害をきたすものである。有病率は約6.5％とされ，背景に遺伝要因および環境要因による脳機能不全があると考えられている。神経発達症群に共通する特徴として，①症状が年齢とともに変化する，②環境や養育などによって適応の程度に幅が生じ得る，③それぞれの特性はスペクトラムである，④診断には至らないが同じ特性をもつ小児が多く存在する，⑤互いに併存することが多い，があげられる。

自閉症スペクトラム障害（autism spectrum disorder；ASD，自閉スペクトラム症）

1. 概念

自閉症スペクトラム障害は，これまで「自閉症（自閉性障害）」「アスペルガー症候群」「特定不能の広汎性発達障害」と診断されてきたものがDSM-5からひとまとめにされることとなった疾患概念である。有病率は1.5％程度とされる。

2. 症状

次の①～③の症状を呈する。

①人に関心をもち，気持ちや興味を分かち合うことの障害。人と接する際に異常に近づいたりすることがあり，普通の会話のやりとりが難しいもの。

②言葉や身振りを使って人と意思や考えを伝え合うことの障害。言葉を覚えてもコミュニケーションのために使われることが少なく，おうむ返しが多い。

③遊びや興味が極端に限定されている。こだわりが強く，からだの動きや遊び方が反復的・儀式的である。

3. 臨床経過

1 幼児期

1歳前より，「視線が合いにくい」「人への関心が乏しい」「真似をしない」などの特性を認める。指示に従えずに動き回ったり，自分の興味があることのみに没頭したりする。いつもと違う状況があると不安のためパニックになることもある。人よりも，数字や電車などの物に興味を示しやすい。

2 学童前期（6～9歳）

少しずつ周りを意識して行動できるようになるが，一部では落ち着きのなさが続く。またマイペースのため，友達などとのやりとりが一方的になりやすいことがある。

3 学童後期（10～12歳）

周りに目を向けることができるようになり，集団から極端にはずれることが減る。一方で，対人面や行動面で定型発達児との差がつきやすい時期でもある。話題を共有したり，周りをみて自分を抑えたりすることが難しいため，孤立し，いじめの対象となることがある。周りに対して敏感になり，被害意識をもちやすくなる。

4 思春期（13～18歳）

一見会話ができているようでも，実は言われたことを十分に理解できていないことがある。周りよりも不器用で劣っていると感じ，劣等感を抱きやすくなる。これまでの環境の不適応などによって，気分障害，統合失調症様症状，強迫性障害などの2次障害を認める場合がある。

4. 併存症

1 注意欠如・多動症／注意欠如・多動性障害（ADHD）

ASDの併存症としては最も頻度が高い。ASDの中核症状よりもADHD症状のほうが生活に大きな支障をきたしている場合があり，その際はまずはADHD症状を治療の対象とすることがある。

2 睡眠障害

多くのASD児（50～80%）が睡眠に問題を抱えている。睡眠覚醒リズムの障害や入眠困難・睡眠維持困難・早朝覚醒などを認めることが多い。

3 そのほか

てんかん，知的発達症，限局性学習症（specific learning disorder；SLD），発達性協調運動症，チック症，トゥレット症，回避的・限定的摂食障害，消化器症状（下痢や便秘），統合失調症，抑うつ症候群など。

5. 治療・支援

ASDの治療と支援の目標は，小児が本来もつ能力を最大限に伸ばすこと，自立を促すこと，小児自身と家族のQOLの向上である。

1 構造化

❶物理的構造化

その場所が何の活動をするところであるのかがわかりやすいよう，家具やついたてなどを用いて仕切り，環境を整える。また，次は何の活動をするのかを理解することで，安心して活動できる場合があるため，スケジュール表を絵や写真，文字を用いて作る。

❷ワークシステム

どんな活動をどのくらいの時間・量でするのか，その活動はいつ終わるのか，終わった後は何をするのか，何をしてもよいのか，ということを初めに伝える。

❸視覚的構造化

目で見た情報は理解しやすいことが多いため，日常の活動，作業についても，目で見てすぐにわかる手順書があると，安心して活動を行うことができる。

2　学校の環境調整と情報共有

これまでの治療や支援のなかで有効であったかかわりや方法を共有し，学校で応用していくために連携する。

3　トークン・エコノミー法

目的の行動を促すための行動療法。活動への動機づけとして，適切な反応や行動に対してトークン（シールなどの代用貨幣）を報酬として与え，それがたまるとお菓子などがもらえたり，好きな活動ができたりする。活動を通じて小児が成功体験を重ね，周りの大人が小児をほめる機会を増やすことも目的である。

4　家族の支援

家族がこれまで小児の症状や問題をどのようにとらえ，対応してきたかを聞き取り，苦労をねぎらう。家族の不安が問題を複雑化させている場合，家族の話をしっかり聞くことで不安が軽減し，小児の症状の軽減につながることもある。

B　注意欠如・多動症／注意欠如・多動性障害（attention-deficit／hyperactivity disorder：ADHD）

1. 概念・病因

注意欠如・多動症／注意欠如・多動性障害は，不注意と多動性・衝動性を認め，それが社会生活の支障となるほどに重度であるものである。男女比は2：1程度で男児に多い。有病率は小児の約5%である。神経伝達物質であるドパミンの作用が不足していることが原因としてあげられているが，これらの生物学的要因に加えて，環境の要因が複雑に影響し合っているものと推測されている。

2. 症状・診断

1 症状

❶不注意

不注意な間違いをよくする，集中力がなく気が散りやすい，話しかけられたことに気づかないことがある，指示に従えない，計画的に活動することができない，勉強や宿題など努力を要する活動をやりたがらない，必要な物をよくなくす，忘れっぽい，などである。

❷多動性･衝動性

手足をそわそわさせる，着席し続けることが難しい，不適切な状況で走り回る，静かに活動することができない，しゃべり過ぎる，質問が終わる前に答えてしまう，順番を待てない，他者を妨害したり邪魔したりする，などである。

2 診断

ADHD症状が少なくとも6か月以上にわたり認められている，またその症状の程度が社会生活，学校生活，または職業生活に支障をきたしているほどである場合，症状が12歳以前から，複数の場面において認められている場合に診断される。特徴の現れ方から，「不注意優勢状態」「混合状態」「多動性・衝動性優勢状態」の3つのタイプに分類される。ADHDの症状は，小児の一般的な特性の延長上にあり，異常と正常に明らかな境界がないことに注意を要する。

3. 臨床経過

1 乳幼児期

乳幼児期は，不注意よりも多動性・衝動性が目立つことが多い。「動きが多くて追いかけるのが大変」「気になるものがあると飛び出す」などの行動がみられる。不注意症状としては，「自分が気に入った遊びに対しては非常に集中する」などが認められる。

2 学童期

「授業中に歩き回る」「指名される前に発言してしまう」などの多動性・衝動性の行動がみられる。多動性が落ち着いた頃には，忘れ物が多い，整理整頓ができない，などの不注意症状が明らかになる。注意されることが増えてくるため，自己肯定感が失われ，2次的な情緒障害を認めるようになることがある。

3 青年期以降

多動性・衝動性は目立たなくなるが，不注意の症状は持続することが多い。「時間の管理ができない」「順序立てての作業が難しい」などの症状がみられる。周りからは「なまけている」などの評価をされることが多く，自尊心が下がる。気分障害やネット・ギャンブル依存となるリスクが高い。

4. 鑑別診断・併存症

身体疾患である甲状腺機能亢進症（こうしん）・てんかん・脳腫瘍（のうしゅよう）・食物アレルギーなどに合併することがある。また，アルコール依存や反社会性パーソナリティ障害，不安障害などの精神障害の併存が多い。虐待に伴う反応性アタッチメント障害もADHDと類似した症状を認めることがある。

5. 治療・支援

治療目標はADHD症状をなくすことではなく，症状の改善により学校や家庭での不適応状態が改善し，ADHD症状を受け入れられるようになることである。

1 心理社会的アプローチ

❶環境調整

「落ち着いて集中しやすい環境をつくる」「短くわかりやすい指示を出す」「ルールを図にかいて示す」など。

❷ペアレントトレーニング

親が「ほめる」「小児の行動を理解する」「小児への指示のしかたを学ぶ」など環境調整やかかわり方の工夫を学ぶ。

❸ソーシャル・スキル・トレーニング

状況に応じた適切な行動がとれるように，対人関係の技能・社会のルールやマナーを学ぶ。感情や行動をコントロールする方法を身につける。

2 薬物療法

薬物療法により，行動や学習への姿勢，人とのかかわり方などに大きな変化が現れることがある。メチルフェニデートやアトモキセチンが主に使用される。また症状に合わせて抗うつ薬や抗精神病薬，抗てんかん薬などが使用される。

C 限局性学習症（specific learning disorder：SLD）／限局性学習障害

1. 概念・病因

限局性学習症は，知的障害はないが，読字・書字・算数の一部，あるいはすべてにおいて，不自然に困難さを認める状態である。有病率は5～13％程度とされ，男：女比は2～3：1である。読字および書字の障害には，遺伝性が強く示唆されている。

2. 症状

1 読字障害

文字や文章を読むことに困難がある状態。「音読がスムーズにできない」「漢字を見分けることが難しい」「文章の意味の理解が難しい」などの症状がある。

2 書字障害

文字や文章を書くことに困難がある状態。「文字のバランスをとることが難しい」「間違いが多い」「書き写しの速さが著しく遅い」などの症状がある。

3 算数障害

算数の問題を解くことに困難がある状態。「数の概念の理解そのものが難しい」「数学的な考えの組み立てが難しい」などの症状がある。

3. 治療・支援

早期発見と特別な配慮が重要である。どのようなことでつまずいているかを理解し，その部分に負担をかけないようにほかの方法を見つけていく。IT機器を利用することで，書字や計算の苦手さは，かなりの部分を補うことができる。学業や就労での挫折などから，自己評価が低い場合があるため注意を要する。

XVII 外傷・小児救急

A 外傷

不慮の事故は，小児の死亡原因として，すべての年齢層において上位を占めている（表4-13参照）。不慮の事故の内訳（表4-23）としては，0歳児では窒息が大半であり，看護を通じた予防という点で特に重要である。1～14歳では交通事故および溺水が多い。交通事故による外傷には，本項で取り上げる頭部外傷，腹部外傷，骨折が含まれる。2022（令和4）年の人口動態統計では，10～14歳の死亡原因の第1位が自殺となっており，本項の主題とは離れるが，社会的な歪みを反映していると思われ，注目に値する。

表4-23 年齢階級別にみた不慮の事故による死亡の状況（2021年）

	0歳	1～4歳	5～14歳
総数	61	50	97
交通事故	1	12	37
転倒・転落	–	9	6
溺死および溺水	3	13	31
窒息	56	11	13
煙，火および火災	–	0	–
その他	1	5	9

資料／厚生労働省：人口動態統計．

1. 頭部外傷

▶ **特徴**　小児の頭部外傷の原因は交通事故が最も多く，次いで転倒・転落となる。小児の頭部外傷においては，受傷当初は明らかな症状がなくても，時間の経過とともに全身状態が変化し，重症化することがあるため注意を要する。

小児の頭蓋骨（とうがいこつ）は薄く，比較的軽い外傷でも骨折することがある。特に陥没骨折を生じやすく，直下の脳に挫傷を生じやすい。また，頭部軟部組織の損傷として帽状腱膜下血腫（ぼうじょうけんまくかけっしゅ）を生じやすい。外観の印象よりも出血量が多く，貧血を合併することがあり，注意を要する。後述のように，外傷の原因として虐待の可能性を常に念頭に置いて対応する必要がある。

▶ **救急診療におけるトリアージ**　小児の頭部外傷の救急診療においては，外傷の重症度を反映する意識レベルを正しく，経時的に評価して，その結果により適切にトリアージ（優先順位づけ）を行うことが重要である。意識レベルの評価に用いられる標準的なスケールには，**Glasgow Coma Scale**（**GCS**。**グラスゴー・コーマ・スケール**）や，わが国で長く使用されている簡便で実用的な**Japan Coma Scale**（**JCS**。**ジャパン・コーマ・スケール**）がある。

実際の救急診療の現場では，意識レベルに加えて呼吸状態や循環・血管の状態の評価結果も含めてトリアージを行うことが多い。

▶ **事故と虐待との鑑別**　頭部外傷の小児において，受傷原因が事故であるか虐待であるかを判断することは容易ではない。頭部外傷の程度や部位に加えて，ほかの外傷の有無や父母の態度などを総合して，慎重に推測する必要がある。

それでも，いくつか積極的に虐待を疑うべき所見が知られている。一つは，乳幼児期に生じた硬膜下血腫であり，乳幼児揺さぶられ症候群（shaken baby syndrome）として知られる虐待の形態を思い浮かべる必要がある。もう一つは，受傷時期の異なる複数の頭部外傷である。

▶ **虐待への対応**　被虐待児に対し救いの手が差し伸べられなければ，その5%は殺害され，25%は再び受傷して重篤な状態に陥るとの報告がある。虐待が疑われた場合には，頭部外傷への初期対応を行うとともに，多職種で構成される虐待対策委員会やこどもサポートチームなどの支援を得て，小児の安全確保に最大限努める必要がある。

2. 腹部外傷

▶ 特徴　**腹部外傷**は小児の外傷死の上位を占める。小児の腹部は実質臓器が占める割合が大きく，これを覆う筋肉や脂肪織が薄い。また，肋骨が柔軟であり，腹部臓器に外力が伝わりやすいことがその背景にある。

肝臓と脾臓（ひぞう）の損傷は出血性ショックをきたしやすいが，小児の出血に対する代償機能は優れている。したがって，腹部に打撲痕やシートベルト痕などを認める場合は，当初バイタルサインに大きな変動がなくても，経時的な観察が必要である。

▶ 事故と虐待との鑑別　小児の腹部臓器（肝臓・脾臓・消化管など）の損傷は，年長児ではシートベルト外傷や自転車ハンドル外傷が多いが，4歳以下の年少児では虐待を考慮する必要がある。

▶ 治療　現在，外傷への初期対応は「外傷初期診療ガイドライン日本版（Japan Advanced Trauma Evaluation and Care：JATECTM）」により標準化されており，小児の腹部外傷の初療もこれに準拠して行うことができる。

たとえば，肝外傷では，多くの場合保存的な治療が可能であるが，外傷死の三徴（低体温・代謝性アシドーシス・血液凝固障害）を示すような重症例では，速やかに外科手術を含めたdamage control 戦略が求められる。

3. 骨折

▶ 定義　骨折は，骨に直達外力や介達外力がくわわることで骨の変形や破壊など構造上の連続性が失われる状態を生じる外傷である。

▶ 特徴　小児の骨折には以下のような特徴がある。

①小児の骨には柔軟性があるため，成人の骨折とは異なり，骨折部が完全に離解せず，連続性を保ったまま骨折する不全骨折を生じることが多い（図4-85）。

②骨折後の骨の癒合が速い。

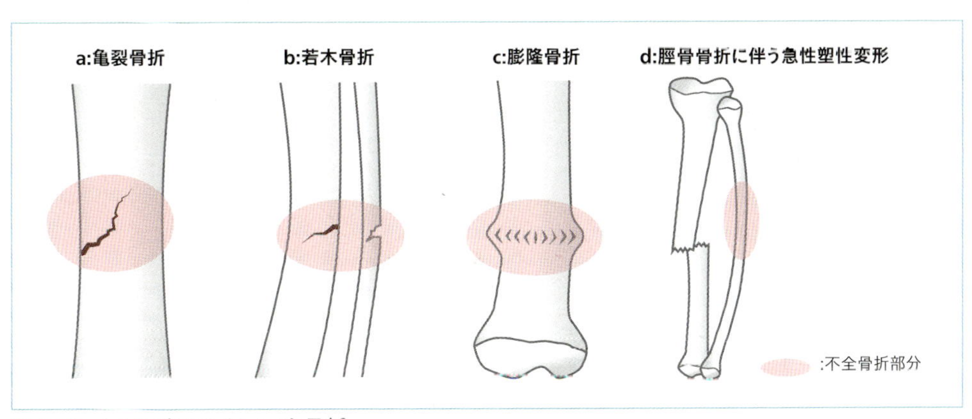

図4-85 小児に生じやすい不全骨折

③変形して癒合しても，ある程度は自家矯正が期待できる。

④骨が成長する部位の骨折（骨端線損傷）では，骨癒合後に骨の成長障害を生じる可能性がある。

▶ **小児の骨折の好発部位**　小児に多い骨折部位として，上腕骨顆上骨折（肘を伸ばして手をついた場合）などが知られている。

▶ **治療**　整形外科医や救急医が中心となり，骨折部位の固定・整復を行う。小児は成長に伴う自家矯正が期待できるため，年齢や部位によっては保存的療法が可能なことがある。

▶ **骨折の性質から虐待を疑うべき所見**　頭部外傷（頭蓋骨骨折）以外にも，骨折の性質から虐待を疑うべき所見が知られている。

一つは，長管骨の骨幹端損傷で，虐待の特異性が高いといわれている。特に虐待によって生じやすい部位は上腕骨近位と下腿遠位である。

もう一つは，乳幼児の大腿骨骨折である。小児の骨は脆弱である一方で，大腿骨などの大きな長管骨は，乳幼児の日常生活のなかで生じ得る転落では骨折を生じることはないと考えられる。

4. 熱傷

▶ **定義・分類**　熱傷とは，皮膚あるいは臓器組織への熱・放射線・化学物質などによる損傷である。熱をもつ気体・液体・固体に接触することによる温熱熱傷，酸・アルカリ性物質による化学熱傷，電流による電撃症，太陽光線などによる放射線熱傷（いわゆる日焼け）に分けられる。小児の熱傷は0歳後半～2歳に多くみられ，お茶などの熱い液体を誤ってかぶった，ストーブに触れたなど，家庭内で受傷した温熱熱傷が大半を占める。

▶ **症状・経過**　熱傷の症状や経過は，熱傷の深達度と面積によりその重症度が異なる。

図4-86に熱傷の深達度とその特徴を示す。熱傷面積の推定には9の法則（成人）や5の

熱傷深達度	外見	症状	瘢痕
Ⅰ度	軽度の発赤，充血	熱感，疼痛	残らない
浅達性Ⅱ度	発赤，水疱形成	強い疼痛，灼熱感	ほぼ残らない
深達性Ⅱ度	水疱形成（桃～白色）	知覚鈍麻	残る可能性あり
Ⅲ度	灰白色，壊死	無痛	残る

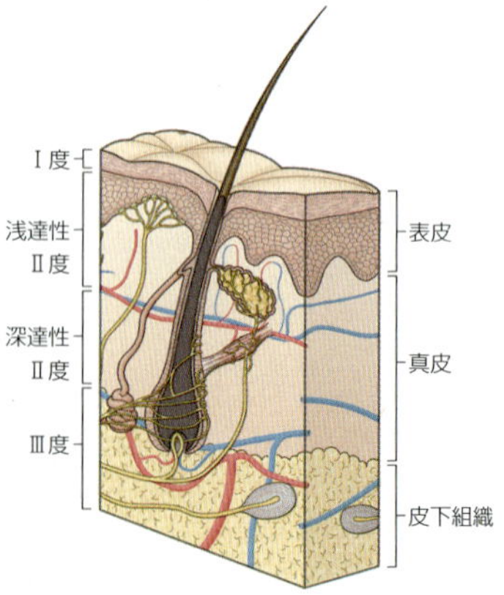

Ⅰ度
浅達性Ⅱ度
深達性Ⅱ度
Ⅲ度
表皮
真皮
皮下組織

図4-86　熱傷の深達度とその特徴

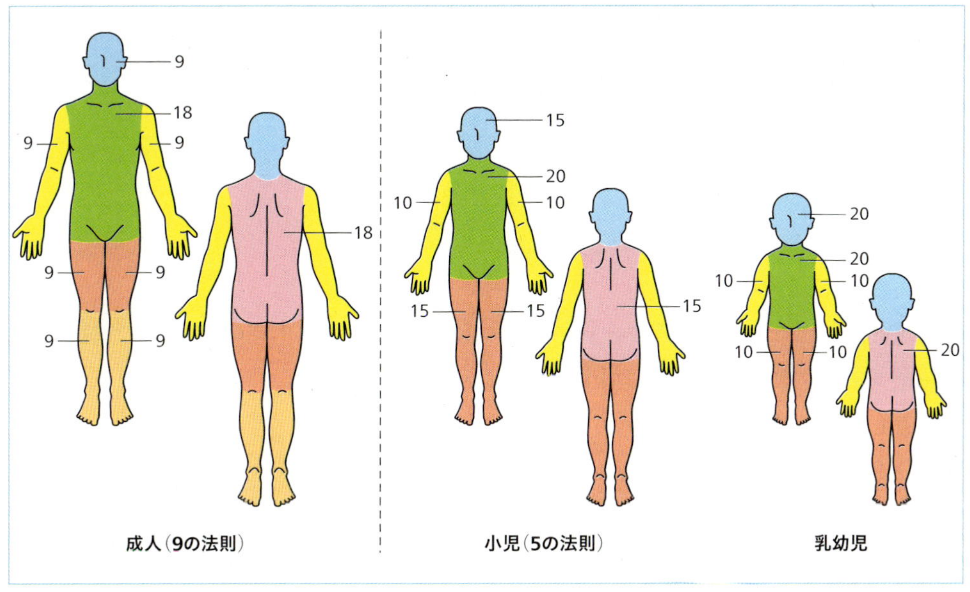

図4-87 熱傷面積の推定法

法則（小児）が有用である（図4-87）。

▶ **小児の熱傷の特徴**　小児の熱傷は，深部に至ることが多いこと，ショック・腎不全を合併しやすいこと，受傷後の低体温が多いこと，感染症などの合併症により重症化しやすいこと，などの特徴がある。

▶ **治療**　深達度Ⅱ度以上の熱傷が体表面積の10％を超える，深達度Ⅲ度の熱傷を含む，身体機能に影響を与える部位の熱傷の場合は，入院治療を要することが多い。気道熱傷が疑われる場合には，速やかに気管挿管（きかんそうかん）を行う。

▶ **看護の要点**　小児の熱傷の看護では感染予防が最も重要である。排泄（はいせつ）・食事・遊びの場面で創部が汚染される可能性がある場合には，汚染されないように保護するとともに，感染を初期段階で見つけることも大切である。また，小児が瘙痒感（そうようかん）のために患部を触ったり，傷つけたりすることで汚染されることもある。被覆・包帯・抑制などに工夫を要する。精神的なストレスの緩和にも努める必要がある。熱傷の要因として虐待の存在を念頭に置くことも重要である。

B 小児救急

1. 誤飲・誤嚥

▶ **定義**　誤飲は，危険性を認識できない小児が物質を誤って消化管に経口摂取することにより生じ，小児の救急診療において最も頻度の高い事故の一つである。表4-24に小児の誤飲において頻度の高い異物を示すが，日常生活の場にありふれたものが多い。

表4-24 小児の誤飲事故において頻度の高い異物

異物	割合	異物	割合
たばこ	20.2%	金属製品	5.8%
医薬品・医薬部外品	14.8%	硬貨	4.4%
プラスチック製品	9.9%	洗剤類	4.0%
食品類	8.4%	電池	3.2%
玩具	7.1%	化粧品・文具類	2.5%

資料／厚生労働省；2016年度家庭用品等に係る健康被害病院モニター報告.

誤嚥は，同じく危険性を認識できない，あるいは嚥下機能が不完全な小児が物質を誤って気道（喉頭，気管，気管支）に吸引することにより生じる。

▶ **病態生理** 薬毒物の誤飲については，本項-4-1「薬物中毒」を参照。

硬貨などの異物を誤飲した場合，解剖学的には，食道入口部，大動脈狭窄部，食道胃接合部あるいは胃内に停滞することが多い。図4-88に10円硬貨を誤飲した2歳児の例を示す。異物が幽門を通過すれば，多くの場合，便とともに排泄される。異物のなかでもボタン電池（特にリチウム電池）は組織障害性が強く，慎重な対応が望まれる。

ピーナッツなどの異物を誤嚥すると，気道の狭窄と炎症を生じる。狭窄の病像は異物の位置と大きさによって大きく異なる。異物が喉頭や気管にあれば吸気性の呼吸困難を生じ，完全閉塞に近ければ重篤な呼吸不全を生じる。異物が片側の気管支にあるときには，対側の気管支が正常であれば狭窄症状はあまり目立たない。しかし，異物の陥入が長期にわたると，チェックバルブ機構によりその末梢肺は過膨張になる。さらに，異物の陥入した気道粘膜には炎症が生じ，気管支炎・肺炎を生じる。

▶ **症状と治療** 異物の誤飲事故の多くは無症状で経過する。胃内に到達した異物の多くは便とともに排泄されるため，一般に予後は良好である。しかし，ボタン電池の誤飲（図4-89）や異物が喉頭に停滞して呼吸困難を生じているときなどは，内視鏡を用いた摘出など，迅速な対応が求められる。ボタン電池のほか，複数のマグネットや鋭利な異物，2週間以上停滞している異物などは消化管内視鏡による除去を考慮すべきである。

a：正面の胸部X線所見

b：側面の胸部X線所見

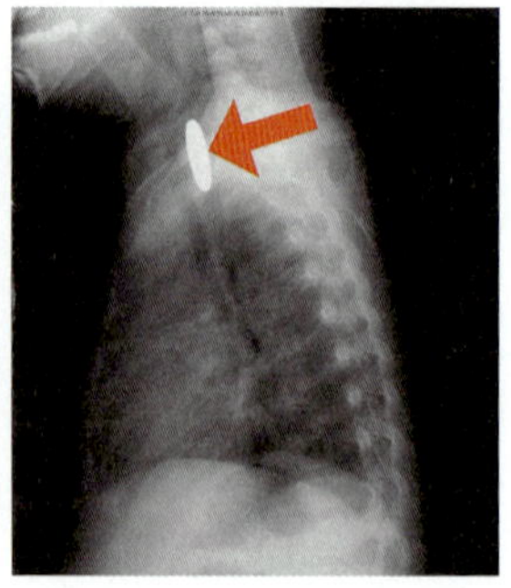

10円硬貨が食道入口部に停滞しているのがわかる。

図4-88 10円硬貨を誤飲した2歳児の胸部X線所見

a：冠状面の胸部X線所見

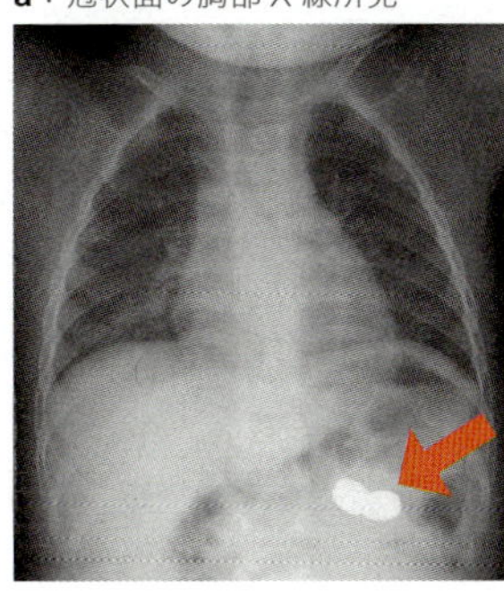

b：摘出されたボタン電池

X線所見には2つのボタン電池が写っている。

図4-89 ボタン電池を誤飲した1歳児の胸部X線所見と摘出されたボタン電池

誤嚥の典型的な症状は，エピソード時の激しいせき込みと喘鳴（ぜんめい）である。喉頭や気管の狭窄を生じた場合は吸気性喘鳴などが持続する。気道がほぼ完全閉塞しているときは，ハイムリック法を用いて異物の迅速な除去を試みる（第4編-第1章-Ⅵ「救急処置が必要な小児と家族への看護」参照）。一方，気管支異物では，エピソード後おおよそ30分以内にせき込みや喘鳴が目立たなくなることがあり注意を要する。内視鏡検査で気道異物が確認されれば，引き続き異物の除去を試みる。

▶ **診断における問診の重要性**　異物の誤飲・誤嚥いずれにおいても，その診断に問診が重要な役割をもっている。

誤飲については，誤飲の目撃情報がなくても，身の回りのものが紛失し，小児が誤飲したことが疑われる場合には，何を誤飲した可能性が高いのかを問診し，極力誤飲された可能性のあるものと同一のものを持参してもらうなど，診断への適切なアプローチをすることが求められる。

誤嚥に関しては，異物吸引のエピソードを訴えない場合であっても，原因不明の遷延（せんえん）する咳嗽（がいそう）や喘鳴がある時期から急に始まった例，同じ部位に反復する肺炎，過膨張や無気肺を呈する例では，吸引エピソードについて特異的な問診を行うことが重要である。

2. 溺水

▶ **概念・定義**　**溺水**とは，液体による浸漬および浸水の結果として呼吸障害をきたす過程である。溺水は交通事故に次いで多い，不慮の事故による死亡原因である。

0～1歳までの溺水の多くは家庭の浴槽で起こっている。乳幼児のいる家庭では，浴槽の残し湯の習慣をなくす，子どもが一人で浴室に入れないような工夫をする，などの指導を行う。年齢が高くなるに従い，プールや川など，野外での溺水が多くなる。

▶ **病態生理**　乳幼児は10～20秒，年長児でも30～60秒で溺水に至る。動物実験のデータによれば，溺水時3～4分で心筋は低酸素となり急速に循環不全をきたし，心筋収縮が低下し，ついには無脈性電気活動（機能的心停止）に至る。低酸素による不可逆的な中枢神経障害を生じる時間はおおむね3～5分といわれており，5分以内の溺水事例の多くは後遺症なく回復する。

▶ **治療**　溺水時の救急処置としては，初めに気道の確保を行い，胸骨圧迫や人工呼吸などの心肺蘇生を行う。また，低体温になりやすいため全身の保温も行う。多くの場合，気道の誤嚥（ごえん）した水の量は多くなく，気道から誤嚥した水を取り除く必要はない。

▶ **事故の予防**　入浴時の溺水は予防可能な事故であり，以下の点を親に啓発することが重要である。

❶乳幼児を単独で浴槽内に放置しない。
❷年長児でも入浴中に長時間放置しない。
❸浴槽で首かけ枕や浮き輪を使用しない。

また，発症時に備えて，一次救命処置（basic life support；BLS）の普及が望まれる。

3. 熱中症

▶ **概念・定義**　**熱中症**は，高温の環境下で体内の水分や電解質バランスがくずれ，体内の調節機能が破たんすることで発症する障害の総称である。小児は成人に比べて汗腺をはじめとする体温調節機構が未熟であり，体重当たりの水分量が多く，腎の尿濃縮力も弱いため，熱中症になりやすい。日本救急医学会の「熱中症診療ガイドライン2015」では，従来分類されていた熱失神・熱痙攣（けいれん）・熱疲労・熱射病を一連のスペクトラムとして「熱中症」と定義し，その重症度に応じて3段階に分類している（表4-25）。

▶ **病態生理**　不適切な熱喪失や過剰な熱を受けることにより，視床下部のセットポイントを超えて体温が上昇する。発熱と異なり，視床下部のセットポイントは変わっていない。したがって，解熱薬（セットポイントを下げる）は無効である。

表4-25 日本救急医学会熱中症分類2015

	症状	重症度	治療	臨床症状からの分類
Ⅰ度 **（応急処置と見守り）**	めまい，立ちくらみ，生あくび 大量の発汗 筋肉痛，こむら返り 意識障害は認めない	（軽→重）	通常は現場で →冷所での安静，体表冷却，経口的な水分と塩分の補給	熱痙攣 熱失神
Ⅱ度 **（医療機関へ）**	頭痛，嘔吐，倦怠感，虚脱感 集中力や判断力の低下		医療機関で →安静，十分な水分と塩分の補給（要すれば点滴で）	熱疲労
Ⅲ度 **（入院加療）**	下記のうちいずれかを認める ・中枢神経症状（意識障害，痙攣発作など） ・肝，腎機能障害 ・血液凝固障害		入院加療 →体温管理（体内冷却，血管内冷却を含む） 呼吸，循環管理 DICの管理	熱射病

出典／日本救急医学会：熱中症診療ガイドライン2015，2015，一部改変.

▶ **症状と治療**　めまい，立ちくらみなどの軽度の症状から，重度になると多臓器不全を生じて，生命にかかわる事態まで生じ得る。初期対応としては，日陰などの涼しい場所に移動して，できるだけ早くに体を冷やし始めるとともに，意識状態の確認をし，意識が清明でないときは医療機関へ搬送するのがよい。治療の主体は，臓器還流を保つとともに，急送に冷却することである。冷却方法に関して一定の見解はない。

4. 中毒

1　薬物中毒

▶ **概念・定義**　**薬物中毒**とは，医薬品・農薬・殺虫剤などの薬物が体内に入り，生体に有害作用をきたすことである。小児の薬物中毒の原因となる物質は，ほとんどが一般家庭用品や日用品であり，これらを誤飲することにより中毒を生じる。年長児においては，薬物の乱用もその原因となり得る。

▶ **病態生理**　薬物中毒の病態は，原因となる薬物により大きく異なる。表4-26に主な中毒物質とその特徴を示す。

▶ **治療**　小児の誤飲が疑われた場合には，摂取したと思われる物質の種類，量，時刻をできるだけ問診により明らかにし，同時に，呼吸・循環状態，意識状態，消化器症状などの把握を速やかに行う。原因物質の吸収を阻止するために，胃内容の希釈・催吐・胃洗浄などが行われることがあるが，中毒物質の気道への誤嚥や，物質によってはかえって吸収を速めてしまうこともあることに注意する。

意識障害や痙攣のある小児や，生後6か月以内の乳児は誤嚥の危険性が高いため，原則として催吐は禁忌である。酸やアルカリ，灯油やガソリンなどの揮発性物質も，食道や気管への損傷を生じる可能性があるため催吐は行わない。

▶ **たばこの誤飲**　たばこは小児の誤飲で最も頻度の高いものである。たばこはそれ自体に催吐作用があり，またニコチンの吸収は緩徐であるため重篤な中毒になることは少ないが，

表4-26　中毒物質となり得る家庭用品とその特徴

家庭用品	中毒物質	特徴と注意点
たばこ（たばこの葉）	ニコチン	多量摂取はまれで，ほとんどは無症状か軽症。摂取後4時間観察して無症状なら問題ない。
たばこ（滲出液）	ニコチン	たばこの滲出液にはニコチンが溶出しており，摂取により重篤化の可能性あり。
灯油	炭化水素類	消化管での吸収はわずかであるが，少量でも気道に誤嚥すれば重篤な化学性肺炎のリスクあり。
防虫剤	樟脳	消化管でよく吸収される。呼吸不全と痙攣に注意。脂肪分投与や催吐は禁忌。
	ナフタリン	遅発性の溶血性貧血に注意。脂肪分投与は吸収を促進するため禁忌。
ホウ酸団子	ホウ酸	ある程度の量を摂取したと思われるときは痙攣，意識障害，腎障害などに注意。
塩素系漂白剤	次亜塩素酸ナトリウム	催吐は誤嚥による化学性肺炎を誘発する可能性があり禁忌。目や皮膚への刺激も強い。
乾燥剤	シリカゲル	吸収されず，基本的には無毒。

表4-27 主な食中毒および腸管感染症の原因

原因		例
細菌		ブドウ球菌，ボツリヌス菌，腸炎ビブリオ，サルモネラ菌，毒素原性大腸菌，腸管出血性大腸菌，カンピロバクター，赤痢菌，コレラ菌
自然毒	植物	キノコ毒
	動物	フグ毒，貝毒

水に溶けたニコチンの吸収は速く，灰皿内の水や吸い殻の入った缶の水を飲んだ場合は急性中毒になり得る。中毒の症状には嘔気・嘔吐（おうと）・頻脈・血圧上昇・顔面蒼白・縮瞳などがあり，重篤な場合は痙攣（けいれん）・昏睡・呼吸停止となる。

▶ **予防**　薬物中毒を防止するためには，これらの物質が危険物であることを親に認識させ，小児の手の届く範囲に危険物を置かないよう指導することが重要である。

2 食中毒

▶ **概念·症状·治療**　食中毒には大別して細菌によるもの，植物性（キノコ毒など）や動物性（フグ毒，貝毒など）の自然毒によるものがある（表4-27）。嘔吐・下痢（げり）が激しいときには輸液を行い，抗菌薬，抗血清の投与や合併症に対する特異的な治療が必要な場合がある。自然毒による食中毒においては，必要に応じて呼吸・循環の管理を行う。肝腎膵の保護が必要となる場合がある。

▶ **診断における問診の重要性**　食中毒の症状に特異的なものは少なく，一般の消化器疾患との鑑別は容易ではない。食中毒を適切に診断するために，たとえばカンピロバクター感染症を疑う場合には「鶏のたたきを食べたりしませんでしたか」など，疾患特異的な問診を行うよう心がけたい。

引用文献

1）日本小児アレルギー学会：小児気管支喘息治療・管理ガイドライン 2020，協和企画，2020，p.154.
2）高橋三郎，大野裕監訳：DSM-5 精神疾患の分類と診断の手引，医学書院，2014，p.163.
3）高橋三郎，大野裕監訳：DSM-5 精神疾患の分類と診断の手引，医学書院，2014，p.164.

参考文献

・World Association for Infant Mental Health：WAIMH Position Paper on the Rights of Infants, https://perspectives.waimh.org/wp-content/uploads/sites/9/2017/05/PositionPaperRightsInfants_-May_13_2016_1-2_Perspectives_IMH_corr.pdf（最終アクセス日：2019/5/24）
・E.H. エリクソン J.M. エリクソン著，村瀬孝雄，近藤邦夫訳：ライフサイクル、その完結，増補版，みすず書房，2001.
・P. バーカー著，山中康裕，岸本寛史監訳：児童精神医学の基礎，金剛出版，1999.
・衛藤義勝監修：ネルソン小児科学，ELSEVIER，原著第 19 版，2015.
・友田明美：新版　いやされない傷；児童虐待と傷ついていく脳，診断と治療社，2012.
・B.J. サドック，V.A. サドック編，井上令一，四宮滋子監訳：カプラン臨床精神医学テキスト；DSM-IV-TR 診断基準の臨床への展開，第 2 版，メディカル・サイエンス・インターナショナル，2014.
・五十嵐隆監修：小児・思春期診療最新マニュアル，日本医師会雑誌，141 特別号（1），2012.
・亀岡智美，他：総説トラウマインフォームドケア；その歴史的展望，精神神経学雑誌，120（3）：p.173-185，2018.
・American Psychiatric Association：Diagnostic and Statistical Manual of Mental Disorders, 5th edition（DSM-5）, American Psychiatric Publishing, Arlington, 2013.
・日本精神神経学会監：DSM-5 精神疾患の診断・統計マニュアル，医学書院，2014.
・神尾陽子編：DSM-5 を読み解く 1；伝統的精神病理，DSM-IV，ICD-10 をふまえた新時代の精神科診断，中山書店，2014.
・ADHD の診断・治療指針に関する研究会，齊藤万比呂編：欠如・多動症 -ADHD- の診断・治療ガイドライン第 4 版，じほう，2016.

国家試験問題

1 **風疹罹患後の児童の登校開始可能時期はどれか。** (95回 AM122)

1. 頸部リンパ節の腫脹消失後
2. 解熱後3日
3. 発疹消失後
4. 色素沈着消失後

2 **麻疹に関して正しいのはどれか。2つ選べ。** (106回 AM86)

1. 合併症として脳炎がある。
2. 感染力は発疹期が最も強い。
3. 効果的な抗ウイルス薬がある。
4. 2回のワクチン定期接種が行われている。
5. エンテロウイルスの感染によって発症する。

3 **1歳児。4～5時間前に10円硬貨を誤飲した疑いで来院した。胸部エックス線撮影で食道に停滞しているのが確認された。**
適切な処置はどれか。 (96回 AM128)

1. 下剤を与薬する。
2. 催吐薬を与薬する。
3. 内視鏡で除去する。
4. 自然排泄を待つ。

4 **出生時体重3050gの正期産児。**
新生児期に最もチアノーゼを生じやすい先天性心疾患はどれか。 (97回 AM128)

1. 卵円孔開存症
2. 心房中隔欠損症
3. 心室中隔欠損症
4. ファロー四徴症

5 **小児の骨折の特徴で正しいのはどれか。** (105回 AM54)

1. 不全骨折しやすい。
2. 圧迫骨折しやすい。
3. 骨折部が変形しやすい。
4. 骨癒合不全を起こしやすい。

国家試験問題 解答・解説

3編 1 解答 2

幼児期は親への親密な愛着形成ができる頃であり，入院によって母子分離する不安反応は非常に強い。いざ一人になるというときに泣く反応は当然である。看護師は子どもの心理的な混乱を最小限ですませられるように，また，親の気持ちをありのままに受け止めて援助にあたる必要がある。

×1：規則を押し付けるような援助は適さない。
○2：時間が許せば母親にそばについてもらうだけで，子どもは落ち着くことがある。
×3：子どもにうそをつくことは，大人に対して不信を抱かせる。
×4：交換条件を出して子どもに言うことを聞かせることは好ましくない。この場合は脅しに近い。子どもの性格形成に悪影響を及ぼすおそれもある。

3編 2 解答 3・5

×1：新生児の痛みは，啼泣，表情，心拍数，呼吸数などで把握することが可能である。
×2：痛みは我慢させず，鎮痛剤を用いてよい。
○3：小児では，遊びに集中すると注意転換になり，痛みを訴えないことがある。
×4：児がこれまでどのような痛みを経験したか，痛みを経験したときどのような行動や表現をするのか，本人や家族から情報を集めてアセスメントすることは重要で，過去の痛みの経験は現在の痛みと関係がある。
○5：痛みの程度を6段階の表情のイラストで示したWongとBakerのフェイススケールは，3歳頃から用いることがある。

3編 3 解答 1

○1：A君の場合，喘鳴が著明であり，SpO_2が88%，ピークフロー値45%であり，大発作と考えられる。まず，呼吸を少しでも楽にするため，横隔膜を下げるよう起座位とする。
×2：発作時には，水分摂取をすると誤嚥を起こす危険があるので行わない。
×3：胸式呼吸ではなく，腹式呼吸を促す。
×4：発作の状況から話すことも苦しいと考えられる。やむを得ず質問をする場合は最小限とし，「はい」「いいえ」で答えられる質問とする。

4編 1 解答 3

JRC蘇生ガイドライン2015によると，小児の蘇生方法は以下のとおりである。

×1：胸骨圧迫（心臓マッサージ）と人工呼吸の割合は，救助者が1人の場合は30対2，2人以上の場合は15対2で行う。
×2：胸骨圧迫のテンポは100～120回/分が推奨されている。
○3：胸骨圧迫部位は胸骨の下半分である。
×4：胸骨圧迫の深さは，胸の厚さの約1/3とする。
※JRC蘇生ガイドラインの変更に従い，選択肢を一部改変した。

4編 2 解答 3

×1，2，4 ○3：小児の蘇生における胸骨圧迫のテンポは，100～120回/分とされている（JRC蘇生ガイドライン2015オンライン版）。
※JRC蘇生ガイドラインの変更に従い，選択肢を改変した。

4編 3 解答 1

○1：感染症の小児が他の小児と接触するのを避けるために必要である。
×2，3，4：いずれも大切な役割だが，選択肢のなかでは1が最優先される。

4編 4 解答 1・4

○1，4：小学3年生では血糖値測定とインスリン自己注射の実施は療養行動の目標としてよい。
×2，3，5：シックデイ対策や食品の単位換算は家族に指導する。インスリン注射量の調節も学童期の子どもには困難である。

5編 1 解答 **3**

○1, 2, 4：術前のプレパレーションでは，人形や模型，カードなどを使い，どんな手術をするのかを子どもの目線に立ってわかりやすく教え，子どもにやってほしいこと，注意してほしいことなどを伝え，子どもからの質問に答え，検査や処置に立ち向かう力を引き出していく。
×3：医療者の労力を軽減することが目的ではない。

5編 2 解答 **4**

×1：嘘をついてはいけない。
×2：泣かないよう我慢させるのではなく，泣いてもよいから動かないよう説明する。
×3：親がそばにいることで，子どもは安心できることがある。一緒に励まし，頑張りをほめることは，安全な実施につながる。
○4：どのような検査，処置でも，子どもの年齢や理解度に合わせた説明が必要である。

5編 3 解答 **2**

×1：尿が溜まりやすいように採尿バッグ内に少量の空気を入れる。
○2：最初に陰茎を持ち上げ，陰茎の根もとに採尿バッグの下縁を貼る。
×3：子どもが座位で活動しているときは，動くことで採尿バッグがはがれてしまうこともある。なるべく1回で採尿できるよう，早朝の入眠時や午睡の前に貼るなどの工夫をする。
×4：児の排尿パターンを把握し，こまめに排尿の有無を確認するが，1時間ごとの採尿バッグの貼り替えではかえって貼付部の皮膚の発赤やかぶれを助長してしまう可能性がある。
×5：採尿後は貼付部位の清拭を行う。アルコールは粘膜に刺激を与えるので，温湯清拭を行う。

5編 4 解答 **3**

×1：ミルク嫌いになるのでミルクには混ぜない。
×2：ボツリヌス菌による乳児ボツリヌス症を起こすリスクがあるため，1歳未満の乳児にははちみつは与えない。
○3：散剤が処方された場合，白湯や糖水に溶解したり，少量の水で練ってペースト状にしたものを頰の奥や上顎など口腔内につけ，その後水分を勧めるなどする。
×4：散剤をそのまま与えると誤嚥や嘔吐などを誘発しやすい。

6編 1 解答 **3**

風疹は風疹ウイルスの飛沫感染による。妊婦の感染では先天性風疹症候群を生じることがある。潜伏期間は14～21日。

×1：風疹の症状に有痛性の頸部リンパ節腫脹があるが，これの消失が感染期間の目安ではない。
×2：風疹では，発疹期（1～3日間）に38～39℃の発熱を伴う。感染力は発疹が出る7日前からおよそ5日後まで持続するので，解熱後3日ではまだ感染力が残っているおそれがある。
○3：風疹では，発疹が消失するまでは集団生活を休ませなければならない。
×4：色素沈着ができるのは麻疹である。

6編 2 解答 **1・4**

○1, ×5：麻疹は，麻疹ウイルスによる急性熱性発疹性のウイルス感染症で，まれに脳炎〔亜急性硬化性全脳炎（SSPE）〕を引き起こす場合があるとされる。エンテロウイルスは，手足口病などを引き起こすウイルスである。
×2：感染後10日程度の潜伏期間を経て，咳，鼻水，のどの痛み，発熱など風邪に似た症状が現れる「カタル期」に入る。頰の内側にコプリック斑が現れるのが特徴で，この時期が最も感染力の強い時期である。

× 3：ワクチンはあるが，麻疹ウイルスに特異的な効果を示す薬剤はなく，治療法としては対症療法が主である。
○4：2006 年度に，麻疹風疹混合ワクチン（MR ワクチン）の 1 歳児と小学校就学前 1 年間の幼児の 2 回接種が開始した。

6編 3 **解答 3**

× 1：食道に停滞しているので，下剤を与薬しても効果がない。
× 2：食道に停滞している場合には，悪心，嚥下困難が生じやすいので催吐薬は使用しない。
○3：食道に停滞している場合には，悪心，咳嗽，流涎，嚥下困難などが生じる。穿孔を招く危険性があるため，直ちに全身麻酔下で食道鏡による異物摘出が行われる。
× 4：胃内や胃より下部の消化管に固形物が入った場合には，肛門から排泄されるのを待つ。排出されない場合は数日後，X 線撮影をして再度確認する。

6編 4 **解答 4**

× 1：卵円孔開存症ではチアノーゼの出現はみられない。
× 2：心房中隔欠損症は左右短絡である。
× 3：心室中隔欠損症は欠損口の大きさにより臨床症状は様々であるが，小欠損ではほとんど症状を認めない。
○4：ファロー四徴症では，チアノーゼの程度は肺動脈狭窄の程度に起因し，肺動脈狭窄が強度の場合，新生児期よりチアノーゼを認める。

6編 5 **解答 1**

○1：小児の骨はコラーゲンや無機質が多く，しなやかで柔軟性があるため，骨折部が完全に離解せず連続性を保ったまま骨折する不全骨折が多い。
× 2：圧迫骨折は高齢者に多く，骨粗鬆症などでは転倒や小さな外力でも骨折する。
× 3：小児の骨折では，変形治癒しても軽度であれば自家矯正が期待できる。このため，手術を行わずにギプス固定や牽引療法を行う場合が多い。
× 4：小児の骨折では，成人の場合よりも骨癒合が速い。

索引

欧文

AGA児…27
AKI…495
ASD…263
AVPU…107
AYA世代…540
A型肝炎…555
B型肝炎…555
CKD…497
CO_2ナルコーシス…343
COVID-19…556
CSCATTT…263
CT…347
C型肝炎…555
Gross分類…471
Heavy-for-date児…403
HGA児…27
IgA血管炎…412
IgA腎症…491
LGA児…27
Light-for-date児…403
MRI…347
O脚…512
OD…71
PTSD…263
RSウイルス感染症…557
SLD…610
TORCH症候群…395
X脚…512
X連鎖無ガンマグロブリン血症…582

和文

あ

アイゼンメンジャー症候群…460
愛着…38, 593, 602
愛着形成…30
愛着障害…602
愛着の世代間伝達…593
悪性黒色腫…419
あせも…419
アデノイド増殖症…437
アデノウイルス感染症…556
アトピー性皮膚炎…411, 578
アナフィラキシー…577
アナフィラキシーショック…577
アナフィラクトイド紫斑病…412
アフタ…471
アプニア…386
アルポート症候群…493
アレルギー…573
アレルギーマーチ…574

い

移行期…150
意識障害…106
胃軸捻転症…475
胃十二指腸潰瘍…474
胃食道逆流症…473
胃穿孔…474
異染性白質ジストロフィー…521
痛みの閾値…104, 282
痛みのスケール…105
I型アレルギー…573
1型糖尿病…569
苺状血管腫…407
一過性チック障害…601
一般外来…154
遺伝性難聴…433
遺尿症…602
命の教育…158
遺糞症…602
医療的虐待…257
イレウス…479
咽頭異物…440
咽頭炎…437
咽頭結膜熱…422
陰嚢水腫…505
インフォームドアセント…12, 278
インフォームドコンセント…12, 278
インフルエンザ…555
陰門腟炎…506

う

ヴァーノン…47
ウイルス性肝炎…485, 555
ウイルス性クループ…438
ウィルソン病…485, 521
ウィルムス腫瘍…500
ウェルドニッヒ−ホフマン病…522
う歯…471
右心室肥大…459
うっ血性心不全…453
うつ状態…594
運動能力障害…600

え

エプスタイン病…465
嚥下性肺炎…448
遠視…428
炎症性腸疾患…482
エンテロウイルス感染症…556

お

横隔神経麻痺…394, 450
横隔膜挙上症…450
横隔膜弛緩症…450
黄疸…28, 115
嘔吐…83
横紋筋肉腫…431, 546
太田母斑…409
悪心…83
おたふくかぜ…554
おむつ…33
お漏らし…602

か

外陰腟炎…506
外耳道異物…439
外耳道閉鎖症…434
外傷…611
疥癬…418
潰瘍性大腸炎…482
解離性障害…597
下顎低形成…470
過期産児…26
核黄疸…28, 117
学習支援…148
覚醒レベル…32
学童期…58
角膜ヘルペス…558
鵞口瘡…471
かぜ…559
家族機能…592
学校生活管理指導表…236
合併症妊娠母体産児…397
家庭内暴力…605
化膿性髄膜炎…552
過敏性腸症候群…484

かぶれ…411
カポジ水痘様発疹症…557
川崎病…54, 466
感音性難聴…225
肝芽腫…545
カンガルーケア…34
カンガルーポジション…35
眼球振盪…427
間欠性外斜視…426
眼瞼下垂…421
感情障害…594
汗疹…419
感染型食中毒…551
感染性心内膜炎…469
感染性肺炎…448
感染性発疹…80
完全大血管転位症…460
間代性痙攣…109
感冒…559
陥没呼吸…379
顔面神経麻痺…394
緩和ケア…156

き

期外収縮…469
気管異物…446
気管カニューレ抜去困難症…439
気管狭窄…442
気管支異物…446
気管支拡張症…447
気管支喘息…574
気管内吸引…339
気管軟化症…442
気胸…451
奇形…379
器質性便秘…89, 90
寄生虫感染症…560
寄生虫疾患…488
気道異物…441
亀頭包皮炎…505
機能性便秘…89, 90
気分障害…594
基本的信頼対不信…38
虐待…254, 603
客観的情報…290, 291
吸引…338
急性意識障害…106
急性灰白髄炎…554
急性化膿性中耳炎…431
急性期…128
急性気管支炎…445
急性下痢症…86
急性喉頭蓋炎…438, 444
急性喉頭気管気管支炎…445
急性呼吸困難…96
急性骨髄性白血病…541
急性細気管支炎…446
急性糸球体腎炎…489
急性出血性結膜炎…557
急性上気道炎…443
急性小脳失調症…525
急性心筋炎…468
急性腎障害…495
急性心膜炎…468
急性膵炎…486
急性ストレス障害…263
急性声門下喉頭炎…438
急性虫垂炎…483
急性疼痛…103
急性肺炎…448
急性副鼻腔炎…436
急性発疹…80
急性痒疹…413
急性リンパ性白血病…540
教育的支援…350
境界性人格障害…603
胸式呼吸…97
共助…266
強直間代痙攣…45
強直性痙攣…109
強迫性障害…596
胸膜炎…449
極型ファロー四徴症…459
局所性発疹…80
巨赤芽球性貧血…534
ギラン‐バレー症候群…525
起立性調節障害…71
緊急手術…136
筋強直…511
筋強直症候群…511
近視…427
筋ジストロフィー…522
筋性斜頸…507
筋肉内注射…332

く

屈折異常…427
グラスゴー・コーマ・スケール…107
クループ…445
くる病…565
クローン病…483

け

計画手術…136
経管栄養…40, 344
経口補水療法…87, 95
経口与薬…329
経静脈輸液療法…87, 95
形態覚遮断弱視…430
傾聴…275
経皮的動脈血酸素飽和度…299
痙攣…109
血圧…296
結核…549
結核性胸膜炎…549
結核性髄膜炎…549
月経異常症…568
血小板減少性紫斑病…398
結節性硬化症…532
血友病…536
下痢…86
限局性学習症…610
限局性学習障害…610
健康信念モデル…353
健康歴聴取…290
言語的コミュニケーション…272
言語的コミュニケーション技術…273
言語発達遅滞…532
原虫感染症…560
原発性免疫不全症…581
原発性免疫不全症候群…582
原発疹…80

こ

コイルアップ像…472
誤飲…615
高インスリン性低血糖症…572
構音障害…532
口蓋扁桃肥大…437
口蓋裂…471
後期早産児…36
口腔吸引…339
膠原病…586
公助…266
甲状腺機能亢進症…398
口唇ヘルペス…558

好中球機能異常症…537
好中球減少症…538
高張性脱水…93
後天色覚異常…430
後天性凝固異常症…537
後天性免疫不全症候群…559
喉頭脆弱症…439
喉頭軟化症…442
喉頭軟弱症…442
行動変容ステージモデル…351
口内炎…471
後鼻孔閉鎖症…436
肛門周囲膿瘍…483
合理的配慮…234
高流量システム…342
誤嚥…615
誤嚥性肺炎…448
吸気性喘鳴…442
呼吸…293
呼吸窮迫症候群…27, 382
呼吸困難…96
呼吸不全…96
呼吸理学療法…99
極低出生体重児…26
固形腫瘍…544
心のケア…264
心の問題…248
骨形成不全症…571
骨髄穿刺…324
骨折…72, 394, 514, 613
骨肉腫…516, 547
コミュニケーション障害…601
混合性難聴…225

さ

サーモンパッチ…406
災害…262
災害時小児周産期リエゾン…264
細菌性髄膜炎…552
細菌性皮膚疾患…415
採血…320
再生不良性貧血…535
臍帯ヘルニア…487
採尿…322
再発性臍疝痛…488
逆まつげ…421
算数障害…611
二尖弁閉鎖症…461
酸素中毒…344
酸素療法…341

し

痔核…483
色覚異常…430
事故災害…262
自己免疫性疾患母体産児…397
思春期…67
思春期早発症…567
自助…266
視神経膠腫…528
ジストロフィ…426
脂腺母斑…408
児童虐待…603
死の概念…157
紫斑病性腎炎…493
自閉症スペクトラム障害…230, 606
自閉スペクトラム症…606
しもやけ…415
社会資源…60
若年性特発性関節炎…586
斜視…426
斜視弱視…429
ジャテーネ手術…461
ジャパン・コーマ・スケール…107
周術期…134
重症黄疸…28
重症筋無力症…524
重症複合型免疫不全症…582
集団教育…356
習癖異常…603
終末期…156
主観的情報…290, 291
術後の悪心・嘔吐…141
授乳…40
受容…351
上衣腫…527
消化管異物…488
消化管腫瘍…489
猩紅熱…550
蒸散…30
小耳症…434
症状コントロール…68
常染色体顕性多発性嚢胞腎…500
常染色体潜性多発性嚢胞腎…500
焦点始起発作…517
衝動性…609
小児がん…538
小児緩和ケア…156
小児急性熱性皮膚粘膜リンパ節症候群…466
小児欠神てんかん…518, 519
小児声帯結節…438
小児副鼻腔炎…436
小脳星膠細胞腫…527
静脈血採血…320
睫毛内反症…421
初期教育…353
食中毒…551, 620
食道アカラシア…473
食道異物…440
食道裂孔ヘルニア…473
食物アレルギー…577
書字障害…611
ショック…112
ショックの5P徴候…113
シラミ症…418
心因性視力障害…431
心因性疼痛…103
侵害受容性疼痛…103
腎芽腫…500, 546
新型コロナウイルス…556
呻吟…76, 379
真菌感染症…417, 560
神経因性疼痛…103
神経因性膀胱…504
神経芽腫…544
神経筋疾患…521
神経性過食症…599
神経性食欲不振症…598
神経線維腫症I型…531
神経発達障害群…605
神経発達症群…605
神経皮膚症候群…531
親子相互作用…29
心室中隔欠損…459
心室中隔欠損症…456
真珠腫性中耳炎…432
滲出性中耳炎…432
尋常性疣贅…416
新生児胃穿孔…475
新生児一過性多呼吸…27, 384
新生児胃破裂…475
新生児壊死性腸炎…391
新生児仮死…381
新生児肝炎…484
新生児期…26
新生児細菌感染症…395

新生児痤瘡…410
新生児集中治療室…378
新生児出血性疾患…388
新生児循環…376, 453
新生児生理的黄疸…391
新生児遷延性肺高血圧症…388
新生児早期発疹性疾患…395
新生児ヘルペス…558
新生児マススクリーニング…29
新生児メレナ…380
新生児涙嚢炎…423
身体症状症…598
身体的虐待…256, 604
身体表現性障害…598
心的外傷後ストレス障害…263, 595
心内膜床欠損症…459
心拍…294
心不全…454
心房中隔欠損症…458
蕁麻疹…412
心理的虐待…257, 604
唇裂…471

す

髄芽腫…527
髄腔内注射…327
水腎症…502
水痘…80, 553
水頭症…530
髄膜炎…524
髄膜刺激症状…108
髄膜瘤…530
睡眠時無呼吸症候群…436
睡眠障害…599, 607
スタージ–ウェーバー症候群…532
ステロイド抵抗性ネフローゼ症候群…495
ストレス…16, 18, 19, 58
ストレッサー…16
スピロヘータ感染症…560

せ

成育限界…26, 400
生育限界…26, 400
生活指導…72
正期産児…26
星膠細胞腫…527
成熟異常…403
正常性の感覚…148
成人型肺結核…549
精神発達遅滞…600
性腺機能低下症…567
生体内毒素型食中毒…551
成長ホルモン分泌不全性低身長症…561
性的虐待…257, 604
性同一性障害…602
青年期…67
性分化疾患…568
性別違和…602
生理的黄疸…28, 116
脊髄脂肪腫…531
脊髄髄膜瘤…530
脊髄性筋萎縮症…522
癤…415
接近法…273
摂食障害…598
接触皮膚炎…411
セルフケア…59, 68, 152, 236
遷延性意識障害…106
遷延性黄疸…28
全身性エリテマトーデス…398, 588
全身性強直間代発作…519
全身性発疹…80
全人的な苦痛…159
喘息…56
選択性緘黙…600
選択的IgA欠損症…584
蟯虫感染症…560
先天色覚異常…430
先天上斜筋麻痺…427
先天性QT延長症候群…469
先天性横隔膜ヘルニア…386, 450
先天性完全房室ブロック…469
先天性凝固異常症…536
先天性巨大色素性母斑…408
先天性筋強直性ジストロフィー…523
先天性甲状腺機能低下症…563
先天性後鼻孔閉鎖症…441
先天性サイトメガロウイルス感染症…559
先天性十二指腸狭窄症…475
先天性十二指腸閉鎖…475
先天性食道狭窄症…473
先天性食道閉鎖症…471
先天性耳瘻孔…434
先天性腎尿路異常…497
先天性胆道拡張症…486
先天性腸閉鎖症…475
先天性内反足…510
先天性嚢胞性肺疾患…447
先天性皮膚洞…531
先天性鼻涙管閉塞…422
先天性副腎皮質過形成症…566
先天性ミオパチー…523
洗髪…50
全般始起発作…517

そ

躁うつ状態…594
早発黄疸…28
臓器特異的自己免疫疾患…581
臓器非特異的自己免疫疾患…581
早産児…26
双胎間輸血症候群…389
総動脈幹遺残症…463
総肺静脈還流異常症…463
早発黄疸…117
瘙痒感…123
即時型反応…574
続発性発疹…80
続発性免疫不全症…581
鼠径ヘルニア…487
蹲踞…101

た

体位性たんぱく尿…501
退院指導…356
体温…296
退行現象…520
胎児循環…100, 376, 453
体質性黄疸…484
帯状疱疹…554
大動脈騎乗…459
大動脈弓離断症…462, 463
大動脈狭窄症…465
大動脈縮窄症…462, 466
胎便…33
胎便吸引症候群…27, 384
代理によるミュンヒハウゼン症候群…604
対流…30
多血症…389
多元的診断…591
多呼吸…379

多軸診断…591
脱水…92
多動性…609
多動性障害…230
タナーの分類…315
多発性筋炎…589
多発性囊胞腎…500
単純X線検査…347
単純焦点発作…518
単純性血管腫…406
単純ヘルペスウイルス感染症…557
単心室症…462
タンデムマス法…29
胆道閉鎖症…33, 485

ち

チアノーゼ…100, 379, 453, 455
遅発性ウイルス感染症…559
チック障害…601
知的障害…230, 600
遅発型反応…574
注意欠如・多動症…230, 607, 608
注意欠如・多動性障害…230, 607, 608
昼間遺尿症…602
中耳炎…431
虫刺症…420
注射…332
中心性チアノーゼ…100
中枢性のかゆみ…123
中枢性嘔吐…83
中枢性尿崩症…562
中毒…619
中毒性表皮壊死症型薬疹…413
腸回転異常症…478
腸管出血性大腸菌感染症…551
腸重積症…478
調節性内斜視…427
超低出生体重児…26, 398
腸閉塞…479
直腸肛門奇形…33, 477

て

手足口病…556
テイ－サックス病…521
低カルシウム血症…390
啼泣…76
低血糖…28, 390
低酸素虚血性脳症…381
低出生体重児…26
低侵襲手術…137
ディストラクション…282
低張性脱水…93
ディベロップメンタルケア…32
停留精巣…505
低流量システム…342
適応障害…597
溺水…617
鉄欠乏性貧血…534
伝音性難聴…225
てんかん…517
伝染性紅斑…417, 558
伝染性単核球症…558
伝染性軟属腫…416
伝染性膿痂疹…550
伝染性発疹性疾患…80
伝導…30
点頭てんかん…519

と

頭蓋咽頭腫…527
頭蓋内出血…394
統合失調症…595
凍瘡…415
等張性脱水…93
糖尿病…569
糖尿病母体児…397
頭部外傷…612
頭部浅在性白癬…417
動脈管開存症…457
動脈血採血…320
トゥレット症候群…601
読字障害…611
毒素型食中毒…551
特発性血小板減少性紫斑病…535
特発性脊柱側彎症…514
突発性発疹…558
ドメスティックバイオレンス…605
トラウマ・インフォームド・ケア…596
トランスセオリティカルモデル…351
トリアージ…264

な

ナギー…157
生ワクチン…548
軟骨無形成症…571
難治性てんかん…518

に

2型糖尿病…570
肉眼的血尿…490
二分脊椎…530
日本脳炎…555
乳児下痢症…480
乳児痔瘻…483
乳児脂漏性湿疹…410
乳児内斜視…426
乳児難治性下痢症…482
乳幼児突然死症候群…38, 451
乳幼児の権利…590
乳幼児揺さぶられ症候群…529
尿道下裂…505
尿道上裂…506
尿路感染症…501
尿路結石症…504

ね

ネグレクト…257, 604
猫なき症候群…76
熱傷…414, 614
熱性痙攣…45, 109, 519
熱喪失…30
熱中症…618
ネフローゼ症候群…494
ネフロン癆…500
粘膜皮膚眼症候群…413

の

脳炎…525
膿胸…449
脳虚血性疾患…526
脳室周囲白質軟化症…402
脳室内出血…402
脳腫瘍…526
脳症…525
脳性麻痺…520
脳塞栓…470
脳膿瘍…470
ノロウイルス感染症…481, 557

は

肺炎…43, 552
敗血症…552
肺サーファクタント…382
胚細胞腫瘍…528
肺循環…100

排泄障害…602
バイタルサイン…292
肺動脈狭窄…459
肺動脈狭窄症…466
肺囊胞症…447
ハイフローネーザルカニューレ
…98
排便コントロール…41
白内障…423
麻疹…80
橋本病…564
播種性血管内凝固…537
バセドウ病…564
バチ状指…101
発育性股関節形成不全…508
白血病…63, 540
発達障害…229
発達性協調運動障害…232, 600
発熱…77
鳩胸…507
場面緘黙…600
反射性嘔吐…83
反復性腹痛…488

ひ

ピアジェ…8
鼻アレルギー…435
非遺伝性難聴…433
日帰り手術…136
皮下注射…334
非感染性発疹…80
鼻腔吸引…339
非言語的コミュニケーション…272
非言語的コミュニケーション技術
…274
非行…603
肥厚性幽門狭窄症…474
鼻出血…435
非進行性ミオパチー症候群…511
非侵襲的陽圧換気…98
非正視弱視…429
ビタミンK欠乏症…31, 388, 537
左右短絡…453
ヒトT細胞白血病ウイルス1型
…396
ヒト免疫不全ウイルス…396
鼻内異物…440
皮内注射…334
皮膚筋炎…589
非ホジキンリンパ腫…542
肥満症…572
病弱…148
病弱教育…148
病弱者…148
病的黄疸…28, 116, 392
鼻翼呼吸…379
ビリルビン脳症…392
ヒルシュスプルング病…33, 476
貧血…533

ふ

ファロー四徴症…459
不安障害…595
フィジカルアセスメント…290, 301
風疹…553
フォン・ウィレブランド病…536
不機嫌…76
復学支援…148
複合型下垂体機能低下症…563
副甲状腺機能低下症…566
複雑焦点発作…518
複雑性悲嘆…162
腹式呼吸…97
輻射…30
副腎クリーゼ…566
副鼻腔炎…436
腹部外傷…613
腹壁破裂…487
腹膜炎…488
浮腫…119
不全骨折…613
不注意…609
ブドウ球菌性熱傷様皮膚症候群
…415, 551
不登校…596
不同視…429
不同視弱視…430
プライマリケア…154
ブラロック手術…459
プレパレーション…138, 279
分娩麻痺…394
分離不安…14, 38
分離不安障害…597
分類不能型免疫不全症…583

へ

ペアレンタルパーミッション…278
ヘノッホ - シェーンライン紫斑病
…493
ヘルスアセスメント…290, 301
ヘルスビリーフモデル…353
ヘルスプロモーション…152
ペルテス病…512
ヘルパンギーナ…557
ヘルペス性歯肉口内炎…557
ヘルペス脳炎…558
変換性／転換性障害…598
便色カード…118
変性疾患…520
便塞栓…91
扁桃炎…437
便秘…88, 484
扁平母斑…409
弁膜症…467

ほ

膀胱外反症…506
膀胱尿管逆流症…503
房室中隔欠損症…459
ボウルビィ…14, 39
ポートワイン母斑…406
ホジキンリンパ腫…543
ポジショニング…32, 98
母子分離…30
補体欠損症…585
発作性上室性頻拍…468
発疹…80
母乳育児支援…30
哺乳障害…379
母乳性黄疸…116
母斑症…531
ポリオ…554

ま

膜性腎症…492
膜性増殖性糸球体腎炎…492
麻疹…553
末期腎不全…498
末梢循環不全…454
末梢性嘔吐…83
末梢性チアノーゼ…100
末梢性のかゆみ…123
慢性期…144
慢性機能性便秘症…484
慢性下痢症…86
慢性甲状腺炎…564
慢性呼吸困難…96

慢性糸球体腎炎…491
慢性疾患…144, 235
慢性腎臓病…497
慢性中耳炎…432
慢性疼痛…103
慢性肉芽腫症…537, 584
慢性肺疾患…401
慢性副鼻腔炎…436
慢性便秘症…484
慢性発疹…80
慢性薬物中毒…605

み

ミオクロニー発作…109
ミオトニア…511
右左短絡…453
未熟児骨減少症…401
未熟児動脈管開存症…27, 387
未熟児貧血…400
未熟児網膜症…401
ミトコンドリア病…524
ミニマルハンドリング…31
脈拍…294

む

無菌性髄膜炎…559
むくみ…119
無呼吸発作…386
ムコ多糖症…570
無酸素発作…455
6つのR…329
ムンプス難聴…433

め

メッケル憩室…478
メレナ…380, 391
免疫…581
免疫反応…573
免疫不全症…581
面前DV…605

も

蒙古斑…407
毛細血管採血…320
網膜芽細胞腫…425, 544
網膜剥離…425
もやもや病…531

や

薬物アレルギー…580
薬物依存…605
薬物中毒…619
薬物乱用…605
夜尿症…602

ゆ

輸液速度…336
輸液療法…335

よ

溶血性尿毒症症候群…499
溶血性貧血…535
幼児期…46
腰椎穿刺…327
要配慮者…262
溶レン菌感染後急性糸球体腎炎…489
予備能力…128
予防医療…155
予防接種…156
与薬…329

ら

ライフサイクル…590
ラテックスアレルギー…580
乱視…429

り

リウマチ性心炎…467
リケッチア感染症…560
離乳食…40
リハビリテーション…143
流行性角結膜炎…422
流行性耳下腺炎…554
良肢位…33
良性部分てんかん…518
緑内障…424
リンパ腫…542

れ

裂肛…483
レトロウイルス感染症…396
レノックス–ガストー症候群…518

ろ

漏斗胸…507
ロタウイルス感染症…481, 554

わ

腕神経叢麻痺…394

新体系看護学全書

小児看護学❷

健康障害をもつ小児の看護

2003年1月31日　第1版第1刷発行
2006年12月13日　第2版第1刷発行
2009年11月30日　第3版第1刷発行
2012年2月10日　第4版第1刷発行
2013年12月5日　第5版第1刷発行
2019年12月10日　第6版第1刷発行
2022年11月30日　第7版第1刷発行
2025年1月31日　第7版第3刷発行

定価（本体4,800円＋税）

編　集　小林京子・高橋孝雄©

〈検印省略〉

発行者　亀井　淳

発行所　株式会社メヂカルフレンド社

https://www.medical-friend.jp
〒102-0073 東京都千代田区九段北3丁目2番4号 麹町郵便局私書箱48号
電話｜(03) 3264-6611　振替｜00100-0-114708

Printed in Japan　落丁・乱丁本はお取り替えいたします
ブックデザイン｜松田行正（株式会社マツダオフィス）
印刷｜(株)加藤文明社　製本｜(株)村上製本所
ISBN978-4-8392-3402-7　C3347

000630-032

新体系看護学全書

専門基礎分野

人体の構造と機能❶ 解剖生理学
人体の構造と機能❷ 栄養生化学
人体の構造と機能❸ 形態機能学
疾病の成り立ちと回復の促進❶ 病理学
疾病の成り立ちと回復の促進❷ 感染制御学・微生物学
疾病の成り立ちと回復の促進❸ 薬理学
疾病の成り立ちと回復の促進❹ 疾病と治療1 呼吸器
疾病の成り立ちと回復の促進❺ 疾病と治療2 循環器
疾病の成り立ちと回復の促進❻ 疾病と治療3 消化器
疾病の成り立ちと回復の促進❼ 疾病と治療4 脳・神経
疾病の成り立ちと回復の促進❽ 疾病と治療5 血液・造血器
疾病の成り立ちと回復の促進❾ 疾病と治療6 内分泌／栄養・代謝
疾病の成り立ちと回復の促進❿ 疾病と治療7 感染症／アレルギー・免疫／膠原病
疾病の成り立ちと回復の促進⓫ 疾病と治療8 運動器
疾病の成り立ちと回復の促進⓬ 疾病と治療9 腎・泌尿器／女性生殖器
疾病の成り立ちと回復の促進⓭ 疾病と治療10 皮膚／眼／耳鼻咽喉／歯・口腔
健康支援と社会保障制度❶ 医療学総論
健康支援と社会保障制度❷ 公衆衛生学
健康支援と社会保障制度❸ 社会福祉
健康支援と社会保障制度❹ 関係法規

専門分野

基礎看護学❶ 看護学概論
基礎看護学❷ 基礎看護技術Ⅰ
基礎看護学❸ 基礎看護技術Ⅱ
基礎看護学❹ 臨床看護総論
地域・在宅看護論 地域・在宅看護論
成人看護学❶ 成人看護学概論／成人保健
成人看護学❷ 呼吸器
成人看護学❸ 循環器
成人看護学❹ 血液・造血器
成人看護学❺ 消化器
成人看護学❻ 脳・神経
成人看護学❼ 腎・泌尿器
成人看護学❽ 内分泌／栄養・代謝
成人看護学❾ 感染症／アレルギー・免疫／膠原病
成人看護学❿ 女性生殖器
成人看護学⓫ 運動器
成人看護学⓬ 皮膚／眼
成人看護学⓭ 耳鼻咽喉／歯・口腔
経過別成人看護学❶ 急性期看護：クリティカルケア
経過別成人看護学❷ 周術期看護
経過別成人看護学❸ 慢性期看護
経過別成人看護学❹ 終末期看護：エンド・オブ・ライフ・ケア
老年看護学❶ 老年看護学概論／老年保健
老年看護学❷ 健康障害をもつ高齢者の看護
小児看護学❶ 小児看護学概論／小児保健
小児看護学❷ 健康障害をもつ小児の看護
母性看護学❶ 母性看護学概論／ウィメンズヘルスと看護
母性看護学❷ マタニティサイクルにおける母子の健康と看護
精神看護学❶ 精神看護学概論／精神保健
精神看護学❷ 精神障害をもつ人の看護
看護の統合と実践❶ 看護実践マネジメント／医療安全
看護の統合と実践❷ 災害看護学
看護の統合と実践❸ 国際看護学

別巻

臨床外科看護学Ⅰ
臨床外科看護学Ⅱ
放射線診療と看護
臨床検査
生と死の看護論
リハビリテーション看護
病態と診療の基礎
治療法概説
看護管理／看護研究／看護制度
看護技術の患者への適用
ヘルスプロモーション
現代医療論
機能障害からみた成人看護学❶ 呼吸機能障害／循環機能障害
機能障害からみた成人看護学❷ 消化・吸収機能障害／栄養代謝機能障害
機能障害からみた成人看護学❸ 内部環境調節機能障害／身体防御機能障害
機能障害からみた成人看護学❹ 脳・神経機能障害／感覚機能障害
機能障害からみた成人看護学❺ 運動機能障害／性・生殖機能障害

基礎分野

基礎科目 物理学
基礎科目 生物学
基礎科目 社会学
基礎科目 心理学
基礎科目 教育学